KRÓTKA HISTORIA SIEDMIU ZABÓJSTW

MARLON JAMES

KRÓTKA HISTORIA SIEDMIU ZABÓJSTW

PRZEŁOŻYŁ
Robert Sudół

Wydawnictwo Literackie

Tytuł oryginału
A Brief History of Seven Killings

Copyright © 2014 by Marlon James
All rights reserved
© Copyright for the Polish translation by Robert Sudół
© Copyright for the Polish edition by Wydawnictwo Literackie, 2016

Wydanie pierwsze

ISBN 978-83-08-06221-0

Dla Maurice'a Jamesa,
dżentelmena jedynego w swoim rodzaju.

POSTACIE

KINGSTON OD 1959

Sir Arthur George Jennings — zmarły polityk
Śpiewak — światowej sławy artysta reggae
Peter Nasser — polityk, strateg
Nina Burgess — była recepcjonistka, obecnie
    bezrobotna
Kim-Marie Burgess — siostra Niny Burgess
Ras Trent — kochanek Kim-Marie Burgess
Doktor Love/Luis Hernán Rodrigo de las Casas —
    konsultant CIA
Barry Diflorio — szef placówki CIA na Jamajce
Claire Diflorio — żona Barry'ego Difloria
William Adler — były funkcjonariusz CIA, obecnie
    wolny strzelec
Alex Pierce — dziennikarz „Rolling Stone"
Mark Lansing — filmowiec, syn Richarda Lansinga
Louis Johnson — agent terenowy CIA
Pan Clark — agent terenowy CIA
Bill Bilson — dziennikarz jamajskiej gazety
    „The Gleaner"
Sally Q — informatorka
Tony McFerson — polityk
Watson — policjant
Nevis — policjant
Grant — policjant

KOPENHAGA

Papa-Lo/Raymond Clarke — don Kopenhagi
    w latach 1960–1979
Josey Wales — główny egzekutor, don Kopenhagi
    w latach 1979–1991, szef Storm Posse
Beksa — egzekutor, szef Storm Posse na Manhattanie/
    Brooklynie
Demus — członek gangu
Heckle — członek gangu
Bam-Bam — członek gangu
Funky Chicken — członek gangu
Renton — członek gangu
Leggo Beast — członek gangu
Tony Pavarotti — egzekutor, snajper
Kapłan — kurier, informator
Junior Soul — informator/domniemana wtyczka Ośmiu Ulic
Wang Gang — gang z siedzibą w Wang Sang Lands,
    powiązany z Kopenhagą
Copper — egzekutor
Kitajec — przywódca gangu w pobliżu Kopenhagi
Treetop — członek gangu
Bullman — egzekutor

OSIEM ULIC

Shotta Sherrif/Roland Palmer — don Ośmiu Ulic
    w latach 1975–1980
Funnyboy — egzekutor i zastępca Rolanda Palmera
Buntin-Banton — współprzywódca i don Ośmiu Ulic
    w latach 1972–1975
Ściera — współprzywódca i don Ośmiu Ulic
    w latach 1972–1975

POZA JAMAJKĄ 1976-1979

Donald Casserley — handlarz narkotykami, prezes Jamajskiej
  Ligi Wolności
Richard Lansing — dyrektor CIA w latach 1973–1976
Lindon Wolfsbricker — amerykański ambasador w Jugosławii
Admirał Warren Tunney — dyrektor CIA w latach 1977–1981
Roger Theroux — agent terenowy CIA
Miles Copeland — szef placówki CIA w Kairze
Edgar Anatoliewicz Szeporow — dziennikarz agencji Nowosti
Freddy Lugo — agent, Alfa 66, Połączone Organizacje
  Rewolucyjne, AMBLOOD
Hernán Ricardo Lozano — agent, Alfa 66, Połączone
  Organizacje Rewolucyjne, AMBLOOD
Orlando Bosch — agent, Omega 7, Połączone Organizacje
  Rewolucyjne, AMBLOOD
Gael i Freddy — agenci, Omega 7, Połączone Organizacje
  Rewolucyjne, AMBLOOD
Sal Resnick — dziennikarz „New York Timesa"

MONTEGO BAY 1979

Kim Clarke — bezrobotna
Charles/Chuck — inżynier Alcorp Bauxite

MIAMI I NOWY JORK 1985-1991

Storm Posse — jamajski syndykat narkotykowy
Ranking Dons — konkurencyjny jamajski syndykat
  narkotykowy
Eubie — szef Storm Posse na Queens/Bronxie
A-Plus — wspólnik Tristana Phillipsa

Kitka — egzekutor Storm Posse na Queens/Bronxie
Ren-Dog — egzekutor Storm Posse na Queens/Bronxie
Omar — egzekutor Storm Posse na Manhattanie/Brooklynie
Romeo — handlarz narkotykami w Storm Posse na Brooklynie
Tristan Phillips — więzień w zakładzie karnym na wyspie
    Rikers, członek Ranking Dons
John-John K. — zamachowiec, złodziej samochodów
Paco — złodziej samochodów
Griselda Blanco — przedstawicielka kartelu narkotykowego
    z Medellín
Baxter — egzekutor na usługach Griseldy Blanco
Hawajskie Koszule — egzekutorzy na usługach Griseldy Blanco
Kenneth Colthirst — mieszkaniec Nowego Jorku
Gaston Colthirst — syn Kennetha Colthirsta
Gail Colthirst — synowa Kennetha Colthirsta
Dorcas Palmer — opiekunka
Millicent Segree — pielęgniarka
Pani Betsy — kierowniczka God Bless Employment Agency
Monifah Thibodeaux — narkomanka

Powiem o tym prawdę,
Skarbie, a to najtrudniejsze.

Bonnie Raitt, *Poplątane i mroczne*

Jak się całkiem nie da,
to nie całkiem da się.

Jamajskie porzekadło

SIR ARTHUR GEORGE JENNINGS

osłuchajcie.

Umarli nigdy nie przestają gadać. Może dlatego, że śmierć to nie śmierć, tylko raczej coś w rodzaju siedzenia w kozie. Wiemy, skąd przyszliśmy, i ciągle stamtąd wracamy. Wiemy, dokąd idziemy, chociaż nigdy nie docieramy do celu, po prostu jesteśmy martwi. Martwi. Brzmi to jak wyrok; to nie jest czasownik. Spotykamy ludzi nieżyjących dłużej niż my, snują się bez przerwy, ale zmierzają donikąd, słyszymy, jak wyją i syczą, bo wszyscy jesteśmy duchami, bo wszyscy uważamy się za duchy, ale rzecz w tym, że nie żyjemy. Że jesteśmy duchami, które wślizgują się w inne duchy. Czasem kobieta wślizgnie się w mężczyznę i zawodzi, jakby na wspomnienie stosunku. Jęczą i lamentują głośno, lecz brzmi to jak szelest zza okna albo szmer pod łóżkiem, i wtedy małe dzieci myślą, że kryje się tam potwór. Umarli uwielbiają leżeć pod żywymi z trzech powodów: 1) najczęściej i tak leżymy, 2) łóżko od spodu wygląda jak wieko trumny, 3) wyżej jest ciało, ludzkie ciało, w które możemy się wślizgnąć i przybrać na wadze, słuchamy wtedy bicia serca i patrzymy na pompowaną krew, słyszymy szmer w nosie, gdy płuca tłoczą powietrze, i zazdrościmy nawet najbardziej ulotnego tchnienia. Trumien w ogóle nie pamiętam.

Umarli nigdy nie przestają gadać i żywi czasem ich słyszą. To chciałem powiedzieć. Gdy człowiek nie żyje, mowa jest manewrem, lawirowaniem, pozostaje więc się włóczyć, wałęsać przez chwilę. Tak przynajmniej robią inni. Zmierzam do tego, że martwi uczą się od martwych, ale to śliska sprawa. Mógłbym słuchać samego siebie, jak tłumaczę każdemu, kto mnie słyszy, że nie spadłem z balkonu w hotelu Sunset Beach w Montego Bay, tylko zostałem zepchnięty. I nie mogę kazać Artiemu Jenningsowi zamknąć japy, bo gdy budzę się co rano, muszę od nowa poskładać swoją głowę rozkwaszoną jak arbuz. I nawet w tej chwili, gdy mówię, słyszę, jak to wtedy brzmiało, kumacie, wy kukunamunie?, co znaczy, że życie pozagrobowe nie jest happeningiem, nie jest odjazdową bibką, stary, widzisz tych luzaków na materacu? Nigdy by nie skumali, nie pozostaje więc nic innego, jak czekać na człowieka, który mnie zabił, kłopot w tym, że on nie chce umrzeć, tylko się starzeje i zmienia żony na młodsze i płodzi całe czeredki mało rozgarniętych chłopaczków i doprowadza kraj do ruiny.

Umarli nigdy nie przestają gadać i żywi czasem ich słyszą. Zdarza się, że go porządnie dopadnę, i wtedy udziela mi odpowiedzi, oczy mu się poruszają we śnie, mówi, dopóki żona go nie szturchnie. Ale ja wolę słuchać tych, którzy nie żyją dłużej ode mnie. Widzę mężczyzn w rozprutych bryczesach i zakrwawionych kurtkach, próbują coś mówić, lecz z ich ust wydobywa się tylko krew, rany boskie, to powstanie niewolników było makabrą, a z królowej to oczywiście mamy cholernie wielki pożytek, odkąd Kompania Zachodnioindyjska spsiała w porównaniu ze Wschodnioindyjską, i dlaczego aż tylu Murzynów potrafi spać czujnym snem, kiedy tylko chcą, i żeby jeszcze bardziej skomplikować sprawy, to zdaje się, że zapodziałem gdzieś lewą połowę twarzy. Nie żyć to rozumieć, że śmierć nie oznacza odejścia, tylko przebywanie na polach umarłych. Czas biegnie dalej. Widzimy, jak płynie, ale sami pozostajemy w bezruchu, niczym obraz z uśmiechem Mony Lisy. W przestrzeni między gardłem poderżniętym przed trzystu laty a zgonem noworodka, który przyszedł na świat dwie minuty temu, śmierć jest taka sama.

Jeśli nie będziecie czujni, kiedy śpicie, zobaczycie siebie tak samo, jak widzieli was żywi. Ja leżę na chodniku, głowę mam rozkwaszoną jak arbuz, prawa noga wykręcona za plecy, obie ręce wygięte tak, jak ręce się nie wyginają, a z góry, z balkonu, przypominam martwego pająka. Jestem tam w górze i tu na dole i stamtąd widzę siebie tak, jak widział mnie mój zabójca. Umarli odtwarzają ruch, działanie, krzyk, znowu tam są, pociąg jedzie i jedzie, dopóki się nie wykolei, parapet na szesnastym piętrze, bagażnik samochodowy, w którym zabrakło powietrza. Ciała rudeboyów pękające jak przekłute balony, pięćdziesiąt sześć kul. Nikt tak nie spada, jeśli nie został zepchnięty. Wiem to. I wiem, co się wtedy czuje i jak to wygląda, człowiek przez całą drogę na dół boksuje się z powietrzem, chwyta się źdźbeł niczego, błaga, tylko ten jeden raz, ten cholerny raz, Jezusie, ty mimozowaty synu parszywej kurwy, tylko ten raz spraw, żeby można się było czegoś złapać. I lądujesz w rowie głębokim na półtora metra albo na marmurowej posadzce pięć metrów niżej, ciągle stawiasz opór, gdy podłoga się unosi i wali w ciebie z impetem, bo już się jej znudziło czekanie na krew. I nadal jesteśmy martwi, ale się budzimy, ja zgruchotanym na miazgę pająkiem, on spalonym karaluchem. Żadnych trumien nie pamiętam.

Posłuchajcie.

Żywi czekają i patrzą, bo oszukują samych siebie, że mają czas. Umarli patrzą i czekają. Pewnego razu spytałem nauczycielkę ze szkółki niedzielnej: skoro niebo jest krainą życia wiecznego, a piekło jego przeciwieństwem, to czym w takim razie jest piekło? Miejscem dla takich paskudnych brązowych urwisów jak ty, odparła. Ona wciąż żyje. Widuję ją w domu opieki Eventide, bardzo starą i otępiałą, nie pamięta już, jak się nazywa, mówi takim cichym charkotliwym szeptem, którego nikt nie słyszy, mówi, że boi się zmierzchu, bo wtedy szczury wychodzą i polują na jej stopy. Widzę więcej. Wystarczy spojrzeć uważniej, może odrobinę w lewo, i zobaczy się kraj taki sam jak wtedy, gdy go zostawiłem. Nic się nie zmienia, a będąc blisko ludzi, przekonuję się, że są tacy sami jak wtedy, gdy odszedłem, upływ czasu nie ma znaczenia.

Człowiek, który był ojcem narodu i który dla mnie był ojcem w większym stopniu niż mój ojciec, rozpłakał się jak owdowiała kobieta, gdy usłyszał o mojej śmierci. O tym, jak bardzo marzenia innych wiążą się z nami, dowiadujemy się dopiero wtedy, gdy odchodzimy, i nic już nie można poradzić, pozostaje tylko patrzeć, że oni konają inaczej, stopniowo, kończyna za kończyną, narząd za narządem. Zawał serca, cukrzyca, powoli postępujące choroby o powoli wymawianych nazwach. W ten sposób zniecierpliwione ciało garnie się do śmierci, krok po kroku. On dożyje czasów, kiedy zrobią z niego bohatera narodowego, a umierając, jako jedyny pomyśli, że nie sprostał zadaniu. Tak to jest, gdy się swoje nadzieje i marzenia utożsamia z jedną osobą. Wtedy ktoś taki zostaje zredukowany do rangi symbolu.

To historia kilku zabójstw, zabójstw chłopaków, którzy nic nie znaczyli w tym wciąż wirującym świecie, ale każdy z nich, mijając mnie, wydziela smrodliwie słodką woń człowieka, który mnie uśmiercił.

Pierwszy wrzeszczy tak, że byłoby mu widać migdałki, gdyby go nie zakneblowali, więc krzyk więźnie u wrót ust, a szmata ma smak rzygowin i kamienia. Ktoś skrępował mu mocno ręce za plecami, ale chłopak czuje, jakby miał swobodę ruchów, bo skórę sobie starł do żywego mięsa i sznury zrobiły się śliskie od krwi. Wierzga nogami, obiema naraz, bo są związane, aż kurz się wzbija na półtora metra, potem na dwa, ale nie może wstać, spada deszcz ziemi i pył, pył, z prochu w proch, i kamienie. Jeden kamyk wali go w nos, drugi trafia w oko, gałka pęka, a on krzyczy, ale krzyk dociera tylko do ust, a potem wraca w głąb, coś jak refluks, i ziemia jest wzbierającą, wzbierającą powodzią i już nie widzi swoich stóp. Potem obudzi się martwy i nie będzie chciał mi powiedzieć, jak się nazywa.

ORIGINAL
ROCKERS
2 GRUDNIA 1976

BAM-BAM

Miałem czternaście lat, tyle wiem. Wiem też, że za dużo ludzi za dużo gada, zwłaszcza Amerykanin, jadaczka mu sie nie zamyka, tylko co raz wybuha śmiechem, jak mówi o nas, i to brzmi dziwnie, bo łączy nasze nazwiska z ludźmi, o których śmy nigdy nie słyszeli, jakiś Allende Lumumba, co brzmi jak nazwa kraju, z którego sie wziął ten Kunta Kinte. Amerykanin prawie cały czas chowa gały za ciemnymi okularami, jak jakiś kaznodzieja z Ameryki, co przyjechał nauczać czarnych. On i Kubańczyk czasem przychodzą razem, a jak jeden mówi, drugi siedzi cicho. Kubańczyk sie nie pierdoli z bronią, bo broń zawsze koniecznie konieczna, tak mówi.

Wiem, że spałem na poluwce, wiem, że matka była kurwa, a ojciec był ostatni dobry człowiek w gecie. I wiem, że obserwujemy ten twuj duży dom przy Hope Road całe dnie i jednego razu to nawet wyszedłeś, żeby z nami porozmawiać jak Jezus, a my jak Iskariota, i kiwałeś głową, jakbyś mówił, żebyśmy zrobili, co mamy do zrobienia. Ale nie pamiętam, czy sam cie widziałem, czy ktoś mi mówił, że cie widział, aż pomyślałem, że sam cie widziałem, ty zeszłeś z werandy od tyłu, jadłeś kawałek chlebowca, ona wylazła jak spot ziemi, jakby miała sprawę do załatwienia na ulicy o tej porze i taka zeszokowana, zeszokowana była, że nie masz na sobie ubrania, aż wyciągnęła rękę po chlebowca, chciała zjeść, choć rasta nie lubią, jak kobieta za chętna, i zaczynacie nocne figle, a ja sie łapie za siebie i też figluje, bo albo to widziałem, albo słyszałem, a potem ty piszesz o tym piosenke. Już czwarty dzień będzie, jak o ósmej rano i czwartej po południu chłopak z Betonowej Dżungli przyjeżdża na tym samym dziewczyńskim zielonym skuterze po szarą koperte, aż wreszcie nowi ochroniarze go przepędzają. O tej sprawie też wiemy.

W Ośmiu Ulicach i Kopenhadze można tylko patrzeć. Słodki głos w radiu mówi, że przestępczość i agresja panoszą sie w kraju, a jeśli ma nastąpić jakakolwiek zmiana, to trzeba będzie poczekać i patrzeć, ale nam tutaj w Ośmiu Ulicach zostaje tylko patrzeć i czekać. I widze ścieki z kibla płynące ulicą, i czekam. I widze matke przyjmującą dwuh facetuw za dwadzieścia dolarów od głowy i jeszcze jednego za dwadzieścia pięć, bo chce zostać zamiast sie spulić, więc czekam. I widze, jak ojciec tak miał już jej dosyć, że zbił ją jak kundla. I widze cynk rdzewiejący na brązowo na dachu, a potem deszcz wybija w nim dziure jak w zagranicznym serze i widze siedem osób w jednym pokoju, jedna w ciąży, ale ludzie i tak sie ruhają, bo ludzie są tacy biedni, że nie stać ich nawet na wstyd, no i czekam.

Mały pokój robi sie coraz mniejszy i mniejszy, więcej bracisiótrkuzynów przyjeżdża ze wsi, miasto coraz większe i większe, nie ma miejsca, żeby odwalić rub-a-dub, skręcić jakieś gówno, zrobić kurczaka w curry, a nawet jak jest, to kosztuje za dużo, a ta mała oberwała kosą, bo wiedzieli, że co wtorek dostaje pieniądze na lunch, chłopaki jak ja coraz starsze, do szkoły rzadko hodzą, nie znają czytanek, ale znają Coca-Cole, chcą wejść do studia i nagrać dobry numer, robić hity i riddim riddim, pożegnać sie z getem, ale Kopenhaga i Osiem Ulic są za duże i za każdym razem jak sie dowleczesz do granicy, to granica sie przesuwa do przodu jak cień, aż cały świat jest getem, i tylko czekasz.

Widze, że jesteś głodny i wyczekujesz, wiem, że to fart, sie wałęsasz po studiu, Desmond Dekker mówi facetowi, żeby ci odpuścił, no to ci odpuszcza, bo słyszy głód w twoim głosie nawet jak jeszcze nie słyszał, jak śpiewasz. Robisz piosenke, ale to nie jest hit, za ładna na geto, bo już mineły czasy, kiedy coś ładne ułatwiało ludziom życie. Widzimy, że kombinujesz, że sie sadzisz z gadką, i czekamy, żebyś sie potknoł. I wiemy, że nikt by nie chciał ciebie mieć za rudeboya, bo wyglądasz na kombinatora.

A jak przepadasz w Delaware, a potem wracasz, to prubujesz śpiewać ska, ale ska już wyszło z geta, zamieszkało na aptaunie. Ska lata samolotami zagranice, żeby pokazać sie białym jako drugi twist. Może z tego są dumni Syryjczycy i Libańczycy, ale jak ich widzimy w gazecie pozujących ze stewardesą, to my nie czujemy dumy, tylko tempy szok. Robisz następny numer, ten raz to hit. Ale jeden hit nie wyciągnie cie z geta, skoro nagrywasz hity dla wampira. Jeden hit nie zrobi z ciebie Skeeter Davis ani tego faceta, co śpiewał *Gunfighter Ballads*. Jak matka wypluje takiego gluta jak ja na świat, to od razu kładzie lache. Kaznodzieja mówi, że w życiu każdego człowieka jest pustka, co ją zapełni bóg, ale ludzie z geta pustke mogą zapełnić tylko pustką. Siedemdziesiąty drugi to nie sześćdziesiąty drugi, ale ludzie ciągle szepczą, bo krzyczeć nie mogą, a jak zginął nagle Artie Jennings, to marzenia zabrał ze sobą do grobu. Marzenia o czym, to ja nie wiem. Ludzie są głupi. Marzenia nie odeszły, ludzie tylko siedzą w środku koszmaru i nawet sie nie umieją połapać. Więcej ludzi sprowadza sie do geta, bo Delroy Wilson śpiewa, że muszą nadejść lepsze dni, a facet, który zostanie premierem, też to śpiewa. Muszą nadejść lepsze dni. Męszczyzna, co wygląda jak biały, ale potrafi gadać jak czarnuh jak potrzeba, śpiewa, że nadejdą lepsze dni. Kobieta, co sie ubiera jak królowa i co geto zaczyna ją obhodzić dopiero, jak wezbra i sie przeleje na Kingston, śpiewa, że muszą nadejść lepsze dni.

Ale najpierw nadhodzą gorsze.

Patrzymy i czekamy. Dwaj ludzie przynoszą broń do geta. Jeden mi pokazuje, jak jej używać. Ale ludzie z geta zabijali sie dużo wcześniej. Wszystkim, co tylko udało sie znaleźć: kijem, maczetą, nożem, szpikulcem do lodu, butelką sodowej. Zabijali dla jedzenia. Zabijali dla pieniędzy. Czasem człowiek ginie, bo spojrzał na drugiego tak, że tamtemu sie nie spodobało. Do zabijania nie potrzeba powodów. To geto. Powody są dla bogaczy. My mamy obłęd.

Obłęd to jak sie idzie elegancką ulicą na dauntaunie i widzi kobiete ubraną w modne ciuhy i chce sie podbiec do niej i wyrwać jej torebke, a sie wie, że to nie torebki ani pieniędzy sie chce aż tak bardzo, tylko sie chce usłyszeć ten jej krzyk, jak widzi, że wyskakujemy przed tą jej śliczną buzią i jednym uderzeniem możemy zetrzeć to szczęście z gemby, jednym ciosem wybić to zadowolenie z oczu, zakatować ją na miejscu, zgwałcić najpierw albo potem, bo właśnie takie rzeczy tacy rudeboye jak my lubimy robić przyzwoitym kobietom takim jak ona.

Obłęd, który każe ci iść za facetem w garniturze na King Street, gdzie biedni nigdy sie nie pokazują, patrzeć, jak wyrzuca kanapke, kurczak, czuć kurczaka, i zastanawiać sie, jakim cudem ludzie są tacy bogaci, że kurczaka wkładają między takie cienkie kromki i mijasz kosz i widzisz tą kanapke, ciągle w celofanie, ciągle świeża, nie szara jak reszta śmieci, nawet much jeszcze nie ma, i myślisz, że może by, myślisz, że tak, myślisz, że musisz, że trzeba sie przekonać, jak smakuje kurczak bez kości. Ale mówisz sobie, że przecież nie jesteś świr, że obłęd, co w sobie nosisz, to nie jest szaleństwo wariatów, ale szaleństwo gniewu, bo ten człowiek wyrzucił kanapke na pokaz. I obiecujesz sobie, że pewnego dnia rudeboy ruszy z nożem na miasto, że dorwiesz go i mu wytniesz bjede na klacie.

Ale on wie, że taki chłopak jak ja nie może długo łazić po dauntaunie, bo go zaraz dorwie Babilon. Wystarczy, że policja zobaczy, że nie mam butuw, i zaraz będzie: co tu robisz piździelcu czarnuhu parszywy, co sie tak kręcisz w pobliżu porządnych ludzi? I daje do wyboru: uciekać i będzie mie gonić po tych zaułkach, co biegną przez miasto, żeby mie zastrzelić po kryjomu. Pełno kul w magazynku, jedna na pewno trafi. Albo sie nie ruszać i dostać wpierdol na oczach porządnych obywateli, wywija pałą, wybija mi boczne zęby, wali w skroń, że już tym uchem nigdy nie będe dobrze słyszał, mówiąc, żeby to była nauczka, żebyś już nigdy więcej nie ściągał na dauntaun śmierdzącego geta w swojej osobie. Widze ich i czekam.

Ale potem wracasz, chociaż nikt nie widział, jak wyjechałeś. Kobiety chcą wiedzieć, czemu wróciłeś, skoro w Ameryce zawsze możesz mieć dobre rzeczy, jak ryż Uncle Ben's. Ciekawi nas, czy tam pojechałeś, żeby śpiewać hity. Niektórzy z nas patrzą, jak sie ruszasz po gecie jak mała ryba w dużej rzece. Teraz to ja wiem, w co grasz, wtedy nie wiedziałem, że sie skumałeś z tutejszymi cynglami, z Rasta, co mają głos, z tym bandytą, z tamtym rude-boyem, nawet z moim ojcem, żeby wszyscy cie poznali i polubili, ale nie aż tak bardzo, żeby cie chcieć zwerbować. Śpiewasz o czym sie da, o czymkolwiek, żeby mieć hita, nawet o tym, co tylko ty wiesz, bo nikogo innego to nie obhodzi. *And I Love Her*, bo Prince Buster robi cover *You Won't See Me* i ma hita. Używasz wszystkiego, co masz, nawet nie swojej melodii, śpiewasz do bulu, długo, śpiewem wyrywasz sie z geta. W siedemdziesiątym pierwszym już jesteś w TV. A ja w tym samym roku strzelam swój pierwszy strzał.

Miałem dziesięć lat.

Życie w gecie znaczy tyle co nic. Zabić chłopaka to jak pierdnąć. Pamiętam ten ostatni raz, jak ojciec próbował mie ratować. Przybiegł z fabryki do domu. Pamiętam, bo mu głową sięgałem do piersi, jak staliśmy razem, a dyszał jak pies. Przez reszte wieczora w domu my dwaj na kolanach i rękach, mówi, że to taka zabawa, za głośno i za szybko mówi. Kto pierwszy nie wytrzyma i wstanie, przegrywa. To ja wstaje, bo duży już jestem, dziesięć lat, znudziła mi sie ta zabawa, ale on wrzeszczy, łapie mie, wali w klatke piersiową. Ja dyham i hryham, ciężko sie oddyha, aż płakać sie chce, aż go normalnie nie nawidze, i wtedy wlatuje pierwsza jakby kto rzucił żwirem, odbija sie od ściany. Potem druga i tszecia. A potem to już walą w ścianę pap-pap-pap-pap-pap-pap, tylko ostatnia trafia z hukiem w garnek, potem sześć siedem, dziesięć dwadzieścia wali w ściane, takie normalnie czakczakczakczakczakczakczak. Ojciec mie łapie, chce mi zatkać uszy, ale tak mocno, że nie wie, że mie w oko dźgnoł. Słysze kule, słyszę pap-pap-pap-pap-pap-pap i szszszsz bum i podłoga sie trzęsie normalnie. Kobieta wrzeszczy, męszczyzna wrzeszczy, chłopiec wrzeszczy, ale tak jak wtedy, jak życie nagle przecięte, słychać krzyk, co sie gubi w harkocie krwi walącej z zatkanego gardła do ust. On mie trzyma przy podłodze, knebluje mi krzyk, ja chce go ugryźć w rękę, gryze w rękę, bo mi zatyka nos, tato, weź, bo mie udusisz na śmierć, a on sie trzensie, a ja myśle, że może to śmierć nim tak trzensie, i podłoga się znowu trzensie, i wszendzie nogi, nogi, ludzie biegają obok, obok biegają, śmieją sie, wrzeszczą, krzyczą, że ci z Ośmiu Ulic wszyscy będą załatwieni. Tato mie dociska do podłogi, zasłania sobą, ale taki jest ciężki i nos mie boli, tato cuchnie silnikiem z auta, wbija mi kolano w plecy czy co, podłoga ma kwaśny smak, wiem, że to czerwona pasta do podłogi, i chce, żeby ze mie wstał i nie nawidze go i wszystko słychać jak przez pończoche. W końcu wstaje ze mie, ludzie na dworzu wrzeszczą, ale nie ma już papapapapapap ani szszsz bum, ojciec tylko płacze, a ja go nie nawidze.

Dwa dni potem matka przyhodzi cała roześmiana, bo wie, że jej nowa sukienka to jedyna ładna rzecz w całym tym piździelskim gecie, on ją widzi, bo nie poszedł do pracy, no bo sie ludzie bali hodzić po ulicach, no to ją od razu dopadł, złapał, kurewska dziwko jedna, normalnie jedzie od ciebie kiślem z siura. Złapał za włosy i pięścią walnął w brzuh, a ona wrzeszczy, że z niego nie jest facet, bo nawet muhy nie wydymał, a on, że aha dymania ci sie zachciewa, tak? Już ja ci znajde dobrego siura, mówi, i ciongnie ją za włosy do pokoju, a ja patrze spod prześcieradła, bo mie shował, jakby źli ludzie znowu przyszli w nocy, i łapie za miotłe, i okłada ją całą, od głowy po stopy, z przodu i z tyłu, a ona wrzeszczy, choć już nie może, tylko skamla i jęczy, a on, że chcesz dużego siura, dam ci ja dużego siura, ty kurewska pizdo dziwkarska, i bierze znowu miotłe i kopniakiem jej nogi rozsuwa. Na kopniakach wywala ją z domu, ciuhy jej wyrzuca za nią, a ja myśle, że pewnie ostatni raz matke widze, ale przyszła na drugi dzień, w bandażach jak mumja w tym filmie, co go w Rialto pokazują za trzydzieści centów, a z nią trzej faceci.

No i ci trzej złapali ojca, ale walczył, walczył jak męszczyzna, nawet pięściami ich walił jak John Wayne w jednym westernie, tak jak powinien walczyć prawdziwy męszczyzna. Ale on był jeden, a ich trzech, zaraz potem czterech. A ten czwarty to przyszedł, jak już ojca pobili na zgniecionego pomidora, i mówi mu, że jest

Funnyboy, pierwszy po donie, i czy wie, kim on sam jest, no kim jest? Wiesz, kim jesteś? Pytam, kim jesteś, docipniku, a matka sie śmieje, ale to bardziej jak świst, a Funnyboy mówi, że jak pracujesz w fabryce, to myślisz, żeś taki ostry? To ja ci załatwiłem robote w fabryce i ja ci moge ją zabrać, pizdocipie jeden. Wiesz, kim jesteś, pizdocipie? Kablem jesteś. I każe wszystkim wyjść.

I pyta, czy wie, czemu wołają go Funnyboy. Bo ze mną nie ma żartów, mówi. Ze mną nie jest funny.

Nawet po ciemku Funnyboy jest jaśniejszy niż prawie wszyscy, skóra u niego taka czerwona, jakby zaraz pod spodem miał krew albo tak jak ci biali, jak sterczą za długo na słońcu, a oczy szare jak u kota. I Funnyboy mówi mojemu ojcu, że wykituje tu na miejscu, tutej na miejscu, chyba że mu zrobi dobrze, to wtedy może żyć jak ta Elza z tego filmu o lwach, ale musi spadać z geta. I mówi, że innego sposobu nie ma, i mówi jeszcze inne rzeczy, i rozporek rozpina, i wyjmuje, i pyta ojca, czy chce żyć. Chcesz żyć? Ojciec chce żyć, ojciec pluje, to Funnyboy przystawia mu broń do ucha. I mówi ojcu o wsi, gdzie może jechać, możesz zabrać tego nygusa ze sobą, a jak tak mówi, to sie trzense normalnie, ale nikt nie widzi mie pod przykryciem. Chcesz żyć?, pyta. Ciągle tak pyta, raz, drugi, trzeci, jak upierdliwa mała dziewczynka, i pociera ojcu wargi pistoletem, ojciec otwiera usta i Funnyboy mówi, jak mie ugryziesz w główke, to ci przestrzele szyje, żebyś słyszał, jak zdyhasz, no i mu go wkłada do ust, Funnyboy, i mówi, ej, ssasz jak zdehła ryba, to przynajmniej wylisz. I jęczy, jęczy i jęczy, ruhając ojca w usta, potem go wyciąga, przytrzymuje ojcu głowe i strzela. Pap. Nie taki paf jak w filmach kowbojskich, nie jak strzela Harry Callahan, tylko jedno ostre pap, od którego pokój sie trzensie. Krew tryska na ściane. Mój wrzask i strzał w tym samym czasie, więc nikt mie nie słyszy pod tym kocem.

Matka przybiega i sie śmieje, kopie ojca, Funnyboy podhodzi do niej i strzela jej w twarz. Ona leci prosto na mie, więc jak on mówi, żeby znaleźli małolata, to szukają wszędzie, ale nie pod matką. Wyobrażacie sobie, Funnyboy mówi, że ten mały cwel mówił, że mi obciągnie jak zawodowy lachociąg, zrobi mi dobrze, żebym tylko dał mu żyć? I mie zboczek łapie za dyszla. Wyobrażacie sobie, pyta tych męszczyzn, co mie szukają, ale matka na mie leży, palce ma przy mojej twarzy, ja jak w klatce, patrze przez jej palce, nie płacze, a Funnyboy nadaje, jak to mój ojciec był ciota, nie inaczej, skoro jego kobieta tak sie kurwiła, bo inaczej nikt by sie nie zajął jej cipą, a potem im mówi, żeby o tym wszystkim nie mówili Shotta Sherrifowi.

W domu cicho. Spycham matke z siebie, zadowolony, że sie ciemno zrobiło, ale nie moge wyjść, bo by mie złapali, to patrze i czekam. Jak tak czekam, ojciec leży na podłodze przy drzwiach, wstaje, podhodzi i mówi, że angielski to najlepszy przedmiot w szkole, bo nawet jak sie chce dostać robote hudraulika, to nikt ci jej nie da, jak źle sie wyrażasz, a dobrze mówić to ważniejsze przed wszystkim, nawet przed konkretnym fachem. I że męszczyzna sie musi nauczyć gotowania, chociaż to do kobiety należy, i mówi, mówi, mówi, tak dużo mówi, tak jak zawsze, a czasem to mówi tak głośno, że myśle, że chce, żeby sąsiedzi słyszeli i też sie uczyli od niego, ale teraz znowu leży bez ruchu na podłodze i mówi mi, żebym uciekał, bo wrócą, żeby mu clarksy zdjąć z nóg i wziąć z domu wszystko, co sie nada, bo rozpirzą cały dom, bo będą szukać pieniędzy, chociaż przecież wszystkie trzyma w banku. On przy drzwiach. Ja ściągam mu clarksy, ale widze głowe i rzygam.

Buty za duże, człap-człapie pod ściane, na dworze tylko stare tory i krzaki, i sie potykam o tą moją kurwe matke, aż podskakuje, jakby żyła, ale nie żyje. Włąże na okno i hops. Clarksy za duże, żeby biec, to je zdejmuje i biegne po krzakach i rozbitych butelkach, świeże gówno i stare gówno, ogień jeszcze nieugaszony i starymi torami ide z Ośmiu Ulic, uciekam, uciekam, howam sie w kolczastych krzakach, aż niebo robi sie pomarańczowe, potem różowe, potem szare i wreszcie słońce gaśnie i księżyc wyhodzi wielki. Widze trzy ciężaruwki przejeżdżające na pusto, tylko z kierowcą, i biegne dalej, aż do Wysypisk, tam tylko śmieci i złom, gówno ciągnące sie milami. Tam tylko to, co ludzie z aptaunu wyrzucają, śmiecie usypane jak góry, doliny i wydmy na pustyni, wszendzie sie pali i biegne, i zatrzymuje sie dopiero, jak widze znowu geto i droge zablokowaną przez ciężaruwke, i wciskam sie pod sput i dalej biegne, i męszczyzna krzyczy, kobieta wrzeszczy, ich dom jakiś inny, mniejszy, ciasny, biegne, a jakiś wyhodzi z karabinem maszynowym, ale kobieta krzyczy, że to przecież dziecko i do tego zakrwawione, sie o coś potykam, przewracam i zaczynam beczeć, dwaj podhodzą, jeden celuje z broni, ja zipie jak ojciec przez sen, a ten z karabinem podhodzi i wrzeszczy, pyta, skont jestem. Że śmierdze jak jeden z tych pedków z Ośmiu Ulic, a ten drugi mówi, że to nygus jeszcze, ale krew ma na sobie, a tamten pyta, ktoś cie postrzelił, gnojku? Nie moge mówić, tylko że clarksy to świetne buty, clarksy są dobre bu... a ten z karabinem pstryka karabinem i ktoś krzyczy, że docipnik Josey Wales to lubi strzelać!, a nie wszystko da sie załatwić pam-pam, no i ci dwaj odhodzą, ale zbiera sie kupa innych, kobiety też. A potem sie przestrzeń otwiera, jak Mojżesz otworzył Morze Czerwone, i wtedy on podhodzi i przystaje.

To Shotta Sherrif zabija teraz swoich? Zdrowi męszczyźni sie nie potrafią wyżywić? Pewnikiem tak wygląda kontrola urodzeń w Ośmiu Ulicach. Wszyscy sie śmieją. Mówie mama, tata, nic innego nie moge, ale on kiwa głową, rozumie. Chcesz sie mu zrewanżować?, pyta, a ja bym chciał odpowiedzieć, że za ojca tak, ale za matke to nie, ale tylko yyyyyy mówie, kiwam głową mocno, jakbym oberwał i nie mógł mówić. To niedługo, on mówi, niedługo, wola jedną kobiete, ona chce mie podnieść, ale ja cap za clarksy i męszczyzna sie śmieje. Jest wielki i ma biały siatkowy podkoszulek, co sie świeci pod latarnią, aż mu sie twarz rozjaśnia, chociaż prawie całą zasłania broda, ale nie oczy, duże takie i też sie jakby świecą, i sie tak uśmiecha, że ledwo widać, jakie ma grube wargi, dopiero jak przestaje, policzki sie zapadają, a wtedy broda sie ściąga w takie ostre V i oczy patrzą zimno. I on mówi, żeby powszechnie było wiadome, że w Kopenhadze nie mieszkają żadne getokundle, a potem patrzy na mie, jakby mówił bez słów, a ja wiem, że zobaczył coś, co mu sie przyda. Mówi, dajcie temu chłopcu wody kokosowej, a kobieta na to, tak jest, Papa-Lo.

Od tamtej pory mieszkam w Kopenhadze, patrze na Osiem Ulic i czekam na okazje. I najpierw widze w Kopenhadze męszczyzn z nożem, potem z kowbojskim rewolwerem, potem z M16, a potem z takim ciężkim karabinem, że ledwo unieść można, i mam już dwanaście lat, a przynajmniej tak myśle, bo dzień, w którym mie znaleźli, Papa-Lo ogłosił dniem moich urodzin, i dał mi broń, i dlatego nazwał Bam-Bam. I chodzę na Wysypiska z innymi chłopakami uczyć sie strzelać, ale sie wywracam od odrzutu i tamci sie śmieją, przezywają mie mała pizda, a ja odpowiadam, że tak nazywałem ich matki, jak je dymałem, to oni jeszcze więcej sie śmieją, i inny człowiek, Josey Wales, wkłada mi broń do ręki i pokazuje, jak celować. Dorastam w Kopenhadze i patrze, jak sie zmienia broń, i wiem, że ona nie jest od Papa-Lo. Tylko od dwóch takich, co sprowadzają broń do geta, i jednego, co mi pokazał, jak strzelać.

My, Syryjczyk, Amerykanin i Doktor Love przy szopie nad morzem.

BARRY DIFLORIO

Na zewnątrz wisi tylko jeden szyld, ale jest taki duży, że nawet ze środka widać żółte krzywizny liter przechylonych na dachu. Takie to wielkie, że pewnego dnia na pewno spadnie, przypuszczalnie wtedy, gdy jakiś dzieciak wbiegnie, bo go wcześniej z lekcji zwolnili. Dzieciak doskoczy do drzwi akurat wtedy, gdy wielki szyld zacznie trzeszczeć, ale on nawet tego nie usłyszy, bo mu w brzuchu będzie głośno burczeć, a jak szarpnie za klamkę, całe to cholerstwo spadnie z dachu. Kiedy duch biednego dzieciaka skuma, co go załatwiło, będzie klął jak najgorszy marynarz: King Burger, Home of the Whamperer.

Dalej przy Halfway Tree Road jest McDonald. Logo mają niebieskie, a ludzie, którzy tam pracują, przysięgają, że pan McDonald siedzi na zapleczu. Ja jednak wolę firmę King Burger, Home of the Whamperer. Tutaj nikt nie słyszał o Burger Kingu. W środku są żółte plastikowe krzesła i czerwone stoliki z włókna szklanego, a menu ma litery jak na tych tablicach na kinach, głoszących, że już wkrótce będą wyświetlać taki a taki film. O trzeciej po południu nie ma tam dużo klientów i właśnie dlatego przychodzę. W większych skupiskach zawsze robię się nerwowy; wystarczy jedna niedobra iskra i grupa przeradza się w motłoch. Zastanawiam się, czy to nic dlatego wszędzie na dworze są kraty. Na Jamajce jestem od stycznia.

Za kasjerką wisi wywieszka, że jeśli nie przygotują zamówionego burgera w ciągu piętnastu minut, to klient dostanie go gratis. Dwa dni temu po upływie szesnastu minut popukałem się w zegarek, ale powiedziała, że to dotyczy tylko cheeseburgerów. Wczoraj, gdy spóźnili się z moim cheeseburgerem, powiedziała, że to dotyczy tylko kanapek z kurczakiem. Biedaczce niedługo skończy się menu. Tu nikt nie przychodzi. Właśnie tego kurewsko nie cierpię u moich krajanów: jak tylko polecą gdzieś za granicę, to od razu chcą tam znaleźć jak najwięcej Ameryki, choćby gówniane żarcie w gównianym barze. Sally, która jest tutaj jeszcze od czasów Johnsona, nigdy nie jadła solonej ryby z aki, chociaż pewnie byłem milion pierwszą osobą, która mówiła jej, to jak jajecznica, złotko, tylko lepsze. Moje dzieci to uwielbiają. Żona z kolei chciałaby manwich, ragú albo chociażby hamburger helpera, ale jeśli macie nadzieję znaleźć coś z tego w supermarkecie, to życzę powodzenia. Życzę powodzenia, jeśli w ogóle chcecie coś znaleźć.

Jerk chicken jadłem pierwszy raz, gdy u zbiegu Constant Spring Road i jakiejś innej podbiegł do mnie facet i zanim zdążyłem wymacać urwaną rączkę i odkręcić szybę, wrzasnął, szefie, jadł pan kiedy kurczaka po jamajsku? Był wysoki i chudy, w białym podkoszulku, ogromne afro, połyskujące zęby i połyskujące mięśnie, za dużo mięśni jak na takiego młodziaka, lecz ten facet, chłopak właściwie, pachniał drzewem pimentowym, wysiadłem więc i poszedłem za nim do sklepiku, małej szopy, deski zbite z blaszanym dachem, pomalowane w niebieskie, zielone, żółte, pomarańczowe i czerwone pasy. Złapał największą kurewską maczetę, jaką w życiu widziałem, i odciął nogę kurczaka, jakby kroił kostkę masła. Podał mi ją i już chciałem ugryźć, ale zamknął oczy i pokręcił głową. Tak po prostu: stanowczo, spokojnie i nieodwołalnie. Zanim zdążyłem coś powiedzieć, wskazał wielki słój, półprzezroczysty, jakby stał tam już jakiś czas. Ej, lubię przygody, moja żona powiedziałaby, że lubię wariactwa. To był ogromniasty słój z pastą z papryki. Zanurzyłem kurczaka i wszamałem całość od razu. Znacie ten moment w *Strusiu Pędziwiatrze*, kiedy Wiluś E. Kojot połyka bombę i bomba wybucha, a z uszu i nosa wali mu dym? Albo to, jak dureń pierwszy raz jedzący sushi myśli, że połknie całą łyżeczkę wasabi? Tak się w tamtej chwili poczułem. Facet chyba dotąd nie wiedział, że biali ludzie mogą się zrobić czerwoni aż w tylu odcieniach. Oczy miałem załzawione i dostałem czkawki na dobrą minutę. Ktoś nalał mi do ust benzyny z cukrem, zapalił zapałkę i szuuu! Żeżkurwajegomaćwpizdęjebana. O mało nie wykasłałem z siebie duszy. Spytałem kasjerkę w King Burgerze, czy nie myśleli, żeby serwować jerk burgery. Że co?, zapytała. Żarcie z getta? Prychnęła, jak to robią Jamajki, zamknęła oczy, uniosła podbródek i pokazała mi plecy. Przychodzę tu prawie codziennie i zawsze jest ta sama dziewczyna. Czy mogę przyjąć zamówienie?, pyta. Cheeseburgera poproszę. Do zamówienia życzy pan sobie lemoniadę czy koktajl mleczny? Nie, dziękuję, sodową D&G Grape. Czy to będzie wszystko? Tak. Whamperer smakuje tak samo jak whomper, tylko smak ma inny. Nawet sałata zdaje sobie sprawę, że mogłaby być lepsza, bo jest namokła i gorzka w tym burgerze, a ja zamawiam to samo codziennie dla gównianej frajdy, po prostu po to, żebym mógł spytać swoje dzieci, ej, wiecie, co dzisiaj jadłem? Wasz tata jadł whamperera. Myślą, że ich ojczulek się jąka.

Słońce ma już dosyć na dzisiaj, zbliża się wieczór. Ten kraj potrzebuje porządnego disco. Jak dotąd nie zwariowałem tylko dlatego, że co trzy, pięć lat zmieniam miejsce. Tyle że normalni to w Firmie nie awansują. Inicjatorem jednych z najbardziej świrniętych akcji, jakie widziałem, był mój dawny szef, zanim ruszyło go sumienie. Jego syn jest tutaj, przyleciał amerykańskim DC301 z Nowego Jorku. Siedzi tu od trzech dni i nie ma pojęcia, że wiem o jego pobycie. Nie żebyśmy się znali ani nic. Jego tata nie był zwolennikiem programu „Przychodź do pracy z dzieckiem". To nie żadna tajemnica, że facet tu jest, ale kiedy syn byłego szefa agencji nagle zjawia się na Jamajce, to nawet ci, co siedzą w środku tego interesu, zaczynają się zastanawiać, czy czegoś nic przegapili.

Podobno jest filmowcem, czyli jednym z tych bogatych gówniarzy, których stać na kupno kamery. Przyjechał z grupą fotografów i realizatorów na ten koncert na rzecz pokoju tego muzyka od reggae. Ten muzyk ma obecnie większe wzięcie niż krojony chleb. Koncert będzie duży i chociaż siedzę tu dopiero od stycznia, to nawet ja wiem, że ten kraj potrzebuje odrobiny spokoju. Nie załatwi tego ten facet z gabinetu premiera, choć przydałoby się. No więc ta fisza od reggae daje wielki koncert, organizowany przez kancelarię premiera, dzięki czemu ta fisza od reggae prawie zasługuje na moje zainteresowanie. Ambasada dostała info, że przyleci Roberta Flack, a Mick Jagger i Keith Richards już tu są. Jebani Rolling Stonesi. Nie, nie słucham tej fiszy od reggae. Reggae jest monotonne i leniwe, bębniarz ma chyba najnudniejszą robotę na świecie obok tej kasjerki z King Burgera. Wolę ska, wolę Desmonda Dekkera. Wczoraj zapytałem kasjerkę z King Burgera, czy lubi *Ob-La-Di, Ob-La-Da*, ale spojrzała na mnie, jakbym ją poprosił, aby mi dała po ryju. Ja to nie wiem, odpowiedziała. Nie dawałem za wygraną: no to czego słuchasz? Co się gra na jam session? Odpowiedziała, że Big Youtha i Mighty Diamonds. No dobra, mówię, Big Youth i Mighty Diamonds są okej, ale czy o nich wspomnieli kiedykolwiek w jakiejś swojej pierdolonej piosence Beatlesi, tak jak o Desmondzie Dekkerze? Proszę nie używać wulgarnego języka, proszę pana, upomniała mnie, to porządny lokal.

Jak się finguje wypadek? Nikt w Firmie nie jest niezastąpiony i czasem się zastanawiam, dlaczego nie wezwą kogoś innego. No, przynajmniej nie kazali mi przygotowywać gruntu w Montevideo. Ale się z tego zrobił bajzel. Lubię mieć pracę, o której nie mogę mówić. Dzięki temu łatwiej dotrzymać innych sekretów. Do żony w końcu dotarło, że dopóki jesteśmy małżeństwem, o pewnych sprawach nie będzie wiedziała. Musiała przywyknąć do tego, do czego muszą przywyknąć wszystkie nasze żony. Wiedzą o dwóch z czterech faktów. O pięciu podróżach na dziesięć. O jednym z pięciu zgonów. Chyba nie jest zorientowana, co dokładnie robię. Przynajmniej takiej wersji trzymam się w tym tygodniu. Jestem na Jamajce i prawie wszystko idzie zgodnie z planem. Co łopatologicznie znaczy, że sprawy wyglądają jak w podręczniku, właściwie więc praca tutaj to nuda. Nic dziwnego, bo Jamajczycy mają skłonność do reagowania zgodnie z oczekiwaniami. Dla niektórych to może duża odmiana, a może po prostu ulga.

Wracając do tego faceta z kurczakiem, to było w maju, a ja znalazłem się tam nie dlatego, że nagle zachciało mi się zasmakować prawdziwej Jamajki. Śledziłem kogoś w samochodzie cztery auta z przodu. Osobnika zasługującego na duże zainteresowanie. Zgarnął go z hotelu Constant Spring jakiś kierowca. Z początku myślałem, że sprowadzono mnie tutaj, żebym mu deptał po piętach, ale wkrótce się przekonałem, że to on mi depcze po piętach. Pracował w Firmie, ale potem też złapał śmiertelną chorobę zwaną wrażliwym sumieniem. Tak się dzieje, gdy góra rekrutuje pracowników spośród odpadów z Ivy League, pedziów ze szkół prywatnych, amerykańskich Kimów Philbych czekających, żeby wyjść z szafy, a nie ze śmiertelnego zimna. Zanim się zorientowałem, że przebywa na Jamajce, on się zorientował, że ja tutaj jestem. Właściwie nie działam pod przykryciem — za późno na to. Co nie znaczy, że należało pozwolić, żeby ten facet narobił syfu, który potem musiałbym posprzątać. Szkoda, że nie miałem pozwolenia na działanie. Zimna wojna jeszcze nie dobiegła końca, a ja już za nią tęsknię.

Bill Adler wypisał się z Firmy w sześćdziesiątym dziewiątym jako bardzo rozgoryczony człowiek. Być może był rozgoryczonym komuchem, rzesza takich ciągle pracuje w Firmie. Czasem ci najlepsi okazują się najgorsi, a przeciętniacy to po prostu urzędnicy z umiejętnością zakładania podsłuchu. Najlepsi stają się albo takimi jak on, albo takimi jak ja. On bywał bardzo dobry. Gdy już skończył w Ekwadorze, czteroletnia robota to była, powiem śmiało, *brio*, to musiałem tylko posprzątać trochę porozrzucanych resztek. Oczywiście chętnie bym mu przypomniał tę śliczną jatkę na Tlatelolco. Szef nazwał mnie innowatorem, ale ja tylko trzymałem się reguł z podręcznika Adlera. Mikrofony sufitowe, takie, jakich użył w Montevideo. Tak czy siak, odszedł z CIA w tysiąc dziewięćset sześćdziesiątym dziewiątym roku, gdy obudziło się w nim sumienie. Odtąd stwarza problemy i stanowi śmiertelne zagrożenie dla innych.

W zeszłym roku popełnił książkę, niezbyt dobrą, ale było w niej kilka min. Wiedzieliśmy, że się na to zanosi, ale machnęliśmy ręką, bo uznaliśmy, że przyciągając uwagę swoimi nieaktualnymi rewelacjami, pozwoli nam bez przeszkód wykonywać porządną robotę. Okazało się jednak, że miał informacje prawie z najważniejszego źródła, i właściwie co w tym dziwnego, jak się nad tym zastanowić? Podał też nazwiska. Z Firmy. Góra nie przeczytała tej książki, ale przeczytał ją Miles Copeland, następny mazgajowaty pedzio, który prowadził wcześniej placówkę w Kairze. Nakazał restrukturyzację londyńskiej placówki od piwnicy po dach. Potem Richard Welch został zamordowany w Atenach przez Organizację Rewolucyjną 17 listopada — drugorzędną grupę terrorystyczną, której nie poświęcilibyśmy nawet pół sekundy — zamordowany razem z żoną i szoferem.

Mimo tego wszystkiego, mimo tego, że wiedziałem, do czego Adler jest zdolny, wciąż nie miałem pojęcia, po co tu przyjechał. Nie został oficjalnie zaproszony przez władze; coś takiego byłoby niewybaczalnym faux pas ze strony premiera, zwłaszcza po tym gównie z Kissingerem sprzed kilku miesięcy. Ale premier wyraźnie się ucieszył, że Adler tu jest. Ja tymczasem czekam na rozkazy z sekcji głównej, żeby zneutralizować zagrożenie ze strony tego człowieka, a przynajmniej to zagrożenie zminimalizować. Adlera zaprosiła Jamajska Rada na rzecz Praw Człowieka, przez co musiałem założyć zupełnie nową teczkę w mojej przepełnionej już kartotece. Nie minęły dwa dni i facet wygłaszał przemówienia, długie przemówienia o różnych pierdołach, jakby nazywał się Castro czy coś. Stwierdził, że ludzie mojego pokroju stacjonują w Ameryce Łacińskiej i że z obrzydzeniem zareagował na to, co zobaczył, zwłaszcza w Chile, gdzie pomogliśmy Pinochetowi przejąć władzę.

Oczywiście nie wymienił mojego nazwiska, ale wiedziałem, że to o mnie chodzi. Nazwał nas jeźdźcami apokalipsy, destabilizującymi każdy kraj na swoim szlaku. Urządził niezły melodramat, przez cały czas skrzętnie ukrywając, że sporo z tego, o czym mówi, było skutkiem jego wytycznych. A premier właśnie czegoś takiego potrzebował, wielosylabowego słowa w rodzaju „destabilizacja", które mógłby przerobić na jebany polityczny dżingiel. Adler zepchnął nas do głębokiej defensywy i muszę dopilnować, aby to się nigdy więcej nie powtórzyło. Oczywiście słuchali tego wyłącznie ludzie z „Penthouse'a". Jasna cholera, co to znaczy, gdy „sumieniem Ameryki" zostaje gazeta utrzymująca się z pokazywania cipek? I faceci tacy jak Adler, faceci, w których nagle budzi się poczucie misji, aby obnażyć oblicze złych Stanów Zjednoczonych — a są tylko białymi fagasami z nieczystym sumieniem, którzy nie wiedzą, kiedy przyhamować? Niestety Firma nie umiała podjąć decyzji, czy w takim razie ja powinienem go przyhamować.

W pewnym momencie stwierdził, że ma dowody na to, że Firma stała za podpaleniem kamienicy przy Orange Street, za zabójstwem co najmniej paru Kubańczyków na Jamajce i rozruchami na nabrzeżu. Stwierdził, że ma dowody na to, że Firma przekazuje pieniądze partii opozycyjnej — co za niedorzeczność, przecież dawanie pieniędzy komuś z Trzeciego Świata byłoby naprawdę fatalnym posunięciem. Nie wiem, dlaczego po prostu nie wysłał artykułu do „Mother Jones" albo „Rolling Stone" czy coś. Zanim Firma dała mi wyraźne wytyczne, co powinienem zrobić, Adler ulotnił się na Kubę — jak donoszą moje uszy i oczy. Tak czy owak, skurwiel narobił szkód. Podał Jamajczykom nazwiska. Pierdolone nazwiska. Mojego nie, ale jedenastu innych z personelu ambasady, niszcząc przykrycie co najmniej siedmiu. Należało ich wywieźć, zanim ktokolwiek by się zorientował, że zna ich pod przybranymi nazwiskami. Przez Adlera musiałem zaczynać od nowa. W połowie września w połowie roku, którego już wszyscy mają dosyć. Wszystko od zera, a to oznaczało duże problemy.

Przechodząc obok pokoju Louisa, usłyszałem, że gada przez telefon — o tym, że zawieruszyła się jakaś dostawa na nabrzeżu. Sprawdziłem. Nikt z biura nie zamawiał żadnego transportu, a gdyby ktoś to zrobił, to na pewno nie tak, żeby to szło przez cło jamajskie, bo wtedy dwie trzecie by wyparowało. Obaj dobrze wychodzimy na tym, że trzymamy się zasady, żeby wiedzieć tylko tyle, ile trzeba, a jednak nie lubię, gdy jakiś urwany ze smyczy agent gdzieś na Kubie sygnalizuje, że coś zniknęło, a ja nawet jeszcze nie podejrzewam, że mi tego czegoś zabraknie. Co znaczy, że jego wtyki mają większe uprawnienia niż ja, a przecież to ja prowadzę tutaj ten jebany kram. Louis nie wyglądał na przybitego, kiedy mówił Bóg raczy wiedzieć komu o tej dostawie, a mnie znudziło się stać pod jego drzwiami, jakbym był złakniony plotek.

Przed chwilą zadzwoniła żona, żeby powiedzieć, że znowu zabrakło jej wiśni koktajlowych. Powtarzam, zimna wojna jeszcze się nie skończyła, a ja już za nią tęsknię.

PAPA-LO

Posłuchajcie mie teraz. Wiecie, ja go ostrzegłem, moi szlachetni dżentelmenowie. Od dawna podrzucałem ostrzeżenia, że inni sie czają, przyjaciel i wróg go dopadną z całą górą problemów. Każdy z nas zna przynajmniej jednego, co nie? Tych, co sie trzymają zawsze tego samego. Zawsze coś tam sobie wyobrażają, ale nigdy nie mają pomysłu. Zawsze knują, ale nigdy nie wypracują planu. To byli tacy jedni ludzie. Oto mój przyjaciel, największy gwiazdor na świecie, ale ma chyba najmniejszy móżdżek, jaki wydało geto. Nazwisk nie podałem, ale ostrzegłem Śpiewaka. Mówie mu, że kręcą sie koło niego ludzie, co chcą go utrącić, czy słyszy? Sie mi znudziło mu powtarzać. Znudziło do wyrzygania. Ale on sie tylko śmiał, tym śmiechem, co wypełnia cały pokój. Tym śmiechem, aż by sie wydawało, że ma jakiś plan.

Ludziom sie zdaje, że ja wszystko rozumie stuprocentowo. Nie żeby to była nieprawda, moi prześwietni dżentelmenowie, ale Jah mi świadkiem, że czasem łapie, jak jest już za późno, a jak sie coś wie za późno, to lepiej w ogóle nie wiedzieć, jak mówiła moja matka. Gorzej, jak człowiek żyje w czasie teraźniejszym i nagle dokoła robi sie czas przeszły dokonany i sobie radzić z tym musi. Jakby w tej chwili dotarło do łba, że ktoś mie okradł przed rokiem.

No i popatrzcie na mie. Widzicie? Od starego cmentarza na zachodzie, portu na południu przez całe południowe West Kingston. Ja tym rządze. Osiem Ulic to LPN, pilnują więc swoich spraw. A jest jeszcze teren po środku, o który trzeba walczyć, i czasem przegrywamy. On mieszkał na Trench Town, no to ludzie widzą go jako marionetke Ludowej Parti Narodowej. Ale ja bym za niego nadstawił łeb, a on za mie.

Ale te nowe chłopaki, te nowe, co nigdy nie tańczyły rock-steady, oni sie nie certolą, te chłopaki nie pracują dla nikogo. Ja pilnuje porządku dla zielonej Jamajskiej Parti Pracy, a Shotta Sherrif kontroluje dla pomarańczowej Ludowej Parti Narodowej, za to te nowe chłopaki kontrolują dla Parti Własnej Kieszeni. Ich już sie nie da kontrolować.

Wcześniej w tym roku, jak pojechał w trase, po tym jak mie prosił, żebym sie z nim zabrał Londyn zobaczyć (wiadomo, że nie mogłem jechać, bo przecież wystarczy, że oko zmruże, i mam armagidon w gecie), to zostawił w domu kilku brada. Tylko sie drzwi za nim zamknęły i te chłopaki wołają tych z Dżungli, bo mają wielki plan. Mocno śmiały, taki wielki plan jak w telewizji Hannibal Heyes i Kid Curry napadają na bank, to jeszcze seksowna dziewczyna podaje im pieniądze. Próbujemy utrzymać pokój, ja i Shotta Sherrif, ale jak sie robią problemy, bo ktoś ukatrupi gówniarza ze szkoły dla pieniędzy na drugie śniadanie albo zgwałci kobiete w drodze do kościoła, to przeważnie są z takich terenów jak Dżungla, ludzie urodzeni bez światła w źrenicy oka. Tacy właśnie sie skumali z moim przyjacielem Śpiewakiem w jego domu i knują.

Na tydzień przed Wielką Królewską piontka z Dżungli jedzie na tory Caymanas w dzień treningu i czekają na parkingu na najlepszego dżokeja, co nigdy gonitwy nie przegrał. Jak tylko wychodzi, jeszcze w ciuchach do jazdy, dwaj go łapią, a trzeci mu wciska worek jutowy na łeb. Wiozą go gdzieś, nie wiem gdzie, i robią mu coś, nie wiem co, a w sobote przegrywa wszystkie trzy gonitwy, w których startuje i które miał wygrać z palcem w dupie, w tym Wielką Królewską. W poniedziałek bukuje lot do Miami i puf! Śladu nie ma po człowieku. Nikt nie wie, gdzie wyparował, rodzina też nie. Ustawianie wyścigów jest tak stare jak same wyścigi, ale paru ludzi zgarnia za szybko duże pieniądze. Za szybko. W ten sam tydzień co znika dżokej, dwaj ludzie z Dżungli też znikają, puf!, nie ma, jakby sie w ogóle nie urodzili, a niektórych brada nagle pili na pielgrzymke do Etiopi. Rastafari to ja maksymalnie szanuje i człowiek musi pojechać do ojczyzny, jak coś za ojczyzne uważa. Ludzie domagają sie pieniędzy, a brada z forsą sie ulatniają. Nikt nie wie, gdzie sie podziały pieniądze.

To był początek. Potem to już różne czary sie działy w domu Śpiewaka. Oszust z oszustwem w domu, gdzie muzyka ma wibrować czystym duchem. Pamiętam, jak to było jedyne miejsce, gdzie człowiek, nieważne po czyjej stronie stał, mógł sie schować przed kulką. Jedyne miejsce w całym Kingston, gdzie tylko muzyką można było oberwać w serce. Ale pierdoleńcy zabrudzili to złymi wajbami, już lepiej jakby weszli do studia i nasrali na konsole, nie powiem kto. Jak Śpiewak wrócił z trasy, to gangsta z Dżungli już na niego czekali. Jamajczyk to ma łeb tempy jak garnek. Nieważne że facet był w trasie, że nic nie wie o wyścigach, że nigdy nikogo nie wykiwał. Ci z Dżungli tak mówią: numer odstawiony na twojej chacie, to bierzesz odpowiedzialność. Potem wiozą go na Hellshire Beach, mówią, że musi zjeść troche ryby.

Sam mi to opowiedział. On sie teraz zrobił taki, że mógłby gadać z Bogiem i diabłem i kazać im sie ugodzić — pod warunkiem, że żaden nie ma kobiety. Ale tamtego ranka przychodzą po niego o szóstej, jeszcze nie wyszedł, żeby pobiegać i popływać w rzece, jak co dzień. To był pierwszy znak. Bo nikt nie zakłuca Śpiewakowi poranka, wtedy słońce wstaje z przesłaniem dla niego, Duch Święty mówi mu, co ma śpiewać w następnej kolejności, jak jest na wysokościach. Ale pojechał z nimi. Jadą do Fort Clarence Beach, trzydzieści kilometrów czy coś z West Kingston, za wodą, tak blisko, że widać z drugiego brzegu. Sam mi to powiedział. Cały czas jak mówili, patrzyli na boki, wiercili sie, gapili w ziemie, bo nie chcieli, żeby zapamiętał ich twarze.

— Twoi brada wycięli nam numer, jest tak? Twoi brada przyszli do Dżungli, bo chcieli skręcić brudny interes, jest tak? Przyprowadzili nas na twoją hate, żeby obgadać, jest tak?

— Rozumie sie. Ale ja o tym pojęcia nie mam, chłopaki.

— Oi! W dupie to mamy, pod twoim piździelskim dahem interes sie spierdolił, więc twoja wina.

— Brada, jak można tak mówić? Jak facet to nie ja, jak facet to nie mój brat, jak facet to nie mój syn, to jak moja wina?

— Oi! Słyszysz, co mówimy? Takie słowa, jakie myśli... jak mówie, to mówie, głuhy jesteś? Pod twoim dachem sie stało, oni sie spulili jak jakaś brudna dziwka, sie połakomili, nie jest tak? Obgadaliśmy z dżokejem, powiedzieliśmy, wysyp sie w trzech gonitwach, bo inaczej przyjdziemy po ciebie i po to dziecko w brzuhu twojej kobiety. My zrobiliśmy swoje, dżokej zrobił swoje, każdy zrobił swoje, ale ten twój kumpel i jego kumpel spulili sie z pieniędzmi i przez nich biedacy zostali biedakami. Jak można tak kogoś wydymać?

— Ja pojęcia nie mam, słońce — mówi Śpiewak do tego, co mówi. Niski, grubawy, pachnie jak trociny. — Wiem tylko, o kogo chodzi.

No to mówią: yo, wiesz, jaki jest układ. Chcemy nasze pieniądze, dociera? Co dziennie będziemy przysyłać brada na motorze, żeby inkasował, dwa razy, raz z rana, drugi raz wieczorem, dociera?

Ile chcieli, to mi nie powiedział, ale przeciesz mam oczy i uszy. Ludzie mówią, że przekręt był na czterdzieści tysięcy amerykańskich dolarów. A oni z tego nie zobaczyli ani centa. Zażądali od niego co najmniej dziesięć tysięcy, pewnie więcej. Teraz chcą co dzień odbierać plik pieniędzy, aż sie najedzą. On im na to, o nie, słońce, to kryminał, ja nie płace. I w ogóle jak możecie mi tak? Nie płace może za trzy tysiące was co dzień, nie posyłam do szkoły, nie karmie? Trzy tysiące was.

I wtedy druga rzecz sie dzieje, bo prawie wszyscy wyciągają spluwy na niego, tam na Fort Clarence Beach. Niektórzy nawet czternastu lat jeszcze nie mają, a grożą żelazem jedynemu, co rozumie, z czym sie muszą mierzyć w życiu. Ale ci młodzi to nowy typ człowieka. Inny styl działania. Wszyscy wiedzą, moi prześwietni dżentelmenowie, wszyscy w Kopenhadze, Ośmiu Ulicach, Dżungli, Remie, na aptaunie i dauntaunie, wszyscy wiedzą, że na Śpiewaka sie broni nie wyciąga. Nawet pogoda wiedziała, że dzieje sie coś dziwnego, bo sie nowa czarna chmura pojawiła, której wcześniej nikt na niebie nie widział. Śpiewak musiał słowem wcisnąć im z powrotem te spluwy do tylnych kieszeni, za paski, w kabury. Od następnego dnia przed jego domem zaczyna sie pokazywać facet na zielonej vespie, dwa razy dziennie, codziennie.

Powiedział mi to tego dnia, jak przyszłem sie przywitać, wypalić dwa zioła, pogadać o koncercie dla pokoju. Wielu mówiło, że ten koncert to głupi pomysł. Niektórzy już myślą, że Śpiewak popiera Ludową Partię Narodową, a to tylko jeszcze gorzej. Niektórzy mówią, że stracili do niego szacunek, bo rasta nie może czapkować. Im nie da sie przemówić do rozumu, bo sie urodzili bez tej części muzgu, co rozumuje. Powiedziałem mu to wszystko i że z mojej strony to sie niczego nie musi obawiać. Po prawdzie to sie starzeje i chce sie zestarzeć tak bardzo, żeby moje dzieci musiały mie nosić. W zeszłym tygodniu widziałem chłopaka na targu, co przyszedł po dziadka. Stary nie mógł w ogóle iść bez laski, a ten mały wnuczek podpierał go ramieniem. Mi sie tak żal zrobiło dziadka, że sie prawie popłakałem na tym rynku. Poszłem do domu ulicami i pierwszy raz coś zobaczyłem. W gecie nie ma żadnych starców.

Mówie do niego, przyjacielu mój, znasz mie, znasz Shotta Sherrifa z na przeciwka, idź do niego, powiedz, żeby odwołał tych z Dżungli. Ale on jest mądrzejszy ode mie, wie, że Shotta Sherrif nic nie poradzi, jak sie ludzie z bronią urwą ze smyczy. W zeszłym miesiącu na nabrzeżu znikła dostawa. Zaraz potem te samopasy mieli karabiny maszynowe, M16, M9, glocki i nikt nie wie, skont sie to wzieło. Kobieta rodzi dzieci, a męszczyzna to co najwyżej wyda z siebie Frankensteina.

A jak mi opowiadał o tych łobuzach z Dżungli, to jakby ojciec mówił o synu, który zmalował coś tak bardzo, że trudno to unieść na duszy. Wiedział, jeszcze wcześniej niż ja, że nie moge mu pomóc. Chce, żebyście coś dobrze zrozumieli. Ja maksymalnie kocham Śpiewaka. Zasłoniłbym go od kuli. Ale, moi dżentelmenowie, zasłonić kogoś od kuli można tylko raz.

NINA BURGESS

Z araz po tym, jak powiedziano mi przy bramie, że wpuszczają tylko najbliższą rodzinę i zespół, podjechał z tyłu człowiek na soczyście zielonym skuterze. Pojawił się w tej samej chwili, kiedy podeszłam, i w milczeniu, z włączonym silnikiem, słuchał, co mówi do mnie strażnik, a potem odjechał bez słowa. Chciał coś odebrać czy przywieźć?, spytałam strażnika, ale nie uznał tego za zabawne. Odkąd rozeszła się wiadomość o koncercie dla pokoju, zabezpieczenia są surowsze niż w kancelarii premiera. Albo w majtkach zakonnicy, jak by powiedział mój ostatni chłopak. Ten facet przy bramie był nowy. Słyszałam o koncercie, wszyscy na Jamajce słyszeli, spodziewaliśmy się więc ochroniarzy i policji, ale nie ludzi, którzy wyglądają tak, że człowiek raczej pozamykałby się przed nimi na cztery spusty. Nie ma żartów.

Może to i dobrze, bo jak tylko wysiadłam z taksówki, ta część mnie, którą lubię wyłączyć po porannej kawie, zadała pytanie: Co tu robisz, idiotko na patykowatych nogach? Autobusy mają tę zaletę, że po jednym będzie niedługo drugi, można się więc zabrać, gdy sobie uświadomimy, że popełniliśmy błąd. A taksówka dowozi na miejsce i odjeżdża. Mogłabym ruszyć na piechotę, ale cholera, przede wszystkim wolałabym mieć lepsze pomysły.

Havendale to nie Irish Town, ale jednak aptaun, i choć nie uważaliśmy, że jest tam bardzo bezpiecznie, to nie uważaliśmy, że jest bardzo niebezpiecznie. To nie getto, o to mi chodzi. Dzieci nie płaczą na ulicy, ciężarne kobiety nie są gwałcone, jak to się dzieje codziennie w getcie. Widziałam getto, byłam tam z ojcem. Każdy tutaj żyje na własnej Jamajce i niech mnie szlag, jeśli to miałaby być moja Jamajka. W zeszłym tygodniu, jakoś między jedenastą wieczorem a trzecią nad ranem, trzech mężczyzn włamało się do domu moich rodziców. Matka zawsze wypatruje zapowiedzi i omenów, więc jej zdaniem bardzo złym znakiem było to, że tydzień wcześniej gazety napisały, że bandyci przekroczyli granicę przy Half Way Tree i zaczęli atakować w śródmieściu. Wciąż obowiązywała godzina policyjna i nawet porządni ludzie z centrum musieli siedzieć w domu po określonej porze, od szóstej czy ósmej, inaczej zostaliby zgarnięci. W zeszłym miesiącu pan Jacobs z domu cztery numery dalej wracał z nocnej zmiany, policjanci go zatrzymali, wrzucili do furgonetki i zawieźli do aresztu. Ciągle by tam siedział, gdyby tata nie powiedział jednemu sędziemu, że to idiotyzm, bo zaczynają zamykać praworządnych obywateli. Ani jeden, ani drugi nie wspomniał, że pan Jacobs ma tak ciemną skórę, że policjanci nie mogli go uznać za porządnego obywatela, mimo że miał na sobie garnitur z gabardyny. Potem bandyci wtargnęli do naszego domu. Zabrali obrączki rodziców, trzysta dolarów, wszystkie holenderskie figurki matki oraz jej kolczyki, chociaż im mówiła, że są nic niewarte, no i zegarek ojca. Uderzyli ojca kilka razy i spoliczkowali matkę, kiedy spytała jednego z nich, czy jego matka wie, że on tak grzeszy. Ja z kolei spytałam ją potem, czy któryś z nich się do niej dobierał, ale mi odpowiedziała, że róża pod oknem pleni się jak przestępczość, udałam więc, że chodziło mi o coś innego. Policjant przyjechał dopiero rano, chociaż rodzice przez całą noc dzwonili na komendę. O wpół do dziesiątej, kiedy od dawna już byłam na miejscu (zawiadomili mnie o szóstej). Spisał zeznanie czerwonym długopisem na żółtym bloczku. Trzy razy musiał pod nosem powiedzieć „poszkodowani", żeby się zorientować, jak to zapisać. Kiedy spytał: Czyh sprawcyh użylih niebezpiecznyh narzendzih?, wybuchnęłam śmiechem, a matka kazała mi wyjść z pokoju.

Ten kraj, ta cholerna wyspa, nas wykończy. Od napadu tata nic nie mówi. Mężczyzna lubi myśleć, że potrafi obronić swoje mienie, ale potem ktoś przychodzi i je zabiera, a wtedy z tego mężczyzny niewiele zostaje. Ojciec wcale nie stracił w moich oczach, ale mama ciągle wspomina, jak to mógł kiedyś kupić dom na Norbrook, ale nie skorzystał, bo miał już wtedy bezpieczny i porządny dom bez hipoteki. Nie nazwałabym go tchórzem. Nie twierdzę, że jest skąpy. Czasami jednak jesteśmy tak bardzo ostrożni, że przeradza się to w nieostrożność. Ale to też nie to. On należy do pokolenia, które nigdy nie sądziło, że wdrapie się po drabinie aż do połowy, dlatego kiedy tego dokonał, był zbyt oszołomiony, aby odważyć się wspiąć wyżej. Na tym polega problem z półmetkiem. Wyżej jest wszystko, a niżej znaczy, że w niedzielny wieczór biali chcą urządzić imprezę przy twojej ulicy, żeby poczuć, że żyją. Półmetek to nigdzie.

Gdy byłam w liceum, zmuszałam go, żeby mnie wysadzał na przystanku, albo modliłam się o czerwone światło na skrzyżowaniu, żebym mogła wyskoczyć, zanim dowiezie mnie do szkoły. Kimmy, która jeszcze nie odwiedziła rodziców po tym, jak ich obrabowano, a matkę najprawdopodobniej zgwałcono, nigdy nie kumała cza-czy i marudziła, gdy ojciec jej mówił, że też musi wysiąść. Faktem jest, że tata nie był czternastoletnią uczennicą Liceum Niepokalanego Poczęcia dla dziewcząt, która próbuje się zachowywać tak, jakby miała tyle pieniędzy i tyle praw, że może nosić głowę wysoko i paradować krokiem stewardesy tak samo jak każda koleżanka dojeżdżająca volvo. Nie można było podjechać fordem escortem na oczach tych wszystkich małych dziwek, które zawsze czyhały przy bramie, żeby zobaczyć, jaką kto ma brykę. Widziałaś? Ojciec przywiózł Lisę jakimś rzęchem. Mój chłopak mówi, że to cortina. U nas służąca tym jeździ. Nie chodziło wcale o to, że tata nie miał pieniędzy, tylko o to, że nie widział powodu, aby je wydawać. To wnerwiało mnie najbardziej. I właśnie dlatego w pewnym sensie to logiczne, że właśnie jego obrabowano oraz że złodzieje nie wynieśli nic naprawdę cennego. I o tym bez przerwy mówił: te parszywe skurwysyny zgarnęły tylko trzysta dolarów.

Nie da się żyć bezpiecznie, gdy wszędzie robi się niebezpiecznie. W pewnej chwili matka wyznała, że przytrzymali ojca za ręce, a potem na zmianę wszyscy kopali go w jaja, jakby grali w piłkę.

I że on nie chce iść do lekarza, chociaż nie sika już taką strugą jak jeszcze tydzień temu... dobry Boże, gadam teraz jak moja matka. Problem w tym, że jak przyszli raz, to mogą przyjść znowu, a kto wie, może zrobią coś tak złego, że nawet Kimmy w końcu odwiedzi rodziców, no bo ich okradli, a matkę prawdopodobnie zgwałcili.

Najnowszym izmem socjalistycznego premiera jest kapitulacjonizm. Jako chyba jedyna na Jamajce nie słyszałam premiera mówiącego, że codziennie jest pięć lotów do Miami, więc każdy, kto chce wyjechać, może to zrobić bez trudu. Muszą nadejść lepsze czasy? Miały nadejść cztery lata temu. Teraz mamy taki izm, siaki izm i tatę, który uwielbia rozprawiać o polityce. To znaczy wtedy, kiedy akurat nie narzeka, że nie doczekał się syna, bo to mężczyźni troszczą się o losy ojczyzny, nie chcą zostać królową piękności. Nienawidzę polityki. Nienawidzę tego, że skoro tu żyję, muszę żyć polityką. I nic się na to nie poradzi. Jak się nie interesujesz polityką, polityka interesuje się tobą.

Danny był z Brooklynu. Jasnowłosy mężczyzna, który przyjechał tutaj, żeby zbierać materiały do pracy naukowej w dziedzinie agrotechniki. Kto by się spodziewał, że jedyną rzeczą stworzoną przez Jamajkę, której zazdrości jej nauka, jest krowa? W każdym razie zaczęliśmy się spotykać. Zabierał mnie do hotelu Mayfair na drinka i nagle znajdowałam się wśród samych przedstawicieli rasy białej, kobiet, mężczyzn, starych, młodych, jakby Bóg zamachał po prostu różdżką i puf! Biali ludzie. Mam cerę, którą nazywa się „jasną", ale nawet z takim kolorem skóry przeżyłam szok na widok tylu białych. Ktoś chyba pomylił to miejsce z North Coast, tylu tam było turystów. Ale potem jeden nagle otwierał usta i sypał się z nich patois. I choć bywałam tam tak często, że już powinnam przywyknąć, to jednak zbierałam szczękę z podłogi za każdym razem, kiedy słyszałam, że biały mówi takim pokaleczonym językiem. „Chwilah! Ho, ho, ho, ty to ty, szefu? Ho, ho, ho, nie widziałem cie latah. Szmal mam, wyżej dupy sram, hah, nie jes tak?" Ci ludzie nie mieli nawet opalenizny!

Danny słuchał naprawdę dziwacznej muzyki, łoskotu, który czasem puszczał, żeby mnie wkurzyć. Łoskotu, rock and rolla, The Eagles i The Rolling Stones, i za dużo czarnych, którzy powinni przestać zgrywać białych. Ale nocami puszczał piosenki. Zerwaliśmy ze sobą prawie cztery lata temu, lecz za każdym razem, kiedy patrzę przez okno, śpiewam te same dwie linijki. „I do believe. If you don't like things, you leave". To zabawne, bo poznałam go właśnie dzięki Danny'emu. Wytwórnia urządziła jubel na wzgórzach. Pamiętam, że powiedziałam, że tutaj mieszkają tylko buszmeni i biali. Danny stwierdził, że nie wiedział, że czarni potrafią być rasistami. Poszłam po poncz, nalewałam sobie powoli, żeby zyskać na czasie, i wtedy zauważyłam, że Danny gada z szefem wytwórni. Byłam dokładnie tym, za kogo brali mnie ci robole — zadzierającą nosa czarnuchą, która rżnie się z Amerykaninem. Obok Danny'ego i szefa wytwórni stał właśnie on, człowiek, którego nigdy nie miałam nadziei spotkać. Nawet moja matka polubiła jego ostatni singiel, choć ojciec nim pogardza. Nie był taki wysoki, jak sobie wyobrażałam; ja, on i jego menadżer byliśmy w tym miejscu jedynymi czarnymi, którzy nie pytali gości, czy życzą sobie kolejnego drinka. Jak tam stał, to przypominał czarnego lwa. Skąd się wzięła przed moimi oczami ta seksowna córa, powiedział. Mam za sobą piętnaście lat szkolenia, jak należy rozmawiać w towarzystwie, a i tak była to najsłodsza rzecz, jaką usłyszałam z ust mężczyzny.

Drugi raz spotkałam go już dłuższy czas po wyjeździe Danny'ego, gdy z moją siostrą Kimmy, która jeszcze nie odwiedziła rodziców po tym, jak ich obrabowano, a matkę prawdopodobnie zgwałcono, wybrałam się na imprezę w jego domu. Pamiętał mnie. Czekaj no, ty jesteś siostra Kimmy? Gdzieś się ukrywała? A może jesteś Śpiąca Królewna, czekasz na mężczyznę, który cię obudzi? Przez cały czas rozpadam się na dwie części, jedna, którą chcę wyłączyć po porannej kawie, mówi, o tak, dogaduj się ze mną, mój ty seksowny brada, druga zaś mówi, co ty wyrabiasz z tym zawszonym rasta? Kimmy ulotniła się po chwili, w ogóle nie widziałam, jak wyszła. A ja zostałam, nawet jak już wszyscy zniknęli. Patrzyłam, tylko ja i księżyc, gdy nagle wyszedł na werandę nagi jak jakiś nocny duch, z nożem, żeby obrać jabłko. Grzywa jak u lwa i wszędzie muskuły, połyskujące w poświacie księżyca. Tylko dwoje ludzi wie, że *Midnight Ravers* jest o mnie. O naszych figlach o północy.

Nienawidzę polityki. Nienawidzę tego, że mam wiedzieć. Tatuś mówi, że nikt nie wypędzi go z ojczyzny, ale ciągle myśli, że ci bandyci to ktoś ważny. Chciałabym być bogata, chciałabym pracować, a nie zostać zwolniona, i modlę się, że on pamięta tę noc z jabłkiem na werandzie. Mamy rodzinę w Miami. Tam, gdzie Michael Manley radzi ludziom wyjechać, skoro chcą się wynieść. Mamy się gdzie zatrzymać, ale tacie szkoda pieniędzy. Cholera, teraz Śpiewak tak urósł, że nikt już nie może się z nim spotkać, nawet kobieta, która zna go lepiej niż większość kobiet. Właściwie to sama nie wiem, co mówię. Głupoty, które kobieta zawsze sobie ubzdura. Że zna mężczyznę, że odsłoniła jakąś tajemnicę, bo ściągnęła przed nim majtki. Ja pieprzę, teraz chyba wiem jeszcze mniej. Przecież potem już się ze mną nie skontaktował.

Stoję po drugiej stronie ulicy, czekam na przystanku, już przepuściłam dwa autobusy. Potem trzeci. Nie pojawił się w drzwiach. Ani razu, żebym mogła w tej samej sekundzie przebiec przez drogę i krzyknąć: pamiętasz mnie? Szmat czasu. Potrzebuję twojej pomocy.

BAM-BAM

Dwaj męszczyźni przynoszą broń do geta. Jeden mi pokazuje, jak jej używać.

Ale najpierw przynoszą inne rzeczy. Wołowine peklowaną, syrop klonowy Aunt Jemima, co nikt nie wie, co z nim zrobić, i biały cukier. I kool-aid, i pepsi, i wielki worek mąki, i inne rzeczy, których nikt w gecie nie dałby rady kupić, a nawet jakby dał, nikt by nie sprzedał. Jak pierwszy raz słyszałem Papa-Lo mówiącego o nadchodzących wyborach, to powiedział to lodowato i cicho, jakby burza i deszcz szły i nic nie dało sie z tym zrobić. Odwiedzają go tacy jedni, wyglądają inaczej niż on, niektórzy bardziej czerwoni niż Funnyboy, prawie biali. Przyjeżdżają w błyszczącym aucie i odjeżdżają, i nikt o nic nie pyta, ale wszyscy wiedzą.

W tym samym czasie ty wracasz. Jesteś większy niż Desmond Dekker, większy niż The Skatalites, większy niż Millie Small, większy nawet od białych. I znasz Papa-Lo z dni, jak jeszcze żaden z was nie miał włosa na klatce piersiowej, i wjeżdżasz do geta jak złodziej nocą, ale ja cie widze. Przed moim domem, przed domem, w którym Papa-Lo mie umieścił. Widze, jak podjeżdżasz, tylko ty i Georgie. A Papa-Lo, rozpiszczany jak dziewczynka, wybiega i cie chwyta w wielkie łapska, ty mały jak zawsze i musisz go wołać, żeby cie postawił na ziemi, że jakby jeszcze cie troche pościskał i poobmacywał, tobyś go wziął za Micka Jaggera. Sie zmieniłeś w gościa, który mówi o ludziach, co nikt ich nie zna, mówisz, że taki jeden kokso, co sie nazywa Sly Stone, ale co na prawde ma jakieś dziewczyńskie nazwisko, dał ci zaczynać swoje koncerty jakby rzucił psu kość, a ty wskakujesz na scene i rozwalasz publike, tylko niektórzy czarni pytają, co to za rozlazłe hipisowskie badziewie? W ogóle cie nie lubią, a ty na to, pierdolić to pierdolenie, lepiej zrobie własną trase, a Sly Stone sie wypisuje i tylko wciąga więcej koki, zostawia cie na lodzie w Las Vegas. My jego też nie znamy, ale ty teraz mówisz właśnie o ludziach, których nie znamy. Mówisz, że fani tego kokso nie odbierali twoich wajbów, więc sie wyniosłeś po czterech koncertach. Ale to już po rybach. Przewłóczyłeś sie przez Babilon, a reszte histori mógł opowiedzieć Papa-Lo, bo wszyscy to znają. Więc opowiada, a ty przytakujesz. A potem mówisz, że masz ważne sprawy do obgadania, ale to musi zaczekać, bo wszyscy już usłyszeli, że jesteś w Kopenhadze, i przyłażą, żeby dziękować i sławić sufferah, co sie stał wielki gwiazdor, ale nie zapomina, że inni sufferah ciągle cierpią, niektórzy dziękują ci za pieniądze, bo teraz już karmisz trzy tysiące luda, co wszyscy wiedzą, ale nikt o tym nie mówi, a twoje auto wygląda na nieźle poobijane, aż mie gniew bierze ze złości, bo nie ma nic gorszego jak to, jak człowiek ma pieniądze, a udaje, że nie ma, bo zgrywanie biedaka to poza. I kobieta sie tuli do ciebie i mówi, że ma duszoną fasole, a ty na to, mamuśka, przecież wiesz, że nie tykam wieprzowiny, a ona, że to ital! I to dobry, kapujesz? A ty mówisz, mamuśka, to biegnij do kuchni, weź mi największą miske i przynieś ją do domu Papa-Lo, bo ja i on mamy dużo do pogadania. No i ty i Papa-Lo znikacie, żaden jego zastępca z wami nie poszedł, nawet Josey Wales. Ja patrze na Joseya Walesa, on patrzy, jak odchodzicie, stoi tam i patrzy, i aż w nim kipi.

Ci dwaj, co przynieśli broń do geta, widzą, żeś sie śpiewem od nich wykręcił, i wcale nie są zadowoleni. Nikt na aptaunie nie dziękuje ci ani nie chwali. Ani ci, co przynoszą broń do Ośmiu Ulic, ciągle rządzonych przez Shotta Sherrifa. Ten wie, że jego partia walczy o reelekcje i musi wygrać, żeby zachować władze, dać władze ludowi, wszystkim towarzyszom i socjalistom. Ale nie Syryjczyk, co przynosi broń do Kopenhagi i tak bardzo chce wygrać wybory, że zepchnąłby Boga z tronu, jakby Bóg na tronie siedział. Amerykanie, co przychodzą z bronią, wiedzą, że ten, kto wygra w Kingston, wygra na Jamajce, a ten, kto wygra w West

Kingston, wygra w Kingston, wiedzą, zanim jeszcze im to powie ktoś z geta.

Premier Michael Manley mówi wszystkim w telewizji i radiu, że to on dał ci pierwszą wielką szansc i bcz nicgo nic byłbyś sławny. I że zawszc będzie wspierać uciskanych towarzyszy w walce. Potem ty śpiewasz, że nigdy nie można politykowi pozwolić, żeby wyświadczył ci przysługe, bo będzie chciał cie kontrolować na zawsze, ale nie przyszło mu do głowy, że to o nim, bo wtedy nie był już politykiem, tylko Jozue.

A ten, co przynosi broń do Kopenhagi, żeby można było sie zająć problemem w Ośmiu Ulicach, słyszy, że cały czas gadasz z Papa-Lo, jakbyście dwaj wrócili do szkoły i obmyślali psikusy, i skrobie sie po tej syryjskiej głowie, i pyta Papa-Lo, dlaczego z tobą gada, bo ciebie znają jako zwolennika LPN-u, bo to oni ci dali pierwszą wielką szanse, więc może ten mały rasta prubuje przeciągnąć Papa-Lo na strone LPN-u? Ty nie wiesz, że od wtedy ludzie obserwują cie jak jastrzębie, bo cały czas gadasz z Papa-Lo, a teraz to on nawet jeździ na aptaun do twojego domu, siedzi tam cały dzień. W tamten weekend, kiedy Papa-Lo zniknął, nikt nie wiedział gdzie, poszła plotka, że pojechał do Angli na twój koncert. I chodzą słuchy, że ciągle gadasz z Shotta Sherrifem, człowiekiem, którego zastępca wybił mi rodzine, dlatego ucze sie nie nawidzić cie w nowy sposób, choć kocham Papa-Lo. Ty zmieniasz sie w niego, jego przeobrażasz w coś innego, wszyscy to widzą. Szczególnie Josey Wales. Josey Wales patrzy na ciebie, a ja patrze na niego, jak patrzy na ciebie, i jemu sie nie podoba, jak sprawy idą, mówi o tym cicho, ale mówi chętnie każdemu, kto chce słuchać. Ptaszki ćwierkają, że Papa-Lo sie zrobił mięki.

I jednego dnia chłopak z Kopenhagi okradł kobiete na pistolet, kobiete, co sprzedawała pudding, i to na rogu Princess Street i Harbour Street. Przyszła do domu Papa-Lo i pokazała chłopaka palcem, mieszka trzy domy ode mie i nikt go nie lubi. I matka chłopaka w krzyk, Boże! Oi! Zlituj mi sie nad chłopcem, Papa. To dlatego, że ojca nie ma, co by go wychował! A to kłamstwo, baba kłamie, wystarczy spojrzeć na tą wysuszoną cipe. Josey Wales tylko syczy, bo Papa-Lo za dużo ostatnio myśli, ale potem Papa zdziera z chłopaka ubranie i woła o maczete, i leje go płaskim, każdy cios chlasta powietrze jak grzmot, każdy cios kroi troche skure. Chłopak krzyczy i jęczy, ale Papa-Lo wielki jak drzewo i szybszy niż wiatr. Nie, Papa-Lo, Boże muj, Papa-Lo, ach, Papa-Lo, bo ona nie chciała dać mie i koledze, a to tylko bardziej rozwściecza Papa-Lo. Kopie chłopaka na ziemie, bije w szale po plecach i po nogach, a jak ma dosyć maczety, ściąga pas i wali klamrą. A klamra chłopakowi aż dziury wybija w plecach, piersi i czole. Matka z krzykiem podbiega, ale on chlasta ją po twarzy, aż sie biedaczka zatacza i ucieka. Ludzie przyhodzą popatrzeć. Papa-Lo wyciąga broń, żeby zastrzelić chłopaka, ale matka wbiega i zasłania go ciałem, i zawodzi, i błaga Papa-Lo, błaga te kobiete, co ją jej syn obrabował, i Jezusa Chrystusa, co spoczywa na wzniesieniach góry Syjon. Nawet Papa-Lo nie będzie sie wcinał, jak interweniuje Jezus. Mówi tylko, że kobieta, co wychowała takiego piździelca, też zasługuje na kulke, i przystawia jej pistolet do czoła, ale zaraz sie odwraca i odchodzi.

Jamajska Partia Pracy rządziła w latach sześćdziesiątych, ale Ludowa Partia Narodowa powiedziała ludziom, że lepsze dni muszą nadejść, i wygrała wybory w siedemdziesiątym drugim. Teraz JPP chce odzyskać władze i dla nich nie ma słowa nie, nie ma słowa nie da sie. Dauntaun już zablokowane, policja wprowadza godzine policyjną. Na niektórych ulicach tak cicho, że nawet szczury sie boją przebiegać. West Kingston w ogniu. Ludzie chcą wiedzieć, jakim cudem JPP straciła Kingston, skoro ma Kopenhage. Ludzie kombinują, że to Rema, to miejsce między JPP i LPN-em, zagłosowała przeciwko JPP, bo LPN obiecała peklowaną woło wine, mąke do pieczenia i więcej zeszytów dla dzieci w szkole. Człowiek, co przynosi broń do geta, przynosi więcej broni do geta i mówi, że nie spocznie, dopuki z każdego męszczyzny, kobiety i nygusa z Remy nie poleje sie krew. I nagle obie partie zeszokowane, jak trzecia sie pojawia, ty, ty pojawiasz sie w telewizji, w sklepie kitajca mówisz, że jak twoje życie ma być tylko dla ciebie, jak nie możesz pomóc wielu ludziom, to nie chcesz takiego życia. I robisz coś w gecie, chociaż cie tam nie ma. Nawet nie wiem, jak to robisz. Może to był bas, coś, czego nie widać, ale jak sie to czuje, to sie wie. Ale kobieta będzie gadać za trzech, rozpuści jęzor na podwórku, przeklinając przy każdym wyżęciu koszuli i spodni, co je pierze, że ma dosyć syfsystemu i izmu i schizmu i że najwyższy czas, żeby sie duże drzewo spotkało z małą siekierą. Ale tego nie mówi, śpiewa o tym, dlatego wiemy, że to twoje. I wielu w gecie, w Kopenhadze, w Remie i na pewno w Ośmiu Ulicach też o tym śpiewa. Ci dwaj, co przynoszą broń do geta, nie wiedzą, co robić, bo jak muzyka cie walnie w ryja, to jej nie oddasz.

Takie chłopaki jak ja nie śpiewają twojej pieśni. Mówisz, że ten, kto to czuje, to wie, ale minęły czasy, kiedy czułeś. My słuchamy innych numerów, co buzują stalag riddim, pieśni ludzi, co nie mają pieniędzy na gitare i nie mają pod ręką żadnego białego, który by im ją dał. A jak słuchamy ludzi takich jak my, przychodzi Josey Wales, a ja mówie żartem, że jest jak Nikodem, złodziej w nocy. Trzynaście lat i daje mi prezent, że wypada mi z rąk, bo broń waży inaczej. Nie że bardziej ciężka, ale inna, zimna, gładka, twarda. Pistolet słucha palca dopiero, jak ręka pokaże, że umie obsługiwać. Pamiętam, jak pistolet mi wypadł, sie wyślizg, a Josey Wales aż podskoczył. A Josey Wales nie podskakuje. Ostatni raz jak tak było, mówi, to odstrzeliło na czysto cztery palce u nogi, mówi i podnosi. Mam ochote spytać, czy dlatego kuleje. Josey Wales przypomina, że ma mie uczyć, jak używać broni i odstrzelić tych z LPN-u, jakby czegoś próbowali, i zaraz potem to moja kolej, żeby bronić Kopenhagi, zwłaszcza jak wróg jest z własnego wypieku, a nie z cudzej cukierni. Josey Wales nigdy nie umiał gadać jak muzyka, nie tak jak Papa-Lo i nie jak ty, więc ja sie śmieje, a on mie pszyka w policzek. Miej szacunek do dona, mówi. Już mu chciałem powiedzieć, że nie jest donem, ale siedziałem cicho. Gotowy być męszczyzną?, pyta. Ja na to, że jestem męszczyzną, ale nie zdążyłem dokończyć, bo mi przystawił pistolet do prawej skroni. Klik. Pamiętam, jak sie zebrałem w sobie, błagam, żeby sie nie zeszczać, nie zeszczać, żebym nie wyglądał na szczyla, co sie zeszczy.

Papa-Lo umiałby mie zabić tak szybko i pewnie, jakby to mu nagle strzeliło do głowy. Ale jak Papa-Lo zabije w piątek, znaczy, że myślał, zastanawiał sie, rozważał od poniedziałku. Josey Wales inaczej. Josey Wales nie myślał, Josey Wales strzelał. Patrze na czarną okrągłą paszcze lufy i wiem, że może mie zastrzelić na miejscu i powiedzieć Papa-Lo cokolwiek. Albo nie. Nikt nie obstawia, co Josey Wales zrobi. Trzymając ciągle pistolet przy mojej skroni, łapie mie za spodnie i ciągnie, aż guzik odlata. Mam tylko trzy gacie bez widoku na więcej i wkładam je tylko, jak wychodze z geta. Josey Wales łapie mie za spodnie, potem puszcza i patrzy, jak opadają. Patrzy w góre, w duł, znowu w góre, i sie uśmiecha. Jeszcze nie jesteś męszczyzna, ale niedługo, niedługo. Ja cie nim zrobie, mówi. Gotowy na to?, pyta, a ja wtedy myślałem, że on rozumie to politycznie, jak by to powiedział Michael Manley. Chcesz lepszej przyszłości, towarzyszu? Kiwam głową, a on odchodzi, ja za nim, ulicą, którą już nikt nie jeździ z powodu gnojów wymachujących bronią, gdzie nie ma domów, tylko góra piachu i cegły pod duże osiedle, co go rząd nie chce zbudować, bo jesteśmy JPP.

Ide za nim do miejsca, gdzie sie kończy ulica, przy torowisku, co przecina Kingston ze wschodu na zachód. Przy torowisku, tak daleko na południu, nic nie zasłania morza. Kingston potrafi tak zapaść sie w sobie, że człowiek jest nad morzem, a jednak zapomina, że żyje na wyspie. Że są tacy chłopcy z geta, co każdego dnia biegną do morza, żeby zanurkować i zapomnieć. Ja myśle o nich tylko, jak widze morze. Słońce już zachodziło, ale dalej było gorące, a powietrze miało smak ryby. Josey Wales skręcił w lewo, do małej budy, gdzie dawno temu jeden człowiek wstawał wcześnie, żeby zamknąć drogę i przepuścić pociąg. Nie kazał mi iść ze sobą. Ale jak wszedłem do środka, spojrzał, jakby cały dzień na mie czekał.

Zmierzchło sie już i podłoga skrzypi i trzeszczy. On świeci zapałke i najpierw widze skure, spoconą i połyskliwą. Najśmieszniejsze w zapachu potu jest to, że sie zaraz czuje szczyny, nieświeże, wsiąknięte w podłoge, szczyny sprzed paru dni. Chłopiec sie zlał w kącie, brzuchem do podłogi. Josey Wales czy ktoś związał mu ręce, potem sznurem ściągnął stopy, więc on wygląda jak łuk z człowieka. Josey Wales pokazuje jego ciuchy na podłodze, potem na mie pistoletem i mówi, żebym je wzioł, bo może to mój rozmiar. Teraz masz cztery gacie, dodaje, tylko że ja nie pamiętam, cobym komuś mówił, ile mam gaci. Podchodze, żeby podnieść ciuchy, i Josey Wales strzela. Kula odbija sie od podłogi, ja i chłopak podskakujemy. Jeszcze nie teraz, piździelcu. Jeszcze nie udowodniłeś, żeś męszczyzna. Patrze na niego, wysoki z łysą głową, co mu ją jego kobieta goli co tydzień. Wysoki, brązowy, same mięśnie tam, gdzie Papa-Lo czarny jest i gruby. Jak sie Josey Wales uśmiecha, to wygląda jak kitaj, ale zastrzeliłby, jakby mu ktoś to powiedział, bo w kitaju tyle ikry co w krośce, nie tak jak w czarnym człowieku.

Widzisz, jak dobrze sobie żyje chłopak z Remy? Myślisz, że możesz kupić takie dżinsy, eh? Te to fiorucci, wiesz? Widzisz, co za trzydzieści srebrników może sobie kupić chłopak z Remy? Josey Wales zna wszystkie marki ciuchów, jego kobieta mu większość znosi z zakładu, gdzie sie robi i wysyła ubrania do Ameryki, żeby ludzie sie mogli ubrać na disco, bo tak robią ludzie w Ameryce. Wszyscy wiedzą, bo ona wszystkim mówi. Jak chcesz coś z tego, to wyhoduj sobie najpierw kurewskie jaja. No już, mówi, i mi wciska pistolet do ręki. Słysze, że chłopak płacze. On jest z Remy, ja tam nie znam nikogo. Z Ośmiu Ulic też bym nikogo nie poznał, jakbym teraz zobaczył. No już, powtarza Josey Wales. Broń ma inny ciężar. Albo może to jeszcze coś innego, to takie uczucie, że jak masz broń w garści, to tak na prawde ona ciebie ma w garści. No już, albo dwuh was załatwie, mówi Josey Wales. To ja podchodze do chłopaka, czuje w nosie jego pot i szczyny i coś jeszcze i pociągam za spust. Chłopak nie krzyczy ani nie woła, nie stęka, nie tak jak gdy Harry Callahan zabija chłopaka. Podskakuje i nie żyje. Pistolet mi sie szarpie w ręce, ale strzału nie słychać tak, jak kiedy Harry Callahan strzela, jak echo długo sie odbija, dłużej, niż trwa film. Strzał był jak klaśnięcie dwóch desek przy uszach, szybko i już cicho jak puknięcie młotkiem.

Kula sie wbija w ciało, słychać tylko takie cup. Chciałem zabić tego chłopaka z Remy. Chciałem bardziej niż co inne. Dlaczego, to nie wiem. Nie, wiem. Josey Wales nic nie mówił. Kazał tylko strzelić jeszcze raz dla pewności, no to strzeliłem. Zwłoki drgnęły. W głowe, głupcze, mówi, no to ja znowu. Nie widziałem krwi na podłodze. Teraz pistolet sie zrobił lżejszy i cieplejszy. Powiedziałem sobie, że zaczyna mie lubić. Zabić takiego chłopaka to było nic. Wiedziałem, że tak będzie, może chłopaki z geta to wiedzą. To nie przez śmierć, tylko przez szczyny, gówno i krew sie zrzygałem, jak go ciągnołem, żeby wrzucić do morza. Trzy dni później w gazecie był nagłuwek, że zwłoki chłopca pływały w porcie. Że wyglądało jak egzekucja. Josey Wales sie uśmiechnął i powiedział, że ze mie teraz taki wielki męszczyzna, że piszą o mie w gazetach i boi sie mie cała Jamajka. Ja nie czuje sie wielki. Nic nie czuje. Może wielkie jest to właśnie, że nic nie czuje. Nie, to też nic wielkiego. Mówi mi, żebym nie mówił Papa-Lo, bo mie wtedy ukatrupi gołymi rękami.

JOSEY WALES

To normalka, że Beksa sie dobrze bawi. Dobrze sie dogaduje z białymi, naprawde dobrze, od kiedy jeden z nich pokazał mu, jak sie strzela jak męszczyzna, a nie głupi chłopak z geta. Tak go najpierw nazwał Louis Johnson, tak po prostu. Biały człowiek miał jaja, tak bym powiedział. Beksa skoczył wtedy, wyciągnął małą pizdowatą trzydziestke ósemke do białego, ale zaraz potem poczuł większą sztuke ocierającą się o jego klejnoty. I tak cie moge zabić, Beksa na to. Ty mi przystawiłeś spluwe do łba, a ja tobie gdzie indziej, odpowiada Johnson, co dla Jamajczyka jest gorsza śmierć, może nie tak? Beksa popatrzył na niego i sie zaśmiał i uścisnął mu grabe, nawet go złapał w objęcia, nazywając mój brada. Tak sie uczysz gadać jak swojak? Pamiętam, że miał wranglery. Amerykanin, co próbuje wyglądać na większego Amerykanina poza Ameryką. To było w tym barze, Lady Pink, na Pechon Street, na ostatniej ulicy między dauntaunem i getem, gdzie sie biorą co czwartek świeże dziewczęta, chociaż w zeszłym tygodniu nowa dziewczyna to była ta sama sprzed dwuh lat, co tańczy, jakby sie trzonsł bananowiec. Życie sie robi coraz bardziej ciężkie, sprawy idą źle, jak sie przedszkolanka musi rozgogolać na scenie. Ją Beksa też lubił pieprzyć.

Lady Pink otwierają od dziewiątej rano i w szafie grającej mają tylko dwie rzeczy, jakieś miłe ska z lat sześćdziesiątych i słodkie rocksteady, jak The Heptones i Ken Lazarus. Zero tego jebadła rasta reggae. Jak spotkam jeszcze jakiegoś piździelca, który włosów nie uczesze i nie uzna Jezusa za swojego boga i zbawiciela, to chyba wyśle skurwiela prosto do piekła. Potraktuj to, człowiek, jako żart, to masz taki koniec jak w banku. Ściana jest za czerwona jak na róż i za różowa jak na fiolet i na całej wiszą złote longplaye, co je właściciel sam sprejem pomalował. Na scenie jest Lerlette, ta chuda, ona zawsze tańczy do *Ma Baker*. Jednego roku robiliśmy za ochroniarzy, jak Boney M. przyjechali na Jamajke i nikt do tej pory nie miał pojęcia, że trzy kobiety i jeden facet z Karaibów mogą razem wyglądać tak pedalsko. Za każdym razem jak numer sie kończy churkiem *she knew how to die!*, Lerlette pada i trzyma ręce w strzeleckiej pozie jak Jimmy Cliff w *Nierównej walce*. Dziewczyna musiała swoją pipe przeprowadzić przez najróżniejsze perypetje. Ją też Beksa pieprzył.

Po tańcu wciąga majtki i idzie do mojej loży. Ja mam zasady z kobietami. Ładniejszy cyc i gorętsze ciało u ciebie niż u mojej kobiety, to sie tobą zajme. Inaczej wypierdalaj w podskokach. Dziesięć lat minęło i jeszcze takiej nie spotkałem. Wiekuistość trwało, jak wreszcie znalazłem Winifred, kobiete, która wydała na świat takiego chłopca, jakiego chciałem mieć za syna, bo męszczyzna nie może sobie pozwolić, żeby strzelać nasieniem na prawo i lewo. Zeszłego tygodnia Beksa zjawił się z synem jakiejś kobiety z Dżungli, nawet on nie pamięta, jak ma na imie. Chłopiec był albo opóźniony w łepetynie, albo zaczął sporo za wcześnie jarać gandzie, bo sie ślinił i dyszał jak podjarany pies. Na Jamajce trzeba uważać, żeby sie dobierać odpowiednio. Małe jasnobrązowe, co za szybko sie nie wysuszą, wtedy dzieciak dostanie dobre mleko i będzie miał zdrowe włosy.

— Pałah stałah?

— Wypat, lachociągu. Nie widzisz, że ważniak przyszedł?

— Boożeh. Stwardniałeś, eh? Beksah gdzieh?

— Wyglądam ci na matke Beksy?

Ona nie odpowiada, odchodzi, ściągając majtki z tyłka. Wiem na sto procent, że matka upuściła ją na głowe, jak była mała. Dwa razy. Jednego nie moge znieść w życiu, jak ludzie gadają paskudnie. Co gorsza, gdy umią inaczej. Matka posłała mie do szkół aż po liceum. Nie nauczyłem sie ani jednej kurewskiej rzeczy, ale ile sie nasłuchałem. Słucham telewizora, Billa Masona i *Marzę o Jeannie*, i tego słuchowiska w RJR o dziesiątej rano, chociaż to dla kobiet.

I słucham polityków, ale nie jak mówią do mie, traktując jak jakiegoś zacofanego czarnuha z geta, tylko jak rozmawiają ze sobą albo z białymi z Ameryki. W zeszłym tygodniu mój syn mówi, tata, ty wiesz, co sie skroiło? Waleli na jedną hate wonty załatwić, dociera? Trzasnąłem małego łobuza tak mocno, że sie prawie poryczał. Nie gadaj do mie, jakbyś krowie z dupy wypat, mówie mu.

Cholerny gnój patrzy na mie, jakbym mu coś wisiał. To jest problem z tymi młodymi rudeboyami, nie było ich, jak upadła Balaclava w sześćdziesiątym szóstym, ale ja skończyłem o tym gadać. Wszyscy gadają, jakby znali tylko geto, zwłaszcza on. Widziałem go w telewizji pare lat temu i nigdy w życiu bardziej sie nie wstydziłem. Pomyśleć, że ma te wszystkie pieniądze, te złote płyty na koncie, na fiucie szminke z ust różnych białych kobiet, i tak mówi: Jak moje życie ma być tylko dla mie, to je nie chce? To zrezygnuj z życia, piździelcu. Zaraz przyjde i ci je odbiore.

Co do Beksy, on inny. Pierwszego dnia, jak wyszedł z więzienia — a dzień nie był najlepszy, bo wlazł w sam środek wojny — miał dużą wypukłość w tylnej kieszeni. Jak to wyciągnoł, to na okładce było tyle czerwonego atramentu, że go spytałem, czy krew mu z dupy leci. Okazało sie, że to tusz z jedynego długopisu, który sie dało zakosić w więzieniu. Pytam, czy on pisze książke w książce. Nie, słońce, mówi. Bertrand Russell jest top na topie wśród moich brada, ja go nie przebije. Bertrand Russell to książka, której jeszcze nie czytałem. Beksa mówi mi, jak dzięki Bertrandowi Russellowi już nie wierzy w żadnego boga. Ja mam z tym problem, i to nie mały.

Czekając na Bekse. Prosze, jest tytuł na piosenke, na hit normalnie. W zeszłym tygodniu mu mówie i młodziakom, Bam-Bamowi, Demusowi i Heckle'owi, że każdy Jamajczyk to człowiek poszukujący ojca, a jak go nie ma w pakiecie, to sobie znajdzie innego. Dlatego Papa-Lo nazywa sie Papa-Lo, ale on już nie może być ojcem dla nikogo. Beksa mówi, że on sflaczał, ale ja na to, że nie, kretynie, przyjrzyj sie uważnie. Że wcale nie zrobił sie miętki, tylko dożył swojego, że człowiek widoczny w lustrze jest już stary i nie wygląda jak orginał, a przecież ma tylko trzydzieści dziewięć lat. Ale tutaj to już starość, problem, jak sie dożyje tyle, jest taki, że nie wiadomo, co dalej ze sobą zrobić. Więc zaczyna sie zachowywać, jakby nie lubił już tego świata, który pomógł zbudować. Nie można zgrywać Boga, powiedzieć, przestałem lubić człowieka, więc wyczyścimy tabliczke do zera potopem i zaczniemy od nowa. Papa-Lo zaczyna myśleć za dużo, zaczyna myśleć, że może być kimś więcej, niż jest. Najgorszy dureń to ten, co myśli, że może być lepiej. Lepsze czasy nadejdą, ale nie takie, jak nam sie wydaje. Kolumbijczycy już nawiązali ze mną kontakt, mają dosyć tych loco Kubańczyków, co wciągają za dużo towaru, który powinni sprzedawać, i Bahamczyków też, bo z nich nie ma pożytku, bo idą we freebase. Jak mie pierwszego razu zapytali, czy chce spróbować towaru, to powiedziałem nie, *hermano*, ale Beksa chciał. Brada, koka to był jedyny sposób, żebym sie pieprzył w więzieniu, mówi mi, i dobrze wiedzą, że żaden w gecie nie śmiałby nazwać go ciotą z tego powodu. Tamten ciągle do niego pisze z więzienia.

Ludzie, nawet ludzie, co powinni być mądrzejsi, myślą, że Papa-Lo zmiękł, że już go nie obchodzi egzekwowanie dla parti. Że skrewi, że pozwoli tym z LPN-u wejść na nasz teren, że Dżungla i Rema, zawsze z łapami po cudze, wybielą swoje zielone koszule i przefarbują na pomarańcz. Nie zmiękł, tylko myśli za dużo, a za to politycy mu nie płacą. Politycy wstają na wschodzie i znikają na zachodzie i nie da sie ich zmienić. To tutaj właśnie idziemy dwoma różnymi drogami. On chce o nich zapomnieć, ja chce ich użyć. Oni myślą, że on już sie nie troska o ludzi, a problem jest taki, że zaczyna sie troskać za mocno i już wciąga w to Śpiewaka.

To oni sie ze mną skontaktowali, w zeszłym roku. Zawołali mie na spotkanie nad Green Bay i od razu ich spytałem, gdzie Papa. Ten czarny (prawie wszyscy biali, brązowi i rdzawi) powiedział, że dość już Papy, że czas Papy minął, że teraz jest czas nowej krwi, gadał, jakby odgrywał pierdolone geto w ukrytej kamerze. W jednym momencie ten mały piździelec Louis Johnson wziął kartke do góry nogami, jakieś pierdoły na papeteri z ambasady o przyjęciu u ambasadora, chciał udawać, że to jakaś notatka z jakiejś agencji, czytał i sie szczerzył do pozostałych, jakby potwierdzał to gówno, co im o mie nagadał. Papa ma gdzieś parszywe życie, ale do tych niedorozwiniętych pedałów nie dociera, że ja też. Medellín na drugiej linii.

Więc niech ten macher Louis łasi sie do mie z tymi swoimi kombinacjami. Słucham, jak mówią uśmiechnięci, że nie mogą mi chyba ufać, i udaje, że nie rozumiem, jak mówią, żebym dał im znak, jakby to była Biblia. Zgrywam durnia, aż wreszcie wywalają, o co chodzi. Louis Johnson to jedyny z ambasady, którego znam. Utrzymuje kontakt z czarnymi. Wysoki, brązowe włosy, ciemne okulary, za którymi chowa oczy. Mówie mu, że znajduje sie w Kopenhadze, co jest jak moja otwarta dłoń, którą w każdej chwili moge zacisnąć w pięść. Podciągam koszule i streszczam mu sześćdziesiąty szósty. Lewa pierś, kula prawie utrafiła w serce. Szyja z prawej, kula na wylot. Prawe ramie, poszło po wierzchu. Lewe udo, kula sie odbiła od kości. Żebra, kula pogrzechotała kości. Nie mówie mu, że szykuje sie do zainstalowania człowieka w Miami i drugiego w Nowym Jorku. Nie mówie mu *yo tengo suficiente español para conocer que eres la más gran broma en Sud-américa.* Gadam do niego prymitywnie jak jakiś czarnuh z buszu i zadaje głupie pytania w rodzaju, czy wszyscy w Ameryce mają pistolety? Z jakich nabojów Amerykanie strzelają? Dlaczego nie przenieść Brudnego Harry'ego do wydziału na Jamajce?, hi, hi, hi.

I wtedy przekazują mi wiadomość, że Śpiewak daje pieniądze Papa-Lo i sie we dwuh mocno głowią, żeby zapewnić ludziom potrzeby. Udaje, że Papa-Lo mi tego nie mówił tym ostatnim razem, jak zastrzelił chłopaka z Dżungli i potem żałował, bo sie połapał, że ten do szkoły chodził. I mówie politykom i Amerykanom, że pewnie, żeby udowodnić, że jestem don nad donami, że zrobie, co trzeba. Tamten mówi, żeby była jasność, że rząd Stanów Zjednoczonych nie popiera i nie pochwala żadnych nielegalnych ani destrukcyjnych działań na niezależnym terytorium ościennym.

Wszyscy sie zachowują, jakbym nie wiedział, że planują zagrać nieczysto, że szukają, z kim z mojej załogi mogliby sie spotkać po cichu jak Nikodem nocą i kazać mu sie mną zająć, jak tylko ja sie wywiąże. No to siedze i czekam na Bekse, żeby z nim przegadać sprawy, które tylko my dwaj przegadać możemy, bo jutro to ja sie zajme paroma. A dzień później zajme sie światem.

NINA BURGESS

Siedemnaście autobusów. Dziesięć minibusów, w tym dwa razy ten, co się nazywa Revlon Flex. Dwadzieścia jeden taksówek. Chyba trzysta sześćdziesiąt sześć samochodów. A on ani razu nie wyszedł z domu. Choćby żeby się przewietrzyć albo upewnić, że strażnicy pilnują jak trzeba. Żeby powiedzieć słońcu, później, mój brada, teraz mam poważne rzeczy do zrobienia. Człowiek na soczyście zielonym skuterze wrócił wieczorem, ale znowu go odesłali, jednak najpierw zsiadł i pogadał z facetem przy bramie przez dwie minuty i siedemnaście sekund. Zmierzyłam czas. Zegarek Danny'ego ciągle chodzi, ale jednego dnia na lunchu w Terranova, kiedy wpadłam na dawną koleżankę ze szkoły, piersi obwisłe jak u steranej kozy, ale ciągle nadęta z niej suka, dowiedziałam się, że „takiego samego timexa tata dał Hortense w zeszłym tygodniu w nagrodę za piętnaście lat wzorowej służby u nas". Suka zarzuciła mi tandetę. Chciałam jej powiedzieć, że pewnie jest teraz szczęśliwa jako mężatka, bo widać, że już nie musi się starać, żeby wyglądać atrakcyjnie, ale uśmiechnęłam się tylko i odparłam, że mam nadzieję, że jej synek umie pływać, bo właśnie widziałam, jak popędził do basenu.

Chciałabym, żeby wynaleźli telefony, które można zabrać ze sobą, to bym zadzwoniła do Kimmy i spytała ją, czy już była u swoich biednych rodziców i czy wyjedziemy z tego kraju, zanim wydarzy się najgorsze. Jak ją znam, to pewnie w końcu się pojawiła, w tym swoim T-shircie z napisem „Ganja University" i dżinsach, w tych wyciętych z tyłu do połowy tyłka, nazywając mamę „sista" i mówiąc, że to wszystko to wina gównianego Babilonu i nie z powodu włamania powinni się wściekać, tylko z powodu syfsystemu, bo to on ich ograbił w pierwszej kolejności.

Tak mówią w miejscu spotkań dwunastu plemion w tej straszliwie niebezpiecznej dzielnicy o nazwie West Kings House, tuż obok przedstawicielstwa Królowej. Naprawdę muszę wyostrzyć swoją ironię. Może jestem snobką, ale na pewno nie hipokrytką, bo wciąż tu sterczę, skoro nic nie wyszło z marzenia mojego życia, żeby pieprzyć się z Che Guevarą i rodzić mu dzieci. Nie przestaję też z bogatymi z West Kings House, którzy mówią teraz o sobie „ja-man", żeby wkurzyć rodziców, chociaż wszyscy wiedzą, że za dwa lata wrócą potulnie do firmy spedycyjnej tatusia, żeby ją przejąć i ożenić się z jakąś syryjską dziwką, zdobywczynią tytułu Miss Jamajki.

Samochód trzysta sześćdziesiąty siódmy, sześćdziesiąty ósmy, sześćdziesiąty dziewiąty, siedemdziesiąty. Siedemdziesiąty pierwszy, siedemdziesiąty drugi. Muszę iść do domu. Ale sterczę tu pod gołym niebem, czekam na niego. Czuliście kiedyś, że dom to właśnie miejsce, do którego nie możecie iść? To tak, jakby obiecać sobie rano, gdy wstałaś z łóżka i się uczesałaś, że wieczorem, po powrocie, będziesz inną kobietą w nowym miejscu. A teraz nie można wrócić, bo dom jakby czegoś od nas chce. Zatrzymuje się autobus. Odpędzam go machnięciem ręki, daję kierowcy znak, że nie wsiadam. Ale autobus tam stoi, czeka na mnie. Robię krok do tyłu i patrzę na drogę, udając, że nie widzę, że ludzie w autobusie klną, bo chcą być już w domu, nakarmić dzieciaki, więc czemu ta cholerna baba nie wsiada? Odchodzę na tyle daleko, żeby autobus w końcu odjechał, ale wracam na przystanek, zanim jeszcze kurz opadnie.

Z drugiej strony drogi płynie do mnie bas. Wygląda na to, że on cały dzień gra ten sam numer. Brzmi jak kolejna piosenka o mnie, ale jest pewnie ze dwadzieścia dziewczyn na Jamajce i kolejne dwa tysiące na całym świecie, które myślą to samo, gdy w radiu grają jego muzykę. Ale *Midnight Ravers* jest o mnie. Kiedyś powiem o tym Kimmy i wtedy do niej dotrze, że to, że jest najładniejsza, wcale nie znaczy, że może zaliczyć ich wszystkich. Przy bramie staje biały radiowóz z niebieskim paskiem dokoła. Policja na Jamajce bez przerwy używa syren, żeby ludzie pryskali na boki i można było szybciej dojechać do Kentucky Fried Chicken. Nigdy nie miałam żadnych zatargów z policją. Nieprawda.

Jednego razu jechałam 83 do Spanish Town na rozmowę o pracę (bo takie właśnie są czasy w tysiąc dziewięćset siedemdziesiątym szóstym roku, człowiek bierze robotę tam, gdzie się trafi, nawet w firmie wydobywającej boksyt), gdy nagle trzy radiowozy na sygnale zablokowały autobus, zmuszając kierowcę do zatrzymania się na środku drogi. Proszeh natychmias opuścih pojazd!, powiedział pierwszy policjant. Na środku drogi. Tam była tylko wąska szosa z bagnami po obu stronach i wszyscy musieli wysiąść. Większość kobiet zaczęła kląć, że się spóźnią do pracy, za to mężczyźni byli cicho, bo policjanci zastanawiają się dwa razy tylko wtedy, gdy mają strzelić do kobiety. Będzieh rewizjah, jeden. Spiszemy prroceduralnie wszystkieh nazwiskah.

— A tyh jak sie nazywasz, słodziutkah?

— Słucham?

— Tyh, gorącah jak dwa słońcah. Jak sie nazywasz?

— Burgess, Nina Burgess.

— Bond, James Bond. Mówisz, jakbyś grała w filmie. Masz ukrytą broń tam pod spodem? Uważaj no, bo cie obszukam.

— Uważaj, bo cię oskarżę o próbę gwałtu.

— A kto byh, kurwa, w ogóleh sie tym przejął?

Odesłał mnie do reszty kobiet, a inny policjant wyrżnął kolbą mężczyznę, który zaczął coś mówić o równych prawach i sprawiedliwości. Oto coś, do czego otwarcie nie przyzna się żaden Jamajczyk, to znaczy żaden, który miał do czynienia chociaż z jednym z tych dupków. Zawsze gdy któryś z nich zostaje zastrzelony, a zdarza się to często, jakaś część mnie, ta część sprzed porannej kawy, czuje lekką radochę. Przepędzam te myśli. Ciekawe, czy strażnik przy bramie mówi w tej chwili policjantom, że cały dzień sterczę na przystanku i obserwuję dom. Ale nie, ktoś inny woła coś głośno i gruby policjant, zawsze jest taki jeden, śmieje się, a jego głos dudni aż na drugą stronę drogi. Odwraca się, żeby wsiąść z powrotem, lecz ktoś woła do niego z domu. Wiem, że to ty, to musisz być ty. Po mojej stronie drogi nadjeżdża samochód, ze trzydzieści metrów? Zdążę, nie potrąci mnie. I wiem, że to ty, po prostu wiem, ile, dwanaście metrów? Biec, szybko przebiec, przestań na mnie trąbić, skurwysynu, głuchy jak twoja pieprzona matka, stoję pośrodku, za dużo samochodów po drugiej stronie, a ja unieruchomiona jak Ben Gunn na wyspie, a chcę tylko, żebyś mnie zobaczył, to ty, to na pewno ty, pamiętasz mnie, *Midnight Ravers* jest o mnie, chociaż było wtedy już po północy, może nie wiesz, jak wyglądam za dnia, a ja pomocy potrzebuję, małej przysługi, okradli mi ojca i zgwałcili matkę. Nie, nie zgwałcili jej, no właściwie to nie wiem, ale cała historia brzmi bardziej przekonująco, jak się zabawią z pipą starszej kobiety, i wiem, że to ty, policjant czeka, dobrze, dobrze, tak dobrze, że aż świetnie, wyjdziesz na zewnątrz — to nie ty. Drugi strażnik wybiega na dwór, żeby powiedzieć coś grubemu policjantowi, a ten skurwiel się śmieje i wciska do radiowozu. Utknęłam na środku drogi, samochody śmigają obok, aż mi się spódnica unosi.

— Cześć, przyszłam się zobaczyć…

— Żadnych wizyt. Zwiedzanie domu od przyszłego tygodnia.

— Nie, nie, to nieporozumienie. Nie przyszłam na zwiedzanie. Chcę się zobaczyć… On się spodziewa mojej wizyty.

— Psze pani, do środka wchodzi tylko najbliższa rodzina i zespół. Pani żonah?

— Co? Nie, no jak. Co to za pyta…

Grah pani na jakimś instrumencie?

— To nieważne, proszę mu tylko powiedzieć, że Nina Burgess przyszła się z nim zobaczyć. I że to ważne.

— Paniusiu, nawet jakbyh pani byłah Scooby-Doo, to i tak nikt nie wejdzieh.

— Ale zaraz…

— Psze sie odsunąć od bramy.

— W ciąży jestem. Z nim. Musi się zająć swoim nygusem.

Strażnik po raz pierwszy mi się przygląda. Myślałam, że mnie skojarzy, ale on naprawdę dopiero teraz zwrócił na mnie uwagę. Lustruje, może chce się zorientować, co za kobieta rodzi nygusy takiemu gwiazdorowi.

— Wie panih, ile kobiet tu było od poniedziałku, co mówiły to samoh? Niektóre nawet z brzuchem na pokaz. A ja mówieh, żadnych wizyt, tylko rodzinah i zespół. Przyjdź pani w przyszłym tygodniu, dziecko na pewno jeszcze nie zdąży uciec do Miamih. Jak jest...

— Eddie, zamknij tego swojego piździelskiego ryjah i pilnuj bramy!

— Ale jednah kobietah odsunąć sie nie chceh.

— To sam ją weź odsuń.

Szybko się cofam. Nie chcę, żeby któryś z nich mnie dotykał. Zawsze najpierw łapią za tyłek albo krocze. Z tyłu podjeżdża samochód i wysiada z niego biały mężczyzna. Przez ułamek sekundy chcę krzyknąć: „Danny!", ale ten mężczyzna jest po prostu biały. Włosy ma długie, brązowe i rzadką bródkę, tak jak lubiłam, a Danny nie lubił. Żółty T-shirt bez napisów, obcisły, niebieskie dzwony. To chyba z powodu gorąca można stwierdzić, że: 1) to Amerykanin, 2) Amerykanie bardziej nienawidzą bielizny niż Amerykanki staników.

— O w pizdeh! Popatrz sie, kto sie zjawił, Taffie. Jezus zmartwystał.

— Co? A ja sie jeszcze nie wyspowiadałem.

Biały nie chwyta dowcipu. Schodzę mu z drogi, może trochę zbyt ostentacyjnie.

— Cześć, kolego. Jestem Alex Pierce z „Rolling Stone".

— Czekaj tam, Jezusie w obcisłych gaciach. Twój ojciec Jehowa wie, że kłamiesz? Już dwuh było z „Rolling Stone", jeden jakiś Keith, drugi jakiś Mick, a wyglądali inaczej niż ty.

— Ale wszyscy jakby jednakowi, nie, Eddie?

— Faktem jest. Faktem jest.

— Piszę dla „Rolling Stone". Rozmawialiśmy przez telefon.

— Ze mną żeś nigdyh przez telefon nie rozmawiał.

— Chodzi mi o to, że rozmawiałem z kimś z biura. Z jego sekretarzem czy kimś, nie wiem. Jestem z gazety. Z Ameryki, tak? Piszemy o wszystkich, od Led Zeppelin po Eltona Johna. Nie rozumiem, sekretarz mówił, żebym przyszedł trzeciego grudnia o szóstej, bo on ma wtedy przerwę w próbach, no to jestem.

— Ej, szefu, ja nie znam żadnego seksetarza.

— Ale...

— Słuchaj, mamy wyraźne polecenieh. Wchodzić i wychodzić może tylko najbliższa rodzinah i zespół. Nic więcej.

— Aha. Dlaczego macie broń automatyczną? Jesteście z policji? Wyglądacie inaczej niż ci ochroniarze, których widziałem tu ostatnim razem.

— Nie twoja sprawah i lepiej sie odsuń.

— Eddie, on ci ciągle truje przy bramie?

— Mówi, że jest z gazety, co pisze o lesbah i Eltonie Johnie.

— Nie, nie, o Led Zeppelin i...

— Każ mu sie odsunąć.

— Ej, może ci pomoge?

Biały otwiera portfel. Wystarczy mi dziesięć minut, mówi. Cholerni Amerykanie, zawsze przekonani, że jesteśmy tacy sami jak oni i że wszystko jest na sprzedaż. W tej chwili akurat cieszę się, że ten strażnik to skończony dupek. Patrzy na forsę, przez długą chwilę patrzy. Amerykańskim pieniądzom trudno się oprzeć, bo taki skrawek papieru jest wart więcej niż wszystko, co człowiek ma w portfelu. W sensie, że gdy ktoś wyciągnie jeden taki banknot, to się zmienia świat dokoła. Właściwie brzydko wygląda, papier bez żadnego koloru, tylko zieleń. Bóg świadkiem, że ładne pieniądze to nie jedyna bezwartościowa ładna rzecz. Strażnik zerka ostatni raz na plik banknotów i odchodzi w kierunku domu.

Chichoczę. Gdy człowiek nie może zwalczyć pokusy, to musi dać dyla, tak mówię. Biały patrzy na mnie, zezłoszczony, a ja znowu chichoczę. To niecodzienny widok, Jamajczyk, który na widok białego nie czapkuje od razu, tak, massa, czym mogę służyć, massa? Danny był przerażony takim zachowaniem. A potem zaczął to lubić. Niezła jazda się robi, gdy kolor skóry to najlepszy paszport na rynku. Aż się zdziwiłam, jak dobrze się poczułam, gdy ja i ten biały zostaliśmy razem przed bramą jak żebracy. Potraktowani tak samo. Myślałby kto, że nigdy nie byłam wśród białych albo przynajmniej wśród Syryjczyków, którzy się za białych uważają.

— Przyleciał pan z Ameryki, żeby napisać o Śpiewaku?

— No, tak. W tej chwili jest największą sensacją. Tyle gwiazd ma być na tym koncercie, jakby to był Woodstock.

— Och.

— Woodstock to był...

— Wiem, co to Woodstock.

— Aha. Wszystkie media trąbią teraz o Jamajce. I o tym koncercie. W „New York Timesie" napisali artykuł, że strzelano do lidera jamajskiej opozycji. Z gabinetu premiera, proszę sobie wyobrazić.

— Poważnie? Dla premiera to byłaby wielka nowina, bo opozycja nie ma powodu, żeby się zbliżać do jego gabinetu. Poza tym to śródmieście. Przy tej drodze. Tam nikt nie strzela.

— W gazecie napisano inaczej.

— W takim razie na pewno tak było. Skoro jedni piszą pierdoły, inni muszą czytać i wierzyć.

— Ej, odpuść sobie, przestań mnie tak szarpać za jaja. Nie jestem żadnym cholernym turystą. Znam prawdziwą Jamajkę.

— No to gratuluję. Bo ja tu mieszkam całe życie i jeszcze nie widziałam prawdziwej Jamajki.

Odchodzę, ale biały mężczyzna idzie za mną. No bo jest tylko jeden przystanek, tak? Cholera, może Kimmy zdążyła już zajrzeć do swoich rodziców, których bandyci okradli, a matkę prawdopodobnie zgwałcili. Ale jak tylko przechodzę na drugą stronę jezdni, znowu chcę zostać. Nie wiem. Wiem, że nie mam po co wracać do domu, ale to nie żadna nowina, bo tak jest codziennie. Żeby poczuć śmiertelny strach, muszę tylko przywołać te wszystkie nagłówki o zastrzeleniu pewnej rodziny, ulotki o wprowadzeniu godziny policyjnej, doniesienia o zgwałconej kobiecie, o tym, że przestępczość jak fala napływa do śródmieścia. Albo pamiętać o rodzicach próbujących zachowywać się tak, jakby ci bandyci nie odebrali im tego, co zawsze było między nimi i tylko między nimi. Byłam tam cały dzień i ani razu się nie dotknęli.

Biały wsiada do pierwszego autobusu, który nadjeżdża. Ja nie wsiadam, wmawiam sobie, że po prostu nie chcę jechać z nim razem. Ale wiem, że do następnego też nie wsiądę. I do następnego też nie.

DEMUS

Ktoś musi mie wysłuchać, równie dobrze możecie wy. Gdzieś jakoś ktoś osądzi żywych i umarłych. Ktoś napisze o dobrych i złych, bo ja jestem człowiekiem chorym i złym i nie było chorego i bardziej złego ode mnie. Ktoś, może za czterdzieści lat, jak Bóg przyjdzie po nas wszystkich, nikogo nie pomijając. Ktoś o tym napisze, usiądzie przy stole po południu w niedziele, drewniana podłoga będzie skrzypieć, lodówka szumieć, ale żadnych duhów dokoła, nie tak jak jest ze mną przez cały czas, i napisze moją historie. I nie będzie wiedział, co napisać i jak napisać, bo nie przeżył tego, bo nie będzie wiedział, jak śmierdzi kordyt ani jak smakuje krew, gdy krew siedzi uparcie w gębie, żeby nie wiem ile sie litrów wypluło. Nawet kropli nie poczuł. Żadna skośnooka zjawa nie dopadnie go we śnie, nie ogłupi mokrym snem, że prawie mu życie przez usta wyssa, chociaż ja zawsze zęby zaciskam, a jak sie budze, to mam twarz całą w ślinie, jakby mie ktoś żelatyną ubabrał i włożył do lodówki. Jan Chrzciciel widział, że nadchodzą. Teraz nikczemnicy uciekają.

A zaczeło sie tak.

Jednego dnia byłem w Dżungli, za domem stałem przy hydrancie, żeby zaliczyć poranne mycie, bo męszczyzna nie może śmierdzieć, jak idzie szukać roboty. To stoje na tyłach, jedno podwórko dla wszystkich z kamienicy, myje sie mydłem i wodą, gdy nagle policja wpada, bo jakaś kobieta, jakaś paniusia z kościoła zeznała, że chciała tylko pomodlić sie do Pana Boga, panie władzo, gdy jakiś śmierdzący chłopak z Dżungli wskoczył na nią i ją zgwałcił, tak było, panie władzo, przysięgam. Ej, chłopak, tyh, co sie bawisz dzyndzlem jak jaki zboczeniec, chodź tutaj! Staram sie trafić policjantowi do rozumu, bo Jah Rastafari mówi, że

powinniśmy dogadać sie nawet z wrogiem, no to mówie, panie
władzo, nie widzi pan, że sie myje, na co on mie cmok w usta
kolbą karabinu. Nie wciskaj mi gówna, oblehu, tak mówi. Bawisz
sie sam ze sobą i kohasz sie sam ze sobą jak jaki piździelski sodomita. Potem pyta, czy ja tą kobiete zgwałciłem na North Street.
A ja, że co? Nie, szefu, nikogo nie zgwałciłem, bo i po co, dziewczyn mam na zawołanie, ale on mie wali w pape, jakbym był baba,
i każe mi wyjść na ulice. Ja na to, panie władzo, chociaż mydło
spłucze i włoże gatki, ale słysze szczęk! Jazda, piździelcu, mówi
on, no to ide, a tam stoi w rzędzie siedmiu innych, ludzie sie gapią, niektórzy na mój widok odwracają głowy, inni patrzą, a mie
od wstydu publicznego chroni tylko piana z mydła. Żeś go złapał,
zanim zdążył zmyć dowody przestępstwa, mówi inny policjant.
   Policjanci, naliczyłem sześciu, mówią, że jeden z nas to parszywy gwałciciel, który gwałci kobiety, co wracają z kościoła po
modlitwach na cześć Pana Boga. A ponieważ wszyscyście wredne
kłamczuhy z geta, to nawet nie będziemy prosić, żeby sprawca wystąpił z szeregu. Nie wiemy, co robić, bo jak jeden z nas zostałby
wskazany, to policjanci go zastrzelą, a nie zawiozą do więzienia.
No to pierwszy policjant, ten, co gada cały czas, mówi, ale wiemy,
jak złapać przestępce. Wszyscy ryjem do ziemi, już! Zgłupieliśmy,
sie rozglądamy, a ja widze, jak bąbelki piany pryskają po kolei,
odsłaniając mój interes. Policjant strzela dwa razy w powietrze
i krzyczy: pad gleba, już! No to padamy. Wtedy tamten prosi drugiego policjanta o zapalniczke i łapie gazete, co ją wiatr toczy po
ulicy. A teraz słuchajcie, co macie zrobić, mówi nam. Wszyscy
zerżniecie ziemie. Porządnie! Na to jeden z nas rechoce głośno,
bo to sie jakaś komedia w telewizji zrobiła, ale policjant kopie go
dwa razy w żebra. Mówie, że macie ruhać glebe, powtarza. No to
sie zabieramy, dziobiemy i dziobiemy, bo zakazuje nam przestać.
Ziemia twarda, pełno kamyków, kawałki szkła i piach, napieram
biodrami, ale skóre zdzieram, no to mam dość. Kto ci pozwolił
przestać!, wrzeszczy policjant i zapala gazete. Ruhy, ruhy, ruhy,
kazałem ci ruhać!, wrzeszczy policjant, i rzuca mi palącą sie gazete

na tyłek. Ja wrzeszcze, on mie wyzywa od dziewczynek. Kazałem ci ruhać, mówi. A potem przypala drugiego chłopaka i jeszcze jednego i znowu wszyscy dymamy ziemie.

Potem policjant maszeruje wzdłuż szeregu i mówi, ty nie umiesz ruhać, do domu. Ty tak samo nie umiesz, znikaj. Ty raczej umiesz, zostajesz. Ty idziesz, jazda stont. Cweluh, znikaj, a ty masz zostać. O mnie to mówi. Łapią trzech z nas i wrzucają do suki, a ja ciągle goły. Prosze o jakąś koszule, a policjant na to, tak, człowiek, znajdziemy ci jakieś spodnie. Twoja kobieta przyniosła portki i koszule, mówi jeden z policji. Ale one za dobre dla chłopaka z geta, więc je zatrzymaliśmy. Jeden policjant wali ją w pape i mówi, żeby znalazła w sobie jaką ambicje i przestała sie ruhać z tymi z geta. Z więzienia wypuścili nas dopiero po tygodniu. Kopali mie w głowe, bili pałami, hlastali po jajach, hłostali pejczem, jakby byli jakimiś białasami, i, brada moi, prawą ręke mi złamali. Pierwszy dzień to była tylko przygrywka, tak źle nas potem traktowali. Przez cały czas byłem goły, a oni z tego niezły mieli ubaw.

To sie stało siódmego dnia. Kobieta zmieniła zeznania, powiedziała, że zgwałcił ją ktoś z Trench Town, i nie wnosi oskarżenia, więc nas puścili. W więzieniu nikt ze mną nie rozmawiał, od policji nie usłyszałem nawet przepraszam. To jak tylko wróciłem do Kopenhagi, a policjanci przyszli i strzelając z rewolweru, powiedzieli, że strzegą prawa i porządku, zakręciłem sie koło broni. Nie wiedzieli, że w gecie nauczyłem sie dobrze strzelać, jak żołnierz w *Parszywej dwunastce*. Obejrzałem ten film jeden raz, drugi, trzeci i znowu, i znowu. Jak policjanci zrezygnowali i zaczeli uciekać, to już położyłem ich dwóch, jednego w głowe, drugiego w jaja, bo chciałem, żeby sobie dalej żył z bezużytecznym dzyndzlem.

Gdzie to sie stało? Brada od Śpiewaka, nie, nie on sam, ten drugi, puścił info, że mamy przyjść do domu Śpiewaka. To nie normalne. Rasta teraz awansowali, no to tylko niektórzy dostają tam zaproszenia, tylko ważniacy i shotta. Ale to nie były zwykłe dredy, to byli brada, i zaprosił Heckle'a, Heckle mówi mu, że musi wziąć ze sobą pięciu, sześciu innych. Dom Śpiewaka największy, jaki widziały moje oczy. Podbiegłem i dotknołem ściany, żeby potem móc mówić, że dotknołem. Tyle było nowego na tym wypadzie, że większości nie pamiętam. Pierwszy raz byłem na aptaunie. Pierwszy raz na Hope Road. Pierwszy raz tyle kobiet w pięknych ubraniach paradujących na ulicy. Pierwszy raz ja w domu Śpiewaka. Pierwszy raz widziałem białą kobiete, co wyglądała jak rasta. Pierwszy raz widziałem, jak żyją ludzie, co wszystko mają. Ale Śpiewak sie nie pojawił, tylko różni brada i cała banda takich, których nigdy nie widziałem, nawet jacyś biali. Prosta gadka poszła. Gonitwy to wielka rzecz na Jamdown, wiadomo. Tak to wykombinowane. Ten mistrz dżokej może wygrać wyścig, może przegrać, a jak postawimy przeciw, wysoki kurs, a on przegra, to będzie z tego więcej pieniędzy, niż może sie przyśnić w dwóch snach naraz. Tyle pieniędzy, że każdy chłopak z geta będzie mógł kupić swojej kobiecie porządny materac Posturepedic w Sealy.

Ja gdzieś mam materace. Chce sie tylko myć pod dachem, nie pod gołym niebem, chce zobaczyć Statułe Wolności i mieć dżinsy Lee, a nie lipne dżinsy, do których jakiś kretyn przyszył patke Lee. Takich to ja nie chce. Chce mieć tyle pieniędzy, żeby przestać chcieć pieniędzy. Myć sie na dworze tylko dlatego, że mam, kurwa, ochote myć sie na dworze. Móc powiedzieć, że materac z Sealy to gówno, a co, nie ma nic lepszego? Patrzeć na Ameryke, ale nie jechać, tylko żeby Ameryka wiedziała, że moge pojechać w każdej chwili, jak mi sie zachce. Bo już mam dość ludzi, co wyrzucają picniądze w błoto, a na mie patrzą jak na zwierze. Chce mieć tyle pieniędzy, że jak ich pozabijam, będe miał gotówke i wszystko inne w dupie. Trzeba porwać dżokeja, przemówić mu do rozumu i pstryk, mówią brada.

Gonitwa była w sobote. We wtorek Heckle zawiózł mie i dwuh innych na tory w Caymanas Park. Jak tylko dżokej skończył trening i szedł do swojego auta, doskoczyliśmy, poszewke mu na głowe, wepchnęli go do środka i odjazd. Zawieźliśmy go do starego magazynu w gecie, gdzie nikt już nie przychodzi. Heckle wcisnął mu spluwe do gęby, głęboko, aż tamten sie zakrztusił.

— Słuchaj teraz, piździelec, co zrobisz w sobote.

Dżokej wziął i przegrał trzy gonitwy. Potem hop w samolot do Miami i zniknął jak czary-mary. A potem inni ludzie wyparowali. Czterej, którzy zgarnęli pieniądze w Caymanas Park, w tym brada. Czyli ja, Heckle i mnóstwo innych zostaliśmy z niczym. Z kompletnym niczym. Ja myślałem, że ja sie wkurzyłem, ale zobaczyłem, jak mój brada tak ścisnął butelke horlicksa, że pękła, i musieli go zszywać. W sobote walimy do domu Śpiewaka, bo jakiś piździelski skurwiel miał nam wypłacić, co sie należy. Sie okazuje, że Śpiewak jest w trasie. Następny raz jak poszliśmy, to słyszymy, że Śpiewak jest w domu, ale sie już zdążył spotkać z człowiekiem z Dżungli. Nikt mie ani Heckle'owi nie powiedział. Ludzie znowu nas wykiwali. Nikt w ogóle nie zauważył, jak ja i Heckle zniknęliśmy jednego z nich. I teraz to wygląda, że paru sie obłowiło, a nasza działka to zero. Po co mówiłem swojej kobiecie, teraz ta moja historia dodatkowo ją dognębia. Jak myśle o tych brada, co spulili sie z forsą za granice, to mam ochote spalić ten dom na Hope Road. Właśnie tak oni to robią, tak biedaków cały czas trzymają w biedzie.

Jak mie Josey Wales najpierw znalazł, to spytał, czy umiem używać broni. Uśmiałem sie. Ja lepszy użytek robie z broni jak gach ze swojego kutafona, tak mu mówie. To on pyta, czy miałbym problem odstrzelić jednego chłopaka. Mówie, że nie, ale na razie strzelałem tylko do policji Babilonu i ludzi, co mie kiwają. Rozwalam trzech i dalej, a przestaje, jak sie robi dziesięciu. On sie pyta, czemu dziesięciu, to ja mówie, bo dziesięć to taka duża liczba, że nawet Bogu sie zrobi przyciężko. Niedługo, mówi, niedługo rzuce ci na pożarcie policje, jak sie szczura rzuca wężowi. Ja mu mówie, że noga mie boli od czasu, jak byłem w więzieniu, i nie przestaje już rok. Jego kumpel Beksa mówi, że od razu może ją wyleczyć. Po tym pierwszym razie ulżyło mi tak szybko, że potem błagałem go jak dziewczyna o więcej kokainy. Ból zniknął, zniknął jak wtedy, jak przepalam troche zielska. Tylko że zielsko mie spowalnia. A kokaina przyśpiesza. Ej, czekaj, mówie, to coś za dobre. Dajecie mi biały proszek, broń i pieniądze, żebym zabił ludzi, których zabiłbym za darmo? Co jest dzisiaj, prima aprilis? Nie, brada, mówi Josey Wales, utopimy Kingston w policyjnej krwi. Ale najpierw chce krwi kogoś innego.

Musze to powiedzieć, zanim pisarz powie za mnie. Jak bolało tak bardzo, że tylko mocne zioło mogło mi pomóc, to pomóc mógł jeszcze tylko Śpiewak. W ogóle nie grają go w radiu. Jedna dziewczyna, co mie obsługuje, dała mi kasete. Nie chodzi mi o to, że muzyka zabija ból, ale że jak gra, to dopada mnie rytm, nie ból. Ale jak mi poprzedniego wieczora Josey Wales powiedział, kogo odstrzeliwujemy, to wróciłem do siebie i sie zrzygałem. Rano sie obudziłem i pomyślałem, że to jakiś głupi i przerażający sen, ale zostawił wiadomość przed drzwiami, że mam sie z nim spotkać w starej budce dróżnika nad wodą. Ze mnie występny człowiek, chory człowiek, ale bym sie w życiu nie dał w to wciągnąć, jakbym wiedział, że chcą skasować Śpiewaka. W mózgu mie aż pali tak, jak jeszcze nigdy nie paliło. Wcale już nie śpie, leże u siebie z szeroko otwartymi oczami i słysze, jak moja chrapie przez sen.

I jak księżyc wschodzi i światło wlatuje przez okno i tnie mnie na pół przez pierś, to już wiem, że Bóg przyjdzie mie osądzić. Nikt, kto zabił policjanta, nie idzie do piekła, ale zabić Śpiewaka to co innego. Niech sobie Josey Wales gada, że Śpiewak to hipokryta, że gra na dwie strony, bo ma wszystkich za idiotów. I niech Josey Wales mi gada, że ma wielkie plany, że najwyższy czas, cobyśmy przestali być dla białych frajerami z geta, bo oni sobie żyją na aptaunie i przypominają o nas tylko, jak wybory idą. I niech Josey Wales mi gada, że Śpiewak jest sługusem LPN-u i czapkuje premierowi. I niech Josey Wales mi gada, żebym odstrzelił trzech następnych, nie obchodzi mie kogo. I niech Josey mi gada, że brada wrócili. On też mieszka w takim domu jak tłusty szczur i nie może sie doczekać, żebym ja i tylko ja mu pokazał, czemu sie nie zadziera z chłopakiem z Dżungli. Gdy sie zrobił ranek, a ja ciągle nie spałem, tego sie zacząłem trzymać. Wystarczy. Chce mu wcisnąć lufe do dupy i sprzedać kulke.

Siedze z tym w łóżku przez cały dzień, a moja klnie, że jeść nic nic ma, i wybiera sie do pracy, bo jak LPN znowu wygra, to nie znajdzie żadnej roboty. Czekam, aż wyjdzie, potem wciągam portki i też wychodze. Już sie nie myje przy hydrancie, odkąd policja mie wtedy dorwała. Na dworze słońce jeszcze sie nie wytoczyło, więc jest jasno, zielono i rześko. Ide boso zaułkiem, za ten blaszany płot i płot ze sztachet i za ten blaszany dach, pod którym ludzie trzymają kamienie, cegły i śmieci. Znikneli ci wszyscy, co mają prace albo pracy szukają, a zostali ci, co nie mają, bo to miasto JPP, a rządzi LPN. Ide dalej. Jak dochodze na skraj Dżungli, słońce już prawie w południu i słysze muzyke i czyjeś radio. Disco. Słysze mokre skrzypienie, kobieta pierze ręcznie za domem, obok hydrantu. Wygląda, jakbym nikogo tu nie znał albo wszyscy zniknęli, co ich znam.

Josey Wales zadał mi dwa pytania, jak mie spotkał. Szedłem drogą z Dżungli na Wysypiska, a on podjechał białym datsunem i sie zatrzymał. W środku było jeszcze dwóch innych. Beksa i taki, co nie znam. Powiedział, że słyszał o mie, że radze sobie z bronią, a ja na to, że jakim cudem, przecież ludzie z geta nic innego nie robią, tylko sypią kulami. Powiedziałem, że jestem dobry, bo inaczej niż tamci mam konkretnego człowieka do zabicia. On na to, dobry jesteś, ale dobrych jest wielu, a ja szukam takiego z głodem. Nie musiał tłumaczyć, od razu wiedziałem, o co chodzi. Tydzień temu to było. Co wieczór sie spotykamy w budce dróżnika. Jednego razu zjawił sie jakiś biały i powiedział, że jest dostawa na nabrzeżu, co jej nikt nie pilnuje, no i szkoda by było, jak coś by sie z nią stało, ale przecież to Jamajka, nie jest tak? Tu ciągle coś ginie.

To musicie wiedzieć. Ktoś musi wiedzieć, skąd sie wziąłem, chociaż to nie ma dużego znaczenia. Ci, co mówią, że nie mają wyboru, są po prostu za dużymi tchórzami, by wybrać. Bo już jest szósta. Za dwadzieścia cztery godziny walimy do domu Śpiewaka.

ALEX PIERCE

Taka robota ma dodatkowy smak. Jestem w Kingston, gdzieś między Studio One i Black Ark, i dochodzę do wniosku, że w scenie reggae musi coś być, skoro hipisom tak staje na myśl o niej. Co może zrobić biedny chłopak oprócz tego, że będzie śpiewał w zespole rockandrollowym? Z kolei bogaty chłopak może przestać się strzyc, może nazwać hipiserą siebie i kilka ciź z owłosionymi pachami, pomylić możliwość dostrojenia się i odlotu z prawdziwym dostrojeniem się i odlotem i zostać rastafarianinem. Potem jedzie na St. Bart's albo na Maui, albo do Negril, albo Port Maria, i zgrywa buntownika między kolejnymi porcjami ponczu. Zawsze ci znienawidzeni kurewscy hipisi. Ale teraz jest jeszcze gorzej, bo mamy nieprzyzwoicie bogatych Jamajczyków udających hipisów udających rasta, o kurwa, się porobiło. Z drugiej strony to w końcu Jamajka. Tutaj wszyscy powinni puszczać przynajmniej Big Youtha albo Jimmy'ego Cliffa.

A jednak odkąd się tu znalazłem, pierwszy raz od roku, to w radiu puszczają tylko *More More More, How Do You Like It How Do You Like It* i zaczynam myśleć, że ten rozgłos to jakaś lipa. Przeskakuję na inną stację, a tam *Ma Baker She Knew How To Die!* Przerzucam na FM i słyszę *Fly Robin Fly up-up to the Sky!* No więc spytałem tego chłopaka zgarniającego brudne talerze w hotelu, gdzie usłyszę coś Mighty Diamonds albo Dillingera? Spojrzał na mnie, jakbym poprosił o zgodę, żeby mu obciągnąć druta, i odpowiedział, że nie każdy Jamajczyk sprzedaje marychę, proszę pana. Nawet Abba ma tutaj więcej czasu antenowego niż reggae. *Dancing Queen* słyszałem już tyle razy, że chyba zamieniam się w pedzia.

Siedzę w Skyline, hotelu z pięknym widokiem na… hotel z przodu. W Kingston idzie się ulicą i jest czarny koleś, i jest biały koleś, i jest mnóstwo kolesiów między bielą a czernią, i wszyscy siedzą w tym samym hotelu albo w domu Śpiewaka, albo na tej samej ulicy. Nawet ten od pogody w telewizji jest czarny. Jasne, w Stanach też ciągle widuje się czarnych, ale w zasadzie to się ich nie widzi, a już na pewno nie czytają wiadomości na antenie. Słychać ich ciągle w radiu, ale milkną, jak tylko kończy się piosenka. W telewizji widać ich jedynie wtedy, gdy któryś zrobi z siebie kretyna albo zgrywa Jimmy'ego Walkera. Na Jamajce jest inaczej.

Jamajczyk jest w telewizji. Biała kobieta właśnie została Miss Świata, ale okazuje się, że jest stąd. Właśnie powiedziała, że Śpiewak to jej chłopak, nie może się więc doczekać, kiedy wróci do domu i do niego. Bez kitu. W tym mieście mieszkają wystrzałowe lale i wszystkie potrafią tańczyć. Za oknem nawet ruch samochodowy ma własny rytm. Plus ludzie wyzywający innych od docipników. W kurortach Amerykanie mówią wpizdowkłady i myślą, że są bardziej odjazdowi, bo im włosy uplotła Piętaszka (nie chodzi o film, tu naprawdę pierdolą jak za czasów niewolnictwa, godne Robinsona Crusoe, bez kitu, i aż dziwnie wszyscy na mnie spojrzeli, bo upuściłem kieliszek, jak to usłyszałem pierwszy raz) i nauczyli się gadać jak prawdziwi Jamajczycy, brada man i tak dalej.

Tutejsi ludzie są sobą, zachowują się swobodnie, ale zarazem nikt nie zapomina o swoim miejscu w hierarchii. Ale jak się pogada dłużej z kimś w hotelu, to się wyraźnie usłyszy ton, który rezerwują dla białych — przesadna uprzejmość, bo tak ich nauczono gadać z takimi jak ja. Wszystko ma podtekst rasowy, więc bez przerwy coś iskrzy. Pewnego razu jeden czarny gość poprosił boya, żeby wziął jego walizki, ale chłopak pokazał mu plecy. Tamten zaczął za nim wrzeszczeć, że odstawiają jakieś rasistowskie gówno z *Chaty wuja Toma* i żeby do nich dotarło, że jest Amerykaninem. Ale nawet wtedy boy najpierw poprosił o pokazanie klucza z numerem pokoju. Gdy się wyjdzie na ulicę, widać to samo, dopiero jak człowiek zapuści się naprawdę daleko, napotka osobników, którzy się nie certolą.

Mimo to Jamajka to miejsce po byku. Serge Gainsbourg, ten francuski brzydal, który nagrywa burdelowe płyty i zalicza namiętne cizie, opowiadał jedną historię. Przyjechał na Jamajkę, bo chciał zobaczyć reggae, ale skurwysyny w studiu go wyśmiały, tak? W sensie: za kogo ten chudy piździelec z Francji sie uważa? Serge na to, *c'est moi*, jezdem najwiąkszy pjosenkaż pop na świecie, ale oni na to, kurwa, nie znamy cie, jedyna piździelska piosenka francuska, jaką słyszeliśmy, to *Je t'aime*. *Je t'aime*, to *c'est moi,* mówi Serge. Od tej chwili Gainsbourg stał się w Kingston bogiem, powaga. No to siedzę w Studio One i pytam jednego z nich, czy mógłby mi przynieść kawę, czarną bez cukru, a on na to, a co, łapy zwichnięte? Sam weź se przynieś, docipniku jeden. Klasyka, ludzie.

Właściwie powinienem siedzieć Mickowi Jaggerowi na ogonie, ale przecież nikt nie nazwie *Black and Blue* „niedocenionym arcydziełem", nawet za dziesięć czy dwadzieścia lat, i tak właśnie wypowiedziałem się na łamach. Pierdolić jego i tego Keitha Richardsa, pierdolić plotki z „Rolling Stone". Jestem o krok od tego, żeby stać się świadkiem czegoś naprawdę wielkiego. Nadchodzi „Armagideon Time", powaga na sto procent. Najżywsza, najważniejsza scena muzyczna na świecie za chwilę pierdolnie, i to nie na listach przebojów. Śpiewak coś knuje, tu nie chodzi tylko o koncert dla pokoju. Trzeba było sporo wysiłku i paru lat spędzonych w śródmieściu i w getcie, żebym przekonał tutejszych, że nie jestem jakimś białym gówniarzem, który czeka na limbo party, żeby ludzie zaczęli ze mną gadać. Jebany siurek w recepcji nawet nie wie, kto to jest Don Drummond, ale ciągle powtarza, że wszystkie swoje potrzeby zaspokoję w New Kingston.

I jeszcze to, że Jamajczycy, i to nie tylko ci, którzy pracują w hotelu, ale też biali i brązowi, którzy zawsze piją rum w restauracji i na widok mojego aparatu fotograficznego od razu pytają, czy jestem reporterem „Life'a", ciągle mówią, gdzie nie wolno mi chodzić. Tyle że chodząc tam, dokąd oni chodzą, człowiek kończy w Liguanea Club, gdzie rządzi jebany *Disco Duck* i bogate dziwki, które właśnie skończyły partię tenisa i chcą się rżnąć. Powtarzam im, że wolę Turntable Club, no to patrzą na mnie zdziwieni, a jeszcze gorzej się robi, jak ich nie spytam o drogę, bo wiem, że jej nie znają. Kilka godzin temu spytałem portiera, gdzie jest jam session. Odpowiedział, cytuję słowo w słowo: „Proszę szanownego pana, naprawdę chce się pan zadawać z takim elementem?". Już mu chciałem odwarknąć, chuj ci w dupę, moja sprawa, ale ugryzłem się w język. Co za historia.

Jadę taksówką do hotelu, a taksówkarz mnie pyta, czy obstawiam konie. Nie lubię hazardu, ale on lubi, a kogo widział na torach kilka tygodni temu? Śpiewaka. W towarzystwie dwóch facetów, z których jeden nazywa się Papa-Lo. No to rozpytałem dyskretnie o tego Papa-Lo. Haracze, wymuszenia, pięć zabójstw, ale tylko jeden proces i uniewinnienie. Przywódca w slumsach zwanych Kopenhaga. A więc Śpiewak wybrał się na gonitwy w obstawie dwóch bandziorów na usługach partii politycznej, której jakoby nie popiera, a przyjaźń między tymi trzema podobno jest taka, jakby się znali ze szkolnej ławki. Później przez kilka dni ludzie go widzą w towarzystwie Shotta Sherrifa, ojca chrzestnego z Ośmiu Ulic, miasta kontrolowanego przez drugą partię, czyli przez nieprzyjaciół. Dwaj najważniejsi bandyci zaliczeni w ciągu jednego tygodnia, dwaj, którzy w dużym stopniu kontrolują zwaśnione połówki podmiejskiego Kingston. Może Śpiewak robi za arbitra? W końcu to piosenkarz. Ale dociera do mnie, że na Jamajce nikt nie jest w stu procentach kimś. Coś tu się kroi, czuję to. Aha, wspomniałem, że za dwa tygodnie są wybory?

Skoro biali chłopcy z Nowego Jorku coś zwietrzyli, to znaczy, że ślad jest już nieświeży. Tym samym samolotem co ja na Jamajkę przyleciał ten mały dupek Mark Lansing i z całych sił udawał, że mnie nie widzi. Bez kitu. Gówniany reżyserek, który za drobne tatusia robi filmy, zjawił się tutaj, żeby nakręcić ten cholerny koncert dla pokoju. Powiedział, że wynajęła go wytwórnia płytowa. Może i tak, ale gdy taki skretyniały skurwiel jak on zjawia się nagle na Jamajce, żeby sfilmować koncert, chociaż nie ma żadnego doświadczenia w robieniu niczego o podobnej skali, to mój mózg dostaje sraczki.

Taksówkarz stara się wygrać tyle pieniędzy, żeby wyjechać. Uważa, że jeśli znowu zwycięży Ludowa Partia Narodowa, to Jamajka stanie się kolejnym demoludem. Tego nie wiem, ale wiem, że prawie wszyscy patrzą na Śpiewaka, jakby mnóstwo zależało od tego, co zrobi. Biedny facet, pewnie chciałby wydać płytę z piosenkami o miłości i otrzepać ręce. Może też czuje — bo czują wszyscy — że w Kingston wrze. Portier już drugą noc śpi w recepcji. Nie musiał nic mówić, wystarczą wory pod oczami. Pewnie powiedziałby, że się poświęca, ale założę się, że po prostu boi się iść do domu w środku nocy.

W maju facet nazywający się William Adler powiedział w lokalnej telewizji, że w tutejszej ambasadzie amerykańskiej działa jedenastu agentów CIA. W lipcu siedmiu wyjechało. Dajcie spokój. Tymczasem Śpiewak, który nigdy się nie obcyndala, śpiewa, że rasta nie robią dla żadnej CIA. Na Jamajce dwa plus dwa równa się pięć, a teraz to nawet siedem. A wszystkie te luźne sznurki splatają się dokoła Śpiewaka jak pętla. Trzeba było widzieć dzisiaj jego dom, ochrona jak w Fort Knox, nikogo nie wpuszczają ani nie wypuszczają. I to nie policja go pilnuje, tylko oddział bandziorów, którzy podobno nazywają się Echo Squad. Ostatnio wszyscy się tytułują oddziałem, składem albo strażą. Jakaś biedna lala czekała tam przed domem cały boży dzień, twierdząc zapewne, że zrobił jej dzieciaka albo coś. Czy Lansing ma wstęp do środka? Mówił, że rejestruje koncert dla wytwórni, więc pewnie odstawia jakieś gówno za kulisami. Problem w tym, że musiałbym być miły dla skurwiela, żeby się czegoś dowiedzieć, a to wykluczone.

Próbuję nie okazywać desperacji. Dwadzieścia siedem lat, sześć lat po studiach, matka pyta, kiedy wreszcie przestanę być lewakiem na gigancie i rozejrzę się za porządną pracą. Jestem pod wrażeniem, że słyszała o „lewakach", ale „na gigancie" to chyba podłapała od mojej młodszej siostry. Uważa też, że przydałaby mi się miłość dobrej kobiety, najlepiej nie czarnej. Może widzi we mnie nieudacznika. Chyba za wszelką cenę przekonuję sam siebie, że nie jestem jednym z tych białych chłopaków, którzy dryfują w poszukiwaniu czegoś, czego częścią mogliby się poczuć, czegoś, co by, kurwa, miało jakiś sens, bo po Nixonie i Fordzie, po papierach z Pentagonu, po jebanych Carpenters i Tonym Orlando and Dawn nie zostało już nic, w co można by wierzyć, a już na pewno nie w rock and rolla. Jak wbiłem do West Kingston, to rudeboye zostawili mnie w spokoju, bo widzieli, że nie mam nic do stracenia. Może jestem po prostu durnym gówniarzem narzekającym na świat. Wydaje mi się, że mam problemy, ale problemów to ja nie mam żadnych.

Gdy pierwszy raz zjawiłem się na Jamajce, przyleciałem do Zatoki Montego i pojechałem do Negril, ja i dziewczyna, której ojciec to ekswojskowy. Podobało mi się, że nie miała pojęcia, kim są The Who, ale słuchała The Velvet Underground, bo wychowała się z niemieckimi dzieciakami w bazie wojskowej. Nie powiem, żebym po kilku dniach poczuł, że to moje miejsce, nic tak banalnego się nie wydarzyło, ale było takie doznanie, wrażenie, a może po prostu przekonanie, że teraz już mogę przestać się szlajać. Nie, to nie znaczy, że chciałem tu zamieszkać. Ale pamiętam, że pewnego ranka obudziłem się wcześnie, akurat w chwili, kiedy temperatura wreszcie zaczyna spadać, i zadałem sobie pytanie: jaka jest twoja historia? Nie wiem, czy chodziło mi o ten kraj, czy o mnie samego.

Mówię banały. Lepiej się skupię na tym, co tu tyka, bo zaraz będzie wielkie pierdut.

Za dwa tygodnie są wybory powszechne. CIA przysiadła na tym mieście swoim tłustym spoconym dupskiem, odciskając mokry ślad zimnej wojny. Gazeta nie chce ode mnie nic wielkiego, ot, parę akapitów o tym, co nagrywają Stonesi, do kompletu z durnym zdjęciem Micka albo Keitha ze zsuniętymi lekko słuchawkami i jakimś Jamajczykiem w tle dla efektu. Ale pierdolić to. W co gra Mark Lansing? Lachociąg jest za głupi, żeby samemu wykroić jakiś gruby numer. Jutro powinienem znowu pojechać do domu Marleya. W końcu byłem umówiony. Jakby to miało jakieś znaczenie na Jamajce. A w ogóle kim jest ten William Adler?

JOSEY WALES

Beksa to facet z całą kupą histori. Wszystkie zaczynają sie od śmiechu, bo on lubi żartować. Tak sie bawi z ludźmi w wędkarza, jego żart to haczyk. A jak już sie złapią na haczyk, to ich wciągnie do najczarniejszego, najczerwieńszego, najgorętszego piekła, jakie można sobie wyobrazić. A wtedy robi krok do tyłu, sie śmieje i patrzy, jak ludzie próbują sie wydostać. Tylko go nie pytajcie o electric boogie.

Patrze w barze na tańczącą kobiete, na gapiącego sie faceta, muzyka gra i co robie? Myśle o Beksie. Nic dziwnego. Nigdy wcześniej z Dżungli nie wyszedł taki rudie jak on i drugi raz nie wyjdzie. Nie przypomina żadnego faceta, co mieszkał w Balaclava przed upadkiem w sześćdziesiątym szóstym. Matka posłała go do szkoły przez wszystkie klasy aż do liceum. Niewielu wie, że Beksa zdał mature z angielskiego, matematyki i rysunku technicznego i czytał grube książki, zanim Babilon wsadził go do więzienia. Czytał tak bardzo, że musiał kraść okulary, aż wreszcie znalazł takie, co mu pasowały. Teraz na widok rudeboya w okularach ludzie myślą, że coś sie kryje za tą twarzą. Matka jego dzieciaka dostała robote w strefie wolnocłowej tylko dlatego, że w dziejach strefy wolnocłowej jako jedyna wysłała porządny list w sprawie zatrudnicnia, napisany, wiadomo, przez niego, przecież nie przez nią.

Teraz w historiach Beksy jest tylko jeden bohater, znaczy sie on sam, no i jeszcze ten facet, który ciągle przysyła mu listy i o którym on tak lubi gadać bez przerwy, ten facet, który zrobił to, zrobił tamto, nauczył go tego, tamtego i tylko po odrobinie koki i jeszcze mniejszej ilości pani H. pozwolił mu na te akcje i obu im było dobrze. Beksa tak o nim gada, jakby miał głęboko gdzieś, co inni myślą, bo wszyscy wiedzą, że z niego taki skurwysyn, że zastrzeli syna na oczach ojca, a jeszcze każe mu odliczyć pięć ostatnich oddechów chłopaka. Ale nie pytajcie go o electric boogie.

Beksa zna nawet jedną historie o Śpiewaku. Człowiek nie może zwracać uwagi na każdego, zwłaszcza jak ma misje, ale Beksa zawsze bierze takie rzeczy do siebie. Tysiąc dziewięćset sześćdziesiąty siódmy, Beksa był chłopakiem z Crossroads, ziemia niczyja między aptaunem i dauntaunem, trzymał się z daleka od kłopotów, bo myślał, że jak ma mature z matmy, angielskiego i rysunku technicznego, to załapie sie i przyuczy u jakiegoś architekta. Beksa pamiętał, żeby sie tego dnia uczesać. Włożył popielatą koszule i granatowe spodnie, co mu matka kupiła do kościoła. Teraz wyobraźcie go sobie, jak idzie przez Crossroads jak kogut, paraduje w tych swoich butach, o wiele za chojracki jak na chłopaka z dauntaunu. Wyobraźcie sobie Bekse, wyglądającego inaczej niż inni, bo inaczej niż inni ma cel, do którego zmierza.

Jak skręca w lewo w kierunku Carib Theatre, podjeżdża policja w sporej sile. Dwie furgonetki pełne, jeden go łapie, drugi wali kolbą karabinu, trzeci kopie w głowe, jak już upadł. W Gun Court zeznali, że stawiał opór przy aresztowaniu i umyślnie zranił dwóch funkcjonariuszy. Sędzia mu mówi, że jest oskarżony o napad na jubilera w Crossroads i umyślne spowodowanie uszkodzenia ciała. Czy przyznaje sie do winy? Beksa mówi, że nic nie wie o napadzie, ale policjanci na to, że mają świadka. Beksa na to, nie, nie macie, po prostu zgarniacie każdego czarnego, jakiego napotkacie na aptaunie, na przykład Marcusa Stone'a z Kopenhagi, który siedzi w więzieniu za morderstwo popełnione czterdzieści osiem godzin po tym, jak go zapuszkowano. Po tej gadce szanowni stróże prawa wyszli na głupców albo skorumpowanych skurwieli — albo jedno i drugie. Sędzia dał mu szanse, niech ujawni wspólników. Beksa mówi, że nie ma wspólników, bo nie było przestępstwa. Był niewinny, ale nie miał pieniędzy na adwokata. Skazali go na pięć lat w państwowym zakładzie karnym.

Dzień przed więzieniem policjanci złożyli Beksie wizyte. Chłopaki z Kopenhagi, z Dżungli, Remy i Waterhouse mają z policją wojne. Policjanci pokazali mu, co go czeka w więzieniu. Jeszcze wtedy, już po wyroku, Beksa ma iskierke nadziei, bo jego matka ciągle żyła, a on miał mature zdaną z trzech przedmiotów i zamierzał do czegoś dojść w życiu. Uważa, że to równy pojedynek, oni mają władze, a on ma racje. Myśli sobie, że nikt przecież nie podejrzewa, że chłopak noszący okulary może być rudie. Jeszcze w tamtej chwili myślał sobie, że Bóg lada moment wyjmie Daniela z jaskini lwa. Sześciu policjantów, jeden mówi do Beksy, że przyszli mu coś dać. Do Beksy, który do tej chwili nazywa sie William Foster, ale policjanci twierdzą, że płakał jak dziewczyna. Beksa, który nigdy nie potrafi przytrzymać w ustach mądrego słowa, co mu sie ciśnie, mówi tamtemu, że w sumie jest dość ładny, ale sorry, on tam z tyłu ma tylko wyjście, a nie wejście. Dopiero drugie uderzenie pałą złamało mu rękę, lewą. Policjant mówi do niego, że ma wyśpiewać wszystkich współsprawcowników. Beksa wyje z bólu, ale i tak nie umie zamknąć tej swojej wygadanej jadaczki. Chodzi chyba o współsprawców? Albo współpracowników? Policjanci na to, że umią zmusić go do mówienia, chociaż wiedzą, że on nic nie powie, bo to byli ci sami, co go zgarneli, bo śmieć z geta nie będzie nam paradował w eleganckich ciuchach, jakby był kimś, a jest zwykłym docipnikiem i złodziejem, co ukradł ludziom porządne ubranie, więc paskudny czarnuh musi znać swoje miejsce.

Rozbili mu lewe szkło w okularach i to pęknięte nosi do dziś, chociaż stać go na nowe. Zabrali go do pokoju w areszcie, którego nigdy wcześniej nie widział. Rozebrali go, nawet z gatek, i przywiązali do pryczy. I policjant spytał, piździelcu, wiesz, co to electric boogie? Drugi przylazł z kablem, który wyrwali z tostera. Rozplotli dwa druty. Uważaj, żebyś nie zarobił na miano cwela, mówi jeden policjant, a drugi łapie Bekse za kutafona i zawiązuje drut na główce. Potem podłączają. Nic sie jeszcze nie dzieje, zadziało sie dopiero, jak drugim drutem dotykają w palce, dziąsła, nos, sutki i dziursko w dupie. Beksa mi tego nie mówił, ale wiem.

Beksa był nowy typ w więzieniu. Facet uszkodzony jeszcze przedtem, jak go zamknęli nie potem. Mówią, że przez pierwszy tydzień w więzieniu wszyscy schodzili mu z drogi, bo ranny lew groźniejszy od zdrowego. Każdy mógł sie do niego dobrać, ale wtedy razem z nim wylądowałby w piekle. Beksa potrafił mówić długo samymi oczami. I dalej potrafi, też dlatego z nim sie najlepiej pracuje. On po jednej stronie spożywczaka, ja po drugiej i wystarczą dwa mrugnięcia i jedno spojrzenie, żeby wiedzieć, że on wali od zaplecza, a ja biore lade i zastrzele każdego, kto by chciał sobie chociaż portki podciągnąć albo sięgnąć do torebki. Po lewej stronie na pistolecie Beksy jest pięć karbów, a po prawej ani jednego. Każdy karb to policjant. I...

— Yo, yo, Josey! Brada, wracaj, planeta Ziemia cie potrzebuje.

— Beksa. Skąd ty tu? Nie widziałem, jak wszedłeś.

— Wszedłem ze dwie minuty temu. To dobry pomysł tak sie przed robotą rozmiękczać marzeniami w barze?

— Że jak?

— E? Nic, nic, słońce. Taki jak ty nie musi pilnować swoich pleców, inni mu pilnują.

— Jakim cudem ty tu?

— Znasz mnie, Josey. Na każdej drodze jest jakaś blokada. To z której planety cie ściągnąłem?

— Z Plutona, hen daleko.

— Kapuje. Tam kobiety mają jednego cycka, ale dwie cipki, nie?

— Nie, raczej jak w *Planecie małp*.

— Nie szkodzi, równie dobrze moge zamoczyć ogóra w dwóch małpach, bo...

— Nie zaczynaj mi znowu tych pierdół o pochodzeniu człowieka od małpy, Beksa.

— A kto takie rzeczy wygaduje?

— A ci twoi bracia ateiści nie nadają ciągle o ewolucji?

— Zgadza sie, ja i ten niezrównany Charles Darwin. Brada, żaden człowiek nie wziął sie od małpy. Z wyjątkiem Funnyboya, on to sto procent wypadł z dupy jakiemuś gorylowi.

— Beksa, ty piździelcu.

— Co? Co jest?

— Jeszcze chwila temu miałem prawie całe piwo.

— Dobrze wiedzieć.

— Pizdocipie jeden, podpiłeś mi?

— Stało nieruszone. Co mówiła babcia? Jak coś za długo stoi, dwóm panom służy.

— A babcia wie, że żłopiesz z cudzej szklanki?

— Ej, poważnie, gdzieżeś przepadł?

Beksa sie zrobił bardziej gadatliwy niż zwykle. Może to przez ten bar, bo wóda rozwiązuje języki wszystkim, tylko nie mie. Wie, że nie cierpie, jak sie nawali, kiedy nas czeka robota. Będzie gadał, że pani K. koi nerwy, ale to takie pierdolenie, co usłyszał od jednego białego, co miał zarzut posiadania, tylko ambasada go wyciągnęła, albo widział to w filmie, bo, kurwa, pojęcia nie ma, co to znaczy. W takim stanie będzie sie rwał do mordobicia, kiedy nie ma sie o co bić. Sie robi bardziej paranoiczny niż Judasz po wystawieniu Jezusa.

— Ej, Josey, twój datsun czeka przed drzwiami? Jeden facet. Na trzeciej.

— Co? O czym ty gadasz, docipniku? I co to ma wspólnego z moim datsunem?

— Facet na trzeciej.

— Ile razy ci mówiłem, żebyś nie jechał do mnie gównem z amerykańskich filmów?

— Dobra, kurwa, jak chcesz. Facet z boku, po twojej prawej stronie, nie patrz! Wysoki, ciemny, nie za ładny, usta jak u zdychającej ryby, przy barze, ale z nikim nie gada. Trzy razy tu spojrzał.

— Może mu wpadłeś w oko.

Beksa patrzy na mie ostro. Przez chwile wydaje mi sie, że powie coś głupiego i będę go musiał skląć. Ma prawo robić, co chce, nawet jak sie sodomici. Będzie gadał o tym bez przerwy, ale na około, bardziej jak w bajkach Ezopa albo przypowieściach poetyckich. Potrafi uformować, ukształtować, pojechać po grecku, to jego słowa, nie moje. Nie wiem, kurwa, o co mu chodzi z tym greckim. Ale to jeszcze nie znaczy, że chce, żeby ktoś mu to rzucał w twarz. Nie dobrze, jak ktoś o nas coś mówi, nawet jak sami to wiemy.

— Człowieku, jebać ciote. Sobie zrobie rękodzieło. Ale sie na nas gapi.

— Tak twierdzi pani K. w twoim organizmie. Jasne, że sie gapi. Jakbym był nim i siedział w tym barze, nie oderwałbym gał ode mie. O to chodzi. On mie rozpoznał, jak wszyscy tutaj, potem rozpożnał ciebie. Myśli teraz, kogo przyszliśmy skasować i kiedy. I czy powinien wyluzować maksymalnie, czy spierdalać jak byle docipnik. Nie musze nawet patrzeć, jedną ręką trzyma szkło, drugą klepie w lade. Patrz, jak szybko sie odwróci, jak tylko spojrze na niego, uważaj, raz, dwa, trzy... Teraz.

— Cha, cha, wylał wóde na siebie. Może z policji.

— A może przestałbyś sie macać po tej jebanej spluwie? Masz dwadzieścia dwa dni urlopu na Boże Narodzenie, żeby dorysować karby na kolbie.

Znowu patrzy na mie ostro, potem sie śmieje. Nie po swojemu, zaczyna sie jak rzężenie gdzieś, nie wiadomo gdzie, a potem najgłośniej w całej sali. Kto nauczył tego czarnego, że można sie tak śmiać? Nakręca sie i inni też już sie śmieją, choć nie wiedzą z czego.

— Ostatnie dni jakieś paranoiczniejsze niż zwykle.

— Bo ci sie wydaje, że jutro jest jakieś wyjątkowe. A to taki sam dzień jak inne. Wiesz, dlaczego ciebie wybrałem, Beksa? Wiesz? Bo najbardziej nie cierpie, jak mi facet mówi tylko to, co zaraz zrobi. Dlatego nie ufam jebanym politykom. Bo oni potrafią tylko powiedzieć, co zrobią.

— Nigdy nie chciej przysługi od polityka, bo wtedy on będzie chciał... Opowiadałem ci, jak wpadłem na Śpiewaka?

Dziesięć tysięcy razy, ale mu tego nie powiem. Są takie sprawy, o których Beksa musi powiedzieć dziesięć razy, sto, tysiąc, żeby mu się wreszcie odechciało o tym gadać.

— Nie, nigdy.

— Trzeciego roku pobytu…

Odsiadke w więzieniu zawsze nazywa pobytem.

— Trzeciego roku to było. Wzieli nas zabrali na plaże w Port Henderson.

— Więźniów wozili nad morze? Uciekłbym w pięć sekund.

— Nie, nie, na roboty nas zawieźli, wielkim chłopom kazali rąbać drzewo. Masz racje, trzeba było machnąć maczetą i odrąbać łeb strażnikowi. W każdym razie, brada, jesteśmy tam, przy robocie, i przychodzi Śpiewak z przyjacielem. Patrzy na mie i mówi, my wszyscy tutaj o was walczymy, nie jest tak? Ja patrze na niego i słysze, jak mi wstawia gadke, tak? On mówi, że walczy o moje prawa! Moje. Potem sie zaśmiał i poszedł. Od tej pory nie nawidze piździelca jak zarazy.

Naprawde nie nawidzi Śpiewaka. Ale prawdziwa historia nie ma nic wspólnego z Beksą. Myślał, że on mówił do niego, to mu serce drgnęło. Nawet chciał podejść, chociaż strażnicy pilnowali. Ale po chwili sie zorientował, że Śpiewak mówi do faceta obok, nie do niego. Z jakiegoś powodu to ta pomyłka go boli najbardziej, a nie chłosta, walenie kolbami czy szczanie do ryżu, jak sie naraził klawiszom. Krew go zalewa. Tamto sie wcale nie wydarzyło, ale coś w Beksie chce tego, takiego zakończenia. Gdzieś to mam, ważne, że dzięki temu wyciągnie spluwe, jak dam mu rozkaz.

Czekają przy budce, czas na nas. Wszyscy oprócz Bam--Bama. Weź moje auto i go zgarnij. Cały dzień obserwuje dom.

— Sie robi, brada, sie robi.

BAM-BAM

Niezła cholera, jak człowiek zaczyna mieszkać z bronią pod jednym dachem. Najpierw zauważają ci, z którymi żyje. Moja kobieta inaczej teraz ze mną gada. Wszyscy gadają inaczej, jak widzą, że z portek coś sterczy. Nie, to wcale nie tak. Jak pistolet się zjawia w domu, to właśnie pistolet, nie jego właściciel, ma ostatnie słowo. Wtrynia sie między kobiete i męszczyzne, nie tylko w poważne sprawy, ale i takie tam gadki.

— Kolacja gotowa.

— Nie chce mi sie jeść.

— Okej.

— Chce mieć ciepłe, jak mi sie zgłodnieje.

— Tak jest, psze pana.

Kiedy broń sie wprowadza do domu, to kobieta, z którą człowiek żyje, zaczyna go traktować inaczej, nie to że na dystans, tylko teraz waży i mierzy każde słowo, dopiero potem otwiera usta. Broń też mówi do właściciela, mówi mu, że nigdy nie będzie miał jej na własność, że na świecie jest mnóstwo ludzi, co broni nie mają, ale ty tak, więc jednej nocy przyjdą jak Nikodem i ją wezmą. Nikt nigdy nie ma broni na własność. Człowiek sie o tym przekonuje dopiero, jak ma broń. Ktoś ją daje, a to znaczy, że może odebrać. Inny może myśleć, że należy do niego nawet wtedy, jak widzi, że jest w naszych rękach. I nie zaśnie, dopóki jej nie weźmie, bo zasnąć nie może. Chcica na broń jeszcze gorsza niż chcica na kobiete, bo kobieta przynajmniej może odpłacić tym samym. Ja nocami nie śpie. Czuwam w głębokim cieniu, patrze na broń, pocieram, widze i czekam.

Dwa dni po tym, jak Papa-Lo wyjechał, usłyszeliśmy, że jest w Angli na koncertach Śpiewaka. Poszła plotka, że w tym samym czasie był tam Funnyboy, ale nikt nie umiał powiedzieć, czy to prawda, bo ostatniego informatora ukrzyżowali na Wysypiskach. Człowiek, co przynosi broń do geta, mówi nam, że jest więcej w kontenerze z napisem „Koncert dla pokoju". Jak sie we trzech zjawiliśmy na nabrzeżu, dokoła pusto, jakby Clint Eastwood przed chwilą złożył wizyte. Żurawie nieruchome, reflektory pogaszone, żywego duha, tylko woda chlup-chlupie w doku. Skrzynia otwarta, gotowa. Beksa podjechał datsunem Joseya Walesa. Ja, on i Heckle załadowaliśmy do bagażnika i na tył tyle amunicji, żeśmy sie potem z Heckle'em nie mogli zmieścić, jak Beksa odjeżdżał. Dał mi pieniądze na takse, ale przecież żadna nie pojedzie do geta, jeszcze gorzej przy godzinie policyjnej, więc za te pieniądze poszliśmy do Kentucky Fried Chicken i patrzyliśmy, jak kasjerka czeka, cobyśmy wyszli, żeby mogli pozamykać, bo powiedzieć to sie bała.

Tej nocy ten sam biały, co żartował z Frouserem, uczył nas strzelania. Mnóstwo luda przyszło z geta, a na widok jednego tamten sie uśmiechnął i spytał, co za trzęsiawka, Tony? Ale Tony nie odpowiedział. No to tamten mówi do wszystkich i do nikogo, że chodził z Tonym do naszej podstawówki w Fort Benning, tyle że nikt nie wie, że Tony chodził w ogóle do jakiejś szkoły. Ustawił cel i wziął mi kazał strzelać. Potem człowiek, co przynosi broń do geta, popatrzył na mie i sie uśmiechnął. Beksa mówi białemu, że Papa-Lo sflaczał, ale ten niewiele z tego rozumie. Kiwa tylko głową i sie śmieje, i powtarza, że kapuje, i zerka na Joseya Walesa, żeby mu wszystko powtórzył, tylko powoli, ale ciągle rechocze głośno z tego, co wcale nie było na żarty. Przez to Josey Wales jeszcze bardziej sie wnerwił, bo każdy wie, że sie chwali, że ładnie mówi. Biały mówi, że walczymy za wolność od totalitarianizmu, terroryzmu i tyranii, ale nikt nie wie, o co mu chodzi.

Patrze na reszte chłopaków, dwaj młodsi ode mie, pięciu starsi, w tym Demus i Beksa. Wszyscyśmy ciemni i nie cierpimy sie czesać. Wszyscy nosimy portki khaki albo z gabardyny, albo dżinsy, z prawą nogawką zawiniętą pod kolano i szmatą sterczącą z tylnej lewej kieszeni, bo to wygląda luzacko. Niektórzy w czapkach, inni bez czapek, bo czapki są dla rasta, a z rasta sie porobili socjaliści. Socjalizm to jeszcze jeden izm i nawet Śpiewak tak już rzyga izmami, że piosenke o tym napisał. Potem biały mówi, jak niektórzy próbują miłą gadką ludzi pozyskać i jak to totalitarianizm zawsze sie dzieje przy zgodzie reszty, a my kiwamy łbami, że niby sie rozumie, wiadomo. Że to chaos do dziewiątej potęgi. I że jednego dnia ojczyzna nam podziękuje, a my kiwamy łbami, że niby sie rozumie, wiadomo.

Ale Joseyowi Walesowi te partyjne pierdolenie nie wystarczy. Mi sie przypomina, jak zawsze pachniał nie za bardzo, chociaż kobieta go ubierała. Taki zapach jak czosnek i siarka. Jak już nam pokazali drugi raz, jak sie strzela, Josey Wales mówi, że walimy do Remy, bo tamtejsze czarnuhy sie stawiają. Ci wyrosło troche zadziornych czarnuhów pod bokiem, sie śmieje biały i odjeżdża jeepem. No i znowu Rema, między JPP i LPN-em, między kapitalizmem i socjalizmem. Josey Wales powiedział białemu, że nie jest żaden ista na niczyich usługach, że mądrzejszy jest od nich wszystkich razem wziętych i zrobi to, co chcą, tylko niech go potem zostawią w spokoju w Miami. Biały człowiek na to, że nie ma pojęcia, o czym Josey Wales jazgocze, ale na twarzy ma taki uśmiech, jakby sie dogadał z diabłem. Poszła plotka, że ludzie z Remy kleli, że JPP włożyła pieniądze i peklowaną wołowine, i kanalizacje w Kopenhage, ale dla nich nic nie zrobili i może nadszedł czas, żeby na poważnie połączyć sie z LPN-em i z Ośmiu Ulic zrobić Dziewięć. To nam Beksa powiedział, jak żeśmy wracali do budki dróżnika przy torach. Ciągle gadał, nawet jak mieszał białą panią K. z eterem i podgrzewał zapalniczką. Potem wciągnął nosem i dał mi troche.

Do Remy jedziemy datsunem. Łapie sie drzwi, ale jakieś takie jakby miętkie są, powietrze szumi mi przez włosy jak palce dwustu kobiet łechcących mi sutki i tak sie pewnie czuje kobieta, jak sie jej cycki ssa, głowa u mnie jak kamulec, jasność diabli wzieli, sie czuje, jakbym bez głowy był, a potem odzyskał, tylko teraz to balon i na ciemnej ulicy coraz ciemniej, żółte światło z latarni coraz żółtsze, a na widok tej dziewczyny z na przeciwka to dostaje takiej chcicy, że mi szwy w portkach trach trach trach idą i ruhu ruhu ruhu musze wyruhać wszystkie kobiety na świecie i Miss Jamajki zruham na pulpe, a jak jej z cipy dzieciak wyjdzie, to znowu ją wyruham i pociągne za spust i cały świat zabije. I ruhać sie chce, chce sie ruhać, ale nie stoi, nie stoi. Freebase tak działa. Pani K. albo pani H. Pojęcia nie mam. Pojęcia, kurwa, nie mam, a to auto musi dojechać tam, gdzie jedzie, czego sie wlecze jak żułf, chce otworzyć drzwi, wyskoczyć, pobiec do końca i wrócić i znowu pobiec, tak szybko, że pofrune i chce sie ruhać, ruhać, ruhać, ale nie stoi! Nie stoi mi! A radio w mojej głowie gra zabójczy numer, jakiego nigdy nie grają w radio, trzymam rytm, dziki rytm! Reszcie w aucie sie udziela, czuje to i patrze na Bekse, który patrzy na mie i wie, i mógłbym go pocałować z języczkiem i zastrzelić za to, że jest ciota, śmiać sie i śmiać sie i rozpędzone auto wali pod góre i czujemy, że walimy do nieba, nie, tak, do nieba, datsun leci, moja głowa zmienia sie w balon, znowu myśle o Remie i o tym, że jeden, co tam mieszka, musi dostać nauczke, a tak bardzo chce im dać nauczke, że łapie M16 i ściskam, ale tak na prawde to chce złapać tego małego na ulicy i tak mu kark skręcać i skręcać i skręcać, aż trzaśnie, a potem zgarne troche krwi i rozmarze na twarzy i powiem, no i jak sie czujesz pod moim ciężkim butem pizdocipie jeden i ruhać, ruhać, ruhać sie chce, ale nie stoi! Nie chce stać i koła piszczą. Zanim Beksa zdąży coś powiedzieć, wyskakujemy i biegniemy ulicą, na ulicy jest mokro, jest morze, nie, ulica jest powietrzem, ja lece w powietrzu i swoje kroki słysze jak kroki kogoś innego, co stukają po chodniku jak strzały, i jestem w kinie z Joseyem Walesem, bo wrócił Harry Callahan w *Strażniku prawa* i z tym złym mężczyzną, bo chłopak z pistoletem nie jest chłopcem i za każdym razem jak Clint Eastwood zabija chłopaka, Josey Wales śpiewa do ludzi, czy są gotowi, o Boże, i strzelamy w ekran, aż jest tylko dziura i dym. Wszyscy by pouciekali z kina, ale wiedzą, że lepiej, jak będą puszczać film dalej, bo inaczej byśmy wpadli do projektori i wymusili. I zanim znowu strzelam w ekran, przypominam sobie siebie na polu w Remie, nie w kinie, podpalamy dom ze sklepem, co był otwarty, i ludzie wybiegają z krzykiem, uciekajcie, uciekajcie, piździelce, bandyci będą zabijać, zabijać!, ale my nie chcemy do nikogo strzelać, nie zabić w każdym razie i przez to aż sie wściekam, porządnie sie wściekam i ciągle mi sie chce ruhać, ruhać, ruhać, i nie wiem, czemu mi sie tak chce ruhać, ale kutas nie staje, no to podbiegam do jednej dziewczyny i wrzeszcze, że ją zabije, łapie ją i chce, ale Beksa wali mie kolbą w pysk i pyta, co mie kurwa napadło. To ostrzeżenie i jego też chce zabić, ale on już daje znak, że sie zwijamy. Bo twardziele z Remy nie odpuszczą, jeden albo dwóch też mają broń, ale kto by sie przejmował piździelcami z Remy? Kule sie ode mie odbijają jak od Supermana. Ja biore S z piersi Supermana i B z brzucha Batmana. Widzimy chłopaka, no to go gonimy, ale znika jak mysz w dziurze, co sie tylko myszom pojawia, no to wołam do cioty, żeby wylazł i umarł jak męszczyzna, tak bardzo chce go zabić, zabić, zabić, i wtedy pies sie pokazuje i biegne za psem, bo chce zabić tego psa, musze zabić, zabije, zabije! Josey Wales i pozostali biegną do auta i łapią jakiegoś chłopaka, kopią go po plerach, po nogach, po dupie, wrzeszczą, że to za wszystkie piździelce z Remy, co im sie wydaje, że sie mogą podpiąć pod LPN, zapamiętajcie sobie, że lepiej mieć broń i wiedzieć, gdzie sie stoi, i znowu kopią chłopaka, a on chce uciec, to ja do niego strzelam, Beksa patrzy na mie i jego też bym chciał zastrzelić, tak bardzo bym chciał go zastrzelić, teraz, teraz, teraz, ale mówi mi, żebym dupsko wsadził do samochodu, docipnik jeden, bo zaraz mie tutaj tak poszatkują ołowiem, że będe świszczał na wietrze, ale ja pojęcia nie mam, bo jak chce mi sie ruhać, to chce mi sie ruhać, ruhać, ruhać, a jak chce zabić, to bym zabił, zabił zabił, a teraz to nie chce umierać, sie boje, ale tak boje, że boje, boje, jak nigdy nie bałem, i serce mi wali jak nakręcone. Wskakuje do auta i myśle o strzelaniu, jak to sie czułem lepiej niż dobrze, jak to sie teraz dobrze czuje, ale też o tym, że jak pomyślałem, że jest mi dobrze, to wtedy przestało mi być dobrze. Wyjechać z tego rybackiego miasta i nikogo nie zabić to tak samo jak sie czują ludzie, gdy ktoś umrze, a nie wiadomo dlaczego. Tu nie ma co czuć, a jednak. I ciemność nigdy wcześniej nie była taka ciemna, jazda nigdy nie była taka długa, chociaż to przecież niedaleko, i wiem, że Beksa sie na mie wścieka, myślałem, że mie zabije, że wszystkich zabije i cała Kopenhaga szara i pordzewiała, i brudna, nie nawidze jej i nawet nie wiem dlaczego, bo nic innego nie znam, i przychodzi mi do głowy tylko to, że kiedy popalam, wszystko wygląda dobrze, każda droga jest prosta, każda kobieta, którą chce wydymać, ładna, a jak strzeliłem z tej broni, mogłem zabić każdego, a to byłoby największe zabójstwo wszech czasów, a teraz nie mam na koncie największego zabójstwa wszech czasów i czerwień nie była już najczerwieńsza, i niebieski nie najniebieściejszy, i rytm wcale nie najsłodszy rytm i smutno mi sie zrobiło od tego wszystkiego i jeszcze coś, czego nie umiem opisać, i chciałem tylko jednego. Żeby znowu było mi dobrze. Od razu. Teraz.

Papa-Lo wychodzi wściekły jak opętaniec i pyta, kto pozwolił Joseyowi Walesowi i Beksie siać zło w Remie, kto, kurwa, pozwolił, na co on mówi, że człowiek większy od ciebie, a Papa-Lo ma mine, jakby chciał walnąć Joseya Walesa, ale nagle nas widzi, widzi mie, widzi broń i nie wiem, co myśli, ale pewnie coś na grubo, bo odchodzi. Ale najpierw mówi do wszystkich, każdego i nikogo, że jednego dnia zabraknie nam ludzi do zabicia. Josey Wales, sycząc, idzie wyruhać swoją kobiete albo pobawić sie ze swoim nygusem. Kobieta, z którą mieszkam, patrzy na mie, jakby mie widziała pierwszy raz w życiu. Racja. Jeszcze mie takiego nie widziała.

Przyszedł tysiąc dziewięćset siedemdziesiąty szósty i są wybory. Człowiek, co przynosi broń do geta, mówi jasno, że nie ma mowy, żeby znowu wygrali socjaliści. Że prędzej tu będzie piekło i zatracenie. Wysyłają nas, żebyśmy odstrzelili dwóch z Ośmiu Ulic, ale potem wysyłają znowu. Na Coronation Market podchodzimy do sprzedawczyni i do takiej jednej wyelegantowanej, jakby była z aptaunu, i zabijamy. Następnego dnia jedziemy do Crossroads, dokładnie tam, gdzie się aptaun ściera z dauntaunem, i wpadamy do chińskiego sklepu, i strzelamy. Trzeciego dnia zatrzymujemy autobus jadący z West Kingston do St. Catherine. Zatrzymujemy, żeby okraść i przestraszyć, ale jakaś policjantka krzyczy stać, jakby była Starskym albo Hutchem. Nie zdążyła wyciągnąć broni, więc myśmy ją wyciągneli na droge i autobus odjechał. W krzakach przy drodze strzeliliśmy do niej sześć razy, a obok jeździły auta. Jej ciało zatańczyło taniec śmierci, jak żeśmy strzelali, a przez to, co z nią wcześniej zrobił Josey Wales, to musiałem połykać własne rzygi. Papa-Lo nigdy by na to nie pozwolił. Josey zamahał nam bronią przed nosem, przysięgając zemste, jak powiemy.

Kobieta, z którą mieszkam, tylko patrzy, jak sie zmieniam, ale mam to wszystko gdzieś, jeśli jest co palić. I zaraz potem Beksa mie uświadamia, że na mojej drodze do porządnego sztaha stoją te piździelce, które trzeba pozabijać. Musze dostać jakąś nagrode albo co, żeby powstrzymać podgnembienie. Teraz tak sie porobiło, że albo pale, albo marze o paleniu i rozpaczam, jakbym nie żył i nie mógł wrócić.

Na Jamajce huczy, że przestempczość wymknęła sie spod kontroli, że kraj schodzi na psy, nawet na aptaunie nie jest bezpiecznie i LPN traci kontrole nad krajem. Do wyborów dwa tygodnie, a Papa-Lo wysyła nas po wszystkich domach, żeby przypomnieć ludziom, jak głosować. Jeden z chłopców mówi, że nie przyjmuje rozkazów od Papa-Lo. Josey Wales może warczeć i psioczyć, i mówić słowa o podwójnym znaczeniu, ale Josey Wales dobrze pamięta, że Papa-Lo został Papa, bo był najtwardszy i największy brutal w gecie. Papa-Lo podchodzi do chłopaka i go pyta, ile ma lat. Siedemnaście, mówi tamten. Osiemnaście chyba ci nie pisane, mówi Papa-Lo i strzela mu w stope. Chłopak wrzeszczy, podskakuje i znowu wrzeszczy. Ludzie tutej sie sadzą!, krzyczy Papa-Lo. Ludzie zapomnieli, kto tu rządzi! Ty! Zapomniałeś?, mówi i celuje w drugiego chłopaka. Ten podskakuje i sie trzensie, nie, nie, nie, Papa-Lo, ty jesteś don, don nad donami, a Papa-Lo sie śmieje, bo chłopak sie zeszczał. Zlizuj, mówi Papa-Lo, a ten patrzy przez sekunde jak idiota, aż Papa-Lo strzela i mówi, albo sprzątniesz szczochy, albo my ciebie sprzątniemy. Chłopak widzi, że Papa-Lo nie żartuje, no to kuca i chłepce własne siki, jak kot, co ma nie po kolei we łbie.

No to idziemy na ulice i pukamy do otwartych drzwi, i kopniakami wywalamy zamknięte i jeden człowiek, stary i troche wariat, mówi, że nie będzie głosował na nikogo, no to go wyciągamy na ulice, wywlekamy wszystkie jego ciuchy i je palimy, potem ściągamy z niego wszystkie łahy i też do ognia, dwa kopniaki sprzedajemy i mówimy, żeby lepiej wiedział, jak ma oddać głos, bo inaczej zaczniemy palić mu rzeczy w domu, a kobieta, z którą ja żyje, pyta mie, czy po nią też przyjdą, bo JPP i LPN to jedno i to samo gówno, a ja na to, że może i tak, no to sie przestała do mie odzywać. Ale jak biały człowiek przyszedł i przyszedł ten człowiek, co przynosi broń do geta, to gadali z Joseyem Walesem, nie z Papa-Lo. Już nawet w gecie Papa nie ma dużo poważania. Za często sie zadaje ze Śpiewakiem.

Noc. Teraz w grudniu to już powinno być chłodno. Śpiewak siedzi w domu. Żyje, śpiewa, gra. Wszyscy na Jamajce i w gecie gadają o tym, jak to sie zdecydował zrobić koncert dla pokoju, chociaż to propaganda LPN-u, i że dwadzieścia cztery godziny na dobe Echo Squad, bandyci na pasku LPN-u, pilnuje mu domu. Zero policji z wyjątkiem jednego radiowozu, co sie zatrzymuje raz wczesnym wieczorem. Nikt nie wchodzi i prawie nikt nie wychodzi. Patrze na przejeżdżające samochody, patrze na światło zapalane i gaszone w pokojach. Patrze, jak wchodzi i wychodzi grubawy menadżer i ten biały z brązowymi włosami. Jednego razu mówił, że jego życie nic nie warte, jak nie może pomóc wielu ludziom, no i pomógł wielu, ale daje to, co im potrzeba, a młodzi ludzie nie potrzebują niczego, tylko wszystkiego chcą. Śpiewamy inne piosenki, piosenki młodych, co ich nie stać na nagrywanie piosenek, bujamy sie do prawdziwego rytmu, rock i skank, bo tylko kobiety tańczą. Śpiewamy piosenki, co je układamy we śnie, że jak pędzisz jak błyskawica, to trzaśniesz jak grom. I Śpiewak myśli, że Johnny to był dobry człowiek, ale Johnny ciągle żyje, tylko Johnny sie zmienił, Johnny przyjdzie po niego. Wcześniej przed tą nocą widziałem go, jak palił zioło z Papa-Lo, a potem dał koperte jednemu, co biega z Shotta Sherrifem i nawet więksi ode mie sie głowią, co ten rasta docipnik kombinuje. Śpiewakowi to sie wydajc, żc jak pochodzi stont, gdzie my, to wie, jak żyjemy. Ale on nic nie rozumie. Tak jak on to myślą ci, co wyjechali i wrócili. Że wszystko takie same jak wtedy, jak wyjeżdżali. A jest inaczej. Twardsi jesteśmy od niego i mamy to gdzieś. Uciekł, nie zdążył sie zmienić w takiego jak my.

A my? Myśmy sie zrobili wielcy zło czyńcy. Jednego dnia matka Heckle'a nadchodzi, jak pilnujemy ulicy i gramy w domino, i gada, że wyniucha każde paskudztwo w jego pokoju, no to ją wyrżnął w pape i kazał okazywać szacunek zło czyńcy na ulicy. Kobieta, z którą ja żyje, pyta mie, czy ją tak samo bęce traktował, ale nic nie odpowiedziałem. Nie chce bić żadnej kobiety. Chce tylko troche K. za friko. Nic więcej. Nic więcej mi nie trzeba. Bęcdzie ze dwa dni temu, jak przechodze obok domu jakiejś kobiety i Beksa wyłazi nago do hydrantu na tyłach. Ściąga kondoma, rzuca go i idzie sie myć. Każdy wie, że kondom i kontrola urodzeń to plan białych, żeby wykończyć czarną rase, ale on ma to gdzieś. Patrze, jak ściąga okulary i sie szoruje cały szmatą i mydłem, jakby hydrant i drzewo były dla niego tylko, a przecież to nawet nie jest dom jego stałej kobiety. Nie chciałem go wyruhać, zero takiego brudnego pedalstwa ze mną. Chciałem tylko w niego wejść jak duh i poruszyć sie, jak on sie poruszy, bryknąć, jak on bryknie, zadyszki dostać, jak on dostanie zadyszki, poczuć, jak wyciągam odrobine odrobine odrobine i zaraz wbijam sie ostro, potem łagodnie, szybko i wolno. Potem chciałbym być kobietą. Kurwa, musze złapać oddech.

Dziś wieczór obserwuje dom Śpiewaka sam, ale kiedy indziej mam towarzystwo. Ten niski wyszczekany, co mu robi menadżerke, myślał, żeśmy jeszcze jedne chłopaki, co przychodzą po pieniądze, zioło albo szanse na nagranie wielkiego numeru, ale inaczej na nas patrzył. Wracamy do geta, a ten biały, co chyba go zna, opowiada nam o wszystkich pokojach w domu. I że każdy człowiek ma swoją cene, nawet ci blisko niego, więc w odpowiednim czasie zrobią sobie miłą przerwe, miłą długą przerwe, drzemke w stylu funky disco jak funky Kingston, sie rozumiemy! Że tą samą drogą trzeba wejść i wyjść. Że przerwe sobie robi przeważnie około dziewiątej, kwadrans po, idzie do kuchni, sam, bo dzieci nie ma, a pozostali jeszcze siedzą w studio albo dopiero wychodzą. Że ze schodków do kuchni jest dobry widok, ale powinniśmy posiekać cały dom kulami, żeby mieć pewność. Że dwaj robią za kierowców, dwaj wchodzą, czterech przeczesuje teren, a to przeczesywanie brzmi kretyńsko. Amerykanin znowu sie robi czerwony, a człowiek, co przynosi broń do geta, mówi, że jemu chodzi, żebyśmy otoczyli dom. Pokazują nam zdjęcia. Śpiewak w kuchni, razem z tym białym, co kieruje wytwórnią, i Śpiewak w studio, z oczami wyłażącymi z głowy od dobrego zioła, on i nowy gitarzysta przywieziony prosto z Ameryki, ruha jedną dziewczyne, ruha jej siostre, Śpiewak oparty o piec, jakby już był zmęczony byciem Śpiewakiem. Cała Jamajka czeka na koncert „Uśmiechnij sie, Jamajko". Nawet niektórzy z geta pójdą, bo Papa-Lo mówi, że trzeba iść dla Boba, chociaż to propaganda LPN-u. Myślałem tylko o tym, że jeszcze jedna noc i przestane czuć głód. Jeszcze jedna noc i zdejme Supermanowi S z piersi, Batmanowi B z brzucha.

ALEX PIERCE

Opowieści o getcie nigdy nie powinno ilustrować żadne zdjęcie. Slums rodem z Trzeciego Świata to koszmar weryfikujący nasze przekonania i fakty, nawet te, które mamy przed nosem. To wizja piekła, która tańczy sama ze sobą do własnej ścieżki dźwiękowej. Tutaj normalne zasady nie obowiązują. Pozostają tylko wyobraźnia, marzenie, fantazjowanie. Idziesz do getta, zwłaszcza do getta w West Kingston, i natychmiast masz poczucie odrealnienia, robi się groteskowo, to jest coś jakby wyjęte z Dantego albo z obrazów piekła Hieronima Boscha. To piekielne rdzawoczerwone lochy, których nie sposób opisać, dlatego nawet nie będę próbował. Nie można tego sfotografować, bo niektóre części West Kingston, takie jak Rema, tchną tak posępną i uporczywą ohydą, że wewnętrzne piękno procesu fotograficznego okłamie widza, złagodzi rzeczywistą brzydotę. Piękno bywa bezgraniczne, ale podobnie nieskończona jest nędza, a jedynym sposobem precyzyjnego uchwycenia pełni tego nieustannego kłębowiska brzydoty, jaką jest Trench Town, pozostaje wyobraźnia. Można to opisać barwami: martwa czerwień jak zakrzepła krew, burość jak brud, glina albo gówno, biel jak mydliny płynące rynsztokiem. Czasem coś się błyszczy jak nowa blacha w kontraście do starego ogrodzenia, samo tworzywo żywym świadectwem tego, kiedy ostatni raz politycy zrobili coś dobrego dla getta. Cynk w Ośmiu Ulicach połyskuje jak nikiel. Cynk w Dżungli jest dziurawy od kul i przeżarty rdzą w kolorze jamajskiej ziemi. Żeby zrozumieć getto, żeby getto nabrało realności, trzeba zrezygnować z patrzenia. Getto to woń. Niekiedy to słodki zapach: talk dla dzieci, którym kobiety smarują piersi. Old Spice. Woda kolońska English Leather i Brut. Ścierwo zarżniętej przed chwilą kozy, papryka i ziele angielskie w zupie ugotowanej na łbie tejże kozy. Kwaśne chemikalia w detergencie, masło kakaowe, kwas karbolowy, lawenda w mydle, skwaśniały mocz i gnijące gówno płynące rynsztokiem. Znowu ziele w kurczaku po jamajsku. Kordyt po niedawnych strzałach, kupka w pieluchach, żelazo w zakrzepłej krwi, tam ciągle widać rozbryzgi, chociaż rozjechane zwierzę dawno zabrano z jezdni. Zapach niesie wspomnienie dźwięku, więc proszę bardzo. Reggae, gładkie i seksowne, ale zarazem brutalne i oszczędne jak skrajnie biedny i skrajnie czysty blues znad delty. Z tego gulaszu, którego składnikami są ziele angielskie, proch, krew, ścieki i słodkie rytmy, wziął się Śpiewak, dźwięk w powietrzu, ale także żywy oddychający sufferah, który zawsze jest tam, skąd pochodzi, bez względu na to, gdzie akurat rzuci go los".

O ja pierdolę. Co za gówno, brzmi jak tekst dla elegantek, które jedzą lunch na Piątej Alei. „Nieustanne kłębowisko brzydoty"? Niech żyje tania sensacja. Dla kogo ja, kurwa, piszę? Mógłbym dotrzeć do Śpiewaka, zbliżyć się do niego, ale i tak skrewiłbym jak wszyscy dziennikarze przede mną, bo, cholera, nie ma prawdziwego Śpiewaka. W tym jest haczyk, no bo prawdziwy skurwysyn, teraz, kiedy się wdarł na Billboard Top Ten, stał się już kimś innym. Jak alegoria — on istnieje, kiedy jakaś dziewczyna przechodzi pod moim oknem, śpiewając, że już niedobrze się jej robi od tej gry w izmy i schizmy. Albo kiedy chłopcy na ulicy śpiewają, że brzuch mają pełny, ale są głodni, i cichną przed zaśpiewaniem następnej linijki, bo wiedzą, że większa groza tkwi w przemilczeniu tego, o czym wszyscy wiedzą.

Za oknem latarnie świecą na pomarańczowo aż do portu jak gasnące zapałki, jedna, druga, trzecia. I gdy to zauważam, jedne żółte, drugie białe, światła naprawdę gasną, kwartał po kwartale. Mrugam, w pokoju robi się ciemno. Od mojego przyjazdu to już trzecia awaria prądu w Kingston, ale jest pełnia, więc przez moment miasto robi się srebrzystoniebieskie, niebo słodkim indygo, jakbyśmy znaleźli się na wsi. Księżyc oświetla budynki z boku, a z ziemi wstają ściany jasnej szarości. Jedynym źródłem światła są teraz samochody.

Poniżej słychać szum. Siedzę na dziesiątym albo jedenastym piętrze, nigdy nie pamiętam, światło powraca, tym razem z sykiem. Hotel się rozpala, potem hotel z przodu, i jeszcze jeden, a elektryczny blask przywołuje znowu pomarańczową barwę, która wymazuje naszą srebrzystość. Lecz obrzeża ciągle tkwią w ciemności. To zaciemnienie pewnie potrwa całą noc. Byłem raz na przedmieściach, szedłem za Lee „Scratchem" Perrym, gdy światła pogasły. Każdy dziennikarz o tym słyszał, „armagidon", chwila, w której przestępcy w mieście idą na całego. A jednak było tak cicho, że Kingston stało się miastem upiorów. Po raz pierwszy usłyszałem fale tłukące się w porcie.

Właściwie nie wiem, czego chcę. Wiem tylko, że wciągnęło mnie po szyję. Kto chciałby pisać o muzyce, skoro rock and roll umarł? Może coś tli się w punk rocku, a może rock jest chory i zamieszkał w Londynie. Może ci Ramonesi coś znaczą, może rock and roll musi się narodzić na nowo, powrócić do Chucka Berry'ego. Ja pierdolę, panie Pierce, czy jedynym sposobem mówienia o muzyce jest gadać jak jebany krytyk rockowy? Wenner myśli, ma rozpaczliwą nadzieję, że Mick i Keith lada chwila się obudzą, odstawią heroinę, odetną się od tego swojego pluszowego otoczenia i nagrają drugie *Let It Bleed*, a nie jakieś muliste hity jak na *Goats Head Soup* i, słodki Jezu, tylko żadnego reggae! Ale oni właśnie jak na złość katują reggae, niemiłosiernie miądlą w kółko w tej piosence gówniany one-drop. Przyjechałem do tego kraju w przekonaniu, że coś znajdę. No i chyba znalazłem. Wiem, że znalazłem, ale niech mnie szlag, jeśli wiem, co to jest.

Światła gasną i znowu się zapalają, minus szum. Bez kitu. Chyba nikt się tego nie spodziewał. Wyobrażam sobie, że na zewnątrz miasto dało się zaskoczyć. In flagrante delicto. Co robił Mark Lansing, zanim włączyli znowu prąd? Kogo on tu w ogóle zna? Facet, który mi opowiedział o funkcjonowaniu gett, był kiedyś rudeboyem i trafił do więzienia, ale wyszedł odmieniony dzięki książce. Myślałem, że chodzi o *Autobiografię Malcolma X*, postawiłem też na Eldridge'a Cleavera. Ale żeby *Problemy filozofii*

Bertranda Russella? Zostawili go w spokoju, bo to rudzie ze starej szkoły, prowadzi grupę młodych i mediuje między gangami, ale też dlatego, że nikt się nie spodziewa niczego po kulisie.

Czasem zazdroszczę weteranom z Wietnamu, bo oni przynajmniej mogli stracić wiarę w siebie. Chcieliście kiedyś pojechać dokądś tak bardzo, że brak powodu do wyjazdu był jeszcze większym powodem, żeby wyruszyć?

W siedemdziesiątym pierwszym roku wyjechałem z Minnesoty w te pędy.

„Każdy Jamajczyk umie śpiewać i każdy Jamajczyk uczył się śpiewania z tego samego śpiewnika. Z *Gunfighter Ballads* Marty'ego Robbinsa. Chwyć za kołnierz nawet najważniejszego rudeboya i powiedz «El Paso», a on od razu idealnie zaintonuje: «miasto El Pasooooooooo, nad Rio Grandeeeeeeeeee». To fundament każdej chojrackiej gadki pistoletów na Jamajce, bo wszystko, co chcemy wiedzieć o wojnie zielonych z pomarańczowymi w Kingston, wszystko, co trzeba wiedzieć o rudeboyach uzbrojonych teraz w broń palną, znajdziemy nie w tekstach Boba Marleya ani Petera Tosha, tylko w *Big Iron* Marty'ego Robbinsa:

«To bandyta na wolności, szepczą przerażeni ludzie,
I przyjechał coś załatwić,
Z żelastwem przy prawym udzie».

To jest opowieść o rewolwerowcach z Dzikiego Zachodu, jakim jest West Kingston. Różnica polega jednak na tym, że w klasycznym westernie mamy szlachetnego bohatera w jaśniejszym kapeluszu i szwarccharakter, getto zaś bliższe jest temu, co Paul McCartney powiedział o *Ciemnej stronie Księżyca* Floydów. Wszystko jest ciemne. Każdy sufferah to kowboj bez domu i każda ulica ma swoją strzelaninę, o której opowiada napisana krwią piosenka. Zatrzymajcie się na jeden dzień w West Kingston, to przestanie was dziwić, że któryś z ważniaków ma ksywę Josey Wales. Nie chodzi tylko o bezprawie. Chodzi o przejęcie i zawłaszczenie mitu, tak jak piosenkarz reggae pisze nowy tekst do starego numeru. Skoro western musi mieć strzelaninę w O.K. Corral, to O.K. Corral musi mieć jakieś Dodge City. Kingston, gdzie ludzie czasem padają jak muchy, świetnie się do tej roli nadaje. Podobno na przedmieściach panoszy się takie bezprawie, że premier od lat nie zapuszcza się dalej niż Crossroads, i nawet to skrzyżowanie jest teraz do wzięcia. No i, jak pragnę zdrowia, gdy tylko złotousty biały premier powie coś w rodzaju «demokratyczny socjalizm», w ciągu kilku dni odnotowujemy napływ Amerykanów w garniturach, nazywających się Smith lub równie oryginalnie. Nawet ja czuję tutaj zapach zimnej wojny, a przecież to nie jest żaden kryzys kubański. Miejscowi albo uciekają samolotami, albo zostają zabici. Tak czy owak wszyscy, wypierdalają z Dodge City".

Tak chyba lepiej. Nie udawaj Huntera, nie udawaj Huntera. Jebać Huntera Thompsona, jebać beatników. Moja historia musi mieć fabułę. Musi mieć bohatera, czarny charakter i Kasandrę. Czuję, że to się zbliża do punktu kulminacyjnego, będzie jakieś zwieńczenie albo katastrofa bez mojego udziału. W *Miami and the Siege of Chicago* Norman Mailer wrzucił własne złe „ja" do historii, udając ochroniarza jebanego Ronalda „Bonzo" Reagana, żeby dostać się na bankiet republikanów, bo przecież nikt by go nie zaprosił. Ot, taka myśl, nic więcej.

W ciągu jednego tygodnia Śpiewak spotyka się z najważniejszymi bandziorami, którzy ze sobą wojują. Z nabrzeża zniknęła dostawa broni, której w ogóle nie było, mówi mi mój rozczytany w filozofii kabel. Za dwa tygodnie wybory. Nawet nie gadajmy o Marku Lansingu. Tymczasem wydaje się, że cały kraj zastygł w oczekiwaniu. Może tak naprawdę powinienem się dowiedzieć, dlaczego kilka miesięcy temu na Jamajce zjawił się William Adler, co on wie i jak Śpiewak, tutejsi ludzie i cały kraj chcą przetrwać najbliższe dwa tygodnie. A potem napiszę kurewsko dobry tekst i dam go do „Time", „Newsweeka" albo „New Yorkera", bo jebać „Rolling Stone". Bo wiem, że on wie. Wiem, kurwa. Musi wiedzieć.

PAPA-LO

Myślą, że mój umysł to statek, co odpłynął daleko. Niektórzy z nich są z mojej dzielnicy. Widze ich bokiem oka. Dawniej pomogłem im dorość, a teraz oni myślą, że to ja hamuje postemp. I traktują mie jak starego i myślą, że nie widze, jak urywają zdanie w połowie, bo reszta nie jest przeznaczona dla mie. Że nie widze, że w gecie sie pojawiły telefony do gadania, ale nie ze mną. Że nie widze, że odstawiają mie na bok.

Ludzie w gecie sie przestawiają na inne sojusze, bo politycy widzą teraz inaczej. Poszła plotka, że już nie znosze widoku krwi. Dwa lata temu dwie rzeczy mi sie przytrafiły jednego tygodnia. Najpierw zastrzeliłem takiego kogucika z Dżungli. Doszły mie słuchy, że młodziak sie sadzi, sprzedaje własne zioło i baluje z tymi z LPN-u, jakbyśmy podpisali pokój czy co. Złapaliśmy rudeboya dla przykładu, nie chodził w khaki, bo twardszy był bardziej niż twardy, może jakiś *brigadista*, co wrócił z Kuby. A ten drugi, chłopiec, szedł do szkoły, sie okazało. Upadł na kolano, potem na bok i przewrócił sie na plecy, i dopiero wtedy zobaczyłem krawat Ardenne.

Nie pamiętam, ilu padło z mojej ręki, i nie za bardzo mie to obchodzi, ale to to tak. Jak sie zabija męszczyzne i on pada martwy, to co innego. A co innego, jak stoi za blisko, jak strzelasz, i łapie cie, i widzisz, jak na ciebie patrzy, w oczach kurewskie przerażenie, bo śmierć to najstraszniejszy potwór, straszniejszy niż wszystko, co sie przyśniło, jak było sie nygusem i czujesz ją jak demona, co cie połyka powoli, wielka paszcza połykająca twoje palce u nóg, sie robią zimne, potem stopy i stopy sie robią zimne, potem kolana, uda, potem w pasie, i ten młodziak chwycił mie za koszule i jęczy, że nie, nie, nie, już mie bierze, nie, nie, nie… i ściska mie tak mocno, nigdy tak mocno nie ściskał, bo może włożył w te dziesięć palców całą siłe, całą wole żywego, że może potrafi sie uchwycić życia i nie puścić. I wciąga powietrze, jakby cały świat wsysał, i boi sie wydychnąć, najbardziej sie boi, bo jak wydychnie, to całe życie z niego ucieknic. Dobij go, mówi Josey Wales, ale ja tylko patrzeć mogłem. Josey podszedł, przystawił mu broń do czoła i buch.

Zrobiło sie poruszenie. Wszyscy wiedzą, że Papa-Lo twardy, zwłaszcza jak kradniesz, gwałcisz kobiete, ale nikt wcześniej nie nazwał mie nikczemnikiem, jak matka tego chłopaka, co przyszła pod mój dom, wrzeszcząc, jak to jej syn był dobry chłopiec, co kochał swoją matke i chodził do szkoły i zdał mature z sześciu przedmiotów i miał mieć stypendium na uniwersytet. I powiedziała jeszcze, jak Bóg przyjdzie, to będzie miał specjalną kare dla takiego małego hitlerowskiego czarnuha jak ja. Wzywała syna i wzywała Jezusa, żeby coś zrobił, aż wreszcie Josey Wales przywalił jej kolbą w łeb od tyłu i zostawił ją na drodze, a spódnica jej trzepotała, bo wiał wiatr.

Jednego razu Śpiewak mie pyta, jak to jest, że ja jestem najważniejszy, skoro tak dużo sie martwie? Nie powiedziałem mu, że być najważniejszym to właśnie znaczy sie martwić. Jak wleziesz na szczyt góry, to wszystko na świecie może cie strącić.

Wiem, że Śpiewak wie, że mnóstwo ludzi go nie nawidzi, ale sie zastanawiam, czy wie, jaką twarz ma ta nienawiść. Każdy człowiek ma coś do powiedzenia, ale ci, co nie nawidzą naprawdę, są czarniejsi niż on. Ważniak w więzieniu mówi, że przeczytał wszystko, co kiedy kolwiek napisał Eldridge Cleaver, wziął poszedł sie uczyć, zdał jebane egzaminy i po co, skoro ten brązowy wypierdek stał sie głosem wyzwolenia czarnych? To on twarzą Jamajki? A on umie czytać? Ważniak, co właśnie wrócił z Nowego Jorku i Miami, mówi, że to medialna katastrofa dla kraju. Celnicy dwa razy go zatrzymali, pytali, czy gra w zespole reggae i co to za smród mu wali z walizki, gan-dzia? Ważniak, co ma hotel na North Coast, mówi, że pierdolona biała dziwka pijąca daiquírí z parasolką w szklance pyta go, jak często on myje głowe i czy każdy Jamajczyk to rasta, chociaż widać, że on ma czyste włosy i sie czesze codziennie. Potem na jego biurku zostawiła pięćdziesiąt dolarów i klucz do swojego pokoju. Jednego razu mówie Śpiewakowi, że raczej nie wczuwam sie w duha, taka siła złego o wielkiej mocy przeciwstawia sie jednemu człowiekowi, jakby armie staneły przeciwko tobie, ale on na to, że diabeł nie ma nad nim władzy. Że jak diabeł przyjdzie, to uściśnie diabłowi ręke. Że diabeł też ma role do odegrania. Że diabeł to dobry kumpel, a jak go nie znasz, to właśnie wtedy może cie załatwić. Ja do niego, brada, ty jesteś jak Robin Hood. On do mie, że nie, że nigdy w życiu nie okradł człowieka. Ja do niego, brada, Robin Hood też nie.

Ale nocą siły zła i fałszu podnoszą łeb. Śpiewak cwany. Ma przyjaźń ze mną, ma przyjaźń z Shotta Sherrifem. Śpiewak przemawia mi do rozumu, Śpiewak przemawia Sherrifowi do rozumu, nie razem, to byłoby wariactwo, ale gada z nami w ten sam sposób. Skoro pies z kotem mogą żyć razem, czemu my sie kochać nie możemy? Czy nie tak mówi Jah? Tyle że pies z kotem nie chcą razem żyć, ja mu mówie. Ale potem sie mocno zastanowiłem i znalazłem inny powód. Jak pies zabije kota, a kot zabije psa, to jedyny zadowolony jest padlinojad. Padlinojad całe życie tego wypatruje. Urubu znaczy, ten z czerwonym łbem, białym piórem z przodu i czarnymi skrzydłami. Urubu w Jamaica House. Urubu w klubie golfowym Constant Spring, gdzie chcą Śpiewaka zaprosić na śliczne przyjęcie, bo za bardzo urósł, żeby go ignorować, częstować go teraz trzeba drogim żarciem i mówić, jak to sie zastanawiali nad robieniem reggae, jakby reggae było jakimś piździelskim twistem, i pytają go, czy już poznał prawdziwych gwiazdorów, takich jak Engelbert Humperdinck.

Ale nocą siły zła i fałszu podnoszą łeb. Zwłaszcza takiej gorącej nocy jak dziś, za gorącej jak na grudzień, ludzie wtedy potrafią myśleć tylko o tym, kto ma, a kto nie ma. Ja na werandzie ze zgaszonym światłem. Patrze z domu, na drodze cicho, tylko z baru troche dalej słychać rockowe pościelówki. Jeden trzask, potem drugi, trzeci, ktoś wygrał w domino. Widze spokój, słysze spokój i wiem, że spokój nie trwa długo. Nie dla mnie, nie dla niego, nie dla Kingston, nie dla Jamajki.

Trzeci miesiąc już dwaj biali przychodzą do geta razem z Peterem Nasserem. Jeden mówi tylko po angielsku, drugi za dużo mówi po hiszpańsku. Przychodzą sie widzieć z Joseyem Walesem, nie ze mną. Człowiek może być na samej górze, ale jak polityk znajdzie sobie nowego przyjaciela, to do niego będą przychodzić. Zastanawiam sie, co Josey im obiecał, że mie nie potrzebują. Josey to swój własny człowiek, nigdy nie próbowałem go kontrolować, ani teraz, ani wtedy, nigdy po upadku Balaclavy. Kopenhaga to pałac z czterema, pięcioma księciami. Wcześniej nikt nie chciał być królem. Ale kiedy ci dwaj nowi biali przyszli do geta, to przyszli do mojego domu, żeby złożyć wyrazy szacunku, ale wyszli z Joseyem Walesem, a jak doszli do granicy, to sie spodziewałem, że Josey zamacha im na pożegnanie, ale wsiadł z nimi do auta i nic mie nie powiedział, jak wrócił.

O pół do siódmej Josey idzie zajrzeć do swojej kobiety i wychodzi w nowym pulowerze i spodniach, co mu przyniosła ze strefy wolnocłowej. Potem znika. Ja nie jego matka ani stróż, nie musi mie mówić, gdzie chodzi. Tej nocy, co zniknął, to zniknęła też dostawa na nabrzeżu. Jeden w Ameryce śpiewa, żeby dać szanse pokojowi, ale ten mądrala tutaj nie mieszka. Domyślam sie, że Josey skrzykuje ludzi, żeby zlikwidować Reme raz na zawsze. Nie wie, że ja wiem, że spalił dom przy Orange Street z ludźmi w środku i strzelał do każdego, co chciał ogień gasić, w tym do dwóch strażaków.

Tysiąc dziewięćset sześćdziesiąty szósty. Nikt, kto zaczął ten rok, nie skończył go jako ten sam człowiek. Upadek Balaclavy zabrał niejednego, nawet tych, którzy to wspierali. Ja popierałem, nie po cichu, głośno. Balaclava była wyhodkiem, przy którym zwykła kamienica sie wydawała pałacem. Balaclava to było miejsce, gdzie kobieta uciekała przed mordem, kradzieżą i gwałtem tylko po to, żeby wykończyła ją szklanka wody. Balaclave rozjechały buldożery, żeby mogła powstać Kopenhaga, a jak po buldożerach zjawili sie z obietnicami politycy, to zażądali, żebyśmy przepędzili wszystkich z LPN-u. Przed sześćdziesiątym szóstym człowiek z Denam Town i człowiek z Dżungli nie przepadali za sobą, ale rywalizowali w piłke i krykieta i nawet jak dwóch chłopaków skoczyło sobic do gardła i komuś gębe rozkwasili, nie było wojny ani nawet słuchów o wojnie. Ale potem przyszli politycy. Ja ich przywitałem z radością, no bo dla nas też miały nadejść lepsze czasy.

Tysiąc dziewięćset sześćdziesiąty szósty. Wszystko to sie w szabas wydarzyło. Josey wracał do siebie z warsztatu ślusarskiego pana Millera, gdzie sie uczył zawodu. Szedł ulicą, która nigdy nie opowiedziała sie za żadną barwą. Nie wiedział, że w piątek przyszli politycy i powiedzieli, żeby zamknąć gęby i zrobić użytek z broni. Strzelili do niego pięć razów. Za piątym upadł na twarz prosto w kałuże brudnej wody. Wszyscy uciekli, a ci, co zostali, patrzą i czekają, aż nadjechał facet na rowerze, chwycił go, posadził przed sobą i pojechał do szpitala, podtrzymując go, żeby mu sie nie zsunął. Trzy tygodnie później z tego szpitala wyszed inny człowiek.

Nocą siły zła i fałszu podnoszą łeb. Śpiewak mi opowiedział historie. O tym, jak to kiedyś reggae to znało z pięciu może ludzi, jak to miał za przyjaciela jednego gwiazdora białego rock and rolla. Wy, chłopaki od reggae, jesteście ostro odjechani, na maksa, macie może troche gandzi? Ale jak tylko dredy zaczynają śpiewać przeboje i wchodzą do pierwszej setki na listach Babilonu, wszyscy patrzą na niego inaczej. Bardziej go lubili, jak był biednym krewniakiem, bo dobrze sie czuli, zwracając na niego uwage. Mówie mu, że ja mam tak samo z politykami, jak sie dowiedzą, że umiem czytać. W sześćdziesiątym szóstym pokroili Kingston i ani razu sie nas nie spytali, który kawałek chcemy. Więc całą tą ziemie, co leży pośrodku granicy — Rema, Dżungla, Rose Town, Lizard Town — zostawili, żebyśmy sie o nią bili. No i sie biłem mocno, aż mie zmęczyło. Wychowałem tych, co dziś biegają z Joseyem Walesem, i nie było bardziej złego człowieka niż ja. Wielkość Kopenhagi powiększyłem dwa razy i zlikwidowałem kradzież i gwałt w naszej wspólnocie. Ale w tym roku mamy wybory i już tylko wojna pozostała i słuchy o wojnie. Patrze teraz z werandy, noc dochowuje tajemnicy. Weranda drewniana, dawno nie odmalowana. Moja chrapie jak szurnięty osioł, ale człowiek z czasem zaczyna lubić tych pare rzeczy, co sie nigdy nie zmieniają. Jutro jakieś młodziaki przychodzą gadać o swoim koncercie dla pokoju, bo ten duży to propaganda LPN-u. Już prawie będzie świtać, a policyjne oddziały likwidacyjne nie zrobiły nawet jednego nalotu. Przez to jakoś dziwnie, bo ludzie w gecie nie wiedzą, co to nieprzerwany sen przez całą noc. Gdzieś jakoś ktoś, zwłaszcza w taką gorącą noc jak ta, będzie musiał za to zapłacić.

BARRY DIFLORIO

C o będziesz chciał na lunch, tata? Whamperera?

— Jasne, aniołku.

— Nie nazywaj mnie tak.

— Czyli jak?

— Aniołku. Nie jestem dziewczyną.

— Nie jesteś? Na pewno nie masz żadnych dziewczyńskich cech?

— Nie, ani jednej. Więc nie mogę być aniołkiem.

— Dla mnie jesteś aniołkiem. Chłopcy też mogą być aniołkami.

— Nie. Chłopaki nie są aniołkami. To dobre dla dziewczyn. Dziewczyny są aniołkami. Paskudnymi zresztą.

Ciężko się sprzeczać z taką żelazną logiką. Mógłbym napisać artykuł o tym, co wiedziałem jako sześciolatek, a czego nie wiem trzydzieści lat później.

— Fakt, dziewczyny są trochę paskudne, nie? Ale jak się ma trzynaście lat, to się chce z nimi być przez cały czas.

— Nieeeeee.

— Taaaak.

— A lubiłyby się bawić z moimi żabami?

— Chyba tak. Ale dobra, dosyć, jutro szkoła, syneczku.

— Tato!

— Przepraszam, zapomniałem, że jesteś już młodym mężczyzną. Jutro szkoła, więc zmiataj. Ty też, Timmy.

— Rany, człowieku. Babilon normalnie.

— Słucham?

— Rany... Nieważne.

— Tak myślałem. Do łóżka, panowie. Ej, żaden nie pocałuje ojca na dobranoc?

— Przecież to już dorośli mężczyźni.

— Zauważyłem. Nie zapomnijcie umyć zębów.

Żona rusza za nimi.

— Gdzie idziesz?

— Umyć zęby. Miałam długi dzień. Ale w Kingston każdy dzień się dłuży, nie?

Aluzja wychwycona. Zadziwiające, że kobiety potrafią wykorzystać każdą okazję do sprzeczki, zwłaszcza chwile takie jak ta, kiedy nie ma się ochoty na kłótnię, ale problem w tym, że unikanie kłótni wygląda na obojętność, rzucamy więc jakieś miłe słówko albo komplement, a wtedy oskarżają nas o protekcjonalność, no i awantura gotowa.

— Zaraz…

Dzwoni telefon.

— …jestem z powrotem.

Idzie na górę, mamrocząc pod nosem, że gdy jestem w domu, zawsze dzwoni telefon. To ciekawe, bo przecież zakazałem wszystkim dzwonić pod ten numer, zarówno w sprawach służbowych, jak i prywatnych.

— Słucham.

— Mając dziesięciomilionowy budżet, możesz się pochwalić tylko tym barachłem, które na twoje polecenie pisze w „New York Timesie” ten pedzio Sal Resnick?

— William Adler. Bill, jak leci?

— Szybko, jak zjem coś szkodliwego.

— Tam gdzie jesteś, pewnie nawet gówniane jedzenie sprzedają na kartki, co?

— Poważnie? A gdzie jestem?

— W jakiejś socjalistycznej utopii. Czy dla najlepszej piña colady na świecie warto rezygnować z wolności?

— Że co, że na Kubie niby jestem? Naprawdę myślisz, że siedzę na Kubie? Takie masz info? Barry, chyba stracę resztki szacunku do ciebie.

— No to gdzie jesteś?

— A nie spytasz, skąd mam twój numer?

— Nie.

— Nie udawaj, że cię to nie interesuje.

— Kolego, muszę dzieciakom przeczytać bajkę na dobranoc. Ta nasza telefoniczna randka do czegoś prowadzi?

— Jakie jest twoje ulubione miejsce w cyrku?

— Wiesz, czego nie cierpię, Bill? Ludzi, którzy na pytanie odpowiadają pytaniem. Jamajczycy bez przerwy tak robią, kurwa mać.

— No to każ prześledzić połączenie. Zaczekam.

— Nie trzeba. Przeceniasz swoje wpływy.

— E tam, myślę, że swoje wpływy oceniam bardzo realnie.

— Wykończysz mnie. Czego chcesz, Bill? Kursujesz z jakimś gównem dla Fidela?

— Może. Ale wtedy po co dzwoniłbym do ciebie? Od czasów Montevideo nie masz dostępu do porządnych informacji.

— Ty za to ostatnio masz informacje z pierwszej ręki.

— Chyba nie zaprzeczę. Kiepsko, że musiałeś odesłać tych siedmiu. To znaczy, wiadomo, Firma zawsze była śliska jak mokre gówno, ale mimo wszystko, Jezu.

— Wystawiłeś życie tych ludzi na niebezpieczeństwo, skurwysynu.

— Na niebezpieczeństwo wystawiłem tylko dziesięciomilionowy budżet. Cholernie duży pieniądz jak na taki mały kraj jak Jamajka.

— Jak się sprzedaje książka?

— Nie mogę narzekać.

— Jest już na listach najlepszej beletrystyki? Bo nie śledzę.

— Nie, ale jest na listach z literatury faktu. Bestseler.

— To miło. Posłuchaj, Bill, przyjemnie mi się z tobą przekomarza, jak Humphreyowi z Bacall, ale jestem strasznie zmęczony, więc weź się streszczaj. Czego chcesz?

— Paru rzeczy. Po pierwsze, albo odwołaj tych gnojów, którzy mnie śledzą, albo znajdź kogoś lepszego.

— O ile wiem, nikt cię nie śledzi. Gdybyśmy cię śledzili, to chyba bym wiedział, gdzie jesteś, nie?

— Odwołaj ich. Albo przestań mnie obrażać taką fuszerą. A przy okazji, może powinieneś wysłać kogoś do Guantanamo, żeby ich zgarnęli, zanim zrobią to Kubańczycy. Sam się domyśl, gdzie są. Po drugie, może powinieneś przemyśleć jeszcze raz, czy warto inwestować okrągłe dziesięć milionów w Jamajską Partię Pracy, żeby nas uchroniła od komunizmu. Większość z tej forsy pójdzie na broń, reszta…

— A chcesz zapewnić pokój na Bliskim Wschodzie, skoro już o tym mowa?

— Lepiej nie nadwerężaj swoich ograniczonych mocy, Barry. Po trzecie, jeśli myślisz, że ci bandyci, których twój Louis uczy strzelania, są za głupi, żeby zastrzelić ciebie, to jesteś w błędzie. Domyśliłem się, że właśnie dlatego Louis Johnson zawitał na Jamajkę. To ci się odbije czkawką, a wtedy będzie kurewsko niemiło.

— Kpisz sobie? Wyglądali jak małe dzieci z pierwszą zabawką Fisher-Price. Moja pierwsza prawdziwa spluwa!

— A więc szkolisz gówniarzy w terenie? Nie byłem pewien. Partanina, Barry, partanina nawet jak na takiego wyrobnika jak ty.

— Nie wiem, o czym mówisz. Co do Louisa, działa na własną rękę, dlatego będziesz musiał z nim gadać bezpośrednio. Co uknułeś tym razem? Dziwię się, że nie siedzisz w jakimś kraju spod znaku nieustannego sukcesu, jak NRD. Jaką tajną wojnę próbujesz wywołać? Gdzie? W Angoli? Może zaczynamy coś w Nikaragui? Podobno Papua-Nowa Gwinea dojrzała do socjalistycznego przewrotu.

— Nie masz bladego pojęcia o socjalizmie. Jesteś wytresowaną małpą, która umie tylko celować i strzelać. A skoro o małpach mowa, tak się zastanawiam, co tam robi syn Richarda Lansinga. Pomaga ci wnerwiać tatusia?

— Nie wiem, o czym gadasz.

— To bezpieczna linia, Barry, więc nie wciskaj mi kitu. Za chwilę ponownie zostanie wybrany premier, który obsrywa Kissingera i ciągnie druta Fidelowi.

— Wiesz to na pewno?

— Wiem tak samo jak to, do której szkoły posyłałeś swoje dzieci.

— Bill, nie wkurwiaj...

— Zamknij się, Barry. Jak już powiedziałem, za chwilę znowu wybiorą premiera, który nie ma pojęcia, że właśnie się przyłącza do zimnej wojny. Organizuje koncert, na którym będzie grał największy muzyk pod słońcem, przypadkiem Jamajczyk. I z wszystkich ludzi na świecie, którzy powinni przyjechać, żeby to sfilmować, przyjeżdża akurat synalek Richarda Lansinga. Nie jestem fanem żadnego z nich, ale musisz przyznać, że wygląda to bardzo interesująco.

— Wymyśliłeś sobie ładną teorię spiskową. Kto oddał czwarty strzał do prezydenta? Chyba jednak o czymś zapomniałeś, hę?

— Niby o czym?

— Że Lansing zrezygnował. Pod wieloma względami jest taki jak ty, tylko ma większą klasę. Obu was dopadły nagłe wyrzuty sumienia liberalnego studencika.

— Myślałem, że służę ojczyźnie.

— Nie, myślałeś, że służysz idei. Gdybyś nawet miał to napisane na papierze, i tak byś nie wiedział, jak funkcjonuje prawdziwe państwo.

— Próbujesz to obrócić w spór na tle klasowym, Barry? Zachowujesz się jak socjalista!

— Niczego nie próbuję. Chcę iść spać, nic więcej. A tymczasem wiszę na telefonie, gadając z człowiekiem pozbawionym ojczyzny albo rozumu.

— Ciągle mnie zadziwia, jak wy myślicie. Socjalizm to nie jebany komunizm.

— Ale to jednak izm, co do tego nie mamy wątpliwości. Wiesz, Bill, na czym polega i zawsze polegał twój problem? Uważasz, że zwerbowano cię po to, żebyś myślał. Albo że ludzie strasznie się przejmują tym, co myślisz.

— Akurat kilku Jamajczyków się przejęło.

— Tak, byłem na miejscu, kiedy wpadłeś na dwa tygodnie w czerwcu, pamiętasz? Jamajczycy głęboko w dupie mają politykę CIA, nawet nie wiedzą, czym się różni CIA od FBI. Nie, nie o to chodziło. Mnóstwo Jamajczyków dostało pierdolca, bo biały ich dowartościował, bo właśnie wyszły *Korzenie* i niczemu nie są winni, to podli biali o wszystkim decydują. Weź mi, kurwa, odpuść. Gadałeś ostatnio z Nancy Welch?

— Po co miałbym z nią gadać?

— Fakt, po co? No pewnie. Bo co byś jej powiedział? Jasny gwint, Nancy, ale się porobiło, wystawiłem twojego brata z żoną na odstrzał w Grecji.

— Czekaj, kurwa. Myślisz, że ja zaaranżowałem zabójstwo Welchów? Że to przeze mnie?

— Przez ciebie i przez tę twoją szmatławą książkę.

— Ja w ogóle o nim nie wspominam w tej książce, kretynie pierdolony.

— Skąd mam wiedzieć, przecież jej nie czytałem i nie przeczytam.

— Naprawdę? Naprawdę uważasz, że jestem odpowiedzialny za śmierć Welchów? Przeceniłem cię, Barry. Myślałem, że Firma lepiej cię informuje. Gadam z nieodpowiednim człowiekiem.

— Powaga? Wiedz, że nie tylko ty rewidujesz w tej chwili swoje oceny.

— Louis Johnson jest w West Kingston, uczy terrorystów strzelać z broni automatycznej. Z tej samej broni, która nigdy nie trafiła na kingstońskie nabrzeże, więc nigdy jej nie skradziono.

— Nie masz na to dowodów.

— Jedynym, który potrafił sensownie wykorzystać takiego człowieka jak Louis, byłem ja, w Chile. On nie zjawiłby się tutaj z innych powodów. Inaczej Brian Harris czy jak tam się dziś nazywa Oliver Patton. Wy nigdy nie przeczuwacie skuchy, dopiero jak wam pieprznie prosto w twarz. Jebani chłopcy z Ivy League, którzy nigdy nie mieli do czynienia z prawdziwymi ludźmi. Moje pytanie brzmi, po chuja wziąłeś Śpiewaka na cel? Co on może zrobić?

— Dobranoc, Bill. Albo *hasta mañana*, albo *luego*, albo cokolwiek.

— Poważnie pytam, co on, do kurwy nędzy, może...

— Nie dzwoń więcej, skurwysynu.

— A co to za skurwysyn do ciebie wydzwania? — pyta żona.

Nie zorientowałem się, jak zeszła z piętra, nie wiem więc, ile usłyszała. Siedzi na kanapie, a ja stoję z tyłu, nie mówi nic więcej, nie patrzy na mnie, ale czeka na odpowiedź. Wyciągam kabel telefonu z kontaktu i podchodzę do barku, gdzie stoją do połowy opróżniony smirnoff i butelka toniku.

— Chcesz się napić?

— Umyłam już zęby.

— Więc nie.

— Wygląda, że dalej chcesz się kłócić.

Pociera kark i zdejmuje naszyjnik. Nigdy nie obcięłaby włosów powyżej ramion, gdyby na Jamajce nie było tak gorąco. Od lat nie widziałem jej szyi, chętnie bym ją nawet w nią pocałował. To zabawne, że aż tak nie cierpi tego kraju, bo przed przyjazdem na Jamajkę kurewsko się bałem, że stała się typem kobiety, jakiego nie znoszę, czyli nie odczuwa już potrzeby, żeby wyglądać atrakcyjnie. Nie chodzi o to, że kiedykolwiek była nieatrakcyjna albo że żałowałem, że się pobraliśmy, albo że ją kiedykolwiek zdradziłem, nawet w Brazylii nie, ale nie tak dawno przyszło mi do głowy, żeby się z nią rozstać, choćby po to, aby zobaczyć, czy skłoniłoby ją to znowu do używania szminki. Narzeka na ten kraj każdego dnia, w każdej chwili, pewnie zacznie znowu za minutę albo dwie, ale za to nosi miniówki i obcięła włosy na pazia, i jest opalona jak bogata dziedziczka na Florydzie. Może się z kimś dyma? Słyszałem, że Śpiewak ma duże branie.

— Dzieciaki śpią?

— Albo udają.

— Cha, cha.

Siadam obok niej. Na tym polega problem z rudymi, nie? Bez względu na to, ile lat facet z taką przeżył, zawsze jest zaskoczony, kiedy odwróci się i spojrzy prosto na niego.

— Obcięłaś włosy.

— Upał jest nie do zniesienia.

— Ładnie ci.

— Odrosły już trochę. Obcięłam dwa tygodnie temu, Barry.

— Mam iść na górę i ich poprzykrywać?

— Jest ponad trzydzieści stopni.

— Racja.

— W dodatku w grudniu.

— Wiem.

— Tysiąc dziewięćset siedemdziesiątego szóstego.

— To też wiem.

— Mówiłeś, że będziemy tutaj najwyżej rok.

— Proszę cię, kochanie. Nie zniosę dwóch awantur w ciągu dwóch minut.

— Ja się nie awanturuję. Właściwie prawie nie rozmawiamy.

— Jeśli wyjedziemy…

— Jeśli?… Do ciężkiej cholery, to już nie „kiedy", tylko „jeśli"?

— Przepraszam. Kiedy stąd wyjedziemy, to czy będziesz szczęśliwa gdziekolwiek poza Vermont? A może powinienem odejść z roboty i będziemy żyć z twojej pensji?

— Bardzo zabawne. Nie zamierzam się kłócić. Przypominam ci, że rok składa się z dwunastu miesięcy, a ten miesiąc jest właśnie dwunasty.

— Chłopcy będą tęsknić za kolegami.

— Chłopcy nie mają tu żadnych kolegów. Barry?

— Tak, skarbie.

— Nie przeceniaj się. Masz mniejsze pole manewru, niż ci się wydaje.

— Nie masz pojęcia, jak mi się chce rzygać od takiej gadki.

Nie spyta, o co mi chodzi, woli, aby jej słowa zawisły w powietrzu. Chodzi o pracę? O nasze małżeństwo? Sama unika konkretów, bo w przeciwnym razie groźba miałaby słabszy wydźwięk. Ja więc mógłbym spytać, co ma na myśli, a wtedy: 1) wyjaśniłaby mi to jak komuś opóźnionemu w rozwoju, 2) wykorzystałaby to, żeby zacząć awanturę. Nie wiem, czego się spodziewała po swoim życiu, ale mam już dosyć tłumaczenia jej tego wszystkiego, jakbym występował w jakimś kurewskim show telewizyjnym, który co tydzień ma rozgrzać widownię do czerwoności. W poprzednim odciiiiiinku nasz bohater Barry Diflorio, nasz nieustraszony, dziarski, obdarzony hojnie przez naturę bohater zabrał swoją żonę do betonowej dżungli na Jamajce, na misję spod znaku słońca, morza, seksu i sekretów. Barry Diflorio wykonywał swoje obowiązki, a jego żona...

— Przestań.

— Co mam przestać?

— Mamrotać to, co myślisz. Nawet nie jesteś świadomy, że to robisz.

— A co teraz myślę?

— Na miłość boską! Wystarczy mi, że musiałam wychować troje dzieci w Vermont.

Dopiero po chwili dociera do mnie, że powiedziała „troje".

— Jesteś taka ładna, kiedy się złościsz — odpowiadam, spodziewając się określonego spojrzenia. Ale spotyka mnie zawód. Nawet na mnie nie zerknie, chociaż siedzę obok i próbuję wziąć ją za rękę. Myślę o tym, żeby powtórzyć to, co powiedziałem, ale milczę.

NINA BURGESS

Przejechał autobus linii 42, nawet nie przystanął, chyba chciał zdążyć, zanim zmieniłby się z powrotem w dynię. Tyle tylko, że była szósta. Godzina policyjna zaczyna się o siódmej, ale to śródmieście, więc w ogóle nie pojawiła się żadna policja, żeby to wyegzekwować. Nie wyobrażam sobie, żeby zatrzymali jakiegoś mercedesa, w końcu w środku mógłby siedzieć ktoś z gabinetu premiera. Ostatnim autobusem był mini z Irie Ites namalowanym z boku na niebiesko, a nie na czerwono, zielono czy na złoto. Większe autobusy też przejechały, zielony miejski linii Jamaican Omnibus Service obsługiwanej przez państwo, i małe autobusy, do których wchodzi się z głową wtuloną w ramiona (i tak się ją trzyma przez całą jazdę), większość w drodze do Bull Bay albo Buff Bay, albo do innej zatoki, czyli na wybrzeże, czyli na wieś. Irie Ites odjechał o szóstej. Ostatni ton basu słyszałam za kwadrans jedenasta. Teraz jest kwadrans po.

Autobusy wciąż kursowały, a ja wciąż stałam na przystanku. Podjechały też dwa auta — nielegalne taksówki, w każdej dwóch z przodu i czterech z tyłu, w tym taki z dolarami w ręku wrzeszczący: Chcesz się dostać do Spanish Town, złotko?! Nawet pomyślałam, że za drugim razem podjechało to samo auto. Cofnęłam się i odwróciłam głowę w bok, aż wreszcie ruszyli dalej.

W końcu mi jednak odbiło. Nie może być inaczej, skoro sterczę przed bramą z nadzieją, że pewien facet przypomni sobie, że się ze mną przespał, z nadzieją, że z wszystkich kobiet, z którymi się przespał, a może nawet teraz śpi, to akurat mnie zapamiętał. A skoro mnie zapamiętał, to może pociągnąłby za sznurki i wywiózł mnie i moją rodzinę z tego kraju i fajnie by było, jakby jeszcze za to zapłacił. To wszystko wydawało się o wiele sensowniejsze o siódmej rano, kiedy zobaczyłam ojca próbującego udawać, że z powodu tego, co zrobili nieznani młodzi mężczyźni, nie czuje się najstarszym człowiekiem na świecie. Być może nie zgwałcili matki, może tylko ją uderzyli albo coś jej włożyli do cipy i kazali mu patrzeć. Może powiedzieli, nie, dziwko, za stary rupieć z ciebie, żeby cie wyruhać, ta twoja cipa należy już do Jezusah. A może tylko mi odbija, bo jest prawie północ, stoję tu w szpilkach jak idiotka i stopy mnie zaraz wykończą, bo ja je wykańczałam przez cały dzień. Pozostało tylko słuchać, jak mi w głowie wariuje. Skurwiel nie wyszedł z domu ani razu. Ani jednego razu. Może jest inaczej? Może mnie zapamiętał, aż za dobrze zapamiętał, i jak zobaczył mnie z okna, to wysłał wiadomość, żeby nie wpuszczać tej dziewczyny? Może kiepsko się z nim dymałam, a może dymałam się za dobrze, może coś we mnie było takiego, że pomyślał, chłopaku, lepiej nie wychodź, nie zadawaj się z nią, z tą Niną Burgess. Może nawet pamięta, jak się nazywam. A może nie. Buty i stopy mam całe w kurzu.

Około drugiej czy trzeciej ból sięga już piszczeli, potem kolan, co jakby poprawia samopoczucie, ale tylko dlatego, że się rozszerza. W pewnej chwili ból znika, aż wreszcie, może z godzinę później, dociera do człowieka, że wcale nie znikł. Po prostu się rozlał na całe ciało. Może nie jestem szalona, ale jakaś przecież jestem. Te dwie kobiety, które mnie minęły ileś godzin temu, coś wiedziały. Zobaczyłam je może z odległości półtora kilometra, kiedy były jeszcze dwiema jasnymi plamami, aż w końcu znalazły się z sześć metrów ode mnie, dwie czarne kobiety w białych sukienkach do kościoła i kapelusikach.

— No ale ci właśnie mówie, Mavis, żadna broń skierowana przeciwko Panu Jezusowi nie zwycięży — powiedziała ta po lewej.

Obie spojrzały na mnie w tej samej sekundzie i zamilkły. A potem nawet nie czekały, aż mnie wyminą, gdy jedna szepnęła do drugiej:

— Jest dziesiąta wieczorem.

Reszty się domyśliłam, dlatego wołam:

— Wyrucham się z waszymi mężami za dwadzieścia dolców!

Przyśpieszyły kroku, żeby uciec od mnie jak najszybciej, i ta po lewej się potknęła. Potem nikt już się nie pojawił. Ale to nie znaczy, że na Hope Road zamarło życie. Z tyłu są apartamenty, a z przodu jego dom. Wszędzie pozapalano światła. Ludzie nie idą spać, odcinają się tylko od ulicy. Jakby całe miasto odwróciło się dupą do człowieka, tak samo jak te kobiety z kościoła. Rozmyślam o tym, o byciu dziwką, i żeby wskoczyć do ostatniego mercedesa czy volvo jadącego tą drogą, może do Irish Town. Biznesmen albo dyplomata z New Kingston, który mnie zgwałci, bo wie, że ujdzie mu to na sucho. Jeśli będę tu stała pod tą świecącą na pomarańczowo latarnią i zadrę spódnicę, żeby pokazać myszkę, to wtedy może ktoś się zatrzyma. Jeść mi się chce i siku mi się chce. Właśnie zgasło światło w pokoju na piętrze jego domu.

Wcale nie planowałam się z nim przespać tego wieczoru, kiedy Kimmy mnie tu przyprowadziła, a potem znikła. No dobrze, chciałam go zobaczyć nagiego, ale tylko tyle. Słyszałam, że codziennie wstaje o piątej rano i jedzie do Bull Bay, i kąpie się w wodospadzie. Było w tym coś, co wydawało mi się świętobliwe i seksowne jednocześnie. Wyobrażałam sobie, jak wyłania się ze ściany wody, nagi, bo jest na tyle wcześnie, że można. Wyobrażałam sobie, że ta woda to najsmutniejsza rzecz na świecie, bo zaraz musi spłynąć z jego ciała. Więc gdy go zobaczyłam nagiego na balkonie, jak je owoce, to pomyślałam, że księżyc też musi być smutny, bo wie, że on zaraz zniknie w środku. Myśl to kombinowanie. Nie myślałam. Bo gdybym myślała, nie wyszłabym na balkon. Gdybym myślała, tobym się nie rozebrała — a rozebrałam się po to, żeby się nie zawstydził, że jest nagi, a ja ubrana, jeśli w ogóle ma choćby jedną wstydliwą kosteczkę w ciele. Znam cię, powiedział i może powiedział prawdę. Kobieta chyba lubi być zapamiętana. Albo on po prostu wie, co zrobić, żeby kobieta czuła, że wzbudza tęsknotę.

Niektórzy wyszli, gdy ucichła muzyka. Pierwszy raz tego dnia otwarła się brama. Dwa auta, ale żadne nie jego, jeden jeep. Został w środku, pewnie z połową zespołu. Przyszło mi do głowy, żeby tam wbiec, żeby zdjąć szpilki i popędzić tak szybko, że strażnicy nie zdążyliby mnie zatrzymać. Kiedy w końcu by mnie złapali, zobaczyliby, że jestem beżowa, więc by mnie puścili, a ja bym go zawołała i wtedy by wyszedł. Ale zostałam po tej stronie drogi, pod latarnią, na przystanku. Właśnie zgasło światło w pokoju po lewej stronie. Ojciec powtarza, że nikt nie zmusi go do wyjazdu z ojczyzny, ale kilka miesięcy przed napadem posadził mnie w kuchni i przeczytał mi artykuł z „Gleanera". Wpadłam na krótko, nie chciałam długo siedzieć. Nie pozwolił mi samej przeczytać, musiałam słyszeć jego głos. Nagłówek brzmiał: „Jeśli się nie uda", a chodziło o premiera. Tato, artykuł jest ze stycznia. Trzymasz go przez ten cały czas? Potem matka mi powiedziała, że ojciec czyta ten artykuł co tydzień. Więc do tej pory wyszłoby czterdzieści siedem razy. Gaśnie światło w pokoju po lewej stronie na parterze. Obowiązuje godzina policyjna, nie powinno mnie tutaj być. Nie mam żadnego wytłumaczenia, gdyby nadjechał radiowóz. Dla siebie też nie mam żadnego wytłumaczenia.

Kimmy akurat była w domu, kiedy ojciec przeczytał mi ten artykuł. Dla niej to był już drugi raz, nie zamierzała więc siadać i znowu słuchać pierdolenia o knowaniach CIA. Westchnęła, warknęła, jęknęła, jak wtedy, gdy miała sześć lat i musiałyśmy wysiedzieć nabożeństwo w kościele. To prawicowa propaganda JPP, powiedziała, zanim ojciec zdążył dokończyć ostatnie zdanie. Stuprocentowa propaganda. Jak to się dzieje, że szef JPP pisze artykuł, jakby był dziennikarzem? To polityczne triki i piździelski kit. Co z darmową oświatą dla wszystkich aż do poziomu bakalaureatu? A co z takimi samymi prawami dla kobiet? A co z tymi firmami wydobywającymi boksyt, które teraz przynajmniej muszą płacić kary, kiedy nas dymają? Matka posłała jej spojrzenie w rodzaju: Nie tak cię wychowałam.

Byłam zadowolona, że przynajmniej nie przyszła z Rasem Trentem, basistą na *African Herbsman*, słynącym też z tego, że jest synem ministra spraw zagranicznych. Matka nazwała ich „parką", chociaż Ras powiedział Kimmy prosto w twarz, że jest księżniczką Babilonu. A prawda wygląda tak, że dopiero po trzydziestce mógł zobaczyć wszystkie pokoje w czterech domach swojego tatusia. Kimmy potrzebowała kogoś, kto ściągnie ją z tej płaszczyzny, na której umieścił ją nasz ojciec, kogoś, kto będzie dla niej nowym tatusiem, no bo przecież, jak już powiedziałam, Che Guevara nie żyje. Mama, która w dyskusjach nigdy nie opowiada się po żadnej stronie, a jeszcze mniej pali się do wyrażania swojej opinii, powiedziała nagle, że uważa, że powinniśmy mieć straż domową. Sam premier o tym mówił, w związku z szybującymi wskaźnikami przestępczości, mówił, że ludzie muszą się zatroszczyć o swoje bezpieczeństwo. Ojciec, ja i Kimmy nigdy nie mamy tego samego zdania w żadnej sprawie, ale tym razem spojrzeliśmy na nią, jakby zwariowała. Właściwie nawet tak powiedziała, nie patrzcie na mnie, jakbym zwariowała. Ojciec na to, że mowy nie ma, że nie wynajmiemy żadnych Ton-Ton Macoute we własnym kraju.

Spytał, co o tym myślę. Kimmy spojrzała na mnie tak, jakby nasze relacje zależały od tego, co zaraz usłyszy z moich ust. Gdy odpowiedziałam, że nic nie myślę, oboje mieli zawiedzione miny. Wolę pamiętać, niż myśleć. Bo gdy myślę, to prędzej czy później muszę sobie zadawać pytania w rodzaju, dlaczego się z nim przespałam, dlaczego uciekłam po wszystkim, dlaczego teraz tu sterczę, sterczę cały dzień. I jak to o mnie świadczy, że przez cały dzień potrafię nic nie robić. Czy to znaczy, że jestem jedną z tych dziewczyn, które nie mają żadnego celu w życiu? Najbardziej przerażające w sterczeniu tutaj cały dzień jest to, że to takie łatwe. Matka śpiewa *Żyć dzień po dniu, słodki Jezu* i nawet tata lubi tak mówić, żyć dzień po dniu, jakby to była jakaś strategia przetrwania. A przecież żyć dzień po dniu to najskuteczniejszy sposób, żeby w ogóle nie żyć. Odkryłam, jak robić, żeby nic nie robić, cholernie nic. Gdy da się podzielić dzień na ćwiartki, potem na godziny, potem na półgodziny, potem minuty, to każdy odcinek czasu można ogryźć do kęsa, który da się przełknąć. Podobnie dziewczyny radzą sobie z odejściem mężczyzny. Jak dasz radę wytrzymać minutę, to łykniesz i dwie, potem pięć, potem jeszcze pięć i tak dalej, i tak dalej. Jeśli nie chcę myśleć o swoim życiu, to nie muszę myśleć o życiu w ogóle, po prostu wytrzymuję minutę, potem dwie, potem pięć, potem następne pięć, i zanim człowiek się obejrzy, mija miesiąc, nawet się tego nie zauważa, bo przecież odliczamy minuty.

Stoję przed jego domem, licząc minuty, nie zdając sobie sprawy, że cały dzień mi przeleciał. Tak po prostu. Znowu zapaliło się światło w pokoju z lewej strony, na piętrze.

Powinnam wtedy powiedzieć, chciałam nawet powiedzieć, że to nie przestępczości się boję. To znaczy owszem, boję tak jak każdy. Tak samo jak boję się inflacji, czyli że tak naprawdę tego nie odczuwam, ale wiem, że ma na mnie wpływ. Dlatego to nie przestępczość skłania mnie do wyjazdu, tylko ta groźba, że do zbrodni może dojść w każdej chwili, w każdej sekundzie, nawet za minutę. I że może nigdy nie dojdzie, ale przez następne dziesięć lat będę myślała, że owszem, dojdzie, i to lada moment. Jeśli nawet nigdy tak się nie stanie, to i tak będę czekała, a to czekanie jest równie okropne, bo na Jamajce niczego nie da się zrobić, można tylko czekać, żeby coś się samo wydarzyło. To dotyczy także dobrych rzeczy. Nigdy się tak nie stanie. Można tylko czekać. Na próżno.

Czekać. Skurwiel nie wyszedł na werandę ani razu. Ale gdyby teraz nagle się pojawił, to niby co? Nawet nie wiem, czy dałabym radę się poruszyć. Nie wiem, czy dałabym radę przebiec przez ulicę i krzyknąć spod bramy. Moje brudne nogi świadczą o tym, że czekam już tak długo, że zostało tylko czekanie. Jedyny raz, kiedy nie czekałam, to było wtedy, gdy zobaczyłam go na werandzie na tyłach. Potem też nie czekałam. Zastanawiałam się, czy nie powiedzieć Kimmy o wszystkim. Byłaby zaskoczona. Dlatego korciło mnie, żeby jej szepnąć, że zbliżyłam się do Che Guevary bardziej, niż kiedykolwiek zrobi to ona, księżniczka Babilonu.

Po drugiej stronie drogi, jakieś piętnaście metrów od bramy, podjeżdża samochód, białe sportowe auto, którego nawet nie zauważyłam. Tego mężczyzny, który skoczył od muru po mojej stronie i podszedł do samochodu, też nie zauważyłam. Ścisnęłam mocniej torebkę, ale już wsiadł. Nie wiem, jak długo stał tam przy murze, po ciemku, tylko kilka kroków ode mnie. Nie widziałam go ani nie słyszałam, może stał tam od wielu godzin i obserwował mnie przez cały czas? Białe auto skręciło na podjazd i zatrzymało się przed bramą. Jestem na sto procent pewna, że to datsun. Kierowca wysiadł, ale nie potrafię stwierdzić, czy jest biały, czy ciemny, ma za to biały sweterek. Podchodzi do bramy, żeby porozmawiać z ochroniarzem. Potem znowu się odwrócił do samochodu i oczy mu zabłysły. Okulary. Patrzyłam, jak auto odjeżdża.

Muszę się stąd zbierać. Nie z Jamajki, tylko stąd, z tego miejsca. Trzeba uciekać, więc uciekam. Dom na mnie nie patrzy, ale patrzą cienie, z przodu i z tyłu, poruszają się jak ludzie. Może mężczyźni. Mężczyźni o jedenastej zmieniają się w bestie, gdy w pobliżu jest jakaś bezbronna kobieta. Część mnie myśli, że to pieprzona bzdura, może po prostu wypatruję czegoś, żeby się przestraszyć. Moja nauczycielka przestrzegała nas, żebyśmy się nie ubierały jak wywłoki, bo przez cały czas będziemy się bać gwałtu. Skrzyknęłyśmy się i napisałyśmy lewą ręką kartkę, którą wsunęłyśmy do szuflady jej biurka. Znalazła ją dopiero po kilku miesiącach. „Ciebie nawet ślepiec by nie zgwałcił", przeczytała na głos, zanim się zorientowała, co robi.

Uciekanie jest względne. W szpilkach można tylko szybko stawiać duże kroki, ledwo uginając kolana. Nie wiem, jak długo tak biegnę, ale słyszę, że stukam obcasami stuk, stuk, stuk, a głowa postanawia się roześmiać, bo w tej chwili na pewno wyglądam jak idiotka, Wee Willie Winkle pomyka przez miasto. Po schodach, w górę, w dół, pakuje mi się do głowy w tej swojej koszulce nocnej. Puka do okien, krzyczy przez dziurkę od klucza. Czy dzieci już leżą w łóżkach? Wybiła ósma! Wee Willie... O w pizdę!

Złamałam obcas. A te cholerne buty tanie nie były. Kurwa...

— Ej, eej, a co my tu widzimyh? Duha?

— Najprześliczniejszy duh, jakiego widziałem.

— Co tak uciekasz, ślicznah? Popełniłaś przestępstwo?

— Może zaraz wyciągnie spluweh?

Policja. Pierdolony policyjny głos pierdolonej policji. Dobiegłam aż do skrzyżowania z Waterloo Road. Po lewej Devon House, wygląda jak dwór nawiedzany przez upiory. Światła na skrzyżowaniu akurat zmieniły się na zielone, ale trzy radiowozy blokują jezdnię. Sześciu policjantów opartych o samochody, niektórzy mają czerwony lampas na nogawkach, inni niebieski.

— Ej, panna wie, że obowiązuje godzina policyjnah?

— Mnie... Ja... Pracowałam do późna, proszę pana, straciłam rachubę czasu.

— Nie tylko rachube straciłaś. Noge jedną masz krótszą czy obcas złamany?

— Co? Ożeż w pizdę. Przepraszam.

— Cha, cha.

Wszyscy się śmieją. Pierdolony policyjny głos pierdolonej policji.

— Widzisz jakąś taksówke czy autobus? Jak chcesz wrócić do domuh?

— Ja... ja...

— Nah piechoteh?

— Nie wiem.

— Panienka lepiej wsiadah.

— Dam radę — odpowiadam. Mam ochotę powiedzieć, że ani w „na", ani we „wsiadać" nie ma „h", ale pewnie potrafią się połapać, kiedy kobieta wbija im szpilę.

— A gdzieh twój dom? Za zakrętem?

— W Havendale.

— Cha, cha, cha.

Policja i ten policyjny śmiech.

— Tu nie jeżdżą żadneh autobusy przez całą noc. Na piechoteh chcesz iść?

— Tak.

— Na jednym obcasie?

— Tak.

— W godzine policyjną? Wiesz, jacy facecih o tej porze grasują na ulicyh, panienko? Jedyna, co nie ogląda wiadomości? Najgorszeh męty na ulice wyłażą. Którego słowa nie rozumiesz?

— Ja tylko…

— Ty tylko jesteś idiotkah. Trzeba było zostać w pracy do rana, jak autobusy ruszą. Wsiadaj.

— Nie trzeba…

— Paniusiu, wsiadaj do pierdolonego radiowozuh. Złamałaś prawo. Albo jedziesz do domu, albo do aresztuh.

Wsiadam. Dwaj zajmują miejsca z przodu, więc na ulicy zostają dwa radiowozy i czterech policjantów. Do Havendale trzeba na światłach skręcić w prawo. Skręcają w lewo.

— Skrótem — mówią obaj.

DEMUS

Ten dom nad morzem. Tylko jeden pokój, więc to nie jest dom, ale ludzie tu kiedyś mieszkali. Ten człowiek, co zamykał droge, żeby pociąg przejechał, nie wiem, jak sie nazywał, ale umarł w siedemdziesiątym drugim i nikt nie przyszed na jego miejsce. Pociągi przestały chodzić, jak z West Kingston zrobił sie Dziki Zachód, a z każdego człowieka pistolet. Ja chciałem być Jimem Westem, ale spodnie miał dla mnie za ciasne. Telewizor u Kitajca czarno-biały, ale myśle, że spodnie są niebieskie, dziewczyńsko niebieskie. To dom z jednym pokojem, a ten, co tu mieszkał, spał na gąbce i srał do wiadra, co je mył w morzu. Nikt nie pamięta, jak sie nazywał. Jak go znaleźli, to cała woda już z niego wyszła, ale szkieletem jeszcze nie był. W domu dwa okna. Jedno wychodzi na morze, drugie na tory. Jak pociągi przestały chodzić, ludzie z geta chcieli ukraść szyny, ale narzędzi nie mieli, żeby rozmontować takie ciężkie żelastwo.

Kolory w tym pokoju. Pokój pomalowany na pięć w kratke. Czerwony od podłogi pod okno. Zielony od dołu okna do sufitu. Niebieski na drugiej ścianie aż do sufitu, ale sie kończy przed rogiem. Różowy na trzeciej ścianie po całości. Zielony na dole czwartej ściany urywa sie na środku maźnięciem, jakby prosił, błagał, zmuszał farbe, żeby podeszła dalej. Tak to chyba jest, jak sie człowiek zestarzeje bez kobiety. Zapomina o przyrodzeniu i sie smuci zawsze, jak sika, bo mu sie przypomina, czy sie sam ze sobą zabawia jak zboczeniec? To jest to jedno krzesło w pokoju, czerwone, na wytwornych nogach. „Wytworny" to słowo z wiersza o kwiatku, co sie uczyliśmy w szkole. „Strojna rosą wytworna gawędko o płatkach jak igła, czy myślisz dziś o mnie, czy jużeś ostygła?".

To pierwszy błond Pana Boga. Czas. Bóg był głupcem, tworząc czas. To jedyne, czego nawet jemu braknie. Ale ja jestem poza czasem. Ja jestem tylko w tej chwili, która jest teraz i jest później. Jest też coś jak niedługo, ale niedługo również dobrze może znaczyć nie wiadomo czy w ogóle. Dwaj męszczyźni właśnie weszli do domu i z ich siedmiu zrobiło sie dziewięciu. Jeden z Remy, dwóch z Trench Town, trzech z Dżungli, trzech z Kopenhagi.

Oto lista tych z budy dróżnika:

Josey Wales, znany też jako Franklin Aloysius, znany też jako Ba-bye, który właśnie przyszedł, a z nim

Bam-Bam, który uwielbia trzymać broń w łapie, ale nie wie, gdzie strzelać.

Beksa, zabójca policjantów, zmuszający Babilon do ucieczki. Jak gada jak Jamajczyk, to gada twardo i wrednie. Jak gada jak biały, gada, jakby czytał z książki wielkie słowa. Z Beksą jest taka jedna rzecz, o której nie mówi nikt, kto chce żyć.

Heckle, co był chodził z Jeckle'em aż do dnia, kiedy kula od LPN-u przeniosła go z dziś do wczoraj.

Renton z Trench Town.

Matic z Trench Town.

Funky Chicken, który wcześniej miał dygoty heroinowe, ale potem dali mu kokaine.

Dwaj z Dżungli, jeden grubas, drugi chudzielec, których nie znam. Ten chudy to nawet jeszcze nie męszczyzna, ledwo nie chłopak, koszule ma rozpiętą, ale na klacie ani włosa.

I ja.

Tak sie z dziesiątki robi dziewięciu: trzy dni temu. Matic z Trench Town próbuje podgrzać panią K., jak go Beksa uczył, ale zapomniał jak, a Beksy akurat nie było. Noc bez księżyca, my bez latarki, żeby oświetlić droge do domu. Matic myślał, że opanował freebase i że łyżka pełna K. to łyżka pełna K. to łyżka pełna K. Matic myślał, że Beksa wszędzie ją zostawia, to przeszukał na podłodze, w kącie, w dwóch szafkach przy oknie i w popiele w kozie przy drzwiach. Szuka i szuka i pozostali też zaczynają szukać, czują już świerzba, chociaż pani K. nie zostawia po sobie świerzba, to pani H. Matic znajduje troche czegoś białego, a jak tamci chcą sie wcisnąć, żeby sie podzielił, wyciągnął broń. Własną zapaliczką podgrzał proszek. Pamiętał, żeby podgrzać K. w wodzie i dodał sode oczyszczoną, co ją wypatrzył w szafce. Uśmiechnięty jak fachman, a tamci patrzą na niego jak na głodnego tygrysa. Ale Matic zapomniał. Zapomniał o drugiej cieczy, co Beksa używa, o eterze. Poza tym był na tyle głupi, że pomyślał, że Beksa zostawił zapas w domu. K. nie chciała sie palić, nie chciała sie zmienić. Nie pojawił sie dym, który można by wciągnąć, no to zaczął lizać. Polizał rozgrzaną do czerwoności łyżke tak mocno, że usłyszeliśmy, jak mu język skwierczy. Freebase szybko wali, trwa osiem sekund. Siedem. Sześć. Pięć. Cztery. Trzy. Dwa. Jeden. Nic. Co za kurewstwo, mówi Matic i w tej samej chwili wali ryjem w podłoge, z hukiem, i sie pieni na japie. Nikt go nie dotknął, dopóki nie przyszedł Beksa, który sie uśmiał i spytał, czy to nie zabawne, że w takiej szopie nie ma szczurów.

A tak sie z dziewiątki ośmiu zrobiło: zeszłego wieczora Josey Wales mówi nam, co zrobimy. Renton z Trench Town na to, że Śpiewak nagrywa światowe numery, a broni nie nosi jak ten chłopak z The Heptones, co siedział w więzieniu, jak biali wrzucili jego kawałek do filmu. Mówi, że matka jego dzieciaka chodzi do studia Śpiewaka i dają jej pieniądze na dziecko, dla jej matki i całej rodziny. I wie, że jest jedną z ponad setki ludzi, co im Śpiewak pomaga, i co będzie, jak to sie urwie? Josey Wales na to odpowiedział, że przez to wcale Śpiewak nie jest lepszy, tylko gorszy, bo daje biedakom rybe do jedzenia, bo teraz, jak jest bogaty, to nie chce, żeby inni wiedzieli, jak sie taką rybe łowi dla siebie. Do niektórych z nas to trafia, ale nie do Rentona z Trench Town. Beksa wyciągnął od razu spluwe, żeby na miejscu ubić cipe, ale Josey Wales mówi, nie, posłuchaj człowieka, brada, i postaraj sie zrozumieć jego racje. Potem Josey Wales powiedział, że trzeba rozumieć czynniki. Pojęcia nie mamy, o co mu chodzi, więc wyjaśnia, że energia kinetyczna: KE $= mv^2/2$ (gdzie m to masa, a v to prędkość). Odchylenie. Zniekształcenie. Rozczłonkowanie. Krwawienie. Wstrząs hipowolemiczny. Śmiertelny upływ krwi. Hipoksja. Odma opłucnowa, ustanie akcji serca, uszkodzenie mózgu. Bang. Jego czaszka zatrzymała kule, ale krew dalej tryskała Beksie na pierś. Nie na mój T-shirt ze Starskym i Hutchem!, woła Beksa, jak tamten pada martwy, i ściera jego mózg z siebie. Josey Wales włożył z powrotem broń do kabury.

A tak biały człowiek uczy nas, jak sie ładuje M16A1, M16A2 i M16A4.

Skieruj wylot lufy broni w bezpieczną strone.

Energicznym ruchem pociągnij do siebie rączke przeładowania, aż zamek zatrzyma sie w tylnym położeniu.

Przesuń rączke przeładowania do pozycji wyjściowej.

Ustaw dźwignie przełącznika rodzaju ognia w pozycji „zabezpieczony".

Sprawdź, czy komora jest pusta.

Włóż od dołu magazynek do gniazdka magazynka, aż poczujesz opór. Sprawdź, czy zatrzask magazynka trzyma magazynek.

Uderz w denko magazynka, żeby upewnić sie, że magazynek nie wypadnie z broni.

Naciśnij przycisk zwalniania zamka, żeby zamek wrócił do poprzedniego położenia.

Naciśnij dosyłacz zamka, żeby upewnić sie, że zamek jest w przednim położeniu, a lufa została zaryglowana.

Nie ma potrzeby ponownego ustawiania przełącznika ognia w pozycji „zabezpieczony".

Tak to jest, jak sie ma ludzi z Dżungli. Tak napaleni na K., że robią freebase, a freebase robią dzięki Beksie. Josey Wales wychodzi, ale najpierw nas ostrzega, że zastrzeli każdego, kto od niego odstąpi, i przypomina nam sie, że nazywali go Ba-bye. Jak wychodzi z Beksą, zatrzaskują drzwi i zamykają na klucz, słychać zgrzyt. W budzie sie robi ciasno i gorąco, a ja myśle o tych strażnikach, co ich zabije, o policji. O Babilonie.

Siedmiu. Dwadzieścia jeden broni. Osiemset czterdzieści kul. Myśle o jednym i tylko jednym człowieku i to wcale nie jest Śpiewak. Myśle, jak wbiega na ściane i płacze piskliwie jak dziewczynka. Myśle jak on mówi, że to nie po niego przyszedłem, że po tych na parterze, bo taki z niego właśnie piździelec. Myśle o tym, co oszukuje i ucieka, o tym, co mu sie fart skończył. Patrze na niego i mówie, tak właśnie wygląda śmierć.

SIR ARTHUR GEORGE JENNINGS

Nadeszła pora umierania. Za trzy tygodnie przeminie ten rok. Skończy się sezon, gorące, parne lato z temperaturą ponad trzydziestu stopni w cieniu, majowe i październikowe deszcze, od których przybierają rzeki, giną krowy i szerzą się choroby. Mężczyźni upaśli się na wieprzowinie, brzuchy chłopców są wzdęte od trucizny. Czternastu ludzi straconych w buszu, ciała eksplodują trzy, cztery, pięć. Wielu innych czeka cierpienie. Wielu innych czeka śmierć. Zapożyczyłem te słowa z piosenki żywego człowieka, którego śladem śmierć już podąża, zabija go od stóp wzwyż.

Patrzę na swoje dłonie i widzę swoją historię. Hotel na South Coast, przyszłość, której przedsmak czuła moja ojczyzna. Lunatykował, powiedzieli, gdy mnie znaleźli, i na podstawie gestu moich wystawionych do przodu rąk i sztywnych jak u Frankensteina stworzyli sobie określony obraz, oczy zamknięte, nogi tupiące w rytmie komunistycznego marsza, nad poręczą, trzy, dwa, jeden. Znaleźli mnie nagiego, źrenice pod powiekami czujne, ale pozbawione swojego brązowego koloru, szyja sflaczała, czerep strzaskany, członek w postawie na baczność, to właśnie pracownicy hotelu zauważyli najpierw. W mojej krwi ukryta była ohyda śmierci z rąk drugiego człowieka.

Są takie sprawy związane ze śmiercią, o których umarli nie mogą wam powiedzieć. Obrzydliwość. Miejsce, gdzie dokonujemy żywota, śmierć zmienia w scenę, na której zwłoki wystawiają się na wstyd. Śmierć sprawia, że kaszlemy, szczamy, śmierć sprawia, że sramy, sprawia, że cuchniemy od wewnętrznych waporów. Moje ciało już gnije, ale paznokcie ciągle rosną jak szpony, a ja patrzę i czekam.

Słyszałem, że pewien bogacz z Ameryki, człowiek, którego nazwisko oznacza pieniądze i władzę, umarł, gdy był w kobiecie, która nie była jego żoną. Mężczyzna ogromny jak okręt, przygniatający kochankę swoją martwą już wagą, mężczyzna, którego osiemnaście godzin później żona poddała kremacji, bo nie mogła znieść myśli, że jego zwłoki pachną inną kobietą.

Byłem w kobiecie, której imienia nie mogę sobie przypomnieć, ale kazała mi przestać, skarżąc się na pragnienie. Przecież jest wino. Możesz przynieść trochę lodu? A kto wrzuca lód do wina? Ja wrzucam i zrobię jeszcze inne rzeczy, pod warunkiem że przyniesiesz lód. Biegnę więc nago, roześmiany, jest piąta rano. Na paluszkach w głąb korytarza jak Wee Willie Winkle. Umarli wydzielają woń, ale tak samo woń wydziela zabójca. Moja śmierć wymagała dwóch zabójców, jednego, który wydał wyrok, i drugiego, który go wykonał. Zanim wyfrunąłem za barierkę, była trawa cytrynowa i mokra ziemia, szmer kroków na podłogach wypolerowanych jak lustro.

Jestem w domu człowieka, który mnie zabił. Nigdy nie czułem swojego zapachu na jego rękach — mam na myśli pozostałość po przebrzmiałej śmierci, a nie smród, ledwie wspomnienie tegoż, posmak żelaza we krwi zastygłych zwłok, słodko smrodliwy powab ciała martwego od pięciu dni. W świecie żywych jest on teraz dojrzałym mężczyzną i niespecjalnie się przejmuje, że pachnie tak, jakby przywłaszczył sobie cudze pieniądze, jakby nosił drogie garnitury zdjęte z kogoś innego. Tylko że on nie ma na sobie garnituru. Byłem nagi, gdy mnie znaleźli, i on też jest teraz nagi, gdy go odnalazłem. Brzuch mu się zaokrąglił, na plecach fałdy tłuszczu, gdy tak się miota do przodu i do tyłu i znowu będzie musiał poczernić włosy nad karkiem. Spocony naciera na kobiece ciało w rytmie mokrego plask, plask, plask. Dyszy nad nią, nad pierwszą wicemiss. Ożenił się z nią. Białe łóżko przypomina wir. Ona klepie go w ramię, bo on nie przestaje, ciągle jest przygnieciona, chociaż wcisnął głowę w poduszkę, uwięziona i tego świadoma, więc znowu go klepie. On stęka, ona go odpycha. Wiesz, że nie chcę zajść w ciążę, skurwysynu. On przygważdża ją swoim ciężarem, aż w końcu dochodzi i dyszy na cały pokój. Jamajczycy muszą wiedzieć, że ich przywódcy stają na wysokości zadania, mówi. Pierwszy raz od lat słyszę jego głos, tyle że to nie lata minęły. Jestem zszokowany, że mu się nie zmienił, że ciągle brzmi dziwnie nawet wtedy, gdy wyrażenia są poprawne. Znalazłem się w nieodpowiednim miejscu, ona tak samo. Ożenił się z nią w zastępstwie, bo nie udało mu się dostać Miss Jamajki. Jej ojciec chciał, żeby wyszła za stuprocentowo białego mężczyznę. Prędzej mi z dupy suhe gówno wypadnieh, jak mojah piździelska córka wyjdzie za Syryjczyka z libańską pasmanterią, powiedział.

Nie pamiętam imienia kobiety, w której byłem. Już jej nie widuję, ale i tak nie wiedziałbym, gdzie szukać. Może to była miłość. Duchy nawiedzają świat żywych powodowane tęsknotą, a ja nie odczuwam tęsknoty. A może jednak to nie była miłość, a ja nie jestem duchem? A może tęsknię, lecz nie za nią? Bo kto prosi o lód do wina? Może ona wiedziała, że on się tam czai, że czeka na mnie? Ktoś nazwał mnie startym na miazgę pająkiem z fiutem jak maszt. Ale to nie był nikt z personelu hotelowego, oni nie znaliby takich słów jak „miazga". Może ktoś, kto już się ucieszył, że mnie nie ma. Twarzy sobie nie przypominam.

Pierwsza wicemiss spycha go z siebie i warczy: Dobrze, że pamiętałam o piance. Nie… wiesz… że… — on wystękuje — …że kontrola urodzeń… to… spisek, żeby wytępić… czarnych?… — I się śmieje. Przewraca się na wznak i bawi sobą. Chciałbym się w niego wślizgnąć, poudawać, że czuję to samo, ale nawet u stóp tego łóżka dopada mnie woń setki umarłych. Rozbija się szklanka i oboje podskakują ze strachu. Ona koszulkę ma zadartą powyżej piersi, więc teraz ją obciąga. Ty i ten twój pieprzony kot, mówi i wstaje. Patrzę, jak jego brzuch się uspokaja, policzki robią się blade, nawet po seksie nie ma potarganych włosów, uklepane są na twardo jak u Blaszanego Drwala. Sprawia, że tęsknię za życiem, kołysaniem się, oklapnięciem. W sypialni są zaokrąglone meble, które ona wybrała, z uchwytami i rzeźbieniami w formie winorośli. U sufitu wisi moskitiera. W kącie kryje się telewizor, drzwi do łazienki są otwarte, ale wewnątrz jest ciemno. Zawsze uważał, że ludzie mający poczucie stylu lub piękna to zboczeńcy. Pamiętam, jak na odchodnym powiedział to o innym członku partii. Nigdy nie podzielałem tej jego nienawiści, bo każdego lata widywałem się z Noelem Cowardem i nazywałem go wujkiem. Z nim i jego towarzyszem podróży.

Człowiek, który kazał mnie zabić, sięga po broń, leżącą w gotowości na stoliku obok łóżka. Spodnie zostawia na podłodze. Pierwsza wicemiss wskazuje spodnie palcem, ale on, już w drzwiach, odpowiada żartobliwie, że nigdy się nie ubiera, gdy idzie na spotkanie ze spragnioną cipką. Chętnie zostałbym z nią przez chwilę, bo ciekawi mnie, jak ona odzyska spokój, ale ruszam za nim.

W salonie jest mężczyzna, którego sobie nie przypominam. Salon to cmentarz, cuchnie umarłymi. Część pochodzi od tego mężczyzny. W pierwszej sekundzie jest czarny, w drugiej ma w sobie coś z Chińczyka, a może tylko porusza się razem z cieniem. Już czuję woń jego śmierci. Kaszle do szklanki.

— Myślałem, że to woda.

— Nie wiesz, jak wygląda butelka rumu, czy nie znasz liter?

— Nie mówi sie liter, tylko litr.

— Liter. Liter na etykiecie.

— Aha, coś źle słysze. Za dużo pif-paf.

— Jakim cudem pomyliłeś to z wodą, kurwa mać?

— Bo ja wiem, może woda w specjalnych butelkach, coś takiego pasowałoby do bogacza. Rany, brada, ale super ta twoja chata.

— Spodziewałeś sie, że będe sie hamował we własnym domu? A może zobaczyłeś coś, czego nigdy wcześniej nie widziałeś?

— A więc bogacze tak to robią.

— Biedacy sie myją pod hydrantem i co? Masz ochote na spór na tle klasowym? Jakim cudem wlazłeś do mojego domu?

— Drzwiami wszedłem.

— Jak...

— Dosyć tych „jak". Jak to możliwe, że zadajesz tyle pytań?

— Wolisz „dlaczego" zamiast „jak"? No dobra, to niech będzie „dlaczego". Dlaczego, do kurwy nędzy, jesteś w moim domu o... czekaj... trzeciej nad ranem? Cośmy mówili o nas dwóch i o tym, że nikt nie powinien nas widzieć publicznie?

— Nie wiedziałem, że twoja sypialnia jest publiczna. Jak sie miewa pani? Było słychać, że sie jej podobało. Bardzo.

— Człowieku, czego ty chcesz?

— Wiesz, jaki dzień dziś mamy?

— Hm. Stawiam na trzeciego grudnia. Bo czy może być inny dzień po drugim grudnia?

— Oi! Dość już tego pyskowania. Wiedz, z kim mówisz.

— To lepiej ty pamiętaj, z kim mówisz, kurwa mać. Włazisz do mojego domu jak jakiś pierdolony szczur. Masz szczęście, że Rawhide dostał dziś wolne, bo już byś nie żył. Słyszysz? Trupem byś był.

— No to mam szczęście.

— Wracam do łóżka. Wyjdź tą samą drogą, co przyszłeś.

— Trochę sie ostatnio zastanawiałem.

— Zastanawiałeś? Uważaj, bo sie przeforsujesz.

— Co?

— Z tym myśleniem.

— Potrzebuje pieniędzy.

— Potrzebujesz pieniędzy.

— Pojutrze.

— Czyli jutro. Bo to jutro to już dziś.

— Mam na myśli jutro po jutrze.

— Mówiłem już, że nie wiem, o czym gadasz. Nie wiem, nie popieram, właściwie nawet nie za dobrze cie znam. Jedyny stamtąd, którego znam, to Papa-Lo.

— Stamtąd? Stamtąd, tak? Teraz tak to nazywasz? Artie Jennings nigdy tak nie mówił.

— I co, z Arthurem gada ci sie lepiej niż ze mną? Bo z wiarygodnych źródeł wiem, że on ostatnio milczy jak grób.

Wchodzi pierwsza wicemiss owinięta w prześcieradło.

— Peter, co to za hałasy? I… o mój Boże…

— Jezu Chryste, głupia dziwko, przestań drzeć morde i wracaj do łóżka. Nie każdy czarnuh to złodziej.

— I Im, akurat w tym przypadku twoja żona może mieć trochę racji.

— Peter?

— Jazda do łóżka!

— Ale grzmotła drzwiami. Aż sie cały dom zatrząsł. Pipcia chyba będzie już dla ciebie niedostępna tej nocy.

— O kobietach dowiedziałeś sie z tego samego źródła co o broni? Zatrzasneła drzwi, byśmy nie myśleli, że podsłuchuje. Powiedziałem, że ZATRZASNEŁA DRZWI, BYŚMY NIE MYŚLELI, ŻE PODSŁUCHUJE.

Wicemiss wreszcie wyeliminowana.

— Z ciebie to wredny skur…

— Zamknij morde.

— Ten dzień już sie wziął zapisał. Nic nie możesz na to poradzić, nawet jakbyś…

— Już ci mówiłem. Nie wiem, o czym gadasz. A już na pewno nie wiem, o czym gadasz, gdy gadasz, że potrzebujesz pieniędzy, skoro ty sam, Josey Wales, poleciałeś do Miami dwa tygodnie temu. I wiesz, skąd wiem, że nie potrzebujesz żadnych kurewskich pieniędzy? Boś poleciał na jeden dzień. Wróciłeś o której, o siódmej?

— Mały interes miałem.

— Mały interes to ty masz w gaciach. A ta druga podróż, na Bahamy? W tym kraju każdy, co ma interes, ma jakieś jebane sekrety.

— Śpiewak w tym samym czasie wziął sie spotkał z Papa-Lo i Shotta Sherrifem.

— Powiedz mi coś, czego nie wiem.

— Papa-Lo planuje sie spotkać z Shotta Sherrifem, żeby obgadać sprawy tak, żeby nikt nie wiedział. A przy okazji, obaj przestali jeść wieprzowine.

— Och, tego nie wiedziałem. Co oni knują? Poważnie, o czym mogą gadać ci dwaj? I co to znaczy, że przestali jeść wieprzowine? Stali sie rasta? To robota Śpiewaka? To on im kazał gadać ze sobą?

— Na prawde potrzebujesz pomocy, żeby sobie odpowiedzieć na te pytania?

— Za bardzo podskakujesz, mały czarnuhu.

— Mały to w twoim rozporku. Cena właśnie skoczyła.

— Idź z tym gównem do CIA.

— Rasta nie współpracują z CIA.

— A ja, panie Josey Wales, nie pracuje dla ciebie. Skorzystaj z mojej głupiej rady i zrób użytek z drzwi. I nie wracaj.

— Zabieram rum.

— Skoro tak, to weź też dwie szklanki, może nabierzesz troche ogłady.

— Cha, cha. Ale z ciebie numer. Nawet diabeł tak myśli, jak na ciebie popatrzy.

Mężczyzna wychodzi, nie zamykając za sobą żadnych drzwi.

Jest inny mężczyzna, którego widuję na polach umarłych i którego nie znam. Umarł źle. To strażak, który odszedłby spokojny, gdyby zginął w płomieniach. Jest w tym salonie, wszedł razem z człowiekiem o nazwisku Josey Wales. Krąży dokoła, czasem przechodzi przez niego na wskroś, co Josey Wales bierze omyłkowo za dreszcze. Próbuje zaatakować, ale tylko przenika na drugą stronę. Ja to samo robiłem z tym, który kazał mnie zabić, też próbowałem uderzyć, walnąć, grzmotnąć, chlasnąć, ale w najlepszym razie on wpada w dygot. Gniew przemija, ale nie przemija pamięć. Powiedziałbym, że trzeba z tym żyć, choć to ironia nazbyt gorzka. Znam jego historię, bo ją wypłakuje za każdym razem. Teraz też lamentuje, nie dostrzegając, że w tym pokoju jestem jedynym człowiekiem, który daje świadectwo. Biegnie do pożaru przy Orange Street, on, strażak numer siedem. Ogień podłożony w dwupiętrowej kamienicy, płomienie jak wściekły smok wijący się przez okna, pięcioro dzieci już zginęło, dwoje zastrzelonych przed pożarem. Łapie za wąż, chociaż wie, że woda będzie tylko pryskać, i wbiega przez bramę. Jego prawy policzek już się pali i nagle lewa skroń eksploduje. Druga kula trafia go w pierś. Trzecia ociera się o szyję strażaka z tyłu. I teraz idzie za człowiekiem, który wysłał go między takich jak ja. Josey Walcs wychodzi przcz okno. Strażak za nim. Godzina jeszcze młoda, ale dzień już skonał.

AMBUSH
IN THE NIGHT
3 GRUDNIA 1976

NINA BURGESS

Nikt nie ma pojęcia, co się czuje, gdy się wie w głębi ducha, że za kilka minut ci mężczyźni cię zgwałcą. Bóg urządził sobie żart twoim kosztem, jesteś jak ta Kasandra z mitów greckich, której nikt nie chciał słuchać, która sama nawet siebie nie słyszy. Mężczyźni jeszcze nie tknęli cię palcem, ale już się obwiniasz, mała, głupia naiwna dziwko, mówisz do siebie, mężczyźni w mundurach gwałcą kobiety, a ty ciągle myślisz, że zdejmą twojego kota z drzewa, jak w historyjkach z elementarza. Najpierw uświadamiasz sobie, jakie to jest popierdolone, to słowo „czekać". A teraz, gdy czekasz, możesz myśleć tylko o tym, jakim cudem potknęłaś się, upadłaś i wylądowałaś pod mężczyzną? Jeszcze cię nie zgwałcili, ale wiesz, że to zrobią, widzisz już trzecią groźbę, bo w lusterku łowisz spojrzenie jednego z nich, nie uśmiecha się ani nie śmieje, tylko się drapie po kroczu, jakby się bawił sam ze sobą, a nie szykował do akcji.

Najgorsza jest ta powolność, poczucie, że ciągle jest czas, aby coś zrobić, wysiąść, uciec, zamknąć oczy i pomyśleć o Treasure Beach. Masz na to całą wieczność. Bo jak to się już stanie, będzie to twoja wina. Dlaczego nie wysiadłaś? Dlaczego nie odeszłaś? Policjant słyszy moje myśli i wciska gaz, podbijając stawkę. Dlaczego nie wysiadasz? Jeśli chcesz otworzyć drzwi i wyskoczyć, to złap się za kolana i turlaj, dopóki się nie zatrzymasz. A potem biegnij w prawo, w krzaki, przez czyjś płot, owszem, pewnie coś sobie złamałaś, ale adrenalina to paliwo, na którym daleko zajedziesz, bardzo daleko. Nauczyłam się tego w szkole. Mogę sobie posiniaczyć ramię, mogę złamać rękę w nadgarstku. Policjant przejeżdża czwarty raz na czerwonym świetle. Chcesz nas pozabijać?, pyta drugi ze śmiechem.

Słyszałam historię o kobiecie, która poszła na policję, żeby zgłosić gwałt, ale jej nie uwierzyli, więc zgwałcili ją drugi raz. Boisz się i czujesz woń własnego potu, masz nadzieję, że nie wezmą twojego potu za oznakę, że ci się to podoba. Dwa dni temu obcięłaś paznokcie, bo ta cała pielęgnacja cholernie dużo kosztuje, dlatego teraz nie masz czym podrapać skurwysynów i łudzisz się, że to, że nie drapiesz, nie oznacza, że lubisz to, co ci robią. Ale najbardziej winisz siebie — i zarazem uniewinniasz tych dwóch, zanim jeszcze sprawa trafiła do sądu obsadzonego przez mężczyzn, którzy przed wyjściem do pracy najprawdopodobniej dyscyplinują swoje żony uderzeniem pięścią w twarz — winisz siebie za to, że nie masz majtek. Nie dość, że okażesz się taką zdzirą, o jakiej tak często mówiła twoja matka, to jeszcze teraz będzie cię obrzucała spojrzeniem mówiącym, że dostałaś to, na co zasłużyłaś. A ja myślę, o, naprawdę? Kto ci kazał być kobietą, gdy do twojego domu wtargnęli trzej bandyci z bronią? To też twoja wina, że cię zgwałcili. Po chwili uświadamiasz sobie, że dygoczesz, ale nie ze strachu, tylko z wściekłości. Zdejmuję prawy but, ten, co ciągle ma obcas, ściskam go mocno. Jak tylko otworzą drzwi, pierwszy z tych skurwieli na zawsze straci widzenie w jednym oku. Nieważne który. Może mnie skopać, zastrzelić, zgwałcić w dupę, ale i tak będzie do grobowej deski żył ze świadomością, że musiał drogo zapłacić za zaliczenie tej cipy.

Nie wyobrażam sobie nic gorszego niż czekanie na gwałt. No bo skoro masz czas, żeby czekać, to masz też czas, żeby to powstrzymać. Jak nie jesteś na sprzedaż, to się nie reklamuj, mówi w tej chwili dyrektor mojego liceum.

Myślisz już o tym, co będzie po gwałcie, o kupowaniu dłuższych sukienek, o pończochach sięgających tuż nad kolano, bo wygląda się w nich starzej, o sukienkach z koronkowym karczkiem, jakby się grało rolę w jebanym *Domku na prerii*. Przestanę robić sobie włosy i golić nogi i pachy. Przestanę używać szminki. Przeproszę się z butami na płaskiej podeszwie i wyjdę za faceta ze Swallowfield Church, który okaże mi wyrozumiałość, za ciemnoskórego mężczyznę, który wybaczy mi wszystko, bo urodzę mu jasne dzieci, więc i tak uzna, że zrobił interes życia. Chcesz krzyknąć, zatrzymajcie to jebane auto i dobierzcie się wreszcie do tej mojej cipy, miejmy to jak najszybciej za sobą, chcesz tak krzyknąć, bo to zabrzmiałoby ostro, może na tyle ostro, żeby ich trochę przestraszyć, ale wiesz, że takie słowa nigdy nie przejdą ci przez gardło. Nie chodzi o przyzwoitość, takiego wała, chodzi o to, że nie masz ikry. I przez to jeszcze bardziej nienawidzisz tych cholernych policjantów — bo traktują cię tak, jak kot traktuje ptaka. Może to jest jak kopanie własnego grobu, jak wtedy, gdy już widzi się koniec, ale zwleka się w połowie roboty i tylko czeka na to, co ma się wydarzyć.

Nie mam pojęcia, o czym, kurwa, mówię, ale wiem, że mówię za dużo. Jeszcze trochę takiego histeryzowania i równie dobrze mogę zmienić imię na Kim-Marie. To ona powinna siedzieć w tej chwili w tym radiowozie, ona z tą swoją wolną miłością. Nie. Co za wredna myśl. Ale nie potrafię się powstrzymać. Nie, nikt nie zasługuje na coś takiego. A jednak jeśli już, to ona zasługuje na to bardziej niż ja. Mieli skręcić w prawo, w kierunku Havendale. Lecz skręcili w lewo, w stronę gett, twierdząc, że to droga na skróty. Dwaj, jeden mówi właśnie, że jeszcze nigdy czegoś takiego nie widział, premier ogłaszający wybory za dwa tygodnie. Wygląda na jakąś machloje, mówi. Ciebie to nie powinno obchodzić, dawno przestałeś być socjalista, odpowiada drugi.

— Co mie wyzywasz od socjalistów? Już lepiej od kulisów i rasta.

— A ty, słodki cukiereczkuh, ty socjalistka czy rastah?

— Cha, cha — śmieje się drugi.

— Siedzisz tam z tyłu jak jakiś duh.

Chcę ich przeprosić, bo jestem zaabsorbowana myśleniem o tym, jak w tysiąc dziewięćset siedemdziesiątym szóstym roku kobieta zostaje przez mężczyznę albo wyjebana, albo zajebana, innej możliwości nie ma, ale mówię tylko:

— Słucham?

— Rasta czy socjalistkah? Czekamy na odpowiedź.

— Długo jeszcze tą drogą na skróty?

— Długo, jak nie wrzucisz na luz i nie będziesz sie ładnieh zachowywać. Ej... co w pizdeh? Ileh razy ci mówiłem, żebyś mi, kurwa, popiołem na mundur nieh sypał?

— Seh strzep.

— W dupe tam.

— Zatrzymaj wóz. Silnik i tak musi odsapnąć.

Hamują. Nawet nie próbuję mówić, że muszę wrócić do domu. Wiem, co myślą. Ze żadna kobieta snująca się w jednym bucie po Hope Road po północy nie idzie do domu. Może te wybory ogłoszono trochę za szybko? Może komunizm nie jest taki zły, bo podobno nie ma chorych Kubańczyków ani Kubańczyków z zepsutymi zębami. I może to oznaka, że stajemy się wyrafinowani, skoro co jakiś czas wiadomości są czytane po hiszpańsku. Nie wiem. Wiem tylko jedno, że już mi się znudziło czekać, aż ci policjanci porzucą mnie w jakimś rowie. Chciałabym się bać. Jakaś część mnie zdaje sobie sprawę, że powinnam odczuwać strach, chce tego; no bo skoro nie odczuwam, to jak to o mnie świadczy? Obaj opierają się o radiowóz, blokują drzwi od mojej strony. Może mogłabym wydostać się drugimi drzwiami i pobiec, ale tego nie zrobię. Może mnie nie zgwałcą? Może zrobią coś, coś dobrego albo złego, może jednak dobrego, i to „coś" z pewnością przebije to „nic", które robiłam przez cały dzień i całą noc. Jest już rano. To jego wina, wina jego ochroniarza, wina tego cholernego koncertu dla pokoju. Wina tego kraju. Boga. O Boże, a nawet więcej niż Boże, chciałabym, żeby już wreszcie to zrobili!

— Wczorajszy *Starsky i Hutch* był ostry. Najlepszyh odcinek! Starsky'emu wstrzykują taką tajną truciznę, co nie? No i brada ma tylko dwadzieścia cztery godzinyh, żeby sie dowiedzieć, kto to zrobił, bo potem kaput i...

— Ja to nigdy nie wiem, który to Starsky, który Hutch. I dlaczegoh oni ciu-ciu-ciu jak sodomity?

— Rany, człowieku, dla ciebie to wszystko ciotah albo sodo-mitah. Jak facet ma jedną kobiete, to tyh od razu myślisz, że to pedał. Robisz wielkie halo. A ja ciągle nie wiem, jakie resory ma ten wóz.

— Chcesz wypróbować?

— I zabić te słodką istotke na tylnym siedzeniu?

Słyszę, że mówią o mnie, pytam więc:

— Jedziemy do Havendale, czy mam wysiąść i resztę drogi przejść na piechotę?

— Ha, a wiesz, gdzie jesteś?

— Kingston to Kingston.

— Eh-eh! Kto ci powiedział, że jesteś w Kingsta? Słodka buzio, to który z nas ładniejszy, ja czy mój brada? Eh? Który zostanie twoim chłopakiem?

— Jak chcecie mnie zgwałcić, to zgwałćcie i wrzućcie do rowu, do którego wrzucacie kobiety, tylko przestańcie mnie już męczyć tą waszą piździelską gadką.

Papieros wypada mu z ust. Patrzą na siebie i przez długą chwilę nic nie mówią. Tak długo, że nawet nie potrafię policzyć. Co najmniej przez pięć minut. Przyhamowali nie tylko w stosun-ku do mnie, ale też wobec siebie nawzajem, jakby to, co powie-działam, przekreśliło nieodwołalnie to, co oni chcieli powiedzieć. Nie przepraszam za swoje słowa, w końcu co ma myśleć kobieta, kiedy dwaj obcy mężczyźni zabierają ją wbrew jej woli samocho-dem w nieznane miejsce? I to po północy, kiedy pozostaje jej tylko mieć nadzieję, że gdy będzie wrzeszczeć wniebogłosy, mrok tego nie zagłuszy.

Wiozą mnie do domu. Ten, który palił, mówi, że następnym razem, jak będę liczyła na gwałt, to niech powiem od razu, wtedy zostawią mnie w spokoju. Odjeżdżają.

To było cztery godziny temu, a ja ciągle nie mogę zasnąć. Leżę w łóżku, ale ubrana, w ciuchach, które miałam na sobie cały dzień, nie zwracając uwagi na to, że bolą mnie nogi i ubrudziłam pościel. Jestem głodna, ale się nie ruszam. Chcę się podrapać po piekących stopach, ale się nie ruszam. Chce mi się siku, chcę wziąć prysznic, zmyć z siebie dzień, który już minął, ale się nie ruszam. Ostatni raz jadłam wczoraj rano, a była to połowa przekrojonego grejpfruta w syropie i cukrze, a więc dokładnie to, co według mojej matki może doprowadzić do wczesnej cukrzycy. Matka tak bardzo boi się problemów, że problemy trzymają się blisko niej choćby po to, aby udowodnić, że ma rację. Jutro jest ten koncert i wystarczy jeden strzał, jeden strzał, choćby ostrzegawczy strzał w powietrze, żeby rozpętało się piekło. Wcześniej w tym roku deszcz zaczął zacinać na stadionie i to wywołało panikę wśród kibiców. W ciągu zaledwie kwadransa zginęło jedenaście osób, zadeptanych na śmierć. Nikt nie będzie do niego strzelał, przecież nikt się nie ośmieli, ale nie muszą. Cholera, gdybym miała broń i wiedziała, że za dwanaście godzin z hakiem odbędzie się taka duża impreza LPN-u, też wyjęłabym ją z szuflady.

Ten kraj od tak dawna osuwa się w anarchię, że niewiele brakuje. Jezu Chryste, mówię jak Kimmy albo ten jej drugi chłopak, ten komunista, nie rasta. Zbiry z JPP ściągną do parku, mały oddział, może się spotkają przy pomniku Marcusa Garveya i kogoś zastrzelą. Wystarczy, że zastrzelą jedną osobę. Ucieką, ale tłum spali połowę Kingston. Kopenhaga stawi opór, ale wtedy tłum będzie już zbyt duży, aż poczuję drżenie sięgające Havendale. Spalą Kopenhagę na popiół, pozabijają wszystkich, a ludzie z Kopenhagi spalą Osiem Ulic, pozabijają wszystkich, z portu wzbije się wielka fala powodziowa i zmyje zwłoki i całą tę krew, muzykę i cały ten gettosyf do oceanu i może, ale tylko może, moja matka przestanie się opatulać jak mumia, żeby nie dopuścić paskudnych mężczyzn do waginy, nie zwariować, zasnąć spokojnie.

PAPA-LO

𝓳eszcze jedno, moi znamienici dżentelmenowie. Przenigdy nie odwracajcie sie plecami do białego. Po upalnej nocy bez księżyca można tylko myśleć o tym, że coś sie czai, żeby nas zdradzić, może Bóg, może człowiek, ale nigdy nie odwracajcie sie plecami do białego. Odwrócicie sie plecami do białego, co je waszą zupe na kozim łbie i sie czerwieni od przypraw, a wróci do Ameryki i napisze o tym, jak tubylcy dali mu afrodyzjak z kozy, a smak wziął sie z krwi. Odwróćcie sie plecami do białego, jak mówi, że przyjechał do geta po Rytm, a wróci do Angli z waszymi singlami i sie wzbogaci, a wy zostaniecie biedni, jak biedni byliście. Odwróćcie sie plecami do białego, a powie, że to on zastrzelił szeryfa, nie jest tak? I jeszcze zrobił was zastempcą, a potem wejdzie na scene i powie, że czarne bamba i asfalty i Araby i jebani Jamajczycy i bla-bla-bla nie mają tu miejsca, nie chcemy ich tutej. To Anglia, to kraj białych, i on myśli, że czarnuh nigdy nie weźmie do ręki „Melody Maker". Śpiewak przekonał sie o tym pare tygodni temu w swoim domu na Hope Road, jak miał próbe pod ten koncert dla pokoju.

To było tylko kilka tygodni temu. Może tylko dwa. Śpiewak z zespołem mają próbe od wczesnego rana aż do nocy. Judy wzieła go na bok zawołała, żeby mu powiedzieć, że ta linijka, co ją śpiewa, „pod butem", to hasło LPN-u, więc jak to zaśpiewa, wyjdzie, że stoi po ich stronie, a niejeden i tak już go o to podejrzewa. Znowu ćwiczą tą piosenke, ale wcina sie jakiś biały. Spot ziemi, jak w magicznej sztuczce, puf!

— A ty skont sie wziołeś, szefie? — pyta bębniarz.

— Z zewnątrz.

— Z Chrisem jesteś?

— Nie.

— Jesteś z „Rolling Stone"?

— Nie.

— Z „Melody Maker"?

— Nie.

— Z „New Music Express"?

— Nie.

— Ty massa z jakiejś plantacji?

— Że co? A, nie.

— Keith Richards przysłał cie z ziołem? Potrafi skombinować lepsze zioło niż wszyscy na Jamdown.

— Nie.

Śpiewak idzie sie zorientować, kto jest ten biały, co sie nagle pojawił w studio, nawet nie na podwórku, gdzie białych przeważnie jak mrówek, przeważnie z długimi włosami naśladującymi dredy, w ciemnych okularach i psychodelicznych T-shirtach, mówiących, wy, reggae goście, jesteście odjechani, człowieku, masz troche gandzi? Ale ten biały nie był ubrany, jakby od czegoś uciekał albo czegoś szukał. Śpiewak go pyta o nazwisko, ale zespół nie czeka, zagrali znowu, trzeba więc było wracać do próby. Biały odgania sie ręką od dymu z gandzi, jakby to był rój moskitów, ma mine, jakby przestał oddychać. Co jakiś czas kiwa głową do rytmu, ale nie w takt, jak to prawie każdy biały. Ma mine, jakby czekał, żeby sie próba skończyła. Zespół robi swoje, ale jak kończą piosenke, białego już nie ma.

W tym czasie Śpiewak idzie do kuchni, jak zawsze, po pomarańcze albo grejfruta i tam jakby czeka na niego ten biały. Podnosi wzrok, ale nie na Śpiewaka, i pyta, jak leci *Crazy Baldhead*. Ale nie czeka na odpowiedź, zaczyna śpiewać, ostro wariacko, wariacko, jakby musiał poczuć słowa, żeby wiedzieć, co znaczą. Słyszałeś, co Eric Clapton powiedział o tobie pare miesięcy temu? Ten człowiek to porządna firma, wchodzi na scene i mówi, Brytania Pozostanie Biała. Wypędzić wszystkich bambusów, wszystkich Arabów, wszystkich jebanych Jamajczyków, dasz wiare? Tak powiedział, jebanych Jamajczyków. Rany! Nie zrobił aby twojego covera?

To tylko pokazuje, że nigdy nie wiadomo, kto wróg, kto przyjaciel, hę? Śpiewak mu na to, że zawsze doskonale wie, kto wróg, kto przyjaciel, ale biały nadaje dalej, jakby gadał sam ze sobą. Dwaj z zespołu wchodzą do kuchni i są normalnie zeszokowani, że ten tam jest, znowu jak czary. Ej, brada, mówi jeden, wygląda na to, żeś sie spóźnił na odjast wycieczki, ale tamten sie nie uśmiecha, nawet nic zrobił tego hc, hc, he na wydechu, co biali robią często, jak nie wiedzą, czy to żart.

— Bóg, Bóg, Bóg — mówi biały. — Wiecie, na czym polega problem z Bogiem? Mam na myśli Jehowę, Jezusa, Jahwe, Allaha, Jah i resztę tego badziewia, jak tam chcecie to nazwać...

— Nie bluźnij przeciwko Jego Cesarskiej Mości.

— Z Bogiem jest tak, że on potrzebuje sławy, wiecie? Super, uwaga, zainteresowanie, uznanie. Sam mówił, żeby go wyznawać na wszystkie sposoby. A jak przestajemy zwracać uwagę i wzywać jego imienia, to jakby przestaje istnieć.

— Brada...

— A diabeł z kolei to nie potrzebuje uznania, w zasadzie im jest ciszej, tym lepiej.

— Szefu, co ty...

— Co znaczy, że nie trzeba go znać z imienia, identyfikować ani nawet pamiętać. Diabłem może być każdy w pobliżu, tak to widzę.

— Ostatnia wycieczka odjechała, musisz złapać takse. Już.

— Poradzę sobie.

— Ale mamy próbę i... Zaraz, dzisiaj nie było żadnych autokarów z wycieczkami. Skont sie, kurwa, wziąłeś?

Przez cały czas Śpiewak ani mru mru. To ten z zespołu zadaje pytania. Tamten sobie łazi po kuchni, wygląda przez okno, na piekarnik popatruje, bierze grejfruta. Przygląda mu sie, podrzuca dwa razy i odkłada.

— No to o czym jest ten *Crazy Baldhead*?

— Brada, *Crazy Baldhead* to *Crazy Baldhead*. Jakby człowiek musiał tłumaczyć piosenke, pisałby tłumaczenie, nie piosenki.

— *Touché.*

— Co?

— A „congo bongo I"? *Natty Dread congo bongo?* No bo z tym zastrzeleniem szeryfa to rozumiem, że metafora, zgadza się? Izmy i schizmy? Chcę wiedzieć, gdzie się podział ten człowiek, który śpiewał słodkie melodyjki w stylu *Stir It Up*. Porobiło się tak dlatego, że tamci dwaj odeszli? Gdzie te wibracje o miłości do wszystkich i wszystkiego? Teraz o podpalaniu i grabieżach? Nie można czegoś w rodzaju *Dancing in the Street?* No wiecie, czy to musi być przepełniona gniewem muzyka czarnuchów?

Czarny, co całe życie żyje na Jamajce, w słowie „czarnuh" nie widzi problemu. Ale czarny, co jest z Ameryki, to już inna historia. Co jest, kurwa?, reaguje jeden, ale to przechodzi w cichy pomruk. Co znaczy coś jak, że biały wparadował jak paw na nie swoje teretorium, a nie ma ani pięści, ani spluwy, żeby rządzić. Jasne, że nikt go nie ruszy, to biały. Znam sie na tym. Wiem, że to sie bierze z niewolnictwa. Jamajczycy uwielbiają gadać o tym, jak to byli z nich najwięksi buntownicy wśród Murzynów na całym świecie, ale prawda jest taka, że właściciel szedł do lasu z sześcioma albo dwunastoma niewolnikami, co to kilku wychłostał ledwie parę dni wcześniej, i żaden z tych czarnuhów palcem go nie tknął.

— Wygląda na to, że nowy album pnie się na pierwsze miejsce na listach. Jesteście już wszędzie zakontraktowani, Szwecja, Niemcy, Hammersmith Odeon, Nowy Jork. Słuchacie w ogóle amerykańskiego radia? To znaczy, wiecie, ja osobiście do czarnych nic nie mam. Jimi Hendrix, tak? Ale wiecie co? Jimi nie żyje i w tej chwili rock and roll to rock and roll, Deep Purple, Bachman-Turner Overdrive, *Brain Salad Surgery*. Nie potrzebują, żeby ktoś przyjeżdżał, przebrany za gwiazdy rocka, nie potrzebują maskarady… *My Boy Lollipop*, to była ładna piosenka, dobra piosenka, dobry beat, to mi sie podoba, to, jak weszła, zrobiła przebój i wyszła. Doprowadzasz moje serce do szaleństwa, ha!

Cofa sie, bo zaczynają go okrążać. Ale nie wygląda na przestraszonego, rozpuścił tylko jadaczkę, a nikt go nie rozumie. Śpiewak milczy.

— Ameryka? Ciężkie przyszły na nas czasy. Naprawdę ciężkie. Musimy ogarnąć sprawy. Tylko tego nam trzeba, żeby jakiś podżegacz sprowokował nieodpowiedni element. Rock and roll to rock and roll, ma swoich wielbicieli i nie trzeba... Słuchajcie, próbuję wam to powiedzieć w sposób kulturalny. No że rock... rock jest dla prawdziwych Amerykanów. Musicie przestać zabiegać o publiczność... Ameryka głównego nurtu nic potrzcbuje waszego przesłania, zastanówcie się więc porządnie nad tymi dwoma tournée... może lepiej trzymajcie się wybrzeża. Nie starajcie się dotrzeć do serca Ameryki.

Mówi to samo raz, drugi i trzeci, stej strony, stamtej, nowymi słowami, starymi słowami, aż wreszcie dochodzi do wniosku, że załapali. Ale jak zwykle biały myśli, że czarny głupi. Załapali, jak tylko wszedł przez drzwi. Odpieprzcie sie od białych.

Nie patrzy na nikogo konkretnie, tylko czeka, żeby wiedzieć, że załapali. I jeszcze coś, że nie chciałby tutej wracać. A potem jeszcze, że te wizy wjazdowe dla artystów to wylądowały na biurku jakiegoś przepracowanego urzędnika w ambasadzie. Śpiewak nic nie mówi. *My Boy Lollipop*, to ci dopiero piosenka. To ci piosenka, mówi ten i wychodzi z kuchni. Robi sie cicho na minute, aż w końcu ktoś krzyczy coś o piździelskich białych i rusza za nim przez drzwi, ale na zewnątrz już nikogo. Puf!

Niektórzy uznali, że to było nawiedzenie przez diabła samego. Ale mamy grudzień tysiąc dziewięćset siedemdziesiątego szóstego, a skoro rasta nie robią dla CIA, to robi ktoś inny. Spytałem ochroniarzy, czemu go wpuścili, to mi powiedzieli, że przeszedł obok nich, jakby miał do załatwienia sprawy ważniejsze, niż oni mogą przerozumieć. Nie tak. Ja wiem i Śpiewak wie. Nikt z taką skórą jak nasza nie tknie nikogo z taką skórą jak on. Od tej chwili Śpiewak nie ufa nikomu, nawet chyba mie. Moje imie łączą z JPP, a wszyscy już myślą, że JPP pracuje dla CIA, zwłaszcza jak z nabrzeża zniknęła dostawa niby-nie-wiadomo-czego. Puf! Ale ten biały nie ostrzegł go ani nie groził, że coś, gdyby nie zrezygnował z koncertu dla pokoju, a co sie tyczy innych, co dzwonią i ciężko dyszą albo przysyłają telegram, albo zostawiają kartke u ochroniarza, albo strzelają w powietrze, jak przejeżdżają obok domu na motorach, to Śpiewak nie boi sie nikogo, kto boi sie pokazać twarz. Ale nie mówi tego, co ja sie też boje powiedzieć. Że to wszystko wróci do mnie. Ja przecież najbardziej zły człowiek w Kopenhadze. Ale zło już nic nie znaczy. Zło nie może sie równać ze spiskowaniem. Zło nie może wygrać z nikczemnością. Patrze i widze, jak mie wystawiają na zieloną trawke, bo teraz toczy sie nowa gra zwana polityka i do tego trzeba innych ludzi. Późną nocą politycy przychodzą rozmawiać z Joseyem Walesem, nie ze mną. Znam Joseya Walesa. Byłem tam w sześćdziesiątym szóstym, jak wykroili Joseyowi wielki kawał duszy i tylko on wie, co sobie włożył w to puste miejsce.

Co sie tyczy innych ludzi, białych z Ameryki i białych na Jamajce, co nie są biali, tylko Araby, które pieprzą sie z angielskimi blondynkami, żeby za darmoche rodziły im dzieci, to oni teraz też grożą Śpiewakowi. Wszystko dlatego, że rasta chce zaśpiewać swoje piosenki i powiedzieć, co myśli. Nawet teraz nikt nie wie, skont sie wziął ten biały, nikt go więcej nie widział, ani w ambasadzie, ani w Mayfair, ani w Jamaica Club, ani w Liguanea Club, ani w Polo Club, ani nigdzie, gdzie biali z zagranicy przestają z tutejszymi białymi. Może w ogóle tu nie mieszka, tylko przyleciał na te jedną akcje? Od wtedy stawiają dwa razy więcej ochroniarzy przy bramie, ale jednego dnia zmienia ich Echo Squad. Każdy skład lepszy niż policja, ale nie ufam tym z LPN-u.

Człowiek, co wie, że ma wrogów, musi cały czas mieć sie na baczności. Człowiek, co wie, że ma wrogów, musi spać z jednym otwartym okiem. Ale kiedy człowiek ma za dużo wrogów, to szybko ich sprowadzi do jednego poziomu, zapomni ich rozróżniać, zaczyna myśleć, że każdy wróg taki sam. Śpiewak nie myśli za dużo o tym białym, ale ja myśle o nim bez przerwy. Pytam go, jak ten biały wyglądał, a on robi głupią mine.

Jak biały, odpowiada.

JOSEY WALES

Nawet w taką gorącą noc, blisko już rana, nawet w godzine policyjną, bo ten lipny rząd gówno potrafi kontrolować, po drugiej stronie naprzeciw domu Śpiewaka widać kurwe pracującą na Hope Road. Może to nawet nie kurwa. Może to jeszcze jedna zagubiona kobieta, pełno takich w Kingston, co myślą, że Śpiewak ma w sobie to coś, czego całe życie szukają. Mówie wam, jak kontrola urodzeń to spisek, żeby wykończyć czarnych, tak Śpiewak to spisek, żeby ich uratować. Nawet szanowani rodzice z Irish Town, August Town czy gdziekolwiek bogacze sie teraz osiedlają przysyłają córki, żeby sie zadawały z rastaman i rodziły bogate dzieci. Ale ta, co ją widze, jak skręcam w Hope Road, żeby zgarnąć Bam--Bama, stoi bez ruchu jak strach na wróble. Jakby nic nie sprzedawała. Może to był duh. Coś mie korci, żeby podejść i spytać. Ile za ciebie i czy to jakieś specjalne atrakcje godziny policyjnej, ale Bam-Bam był ze mną, a ja i bez tego nie lubie go mieć w swoim aucie. Jak sie z nim jest za długo, to zaczyna zadawać pytania, typu czy znałem jego ojca i czyje to clarksy, co je znalazł w tym domu, co mieszka. Gierki słowne to specjalność Beksy, nie moja.

Beksa jest ze mną. Już miał odjeżdżać, ale sie zreflektowałem, że posyłam tą świrniętą armate w swoim datsunie, i co będzie, jak zrobi bum, to krzyknąłem, żeby zaczekał. Ale pozwoliłem mu kierować. Wracamy do Kopenhagi, tuż obok domu Papa-Lo, a on siedzi na dworze jak wuj Remus. Prędzej czy później będzie chciał obgadać ze mną sprawy, co przeważnie znaczy, że nadaje bez końca o niczym. To inny człowiek, od kiedy zaczął myśleć. W domu jestem już drugą godzine, może trzecią. Coś mi mówi, że w te noc nikt nie śpi. Nie podoba mie sie to. Beksa myśli, że wszystko gra. Nie lubie pracować z nygusami, ale Beksa uważa, że wszystko okej. Tylko że Beksa to jeszcze sam jakby nygus. Teraz jest na haju i rżnie jakąś dziewczyne z Lady Pink. No tak, tak, kazał mi zawinąć przy klubie, żeby ją zgarnąć, jak już zamkneliśmy tych chłopaków w budce dróżnika. Tą tempą Lerlette, co o niej plotkują, że jedyna ze wszystkich uczennic, co została tego samego dnia przyjęta i wyrzucona w Ardenne High School. Nie pytajcie, skont wiem, przecież wiadomo, że Beksa mi powiedział. Ja do niego, że nie ma mowy, żeby to kurwiszcze zabrał do domu, w którym wyhowywam dzieci. Brada man, on do mnie, nie mam problemu z akcją w aucie.

No teraz stoje przy oknie datsuna i słucham, jak skrzypi. A powinienem spać. Jak sie nie prześpie, jutro będe śpiący, a zły człowiek nie może sobie pozwolić, że by być śpiący, zwłaszcza jutro. Między Beksą pieprzącym dziwke w moim aucie a Peterem Nasserem nadającym jak pizdocip, żeby sie popisać przed swoją hudą żoną, strasznie dużo kłopotów mi sie nakręca w głowie i nie moge zasnąć. Powinienem krzyknąć przez okno do Beksy, żeby przestał dochodzić, tylko wreszcie, kurwa, doszedł, ale wtedy byłbym jak jego starszy brat, ojciec albo jeszcze gorzej matka.

I ten pizdocip Peter Nasser. Jak czegoś nie moge znieść, to tego, jak facetowi sie uroji, że jest ostry gracz. Myśli, że pozjadał rozumy, bo jak gada, to niektórzy w parti go słuchają. Ale ja nigdy nie przyłącze sie do żadnej parti. Paraduje po gecie, chuhając złem, bo sie mie nie boi. Ja nie chce, żeby polityk sie bał, chce tylko, żeby rozumiał, że ja nie wchodze do tej gry. Dziewczyna w aucie wrzeszczy, żeby Beksa podkręcił tempo, ahhh, kochany, tak, rżnij mie, w cipeh, och, zetrzyj mie na piure ziemniaczane. O nie, nie będe drugi raz jednej nocy słuchał, jak inny facet sie dyma. Odchodze od okna.

Nie trzeba człowieka tknąć, żeby człowieka zranić. Ci wszyscy biali, co im sie wydaje, że mogą grzeszyć z diabłem, a kiedy trzeba, znikną bez śladu. Pamiętam, jak pierwszego razu Peter Nasser przyszedł do geta, w ciemnych patrzałkach, żeby nikt nie widział, co mu sie dzieje w oczach. I jak gadał prawie tak pokracznie jak czarnuh, ale mimo to słychać było, jakby do szkoły chodził w Ameryce. Wszystko jedno, nie można ufać człowiekowi, co na wszystkich patrzy jak na ludzi do wymiany, od żony po egzekutora ze spluwą. Już sie zniuchał z Beksą i Tonym Pavarottim, żeby mie zastąpić, jak sprawy sie zrobią za duże, za poważne albo za skomplikowane dla człowieka po podstawówce.

To jego okręg wyborczy i ma głosy i miejscową kobiete na dowód. Ale zaczyna mu sie mylić reprezentowanie ludzi z posiadaniem ich na własność i niedługo nawet na niego przyjdzie dzień zapłaty. Nie ja mu wystawie rachunek, ale pewien ktoś. Tacy jak ja nie potrzebują liceum, bo i tak pozdawali najważniejsze egzaminy. Pozdawali wcześniej, przed tym, jak ludzie tacy jak Peter Nasser zaczeli do nas przyjeżdżać po nocy z bagażnikiem pełnym broni. Przed tym, jak ludzie tacy jak Peter Nasser zdadzą sobie sprawe, że dla nich lepiej jest, jak Kopenhaga i Osiem Ulic wojują, a nie zawierają pokój. Niech sie oba spalą w akcie sądu ostatecznego, tak mówie. Wtedy to już dom w Miami sie skończy budować, a taki człowiek jak Peter Nasser zacznie sie dławić własnym sukcesem.

Pierdolony Beksa. Przynajmniej nie wysyła już listów do tego cholernego faceta w więzieniu. Nie mówi mi, kto to, ale ja niedługo sie dowiem. A jak sie dowiem…

— To było jak na diabelskim młynie i… Oooo!

— Chcesz szmate, żeby wytrzeć?

— Nie, brada, wszystko wyparuje — mówi, pocierając pękniente okulary i mrużąc oczy.

— Wyparuje.

— Co?

— Jak dziewczyna wróci do domu?

— A co, giry ma zwichnięte?

— Jesteś don nad donami, Beksa.

— Nie, słońce, to ty jesteś don. Taki, że powinni cie wołać Donovan.

— Donovan.

— No mówie. W każdym razie myślałem, że poszłeś spać. A ty nie śpisz i narzekasz jak Matka Boska u krzyża.

— Teraz nie ma sensu sie kłaść. Za dużo na głowie.

— Nic nie masz na głowie. Jak taki będziesz dalej, to zaraz sie zrobisz jak ten starzec, co koło jego domu jechaliśmy, a on siedział na werandzie jak szczur.

— Wiesz, czemu nie ide spać? Coś nie tak z tymi chłopakami.

— Umią wycelować i nacisnąć spust. Przestań matkować.

— Nie lubie pracować z tyloma ludźmi, co im nie ufam.

— Sam żeś ich zwerbował.

— Nie, ja tylko werbuje i czekam, czy ty kiwniesz głową, czy pokręcisz. A ty wybierasz samych świeżaków. Ci mówie, że nie byłoby problemu skołować TEC-9, zadepeszuje sie do Kitajca w Nowym Jorku.

— Nie, stary.

— Gównostary. Tony Pavarotti, Johnny W...

— Nie, stary! Przestań gadać jak jebnięty kretyn. Człowieku, ich sie nie da kontrolować, dociera? Dasz im szanse, to połowa spierdoli przy pierwszej okazji, a druga połowa będzie cie chciała zabić. A to ty masz być mózgiem Kopenhagi, tak? Nie dasz rady ich kontrolować. Nigdy nie lądujesz w pudle, jednak ciągle nie wiesz, jak prowadzić ludzi. Potrzebujemy chłopaków, co jak sie pokaże w lewo, to pójdą w lewo, a jak sie pokaże w prawo, to pójdą w prawo. Chłopaki robią robote, a męszczyźni sie zastanawiają za długo, tak jak ty teraz. Rekrutujesz chłopaka, popracujesz nad chłopakiem, naćpasz chłopaka, aż wreszcie on chce robić tylko to, co mu każesz.

— Tego też żeś sie nauczył w pudle? Myślisz, że nie znam takich chłopaków, co mówisz? Takich można użyć tylko raz, słyszysz? Raz i potem koniec.

— A kto mówi, że ich użyjemy dwa razy? Aj waj. Bam-Bam twój chłopczyk teraz?

— Nie mam żadnego piździelskiego chłopczyka.

— Niech sie doprażą w tej szopie. Niech sie wypocą. Niech sie wcisną w kąt, niech błagają o troche białego proszku. Yo, wtedy wróce.

— Chcesz mieć pistolety czy zombie?

— Niech chłopaki posiedzą. Niech sie dopitraszą. Jak wrócimy, będą gotowi zastrzelić nawet Pana Boga.

— Nie bluźnij mi tu, kurwa, w moim własnym domu, Beksa!

— Bo co? Bo Bóg ześle na mie grom i błyskawice?

— Bo wezme te piździelską spluwe i cie zastrzele.

— Rany. Brada, weź ochłoń. Ochłoń. U mnie żart to żart.

— Twoje piździelskie żarty nie śmieszne.

— Brada, odłóż broń. To ja, ja, Beksa. Brada, bo sie robie wredny, jak ktoś na mie wyciąga broń, wiesz, nawet jak w żartach.

— Wyglądam ci, jakbym żartował?

— Josey.

— Żaden Josey. Mów mi. Powiedz chociaż jeden kurewski żart, co słyszałeś ode mie.

— Brada, w porządku, słowa więcej o Bogu pod twoim dachem. Wyluzuj, człowieku.

— Masz mi przestać wyczyniać małpie pierdoły w moim własnym domu.

— Dobra, Josey, dobra, nie ma sprawy.

— I niech ci sie nie wydaje, że bym cie nie zastrzelił własnymi rękami.

— Okej, brada.

— A teraz siadaj i sam sie wyluzuj. Bym kazał ci iść spać, ale obaj wiemy, że nie śpisz po trzy dni. Więc daj spokój i siadaj…

— Tobie też przydałoby sie…

— Siadaj!

Beksa rzuca sie na kanape i już ma wyciągnąć nogi, ale widzi moją mine. Zdejmuje buty, okulary kładzie na stolik i sie wyciąga. Przez długi czas nic nie mówi. Pocieram broń w rękach. A potem on zaczyna chichotać jak mała dziewczynka. A potem jeszcze. I jeszcze. Zaraz potem śmieje sie na głos.

— I z czego, kurwa, tak rżysz?

— Nie wiesz? Z ciebie.

Pocieram broń w ręku i wsuwam palec przed spust.

— Zauważyłeś, jak paskudnie gadasz, jak ci temperatura skoczy? Im sie bardziej nakręcasz, tym bardziej źle mówisz. Powinienem cie bardziej pociągnąć za język, żeby odnaleźć tego Joseya Walesa, z którym sie wychowałem.

Śmieje sie tak bardzo, że też zaczynam sie śmiać, chociaż ja i Beksa nigdyśmy razem nie dorastali. Przekręca sie na kanapie plecami do mnie, zsuwa spodnie i pokazuje czerwone gacie. Za każdym razem jak dyma kobiete, mam nadzieje, że ta go naprostuje. W więzieniu zrobił sie nienormalny, bo liznął go jęzor choroby. I nagle zaczyna mi tu chrapać, jak w komedi w telewizji. Śpi na mojej kanapie, ten skurwysyn, co nazwał mie jebniętym kretynem. A to on, Beksa, jest kurewsko pierdolnięty, ale wszystko, co powiedział, ma taki jakiś zwariowany sens. To jest partanina, a porządna robota to będzie sprzątanie. Nie można w to wciągać takiego faceta jak Tony Pavarotti. Ludzie z takimi umiejętnościami to rzadka rzecz i trzeba ich będzie znowu wykorzystać. To narzędzie wielokrotnego użytku. A inne narzędzia używa się raz i wyrzuca.

BARRY DIFLORIO

Siódma piętnaście. Od dziesięciu minut sterczymy za fordem escortem, który pierdzi nam w nos czarnym dymem. Stoimy w miejscu, a mój starszy syn nuci coś, co brzmi jak *Layla*. Przysięgam na Boga. Siedzi z przodu i mediuje w walnym starciu między Supermanem a Batmanem, bo żona powiedziała mu, że może się bawić zabawkami w drodze do szkoły, ale po dotarciu na miejsce musi je zostawić w samochodzie. Jezu Chryste Nazareński, korki w Trzecim Świecie to najgorsza rzecz, pełno samochodów i ani jednej przeklętej drogi. Tato, co znaczy „przeklętej", pyta młodszy, Aiden, z tylnego siedzenia i dopiero teraz sobie uświadamiam, że myślę na głos. Poczytaj książeczkę, skarbie, odpowiadam. To znaczy, kolego, a może wolałbyś, mały faceciku? Teraz już kompletnie zamąciłem dzieciakowi w głowie. W wieku czterech lat dostrzeżenie własnej męskości nie powinno być aż tak skomplikowane.

Stoimy w Barbican, jest rondo, ale chyba tylko po to, żeby skierować ruch samochodowy do supermarketu o fatalnej nazwie Masters. Drogi są zatkane bogaczami wiozącymi dzieci do szkoły, niejeden jedzie tam gdzie ja, do Hillel Academy. Skręcam w lewo i mijam kobiety sprzedające banany i mango, poza sezonem, i mężczyzn sprzedających trzcinę cukrową. I zioło, jeśli się wie, jak zagaić. Nie żebym kiedykolwiek zagajał. W pewnym momencie trzeba osiągnąć taki poziom, że wie się lepiej, jak funkcjonuje kraj, niż ludzie, którzy w nim żyją na stałe. Wtedy się wyjeżdża. Firma zasugerowała, żebym przed przyjazdem tutaj przeczytał *Podróż karaibską* V.S. Naipaula. Zdumiało mnie, że facet potrafi wylądować w jakimś kraju, spędzić tam ledwie kilka dni i dokładnie wyłowić to, co jest nie tak. Pojechałem na tę plażę, o której pisał, Frenchman's Cove, spodziewając się tam rozleniwionych białych kobiet i mężczyzn w ciemnych okularach i bermudach, obsługiwanych przez cabana boys. Ale nawet do tej zatoki dotarła wezbrana fala demokratycznego socjalizmu.

Skręcamy w prawo. Na drodze robi się luźno, jedziemy więc pod górę, obok dużych jedno-, dwupiętrowych domów, część z nich pozamykana na cztery spusty, ale nie tak, jak się wychodzi na cały dzień i wraca, ale tak, jakby właściciele wypierdolili stąd na dłużej, żeby gdzie indziej przeczekać wybory. Hillel znajduje się u podnóża gór. Prędzej czy później żona znowu spyta. Dlaczego mieszkamy aż w New Kingston, skoro dzieci chodzą do szkoły tam w górach? Mówi z sensem, ale cholera, jest trochę za wczesna pora, żeby miała rację. Gdy tylko zatrzymujemy się przed bramą, starszy wyskakuje szybko z auta. Najpierw myślę, że no jasne, wózek jest za drętwy, ale potem do mnie dociera. Nie zdążył jeszcze wejść przez bramę.

— Ani kroku dalej, Timothy Diflorio.

Został przyłapany i dobrze o tym wie. Proszę bardzo, znowu ta mina. O mnie chodzi?

— Co jest, tato?

— Batman czuje się strasznie samotny na tym fotelu. Gdzie się podział Superman?

— Może spadł.

— Oddawaj. Inaczej zaprowadzę cię do samej klasy. I przez całą drogę będę cię trzymał za rękę.

Szach mat, bo taka ewentualność jest gorsza od śmierci. Timothy patrzy na młodszego brata, który — niech Bóg go błogosławi — ciągle myśli, że być trzymanym za rękę przez ojca to najfajniejsza rzecz na świecie. Wrzuca Supermana do samochodu.

— Rany, Babilon normalnie.

— Ej!

— Przepraszam, tato.

— Zdaje się, że mama też siedzi w samochodzie.

— Mamo, ciebie też przepraszam. Mogę już iść?

Macham ręką.

— Życzę ci wspaniałego przyjęcia bożonarodzeniowego, syneczku.

Warto było tarabanić się po tych drogach, żeby teraz zobaczyć grymas na jego twarzy. Żona chrząka ostentacyjnie na tylnym siedzeniu. Pani Diflorio. Myślałem, że coś powie, ale pochłonął ją artykuł w „Vogue Patterns", jakieś gówno, z którym przyjdzie do tego kółka szydełkowego, żeby sobie dorobić nowy kołnierzyk w tej czerwonej sukience, którą tak uwielbia nosić. Jestem okropny. To klub książki, nie kółko szydełkowe. Tylko że nigdy nie widziałem jej z książką. Nie ma ochoty przesiąść się do przodu. Tylko mówi:

— Przyjdzie Mikołaj w czapce z czerwonego kartonu i z poszewką pełną tanich słodyczy, a Tim zamiast zakrzyknąć ojej, powie, no problem, brada man.

— Oho, mamy małą rasistkę w rodzinie.

— Oszczędź mi takich zagrywek, Barry. Mam więcej czarnych znajomych niż ty.

— Nie wiem, czy Nelly Matar byłaby zadowolona, że za jej plecami nazywasz ją czarną znajomą.

— Nie zrozumiałeś aluzji. Ostatnie Boże Narodzenie miało być moim ostatnim Bożym Narodzeniem za granicą, naszym ostatnim Bożym Narodzeniem za granicą.

— Jezu Chryste, znowu się kręci ta sama płyta?

— Obiecałam mamie, że na Gwiazdkę będziemy już w Vermont.

— Nieprawda. Przestań, Claire. Poza tym zapominasz, że twoja matka o wiele bardziej lubi mnie niż ciebie.

— Skurwielu, jak śmiesz tak mówić?

— Co jest z wami, kobietami? Nigdy do was nie dociera? Nigdy nie przyszło ci do głowy, że wiercenie mi dziury w brzuchu to najgorszy sposób załatwienia sprawy?

— Och, przepraszam, chyba źle wybrałeś, skoro chciałeś mieć potulną żonę.

— Może dałoby się jeszcze coś na to poradzić.

— Pieprz się, Barry.

Miałbym na to przynajmniej dziesięć ripost, w tym stwierdzenie, że nie muszę, bo przecież kochaliśmy się ostatniej nocy. Może to by ją rozbroiło, a może zarzuciłaby mi, że traktuję ją protekcjonalnie lub zmieniam temat. Bo ona nie porusza żadnego kurewskiego tematu. Oprócz jednego. Jest trzeci grudnia, a ja mam za dużo na głowie, żeby ta kobieta znowu mnie molestowała. Każdej odpowiedzi, jaka przychodzi mi do głowy, udzieliłem już dziesiątki razy, zamykam więc gębę. I tak wiem, do czego to, kurwa, doprowadzi. Jedziemy w milczeniu aż do skrzyżowania Lady Musgrave Road z Hope Road. Na czerwonym świetle ona wyskakuje i przesiada się na przód. Skręcam w lewo.

— Co robi Aiden?

— Kima z nosem w książeczce.

— Aha.

— Bo?

— Co bo? Prowadzę samochód, skarbie.

— Wiesz, Barry, tacy faceci jak ty mają duże oczekiwania wobec swoich żon. A my, żony, się godzimy. Wiesz, dlaczego się godzimy? Bo nas przekonaliście, że to tymczasowe rozwiązanie. Godzimy się nawet wtedy, gdy tymczasowość oznacza, że co dwa lata musimy znajdować nowe przyjaciółki, żeby nie zdechnąć z nudy. Godzimy się nawet na kiepskie warunki wychowywania dzieci, wykorzenianie ich bez powodu w chwili, gdy nawiążą więzi i…

— Więzi, co?

— Daj mi dokończyć. Tak, więzi, których tobie nikt nie kazał zrywać, gdy byłeś dzieckiem.

— O czym ty mówisz? Bez przerwy przeprowadzaliśmy się z ojcem.

— W takim razie nic dziwnego, że nie wiesz, co znaczy przyjaźń. Chyba powinnam skakać z radości, że dla odmiany wylądowaliśmy w anglojęzycznym kraju. Bo przez chwilę już nie rozumiałam, co mówi mój własny syn.

Potrafi jak nakręcona truć o naszym małżeństwie, o dzieciach, o mojej pracy, o Ekwadorze albo o tym pierdolonym kraju, ale ja mam to gdzieś. Dopiero jak mówi coś takiego, to mnie wkurza i zaczynam jej kurewsko nienawidzić:

— Bo obiecałeś nam koniec, obiecałeś, że na samym końcu dostaniemy coś, co będzie warte całej tej mordęgi, nawet gdyby to tylko oznaczało więcej czasu dla rodziny. Ale wiesz, kim jesteś, Barry? Kłamcą. Bezczelnie okłamujesz żonę i dzieci, a wszystko z powodu pracy, która właściwie nie wiadomo na czym polega. I chyba nawet nie jesteś dobry w tym, co robisz, bo nigdy nie dali ci porządnego biurka. Pierdolony kłamca z ciebie.

— Dosyć już, proszę.

— Dosyć?

— Odpuść. Mam dość, Claire.

— Dość czego? Bo inaczej co, Barry? Zaciągniesz się z nami gdzieś na kolejne lata? Gdzie tym razem, w Angoli? Może na Bałkanach? W Maroku? Przysięgam na Boga, że jak pojedziemy do Maroka, to będę się opalała topless.

— Dosyć, Claire.

— Bo co?

— Bo inaczej zajebię ci pięścią między te twoje kurewskie oczy tak mocno, że ręka mi wyjdzie przez twoją potylicę i rozwalę tę pierdoloną szybę.

Siedzi nieruchomo, niby na mnie nie patrzy, ale przed siebie też nie patrzy. Nieczęsto się to zdarza, nieczęsto jej przypominam, że zarabiam na życie zabijaniem ludzi, nie igraj więc z ogniem, droga żono. Mógłbym to tak zostawić, miałbym wtedy trochę kurewskiego spokoju. Oczywiście to cios poniżej pasa, podsycać strach, który gdzieś tam głęboko każdy facet z CIA wzbudza w swojej żonie. Gdybym uciekał się do rękoczynów, cierpiałaby w milczeniu do końca życia i nawet jej jebany ojciec miałby to gdzieś. Ale wtedy nie tylko by się mnie bała, ale jeszcze zaraziłaby tym strachem nasze dzieci. A wtedy byłbym taki jak inni, jak Louis

Johnson, który podobno naprawdę leje swoją żonę. Robię nowe otwarcie, daję jej szansę, żeby się odegrała.

— Topless, takiego wała. Wtedy byłabyś po prostu białą lalą ssącą druta. Kocimiętką dla marokańskich kocurów.

— Cudownie, teraz stręczysz własną żonę.

— No cóż, masz nową seksowną fryzurę — odpowiadam, ale ona dostaje szału.

Nic jej tak nie wkurza jak poczucie, że została zignorowana. Krew ją zalewa. Korci mnie, żeby powiedzieć: nie hamuj się, ale tylko się odwracam i nagle go widzę, wyrósł jak spod ziemi. Dom. Jego dom. Przejeżdżam bez przerwy obok tego domu, a jednak chyba nigdy mu się nie przyjrzałem. To jeden z tych domów, które mówią patrzącemu, że mają długą historię. Słyszałem, że Lady Musgrave Road powstała dlatego, że lady była przerażona, że czarnoskóry człowiek postawił sobie dom przy jej codziennej trasie, więc wybudowała własną drogę. Tutejszy rasizm jest zakisły i lepki, ale spływa w dół tak gładko, że człowieka aż kusi, żeby zachować się rasistowsko wobec Jamajczyka i zobaczyć, czy on to widzi. Tak czy owak dom Śpiewaka tam stoi.

— Chcesz go gdzieś podrzucić?

— Co? Kogo?

— Sterczymy tu już prawie minutę. Na co czekasz, Barry?

— Nie wiem, o czym mówisz. Poza tym skąd wiesz, czyj to dom?

— Bo raz na jakiś czas wyłażę spod tego kamienia, pod który mnie wepchnąłeś.

— Nie myślałem, że zainteresuje cię ktoś tak... taki dziki, taki flejtuchowaty.

— Chryste, naprawdę zachowujesz się jak moja matka. Lubię dzikość i flejtuchowatość. On jest jak Byron. Byron...

— Przestań mnie traktować jak kretyna, Claire.

— Dziki i flejtuchowaty. On jest jak czarny lew. Chciałabym mieć w sobie trochę dzikości. A zamiast tego mam za sobą Yale.

Nelly uważa, że skórzane spodnie świetnie na nim leżą. Naprawdę świetnie.

— Chcesz wzbudzić we mnie zazdrość, kochanie? Trochę czasu już minęło.

— Skarbie, ja nie próbuję w tobie wzbudzić niczego od czterech lat. Właśnie mi się przypomniało, że Nelly mówiła, że dziś wieczorem jest przyjęcie z okazji tego koncertu i ona...

— Nawet, kurwa, nie myśl, żeby tam dzisiaj pójść!

— Co? A dlaczego nie?... A ty co, rozkazujesz mi? Ej, zaraz... Coś ty powiedział?

— Że masz tam nie iść.

— Nie. Powiedziałeś, że dziś mam nie iść. Ty coś knujesz, Barry Diflorio.

— Nie wiem, o czym gadasz.

— Tym razem nie zadałam ci pytania. A co się tyczy tego, że nagle robisz się dziwnie tajemniczy, bo chcesz, żebym pilnowała własnego nosa, to wiedz, że mam to gdzieś, Barry, i...

— I co? Co znowu, Claire? Co znowu, do kurwy nędzy?

— Przegapiłeś skręt do fryzjera.

Myśli, że tylko ona chce wracać do domu. Ale ja też tego chcę. Tak kurewsko mocno tego chcę, że czuję smak tego pragnienia. Różnica jednak polega na tym, że ja wiem, że nie ma miejsca, do którego moglibyśmy wrócić, żadnego domu w podstawowym znaczeniu tego słowa. Oboje zapomnieliśmy, że mały Aiden siedzi w samochodzie.

ALEX PIERCE

To dziwne, że gdy człowiek próbuje zasnąć i bardzo się przy tym wysila, to szybko sobie uświadamia, że za cholerę nie zaśnie, bo to już nie jest normalne zasypianie, tylko wysiłek. I za chwilę musi odpocząć od tego wysiłku.

Otwieram drzwi i wpuszczam szum z ulicy. Problem z New Kingston polega na tym, że reggae jest daleko stąd. Nigdy nie miałem tego problemu, kiedy zatrzymywałem się w starej części, bo tam zawsze dudniła jakaś muzyka, jam session albo koncert. Ale kurczę, brada, mamy tysiąc dziewięćset siedemdziesiąty szósty, prawie siedemdziesiąty siódmy. Ludzie z ambasady, których nawet nie znam, odradzają mi chodzić po pewnej godzinie dalej niż Crossroads — ludzie, którzy żyją tu od pięciu lat, a i tak są spoceni już przed południem. Nie mogę ufać komuś, kto mi mówi, że strasznie mu się podobały moje felietony o Moody Blues. Nigdy nie napisałem niczego o żadnych kurewskich Moody Blues. A nawet gdybym napisał, nie spodobałoby się to jakiemuś dupkowi rżniętemu od tyłu przez innego dupka.

Nie mogłem zasnąć, wciągnąłem więc dżinsy, T-shirt i zszedłem do holu. Muszę wypalić skręta. Kobieta w recepcji chrapała, no to wyślizgnąłem się, zanim zdążyła udzielić mi obowiązkowej przestrogi dla białych dotyczącej konieczności zamykania nocą drzwi na klucz. Na dworze kurewski upał dosłownie faluje dokoła. Ciągle obowiązuje godzina policyjna i przez to mam wrażenie, że miasto się na coś szykuje, ale na razie nic się nie dzieje. Oto scenariusz na resztę nocy: widzę taksówkarza czytającego „Star" na parkingu, pytam więc, czy mógłby mnie zawieźć gdzieś, gdzie jeszcze toczy się życie. Patrzy na mnie, jakby znał takich typów, ale może dżinsy mam za obcisłe, włosy za długie albo nogi za chude, nie jestem żadnym tłustym jebaką w jamajskim T-shircie z napisem „Me Crazy", który się zjawił, żeby swojemu małemu kutasowi dogodzić dymankiem.

— Mayfair Hotel to już chyba zamknięty, pardner — mówi taksówkarz, a ja nie mam o to pretensji.

— Nie chodzi mi o miejsca, do których biali uciekają przed czarnymi, kolego. Możesz mnie zawieźć tam, gdzie coś się dzieje?

Przygląda mi się uważnie i zwija gazetę. Skłamałbym, gdybym zaprzeczył, że to jedno z najwspanialszych uczuć — kiedy widzę, że niewzruszonego Jamajczyka coś nagle rusza. Patrzy na mnie, jakby dopiero teraz mnie zobaczył. Oczywiście to chwila, kiedy 99,9 procent Amerykanów wykonałoby fałszywy ruch, boby się podjarali, przekonani, że Jamdowner uznał ich za swojaków, nie serwując im sprawdzianu pod tytułem czy-potrafisz-bujać-sie--do-reggae.

— Myślisz, że coś otwarte? Godzina policyjna, brada man, wszystko pod butem.

— Ej, daj spokój. A Funky Kingston? Nawet godzina policyjna nie zdusi tego miasta.

— Szukasz kłopotów.

— Nie, raczej uciekam przed kłopotami.

— To nie było pytanie, więc niepotrzebna mi odpowiedź.

— Ha. No dobra, to co? Coś gdzieś musi pulsować, nieważne, że godzina policyjna. Chcesz powiedzieć, że całe miasto dziś w nocy poszło spać? W nocy z czwartku na piątek? Wstawiasz kit, mister.

— W piątek rano.

Znowu mnie lustruje. Mam ochotę mu powiedzieć, ej, koleś, ja tylko wyglądam jak kretyński turysta.

— Wskakuj, zobaczymy, co sie da znaleźć — mówi w końcu. — Ale trzeba objeżdżać duże ulice, żeby nas nie zatrzymał Babilon.

— Rockandrollowo.

— Rockandrollowo to będzie na tych objazdach.

Korci mnie, żeby mu powiedzieć, kolego, widziałem Rose Town, ale to byłby błąd numer dziesięć w wykonaniu białego człowieka: chwalić się, że się było w miejscu, którym Jamajczycy się nie chwalą. Zawiózł mnie do Turntable Club przy Red Hills Road, kolejnej ulicy, którą recepcjonistka w hotelu uznała za bezpieczną dla osoby rasy kaukozackiej (jej określenie, przysięgam na Boga) wyłącznie w określonych godzinach. Minęliśmy chłopców w rzędzie piekących kurczaki w beczkach po ropie, z których dym snuł się aż na drugą stronę jezdni. Mężczyźni i kobiety siedzący w samochodach, stojący na poboczu, jedzący kurczaki z miękkim białym chlebem, uśmiechnięci szeroko, ze zmrużonymi oczami, jakby nikt nie miał prawa przeżywać takiej rozkoszy o trzeciej nad ranem. I jakby nikt tutaj nie słyszał o godzinie policyjnej. To śmieszne, że wylądowałem w Turntable Club, bo gdy ostatnio tu byłem, śledziłem Micka Jaggera. Koleś dostał totalnego pierdolca na widok tych wszystkich wdechowych laleczek w jego ulubionym kolorze, czyli czerni. Taksówkarz pyta, czy byłem kiedyś w Turntable. Nie lubię zgrywać obcykanego, ale nie znoszę też, jak biorą mnie za przygłupiego białasa.

— Przewinąłem się parę razy. Ej, powiedz, gdzie się podział Top Hat? I zdaje mi się, że trochę dalej działał Tit For Tat, nie? Widziałem tam, jak jeden koleś dostał ostre wciry za to, że jarał zielsko w kiblu. Kolego, ale tylko między nami, zawsze wolałem Neptune. Turntable za bardzo stonowane. I grają za dużo jebanego disco.

Tak długo gapi się na mnie w lusterku, że chyba tylko cudem nie zaliczyliśmy stłuczki.

— Znasz nasze Kingsta — mówi.

Aż mnie dreszcz przechodzi. Nigdy nie lubiłem Neptune, a w sprawie Top Hat strzeliłem w ciemno, bo mógłbym przysiąc, że miejsce nazywało się Tip-Top. Bez Micka i Keitha, których mógłbym śledzić, Turntable to jeszcze jeden klub, gdzie jest za dużo czerwonego światła. Napakowany ludźmi, jakby godzina policyjna dotyczyła kogoś innego. Wziąłem sobie piwo, a potem ktoś puknął mnie w ramię.

— Będe mówić i mówić, a ty w tym czasie spróbuj sobie przypomnieć, jak mam na imie.

— Zawsze jesteś taka wygadana?

— Nie, próbuje ci ułatwić sytuacje. Przecież tu czarnych dziewczyn na tony.

— Powinnaś mieć o sobie lepsze mniemanie.

— Och, mam aż za dobre. No to jak? Postawisz mi heinekena czy co?

I tak to poszło, budzę się przed wschodem słońca, a obok w łóżku leży ona, nie chrapie, ale ciężko oddycha. Zastanawiam się, czy tak oddychają wszyscy Jamajczycy, no wiecie, jakby pod presją czy z konieczności. Nie pamiętam chwili, kiedy się tak ciasno owinęła pościelą, jakbym zrobił coś, czego nie chciałaby przeżyć drugi raz. Mam ochotę ją obudzić i powiedzieć, złotko, wiem, jaki jest układ z Jamajkami, cholera, z wszystkimi cudzoziemkami. To kobieta decyduje, a jesteśmy w rozbujanym mieście, powaga. Dwa lata temu Pete z „Creem" wylądował w areszcie, bo jedna groupie z Bermudów zaczęła krzyczeć, że ją gwałci, chociaż według swojej wersji chciał tylko po francusku. Tę pamiętam całkiem dobrze. Jamajka, mówiła, że kiedy chce, to jeździ na Brooklyn, żeby posmakować życia w getcie. Uśmiałem się z tego. Ciemna, ciemniutka skóra, proste, prościutkie włosy i głos, który nigdy, przenigdy nie jest czuły. Oczywiście, że przespaliśmy się tamtej nocy, oboje poszliśmy na koncert do Supersoul i byliśmy znudzeni, kiepska zabawa, bo The Temptations odstawiali fuszerkę. Prawdę mówiąc, ucieszyłem się, gdy znowu ją zobaczyłem w Turntable. Minął rok. Imie sobie przypomniałeś?, spytała, kiedy szliśmy do taksówki, która o dziwo wciąż na mnie czekała. Taksiarz kiwnął głową, ale nie wiem, czy był to wyraz aprobaty.

— Pytałam, czy już pamiętasz, jak mi na imie?

— Nie, ale cholernie przypominasz jedną dziewczynę, Aishę.

— Panie kierowco, on w którym hotelu?

— Skyline, prosze pani.

— Aha. No to będzie czysta pościel.

Śpi jak zabita, a ja jestem kompletnie goły i przyglądam się swojemu brzuchowi w lustrze. Kiedy mi tak kałdun sflaczał? Mick Jagger nigdy nie ma brzucha. Włączam radio i słyszę, że premier ogłosił wybory powszechne za dwa tygodnie. Cholera, robi się gorąco. Ciekawe, co myśli Śpiewak, jeśli rząd rzeczywiście chce go wykorzystać i na dobrych wibracjach z koncertu dowieźć się do zwycięstwa w wyborach. No bo co innego? Podobno przywódcy z Trzeciego Świata rozkoszują się oczywistością. Układ jest taki, że aż samo się prosi.

Umówiłem się na lunch, a raczej na kawę, z Markiem Lansingiem. Wpadłem na niego wczoraj wieczorem w hotelu Pegasus, po kolejnej awarii prądu. Zszedłem na parter po fajki, ale sklepik był już zamknięty, skoczyłem więc naprzeciwko do Pegasusa i kogo widzę w holu, siedzącego, jakby czekał, aż go ktoś zobaczy? Jak robota z Antonionim?, spytałem, a on zachichotał dwa razy, nie wiedząc, czy powinien odpowiedzieć, czy uznać to za żart. Za bardzo jestem zajęty własnymi projektami, chociaż są propozycje, nie przeczę, odpowiedział. Spytałbym, co myśli o tym nagłym ogłoszeniu terminu wyborów, ale byłby tak zszokowany, że zahaczam go o sprawy polityczne, że udzieliłby mi gównianej odpowiedzi i spytał w rewanżu, dlaczego to mnie tak ciekawi, skoro piszę dla czasopisma muzycznego, tego samego, które czyta co tydzień, jak mi kiedyś wyznał.

W pewnej chwili chyba wspomniałem, że staram się o półgodzinny wywiad ze Śpiewakiem, a może usłyszał o tym z innego źródła, bo nagle poczuł, że czegoś od niego chcę. Pamiętam, co dokładnie powiedział: biedaku, może mógłbym coś dla ciebie zrobić. Nie zasugerowałem dupkowi, żeby się pierdolił, bo, to zabawne, w tamtym ułamku sekundy zrobiło mi się go żal. Nieudacznik czeka całymi latami, żeby poczuć, że ma nad kimś przewagę. Dziś zjem z nim lunch tylko po to, żeby mi powiedział, jakie to zajefajne, że swoją drogą kamerą sfilmuje Śpiewaka. Na pewno użyje słowa „zajefajny". Powiedział, że kamera dużo kosztowała, ale nie powiedział, jaka to marka, przekonany chyba, że i tak nie miałbym o tym pojęcia. Jebany kretyn, pewnie położył się do łóżka wyszczerzony od ucha do ucha, mrucząc pod nosem, popatrz na mnie, skurwielu ponury, wreszcie jestem bardziej cool niż ty. Muszę jak najszybciej łyknąć kawy, bo zaraz dostanę kurewskich drgawek i wystraszę Aishę. Ona ciągle śpi.

PAPA-LO

Tacy jak ja uwielbiają gadać, wszyscy to wiedzą. Ja trzymam ze Śpiewakiem, bo on też uwielbia gadać, nawet jak bierze gitare i rymuje izmy i schizmy, to wtedy też gada. I nawet jak rymuje izmy i schizmy, spodziewa sie, że człowiek mu odpowie, bo to ma być rozmowa, ludzie. Reggae to nic innego jak gadający człowiek, przemawiający do drugiego, rozumowujący w obie strony, tak bym to określił.

Ale uwaga. Niektórzy nie gadają. I tak jak ten, co lubi gadać, trzyma z innym, co lubi gadać, tak ten, co lubi siedzieć cicho, trzyma z innym, co lubi siedzieć cicho. Ten, co ma sekrety, trzyma z tym, co ma sekrety. Idziecie na zabawe, na spotkanie i widzicie, jak Josey Wales podchodzi do kogoś albo oni do niego i razem siedzą cicho. Ale ostatnia noc była gorąca i bez księżyca, a dzień dzisiejszy dopiero nam nastał. Spałem tylko godzine i obudziłem sie z niepokojem w duszy. Za długo już, o wiele za długo coś mi chodzi po głowie, co musi wyjść przez usta. Jakbym umiał pisać, tobym to wylał na papier. Jakbym był katolik, toby to wylazło w konfesjonowale.

Moja kobieta poszła do kuchni przygotować herbate i peklowaną wieprzowine z ignamem. Wie, co lubie, i sie śmieje, jak ją przeklinam za te jej ośle iiii-aaaa po nocy. Jak wydaje inne dźwięki, to sie nie skarżysz, odpowiada i zabiera ten swój okrąglutki tyłek do kuchni. Zdąże ją jeszcze klepnąć, a ona patrzy na mie i mówi, pozwól, że ci przypomne, mój ty rozśpiewany przyjacielu, że ciągle jesz wieprzowine po cichu. Przez chwile myśle, że ona tak do mie na poważnie, ale nagle sie śmieje i odchodzi, śpiewając *Girl I've Got a Date*. Niektórzy mężczyźni nigdy nie znajdą kobiety, co ich wyleczy z oglądania sie za innymi kobietami. Ja znalazłem.

Ale nawet ona nic nie poradzi na niepokój w duszy. Dzięki niej jedzenie smaczniejsze, masaż głowy przyjemniejszy, wie, kiedy powiedzieć ludziom, żeby dziś nie przychodzili, ale wie, że nic nie może zrobić ani powiedzieć, żeby dusza sie uspokoiła. Może dlatego, że grudzień. W końcu jak sie wreszcie dojdzie do Apokalipsy Jana, to sie rozważa Księge Rodzaju, tak? Ten grudzień każe mi myśleć o styczniu. I to nie tylko dlatego, że LPN rozjebała ten kraj. Wszyscy wiedzą, że komuniści przenikneli na Jamajke. Coraz więcej Kubańczyków przyjeżdża, ale nikt nie wie, że coraz więcej Jamajczyków jeździ tam. A jak wracają, to AK-47 potrafią obsługiwać, jakby sie z nim urodzili. Prawda jest taka, że w St. Catherine stawiają nową szkołe i żaden z tych na budowie nie mówi po angielsku. I zanim Bóg zdąży powiedzieć, ej, co tu sie dzieje, każdy lekarz w szpitalu ma na imie Ernesto albo Pablo. Styczeń coś mi odbierze i da Joseyowi Walesowi. Teraz tu wszyscy już wiedzą.

W pierwszych dniach grudnia Peter Nasser przekazał mi wiadomość, a nie dał robote, pieniądze albo charytywną paczke na Boże Narodzenie. Powiedział, mów swoim ludziom, że jak nadejdzie sezon i potem, to niech gotują więcej bananów, pieką więcej ignamu, smażą pataty, wykopują więcej taro, ale mają zapomnieć o kluskach, naleśnikach i wszystkim, do czego potrzeba mąki. Nawet za dobrze nie słuchałem, nie pamiętam, czy przekazałem wiadomość wspólnocie ani czy sie rozeszła, dopiero sie narobiło, jak mi moja powiedziała.

Trzydziestego grudnia pierwszy, drugiego stycznia trzej następni. A potem dwudziestego drugiego stycznia Bóg sie odwrócił od St. Thomas. Trzynaście osób, rodzina i przyjaciele, dostało ból głowy, napady, wymioty, kilka oślepło. Srali i srali i srać nie mogli przestać, mdleli i sie budzili, mdleli i sie trzenśli, jakby ich Bóg raził błyskawicami. I nawet jak już pomarli, ciągle sie trzenśli i srali. Wszyscy umarli tego samego dnia od tego samego obiadu. Poszła pogłoska, że to jak polio w sześćdziesiątym czwartym, i wielu sie pozamykało w domach ze strachu. To w mące, w mące, w mące, mówili. W mące śmierć czyha, śmierć dopadła siedemnastu ludzi. Następnego dnia minister zdrowia mówi, że surowa mąka, co ją przewiózł niemiecki statek na Jamajke, zatruta była środkiem chwastobójczym, co go nazywają „teściowa". Na Jamajce znają trucizne, zakazaliśmy jej jeszcze przed *Ryzykowną grą*.

Peter Nasser pokazał sie znowu w styczniu. Ponownie mie uściskał, ale spytał Joseya Walesa, jak tam jego auto chodzi na nowym akumulatorze, a ja sie zastanawiam, czego go to obchodzi. Z Joseyem Walesem nie rozmawiał tak jak ze mną. Że MFW to powinno oznaczać Manley Fatalny Wybór, bo on tego kraju nie uratuje, nie ochroni, nawet nie potrafi nim kierować. Dziwne to było, jak rozmawiał z Joseyem Walesem o akumulatorze, dziewczynie i jak go na strzelnice zapraszał we wtorek, a ze mną gadał o polityce. Ja mówie Joseyowi Walesowi i Kitajcowi, i Beksie, i innym jeszcze, że zjadą biali biznesmeni i politycy, żeby sie przekonać, czy premier umie kierować krajem. Jak skończymy robote, to nie powinni mieć złudzeń, że potrafi rządzić choćby w Kingston.

Mie nie da sie przekonać. LPN nigdy nie zrobiła nic dla nikogo, zawsze dla siebie. To JPP niepoproszona przyszła do geta, przyszła w latach pięćdziesiątych, kiedy akurat zaszedłem w szkole najdalej, jak miałem zajść, i zamieniła te gówniane zgniłe rudery w budynki takie jak w tym serialu *Dobre czasy*. Potem zbudowali Kopenhage i matka pierwszy raz w życiu sie wykąpała na osobności. Gadać to gadają, ale to nie LPN przyszła do geta, oni przyszli dopiero, jak Kopenhaga była zbudowana, i na szybko postawili srajdół, co sie nazywa Osiem Ulic. W tych uliczkach upakowali tylko swoich ludzi z LPN-u, żeby z nami sie antagonizować, ale strzelać to każdy głupi potrafi.

Ale kto zwycięży w West Kingston, zwycięży w Kingston, kto zwycięży w Kingston, zwycięży na Jamajce, a w siedemdziesiątym czwartym LPN spuściła dwie bestie ze smyczy w Dżungli, człowieka nazywającego sie Buntin-Banton i drugiego o ksywce Ściera. LPN nigdy by nie wygrała w West Kingston, taki fakt był wtedy i taki fakt teraz, więc robią szwindel, budują całą nową dzielnice i nazywają ją Central Kingston i wciskają tam swoich ludzi. Kto tym kieruje? Buntin-Banton i Ściera. Zanim ci dwaj nastali, wojna w gecie była wojną na noże. Gang w sile trzydziestu walił przez Kingston na czerwono-czarnych motorach, bzz, bzz, bzz, jak armia os. Ale jak gang Buntin-Bantona i Ściery atakuje, to ja wiem, że nas czeka pogrzeb, że teraz jest gra z nowymi zasadami. Ludziom sie zdaje, że to było tak dawno i nikt nie pamięta, kto zaczął, ale nie wolno wykrzywiać histori geta, moi przyzwoici ludzie. Zaczeli Buntin-Banton i Ściera. A jak LPN wygrała wybory w siedemdziesiątym drugim, to sie piekło rozpętało.

Najpierw zabrali nam prace, co ją mieliśmy od czterech lat dopiero. Potem ci dwaj zaczynają nas przependzać z miasta, jakbyśmy byli robactwo, a oni Wyatt Earp. Atakowali nawet swoich, posiekali jednego związkowca skumanego z ich własną partią, bo powiedział robotnikom, żeby zastrajkowali. A potem o tym czasie w zeszłym roku biała furgonetka podjeżdża do siedziby JPP przy Retirement Road. Furgonetka zasłania widok, więc pojawiają sie jak znikont, atak szerszeni. To gang Bantona/Ściery bzyczy na motorach. Rozwalają meble, drą dokumenty, kopią męszczyzn, biją kobiety, dwie gwałcą i odjeżdżają. I jeszcze jedno, przez cały ten czas żaden nie mówi słowa.

Ale ten gang to same tchórze. Do Kopenhagi nigdy sie nie odważyli przyjść, nigdy nie tkneli głowy, odrąbywali tylko palce, ciągle odrąbywali, aż powiedziałem Peterowi Nasserowi, że pora, aby sie obudził śpiący olbrzym. Jak sie z nimi załatwiliśmy, spłoneła cała Ulica Szósta, a kobiety zawodzą, bo nigdy wcześniej nie musiały zgarniać muzgu do czaszki zabitych synów. Jak sie załatwiliśmy z Ulicą Siódmą, żywe tam zostały tylko jaszczurki.

Ale tym dwóm sie zdaje, że kierują LPN-em. Partia wysyła ich na Kube. Ściera, który dostał takie przewisko, bo był rasta i miał dredy jak brudna szmata, ląduje na Kubie i idzie na przyjęcie z samym Fidelem Castro. Nikt nigdy braciom nie powiedział, że tam narodową potrawą jest wieprzowina. On sie tam wkurzył jak Jezus w świątyni, co ją Żydzi zmienili w targowisko. Przewrócił kopniakiem stolik samego Fidela. Ściera sie zrobił problemem nawet dla swojej parti. Właśnie wtedy jeden facet sie skontaktował z jednym facetem, który sie skontaktował z Kapłanem, jedynym, któremu wolno chodzić po teretorium JPP i LPN-u, a Kapłan skontaktował sie ze mną. Ja sam zorganizowałem akcje na pizdocipa, kazałem Kitajcowi walić do baru Stanton, po cichutku, i iść tam, skont uciekały dziewczenta, klące, ściskające się za dupy, cycki albo pipe. Kitajec na tyle sprawny, że jednym strzałem skasował chłopaka na czujce, więc jak potem podszedł do niego od tyłu i powiedział, ej, pizdocip, i wypalił mu w czerep, to kobieta siedząca przy tym stoliku krzykneła dopiero, jak trzecia kula weszła, i to przez tą samą dziure co pierwsza, i krew wszystkich pobryzgała. Po sześciu strzałach Kitajec zniknął jak duh.

A potem w marcu siedemdziesiątego piątego Shotta Sherrif zostawił info w Bibli jednej paniusi z kościoła, gdzie Buntin-Banton sie wybiera. Na środku Darling Street, jak walił zajrzeć do swojej kobiety, trzy przecznice od morza, Josey Wales z czterema podjechał za nim i tak go zasypali ołowiem, że nawet silnik w jego aucie zdech. Pogrzeb Buntin-Bantona to była wielka sprawa, podobno dwadzieścia tysięcy luda przyszło. Nie wiem, ile przyszło, ale wiem, że zjawili sie premier, wicepremier i minister pracy.

Ale to był siedemdziesiąty piąty, a teraz mamy grudzień siedemdziesiątego szóstego, a jeden rok to czasem sto lat. Bo każdy, co walczy z potworami, sam sie staje potworem, i jest co najmniej jedna kobieta w Kingston, co myśli, że to ja zabiłem wszystko dające nadzieje. Ludziom sie ubzdurało, że ja przegrywam, bo nie daje mi spokoju, że zastrzeliłem ucznia niechcący, nie wiedzą, że przegrywam, bo powinno mie to męczyć, a nie męczy. Ale teraz moja mie woła, wielki szefie, choć jeść.

NINA BURGESS

Słucham?

— Chwała wszechmogącemu Jah, wreszcie sie obudziłaś. Sista, trzeci raz dryndam.

Moja siostra Kimmy. Nie potrafi powiedzieć dwóch zdań, żeby nie udawać dziewczyny z getta. Ciekawe, czy słońce już wstało. Nie wiem, czy dziś rano potrafię stawić czoło słońcu lub siostrze.

— Zmęczona byłam.

— Za dużo balowania wczoraj? Słyszysz? Zabalowałaś? Nie spytasz, co musisz wziąć na kaca?

— Nie, bo wiem.

— Wiesz, co musisz wziąć?

— Nie, wiem, co mi powiesz.

— Aleś ty dzisiaj wyszczekana, sista. Nie jestem przyzwyczajona do ciebie takiej wygadanej. Chyba rześkie poranne powietrze tak robi.

Kimmy stara się do mnie nie dzwonić, odkąd skumała się z Rasem Trentem, bo do niezbędnego minimum kazał jej ograniczyć stosunki z ludźmi wciąż usidlonymi przez syfsystem Babilonu. On unika takich relacji, latając co półtora miesiąca do Nowego Jorku. Kimmy ciągle czeka na wizę, żeby z nim pojechać. Człowiek myślałby, że Ras Trent, syn ministra spraw zagranicznych, potrafiłby załatwić wizę dla swojej królewny. Człowiek myślałby, że ta sama królewna zastanowiłaby się, dlaczego on nawet nie próbuje jej pomóc. Ale na Jamajce wszystko jest na sprzedaż, nawet wiza amerykańska, a ja mam dziś dużo spraw na głowie.

— Czego chcesz, Kimmy?

— Tak się ostatnio zastanawiałam. Co wiesz o garveizmie?

— Dzwonisz do mnie o… o…

— Jest za piętnaście dziewiąta. Ósma czterdzieści pięć, Nina. Zaraz będzie dziewiąta.

— Dziewiąta? Cholera. Muszę iść do pracy.

— Przecież ty nie masz pracy.

— To nie znaczy, że mam nie wziąć prysznica.

— No to co wiesz o garveizmie?

— To quiz radiowy? Jestem na antenie?

— Przestań stroić sobie żarty.

— O co chodzi? Dzwonisz rano i robisz mi bez powodu klasówkę z wiedzy o społeczeństwie?

— Otóż to. Właśnie w tym rzecz, że ty myślisz, że to nieważne. Dlatego biali cie uciskają. Kiedy mówię Garvey, powinnaś zastrzyc uszami jak pies.

— Gadałaś dzisiaj z mamą?

— Nic jej nie jest.

— Tak ci powiedziała?

— Mama musi swoje życie zestroić z walką. Tylko wtedy uniknie kryminacji naszego ludu.

Kimmy uczy się od Rasa Trenta, jak brać słowa, których Anglicy używali jako narzędzia prześladowań, i pluć im nimi w twarz. Rastamani nie dopuszczają negatywizmu, dlatego „dyskryminacja" stała się „kryminacją". No i „Ja i Ja", Bóg jeden wie, co to znaczy, ale brzmi tak, jakby ktoś wymieniał własną trójcę świętą i zapomniał trzecią osobę. Kupa gówna, jeśli chcecie znać moje zdanie. Poza tym za dużo z tym roboty, żeby to wszystko spamiętać. Ale Kimmy właśnie najbardziej lubi, jak dostanie mnóstwo roboty do wykonania. Zwłaszcza gdy Ras Trent prawdopodobnie szuka sobie drugiej kobiety, nie takiej królewny jak Kimmy, tylko dziewczyny, która zrobi mu laskę, a może nawet zafunduje lizanie rowa, żeby jego nie, nie, nie przeszło w o tak, tak, tak, słowem, lachociąga, którego nie będzie musiał szanować. Kimmy chce ode mnie czegoś konkretnego, ale o to nie poprosi, woli opłotkami. Kto wie, o co jej dzisiaj chodzi? Może po prostu chce się poczuć lepiej niż ktoś inny, a mój numer to akurat jeden z niewielu zbiorów ośmiu cyfr, które pamięta.

— To był narodowy bohater — mówię.

— No, przynajmniej tyle wiesz.

— Chciał, żeby czarni wrócili do Afryki.

— Poniekąd. Ale dobrze, dobrze ci idzie.

— Był złodziejem, który chwalił się statkiem, co nigdy donikąd nie popłynął, ale prawdopodobnie to nie jedyny złodziej, który został bohaterem narodowym.

— Ej, kto ci powiedział, że on złodziej? Dlatego czarni stoją w miejscu, bo własnych ludzi nazywają złodziejami.

— Nie wiedziałam, że Marcus Garvey naprawdę nazywał się Burgess. A może to nasza rodzina nazywa się Garvey?

— Tak właśnie mówi T. Tak właśnie mówi. Że tak mówią tacy jak ty.

— Tacy jak ja.

— Takie niewiarki jak ty. Ludzie żyjący w mroku. Wyjdź z mroku na światło, sista.

Mogłabym kazać się jej zamknąć, ale podobnie jak Ras Trent Kimmy wali monologi. Potrzebuje tylko świadka, nie słuchacza.

— Ale dlaczego dzwonisz akurat do mnie, skoro z pewnością nie jestem jedyną osobą żyjącą w mroku? Zadzwoń do którejś koleżanki ze szkoły albo coś.

— Sista, jeśli rewolucja ma się ziścić, to musi, słyszysz, musi zacząć się we własnym domu.

— A dom Trenta już zrewolucjonizowany?

— Nie wszystko kręci się wokół T. Mam własne życie, wiesz?

— Oczywiście. Wszystko kręci się wokół Marcusa Garveya.

— Jak myślisz, gdzie zmierza twoje życie? Wy wszyscy czarni biegacie dokoła jak kurczaki, którym odrąbano głowy, i nawet się nie zastanawicie, dlaczego jesteście pozbawieni kierunku. Czytałaś *Soul On Ice*? Założę się o wszystko, że nigdy nie przeczytałaś *Soledad Brother*. A *How Europe Underdeveloped Africa*?

— Z nas dwóch to zawsze ty byłaś molem książkowym.

— No cóż, książka jest dla mądrych. Ale dla głupców też.

— Problem z książką polega na tym, że nigdy nie wiesz, jak na ciebie wpłynie, zanim jej nie przeczytasz. Słuchaj, muszę wziąć prysznic.

— Ale po co? Przecież nigdzie nie idziesz.

A może byś się odpierdoliła, dziewczyno? Nie mogłam się rżnąć z Che Guevarą i rodzić mu dzieci, to wezmę pierwszą lepszą rewolucję z brzegu i dogodzę swojej cipie. Mam te słowa na końcu języka, ale znikają jak cukierek rozpuszczony w ustach. Powtarzam sobie, że toleruję Kimmy, bo nie przetrwałaby nawet minuty, gdybym zaczęła z nią rozmawiać tak, jak ona rozmawia ze mną. Nie znoszę takich ludzi, ludzi, których trzeba chronić, chociaż ciągle sprawiają nam ból. W głębi ducha wciąż jest tą dziewczyną, której najbardziej zależy na tym, aby była lubiana, choć może jeszcze bardziej chciałaby się urodzić po raz drugi, ale w biedzie i niedostatku, bo wtedy mogłaby z pełnym uzasadnieniem nienawidzić każdego, kto mieszka na Norbrook. Pewnego dnia mnie sprowokuje. Powtarzam sobie, że nie chcę marnować czasu z Kimmy, ale kiedyś poszłam z nią do tego domu dwunastu plemion, gdzie spotykają się rasta, nie pamiętam kiedy to było, może w tym samym tygodniu co przyjęcie w domu Śpiewaka.

Przez całą drogę Kimmy gada głośno, przekrzykując silnik volkswagena, o tym, jak powinnam i jak nie powinnam się tam zachowywać i żebym lepiej nie narobiła jej wstydu żadnym pierdolonym Babilonem. Wrzeszczy, że jak będziemy na miejscu, połkną mnie pozytywne wibracje i zestroję się z walką o wyzwolenie czarnych, walką dla Afryki i walką dla Jego Cesarskiej Mości. Chyba że za głęboko tkwię w sidłach nieprawości, aby mogło mnie wchłonąć cokolwiek pozytywnego. Rastafari najpierw zaczynają od ognia, ognia głęboko w duszy, którego nie można ugasić szklanką wody, nie można też czekać, żeby się wysączył przez pory jako pot, trzeba otworzyć zasklepiony umysł, a wtedy wydostanie się jako gniew.

— To może być zgaga — mówię.

To był ostatni żart tego wieczoru. Posłała mi nader znaczące spojrzenie, dając do zrozumienia, że spodziewała się po mnie czegoś więcej — odziedziczyła je po matce albo się go od niej nauczyła.

— Dobrze, że sie przynajmniej ubierasz jak porządna kobieta — odpowiedziała, komentując najnudniejszy strój, jaki udało mi się znaleźć: długa fioletowa spódnica ocierająca się o kostki i biała koszula wciśnięta za pasek. Plus pantofelki, bo sobie nie wyobrażam, żeby rastafarianie lubili kobiety w szpilkach. Nawet nie pamiętam, dlaczego zgodziłam się tam jechać, właściwie to nawet zdaje się, że się nie zgodziłam, ale Kimmy zachowywała się tak, jakby miała wyrobić jakąś normę, jak ci chłopcy na uniwersytecie naganiający studentów do kościoła, stwarzający wrażenie, że zostaną wychłostani, jeśli nie przeciągną odpowiedniej liczby konwertytów dziennie. Ale ludzie są dziwni, o rany. Gdy dotarłyśmy na to zgromadzenie przy Hope Road, w domu, który wyglądał, jakby dawniej od frontu batożono niewolników, dwa piętra, wszystko z drewna, drzwi balkonowe i weranda, Kimmy nagle zamknęła jadaczkę.

Przez całą drogę dziamała bez ustanku, a na miejscu zmieniła się w mniszkę związaną ślubami milczenia. Ras Trent już tam był, gadał z jakąś kobietą, przepraszam, curą, bardziej uśmiechnięty niż rozmowny, gładzący się po bródce, przekrzywiający głowę to w prawo, to w lewo, a dziewczyna, biała, ale w rasta czapce, klaskała w dłonie, z miną wyrażającą amerykańską wersję najwyższego zachwytu: Jestem TAKA szczęśliwa, że się tu znalazłam! A ja? Byłam TAKA szczęśliwa, że mogłam patrzeć, jak Kimmy próbuje poskładać to wszystko w jakąś sensowną całość, jak się wierci i przestępuje z nogi na nogę, jakby nie wiedziała, czy powinna podejść, czy może wyjść, a może jednak zaczekać, żeby Trent raczył ją zauważyć. Przez cały czas milczała. Wszystkie kobiety milczały z wyjątkiem tej białej rozmawiającej z Trentem. Gdyby nie czerwień, zieleń i złoto, i to, że spódnice były z teksasu, pomyślałabym, że otaczają mnie muzułmanki.

W odległym kącie trzy kobiety były oświetlone przez blask ogniska, które rozpaliły i na którym przygotowywały ital czy coś. Cała zesztywniałam, tylko głowa mi się ruszała, latarnia morska, zamiatałam spojrzeniem z lewa na prawo i z powrotem. Nie mogłam się powstrzymać, już wypatrywałam chłopaków i dziewczyn z mojej szkoły, którzy znaleźli prawdziwe światło rasta, ale tak naprawdę byli tam po to, żeby pognębić swoich burżuazyjnych rodziców. Z mężczyzną, który nie używa dezodorantu, albo z kobietą, która nie goli pach ani nóg, można zaliczyć porządny seks. Żeby być naprawdę rasta, może trzeba się rozmiłować w męskim piżmie i rybiej woni? Było mnóstwo kobiet, ale wszystkie w ruchu. Dopiero po chwili dostrzegłam, że wszystkie coś biorą, żeby to dać mężczyznom, jedzenie, stołek, wodę, zapałki do zioła, znowu porcje jedzenia, sok z wielkich lodówek. Zestrojenie i wyzwolenie. Takiego wała. Skoro mam żyć w powieści wiktoriańskiej, to niech mężczyźni przynajmniej porządnie się strzygą.

Kimmy ciągle stała obok mnie, ciągle się wierciła, niepodobna do tej kobiety, która całą drogę gadała, jakby była lepsza ode mnie. Podobnie jest z tym jej telefonem teraz, chociaż nie słucham jej od siedmiu minut. Wiem, bo spojrzałam na zegar nad drzwiami.

— Skanalizowanie energii emocjonalnej w kierunku konstruktywnego rozwiązania problemów rasowych. Masowe zaangażowanie. Poprzez edukację na niwie nauki i przemysłu, poprzez formowanie charakteru, masową oświatę i... i... czy ty mnie w ogóle słuchasz?

— Ee? Co? Przepraszam, próbowałam pacnąć muchę.

— Muchę? Co za okropności ci sie snują po głowie?

— Nie leżę już w łóżku, Kimmy. A w ogóle to czy powinnam się tak do ciebie zwracać? Myślałam, że Ras Trent ochrzcił cię już jakoś inaczej, żeby cię uwolnić od tego niewolniczego imienia.

— On na mnie woła Mariama. Ale to tylko między nim, mną i tymi, którzy są wolni.

— Aha.

— Ciebie to nie dotyczy, chyba że postanowisz się wyzwolić, sista.

— A ty jesteś wolna, tak? Czyli wracasz do Afryki?

— Jakie to typowe. To samo mówił T. Powrót do Afryki nie jest nawet kluczowym aspektem filozofii Garveya.

Sama z siebie Kimmy nigdy nie użyłaby wyrażenia „kluczowy aspekt". Jak się nad tym zastanowić, to Ras Trent też by go nie użył, bo dla niego „córka" ma za dużo liter i zbyt skomplikowaną ortografię, więc lepsza jest „cura". Zadziwiające, że w reakcji na Kimmy budzi się we mnie taka suka, ale i tak zawsze ugryzę się w język. Im usilniej biedaczka lawiruje wokół danej sprawy, tym bardziej ta sprawa ją pogrąża.

— Słuchaj, zadzwoniłaś może z jakiegoś innego powodu niż omawianie dziejów emancypacji czarnych?

— O co ci chodzi, przecież tłumacze, że rewolucja musi sie zacząć we własnym domu.

— Ale nie w łóżku?

— Na jedno wychodzi.

Mam ochotę jej powiedzieć, że już znudziło mi się być jedyną osobą, którą może traktować protekcjonalnie. Naprawdę mi się znudziło. I wtedy mówi:

— Ale z ciebie mała wredna hipokrytka.

Nareszcie.

— Słucham?

— Ech ty. Rżnełaś sie z nim?

— Co? O czym ty gadasz?

— Myślałaś, że nikt cie nie zobaczy? Kręciłaś sie pod jego domem jak jakaś groupie, tak?

— Ciągle nie wiem, o czym mówisz.

— Shelly Moo-Young jest pewna, że jak przejeżdżała wczoraj po południu obok jego domu, żeby odebrać dzieci, to przed bramą minęła taką kobiete jak ty.

— Śniada dziewczyna na aptaunie. Oczywiście nie ma drugiej takiej jak ja.

— Jak wracała z dziećmi, znowu cie widziała.

— Rozmawiałaś z mamą?

— Wiem, że sie z nim rżnełaś.

— Z kim?

— Z nim.

— To nie jest twoja…

— A więc to prawda. Wystajesz tam jak prostytutka.

— Kimmy, nie masz nic innego do roboty? Na przykład powiedzieć własnej matce, że to syfsystem ją zgwałcił i pobił jej męża?

— Mamy nikt nie zgwałcił.

— Bo Ras Trent tak twierdzi? A może ci powiedział, że to Babilon ją zgwałcił? No, dalej, co ci powiedział, bo przecież nie stać cię na to, żeby mieć własne zdanie.

— C… Co? Co? Nikt mamy nie zgwałcił. Nikt…

— Trent potrafi ci wmówić, że słońce wstaje na zachodzie, więc oczywiście masz pewność?

— Nie bądź taka dumna z tego, co się stało. On, on, on tylko chciał cie przetestować, wiesz?

— Przetestować mnie.

— Przetestować ciebie, bo ciągle nie może o mnie zapomnieć. O mnie.

— Rany, Kimmy, większość ludzi zapomina o tobie dziesięć minut po spotkaniu.

— Szkoda, że rodzice nie wiedzą, jaka z ciebie kurewsko wredna suka.

— Nie, ale za to pewnie wiedzą, że już nie myjesz cipy, bo się zrobiłaś rasta. Praca na mnie czeka.

— Nie masz żadnej pieprzonej pracy.

— Ale ty masz, więc może byś się do niej zabrała? Ras Trent czeka, żeby mu ktoś wytarł obsrane dupsko.

— Ale parszywa suka z ciebie, parszywa suka.

Przeważnie pozwalam jej grzmieć aż do utraty tchu, ale tym razem przeholowałam. Zamykam jadaczkę, bo czuję, że mam jeszcze ochotę dorzucić do pieca. Ona nie wie, że się wstrzymuję.

— Zerżnął cie tylko dlatego, że chciał zobaczyć, czy takie dobre kochanie jest cechą naszej rodziny.

— A więc w następnej kolejności puknie mamę?

— T. powiedział mi o tobie. Przejrzał cię.

— T. mówi ci o wszystkim. Od dwóch lat nie miałaś ani jednej własnej niezależnej myśli. Słyszysz, co mówisz? Dzwonisz do mnie w sprawie tego piździelskiego Marcusa Garveya, jakbyś była moją nauczycielką. Ras Trent usadził cię jak czterolatkę, opowiedział ci trochę historii, a ty na to, uuuu, kogo mogłabym tym zażyć i poczuć się ważniarą, więc jak zwykle dzwonisz do mnie. A ja mam gdzieś twoje lekcje historii, mam gdzieś Garveya i mam gdzieś twojego jebanego rasta chłopaka, który prawdopodobnie wylizuje obce cipy, kiedy jeździ do Nowego Jorku. I jeszcze jedno, jeśli myślisz, że ten czerwonoskóry dupek kiedykolwiek pomoże ci dostać wizę, żebyś się przekonała, co naprawdę robi w Ameryce, to jesteś jeszcze głupsza niż te T-shirty z napisem „Ganja University", które nosisz.

Ciągle mi mało. Różne rzeczy czekają, ale ciągle mi mało. Mam rodziców, którzy są ofiarami losu i czekają na kolejny napad, napad w wykonaniu tych samych skurwieli, bo pewnie wrócą po to, co się nie zmieściło na rowerach ostatnim razem. Tak bardzo nie chcę przestać, że nie obchodzi mnie, czy spalę mosty, zanim po nich przejdę, nie obchodzi mnie, że to moja pierdolona siostra. Chcę wrócić na Hope Road, chcę stać pod bramą i krzyczeć, krzyczeć, krzyczeć, aż wreszcie on albo otworzy, albo zadzwoni po policję. A jeśli zadzwoni po policję, to spędzę noc w areszcie i wrócę, i znowu będę krzyczeć, krzyczeć, krzyczeć. Musi mi pomóc, jasna cholera, bo gdybym sama mogła sobie pomóc, miałabym w dupie i jego, i *Midnight Ravers*. Ma mi dać pieniądze, tyle pieniędzy, żebym się, kurwa, zamknęła, żebym weszła tylnymi drzwiami do ambasady amerykańskiej, po czym wyszła stamtąd z trzema wizami, tylko trzema, bo Kimmy by akurat takiej nie chciała, więc jebać Kimmy. Jebać ją. Jebać ją. W gardle mam skumulowanych przynajmniej dziesięć lat, które teraz wreszcie wyfruwają na wolność, i pierdolić wszystkich, co mają to w dupie. Pragnę plunąć jej w gębę i wypełnić te jej kurewskie uszy rykiem wściekłości. Ale się rozłączyła.

JOSEY WALES

Mam spotkanie z Doktorem Love. Dzień sie ledwo zaczął i już terkota telefon w dużym pokoju. Wstałem wcześniej, sie snułem po domu jak duh świtu. Nie zdążył sie przywitać, bo mówie od razu, ma pan kurewskie wyczucie czasu, doktorze. Chciał wiedzieć, skont wiedziałem, że to on. To mu wyjaśniłem, że jest jedynym człowiekiem, co sie nie boi, że mu wpakuje kule w łeb za to, że mi sie naprzykrza przed poranną herbatą. Roześmiał sie, powiedział, że sie widzimy tam gdzie zwykle, i sie rozłączył. Beksa ciągle śpi na kanapie, chociaż dzwonek w telefonie głośno nastawiony.

Peter Nasser poznał mie z doktorem tamtego dnia, co przyszedł też z Amerykanem, Louisem Johnsonem, i obaj popełnili błąd, myśląc, że mogą kontrolować całą moją komunikacje z Kubańczykiem. Jeden pastor kiedyś mi powiedział, że człowiek może nie rozpozna człowieka, ale dusza zawsze rozpozna dusze. Powiedział tak, żeby wyjaśnić, jak to ciota znajdzie innego ciote. To gówno to ja mam w dupie, ale te słowa przylgły do mie na zawsze. Nawet ich używam jako sędzia. Tak, możesz do mie mówić różne słowa, ja znam moc słów, ale czy dusza rozpozna dusze? Więc jak poznałem Doktora Love, to przeważnie mówiliśmy ze sobą bez słów.

W listopadzie siedemdziesiątego piątego w trakcie jednego z kilku wypadów do geta w biały dzień Peter Nasser podjechał swoim volvo i powiedział, że ma już prezent na Boże Narodzenie. Patrze na niego i myśle sobie, co za jebany kretyn z tego syryjskiego psiego balasa, i zerkam na Kubańczyka, żeby zobaczyć na jego twarzy to samo, ale poruszył tak oczami, że widze, że myśli inaczej. Peterowi Nasserowi nigdy sie jadaczka nie zamyka, nawet w czas ruhania, więc zauważam, kiedy ktoś inny milczy.

Najpierw myśle, że skoro facet jest z Kuby, to za słabo zna angielski, ale potem dociera do mie, że on mówi tylko, kiedy musi. Wysoki, chudy, z brodą, co sie w nią za często drapie, i kręconymi czarnymi włosami za długimi na doktora. Wygląda jak Che Guevera, co też był doktorem. Z tą różnicą, że Doktor Love próbował zabić Che Guevere przynajmniej cztery razy. Ten mały *maricón*, ten mały *putito* to nawet nie Kubańczyk, mówi, kiedy ja mu wskazuje, że obaj robili w medycynie i obaj ją zostawili, żeby chwycić za broń. On mie przyciąga też dlatego, bo chciałbym sie dowiedzieć różnych rzeczy. Jak człowiek przechodzi od ratowania życia do odbierania życia? Doktor Love mówi, lekarze też odbierają życie, *hombre*. Każdego kurewskiego dnia. Peter Nasser, jak go przyprowadził, to powiedział mi, ten człowiek was wciągnie na kompletnie inny poziom.

Na czym rzecz polega: Louis Johnson próbował mi wyjaśnić polityke zagraniczną, przeciągając wyrazy, jak to robią biali, kiedy myślą, że jesteście za głupi, żeby zrozumieć. Louis Johnson zna Doktora Love, bo obaj byli w Zatoce Świń, kiedy sie Kennedy tak popisał, jak chciał obalić Fidela, i wszystkim to pieprznęło w twarz. Zatoka Świń dla Doktora Love to jak rok sześćdziesiąty szósty dla mie. Patrze na niego i wiem. Peter Nasser i Louis Johnson odchodzą, bo Johnson obiecał mu, że spróbuje tej zupy na byczym chuju, bo Nasser mówi, że po niej pieprzy swoją żone jak młody bóg. Kubańczyk zostaje.

Luis, sie przedstawia.

— Luis Hernán Rodrigo de las Casas, ale wszyscy mówią na mnie Doktor Love.

— A czemu?

— Bo kontrrewolucja to akt miłości, *hermano*, a nie wojny. Przyjechałem, żeby was czegoś nauczyć.

— Już sie nauczyłem dosyć od Johnsona. I dlaczego wy, kurwa, zawsze uważacie, że czarni tacy głupi, że musicie ich uczyć?

— Rany, *muchacho*, nie chciałem nikogo obrazić. Ale przy okazji ty mnie też obraziłeś.

— Ja? Ciebie? Ja cie nawet nie znam.

— No właśnie, a już mnie łączysz z *americano*. Widzę to w twoich oczach.

— Znaczy sie, dwoma różnymi autobusami tutej przyjechaliście?

— *Hermano*, to właśnie z powodu tego człowieka i ludzi takich jak on wszystko się spierdoliło w Zatoce Świń. To jego wina i tępych jankesów, którzy maczali w tym palce. Nie łącz mnie z nim.

— Z nim.

— Ay.

— To czym sie możesz pochwalić?

— Słyszałeś może o Szakalu Carlosie?

— Nie.

— Śmieszne, bo on o tobie słyszał. Ukrywał się tutaj jakiś czas, po tym jak... jak to powiedzieć... zjebał popisowo tę akcję przeciw OPEC. Zerżnął nawet kilka waszych kobiet, jestem tego pewien. Nauczyłem go paru rzeczy, bo prawdę powiedziawszy, z niego był taki terrorysta jak z koziej dupy lotniskowiec. Wszyscy chłopcy ze szkół katolickich chcą być pierdolonymi terrorystami. Mówię ci, niedobrze mi się robi od tego.

— Ty prawdziwy doktor?

— A ty chory, *hombre*?

— Nie wyglądasz mi na Kubańczyka.

— Do szkoły chodziłem w Oslo, *muchacho*.

— Widzisz tu jakiegoś chłopca?

— Ha, mój błąd. *Pero todo es un error en este país de mierda.*

— Ale nie tak źle, jak w tym gównianym kraju, z którego przyjechałeś.

— *¿Por Dios, hablas español?*

Kiwam głową.

— *Hombre* z CIA wie?

Kręce głową.

— Chcesz coś wiedzieć? Zachowuj się, jakbyś był głuchy, jakbyś był głuchy jak pień.

— ¿Louis, por qué me has sacado de mi propio jodido país para hablar mierda con ese hijo de puta?

— Luis, Luis, nada más enséñale al negrito de mierda alguna bobería como una carta bomba. O préstale el libro de cocina del anarquista, qué sé yo. Él y sus muchachos son unos comemierdas, pero son útiles. Por lo menos por ahora. Mówi, że cie lubi, Josey.

— Ja nie wiem. Jakoś nie brzmi jak przyjaciel.

Doktor Love sie śmieje. Patrzy na mie i sie uśmiecha. Zawsze dobrze wiedzieć, kto przyjaciel, nie jest tak?, pyta. Tak czy siak, chcesz wiedzieć, czym sie moge pochwalić? Spotkajmy sie jutro w porcie, to ci pokaże, przyjacielu.

— Sie już nauczyłem dosyć sztuczek od CIA.

— Ale to nie CIA mnie przysłała, amigo. Przywoże pozdrowienia z miasta Medellín.

To było przed Bożym Narodzeniem, po tym, jak przez cały rok chłopaki z LPN-u siali zło po całym Kingston. Następnego dnia spotykamy sie ja i on w porcie, przy dokach. Ranek taki leniwy, nie za dużo ludzi na ulicach, ale samochody zaparkowane pod linijke na drogach dokoła portu. Ludzie chyba muszą wcześnie wstawać do pracy, bo nie wyobrażam sobie, żeby ktoś tu na noc zostawił auto — chociaż to śmieszne, bo właśnie tu najbezpieczniej w całym Kingston. Jeszcze śmieszniejsze, że ludzie ciągle tutej żyją, i to żyją dobrze. Nie widze go i nie widze, aż myśle, że wyciął mi jakiś numer. A jeszcze gorzej, że jestem na dauntaunie bez obstawy, tu na terenie działa dalej gang Bantona. Przy porcie to prawie wszystkie budynki wyglądają jak z serialu telewizyjnego o Nowym Jorku. Bank of Jamaica, Bank of Nova Scotia, dwa hotele, które chyba myślały, że sie zrobi inne Kingston, ale władze wziął Manley z tym swoim socjalistyczno-komunistycznym pierdoleniem. W każdym razie zobaczyłem go dopiero, jak mi sie urodził za plecami. Puka mie w ramie i kładzie palec na usta, żebym siedział cicho, ale przez cały czas sie szczerzy.

Zdejmuje plecak i biegnie prawie na koniec drogi. Od samochodu do samochodu, przy jednym przystaje, na drugi sie krzywi. Przy niektórych nawet sie pochyla, ale nie wiem, czy sprawdza opony, błotnik czy, kurwa, czego szuka. Zastanawiam sie, po co w ogóle przylazłem. Skacze od czerwonego volkswagena do białej cortiny, potem do białego escorta i czarnego camaro. Znowu sie przychyla, ale jest po drugiej stronie, nie widze, co robi. Jak myślał, że sie zerwe rano, żeby przyjść na wrogie teretorium i patrzeć, jak wyuczony w Norwegii Kubańczyk kroi auta albo chlasta opony, to zaraz pozna, co to gniew Jamajczyka. Odskakuje od ostatniego i dyrda do mie jak jakaś siusiumajtka. Zaczesuje znowu włosy w kucyk i wkłada ciemne okulary i T-shirt z napisem „Welcome Back, Kotter".

— *Amigo*, słówko do ciebie.

— Co? Jakie słówko? O co, kurwa…

— Nura.

— Co?

— Nura — mówi i ciągnie mie w dół.

Dach czerwonego volkswagena wybuha pod same niebo, a potem reszta auta na boki. Droga dygocze jak w trzensieniu ziemi, fale normalnie takie, jakby wiatr pierdolił sie z morzem — a potem cortina wybuha. Escort jak wybuha, to słychać bum, bum, cały skacze do góry i spada na resztki z cortiny. Camaro stoi na jezdni, ale przód cały mu wywala, koła fruną do nieba jak latające talerze.

Doktor Love sie śmieje przy każdym wubuhu, wrzeszczy jak mały chłopiec. Nie potrafie powiedzieć, czy ktoś zginął, ale chyba nie. Szkło trzaska wszendzie dokoła, ludzie krzyczą. Przez cały czas leże jak długi na ziemi, a ten Kubańczyk rechocze nade mną.

— Jesteś pod wrażeniem, *amigo*?

— Jak ktoś mie widział, to pomyśli, że to moja robota.

— No i niech myśli. Chcesz zaimponować Medellín czy nie? Jan Chrzciciel jesteś? Odpowiedz szybko, to w razie czego pójdę poszukać Jezusa.

Luis Hernán Rodrigo de las Casas. Doktor Love. Dwa miesiące temu na Barbadosie kubański samolot startuje z lotniska Sewell na Jamajke. Dwie minuty i osiemnaście tysięcy stóp później eksplodują dwie bomby. Samolot sie rozbija, wszyscy kaput, w tym cała kubańska drużyna szpadzistów i pięć osób z Koreji Północnej. Od kiedy Doktor Love przystał do Połączonych Organizacji Rewolucyjnych, jednej z tych grup, co to powstają co miesiąc, żeby obalić Castro, dowiaduje sie tego i tamtego od CIA. Jedno musze mu przyznać, jako jedyny sie nie zdziwił, jak sie zorientował, że znam całe to gówno. Louis Johnson ciągle nie za bardzo wierzy, że potrafie czytać, więc może dlatego pokazuje mi liste zakupów do góry nogami i mówi, że to tajny dokument. W każdym razie Doktor Love nauczył sie dużo od SOA, między innymi, jak posyłać rzeczy w zaświaty. A potem sam zaczyna uczyć. Mówi, że nawet nie był na Barbadosie, kiedy samolot sie rozbił, tylko tutej. A teraz wrócił, pewnie dlatego, że ktoś w Kolumbi potrzebuje dodatkowej pary oczu na Jamajce.

Zostawiam Bekse na kanapie, niech śpi w tych czerwonych gaciach. Teraz leży na plecach, z ręką położoną na jajach, co właściwie ma sens. Korci mie wziąść jego okulary i włożyć, może zobacze świat tak, jak on widzi, ale coś mie hamuje i nie, nawet nie pomyśle, że to strach. Podnosze jego spodnie, bo moja kobieta nie toleruje takiego bałaganstwa na swojej podłodze, i wtedy czuje guza w tylnej kieszeni. Jakby notes bez okładki i tylnych stron. Zastanawiam sie, czy są czyste jak w każdym notesie i czy Beksa pisał na nich listy do tego tam w więzieniu. Zaglądam i widze tytuł: *Problemy filozofii*, Bertrand Russell. No to pytam Doktora Love, czy kiedyś czytał Bertranda Russella, a on, że tak, ale dopiero po Heideggerze, poza tym Russell to miętki siurek nagrodzony Noblem. Pojęcia kurwa nie mam, o czym mówi, ale już czekam chwili, jak ja zaserwuje to Beksie. No nic, jak wychodziłem, spał jak zabity, i dobrze, bo nie chciałem, żeby za mną lazł.

Jak człowiek sie spotka z prawdziwą prawdą o sobie, to wie, że jedyny, który da sobie z tym rade, to on sam. Niektórzy męszczyźni nawet tego nie mogą, dlatego Bellevue zawsze pełne. Niektórzy nie wytrzymują świadomości, do czego są zdolni. Ja myślałem, że wiem, dopóki Doktor Love mie nie nauczył, niecały rok temu. Orange Street, kamienica pusta, bo pizdocipy z LPN-u sie nie liczą za ludzi.

— Chcesz zaimponować większej… jak to sie mówi… rybie?

— Fiszy.

— Tak. Większej fiszy niż Peter Nasser?

— Chodzi ci o szefa. Ja już…

— Wyżej. I szerzej niż ten kraj, *chico*. Wykorzystujemy Portorykańczyków i Bahamczyków, ale jedni i drudzy mają nasrane we łbie.

— Nie wiem, o czym gadasz, Luis.

— Wiesz, wiesz. Ale zgódźmy sie, że jest tak, jak mówisz, czyli że nie wiesz. Ten prezent, o którym nie wiesz, a którego potrzebują Amerykanie, ten prezent z Bogoty musi mieć, jak to powiedzieć… do tego prezentu trzeba dobrać nowego Świętego Mikołaja. Bo Mikołaj w Portoryko kurewsko sie roztył, a ten na Bahamach jest za głupi. Poza tym nasze wysiłki, żeby wyzwolić Kubę od tego bezsilnego *hijo de puta*, który chodził do katolickiej szkoły, mają największe szanse powodzenia, jeśli będą prowadzone stąd, bo Kuba i Jamajka to jak bliscy kuzyni, nie?

Peter Nasser myśli, że CIA przysłało Doktora Love, żeby mie nauczył, jak mu lepiej służyć. Peter Nasser to jeden z tych, co nie widzą różnicy między tym, jak dobrze zerżną żone, a jak zerżną źle, i sie tym nawet nie przejmą. Ci z CIA wyglądają, jakby wiedzieli bardzo dużo, ale może po prostu mają to gdzieś. Lubie, jak męszczyźni mają gdzieś, co robi wróg ich wroga, pod warunkiem że pozostaje wrogiem ich wroga. Doktor Love przyleciał na Jamajke na bilecie od CIA, ale z poruczenia Medellín. Tamtego wieczora na Orange Street pokazał mi, co robić z C-4.

— *Hola, mi amigo*.

— Josef! Szmat czasu, przyjacielu.

Mówi tak, chociaż mineły tylko dwa miesiące, od kiedy sie widzieliśmy ostatni raz. Jazda do Half Moon Bay nie trwała długo, ale trzeba wypatrywać, żeby znaleść tą zatoke. Stary dok, co go najpierw używali Hiszpanie, potem Brytyjczycy w czasach niewolnictwa, a przez jeden okres nawet piraci. To jedno z takich miejsc, co towar może przypłynąć albo odpłynąć i to nikogo nie obchodzi. Widze go stont na klifie. Jak schodze na sam brzeg, Doktor Love biegnie do mie i całuje w policzek. Ci Latynosi to sie tak właśnie zachowują, więc nie robie z tego problemu, chociaż jakby ktoś jeszcze tu był, no to całkiem inna historia. Ford cortina poza zasięgiem wzroku. Albo uszu, bo on nie gasi silnika. Dobrze, że tamten został w aucie. Zastanawiam sie, czy Doktor Love nie gada za dużo. To *hermano*, co jednak kurewsko lubi obracać jęzorem.

— Sprawy stanęły ostro jak wyposzczony chuj, *mi amigo* — mówi.

— Poważne rzeczy na Barbadosie.

— *Madre de Dios*. Chociaż formalnie rzecz biorąc, to już były wody międzynarodowe. Ale cóż, walka o wyzwolenie musi pociągać za sobą ofiary, *chico*.

— To też żeby zrobić wrażenie na Medellín?

— E tam, jedna bomba miała zrobić wrażenie na Medellín, dwie miały zrobić wrażenie na mnie. Ale co ja tam wiem, byłem wtedy w Wenezueli.

— Magia normalnie.

— Musisz zrobić to samo, *hermano*.

— Co, wysadzić samolot?

— Już ci mówiłem, że nic nie wiem o wysadzaniu samolotów.

— No to co musze zrobić?

— Musisz zrobić tak, żebyś nie musiał się do nich zwracać, tylko żeby oni zwracali się do ciebie. Nie chcę w ciebie zwątpić, Josef.

— Po dzisiejszym nikt we mnie nie zwątpi.

— Zrób na nich wrażenie, *hermano*.

— Brada, ja zrobie wrażenie na całym świecie. Jak długo tu zostaniesz?

— Tak długo, jak długo groźba komunizmu będzie realna i coraz większa.

— Zaraz, on powiedział, że jest demokratyczny socjalista.

— Socjalizm to teoria, komunizm to praktyka. Potrzebujesz paru akcji z przytupem, *hermano*. Tamte chłopaki cię obserwują.

— Nie zamierzam wymazać całej Hope Road...

— Nie chcę nic wiedzieć. Ale w aucie mam parę prezentów dla ciebie, ze trzy C-4. Wiesz, co i jak, nauczyłem cię.

— Żadnych piździelskich bomb, Luis. Ile razy mam ci mówić?

— Wykładam karty na stół, Josef.

— On wie, że wozisz bomby w jego aucie?

— Ten kretyn nawet nie wie, kiedy sra kutasem, a sika dupą.

— Nieważne, wole układ jeden na jeden. Jak dorwe tego pizdocipa, to będzie wiedział, skont przyszedł na niego sąd ostateczny.

— Nigdy nie traktuj tego osobiście i nie działaj z bliska. Ja tu zostaję, a ty rób swoje. To, co musisz, bracie. Jutro do ciebie zadzwonię. Wypijemy mojito i będziemy pluć na zdjęcie tego bezsilnego *hijo de puta* z katolickiej szkoły.

— Zadzwoń po jutrze. Jutro będe zajęty.

BARRY DIFLORIO

Pojęcia nie miałem, że ten pierdolony Kubańczyk jest na Jamajce. Muszę przyznać, że skurwiel ma jaja, przecież dopiero dwa miesiące temu narobił syfu na Barbadosie. Założę się, że to był pomysł Louisa Johnsona. Odkąd wyjechał z Chile i dołączył do mnie w Ekwadorze, jakoś zdarza mu się zapomnieć, że jestem jego przełożonym.

Z domu Śpiewaka do fryzjera w Mona było tylko ze dwadzieścia minut jazdy, ale dzięki mojej żonie czułem, jakby to trwało ze dwie godziny. Teraz siedzę w swoim biurze w ambasadzie i czekam, żeby się rozegrały wydarzenia z trzeciego grudnia tysiąc dziewięćset siedemdziesiątego szóstego roku. Dzisiaj cofamy Śpiewakowi wizę, bo jest podejrzany o przemyt narkotyków do Stanów Zjednoczonych Ameryki Północnej. Nie będzie chyba problemów, żeby to udowodnić, wystarczy mu zajrzeć do tylnej kieszeni spodni. Mamy zrobić z tego wielką pokazówkę, na dowód, że my, jako sojusznik Jamajki, nie będziemy siedzieć bezczynnie i patrzeć, jak bezprawie panoszy się po tym wspaniałym kraju. Przygotowałem już oświadczenie dla prasy, podpisane przez górę. Mamy również dowody, że kontaktował się ze znanymi handlarzami narkotyków w Miami i Nowym Jorku i przestaje z ludźmi o wątpliwej reputacji na Jamajce i za granicą, w tym z przynajmniej dwoma miejscowymi terrorystami. Są na to dokumenty. Jeden z nich, który nazywa się Shotta Sherrif i dwa razy stawał przed sądem oskarżony o zabójstwo, jest blisko powiązany z obecnymi władzami Jamajki.

Dokumentacja uporządkowana, grunt przygotowany, w dużej mierze przeze mnie, zwłaszcza po tym, jak ten dwulicowy skurwysyn Bill Adler zaczął falsetem śpiewać na cały świat. No naprawdę, facet ma tupet, kurwa jego mać. Wyprzeć się wszystkiego, co się robiło, to jedno — rozumiem, Adler to kolejny pedzio, który podjął się czegoś, czego nie potrafił unieść. Ale nie wolno się zachowywać tak, jakby się nie ponosiło odpowiedzialności za połowę tego, o czym się teraz pisze. Przynajmniej nie przejąłem tej jego gównianej metody podkładania pluskiew. W każdym kraju, który go przyjmie, pewnie opowiada dowcipy o tej akcji w Ekwadorze, kiedy pokojówki z hotelu Villa Hilda przyłapały go na zakładaniu podsłuchu w stole Manuela Arauja. Albo o tym, jak próbował przekonać tych indiańskich ochroniarzy przed ambasadą czechosłowacką, że tak, *hombres*, serwisanci przyjeżdżają o piątej rano, nawet w Ameryce Łacińskiej.

Tak czy owak, ponieważ spowodował szybką ewakuację dziesięciu ludzi w terenie, musiało wkroczyć siedmiu nowych, i to *pronto*. Nie mieliśmy nawet czasu na zastosowanie pełnych procedur, w przeciwnym razie nigdy nie zaaprobowałbym Louisa Johnsona, zwłaszcza że zjawił się z Kubańczykiem jako transakcja wiązana. Na wyspie roi się od jebanych Kubańczyków. Od Kubańczyków, bo nawet jeszcze nie zacząłem mówić o komunistach.

Owszem, wyobrażam sobie, dlaczego tu jest, nawet jeśli działa na własną rękę. Nie rozumiem jednak, dlaczego robi z tego takie widowisko — przynajmniej w naszych oczach, zupełnie inaczej niż Szakal Carlos, który też tu siedział, ale po cichu, gładząc się po brzuszysku, gdy kurwy mu obciągały. Ci dwaj mają wspólną przeszłość, płacą mi za to, żeby wiedzieć o takich rzeczach. Krążą pogłoski, że Luis Hernán Rodrigo de las Casas nauczył Carlosa, jak robić użytek z C-4. Z dynamitu też, ale las Casasowi zawsze stawało na myśl o C-4. To nie jest jego pierwszy wypad na Jamajkę w tym roku. I wtedy, i teraz, jak tylko zjawił się na miejscu, rzeczy zaczęły wylatywać w powietrze.

W moim biurze są cztery ściany i jedno okno z widokiem na pustą parcelę po drugiej stronie drogi, gdzie zbierają się Jamajczycy, po czym o szóstej ustawiają w kolejce po wizy. Manley powiedział im, że codziennie jest sześć lotów do Miami, ruszyli więc wszyscy. Kolejka zaczęła się wić dokoła całego kwartału, odkąd

Pan Am zawiesił połączenia między Kingston i kontynentem. Nieprzekonujący gest, tej samej rangi jak to, gdy Jamajki poprzysięgają, że nie będą świadczyć usług seksualnych, dopóki rząd nie wprowadzi konkretnych reform. Ale cóż, uczymy ludzi drobnych gestów, bo mamy nadzieję, że staną się zaczynem gestów wielkich.

Teczka personalna Luisa Hernána Rodrigo de las Casas jest nieduza. Określenie „nieduży" oczywiście bywa względne. Żeby dowiedzieć się czegoś o Casasie, trzeba zajrzeć do pięciu teczek, a nie do jednej. Biorę do ręki tę, o którą poprosiłem Sally, gdy tylko zobaczyłem go z Louisem Johnsonem. Okładki są niebieskie. Otwieram i od razu rozpoznaję mnóstwo nazwisk. Freddy Lugo. Hernán Ricardo Lozano z Alfa 66, Orlando Boch, zdradliwy do przesady dupek z Wenezueli, dwaj ludzie znani tylko jako Gael i Freddy, prawdopodobnie z Omegi 7, i de las Casas. Wszyscy z Koordynacji Połączonych Organizacji Rewolucyjnych, wszyscy agenci AMBLOOD, wszyscy absolwenci z Zatoki Świń. Mieli za sobą pracowity rok, poczynając od wypadu do Dominikany, żeby stworzyć tę *Coordination*, a o tym spotkaniu Firma oczywiście nic nie wie.

W lipcu na płycie lotniska w Kingston wybuchła czerwona walizka przewożona do samolotu BWIA lecącego na Kubę. Potem nastąpiły wybuchy w biurach BWIA na Barbadosie, Air Panama w Kolumbii, Iberii i Nanaco Line w Kostaryce, a wszystkie te linie mają powiązania z Cubaną. Zostaje zamordowany przedstawiciel Kuby w Meksyku i dwaj w Argentynie. A potem we wrześniu ginie w zamachu w Waszyngtonie Orlando Letelier. W tym przypadku to robota DINA pana Pinocheta, ale znowu są te nazwiska, te same jebane nazwiska, które pojawiają się zawsze, gdy tematem jest Ameryka Łacińska. Potem był pożar w Gujanie, ale spłonął tylko kubański sprzęt rybacki. W czerwcu tego roku, dokładnie czternastego, został zakłuty w swoim domu Fernando Rodriguez, ambasador Peru. Jeszcze zanim rząd Jamajki wprowadził stan wyjątkowy.

Przestępczość wymknęła się tutaj spod kontroli, to już prawie rok, a specyfika jamajskiej przestępczości polega na tym, że przeważająca większość przypadków jest zlokalizowana. Więc za każdym razem, kiedy to się przesuwa w stronę śródmieścia, człowiek ma wrażenie, że ktoś stosuje bardzo toporną argumentację. Poznałem ludzi z obu partii, fakt, dziesiątki słoni szalejących w składzie porcelany. Ale jak na ich standardy, na standardy bandytów z bronią palną, cholera, nawet na standardy chilijskiej tajnej policji napad na Rodrigueza był trochę za bardzo zaplanowany, w zbyt oczywisty sposób starannie przeprowadzony, zbyt finezyjny i popisowy, żeby uwierzyć, że to była przypadkowa robota. Modus operandi Kubańczyków to materiały wybuchowe, wszyscy to wiedzą, ale coś śmierdzi w sprawie tej śmierci, i to śmierdzi kurewsko. Oczywiście według naszej najlepszej wiedzy Stany Zjednoczone nie miały żadnych informacji o działaniach podejmowanych w celu zlikwidowania ambasadora. Stany Zjednoczone mają nadzieję, że sprawcy tej ohydnej zbrodni oraz siły, które ich zainspirowały, wsparły lub objęły ochroną, zostaną postawieni przed obliczem sprawiedliwości.

Jezu, gadam coraz bardziej jak Henry Kissinger.

— Sally.

— Tak, szefie.

— Możesz sprawdzić, gdzie poszedł Louis Johnson?

— Robi się.

Wyłączam interkom i patrzę na swoje biurko. Żona nigdy nie przestąpiła progu tego gabinetu, za to Kissinger przestąpił, więc niech mnie żona w dupę pocałuje. W styczniu, kiedy nas tu przysłano, moją pierwszą robotą było niańczenie Heinricha, jak wszyscy go nazywają za jego plecami, a nie miał wtedy dobrego tygodnia na Jamajce. Ale dziś, w drodze do fryzjera, po tej awanturze, która rzekomo nie była awanturą, żona zrobiła coś naprawdę dziwnego. Spojrzała na mnie. No, przynajmniej mi się wydaje, że spojrzała na mnie. Ja przez cały czas patrzyłem na drogę, jechałem Hope Road w kierunku Mona, ale w dzisiejszych czasach potrafię się już połapać, cholera jasna, kiedy ktoś na mnie patrzy. W każdym razie popatrzyła i powiedziała:

— Wiesz, jakie słowo lubię, dość lubię, no może nie lubię, ale w reakcji na jakie słowo chichoczę, Barry?

— Nie, kochanie.

— Ordynarny. Or-dy-nar-ny. To takie słowo, którego lubią używać pewni ludzie. Wcześniej tego nie zauważałam, tego, że mam jakąś intymną więź z wszystkim, co ordynarne. Nie ma dnia, żebym nie musiała się skonfrontować z czymś ordynarnym i nie wkurzyć z tego powodu.

— Mamy słownik, który dostaliśmy na Yale jako prezent pożegnalny.

— Trzeba mieć coś swojego. Ale wiesz co, Barry? Zawsze wybucham śmiechem, gdy słyszę, jak któryś z was wypowiada to słowo, zwłaszcza w wywiadach.

— A co, pokazywali znowu Kissingera w telewizji?

— Nie, znacznie bliżej, to ten ambasador, którego nie lubię. Powiedział to do męża Nelly Matar na jakimś spotkaniu biznesowym w zeszły wtorek. Powiedział dokładnie: „Twierdzenia o destabilizacji są ordynarne i fałszywe".

— Nie wiedziałem, że na lunchach rozmawiacie o polityce.

— A o czym mamy rozmawiać? Żaden z was nie ma na tyle dużego penisa, żeby mógł być tematem rozmów.

— Że jak?

— A więc jednak słuchasz, co mówię. Ha. A teraz na serio, co ty tu robisz? Chociaż raz porozmawiaj ze mną poważnie. Spytałabym o to żonę Louisa Johnsona, ale biedaczka znowu upadła i posiniaczyła sobie twarz, więc…

— Jedziemy tam, gdzie wysyła nas rząd Stanów Zjednoczonych.

— Nie pytałam o nas, kochanie. Pytałam o ciebie. Ja tutaj marnuję czas i się oszukuję. A co ty tutaj robisz? Co robiłeś przez ostatni miesiąc? Przysięgam na Boga, że już bym wolała, żebyś miał kochankę.

— Ja też.

— Nie pochlebiaj sobie. Dla ciebie to już nie te czasy.

— Pieprz się, kobieto.

— Co tu robisz, Barry? Wal po kolei, cios za ciosem.

— Cios za ciosem, hę?

— Na drodze pusto. A ty nie powiedziałeś nic interesującego od tygodni.

— Prosisz, żebym ujawnił zastrzeżone informacje.

— Barry, albo mi powiesz, albo będziesz musiał przez następne trzy lata spać z jednym okiem otwartym, bo wierz mi, że ja i tak się dowiem. Wiesz, jaka się robię, kiedy się na coś zawezmę.

— Wyrecytować ci wytyczne?

— Należę do tych, co rozumieją wielkie słowa, pamiętasz?

Mam taką teorię: być może mężczyzna nie zawsze dostaje za żonę kobietę, którą chce albo której potrzebuje, ale zawsze taką, na którą zasłużył. Nie wiem, czy moja żona czuje podobnie. Ale w pewien perwersyjny sposób od początku to w niej lubiłem. W perwersyjny, bo każdy rozsądny mężczyzna, nawet bardzo apatyczny, wyrżnąłby ją w tej chwili w papę tak, że nakryłaby się nogami.

— A jak myślisz, co robiliśmy w Ekwadorze?

— Jezu Chryste, Barry. Wiem, że CIA...

— Firma.

— Ćśś. Firma. Wiem, że Firma to nie instytucja charytatywna działająca z ramienia Białego Domu. Skoro jedziesz do obcego kraju, to pewnie nie planujesz nic dobrego.

— Przepraszam, że co?

— Słusznie, powinieneś przepraszać. To nie ty musisz zawsze w pośpiechu pakować dzieci.

— Dziecko. W Ekwadorze Aidena jeszcze nie było na świecie.

— Ale był w Argentynie. Co tam robiłeś i dlaczego to ma coś wspólnego z pierdołami, które opowiada twój szef mężowi Nelly Matar?

— On nie jest moim szefem.

— Twierdzi inaczej.

— Naprawdę chcesz wiedzieć?

— Tak, Barry, naprawdę.

— Dyrektywa operacyjna dotycząca Ekwadoru.

— Aha.

— Priorytet A.

— Chryste, naprawdę recytujesz wytyczne.

— Priorytet A: zgromadzić i przekazać informacje na temat siły i intencji wrogich organizacji komunistycznych i innych, w tym na temat wsparcia międzynarodowego i wpływów we władzach Ekwadoru. Priorytet B: zgromadzić i przekazać informacje na temat stabilności rządu ekwadorskiego, siły i intencji dysydenckich grup politycznych. Utrzymywać agentów na wysokim szczeblu w rządzie, służbach bezpieczeństwa, partii rządzącej i opozycyjnej, zwłaszcza wśród opozycyjnych przywódców wojskowych.

— Już dosyć, Barry.

— Priorytet C: wojna propagandowa, psychologiczna i informacyjna w celu przeciwważenia propagandy antyamerykańskiej, zneutralizowania wpływów komunistycznych w organizacjach o charakterze masowym i powstania organizacji alternatywnych. Wspieranie przywódców demokratycznych.

— Wyszłam za robota. Co to ma wspólnego z Jamajką?

— Firma ma tylko jeden regulamin, moja droga. Rozwiązania uniwersalne dla wszystkich przypadków. Może powinnaś się uważniej rozejrzeć.

— Rozglądam się. Dlatego ci nie wierzę.

— Jak mam to rozumieć?

— To, co przed chwilą wyrecytowałeś, nie tłumaczy tego, co się tutaj dzieje.

— Dwunastego stycznia „Wall Street Journal" nazwał rząd Michaela Manleya z ramienia Ludowej Partii Narodowej najbardziej nieudolnym z wszystkich rządów na półkuli zachodniej. W lutym w „Miami Herald" napisano, że sytuacja na Jamajce zmierza do przesilenia. W marcu Sal Resnick informował w „New York Timesie", że rząd Jamajki pozwala Kubańczykom szkolić swoje siły policyjne i ma konszachty z elementami z kręgów Black Power.

Lipiec: „U.S. News & World Report" donosi, że premier Jamajki, Michael Manley, doprowadził do zbliżenia z komunistyczną Kubą. Sierpień: „Newsweek" twierdzi, że na Jamajce przebywa trzy tysiące Kubańczyków. Resnick...

— Dobry Boże, dość już o tym twoim pupilku Resnicku. Co się tyczy Kubańczyków, to żadnego jakoś nie widziałam. Meksykanów, Wenezuelczyków owszem, ale żadnego Kubańczyka.

— Facet poprosił o kredyt towarowy wartości stu milionów dolarów, a potem myśli, że może nam nasrać na głowę, mizdrząc się do komunistów? To niech nie prosi o żaden kurewski kredyt. O nic, cholera. Mógłby chociaż przestać gadać o socjalizmie.

— Szwecja jest socjalistyczna.

— Aleś ty, kurwa, wyedukowana, moja droga.

— A ty przeklinasz w nieodpowiednich momentach, mój drogi.

— Wszystkie izmy prowadzą do komunizmu.

— Tego cię nauczyli na Yale pod hasłem „śmierć komuchom"? Jestem twoją żoną już jakiś czas, Barry. Spory czas. Znam cię. Kiedy nie możesz walić prosto z mostu, zasłaniasz się takimi pierdołami.

— Słucham?

— Co nieco, ale tylko co nieco z tego, co mówisz, ma sens... Tak jakby. Ale... to... nie. Albo dzieje się coś, o czym nie chcesz mi powiedzieć, albo dzieje się coś, o czym tobie nie powiedzieli. Jezu, straszny urzędas się z ciebie zrobił.

— Jak to, coś się dzieje?

— Coś. Coś więcej. To wszystko to ekonomia, dobra, jakoś to się klei, ale jesteśmy tu dopiero dziesięć miesięcy, Barry, a twoje małe gierki trwają przynajmniej trzy lata, sześć, jeśli doliczyć cały czas spędzony w Ameryce Południowej. Więc jest coś jeszcze. Coś wisi w powietrzu. *Natural Mystic*.

— Jakie *Natural Mystic*? Co to, kurwa, znaczy?

— Nawet nie będę próbowała ci wyjaśnić, i tak nie zrozumiesz. Jesteśmy na miejscu.

PAPA-LO

Słońce weszło i rozsiadło sie na niebie, jakby nie miało gdzieś
iść. Chociaż dopiero dziesiąta, gorąc wciska sie do domu.
Najpierw przez kuchnie, bo jest najbardziej wysunięta na zewnątrz, potem przez duży pokój, ze wschodu na zachód, bierze
krzesło za krzesłem, dlatego jak siadam na kozetce przy oknie, to
sie szybko zrywam. Ciągle strapiony. Kaznodzieja mówi, że taki
człowiek jak ja nie zazna spokoju, i ja to przyjmuje. Ale ten dzień
dzisiejszy wydaje mi sie jakiś specjalny i ma to coś wspólnego
z Joseyem Walesem. Wybory za dwa tygodnie, a Josey sie spotyka z Peterem Nasserem i Amerykaninem, i Kubańczykiem, którego nie widziałem od stycznia. JPP musi wygrać w kraju i zrobi
wszystko, żeby tak było.

Ja chyba wiem, co to znaczy. Josey planuje coś, do czego w ich
głowach ja nie mam odważności. Za delikatny, mają racje. W siedemdziesiątym szóstym masa rzeczy sie stała. Tak jak ten uczeń
nadział sie na moją kule, tak było, ale na prawde to ja mam dosyć smaku krwi już od dawna. Tak na prawde to nigdy nie lubiłem. Żeby nie było, zabić człowieka to żaden problem, a sie nie
martwić, że nie żyje, jeszcze mniejszy. W niektórych dzielnicach
nikt nie broni małym nyguskom sie szlajać po ulicy, nawet jak sie
bawią w ściekach z wyhodka. A jak zachoruje taki, że to już jest
tylko wzdęty napuchły rozwrzeszczany brzuch, co kiedyś był dzie-
cionkiem, nikomu nie śpieszno do szpitala, bo tam i tak ciasno,
to dziecionko umiera, bo czeka w kolejce, a może człowiekowi
sie żal zrobi wcześniej i jeszcze w nocy go zakryje poduszką i tak
czy tak patrzysz i czekasz, bo najlepsza rzecz dla tego dziecionka
to śmierć.

Do wyborów dwa tygodnie, co dzień słychać strzały. Ja i Shotta Sherrif obaj głosimy, że chcemy mieć pokój, ale wystarczy jeden strzał, z gangu jak ci egzekturorzy w Spanish Town albo Wang Gang, co mówią, że przecież nie podpisywali żadnego piździelskiego porozumienia. Starczy jeden strzał. I choć chcemy pokoju, tacy jak Peter Nasser ze swoją partią muszą wygrać i mają gdzieś jakim kosztem. Ja przeważnie też mam gdzieś. Ale czemu małe wybory w małym kraju zrobiły sie taką wielką sprawą? Dlaczego nagle Ameryce tak na nas zależy? Im nie chodzi o teretorium, im nie chodzi o pokaz siły. Myśle o Joseyu, myśle o tych wszystkich Amerykanach, myśle o Peterze Nasserze i myśle o Kopenhadze, i o Ośmiu Ulicach, i o Kingston, i o Jamajce, i o starym świecie i sie zastanawiam, jaki pokaz siły przyciągby oczy całego świata? I wreszcie dociera do mie jak Objawienie. Już wiem, co Josey chce zrobić. Aż we mie kości zadygotały i sok mi sie wylał z ręki na podłoge. Szkło najpierw mi spadło na noge, więc nie trzasło. Sok polał sie powoli po podłodze jak krew.

— Jezu Chryste, Papa, za mało sie dzisiej jeszcze natyrałam?

Już klęczy ze szmatą i wiadrem, zanim załapałem, co sie dzieje.

— Idź na dwór, zajmij sie czymś — mówi.

Na dworze sie ciesze, że ubrałem tylko siatkową koszulke. Josey. Pożar na Orange Street to był za mały pokaz siły. Nawet Jezus wylałby sok pomarańczowy na myśl, co on, oni tam planują. Coś, co mie omija. Co jest tak złe i ciemne, że za ciemne dla Papa-Lo?

Nie wiem, co robić, ale nogi mie niosą do domu Joseya Walesa. Coś wtedy mie tknęło, jak zobaczyłem tego Doktora Love z tym jego lipnym nazwiskiem, i mocno sie zacząłem zastanawiać. Jak był tutej ostatni raz w styczniu, to poszedł z Joseyem Walesem pod teretorium LPN-u i wysadzili cztery auta przy porcie, jedno za drugim. Zrobili to tylko na pokaz, nikt nie zginął, ale ten człowiek zasiał w Joseyu Walesie coś jak ziarno, co rośnie i rośnie. Nogi same maszerują do przodu, ale głowa ociąga sie z tyłu. Wraca do poprzedniego grudnia i stycznia, i każdego miesiąca do tej pory. Patrzy człowiek na pewne rzeczy i nic. Potem człowiek patrzy na te same rzeczy troche inaczej i wtedy dopiero sie łączą w coś wielkiego, coś strasznego, jeszcze bardziej strasznego, bo wcześniej tak nie widział.

Ostatni raz Peter Nasser dzwonił do mie w styczniu. Teraz to dzwoni do Joseya Walesa. Wtedy do mie dzwonił, że MFW przyjeżdża. MFW to grupa ważniaków z bogatych krajów na całym świecie, co zdecydują, czy Jamajce dać pieniądze, żeby sie wyciągneła ze srajdoła. Tak powiedział Peter Nasser, bo on ciągle myśli, żc poważnc sprawy musi rozprasować do poziomu podstawówki, żeby człowiek z geta go zrozumiał. Prawie mu powiedziałem, żeby spierdalał, bo potrafie odróżnić ostentacje od elokwencji, a żadne z tych słów nie pasuje do tych mów, co mu pisze ten drugi człowiek. To też Peter Nasser powiedział, znaczy, że jak Michael Manley przekona Międzynarodowy Fundusz Walutowy, żeby dać krajowi pieniądze, to on ich użyje, żeby wepchnąć Jamajke w mrok komunizmu.

Wtedy przyszed Doktor Love, żeby opowiedzieć ludziom o komunizmie. Jak to Fidel Castro przejął władze od wielkiego przywódcy Batisty i sie wprowadził do jego domu i zabił wszystkich z przeszłości. Jak to rozwalił te kapitalistyczne rzeczy — szkoły i sklepy — ale zostawił klub go-go Tropicana, chociaż chodziły plotki, że commendante już lata całe nie może postawić swojego żołnierzyka na baczność. I jak szybko zaczeli wyłapywać ludzi i ich zamykać, tak jak LPN w tym całym stanie wyjątkowym. Doktor Love opowiadał jeszcze, jak był w areszcie z innymi, co ich posadzili bez powodu, tylko dlatego, że to lekarz albo prawnik, albo urzędnik, co znaczyło, że przeciw komunizmowi. Że zamykali nawet kobiety i dzieci. Jednego dnia jego przyjaciel uciek na mur, bo myślał, że tam będzie ze trzy metry do skoku, ale było piętnaście metrów, ale i tak skoczył, bo myślał, że ominie ziemie i wpadnie do morza. Brada nie wpad do morza. Prosze bardzo, ludzie, i to właśnie Michael Manley chce zrobić na Jamajce, a MFW chce mu dać na to pieniądze. MFW to Manley Fatalny Wybór, mówi Peter Nasser.

Jak styczeń nastał, wzieliśmy sie do roboty. Zjawił sie Amerykanin z walizką pełną rzeczy i Kubańczyk nas uczył, jak ich używać. Szkoda, że nie mieliśmy tego w Zatoce Świń, *muchachos*, mówi bez ustanku. Jak go poznałem, on i Josey już sie znali, ale nigdy nie było czasu, żebym to skomentował. Ta broń to nie taka jak z roku sześćdziesiątego szóstego czy siedemdziesiątego drugiego. Trzeba oprzeć porządnie o ramie, załadować i strzelić. Nasza najlepsza spluwa może zabić jednego człowieka, jak kula trafi w serce. Ta bazooka może rozpirzyć mur. Biore M1 do ręki i już nie odkładam. Josey trzyma sie swojej starej broni, ale nie mówi Amerykanowi, że to AK-47, chociaż jestem pewny, że Kubańczyk potrafi poznać. Zabraliśmy Kubańczyka na Wysypiska hen na zachodzie, żeby uczył chłopaków. Piątego stycznia poprowadziłem misje do Jonestown, a Josey ruszył na Trench Town, gdzie kiedyś mieszkał Śpiewak. Ci z Trench Town myślą, że przez to są nietykalni, ale nie są.

Wiedzcie jedno, mili moi i zacni ludzie. Rok wyborów zaczyna sie, gdy tylko zabrzmi pierwszy wystrzał. Geto zawsze ma sie na baczności, ale Jonestown śpi, jakby nie wiedzieli, że jest siedemdziesiąty szósty i wszyscy muszą spać z jednym okiem otwartym. Aż mie świerzbi, żeby ich wystrzelać za taką beztroske. Walimy w pięć samochodów, a to lepiej, bo w Jonestown nie mają dobrego auta, żeby za nami jechać. Nie ma co myślć, po prostu wpadamy, zasypujemy ich ołowiem i wypadamy. A na tyle naszej furgonetki jest człowiek z bazooką. Strzela w bar, ale furgonetka wjeżdża na wybój i tamtemu ręka drga i mały dom pokryty blahą wybucha. Droga cała sie trzensie. Wołam, żeby temu na furgonetce kazali przestać strzelać, ale tylko długo przeładowuje. Jonestown kontratakuje, pukają z tych swoich sześciostrzałowców i czegoś, co brzmi jak AK. Ale przecież my mamy nową broń, broń, co potrafi sama wziąć na cel i zabić, broń dla takich ludzi jak Tony Pavarotti, co sie nigdy nie śpieszy, celuje, strzela i nigdy ani jednej kuli nie zmarnuje. Ja kieruje autem, z M1 na kolanach. Wciskam hamulec i pluje ogniem w uciekającą ścianę mroku. Cała ta ściana mroku upada, ale inne kule tra-ta-ta od wschodu i trafiają jednego dwóch naszych, nie wiem. Wołam, żeby odjeżdżać, ale wpierw znowu bazooka sie odzywa. Dureń chybia, trafia w przystanek. Stal i cynk wybuhają, lata to wszędzie wbija sie we wszystko, jakby tornado w telewizji pokazywali. Odjazd.

Do Trench Town Josey Wales wybrał sie tylko z jednym człowiekiem i Doktorem Love. Krzyknąłem mu, że jest szalony, że jadą w kilku, ale teraz tak sie porobiło, że jak krzycze, to Josey Wales mie nic słyszy. Jadą w białym datsunie Joseya. I dzień później o jego robocie jest głośno w wiadomościach. Dwa podwórka w Trench Town wybuhają, razem siedem domów, bar i sklep palą sie na popiół od pożaru. Peter Nasser zadzwonił do mie i to przeczytał z „New York Timesa", a potem zaklął, bo nie śmiałem sie tak bardzo jak on. Jak sie rozłączył, to wiem, gdzie potem zatelefonował. Nie pamiętam, kiedy Josey Wales zainstalował sobie telefon.

Policja robi nalot szóstego stycznia na Wang Gang, bo mieszkają na Wang Sang Lands, w gecie, co należy do JPP, ale nie jest przez nas kontrolowane. Ci chłopcy mają swoje plany, wykresy, grafiki. I materiały wybuchowe. Dwaj z nich znają Kubańczyka z innego nazwiska, Doktor Love, a reszta nawet rozmawia o tym, jak dostali broń z Ameryki. Ja klne na tych wszystkich małych kogucików, co ich nikt już nie kontroluje, bo sie z nich zrobi większy problem niż z Shotta Sherrifem. Ciągle sobie wyobrażam Shotta Sherrifa w Ośmiu Ulicach, jak próbuje mieć jedno oko otwarte, tak samo jak ja.

Sześciu chłopaków siódmego stycznia wali na budowe na Marcus Garvey Drive i zabija dwóch policjantów. Wiem, bo usłyszałem, jak sie śmieją, wracając z akcji obok mojego domu. Mie krew zalała.

— Kto was piździelce wysłał, żebyście strzelali na budowie? — pytam, ale pierwszy sie mi śmieje prosto w twarz.

Jeszcze nie skończył sie śmiać, jak moja kula trafia go w prawe oko i wychodzi tyłem.

— Kto was piździelce wysłał? — pytam znowu i celuje w drugiego.

A potem stało sie coś takiego, co że jak nie miałem długopisu, żeby to potem zaznaczyć, to zaznaczyłem kamieniem na kolbie pistoletu. Reszta wyciąga broń na mie. Nie mogłem uwierzyć. Stoje i patrze, jak patrzą, i taka cisza sie zrobiła. I wtedy jednemu z nich krew z głowy trysła i pada jak długi. Reszta rzuca broń i zaczynają skamleć i płakać, jakby sobie przypomnieli, że jeszcze nie mają siedemnastu lat. Obracam sie i widze Tony'ego Pavarottiego, z karabinem, z okiem przy lunecie, a obok stoi Josey Wales. Obaj sie odwracają i odchodzą. Tego samego dnia Wang Gang atakują budowe na Marcus Garvey Drive i zabijają dwóch policjantów. Dzień później ci idioci z rządu robią nowe prawo: każdy, przy którym sie znajdzie broń, na całe życie pójdzie do więzienia.

Peter Nasser mówi nam, żebyśmy docisneli środowiska LPN-u, to dociskamy. Bardziej niż Shotta Sherrif może wytrzymać, bo nie ma już Bantona i Ściery do pomocy. I wtedy premierowi przychodzi do głowy, żeby ludzie wynajeli Gwardie Krajową do obrony swoich domów i ulic. Tacy jak Peter Nasser występują w telewizji i mówią, Jamajko, są tylko trzy słowa na takie środki działania: Ton Ton Macoutes. Dzwoni do mie i znowu mi czyta z gazety amerykańskiej, co sie nazywa „Wall Street Journal".

— „Jamajka nie będzie krajem komunistycznym. Jamajce po prostu palma odbiła", cha, cha, cha, nie śmiejesz się, dziadek? Śmieszne, człowieku, piździelsko śmieszne.

Potem dwudziestego czwartego stycznia — siedemnastu ludzi kaput od mąki.

Dziesiątego stycznia. Josey i Doktor Love, i Tony Pavarotti odjeżdżają. W Jonestown i Trench Town wybuha dużo bomb. W tym samym miesiącu Wang Gang wparowują do klubu tanecznego w Duhaney Park i zabijają pięciu. Ośmiu rannych.

Marzec. Dnia dokładnego to nie pamiętam. Policja widzi białego datsuna Joseya i jadą za nim aż do Kopenhagi. Rozkazują, żeby wysiadł z auta, bo chcą je zarekwirować. Ludzie z Kopenhagi dopadają ich jak sąd ostateczny, butelkami, kamieniami, kijami, czym sie da, i policjanci są o krok od śmierci, jak ta kurwa w Bibli. Pamiętam wtedy dwie rzeczy. Lider parti musiał przyjechać, żeby uratować policjantów. I że Josey jest teraz przywódcą ludu.

Mili moi i zacni dżentelmenowie, okłamałem was. Myślicie, że zaprzestałem przez ten smak krwi, jak zabiłem ucznia, ale to tylko część prawdy. To, że przestałem używać broni, wcale nie znaczy, że mi przeszkadzało, jak jej używa Josey Wales czy nawet Tony Pavarotti, co nigdy ani jednej kuli nie zmarnował. Ale ten przeklęty Kubańczyk, ten przeklęty Doktor Love z Kuby. To co innego.

Dziewiętnastego maja. O nie, tej daty nie zapomne. On i Josey Wales jadą do kamienicy przy Orange Lane i sie zakradają jak szczury. Tym razem biorą mie ze sobą. Może chcieli mi coś pokazać, a nie chodziło wcale o wybuh? Kubańczyk miał przy sobie tylko jakiś biały kit i drut. Ale na podwórku znalas butle z gazem i dokleił ten kit. Kit czy gume do żucia, a jak tylko pomyślałem o gumie, to zastanowiłem sie, co to na prawde za gówno i czemu Joseyowi Walesowi tak bardzo sie to podoba, że prawie podskakuje jak uczennica, że aż mówi Kubańczyk, że nas przez to demaskuje. Potem wetknął dwa druty w ten kit, dwa druty z kłępka, który rozwija aż do płotu.

Jak wybuha, to cała jedna ściana sie rozlatuje, a to, co zostało, walneło ogniem od tego gazu, co sie rozpryskał. Josey trzymał już broń w gotowości, żeby ustrzelić każdego, kto nabiegnie, nawet strażaków, jakby chcieli gasić. Uciekłem, jak usłyszałem ten huk. Ciekawe, czy potem niektórzy mie mają za tchórza.

Maj, czerwiec i lipiec, na miasto spadło mnóstwo udręki, brada moi i sista. Wojna w Babilonie dosięga Spanish Town. Policja odkrywa jedną tajemnice, co była tak tajna, że pierwszy raz wam o tym mówie. My w Kopenhadze mamy na własność własny szpital. Od lat. LPN o tym nie wiedzieli. Shotta Sherrif nie wiedział, myślał, że ludzie z Kopenhagi twardzi aż do śmierci, niezwyciężeni. A prawda jest taka, że nasz szpital lepszy od tego szpitala dla bogaczy w Mona. Nie wiem, kto zakablował, ale policja go znalazła w czerwcu. Nie wiedzieli, że rany postrzałowe umiemy leczyć lepiej niż jakikolwiek doktor na Jamajce. Jeszcze nie ustaliłem, kto wyjawił tajemnice, ale niech sie modli, żebym ja go znalazł przed Joseyem Walesem. Ja mu przynajmniej dam sześć godzin na ucieczke. Ale jednego nie wiedziałem, dopóki sie nie dowiedziałem z cholernej gazety.

W czerwcu pierwszy raz od długiego czasu policja przyszła do mie i wyciągneła nas wszystkich z betów. Moja idzie do drzwi, ale wyważyli kopniakami i uderzyli ją pałą w twarz. Już chciałem powiedzieć, że jak ktoś jeszcze raz tak zrobi, to jutro nie będzie żył, ale przez to tylko mieliby pretekst, żeby zabić, a ich świerzbi od lat do tego. Usłyszałem tylko, jak drzwi lecą z zawiasów i moja krzyczy. Wybiegam z łazienki i widze piętnaście karabinów maszynowych wycelowanych we mie. Aż nas cyngle świerzbią, żeby zabić bandyte, wiec daj nam chociaż cień powodu, pizdocipie, mówi jeden. To nie była policja, wojsko to było.

Żołnierze w brązowozielonych mundurach z mnóstwem kieszeni i błyszczących czarnych butach. Żołnierze nie zachowują sie tak, że my to przestępcy, a oni to prawo i porządek; żołnierze sie zachowują tak, że my to wróg i mamy wojne. Przeszukują wszystkie domy, podwórka i nawet dom kultury, a to dlatego, że w tym samym czasie, co znajdują nasz szpital w Kopenhadze, znajdują też dwie cele w Remie, co ich używano jak więzienie. Jeden pistolet z Remy, co ma sie mie meldować, porwał dwóch z Ośmiu Ulic, trzymał przez dziewięć godzin i bił. Dlatego powiedzieli policji, a policja najechała Reme i znaleźli cele. Potem robią nalot u nas i wyciągają nas z domu, niektórzy stoją w samych gaciach, niektórzy tylko ręcznikiem okryci. Mi nie przeszkadza, że w Remie jest cela, żeby sie policzyć z młodymi z LPN-u, którzy sie mają za wielkich bandytów. I nie zrozumcie mie źle, ja nie chce w tym tutej kraju żadnych izmów ani schizmów, co sie nazywają komunizm. Ja nie chce żadnych socjalizmów ani komunizmów, ani plemienizmów, jak wtedy, jak młodzi z LPN-u wchodzą i biorą nasz teren. Ale ja mam duży problem, że gówno wiedziałem o tych celach.

Policja wiezie nas do więzienia i zamyka na trzy dni, wystarczy, żeby w areszcie śmierdziało od gówna i męskiego smrodu. Jedno okno w celi, ja siedze obok, ale nic nie mówie. Ani do Joseya, ani do Beksy, ani do nikogo. Ja tylko patrze i czekam. A jak siedze w więzieniu, dwie bomby wybuchają w Elysium Gardens.

Doktor Love.

ALEX PIERCE

No więc moje źródło informacji donosi, że Śpiewak może być zamieszany w pewien szwindel na torach w Caymanas Park sprzed kilku miesięcy. Na Jamajce jest takie powiedzenie: jak coś pierdolnęło, to słychać, gdzie mniej więcej pierdolnęło. „Jak sie całkiem nie da, to nie całkiem da sie". Nawet przez sekundę nie myślałem, że Śpiewak rzeczywiście maczał palce w jakimś oszustwie, przecież to by było kurewskie wariactwo. Ale ktoś narobił gówna i go nim obsmarował. Mój kabel mówi też, że pewnego popołudnia kilka tygodni temu Śpiewak wrócił z Fort Clarence Beach, co wydaje się bezsensowne, bo nawet ja, biały i w dodatku przedstawiciel Babilonu, wiem, że codziennie rano wali do Buff Bay, punktualnie jak w zegarku. Niewielu potrafi powiedzieć, dlaczego wylądował w Fort Clarence Beach, a to tylko podsyca ciekawość. Pojechał z jakimiś facetami, którzy złożyli mu wizytę, a jego ludzie rozpoznali tylko jednego z nich. Wrócił do domu trzy godziny później, tak wściekły, że do końca dnia był czerwony na twarzy.

Aisha wyszła prawie cztery godziny temu. Ciągle jestem w hotelu, leżę na łóżku i patrzę na swój brzuch. Ta cała podróż to kurewska pomyłka. Nie mam pojęcia, co ja tu robię. To znaczy wiem, co tu robię. Jestem odpowiednikiem łowcy skandali z „National Enquirer", pracuję dla szmatławca, który zgarnął wywiad z Danielem Ellsbergiem. A właściwie jest nawet gorzej, ze mnie po prostu mały wyrobnik, który podpisuje tekstem zdjęcie, na przykład w co był ubrany w studio jakiś fiutek z jednym przebojem na koncie. Ta cała robota to zwykła lipa. Ale może powinienem przestać się gapić na swój brzuch i zamiast tego się skupić? Poza tym użalanie się nad sobą bardziej pasuje do roku siedemdziesiątego piątego. Coś się kroi, czuję to przez skórę. Może na niwie muzyki, nie wiem. Leżę w łóżku, pościel zalatuje perfumami Aishy, patrzę na słońce wpadające przez okno i nagle dzwoni telefon.

— Zajęty czymś… albo kimś?

— Świetne. Myślałeś nad tym przez cały ranek?

— Cha, cha. Ty też się pierdol, Pierce.

Mark Lansing. Będę musiał ustalić, skąd ta cipa wie, gdzie mnie znaleźć.

— Ładny dzień, prawda? Prawda, że ładny?

— Z mojego okna wygląda jak każdy inny do tej pory.

— Nie przesadzaj z egzystencjalnym majonezem. Ciągle w łóżku? Ta córa Koryntu musiała być ostra i gorąca. Człowieku, powinieneś popracować nad swoim spojrzeniem na życie.

Za chińskiego boga nie wiem, czy to wszystko dlatego, że nie zna tutaj innych Amerykanów, czy dlatego, że kieruje nim fałszywe wyobrażenie, że jesteśmy kumple.

— Co się dzieje, Lansing?

— Myślałem o tobie dziś rano.

— A czemu zawdzięczam ten akt wspaniałomyślności?

— Hm, wielu rzeczom. To znaczy, żeby była jasność, żałosna z ciebie kreatura, ale jestem twoim przyjacielem, więc muszę ci coś powiedzieć.

Mam ochotę odwarknąć, że to nieprawda, że nie zaprzyjaźniłbym się z nim nawet wtedy, gdyby był jedyną osobą, która może powstrzymać Diabła i jego dziesięć demonów o chujach jak słoniowe trąby przed wyruchaniem mnie bez gumki w zadek, ale akurat fiutek wpadł w ten swój jeden jedyny tryb, który wydaje mi się interesujący — kluczy, bo potrzebuje czegoś, ale jest zbyt wielkim arogantem, żeby to otwarcie przyznać.

— No więc wczoraj wieczorem siedzę w tym pokoju ze Śpiewakiem…

— W jakim pokoju? Co ty pierdolisz, Lansing?

— O wiele lepiej by mi się opowiadało, gdybyś mi, kurwa, nie przerywał, Pierce. Co jest, rodzice nie nauczyli cię dobrych manier?

— Wychowały mnie wilki. Wilki.

Korci mnie, żeby zboczyć teraz z tematu, odlecieć w jebany kosmos, bo wiem, że mocno go irytuje, gdy nie poświęcam jego słowom należytej uwagi.

— Właśnie mi się przypomniało, jak mama polowała, jak chwytała i zabijała zdobycz. A skoro o dobrym wychowaniu mowa, to miałem kiedyś dziewczynę...

— Kurwa, Pierce. W dupie mam twoją matkę. I twoją byłą dziewczynę też.

— Słusznie, bo była bardzo ładna, ale w ogóle nie w twoim typie.

Przysięgam, że umiałbym tak przez cały dzień. Szkoda, że rozmawiamy przez telefon, bo nie mogę zobaczyć jego poczerwieniałej gęby.

— Pierce, *hombre*, gadamy poważnie czy nie, kurwa żeż mać?

Hombre? To coś nowego. Powinienem zacząć tak mówić, żeby uznał, że wynalazł jakiś nowy slang czy coś, bo z tym „egzystencjalnym majonezem" daleko nie zajechał.

— Wspomniałeś, że dziś rano raczyłeś o mnie pomyśleć. Czy był jakiś konkretny powód?

— Co? Tak. No więc spotkałem się z facetem z „Newsweeka", z cizią z „Billboardu" i jeszcze jedną lasencją. Chyba bąknęła, że pisze dla „Melody Makera", ta. Wszyscy pytają Śpiewaka o tę imprę dla pokoju, chociaż właściwie to nadawał głównie jego menago. Czyli wiesz, konferencja prasowa w jego chacie.

Skurwiel łże jak pies. Gdyby dziś rano była taka konferencja, na pewno bym o tym wiedział. I dlaczego nagle mówi jakimś cockneyem?

— Ta, zorganizowane na pstryk, więc pewnie nie mieli czasu cię zawiadomić. Ale nie martw się, mój dobry człowieku. Był też jakiś facet z „Rolling Stone", przynajmniej tak się przedstawił. Dziwne. No bo wydawało mi się, że to ty dla nich piszesz.

— A mówił, jak się nazywa?

— Niech mnie chuj strzeli, jeśli pamiętam. Bo jak tylko usłyszałem, że jest z „Rolling Stone", od razu pomyślałem o moim dobrym kumplu Alexie Pierce.

— To miło z twojej strony.

Próbuję wykombinować jakiś uprzejmy sposób zakończenia rozmowy z tym obsrańcem, żeby zadzwonić do mojego pierdolonego szefa i wybadać, czy to wszystko prawda. Założyłbym się jednak, że to gówniana zagrywka tego gnoja. Facet bez przyjaciół nic potrafi się połapać, kiedy jego żarty idą za daleko albo są po prostu kurewsko nieśmieszne. Ale jeśli ma rację, byłoby to kolejne ostre obniżenie poprzeczki w tym pierdolonym czasopiśmie, klnę się na Boga. Kurwa żeż jego mać. Więc porządne dziennikarstwo powierzają... komu? A kto to wie, kurwa? Robertowi Palmerowi? DeCurtisowi? A mnie wysyłają, żebym pisał o jebanej Biance Jagger piłującej paznokcie, gdy jej mężulek nagrywa gówniane reggae. No naprawdę, jeśli tylko tego ode mnie oczekują, to czemu nie wysłać jakiegoś pierdolonego fotografa, który zresztą tu przyjechał i którego jeszcze nie poznałem? Jebać to. Poważnie mówię, jebać to.

— No więc tak sobie myślałem, że to musi być problem dla mojego kumpla Alexa. Że jakoś nie może przełamać złej passy.

— Czego chcesz, Lansing?

— Po pierwsze, żebyś nie mówił do mnie po nazwisku. Mam na imię Mark.

— Czego chcesz, Lansing?

— Myślałem raczej o tym, czego ty chcesz, Pierce.

Pół godziny później siedzę pod parasolem nad basenem w hotelu Jamaica Pegasus. Biali mężczyźni w kąpielówkach są grubsi, a ich żony bardziej opalone, jedno i drugie oznacza zaś zasobniejszy portfel, zwłaszcza że wiele kobiet jakby odmłodniało. Nie wiem, co to za ludzie, bo Kingston to nie jest jakaś szczególna mekka dla turystów i każdy jest tu w interesach. Lansing był tak bardzo przekonany, że ma coś, na czym mi zależy, że ja też jakby dałem się przekonać. Dlatego teraz tu siedzę, wahając się między

„co ty, kurwa, wyprawiasz, Alex?" a „może on jednak rzeczywiście coś ma?". Tak czy owak, jestem zaintrygowany.

Czekam więc przy hotelowym basenie, obserwując mężczyznę, który nie zwraca uwagi na swoich dwóch otyłych synalków, skaczących na brzuch do wody. Starszy właśnie jebnął z takim hukiem, że aż poszło kurewskie echo. Patrzę, jak się przedziera do brzegu, gęba wykrzywiona, bo chce mu się płakać. Sapie przez nos, rozgląda się i mnie dostrzega. Rozbeczeć się na oczach obcego faceta byłoby straszne, ale to i tak małe miki w porównaniu z tym, gdyby tłusty gówniarz rozkleił się w obecności brata. Chce mi się śmiać z tego małego skurwiela, uznaję jednak, że trzeba mu odpuścić. Poza tym czekam na tego fiuta Lansinga i rozmyślam o tym, co się wydarzyło pół godziny temu. Jedenasta rano, trzeciego grudnia tysiąc dziewięćset siedemdziesiątego szóstego roku. Bo dokładnie pół godziny temu wylali mnie z „Rolling Stone". A przynajmniej tak mi się wydaje. A było tak: zadzwonił telefon.

— Halo.

— Co ty tam robisz, Pierce, do kurwy nędzy?

— Cześć, szefie. Co słychać? Jak dzieci?

— Za bardzo się spoufalasz.

— Przepraszam. Co jest?

— W dodatku myślisz chyba, że lubię marnować pieniądze na telefony. Gdzie artykuł, kurwa mać?

— Pisze się.

— Dwieście słów o tym, że pierdolony Mick Jagger poleciał na Jamajkę z Biancą czy bez Bianki. Ty ciągle się nad tym pocisz? Z czym masz problem?

— Zastanawiam się, z jakiej perspektywy to ująć.

— Z jakiej perspektywy to ująć? Dobrze słyszę? Zastanawiasz się, z jakiej perspektywy to ująć. Aha. Nie wysłałem cię tam po to, żebyś odstawiał jakieś szopki, Pierce. Wysłałem cię, żebyś skleił do kupy to gówno i żeby wyszedł z tego artykuł ze zdjęciem, który już od kilku dni powinien leżeć na moim biurku.

— Szefie, posłuchaj pan człowieka. No więc, hm, trafiłem na coś dużego. Duża sprawa, będzie dym. Nie świruję.

— Przestań mi jechać Harlemem, jesteś z Minnesoty.

— Ubodło mnie to, ale trudno. To naprawdę coś dużego. Tuff Gong ma…

— Czytasz pismo, dla którego pracujesz? W marcu puściliśmy o nim tekst. Sugerowałbym, żebyś przeczytał.

— Z całym szacunkiem, szefie, ale ten tekst to gówno. To znaczy, no bo naprawdę, tym tekstem facet połechtał swoje kurewskie ego. O Śpiewaku to tam nic nie ma ani o tym, co się tutaj naprawdę dzieje. Za pół godziny spotykam się z synem jednego ważniaka z CIA. Tak, nie przesłyszał się pan, z CIA. Tutaj za chwilę pierdolnie w wentylator jakieś zimnowojenne gówno i…

— Słyszysz, co ja do ciebie mówię? Czekaj, chwila, bo mi tu ktoś włazi. Żeby to nie było helveticą, wszystko, tylko nie helvetica, i na miłość boską, Carly Simon wygląda na tym zdjęciu jak Stephen Tyler przed ciągnięciem druta. Alex?

— Słucham, szefie.

— Mówię, że pisaliśmy już o nim i o Jamajce. Jeśli chcesz dalej babrać się w tym gównie i nie zamierzasz zrobić tego, po co cię tam posłałem, to może powinieneś zacząć szukać nowej pracy.

— Aha, więc tak pan stawia sprawę. Może i poszukam.

— Nie igraj ze mną, Pierce. Jackson mówi, że nawet nie raczyłeś się z nim skontaktować.

— Jackson?

— Fotograf, dupku jeden.

— Przysłał pan tu jeszcze kogoś?

— O czym ty mówisz?

— Słyszał pan. Tutaj jest ktoś jeszcze z „Rolling Stone".

— Nic o tym nie wiem.

— Poważnie? Nie przysłał pan żadnego „porządnego" dziennikarza, skoro zwietrzył pan temat?

— Jamajka to nie żaden temat. Jeśli ktoś chce na własną rękę pisać artykuły, a ja go nie mam na liście płac, to jego sprawa. A ty jesteś na liście płac, więc…

— Czyli nie jest tak, że uznał pan, że sprawa przerasta Pierce'a, bo jest zielony, więc wyślemy jakiegoś zawodowca?

— Zielony to akurat nie jest kolor, który mi się z tobą kojarzy.

— Poważnie? A jaki?

— Albo w ciągu dwóch dni na moim biurku wyląduje artykuł ze zdjęciem Jaggera obmacującym cycki jakiejś dziwce, albo wylatujesz z roboty.

— Wie pan co? Ta rozmowa oznacza, że chyba sam się zwolnię.

— Nie, bo ciągle płacę za twoje pierdolone podróże, Pierce. Ale nie martw się, jak tylko zwieziesz swoje wsiowe dupsko do Nowego Jorku, z przyjemnością cię wykopię.

Po tym się rozłączył. W zasadzie straciłem robotę albo zaraz ją stracę. Ciągle nie wiem, co o tym myśleć. Jagger zabrał ze sobą żonę? Czy tę blondynkę, którą bzyka? I jak to pogodzi z polowaniami na czarne cipki? Dziwne to wszystko, a na dodatek właśnie nadchodzi Mark Lansing. Wygląda dokładnie tak jak ten biały facet na okładce rozmówek jamajskich. Oliwkowe dockersy podwinięte do łydki, czarne trampki i czerwono-zielono-złoty podkoszulek odsłaniający pępek. W tylnej kieszeni ma chyba szmatkę, bo coś tam mu powiewa na wietrze. Jezu Chryste, i rasta czapka na łbie, spod której wystają jasne kosmyki. Wygląda, jakby właśnie wstąpił do stowarzyszenia Pedzie Przeciw Babilonowi czy coś. Naprawdę chciałbym bardziej się przejąć, że straciłem robotę.

— Ziemia do Alexa Pierce'a.

Jakimś cudem już osunął się na leżak obok, ściągnął spodnie, prezentując fioletowe kąpielówki, i zamówił mai tai, a ja niczego nie zauważyłem.

— I paczkę szlugów. Marlboro, mistrzu, żadnego tego gówna w rodzaju Craven „A".

— Jasne, już się robi, panie Brando.

Kelner podyrdał. Staram się nie myśleć o tym, że facet potwierdza moje podejrzenia, że każdy Jamajczyk robiący w turystyce ssie druta.

— Cześć, Alex, mój chłopcze.

— Cześć, Lansing.

— Musiałeś w nocy zaliczyć niezłą szparkę, skoro ciągle o niej marzysz. Trzy razy cię wołałem.

— Rozkojarzyłem się.

— Widzę.

Wrócił kelner z papierosami.

— Ej, mistrzu, prosiłem o marlboro, tak? Co to za gówno? Benson and Hedges? Czy ja wyglądam na pedzia z Wielkiej Brytanii?

— Nie, proszę szanownego pana, najszczersze przeprosiny, nie ma marlboro, bardzo, bardzo przepraszam.

— Kurwa, nie zapłacę za to gówno.

— Dobrze, oczywiście, panie Brando.

— No to się rozumiemy. I weź mi dopraw tego drinka, skoro już tu jesteś. Bo smakuje jak popłuczyny po tai mai.

— Oczywiście, już się robi. Bardzo przepraszam.

Kelner zgarnął szklankę i zniknął w podskokach. Lansing odwrócił się do mnie i uśmiechnął triumfalnie, że niby wreszcie jesteśmy sami.

— Nawijaj, Lansing.

— Dla przyjaciół Mark.

— Mark. Coś ty, kurwa, wymyślił z tym Brando?

— Z czym?

— Z Brando. Trzy razy powiedział tak do ciebie.

— Nie zwróciłem uwagi.

— Nie zwróciłeś uwagi na to, że ktoś trzy razy niewłaściwie cię nazwał?

— Kurwa, przecież i tak nie można zrozumieć połowy z tego, co mówią.

— No tak, racja.

Używanie przez niego fałszywego nazwiska powinno tylko podkręcić moją teorię spiskową — zwłaszcza że jest tym, kim jest. Mark Lansing. Który teraz każe do siebie mówić James Bond.

— No to co z tą konferencją prasową?

— To bardziej była krótka prasówka niż konferencja. Myślałem, że się tam spotkamy.

— Chyba jestem za mało ważny.

— Nie martw się, jeszcze zważniejesz.

Pierdol się, dupku w fioletowych slipach.

— No to co to za facet z „Rolling Stone", który tam był?

— Pojęcia nie mam. Ale zadawał mnóstwo pytań o gangi i tak dalej. Jakby ludzie chcieli o tym słuchać z ust Śpiewaka.

— O gangi?

— Gangi. Dopytywał o jakąś strzelaninę w Kingston czy inne gówno. Poważnie mówię. A potem go spytał, czy jest blisko związany z premierem.

— Naprawdę?

— Ehe. A ja przez cały czas się zastanawiałem, gdzie się podziewa mój kumpel Alex.

— Miło.

— Taki już jestem. Mógłbym cię wprowadzić. Spędzam z nim każdy dzień w tym tygodniu. Jestem tak wysoko, że fruwam z orłami. Poznałem go miesiąc temu, kiedy szef wytwórni mnie wynajął, żebym zmontował ekipę i nakręcił ten koncert. Przywiozłem mu nawet parę kowbojek. Błyszczące, w mocno czerwonym kolorze, od Frye'a. Bo wiesz, Jamajczycy uwielbiają westerny. Te pierdolone buty podobno kosztowały fortunę.

— Więc to nie ty je kupiłeś?

— Skąd, kurwa.

— A kto?

— Chodziło o to, żebyśmy mieli wyłączność na sfilmowanie koncertu.

— Wynajęli cię, żebyś sfilmował koncert? Nie wiedziałem, że z ciebie filmowiec.

— Jeszcze wielu rzeczy o mnie nie wiesz.

— Najwyraźniej.

— Chcesz mai tai? Gówniane, ale przynajmniej za friko.

— Nie, dzięki. No więc co to za przysługa, którą pragniesz mi wyświadczyć? I czego tak naprawdę chcesz?

— Zawsze jesteś taki obcesowy? Ej, kurwa, gdzie ten mój drink? Posłuchaj, kolego, ja tylko chcę ci pomóc. Oto, w czym rzecz. Chciałbyś się spiknąć ze Śpiewakiem, zgadza się? Chcesz, żebym cię wkręcił i żebyś wylądował z nim sam na sam?

— No wiadomo, jasne.

— Mogę cię wciągnąć do mojej ekipy. Będziesz dziennikarzem czy kimś.

— Jestem dziennikarzem.

— No widzisz? Więc sobie poradzisz. Bracie, mam dojście do Śpiewaka jak nikt inny. Nikt takiego nie miał i nie będzie miał, a już na pewno żadna ekipa filmowa. Wynajął mnie sam szef wytwórni i mamy zarejestrować wszystko. Cholera, moglibyśmy go nawet sfilmować, jak robi kupę albo rżnie tę libańską księżniczkę, którą podobno uczy seksu Mandingo. Część twojego wywiadu zostanie wykorzystana w filmie, a z resztą możesz sobie zrobić, co chcesz.

— Rany, super, Mark. Ale dlaczego?

— Masz duży bagaż, Pierce?

— Nie, bo wtedy trudniej się ucieka.

— Świetnie, bo widzisz, ja mam trochę dodatkowych maneli, które ktoś musi zabrać z powrotem do Nowego Jorku.

— A nie możesz po prostu zapłacić za nadbagaż?

— Nie, ta torba musi tam dotrzeć przede mną.

— Co?

— Posłuchaj. Wciągnę cię do ekipy. A jak będziesz leciał do Nowego Jorku, weźmiesz jedną z moich toreb. Proste.

— Tyle że nic nigdy nie jest proste. Co będzie w tej torbie?

— Sprzęt filmowy.

— Dajesz mi Śpiewaka, a ja w zamian będę twoim bagażowym?

— Ehe.

— Pozory mylą, Lansing. Przysięgam ci, że ja tylko wyglądam na idiotę. Ale nim nie jestem. Kokaina czy heroina?

— Nic z tych rzeczy.

— Zioło? Chcesz ze mnie zrobić wała.

— Co? Nie, no skąd, kurwa. Alex, na JFK ktoś od razu odbierze od ciebie tę torbę.

— Coś ty za jeden? Szpieg, co wyszedł ze śmiertelnego zimna?

— Rasta nie robią dla CIA.

— Cha, cha.

— Naoglądałeś się za dużo filmów o Jamesie Bondzie. W torbie będzie materiał filmowy.

— Z czym?

— Jak to z czym, kurwa? Z nagraniem koncertu. Kolego, to pilna sprawa. Szef chce to puścić dzień po koncercie. Jak tylko skończymy nagrywać, wysyłamy.

— Rozumiem.

— Mam nadzieję. Nie ufam obcym. Jeszcze tego brakowało, żeby te skurwiele na cle prześwietliły klisze, bo są takimi idiotami, że gotowi to zrobić. Jakiś biały musi im wytłumaczyć bardzo starannie, co i jak. Chcesz dziś przyjść na Hope Road numer pięćdziesiąt sześć?

— Co? No jasne, kurwa.

— Mogę cię zgarnąć po drodze albo możemy się spotkać przed bramą.

— Zgarnij mnie. O której?

— O siódmej.

— Super. Dzięki, Mark. Poważnie.

— *No problemo*. Kiedy miałeś wyjechać?

— Pod koniec tygodnia, chociaż planowałem zostać trochę dłużej.

— No to nie planuj. Wyjedź.

— Hę? Że co?

— Wyjedź.

NINA BURGESS

Wpół do czwartej. Spojrzałam na timexa. Właśnie kiedy chciałam wyskoczyć na Hope Road, dzwoni matka i każe mi natychmiast przyjść. Tak właśnie powiedziała, przyjdź natychmiast. Z jakiegoś powodu pomyślałam o Dannym. Siedzi gdzieś teraz w Stanach, pewnie z żoną, a przynajmniej dziewczyną, która wie, skąd on wraca, i która nie zawahała się ani sekundy, gdy po raz pierwszy zaproponował seks oralny. Pewnie już się ożenił. Nie wiem, co to znaczy, gdy mężczyzna ucieka. Pewnego razu sprzątałam dom rodziców, bo akurat wybrali się w podróż, postanowiłam więc zrobić im niespodziankę. Układałam sprzęt wędkarski ojca w pakamerze, gdy nagle spadło pudełko ze spławikami. W środku był list, czerwony atrament na żółtym papierze kancelaryjnym. „Musiało minąć trzydzieści lat, żebym się zdecydował napisać", tak brzmiało pierwsze zdanie. Pomyślałam, że to do kobiety, która uciekła. A potem zaczęłam się zastanawiać, czy każdego prześladuje w życiu ktoś, kto uciekł.

W wiadomościach o dwunastej podali, że Centrum Kryzysowe dla Kobiet grozi zorganizowaniem kolejnego marszu dla pokoju, w czerni i z trumną. Tutejsze kobiety z wyższej klasy średniej uwielbiają odstawiać melodramat, ale tak naprawdę śmiertelnie się nudzą, bo gówno mają do roboty. Nie wiem, dlaczego o tym myślę, poza tym jest grubo za wcześnie, żeby próbować znaleźć jakąś kosmiczną przyczynę w stylu Carlosa Castanedy i połączyć to wszystko w całość. Ciągle dygotałam po awanturze z Kimmy. Nie wzięłam prysznica, choć w ogóle nie pamiętałam, czy się myłam w nocy po powrocie do domu. Przepraszam, nad ranem.

Do rodziców pojechałam taksówką, rozmyślając o tym, co usłyszałam w ambasadzie, gdy miesiąc temu odrzucili mój wniosek o wizę. Że nie mam dostatecznych koneksji, konto bankowe puste, żadnych osób na utrzymaniu, żadnego popłatnego zatrudnienia — owszem, użyli słowa „popłatne" — a więc niczego, co zagwarantowałoby amerykańskim władzom, że nie zniknę bez śladu, gdy już wyląduję w starych dobrych Stanach Zjednoczonych. Kiedy wyłaziłam z ambasady, podszedł do mnie grubas w żółtej koszuli i brązowym krawacie, jakby dobrze znał minę, którą zobaczył na mojej twarzy. Zanim zdążyłam sobie wyobrazić rzesze przybitych kobiet wychodzących z ambasady właśnie z taką miną, spytał, czy chciałabym dostać wizę. Na ogół nie daję się nabrać na takie gówniane gadki, ale otworzył paszport i wtedy zobaczyłam nie tylko wizę, ale też stemple z lotniska w Miami i Fort Lauderdale. No i że on zna kogoś, kto zna kogoś, kto zna jednego Amerykanina z ambasady, który załatwi mi wizę za pięć tysięcy dolarów. To półroczna pensja. Pieniądze musiałabym przekazać dopiero przy odbiorze wizy, na razie wystarczy tylko zdjęcie paszportowe — które miałam przecież w torebce. Przypomniały mi się doniesienia sprzed miesiąca o zastrzeleniu dziesięciu osób. Nie wiem, dlaczego uwierzyłam temu człowiekowi.

U rodziców zjawiłam się dopiero koło pierwszej. Drzwi otworzyła Kimmy. Ubrana w sukienkę. Tyle że to nie była jedna z tych dżinsowych rasta kiecek ani długa spódnica zakurzona u dołu. Nie, to była porządna fioletowa sukienka godna porządnej dziewczyny, bez rękawków, „kondom", tak się takie nazywają, jakby właśnie miała udzielić wywiadu przed startem w konkursie piękności. Do tego boso. Zachowywała się jak mała siostrzyczka. Słowem się do mnie nie odezwała, a ja też postanowiłam milczeć, chociaż musiałam się ugryźć w język, żeby nie spytać, czy Ras Trent też wbił na chat`eh? Otworzyła drzwi, patrząc w bok, jakby tylko chciała przewietrzyć dom. W dupę możesz mnie pocałować, tak sobie pomyślałam. Coraz łatwiej mi tak myśleć. Miałam nadzieję, że matka chciała tylko, żebym pojechała z receptą do tej apteki, gdzie zawsze dają jej kilka pigułek więcej, czy coś w tym stylu, bo o takie rzeczy nigdy nie prosi Kimmy.

Gdy przychodzę, matka najczęściej albo robi na szydełku, albo gotuje. Ale dziś siedzi w fotelu obitym czerwonym aksamitem — to miejsce ojca, gdy w telewizji puszczają *Armię tatuśka*. Patrzy w drugą stronę, chociaż już dwa razy powiedziałam „dzień dobry".

— Mamo, kazałaś mi przyjechać. Co się stało?

Ciągle patrzy w bok i zasłania sobie usta wierzchem dłoni. Kim chodzi tam i z powrotem pod oknem, też unikając mojego wzroku. Jestem zdziwiona, że nie naskoczyła na mnie, mówiąc, że przecież i tak mama nie odciągnęła mnie od żadnych ważnych zajęć. Na stoliku nowa serwetka, mama pewnie szydełkowała całą noc. Różowa nić, a przecież nienawidzi różowego koloru. Poza tym zwykle robi jakieś kształty podobne do zwierząt, a to nie przypomina żadnego stworzenia, które znam. Najczęściej szydełkuje, gdy jest zdenerwowana, zaczynam się więc zastanawiać, czy znowu coś się stało. Może widziała jednego z tych mężczyzn, którzy ich napadli, może wśród nich był ogrodnik sąsiadów i teraz rodzice czują się obserwowani przez cały czas? A może tamci wrócili, ukradli coś i zakazali zawiadamiać policji? Nie wiem, ale jej podenerwowanie sprawia, że sama jestem podminowana, a Kimmy krąży dokoła, jakby nic nie mogła na to poradzić, a to jeszcze podgrzewa atmosferę. Rozglądam się, żeby zobaczyć, czy rzeczy są na swoim miejscu. Nie żebym potrafiła się zorientować. Kimmy chodzi i chodzi.

— Kimmy, przestań łazić w kółko jak jakaś małpa w zoo.

— Dobrze, mamusiu.

Mam ochotę ją przedrzeźniać jak złośliwa sześciolatka. Mamusiu, takiego wała. Ale Kimmy potrafi się tak cofnąć o dziesięć lat, żeby rodzice ją niańczyli. Można by pomyśleć, że jest chłopcem, nie dziewczyną.

— Moja własna córka. O mój Boże. O mój Boże.

— O co chodzi?

— Porozmawiaj z ojcem.

— O czym?

— Powiedziałam, że masz porozmawiać z ojcem.

— Ale o czym mam porozmawiać? — pytam matkę, ale zerkam na Kimmy, która teraz ostentacyjnie patrzy w drugą stronę.

— To już kulis byłby lepszy niż… Mój Boże… Takie to paskudne, że aż normalnie czuć od ciebie.

— Mamo, o czym ty mówisz?

— Jak śmiesz podnosić na mnie głos! Jak śmiesz podnosić głos w tym domu?! Tyle lat cię kąpałam, ale nie udało mi się wymyć z ciebie natury wywłoki. Może trzeba było cię częściej bić. Może trzeba było to z ciebie pasem wypędzić.

Wstaję.

— Nadal nie wiem, o co ci chodzi — odpowiadam.

Ciągle nie raczy nawet zerknąć w moją stronę. Kimmy wreszcie się odwraca i próbuje popatrzeć na mnie martwym wzrokiem, ale nie wytrzymuje mojego spojrzenia.

— A więc jesteś kurwą, jesteś teraz jego kurwą?

— Nie jestem żadną kurwą. O co…

— Nie przeklinaj w moim domu! Wiem wszystko. Wiem, że się kurwiłaś z tym muzykiem w jego domu. Ile ci płaci? Przez te wszystkie miesiące nie masz żadnej porządnej pracy, ja zachodzę w głowę, jak sobie radzisz bez dobrze płatnej posady, jakim cudem, się zastanawiam, nas o pieniądze nie prosi, przyjaciół nie ma…

— Mam mnóstwo przyjaciół…

— Nie przerywaj mi w moim własnym domu. Kupiłam ten dom za pieniądze swoje i pana Burgessa.

— Oczywiście, mamo.

— Zapłaciliśmy gotówką, nie wzięliśmy żadnego sakramenckiego kredytu, więc niech ci się nie wydaje, że możesz mi odszczekiwać pod moim dachem.

Ręce mi drżą, jakbym je przez trzy godziny trzymała w zamrażarce. Kimmy rusza do drzwi.

— Kim-Marie Burgess, masz zostać na miejscu. Powiedz swojej siostrze, jaka to sensacja, że się upodliła, zadając się z tym rasta.

— Upodliła? Chłopak Kimmy jest przecież rastafarianinem.

— Porównujesz jego z tym, któremu wystawiasz krocze? Ten przynajmniej jest z dobrej rodziny. I po prostu przechodzi taki etap. Etap.

— Etap? Tak jak Kimmy, tak?

— Klnę się na Boga, że za każdym razem, jak myślę o tobie i tym śpiewaku razem w jakimś parszywym łóżku, jak palisz z nim zielsko i zachodzisz w ciążę, to na wymioty mi się zbiera. Słyszysz? Na wymioty. Co za paskudna dziewucha z ciebie. Pewnie mi wszy naniosłaś do domu.

— Mamo.

— Tyle lat wychowywania i co? Na co to wszystko? Po to, żebyś była jedną z jego kochanic? Tyle wyniosłaś ze szkoły?

Teraz mówi jak ojciec. Zastanawiam się, gdzie on jest. Kimmy. To jej robota. Matka jest tak rozdygotana, że gdy wstaje, opada z powrotem na fotel. Kimmy rzuca się, aby ją podtrzymać, usłużnie jak wzorowa córeczka. Powiedziała im. Poza tym zna mnie na wylot. Wie, że ja im o niej nie powiem, bo dwie wyrodne córki w rodzinie wykończyłyby matkę. Liczy, że okażę się dobrą córką, wezmę wszystko na siebie, i ma rację. Ta suka właściwie nawet mi imponuje.

— Nie mogę przestać o tym myśleć, o tym smrodzie gandzi i skwaśniałych pach w moim domu. Czuję to od ciebie. Odrażające, odrażające.

— Ach tak? A od drugiej córki niczego takiego nie czujesz?

— Biednej Kimmy w to nie wciągaj!

— Biednej? A więc biedna Kimmy może sypiać z rasta?

— Tylko mi tu nie pyskuj! Jak śmiesz?! To dom bogobojnych ludzi!

— Bóg bardzo dobrze wie, że w tym domu mieszkają sami hipokryci. Kimmy może się zadawać z rasta…

— On nie jest rasta!

— To idź, mamo, i mu to powiedz. Albo lepiej powiedz to swojej drugiej córce i zobacz, co ona na to.

— Od małego ciągle czepiałaś się siostry. Skąd w tobie ta cała nienawiść i zazdrość? Zawsze traktowaliśmy was na równi. Ale ty masz taką podłość w sobie. Trzeba było cię bić, pasem wypędzić to z ciebie.

— Tak? A miło ci było, jak bandyci biciem wyciągnęli od was biżuterię i oszczędności?

— Nie mów tak do mamy — wtrąca się Kimmy.

— Zamknij swoją pierdoloną jadaczkę. Dobra jesteś, nie ma co.

— Nie mów tak do siostry.

— Zawsze bierzesz jej stronę.

— Bo chcę mieć przynajmniej jedną córkę, która nie jest szmatą. To już kulis byłby lepszy.

— Ta twoja cudowna córeczka też rżnie się z rasta!

— Morris! Morris, zejdź tutaj, porozmawiaj z nią! Wyrzuć ją z mojego domu! Morris, Morris!

— Tak, tak, zawołaj ojca, to mu powiem prawdę o tej jego drugiej cudownej córeczce.

— Zamknij się, Nino. Już wystarczająco skrzywdziłaś swoją rodzinę.

— Ja próbuję tę rodzinę uratować.

— Nie przypominam sobie, żeby ktoś prosił kogoś o jakieś ratowanie. Nie chcę doczekać dnia, kiedy wyląduję w jakimś sakramenckim pokoju na jakimś rasta osiedlu, gdzie mają wspólne żony, a małe dzieci palą gandzię. Morris!

Mam ochotę złapać coś i rzucić tym w Kimmy, która właściwie nie spojrzała jeszcze na mnie ani razu. Pewnie już nosisz w sobie jego dziecko, mówi matka. Brzmi płaczliwie, ale po policzkach nie płyną żadne łzy. Kimmy masuje jej plecy. Ona dziękuje jej za to, że pomaga swojej biednej mamusi przejść przez to wszystko. Skończyłam. Nie mam nic więcej do powiedzenia. Pozostało tylko czekać, aż matka coś powie. Korci mnie, żeby doskoczyć do Kimmy i złapać ją za kark, ale tylko patrzę, jak masuje matkę. Żal mi ich obu. I wtedy Kimmy mówi:

— Mamo, powiedz jej o tym, jak sterczała przed jego bramą.

— Co? O mój Boże, no tak, a teraz czeka pod jego domem jak jakaś ulicznica. Teraz to już nawet on wie, jaki z niej śmieć. Boże, że też moja rodzina musi coś takiego przeżywać.

— Pierdolona dziwko — rzucam do Kimmy. Patrzy na mnie martwym wzrokiem.

— Mówiłam, że nie życzę sobie takiego języka w moim domu. Skoro nie potrafisz się zachowywać jak przyzwoita dziewczyna, to przynajmniej postaraj się nie mówić jak szmata, gdy jesteś pod moim dachem.

A co z tą szmatą, która ci teraz ugniata plecy?, mam ochotę zapytać. Nieważne, kurwa, co powie albo zrobi Kimmy, oni zawsze mają dla niej wytłumaczenie lub wymówkę, jakby zbierali takie usprawiedliwienia od dnia, kiedy przyszła na świat, wystarczy więc wyciągnąć coś z katalogu. Chcę to powiedzieć, ale milczę. Kimmy wie, że jestem dobrą córką, i taką pozostanę nawet wtedy, gdy obróci się to przeciwko mnie. Właściwie prawie czuję podziw, bo zwyczajnie jej nie doceniłam. Jestem pod wrażeniem, jak daleko zaszła i jak daleko jeszcze może zajść. Powstrzymuję się od stwierdzenia, że przynajmniej żaden mężczyzna nie będzie mnie bił, mówiąc, że to dla dobra sprawy i wyzwolenia. Milczę. Serce mi wali jak zwariowane i myślę tylko o tym, żeby złapać za nóż, i to tępy, za tępy nóż stołowy, i podejść do niej, nie po to, żeby ją dźgnąć czy chlasnąć, tylko żeby zobaczyła, jak podchodzę, a ona nic nie może na to poradzić. I stoję tak w tym pierdolonym domu z ludźmi, z którymi spędziłam cały poprzedni dzień, stoję jak pieprzona idiotka, za karę, za to, że zrobiłam coś, czego nawet już nie chcę robić. Założę się, że Kimmy jest wniebowzięta. Nieźle obsmarowała świętoszkowatą Ninę. Nieźle jej podstawiła nogę.

— Nie swędzą cię wszy tam na dole? Nie gryzą? Jak ty w ogóle możesz tu stać? Dobry Boże, co mnie się za córka trafiła? Na wymioty mi się zbiera. Na wymioty.

— Nie martw się, mamo. Ona nie ma wszy.

— Skąd wiesz? Te rastafariany to paskudy. Nie obchodzi mnie, ile mu się wydaje, że ma pieniędzy. Są wstrętne i głupie. Staną z dziesięć metrów dalej, a i tak będzie ich czuć.

— Nie, nie swędzi mnie — odpowiadam. — Pachniał ładniej niż talk dla dzieci — dodaję i przy ostatniej sylabie już żałuję, że nie ugryzłam się w język. Mam ochotę dopaść Kimmy i nią potrząsnąć. Szarpnąć jak małym cholernym bachorem, który nie chce siedzieć cicho.

— Morris! Morris! Ja sobie nie życzę żadnych rasta bękartów w rodzinie, słyszysz? Żadnych rasta nygusów pod moim dachem!

Patrzę na Kimmy i zastanawiam się, czy tego właśnie chciała, czy przeczuła, że to się tak potoczy. Nasi rodzice zostają napadnięci, a ona się trzyma z dala, ale nie dlatego, że nie potrafi się zmierzyć z tą sytuacją, tylko dlatego, że nie potrafi się zmierzyć z żadną sytuacją, w której nie odgrywa głównej roli, choćby to była tragedia. No i brawo. Jest górą. Wie, że nie powiem matce, że ona też się z nim rżnęła. Wie, że będę miała na względzie spokój matki, który ona za wszelką cenę chce zniszczyć. Prawie podziwiam tę sukę za jej perfidię. Chcę, żeby na mnie spojrzała i się uśmiechnęła, żeby pokazać, że wie, że ja wiem, że wie. Matka ciągle woła ojca, Morris!, Morris! Jakby to było magiczne zaklęcie, po którym on się pojawi.

Skórzany pas tnie mnie po plecach, a koniec chlaszcze w kark, aż szczypie jak od ukąszenia skorpiona. Krzyczę, ale pas znowu wali mnie w plecy, a potem dwa razy po nogach, i upadam. Ojciec chwyta mnie za lewą kostkę i przyciąga do siebie, spódnica mi się zadziera, widać majtki. Unieruchamia mnie lewą ręką i zaczyna bić pasem trzymanym w prawej. Wrzeszczę, matka wrzeszczy, Kimmy wrzeszczy. A on mnie leje, jakbym miała dziesięć lat. Krzyczę tato przestań a on że cholerna dziewucha potrzebuje dyscypliny już ja cię nauczę w tym kurewskim domu nie tato błagam tato nauczę nauczę i bije mnie po tyłku i znowu wykręcam ciało i pas tnie mnie po prawym udzie ojciec wymachuje nieważne gdzie mnie trafi że w kłykcie wszystkimi nitami bo ojciec lubi kowbojskie pasy i czuję już woń pręg i krzyczę tato tato tato i matka krzyczy Morris Morris Morris i Kimmy krzyczy a pas chlasta mnie raz za razem przekręcam się i dostaję prosto w cipę i wrzeszczę i ojciec woła nauczę nauczę nauczę dyscypliny nauczę i wtedy mnie kopie wiem że mnie kopnął i bierze zamach a ja próbuję wyrwać prawą nogę wyrwać nogę wyrwać nogę i się przekręcam i kopię go prawą nogą w klatkę piersiową i czuję pod stopą pierś starego człowieka i on się przewraca kaszle ale to tylko powietrze a nie dźwięk a ja ciągle wrzeszczę ale nie ma słów tylko nieeeee nieeeeeee nieeee i chwytam za pas i rzucam się na ojca i walę go po nogach biję skurwysyna biję biję nieeeeeeee nieeeeee nieeeeee matka wrzeszczy nie zabijaj mi męża nie zabijaj mi męża on kaszle i widzę że waliłam go klamrą nie pasem i się odwracam i owijam pas mocniej na nadgarstku i patrzę na Kimmy.

BARRY DIFLORIO

Moja sekretarka wróciła i powiedziała, że sekretarka Louisa Johnsona nie ma pojęcia, dokąd on poszedł, co tak naprawdę znaczy, że nie zamierza mi tego zdradzić. Musiałem wstać ze swojego cholernego fotela, przejść korytarzem, stanąć przed biurkiem tej kobiety i spytać ją, czy podoba jej się ta praca i czy wiąże z nią swoje życiowe plany. Bo jeśli tak, to byłoby dobrze, gdyby pamiętała, że jest zatrudniona przez rząd federalny Stanów Zjednoczonych, a nie przez Louisa Johnsona. Mimo że nosi kocie okulary w olbrzymich różowych oprawkach, to zobaczyłem wyraźnie, jak wytrzeszcza gały, a czoło jej się pofałdowało, tylko natłuszczony smarem silnikowym gruby koński ogon ani drgnął. Trzeba kilku lat pracy w ambasadzie, żeby się nauczyć maskować strach; babka jest już blisko celu, ale tylko blisko, bo widziałem, że nie wie, jak ocenić groźbę zawartą w pasywnie agresywnym tonie przełożonego. Nie wiedziała, czy jaja sobie z niej robię, czy nie. Liguanea Club, Knutsford Boulevard.

Oczywiście znam to miejsce. Przypomina mi Gentlemen's Rode Club w Buenos Aires i pewne kluby w Ekwadorze, na Barbadosie i w Afryce Południowej. W Liguanea Club są przynajmniej ciemnoskórzy ludzie i kilku Arabów udających białych, takie coś nigdy nie wyjdzie z mody. Wsiadam do samochodu, wyjeżdżam na Oxford Road, gdzie w słońcu ciągle czekają chętni na wizy, i skręcam na zachód. Na skrzyżowaniu Oxford Road z Knutsford Boulevard odbijam w prawo, czyli walę na północ. Strażnik przy bramie widzi w samochodzie białego mężczyznę, nie zadaje więc żadnych pytań. Zielona cortina stoi na skraju parkingu. Zatrzymuję się po drugiej stronie, chociaż jestem pewien, że Louis nie ma pojęcia, jakim autem jeżdżę.

W sali jadalnej roi się od białych mężczyzn w garniturach, korzystających z przerwy na lunch, i pięknych brązowych kobiet w spódniczkach do tenisa, pijących rum z colą. Najpierw ich usłyszałem, dopiero potem zobaczyłem: Louis odrzucający głowę do tyłu, klepiący de las Casasa po ramieniu. Nie ulega wątpliwości, że to on. W pierwszej chwili chciałem podejść i spytać Louisa, co się, kurwa, dzieje, zrobić to na oczach tego drugiego. Boże, jak ja nienawidzę tego faceta. Ma w sobie coś takiego, co widuję tylko u królowych piękności i polityków. Coś w rodzaju „z wszystkich dzieci mojej matki siebie lubię najbardziej". Ma się za rewolucjonistę, ale to zwykły oportunista. Louis i Luis, czeka nas chyba jakiś skecz kabaretowy.

Siedzę przy drugim końcu baru, zerkając na nich ukradkiem. Ktoś gdzieś pisze parodię powieści szpiegowskiej, a ja występuję w roli kretyna zgrywającego Jamesa Bonda. Cholera, skoro tak, to może powinienem zamówić martini? Obaj wstają i nagle uświadamiam sobie, że muszą chyba przejść tuż obok mnie, żeby wyjść na parking. A jednak nie. Johnson rusza do arkad znajdujących się parę kroków od stolika, a Kubańczyk idzie za nim. Jego samochód odjeżdża z parkingu. W ciągu paru sekund ja też już jestem w trasie, widzę go zaledwie kilkadziesiąt metrów dalej. Dzięki Bogu, godzina szczytu jest taka sama na całym świecie.

Nie musiałem nikogo śledzić, odkąd pracowałem z Adlerem w Ekwadorze. Owszem, za stary już jestem na życie na adrenalinie, ale niech mnie szlag, jeśli człowiek nie czuje się podjarany w takiej sytuacji. Naprawdę to lubię. Naprawdę to lubię, z ręką na sercu. Może powinienem całą tę energię skierować w krocze i zerżnąć jakąś babkę na wióry.

Louis odbija w lewo w Trafalgar Road, gdzie jest większy ruch, zaraz znowu w lewo. Jedzie sto metrów ulicą, której nie znam. Potem kieruje się na południe, przecina Half Way Tree Road i zanim się orientuję, jesteśmy w getcie. No, przynajmniej domy zrobiły się mniejsze, a droga węższa i coraz więcej dachów (to po prostu arkusze ocynkowanej blachy przygniecione cegłówkami). Betonowe mury zmieniły się w blachę z bazgrołami: „jebana LPN", „ludzie o mrocznych sercach", „pod ciężkim butem" i „rastafari". Gdy skupię się na nich, to znaczy na zielonej cortinie, nie będę już musiał myśleć o tym, co to za wariactwo, że ja, biały człowiek, jadę przez chyba najczarniejsze getto w całym Kingston. Wokół Half Way Tree też jest ostro, ale czegoś takiego jeszcze nie widziałem. Przychodzi mi do głowy, że może nie będę umiał wrócić, ale trudno. Tamci przyśpieszają, chcę więc wcisnąć pedał gazu, ale wygląda na to, że jakaś dziewczynka w niebieskim mundurku zamierza przebiec przez jezdnię.

Widać, że Louis zna te drogi, że był tu wcześniej. I to nie raz, jak mi się wydaje. Nawet nie zauważyłem, że docisnąłem pedał gazu, ale słyszę warkot swojego samochodu, widzę rękę szarpiącą nagle za kierownicę, auto odbija w lewo, potem w pierwszą w prawo nad odsłoniętym włazem ulicznym. Podskakuje na wybojach, zgrzyta, piszczy. Zielona cortina pojawia się, znika za rogiem, potem znowu się pojawia, gdy omijam drzewo i cztery samochody. Boże, mam nadzieję, że on mnie nie zobaczył i nie chce się urwać! Prawie powiedziałem „zgubić ogon". Miałem to na końcu języka.

Teraz jesteśmy na jakiejś szosie, kolejny odcinek, którego nie znam. Domy są jeszcze mniejsze, bardziej ocynkowane, biedniejsze, a ludzie na zewnątrz idą tam, gdzie jedzie zielone auto. Po obu stronach jakby wzgórza. Dopiero po chwili widzę, co to jest. Góry, prawdziwe góry śmieci — właściwie nie góry, tylko wydmy, bo Sahara zrezygnowała z piasku na rzecz odpadków i dymu. Dym jest gryzący i gęsty, jakby palono tu też zwierzęta. Ludzie wdrapują się na te góry, nawet tam gdzie się pali, kopią w śmieciach, a to, co wygrzebią, chowają do czarnych plastikowych worków. Prawie zapomniałem o zielonym aucie.

Mijają minuty. Góry śmieci ciągną się w nieskończoność, a ludzie idący szeregiem upychają odpadki do czarnych toreb. Zielona cortina zniknęła. Zatrzymuję się, bo nie za bardzo wiem, co robić. Dwaj chłopcy z torbami przebiegają przez jezdnię tuż przede mną, a ja od razu sięgam do deski rozdzielczej. Może powinienem wyjąć broń, trzymać ją na kolanach? Serce mogłoby przestać tak walić. Co ja tu robię, do kurwy nędzy? Obok przechodzą dwaj inni chłopcy, następnie kobieta, wreszcie kilka kobiet, a potem mężczyźni i kobiety gęsiego, chłopcy i dziewczynki, przed samochodem, z tyłu, kobiety i mężczyźni szurają nogami, chłopcy i dziewczęta podrygują, wszyscy niosą torby na drugą stronę. Ktoś buja autem, podskakuję i pukam w schowek, żeby pokrywka odskoczyła. Łapię za pistolet.

Bóg jeden wie, ile minut upłynęło, gdy wreszcie ruszyłem. Na drodze pusto, to szosa, po jednej stronie skały, po drugiej morze. Mija mnie tylko jeden samochód, biały datsun, kierowca wystawia głowę na mój widok, czarny, ale jakby ze skośnymi oczami. Przysiągłbym, że się skrzywił, a to dziwne, bo widziałem go pierwszy raz w życiu. Gdy dojeżdżam do skrętu w lewo, znikąd pojawia się zielone auto i wali we mnie z rozpędu. Uderzam czołem w kierownicę, a potem karkiem w zagłówek. Kubańczyk wyskakuje pierwszy, przynajmniej wydaje mi się, że to Kubańczyk. Podbiega do mnie, wyciąga broń i wbija mi lufę w podbródek.

— Zaraz, ja go znam — mówi. — To jeden z naszych.

— Co jest, kurwa? Diflorio! No kurwa! Co ci strzeliło do głowy, żeby nas śledzić?

Upierają się, żeby mnie zabrać do szpitala, chociaż nic mi się nie stało.

W szpitalu publicznym lekarz zszywa mi czoło, a ja tymczasem próbuję nie zwracać uwagi na tłum ludzi i smugi krwi czy czegoś na podłodze. Lekarz nie raczył nawet zdjąć maseczki chirurgicznej. Chcę się stamtąd wynieść, a nawet nie pamiętam, jak się tam znalazłem. Widzę teraz Louisa Johnsona, czyta gazetę w korytarzu obok starej czarnoskórej kobiety.

— Gdzie mój samochód?

— Bobo pozszywane? Lepiej się czujemy?

— Mój samochód, Johnson.

— Nie wiem, gdzieś w getcie. Pewnie już dawno rozebrany na części.

— Zabawne, bardzo zabawne.

— Las Casas pojechał za mną, odstawił go do ambasady. W nie najgorszym stanie. Będziesz się musiał żonie wytłumaczyć, ale nie jest skasowany.

— Kurwa mać, Johnson.

— Co mogę powiedzieć, kotku? Widzę, że ktoś mnie śledzi, i dochodzę do wniosku, że mi się to nie podoba. Następnym razem jak postanowisz robić takie akcje, to się bardziej postaraj. Bo nieczęsto się zdarza, żeby volvo sobie jeździło po getcie. W ogóle wiesz, gdzie zajechałeś? Idziemy.

Wracamy do ambasady, drogami, których nie rozpoznaję. No, przynajmniej tak mi się wydaje, że wracamy do ambasady. Chciałbym mieć swoją broń.

— Kazałeś jakiemuś czarnemu mnie pilnować? — pytam.

— Nie, ale pewnie Luis kazał. Biały datsun?

— Ta.

— To ten.

— Kto to?

— Wiesz, Diflorio, szanuję cię za twoją robotę.

— No proszę.

— Poważnie. Ten syf, którego narobiłeś z Adlerem w Ekwadorze, był cacy. Ciągnął się powoli jak sranie melasą, ale jednak cacy.

— Gówno wiesz o moich działaniach w Ekwadorze.

— Nie tylko wiem, co robiłeś w Quito, ale jeszcze wiem, że Jamajka to nie Quito.

— Czyli?

— Czyli że w kraju, gdzie większość ludzi nie potrafi poprawnie przeliterować słowa „komunista", twoja głupawa kampania pisania listów warta jest mniej niż pierdnięcie.

Mówiąc o kampanii pisania listów, ma na myśli teksty, które dawałem ekwadorskiej prasie i w których przestrzegałem przed groźbą komunizmu. I te pochodzące rzekomo od „partii komunistycznej", popierające rektora uniwersytetu, wszystko po to, żeby odstraszyć ludzi od głosowania na niego. Sukces. Mówiąc o kampanii pisania listów, ma na myśli ulotki Młodzieżowego Frontu Wyzwolenia, komunistycznej organizacji, którą sam stworzyłem, wykupując w gazecie reklamę na pół strony i angażując dwóch młodych agentów mówiących po hiszpańsku w roli lewicowych uchodźców z Boliwii, na wypadek gdyby ktoś chciał się z nimi spotkać oko w oko. W końcu pozbawiliśmy morale studencki ruch komunistyczny, bo informowaliśmy policję o każdym ich zebraniu. Mówiąc o pisaniu listów, ma na myśli Front Antykomunistyczny, który powołałem, i trzystu czterdziestu ludzi zwerbowanych do przeszkolenia w Ameryce, żeby wiedzieli, jak rozpoznać i zneutralizować zagrożenie komunistyczne, bo byłem na Węgrzech i dokładnie pojąłem, że komunizm to jebane zagrożenie. Mówiąc o pisaniu listów, nawiązuje również do tego, co trzeba było zrobić, żeby Arosemana został wybrany, a potem wykopany, kiedy już stał się dla nas bólem dupy, jakim nieuchronnie stają się Latynosi, kiedy da im się choćby odrobinę władzy. I uwaga, nic z tego nie przedostało się do „New York Timesa", a działo się to dokładnie w tym czasie, kiedy ludzie tacy jak Johnson i Carlucci spierdolili sprawę w Kongu. Ma, kurwa, tupet.

— Nie myśl, że nie szanuję twojej miękkiej taktyki, Diflorio. Albo że nie szanuję ciebie. Ale to nie Ekwador. Pod żadnym względem.

— Miękkiej taktyki? Przydałoby się trochę takiej w Kongu.

— Kongo wygląda dobrze.

— Kongo to jedna wielka partanina. To już nawet nie Kongo.

— Ale przynajmniej nie ma tam komunizmu.

— No jasne.

— Jesteś patriotą, Diflorio?

— Co? Oczywiście. Co to, kurwa, za pytanie.

— No cóż, to na nas dwóch przypada tylko jeden. Bo ja wyłącznie pilnuję, żeby robota została wykonana.

— Czy teraz nadszedł moment, w którym mi powiesz, że robisz to dla frajdy? Że robiłbyś to za darmo?

— Nie, płacą nie najgorzej. Patriota. Ja pierdzielę. Więc twój problem polega na tym, że wierzysz w brednie, które opowiada twój własny rząd.

— Wydaje ci się, że mnie rozszyfrowałeś, co? Każdy list, który przychodzi na Jamajkę z Kuby, Chin czy Związku Radzieckiego, i nawet najkrótszy list, który stąd wychodzi w drugą stronę, przewija się przez moje biurko. Mamy ludzi we wszystkich lewicowych organizacjach w tym pierdolonym kraju i nawet Bill Adler nie zdołał ich wyłowić. Nie różnisz się niczym od tych dwunastu pieprzonych kretynów, których musieliśmy przez niego odwołać.

— Jak to?

— Bo potrafisz tylko psuć. Gdyby tacy jak ty nie pieprzyli spraw, tacy jak ja w ogóle nie byliby potrzebni. Ostatnio zrobiłem listę potencjalnych wywrotowców, co bardzo ucieszyło Busha. A jak tam twoje świadectwo szkolne, Johnson? Widzę, że z pierdolenia się z terrorystami masz same piątki.

— Cha, cha, Doktor Love mówił mi o tobie.

— Och, to on tak się teraz nazywa? On i ci jego Kubańczycy, co się z chujami na głowy pozamieniali i myślą, że zorganizują kontrrewolucję, bo im bogaty papa kupił spluwę. Gdyby sprawy Kuby powierzono takim ludziom jak ja, a nie takim jak on, dziś w centrum Hawany mielibyśmy McDonalda.

— Brawo. Jest tylko jeden szkopuł, Diflorio. Wyobrażasz sobie, że możesz to zrobić w pojedynkę. Ty i ludzie twojego pokroju, czyli pierdoleni księgowi. Skurwysyny, gówno wiecie, co się dzieje w terenie. I w porządku, nie mam o to pretensji. Tylko przestań się oszukiwać, że nie potrzebujesz takich ludzi jak ja.

— Nadzwyczajne.

— Jaki był twój ostatni duży projekt? Pierdolona książeczka do kolorowania, ot co. Pierdolona kolorowanka, która…

— Trzeba ich urabiać od małego, dupku.

— Strona szósta: tata mówi, że żyjemy w państwie demokratycznym, a nie totalitarnym. A teraz pokoloruj literki ZSRR.

— Pierdol się.

— Ej, akurat ja jako jedyny uważam, że antykomunistyczne kolorowanki są w dechę. W sam raz dla kraju, gdzie większość ludzi nie potrafi czytać.

— Kurwa, przejechałeś na czerwonym, Johnson.

— A co, pan jest przestraszony?

— Poirytowany. I zmęczony. Gdzie jedziesz?

— Myślałem, że chcesz wrócić do domu.

— Zawieź mnie do biura.

Patrzy na mnie i wybucha śmiechem.

— Może jednak powinieneś jechać do domu. Nie mogę rozgryźć takich jak ty, Diflorio. Jesteś jak Carlucci. On i ty, chłopcy Kissingera.

— Nie mów mi, co mam robić. Niezły z ciebie numer, poważnie.

— Teraz mi powiesz, że jestem niezdyscyplinowany cyngiel?

— Nie, teraz ci powiem, żebyś się gapił na drogę, a nie na mnie.

— Co wiesz, Diflorio?

— Wiem więcej, niż ci się wydaje.

— A wiesz, że niektóre środowiska kulturalne w tym kraju chcą powołać własną partię? Nie lewicowcy, nie Jamerykanie, nie Kościół, nie komuniści. Zupełnie inna grupa. Z końcem roku w tym kraju zapanuje kompletny chaos, chyba że ktoś coś zrobi. Chaos w sensie zdefiniowanym przez twojego szefa Kissingera.

— Kissinger nie jest moim szefem.

— A Jezus nie jest drogą, prawdą ani światłem. Jesteś księgowym, Diflorio. Sprowadzili cię tutaj, żebyś zajął biurko w rogu, i okej, w porządku. Ktoś musi pilnować bilansu w księgach i drukować ładne kolorowanki, ale to nie załatwi spraw w terenie. Wiesz, że prawie mielibyśmy go z głowy dwa dni temu? Prawie mielibyśmy skurwiela na katafalku. Jebany komuch o mało nie został zlikwidowany.

— A co wam przeszkodziło?

— Nie udawaj, że wiesz, o kim mówię.

— W takim razie o kim mówisz, Johnson?

— Cholera. Ty naprawdę gówno wiesz. Chodzi mi o premiera.

— Nie wstawiaj mi kitu, dupku.

— Jebanego premiera Michaela Manleya, zwanego Jozue. Prawie go mieliśmy. W środę, około czwartej chyba. LPN zwołała spotkanie w starym porcie, wiesz, gdzie to jest, co? No więc kolejne spotkanie w sprawie narastającej przemocy, bo te skurwiele uwielbiają się spotykać. Aha, przy okazji, ciągle czekamy na zapis z podsłuchu, ale krąży pogłoska, że przez cały tydzień Manley odbierał telefony od Stokely'ego Carmichaela i Eldridge'a Cleavera. W każdym razie z jakiegoś powodu wybuchła kłótnia i ten wojskowy, musimy jeszcze ustalić nazwisko, znokautował sekretarza. Szybki prosty w ryj. Dlatego premier w końcu się wmieszał i chciał przepytać tego oficera, ale ten mu w zasadzie powiedział, żeby go w dupę cmoknął. Manley się stawia, ale sekundę później jest otoczony przez żołnierzy, a każdy z nich celuje w niego z naładowanej broni. Tak, w starym porcie żołnierze zagrozili bronią premierowi tego pierdolonego kraju. Ale oczywiście się zreflektowali, nikt nie nacisnął spustu.

— Rany, co za historia. Wpleć wątek miłosny i masz Hollywood u stóp. Możesz mi wyjaśnić, dlaczego my, Amerykanie, chcielibyśmy mieć go z głowy? Nie ma żadnych wytycznych w sprawie zlikwidowania premiera czy jakiegokolwiek innego polityka w tym kraju. To nie Chile, Johnson. Może ja jestem księgowym, ale ty za to jesteś zwykłym zbirem. Twoja taktyka zawsze sprowadza się do narobienia gówna, które ludzie tacy jak ja muszą potem sprzątnąć.

— To, co skutkuje…

— Posłuchaj, nie masz żadnych wytycznych, żeby kogokolwiek likwidować, rozumiesz, co mówię?

— Nikogo nie likwiduję, Diflorio. Firma nie współpracuje, nie współpracowała, nie będzie współpracować ani pochwalać współpracy z żadnymi jednostkami ani organizacjami terrorystycznymi. Poza tym, jak sam powiedziałeś, nie jesteśmy w Chile.

Chcę rzucić na pojednanie, że cieszę się, że widzi to w ten sposób, że to delikatne sprawy, którymi należy delikatnie pokierować, żebyśmy zostawili jak najmniej śladów i spowodowali jak najmniej strat ubocznych, ale wtedy on mówi:

— A więc nie Chile, ale druga Gwatemala. Za kilka dni. Wspomnisz moje słowa.

— Co? Co powiedziałeś?

— Słyszałeś.

— Nie.

— Tak. Ta sprawa cię przerasta, przerasta też całą Firmę, nie pieprz mi więc o rozkazach.

— Nie.

— Tak.

— Jezu Chryste. Zapomniałeś, że wysłali mnie do Gwatemali na kilka miesięcy, żebym obserwował wybory. I wtedy ci psychopaci z naszą amunicją zaczęli zabijać kogo popadnie. Od jak dawna ich szkolisz?

— Nie zajmuję się szkoleniem. Ale niepotwierdzone doniesienia mówią o roku.

— Kubańczyk. On jest...

— Chwytasz szybciej, niż się ludziom wydaje.

— Ilu?

— Przestań, Diflorio.

— Ilu, skurwysynu?

— Nie robię w wywiadzie. Ale gdybym robił, obstawiałbym, że więcej niż dziesięciu, mniej niż dwustu. Mamy drugi zespół patriotów w Wirginii. Pamiętasz Donalda Casserleya?

— Jamajska Liga Wolności. Zahaczył nas raz o gotówkę dla tej swojej małej organizacji. Odmówiliśmy mu, bo to pierdolony handlarz narkotykami. Co to jest? Szansa na rehabilitację dla partaczy z Zatoki Świń? Za trzynaście dni są wybory.

— Diflorio myślący perspektywicznie. Tylko podziwiać. To nie Gwatemala, bo oni są cwani, i nie Brazylia, bo wcale nie chcą rządzić tym jebanym krajem.

— Kto jest celem?

— Nie wiem, o czym mówisz. Jeśli grupa mężczyzn chce, powiedzmy, zamoczyć sobie dziś nogi, to ja przecież nie mogę nic zrobić, nie mogę mieszać się do wewnętrznych spraw tego kraju.

— O w mordę, dziś?!

— Nie mam dostępu do takich informacji, Barry, ale na twoim miejscu...

— Odwołaj ich, Johnson. Natychmiast. Na miłość boską.

— Nawet bym nie wiedział, kogo odwołać. Poza tym sądzę, że jest za późno. Poza tym rząd federalny Stanów Zjednoczonych z zasady...

— Wykrztuś to wreszcie, kurwa twoja mać.

— Zawiozę cię teraz do twojej pięknej żony.

— Louis, posłuchaj. Nie wiem, czy pracujesz dla NSA, WRO czy kogo, kurwa, jeszcze, ale masz zrobić krok w tył. Pozwól działać dyplomacji.

— A przy okazji, w Ekwadorze to była popisowa robota.

— Zamknij się, kurwa, i słuchaj, co do ciebie mówię. Myśmy już zainwestowali, cholera. Rząd o tym wie. Wie dyrektor CIA. Z kim rozmawiasz, jak ci się wydaje? Zainwestowaliśmy dziesięć milionów na okrągły rok przed wyborami. Sal w „New York Timesie", trzydziestu jebanych grubasów w JPP. Jezu Chryste, nawet Organizacja Sektora Prywatnego Jamajki.

— Po co mi to mówisz, Barry? Jesteśmy jak dwie strony tej samej monety.

— Nie porównuj mnie do siebie.

— Nawet jeśli te dwie strony nigdy się nie widzą.

— Wszystko załatwione, jesteśmy o krok od sukcesu, ty skurwysynu.

— Musisz to powiedzieć innemu skurwysynowi, Diflorio. Konkretnie temu twojemu chłoptasiowi George'owi Bushowi. Poza tym jest, kurwa, za późno, już ci mówiłem. Idź do domu, obejrzyj *Starsky'ego i Hutcha*. I obejrzyj dziś wieczorne wiadomości. Będzie coś ekstra.

PAPA-LO

Nie pamiętam, kiedy szłem tak szybko i tak długo dochodziłem na miejsce. Może słońce mi robi na złość, bo dzisiaj to jedno wredne piekące kurestwo. Jak spytałem Joseya Walesa, czy wie coś o operacji Wilkołak, pokręcił tą swoją łepetyną, że nie. Ale Wang Gang mają materiały wybuchowe, a z Kubańczykiem pracują podobno tylko dwaj ludzie. Ech, oni i ten Josey.

To ja wtedy myślałem tak: jak on kontroluje wschód, ja dryguje na zachodzie, a Tony Pavarotti wycelował broń na północ i na morze od południa, to jesteśmy dobrze chronieni. Ale jak wszyscy ludzie sie rozproszą jak po mapie, to prawa ręka nie wie, co robi lewa. Ja myśle, że to moja wina. Musi być. Jak ciało choruje, głowa powinna wiedzieć pierwsza. Nie tak sie mówi? Ja i Josey przestajemy gadać. Nie, nie tak. Nie, to ludzie, pewni ludzie wchodzą między nas, ludzie, co nas wykorzystują, a potem wyrzucają jak śmiecia. Ja już mam dość tej nikczemnej gry i Shotta Sherrif też ma dość. To śmieszne, że ja i Shotta Sherrif są jednej myśli, bardziej niż ja i Josey Wales. Z osiemdziesiąt metrów mi zostało do domu Joseya.

Ze światem sie teraz zrobiło, jakby siedem pieczęci pękało po kolei. Zguba jakaś sie szykuje, złe uczucie, coś w powietrzu. Za niecały miesiąc sie spotkają dwie siódemki. Jak szłem do Joseya, zapomniałem, jak moja wygląda. Za chwile sobie przypomniałem, ale aż sie zlękłem, że zapomniałem jej twarzy. A potem przypomniałem sobie taką małą dziewczynke, co wygląda jak ona, ale przecież my nie mamy jeszcze nygusów, chociaż kobiety w gecie mówią, że mnóstwo chłopców i dziewczynek przybiega, jak sie krzyknie moje nazwisko. Ide drogą, krok za krokiem stawiam, jedna kamienica, druga kamienica, czteropiętrowe, płot wysoki, że parteru nie widać, jeden dom różowy, drugi zielony, trzeci taki w kolorze kości, nawet nie pamiętam, kto wybiera te kolory dla nas, może te kobiety tam. Sześćdziesiąt metrów do domu Joseya.

Jak sie ojciec odwraca od syna, to nie może być zeszokowany, że syn go znać przestaje. Nie że Josey mój syn, zastrzeliłby mie, jakbym go nazwał chłopcem. To moja wina, odwróciłem sie od niego, bo ja niose na plecach takie rzeczy, że myślałem, że on nie uniesie. Niektórzy ludzie nic nie robią, tylko marzą, inni tylko działają, i to i ci dobrzy, i ci źli. Ludzie jak Josey nie mają wizji, ludzie jak ja nie mają energi. Myślałem i mówiłem, i pokazywałem ludziom nowe rozumowanie, że chodzi o nas i tylko o nas. Żadnych polityków, żadnego rządu. Jakby nowy system, lepszy niż ten syfsystem, że broń za ciężka, żeby ją nosić, to nikt nie nosi, gdzie moja kobieta, jego kobieta, każdego kobieta nie pracuje po to, żeby boss sie bogacił. Człowiek sie budzi spragniony nowego, bo stare jest już tak stare, że przestało śmierdzić, tylko sie rozpada jak pruchno. Czterdzieści metrów do domu Joseya.

Chce wyjść z jego domu, będąc z nim jednej myśli. Mili zacni ludzie, rastafari pokazali mi droge. Najpierw Babilon nas oszukuje, bo nam wmawia, że mamy przyszłość w syfsystemie Babilonu. A ja już jestem tym zmęczony i Shotta Sherrif tym zmęczony, i Śpiewak tym zmęczony. Każdy raz jak idziemy do domu Śpiewaka i widze, że człowiek z Kopenhagi i człowiek z Ośmiu Ulic mogą razem rozmawiać do sensu, to myśle, że trójkąt ma trzy boki, a wszyscy patrzą zawsze tylko na dwa. Trzydzieści metrów do domu Joseya.

Wiem, co on planuje. Mnóstwo ludzi zginie, zanim to sie zacznie dziać na prawde. Josey i Doktor Love. Josey i Amerykanin. Josey i Peter Nasser. Nie ma mowy, coby LPN wygrali wybory. Wygrana LPN to zguba dla kraju. Amerykanin mówi, że tylko my stoimy na drodze między pokojem a chaosem, między dostatkiem a głodem. Ale Jamajczycy umią być głupi, bardzo głupi. Biedni już sie wycierpieli. Jak LPN wygra, to złe LPN zrobi sie jeszcze bardziej złe. A jednak. A jednak ciągle myśle o skali tego piekła, co może wywołać człowiek, który nawet mi nie chce o tym powiedzieć. Kiedy za dużo ludzi wśród nas nie wygląda i nie mówi po naszemu. Dwadzieścia metrów do domu Joseya.

Niecałe dziesięć metrów od domu Joseya seria wali po ziemi jedna druga trzecia czwarta piąta szósta siódma ósma kula i mie odcina od drogi. Z uliczki wyskakują trzy jeepy i już jeżdżą dokoła mie, wzbijając ziemie jak tornado białego człowieka. Kurz buha i buha, gęsty coraz bardziej. Wozy jeżdżą i jeżdżą, a ja tylko słysze, nie widze nic, ślepy od kurzu. Dopiero jak przewiało, widze, że wszyscy powyskakiwali z samochodów, policja i wojsko, każdy z pistoletem maszynowym, jedni we mie celują, drudzy w ulice, wypatrują, bo palce ich świerzbią, żeby strzelić z byle powodu. Ja też wypatruje. To sie nigdy nie zdarzyło, nawet w najbardziej złych czasach Babilon wie, że jedyna droga do Kopenhagi przez luźną sztachete albo niezakrytą dziure, jak w ściekach. Policja nie taka głupia, żeby sie tu zapuszczać. Zwłaszcza jak im sie oberwało ostatnim razem. Wojsko woli sie zaczaić taktycznie i wybrać nas po kolei jak muchy. Ja też wypatruje, bo moi ludzie powinni nadbiec z siłą ogniową, zanim jaki kolwiek jeep wjedzie do Kopenhagi. Ale drzwi wszystkich domów pozamykane. Josey nie wychodzi. Joseya nie ma. Tony Pavarotti nie pilnuje od północy. Wygląda jak te miasteczka w filmach z Clintem Eastwoodem, co je bandyci wyprzątneli z ludzi.

Idą do mie, dwaj żołnierze na zielono i dwaj z policji, jeden na niebiesko, drugi w khaki i okularach słonecznych.

— Co to za piździelstwo, eh? — pytam tego khaki.

— Ty Papa-Lo?

Wysoki i brzuho mu sterczy jak u kobiety w ciąży.

— Że kto?

— Wyglądam ci na takiegoh, co lubi powtarzać, jak sie zwraca do znanegoh elementu przestępczegoh? Sie pytam, czy ty Papa-Lo?

— Sie pytasz, jakbyś nie wiedział.

— Yo, wyglądam ci na takiego, co marnuje czas na śmierdziucha z geta?

Patrzy za mie i kiwa dwa razy głową. Za późno, żeby zrobić unik, żołnierz z tyłu wali mie kolbą w głowe. Chyba uderzył drugi raz, bo dwa huki usłyszałem, potem mi świat zawirował, nie moge nawet wypluć ostatniego słowa, co mi wychodziło z ust. Kolana mi puszczają. Nie chciałem, walczyłem, żeby nie puściły, ale już nie mogły utrzymać. Policja i wojsko ruszyli na mie. Tyle kurzu wzbili, że buty widziałem dopiero centymetr od oczu. Kopali po twarzy, po brzuchu i jajach, aż wreszcie ktoś krzyknął, że muszą mieć mie żywego.

Dwa razy sie obudziłem, dwa razy mie zamroczyli. Trzeci raz sie budze i wstaje z wyra i widze trzy ściany więziennej celi.

ALEX PIERCE

Z jakiegoś powodu czuję się nieswojo jako pasażer, gdy jedziemy z Markiem Lansingiem na Hope Road. Skurwiel nie potrafi prowadzić, choćby jego życie od tego zależało, a przynajmniej nie potrafi na Jamajce. Z New Kingston dotarliśmy na Hope Road, waląc środkiem drogi, bo on nie umie trzymać się lewej strony. Ale ma jaja jak kokosy, mówi tym wszystkim Jamajczykom, żeby się pierdolili, gdy na niego trąbią. Wcisnąłem się w fotel, bo nie chcę, żeby ktokolwiek widział mnie z Lansingiem w samochodzie — nie żeby ktoś mógł mnie rozpoznać — ale też dlatego, że jeśli ktoś strzeli, to wolę, żeby on oberwał, nie ja. Jest siódma. W prawie całym Kingston ludzie wychodzą z pracy, więc tłok na drodze jak cholera, zderzak przy zderzaku, klaksony wyją, jakby ludzie kontynuowali awanturę, którą rozpoczęli, zanim wsiedli do aut.

Nagle słychać syrenę i wszyscy odbijają na boki, wszyscy oprócz Marka.

— Zjedźże.

— Pierdolę, niech on zjedzie.

— Mark, nie zagłębiając się w niuanse historyczne, jak sądzisz, dlaczego niektórzy Jamajczycy z największą przyjemnością skopaliby dupę białemu?

— Mogą mi...

— Zrób miejsce, Lansing.

— Dobra, dobra, śśśś, wyluzuj, brada.

Nie wiedziałem, kurwa, że jadę samochodem z jebanym Gregiem Bradym. Smutne jest to, że Mark chyba rzeczywiście nauczył się tego gówna od Grega Brady'ego. Wszystko, co mówi i robi, świadczy dobitnie o małym siurku.

Gdy karetka nas wyprzedza, Mark — ruchem, który jest dla mnie szokiem, a pół sekundy później już przeszłością — odbija ostro w bok i dodaje gazu za nią. Lubię zapamiętywać chwile, gdy coś naprawdę odbiera mi mowę, a nie gdy stwierdzam to dla efektu melodramatycznego. Szczerzy się jak idiota, sam właściwie zdumiony, że przyszedł mu do głowy taki świetny pomysł. Za nami prują cztery samochody napędzane tą samą ideą. Widzę, że zbliżamy się do dużej dwuskrzydłej bramy przed domem Śpiewaka. To znaczy nie widzę jej, ale wiem, że to przy następnej przecznicy. Lansing ściska mocno kierownicę i skręca w prawo, na podjazd, tak ostro, że słychać pisk opon, a z samochodu jadącego za nami dobiega sugestia, żeby wylizał własnej matce.

— Chuj ci w dupę, brada.

Stoimy przed bramą. Już się ściemniło, ale widzę drzewo od frontu, prawie blokuje wejście. Z tego miejsca wydaje się, jakby na tym drzewie zbudowano piętro. Lansing trąbi dwa razy i chce to zrobić po raz trzeci, ale kładę rękę na pieprzonym klaksonie. Najeża się, wysiada i idzie do bramy, żeby zwrócić na siebie uwagę strażnika. Ten nawet nie raczy wstać. Nie wiem, czy w ogóle rozmawiają, ale zaraz potem słyszę głos Lansinga, że powinien zaparkować w środku, bo co to, do kurwy nędzy, wiesz, z kim rozmawiasz, filmuję dzisiaj waszego wielkiego gwiazdora, więc pierdol się, jeśli myślisz, że nie wjadę. Strażnik mówi o wiele ciszej, właściwie chyba nic nie mówi.

— Dupki. Nie wpuszczają żadnych samochodów, tylko rodzinę i zespół. Skurwiele niemyte.

Lansing podjeżdża do apartamentowca naprzeciwko domu Śpiewaka i zatrzymuje się na czyimś oznaczonym miejscu parkingowym. Nawet nie zwracam mu już uwagi, po prostu wysiadamy. Nie bierze kamery. Śmieszne, jak tak tupie i prycha, jakby chciał kogoś opieprzyć. Jamajczycy bywają tak niewzruszeni, że równie dobrze mogliby pochodzić z Minnesoty. Pewnie śmieją się przez cały czas, gdy idziemy do bramy.

— Zadowolony? — pyta Lansing ochroniarza.

Powiedziałbym, że nie poznaję tego faceta, ale ja w ogóle nie rozróżniam tych strażników. Facet lustruje Lansinga od stóp do głów i otwiera bramę.

— Ty nie, jeden tylko — mówi do mnie.

Robię krok do tyłu.

— Zaczekaj, Pierce. Załatwię pozwolenie u ważniaka.

— Na razie, Mark. Bosko było.

— Zaczekaj.

Idzie do drzwi, potem skręca w lewo i znika mi z oczu. Nie wiem, gdzie poszedł. Strażnik patrzy na mnie, ja patrzę na niego. Zapalam papierosa i podsuwam mu paczkę. Częstuje się. Żaden z nas nie uważa tego za nawiązanie jakiejkolwiek więzi. Ale przynajmniej facet nie ma nic przeciwko temu, że się opieram o bramę. Słyszę, jak zespół zaczyna grać i przerywa, słyszę głównie gitarę. Niech mnie szlag, jeśli myślę stereotypowo, ale spodziewałbym się najpierw basu i bębnów. Słyszałem, że nowi członkowie zespołu podobno popychają Śpiewaka w stronę rocka. Czyli powiedziałbym, że dalej od korzeni, ale wtedy zachowałbym się jak jeszcze jeden biały, któremu się wydaje, że może uczyć czarnych ich tradycji.

Od strony bramy nie za wiele widać. Pod wiatą stoi poobijany samochód Śpiewaka. Drzewa, dzika trawa, kawałek domu od zachodniej strony, strażnicy, przynajmniej zakładam, że to strażnicy, z dziesięciu ich, pilnują terenu. Po raz pierwszy zauważam budynki dokoła. Apartamentowiec z przodu, gdzie zaparkował Lansing, rząd domów po sąsiedzku, samochody jadące w jedną i drugą stronę po Hope Road. Nawet nie przygotowałem pytań. Co sądzisz o przepowiedniach związanych ze spotkaniem się dwóch siódemek w kalendarzu? Nowa płyta Bunny'ego Wailera? Czy ten koncert oznacza, że popierasz LPN? Skoro rasta nie robią dla CIA, to czy wiesz, kto robi?

Wyjmuję notes z plecaka i patrzę na czystą kartkę. Można by pomyśleć, że przygotuję z milion pytań do Śpiewaka, gdy Lansing mi powiedział, że ma wejście. Ale teraz stoję przed jego domem, a we łbie pusto. Wiem, że coś się kroi, i wiem, że chcę się dowiedzieć, co się kroi, ale zaczynam się zastanawiać, czy rzeczywiście mi na tym zależy. Czy obleciał mnie strach, czy może uświadomiłem sobie, że chociaż Śpiewak wydaje się bohaterem tej historii, to jej autorem jest ktoś inny? Bo być może gdzieś znalazłbym inną wersję, która tak naprawdę wcale nie dotyczy jego, ale ludzi dokoła, którzy się pojawiają i znikają, którzy składają się na pełniejszy obraz, niż wyłoniłby się z moich pytań o to, dlaczego facet pali gandzię. Niech mnie szlag, jeśli znowu się nie oszukuję, że jestem drugim Gayem Talese'em.

Samochody śmigają ulicą. Patrzę na nie tak długo, że przegapiłem moment, kiedy strażnik zszedł z posterunku. Ale wiem, że według mojego zegarka Lansinga nie ma już od piętnastu minut. Podchodzę do bramy i przystawiam czoło do prętów.

— Halo! Halo! Jest tam kto?

Nie wiem, gdzie podział się strażnik. W tej pierdolonej bramie jest tylko mały rygiel. Wystarczy go odsunąć i wleźć do środka. Nieupoważnionym wstęp nie jest wzbroniony, tak to nazwijmy. Jebać Huntera S. Thompsona. Jestem Kitty Kelley. Już chcę dotknąć rygla, gdy pojawia się drugi strażnik. Inny, nie ten, co przedtem. Ma jaśniejszą skórę i bliznę na prawym policzku, w kształcie telefonu. Rugam siebie w duchu za wyciąganie zbyt pochopnych wniosków. Nie, nieprawda. Przecież to oczywiste, że ci faceci nie są z policji ani nawet z żadnej przyzwoitej firmy ochroniarskiej, chociaż wszyscy mają broń automatyczną. Może Śpiewak wynajął chłopaków z getta? Idiota ze mnie, że uwierzyłem Lansingowi. Pewnie obserwuje mnie teraz z okna, ma radochę, że wystawił do wiatru swojego kumpla Alexandra Pierce'a, który jak kretyn czeka grzecznie w duchocie na ulicy. Prawie sobie wyobrażam, że obok w oknie stoi też Śpiewak, ale nie sądzę, żeby taki superartysta marnował czas z takim fiutem jak Lansing — bez względu na powód wizyty. A jednak.

Brama otwiera się na tyle, żeby wypuścić bmw. Serce mi wali, przysięgam, jestem teraz nastoletnią gówniarą. Ale to nie on. Ktoś inny siedzi za kierownicą, jakiś chudy rasta, obok kobieta, która wygląda jak z chórków, i jeszcze jeden facet z tyłu. Kierowca jest wkurzony, zerka przez ramię, potem na kobietę, potem na mnie i odjeżdża. I dopiero wtedy uświadamiam sobie, że zaraz zniknie w gęstym mroku. Blask reflektorów sunie ulicą. Zapomniałem, że już po ósmej. Na piętrze zapaliły się światła. Brama się zamyka. Jestem pewien, że sterczę tu już ze trzy kwadranse, ale tak naprawdę straciłem rachubę czasu.

— Wiesz, gdzie jest mój kumpel? — rzucam pytanie w pustą przestrzeń.

Strażnik zszedł z posterunku i znowu przychodzi mi do głowy, żeby się wślizgnąć. Łatwizna. No, do chwili, gdy rzeczywiście znalazłbym się w środku, a tamtych dziesięciu najpierw powaliłoby mnie na ziemię, a dopiero potem zaczęło zadawać pytania.

Na podjeździe hamuje ostro czerwony ford F100. Odskakuję. W środku siedzi dwóch mężczyzn, obaj są ciemni i mają okulary przeciwsłoneczne, chociaż już wieczór. Kierowca patrzy na mnie, a ja aż się spinam cały w środku, żeby nie odwrócić wzroku. Drugi facet puka w bok auta. Silnik ciągle pracuje. A potem brama się otwiera, na niecały metr, i siedmiu ludzi, w dżinsach, khaki, dzwonach, wszyscy z pistoletami i karabinami, walą do auta i wskakują na pakę. Ostatni, niskawy, z dredami i w czerwono-zielono-złotym podkoszulku, zerka na mnie w biegu przez sekundę. Pikap cofa na oślep i skręca w lewo. Brama otwiera się jeszcze szerzej i znowu odskakuję, bo teraz wyjeżdża na mnie niebieski escort, z upchanymi w środku czterema, pięcioma facetami, a z okien samochodu sterczą lufy. Turlałem się po chodniku, dlatego nie zdążyłem dokładnie policzyć. Escort skręca w lewo w Hope Road, inne auta hamują gwałtownie. Podnoszę się z ziemi i zerkam na stanowisko strażnika. Nikt nie zamknął bramy. Chyba wszyscy wyjechali.

Pierwszy raz jestem na jego terenie. Czy ten dom to jego własność? Nawet tego nie wiem. Cały podjazd to rondo z kępą drzew pośrodku, prowadzące do wejścia z czterema filarami i dwuskrzydłowymi drzwiami, które wyglądają na uchylone. Zespół wciąż gra, ale zniknęli wszyscy, którzy byli na zewnątrz. Ruszam w lewo, do jego poobijanego auta. Mój ojciec miał podobny wózek, nie identyczny, ale też poobijany, który kochał bardziej niż własne dzieci. Myślę, że kochał go tak bardzo, bo to była jedyna rzecz, która się starzała, ale trzymała się jakoś. To znaczy do chwili, gdy w końcu zdechła. Kurewsko dziwne, z domu wyraźnie dobiega muzyka, a na dworze panuje cisza. To znaczy nie słychać ciszy, bo są te rwane dźwięki klawiszy, bębnów, ruchu samochodowego, ale jest takie poczucie spokoju, które zaczyna mnie niepokoić. Nie wiem, jak inaczej to opisać. Nie mogę uwierzyć, że ten skurwysyn Lansing tak mnie zostawił. Naprawdę mnie wykołował? Może to ten gęstniejący mrok tak na mnie działa. Czy ci w domu wiedzą, że wszyscy strażnicy odjechali i zostawili otwartą bramę? A może to zmiana warty? Przyjadą nowi, zgodnie z czasem lokalnym?

Pierdolić to. I jego też pierdolić. Powinienem być mądrzejszy. Może odegrał się w ten sposób za to wszystko, co mówiłem za jego plecami, bo czuję się teraz jak jebany kretyn. Tyle tylko, że Mark Lansing nie jest człowiekiem, o którym w ogóle bym z kimkolwiek rozmawiał, nawet nie chciałoby mi się go obsmarować. Poza tym niby komu miałbym o nim opowiadać? Pierdolić tego skurwysyna i pierdolić całe to miejsce. Może się oszukuję. Poważnie, może lepiej ustalić, co porabia Mick Jagger, i w ten sposób uratować jebaną posadę, a przynajmniej spotkać się z tym fotografem, z którym się dotąd nie spotkałem. Właściwie to ja nawet nie wiem, czy facet nadal jest na Jamajce.

Odwracam się i wychodzę przez bramę. Nie zostawiłem nic w samochodzie Lansinga, więc idę przed siebie. Hope Road jest ruchliwą ulicą. Auta mnie mijają i widzę białego escorta wyglądającego na taksówkę. Kierowca wystawił rękę przez okno, a tak właśnie robią taksówkarze, trzyma w palcach zwinięte dolary, które skasował od poprzedniego klienta. Macham i escort się zatrzymuje. Otwieram drzwi, żeby wsiąść, zerkam ostatni raz na drogę i widzę niebieski samochód wtaczający się na podjazd przed domem Śpiewaka.

NINA BURGESS

opada mnie wieczór. Łażę od wielu godzin. Owszem, autobusy jeżdżą w obie strony, niektóre nawet przystanęły, ale ja łażę. Szłam z Duhaney Park, gdzie mieszkają rodzice, powiedzmy, że na północny zachód od Jego domu, jeśli Jego dom uznać za środek mapy. Kimmy myślała, że zaraz ją zaatakuję, dlatego uciekła. Myślała, że ją dopadnę, źle trzymając pasek, z klamrą na końcu, więc mogłabym wybić jej jebane oko. Uciekała jak ta suka w *Czarnych świętach*, która ginie pierwsza. Potknęła się nawet o odkurzacz, którego mama zapomniała spakować, bo tak się załamała, że jej starsza córka została rasta dziwką ze śmierdzącą pipą.

Nie goniłam Kimmy. Udając rozhisteryzowaną nastolatkę w horrorze, znowu byłaby w centrum uwagi. Założę się, że uznała, że wszystko poszło na opak, ale nie dlatego, że ojciec leżał na podłodze, z trudem łapiąc oddech, a matka wrzeszczała, żebym się wynosiła, co miałam gdzieś, ale dlatego, że wypadki potoczyły się inaczej, niż zaplanowała. Bo nie udało jej się w tej sytuacji odegrać głównej roli. Szkoda, trzeba było ją dogonić i sprzedać jej przynajmniej dwa chlasty na dupę. Ale gdy matka wrzeszczy, że jestem demonem z czarnej czeluści Gehenny, a to pewne, bo przecież nie zrezygnowała z niczego z okazji Wielkiego Postu i dlatego diabeł wślizgnął się w jej słodką córkę, to wtedy można tylko powiedzieć, żeby zaczęła oglądać lepsze filmy, albo wyjść bez słowa. Wybrałam to drugie. Tak się jednak złożyło, że Kimmy stała na drodze do drzwi. Uciekła z wrzaskiem do swojego pokoju, przepraszam, do swojego byłego pokoju, i zamknęła się na klucz.

Rzuciłam pasek i wyszłam na zewnątrz. Gdy tylko słońce mnie dotknęło, puściłam się biegiem. Minęła szósta. Gdy mama zadzwoniła, zabrzmiało to jak coś pilnego, włożyłam więc zielone sportowe buty, które dostałam od Danny'ego i których nie nosiłam od jego czasów, bo takie buty to głupota. Nie biegałam, odkąd skończyłam szkołę średnią, więc po co mi coś takiego? W pewnym momencie przystanęłam, być może dlatego, że wtargnęłam na jezdnię i kierowca pierwszego samochodu dał po hamulcach, nawiązując nieładnym słowem do mojej waginy. A może przystanęłam wtedy, gdy wypadłam na środek drogi i drugi samochód zahamował, i usłyszałam, że jestem dziwką stukniętą jak kowadło. A może gdy wsiadłam do autobusu, który zawiózł mnie na Crossroads, chociaż wcale nie chciałam tam jechać i w ogóle nie pamiętam, żebym wsiadła do autobusu.

Wiza to bilet. Tylko tyle i aż tyle. Nie rozumiem, dlaczego jedynie ja to widzę. Wiza to bilet wyjazdowy z piekła, w które obróci ten kraj Ludowa Partia Narodowa. Wystarczy oglądać wiadomości, żeby się zorientować. Nie trzeba czekać, aż przygalopuje jeden z czterech jeźdźców Apokalipsy mojej kochanej mamusi czy co to tam, kurwa, znaczy. Mamusi, która uwielbia chodzić do kościoła i słuchać o znakach i cudach, i o tym, jak to nastały dni ostatnie. Żałośni niewdzięcznicy, tych dwoje, czy nie rozumieją, że to… że to… cholera, nie wiem co, nie wiem, czemu znalazłam się na Crossroads, skoro przecież muszę być na Hope Road. Nie powinnam gadać, tylko się tam zjawić. Muszę dostać wizę i bilety lotnicze i wepchnąć im je w łapska, zanim zdążą to obgadać albo dać się odwieść pierdolonej Kimmy od wyjazdu, jakby pozostało im tylko czekać, wypatrywać, kiedy syfsystem sam się naprawi. Wysiadam z tego jebanego autobusu.

Wybiegłam, zanim ojciec odzipnął. Dostał za swoje. Wszyscy dostali za swoje. Powoli mam serdecznie dosyć mężczyzn — włącznie z ojcem — którym się wydaje, że na sam mój widok mają prawo zachowywać się jak najgorsze chamy. Świetnie, teraz gadam jak matka i niech mnie w dupę cmoknie, jeśli chciałabym stać się taka jak ona. Ojciec zlał mnie, jakbym była małą dziewczynką. Jakbym była cholerną gówniarą, a to wszystko wina Kimmy. Nie, nie Kimmy. To po prostu cholerna kretynka, warta tyle, ile mężczyzna powie jej, że jest warta, nie wyłączając taty. Nie, to wina Śpiewaka. Jakby mnie nie zerżnął, nie miałabym z nim nic wspólnego i może ambasada wydałaby mi tę kurewską wizę, zamiast pieprzyć głodne kawałki, że nie mam żadnych pierdolonych koneksji, bo jak myślą, że chcę spierdolić do kraju, gdzie jakiś Berkowitz strzela ludziom w łeb, wielcy faceci gwałcą małych chłopców, a biali nadal nazywają ludzi czarnuchami i próbują ich przebić drzewcem od flagi w Bostonie, w ogóle się nie przejmując, że ktoś robi im zdjęcia, to niech pomyślą jeszcze raz.

Jezu Chryste, nienawidzę, kurwa, gdy brzydko mówię. Dociera do mnie, że to wszystko gadam na głos, i idąca obok uczennica uciekła na drugą stronę jezdni. Szkoda, że cię auto nie cmoknęło zderzakiem w pizdę, mam ochotę powiedzieć. Słowa są na końcu języka, ale się powstrzymuję. Ruszam na wschód, oddalam się od tych autobusów i ludzi, i uczennic w niebieskich i zielonych mundurkach, i chłopców w mundurkach khaki, za szybko dorastających, idę w kierunku Marescaux Road.

Serce mi wali, wali o wiele mocniej niż przedtem, gdy uderzyłam ojca. I nie chce przestać. Siedzę w autobusie pełnym walizek, torebek, plecaków, błyszczących półbutów i skromnych półobcasików. Wszyscy wyszli ze szkoły i pracy i wracają do domu, tylko nie ja. Przecież ja nawet nie mam posady. Cholerne stopy mnie swędzą w tych cholernych butach sportowych. Dostrzegam, że gapi się na mnie kobieta siedząca cztery miejsca z tyłu, z lewej strony, więc się zastanawiam, czy ze mną jest coś nie tak. Włosów chyba nie mam strasznie potarganych? T-shirt z powrotem wpuszczony w spodnie, na pewno nie wyglądam na taką, co uprosiła konduktora o jazdę za darmochę. Czekam, żeby znowu podniosła oczy znad gazety, a gdy to robi, wbijam w nią spojrzenie. Szybko odwraca wzrok. Co z tego, skoro przez cholernego babsztyla przegapiłam swój przystanek. Wysiadam na następnym i uświadamiam sobie, że się pomyliłam. Że przegapiłam mnóstwo przystanków, co najmniej pięć albo sześć. Wtedy zaczęłam iść. Nawet się nad tym nie zastanawiałam, nie myślałam, ile czasu mi to zajmie ani jak jest daleko. Lady Musgrave to cholernie długa ulica.

Nogi chyba wiedzą, dlaczego to robię, za to głowa nie ma bladego pojęcia. Może jest tylko to, nic więcej? Może nie mam nic innego do roboty? Czy na tym polega sens pracy, że wypełnia przestrzeń, którą chyba teraz czuję, którą muszę w zamian czymś wypełnić? Co za bezsensowne pierdolenie. Nie wiem, o czym gadam. Moi rodzice nie chcą już nawet być moimi rodzicami. Może po prostu tam zostanę, pod jego bramą, aż ktoś mnie odsunie albo znajdę coś do roboty. Może w ogóle nie o to chodzi, czy oni chcą się przeprowadzić, może liczy się tylko to, żebym zdobyła te jebane wizy, a oni niech sobie z nimi zrobią, co chcą. Starałam się, tak, starała się ta ich odrażająca, pierdolona przez rastamana córka. Może powinnam była spytać, co ich bardziej mierzi — że się dałam wyruchać czy że się dałam wyruchać rastamanowi?

Przystaję na skrzyżowaniu. Chciałabym położyć się w trawie przy chodniku i chciałabym dalej biec i biec. Otwieram torebkę i wyjmuję puderniczkę, a przysięgam na Boga, że w ogóle nie pamiętam, żebym zabrała torebkę. Wiem, że dla niektórych kobiet to jak jedenasty palec, że nawet o tym nie myślą, choćby się codziennie przebierały. Ale nie pamiętam torebki. A w ogóle kto potrafi biec z torebką? Chyba już mi odbija. Idę do Śpiewaka po pieniądze, żeby zrobić coś dla ludzi, którzy nie chcą mojej pomocy, nie chcą też mnie, ale i tak idę. Bo tak. Mam dziwne wrażenie, że w tej chwili pierwszy raz patrzę na siebie. Zdaje się, że myliłam się co do włosów, bo jestem potargana jak wariatka. Jakbym wyciągnęła wałki i na tym poprzestała. U góry po lewej stronie sterczy wielki lok, drugi zwisa przy prawej brwi. Usta wyglądają, jakby mi je pomalowało szminką ślepe dziecko. Cholera. Uciekłabym na widok kogoś takiego.

Ściska mnie w gardle. W pizdę, niech mnie szlag trafi, jeśli się teraz rozpłaczę. Słyszysz, Nino Burgess, nie wolno ci płakać. Ale trawa tak ładnie wygląda, tak bardzo chcę się pochylić i załkać, załkać tak głośno, żeby ludzie wiedzieli, że mają zostawić wariatkę w spokoju. Chyba naprawdę jestem jakąś nieszczęśnicą, matka ma rację. Może to chodzenie doprowadza mnie do obłędu? Bo kto inny szedłby w tej chwili gdziekolwiek? W nocy byłam przekonana, żc będę musiała iść na piechotę aż do Havendale jak kretynka. Czy jakakolwiek kobieta w moim wieku, którakolwiek z moich koleżanek ze szkoły wyznaczyła sobie jakiś cel w życiu? Dlaczego nie mam mężczyzny? Co ja sobie myślałam, licząc, że się przeniosę z Dannym do Ameryki? Przyjechał pozaliczać miejscowe cipki, misja wykonana. Za trzy lata nikt nie będzie o tym pamiętał. Powinnam jednak spuścić Kimmy wpierdol. A przynajmniej dać jej kopa.

Pomiędzy marszem a wytchnieniem, wtedy właśnie, otoczył mnie wieczór.

— Przepraszam pana, którą mamy godzinę?

— A którą pani by chciała?

Patrzę na tego grubego skurwysyna, na pewno wraca do domu, chociaż ma krawat. Nic nie mówię, patrzę.

— Wpół do dziewiątej.

— Dziękuję.

— Wieczorem — dodaje i się szczerzy.

W swoje spojrzenie wkładam wszystkie złe słowa i brzydkie myśli, na jakie mnie stać. Odchodzi. Stoję i patrzę, tak, on się odwraca, raz i drugi. Wiecie co? Wszyscy mężczyźni to jedno wielkie pierdolenie. Jasne, każda kobieta to wie, ale codziennie o tym zapominamy. A nawet gdy zostawimy tę sprawę opatrzności, to w ciągu dnia prędzej czy później pojawi się jakiś facet, który nam o tym przypomni. Serce znowu mi się tłucze jak dzikie. Mocno. Może dlatego, że w końcu widzę Hope Road. Samochody i autobusy przecinają widok, ze wschodu na zachód, z zachodu na wschód. Znowu biegnę. Hope Road za bardzo się ociąga ze spotkaniem ze mną, nie wiem, po prostu muszę biec, muszę. Może jego samochód właśnie wyjeżdża przez bramę, może on się wyszykował do Buff Bay, może ktoś przyszedł się z nim zobaczyć i zajmie mu czas, może właśnie skończył szlifować *Midnight Ravers* na koncert i wreszcie, wreszcie przypomniał sobie, jak wyglądam? Muszę tam być. Ten rok biegania po bieżni to przeszłość, płuca o mało nie pękną, płuca, nie serce. Nie mogę się zatrzymać, wbiegam na Hope Road, skręcając ostro w prawo i nagle stop. Rodzice tego nie chcą, ojciec, matka, mówi jakaś cząstka mnie, wiążąc mi nogi. Pierdolić ją. W pizdę może mnie cmoknąć.

Stoję w odległości jednej przecznicy od jego domu, wszystkie latarnie zapalone, samochody jadą płynnie, nie za szybko, nie za wolno. Dwa białe auta przecinają skrzyżowanie i walą dalej. Pierwsze skręca do bramy tak gwałtownie, że słychać pisk opon. Drugie też odbija. Moje stopy przestały biec, teraz tylko idą. Mam nadzieję, że to nie są ludzie, którzy zaprzepaszczą moją jedyną szansę. Liczy się tylko to, robię to, bo nic innego nie mogę zrobić, nie ma nic innego — uda się i wcale nie musi wyglądać sensownie. Do Bożego Narodzenia daleko, mamy pierwsze dni grudnia, a ktoś już strzela petardami. Znowu biegnę, biegnę, biegnę, potem kuśtykam, potem idę i jestem może trzy metry od bramy.

DEMUS

Tak sie budzą źli ludzie. Najpierw dygocą, potem czują głód, potem swendzi ich i sie drapią, a fiut piecze jak ogień. I wtedy szarpiesz głową, żeby strząsnąć tą trzensioczke, drapiesz sie w swendzące miejsce, aż czarna skóra sie robi czerwona i idziesz w najciemniejszy kąt szopy rozpiąć rozporek. Inni pytają, co robisz piździelcu, ale nie słuchasz, bo wyszczać sie w tej chwili to najcudowniejsze cudo pod słońcem. Ale trzensioczka minie dopiero, jak wróci Beksa. Rano buda jakby większa, chociaż sześciu tam próbuje zasnąć snem złego człowieka.

Tak sie budzą źli ludzie: źle, bo nigdy nie zasypiają. Wcale nie spałem, jak Funky Chicken rozdygotany na głodzie zaczął łazić we śnie i mówić Leviticus Leviticus. Nie spałem w ogóle, jak Heckle podbieg do okna, żeby sie wydostać. Bam-Bam śpi, ale siedzi oparty o ściane, przez całą noc sie nie ruszył. Ja śnie na jawie o moich brada, co mie biednego zostawili na torach w Caymanas. We mie od tego gorąco sie tak zrobiło, jakbym gorączki dostał, potem mineło i znowu zrobiło. Wieczorem Josey wziął mie na bok i powiedział, że docipnik wrócił dwa dni temu z Etiopi. Tak właśnie to, czego pragniesz, nie daje ci zasnąć.

I dlatego wiadomo, że oni prawie wszyscy w tej budzie za młodzi. W ciągu godziny posneli, jęczą i mruczą, a jak jesteś grubas z Dżungli, trzy razy wołasz kobiete. Dorcas ma na imie albo Dora, nie zapamiętałem. Tylko młodzi mają mokre sny. Heckle w kącie grzeszy łapą w portkach. Tylko młody tak potrafi spać, chociaż brzemie mu dociska ramiona, jakby Bóg sie zmęczył i na niego zrzucił te wszystkie ciężary.

Nie spałem. Nie chce mi sie spać. Muchy tutaj nawet w nocy. Nikt nie ma zegarka, żeby wiadomo było, która godzina, ale wyglądało na środek nocy, jak chudzielec z Dżungli chciał wyjść drzwiami. Nikt sie nie obudził, tylko ja nie spałem. Słyszałem, jak mówi, co to za kurestwo, żeby tak pozamykać dorosłych ludzi jak w hlewie, aż mu chciałem powiedzieć, żeby sie uspokoił, bo Josey Wales lubi dyscypline u chłopaków, ale tylko siedziałem w swoim kącie, leżałem na plecach, zamykałem oczy każdorazowo, jak ktoś patrzył w moją strone.

To było z godzine temu, jak mie sie wydaje. Teraz wszyscy w budzie szaleją. Bam-Bam wrzeszczy i wrzeszczy. Widze tych dwuch z Dżungli, jak łażą i łażą, a jak sie zderzają, zaczynają sie bić. Heckle szuka po wszystkich kątach, po wszystkich szparach, po wszystkich pustych kartonach po sokach i butelkach, od pod-łogi po dach, szuka kokainy. Wiem, że tego szuka, a jak ostatnim razem tak było, to jeden wziął przemysłową trutke na szczury. Funky Chicken już nie wytrzymuje, idzie do kąta, gdzie szczamy, siada w tym i drapie sie po piersi przez koszule, aż słychać takie tsz tsz tsz. Gówno, słyszycie, mówi Heckle. Kto pomoże wywalić te piździelskie drzwi? Josey Wales nas za to dopadnie, mówi drugi, ale cicho, jakby Josey był jeźdźcem z Księgi Objawienia.

Jak sie budze, Bam-Bam wrzeszczy jak pierdolona dziewczy-na. Zamknij sie, pizdocipie, mówie mu, ale krzyczy jakby mu sie nocne upiory przyśniły. No to mu daje kopa jak grom, no to on skacze jak błyskawica. Przypieprzyć pięścią, by sie poczuł jak męszczyzna, trzasnąć w policzek to jak dziewczyna. Od zewnątrz okno z szarego robi sie żółte, słońce pada do środka. Nie ma nic do roboty, jak tylko patrzeć, jak sie przesuwa ze ściany na podłoge i dalej, jakby sie chciało wycofać przez okno. Żadnych promieni nie widać, ale i tak już jest gorąc jak w piekle. Pewnie południe.

Pięciu łazi po budzie, jebie męskim potem. Teraz wrzeszczy Funky Chicken. Bam-Bam sie gapi w ściane, Heckle sie gapi w okno, jakby myślał, że sie tamtendy przeciśnie. Wiem, co myśli, że jak sie rozpędzi z rękami do przodu jak Superman, to wyfrunie na dwór. A może to ja tak myśle, bo sie mokro zrobiło i klei od gorąca i w ogóle i czuje smród facetów. Tylko ci dwaj z Dżungli wyglądają, jakby jeszcze nie zwariowali. Bo przestali właźić na siebie i teraz chodzą razem. Jeden mija Heckle'a i go tronca stopą i Heckle pyta, po co mie kopiesz piździelcu, i sie zrywa, i go odpycha. Tamci dwaj biorą go w obroty. Jeden go łapie za prawą ręke, drugi za lewą i walą nim we ściane, aż cała buda sie trzensie. Chcą mu przyrżnąc, ale wtedy Funky Chicken pyta, czy słyszeli auto.

Coś jedzie, ale dalej wruuuuuummmmmmm i cisza. Funky Chicken zaczyna śpiewać, że przyjdzie pora i będą błagać o śmierć. Bam-Bam sie zerwał i podskakuje w miejscu, mówiąc, że trzeba być jak żołnierz, jak żołnierz, ale akurat tego to ja sie po nim nie spodziewam. Ściany napierają, ale tylko ja to widze. Czuje zapach pięciu ludzi, wszyscy śmierdzą, bo wszystkim gorąco, wszyscy cuchną strachem, znaczy sie cuchną na kwaśno. I szczyny jeszcze czuje. I siarke. I kamfore, i mokrego szczura, i stare drewno zeżarte przez termity. Pokój sie ścieśnia, a Josey Wales i Beksa zabrali wszystką broń, żeby śmy nie wystrzelili dziury w ścianie.

Robi sie chłodniej i najpierw myśle, że to wiatr od morza wieje, ale to tylko słońce zachodzi. Oni nas zamkneli na całą noc i dzień. Musi być jakiś kij, słupek, rurka, młotek, szczotka, pałka, lampa, nóż, butelka po coli, kombinerki, kamień, cegłówka, coś, żeby ich napaść, jak wrócą. Coś, żeby szybko walnąć i zabić. Zabić każdego. Musi w tej budzie być coś, żeby zabić tego, co wejdzie przez drzwi, bo ja już mam to gdzieś, ja tylko chce wyjść. Heckle w kącie z grabą w gaciach. Patrzy, czy patrzymy, ale i tak go wyjmuje i trzepie i piszczy jak dziewczyna i kopie w ściane. Bam-Bam śpiący śni o Funnyboyu, powtarza ciągle, żeby mu nie dotykał jego clarksów.

Tak sie ucisza wrzeszczącego człowieka. Walisz pięścią w twarz, jak chcesz, żeby sie poczuł męszczyzną, albo walisz z otwartej w pape, jak chcesz, żeby sie poczuł jak dziewczyna. Josey Wales lewą ręką podniósł Bam-Bama z podłogi, a prawą go trzasnął z otwartej. Sieknął ze wschodu na zachód, potem z zachodu na wschód i znowu ze wschodu na zachód, jakby on był jego kobietą. Ja sie drapie po głowie, bo nie potrafie wykombinować, jak czuć takie walnięcie w ryj w mokrym śnie, bo nie pamiętam, że bym widział, że Josey Wales i Beksa wrócili. Ciągle ich nie ma, a za sekunde już są jak czary-mary. Jak obeah. Josey ciągle wali Bam--Bama, mówiąc, żeby przestał sie mazać jak dziwka, bo zaraz mu na prawde da powód do płaczu. Ci dwaj z Dżungli mówią, żeby wylizał własnej matce, chcą sie rzucić na niego, ale Beksa wyciąga dwa pistolety jak rewolwerowiec i mówi, brada, weźcie na wstrzymanie, ochłońcie.

Josey otwiera pudło, a tam mnóstwo broni, przeważnie M16. Beksa otwiera pudełeczko, a tam mnóstwo białego proszku. Funky Chicken i ja garniemy sie do stołu, za plecami Bam-Bam skomle ja chce ja chce ja ja. Beksa kroi górke na ileś cieniutkich kresek. Wali pierwszy, potem Funky Chicken, potem ja, potem Beksa znowu, aż Josey Wales krzyczy, że przecież mówił mu, że ma przestać z tym gównem. Beksa na to, że wszystko cacy-cacy, moi młodzieńcy, wszystko cacy. Jeden z tych z Dżungli wtrynia kinol w stół, ale drugi mu mówi, że by nie. Beksa celuje do niego i mówi, czy chce sie założyć, że go zastrzeli i jeszcze zrobi użytek z jego trupa. Celuje, ale tamten ani drgnie. Beksa chowa broń i sie śmieje. Patrze, jak Josey Wales patrzy na to wszystko. Josey nie wziął kreski.

Przy trzeciej kresce lece dalej, niż potrafie polecieć przy myśleniu. Z tranzystora wali Dillinger, nie wiedziałem, że tu jest radio, ale super, radio i Dillinger *gonna lick the chalice inna Buckingham Palace and chose Mr. Wallace*. W budzie gorąc i śmierdzi szczynami, i w ogóle, zaliczyłem trzy kreski, ale Beksa ciągle kroi, a kreski cieniutkie cieniutkie, raz pociągniesz nosem i nie ma. Ci dwaj z Dżungli rechoczą głośno i płaczą i śpiewają piosenke i wymahują bronią. Beksa robi mi kreske, wciągam i pali, ale słodko jak pieprz i cienie zeskakują ze ścian i tańczą. Heckle i Funky Chicken wyglądają na kretynów, ale ja nie. Ja jestem poza mądrym i głupim.

Małe coś potrafi wypełnić długie godziny. Więc Josey Wales mówi, sie wstrzymaj, Joe, a ja na to, że inaczej mam na imie, ale nie pamiętam jak, no to niech będzie Joe, i mówie, żeby na mie wołali Joe, przecież to najsłodsze imie, najsłodsze. Mija dziesięć minut, piętnaście, godzina, dzień, pięć lat. Mam gdzieś, ile czasu, a Beksa robi mi znowu kreske, ale mówi, że dostane dopiero, jak pokaże, czy umiem używać broni. Ja mu mówie, że najdurniejszy pizdocip, co z dupy wypat na świat, potrafi strzelać z broni, a on mnie trzask w pysk. Ale ja nic nie czuje. I tak to jest. Nie czuje walnięcia, bólu, kuli. Ale nie mówie tego Joseyowi Walesowi. A jak cienie zaczynają tańczyć, to mówią mi, że musimy go zabić, zabić, zabić tego złodzieja i jego też, bo on i złodziej są brada. A przez to sam jest złodziej. Nie wiem, ile czasu mineło, ale radio w mojej głowie nadaje słodziuteńko jak skurwysyn. On mie pyta, czy jestem gotowy, a ja na to: znaczy że co? Teraz nikt mie już nie tknie, a mój wzrok sięga tak daleko i głęboko w mózg Joseya Walesa, że on nawet nie wie. Wiem, jak teraz to wszystko przedstawią. Co sie zachowa, a co przepadnie.

Tak sie człowiek czuje wtedy, jak wie, że mógłby zabić Boga samego i przy okazji wyruhać diabła. Josey Wales mówi, że nie długo ruszamy, ale ja czuje, że trzeba od razu, łapie broń i myśle tylko o tym, że chce zabić zabić zabić tego pizdocipa, nikt go nie zabije, tylko ja chce zabić zabić zabić i tak mi dobrze, tak kurewsko przyjemnie, jak mówie zabić zabić zabić, aż sie słodkim echem wali po budzie. Josey Wales mówi, że już czas. Na zewnątrz dwa białe datsuny. Przed odjazdem Josey Wales mówi, chociaż robisz na dwie strony, to jesteś marionetką LPN-u. I że chcesz nagrać numer, w którym śpiewasz o życiu pod ciężkim butem, i każdy wie, że to hasło LPN-u. I że sie nigdy nie zmienisz, ale zaraz wszystko inne bardzo sie zmieni.

Ile razy tych dwuch mówi o tym, co nasza ósemka ma zrobić? Trzy. Zapominam za pierwszym razem i za ostatnim też, bo czuje sie jakoś inaczej na tym haju. Nie że przywykłem do kokainy, ale wiem, że to inny haj. Funky Chicken świruje. Jest zimno, ale nie dlatego, że słońca już nie ma i noc przyszła wcześnie, czarna i gęsta. Josey patrzy na zegarek i klnie, spóźnimy sie, w pizde, mówi. Dwa białe datsuny. Josey, Beksa, Bam-Bam i ja wsiadamy do pierwszego. Do drugiego reszta.

Aptaun. Aptaun zawsze dla mie znaczy to samo, jak tam jestem. Zielone światło. Nadchodzimy nadchodzimy nadchodzimy jak błyskawica i grom. Chciałbym jeszcze jedną kreske, tylko jedną i już poleciałbym. Przed nami niebieskie auto, jedzie w tą samą strone. Ten samochód to Grajek, a my to szczury. Jedziemy za tym niskim menago aż na Hope Road numer pięćdziesiąt sześć. Czerwone światło znaczy stop, zielone znaczy wolna droga.

BAM-BAM

Wystarczy już kresek mówi Josey Wales
Jest robota
W aucie mocny beat basu
Zero muzyki ze stereo, czarnuhu
Nie trzeba muzyki
Żeby tańczyć S90 Skank, czarnuhu
Niski gruby menago
Ostro w bok
Pirat drogowy
Można cie było
Trzea cie było
Napakować ołowiem
Ośmiu chłopaków
Dwa białe datsuny
Jak duhy w biały dzień
Beksa pierwszy go widzi
Śmiech
Człowiek prowadzi nas na własną zgube
Grajek Szczurołap mówi Beksa
Nie rozumiem
Pytam co mówi
Nikt nic tylko rechocą
Broń ociera sie o kolana ociera
Chce mi sie ruhać ruhać ruhać
Pierdolić to
Na aptaunie
Uciekając od Babilonu
Korek

266

Auto na aucie na aucie na aucie
Korek w Kingsta
Wpadniemy zabijemy pizdocipa
Beksa patrzy na mie dziwnie
Widzi
Nikt sie nie rusza
Tak blisko grubego menago
Że prawie można dotknąć
Powinniśmy go stuknąć dotknąć
Że jak czas sie skończy
To zobaczy że nadchodzimy
Dwa białe datsuny
Chłopcy za chłopcami za męszczyzną
Prowadzącym nas do ciebie
Pocieram broń ale to głupie
Broń to nie kumpel broń to broń
A mi sie chce ruhać ruhać ruhać
Pietnaście lat
I muchy nawet nie wyruhałem
Źli ludzie ruhają od dziesiątego roku życia
Zerwać gwint gwint takiej zerwać
Raz widziałem jak ojciec ruhał matke
Biały datsun numer dwa za nami
Czerwone auto podjeżdża z tyłu
Dwa po obu stronach niebieska cortina
Nie ma forda escorta
Różowy vokswagen
Różowy pedryl w różowym vokswagenie
Nikt sie nie rusza
Nic z tego
Musi tak być biore dwie kreski
Trzy kreski cztery
Musi i będzie
Myśle złapać broń i strzelać

Ludzie by sie wtedy ruszyli
Beksa patrzy na mie
Ty opuść tą kurewską spluwe
Coś mówi o kokso
Kokso z ciebie durny kokso
Chce mu powiedzieć
Co pierdolony kokso
Zaraz zrobi ale co tam krzyż na droge
Krzyż jak na nagrobku
Różowy pedryl w różowym vokswagenie
Patrzy na nas
Czterech w białym datsunie
Jedziemy zabić
A nie sie ruhać zboczku
Celuje pizdocipowi w gębe
I bum sia-ka-la-ka
Riddim w mojej głowie wariacki
Bam bam style styleeeeeee
To auto musi spadać w pizdu
I spada
Menago zniknął
Pryska jak kogut
Przed sześćdziesięcioma seksownymi kurami
Puf zzzz szszszu
Ucieka
Jedziemy w to samo miejsce mówi Beksa
Demus siedzi cicho
Nie lubie go
Za długo patrzy na ludzi
Jakby coś sobie notował we łbie
Wjazd na Hope Road widać jak menago skręca
Stop
Patrzymy czekamy
Echo Squad nie pilnuje

Echo Squad to LPN
Echo Squad to tylko P:
Pieniądze
Noc zapada nagle
Jak wtedy jak sie nie zwraca uwagi
Niebo czerwone i czerwieńsze
Pomarańczowe i pomarańczowsze
Czarne i czarniejsze
Chciałbym działki
Chciałbym jeszcze działki
Chciałbym jeszcze działki
To przez ciebie
Ty mi stoisz na drodze
Ale zaraz cie dopadniemy
Z piskiem kół przez brame
My w pierwszym aucie pod same drzwi
Tamci blokują wjazd
Czterech wyskakuje
Jak Starsky i Hutch
Na raz na cztery
Beksa wali do drzwi
Wejście główne rezydencja
Tutej pewnie kiedyś panowie
Niewolników chłostali na śmierć
Zabić zabić zabić
Ty dalej w środku do kuchni po schodach
Wajby i zioło walimy twoim śladem
Josey szybszy ode mie
Kierował autem ale wyskoczył
Pierwszy do walki
Twoja żona wybiega mam to gdzieś
Ona i nygusy mam to gdzieś
Kula z mojej broni trafia ją w łeb
Aż podskakuje do góry

I pada jak worek
Podchodze wykończyć dziwke
Ale leży krew buha z głowy
Biegne dalej
Żeby cie dorwać wypatrzyć skasować
Ale Josey szybszy
Bam bam żona kaput
A twoi brada
I sista
Wszyscy ci od gitary
Słysze bam bam bam na parterze
Dobiegam przebieram nogami
Echo w mojej głowie bam bam
Krew krąży w rytmie bam bam
Kurestwo pierwszy chciałem cie dorwać
Człowieka co cie zastrzelił
Zawsze będą pamiętać
Dom nie przestanie sie ruszać
Nawet jakbym stanął
Wbiegam do kuchni odbezpieczam broń
Napiszą o mie piosenke!
Riddim wali mi w głowie
Wali głośniej
Mój ojciec śpiewa
One two three four
Colon man ah come
With him brass chain ah lick him belly
Bam bam bam
Ale Josey biegnie pierwszy
Kurewski jebany Josey
Wpada podnosi M16
Ale wbiega menago prosto na ciebie
Zasłania
Ja szybki tylko wszystko inne wolne

Ostatni schodek odgłos sie ciągnie
Im szybciej podnosze broń
Tym dłużej trwa
Wsuwam głowe cie widze wcześniej niż Joseya
Nie wiesz że mi stoisz na drodze do działki
Niski grubawy menago nadział sie na nią
Coś pieprząc głupoty
Bam bam bam bam bam
Z broni Joseya
Szatkuje mu uda szatkuje plecy
On wrzeszczy ja wrzeszcze ty mówisz tylko
Syllasje ja Jah Rastafari
I wszyscy padają
Trach w garnek puk w puszke wzbity kurz i trach
Przez okno
Puk
Josey nie celował w głowe
Jak nas uczył Kubańczyk
Celujcie w głowe mówił
To sie rozbryzga jak arbuz
Patrzysz prosto na mie
Upuszczasz grejfruta
Patrzysz
Chce
Żebyś krzyczał wrzeszczał mazał sie płakał
Zeszczał sie w gacie wierzgnął i padł
Ale ty patrzysz nie ruszasz powieką
I ja i ja
Bam Bam
Jah Rastafari strzelił ci w serce
Wołasz Syllasje
Trafiłeś pytam Joseya
Ta
Ja trafiłem żone

Idź przed dom
Prosto w głowe jeden strzał
Dziwka pofruneła i wylądowała na ziemi
Chciała uciec
Za kogo sie miała Jill Kelly czy Sabrine
Nie nazywaj dziwką jego królowej
Trafiłeś go?
Trafiłeś?
Trafiłeś?
Ta
Biegniemy przed dom
Brada zrobili z domu ser szwajcarski
Demus wbiegł przez drzwi
Obok dziewczyny co sie za nimi schowała
Opróżnił magazynek w organy
Zagrał do re mi fa so la
Ludzie w środku sie kotłują wrzeszczą
Dziewczyna woła Seeco
Ludzie w środku cicho jak myszy
Upuszczasz grejfruta i patrzysz na mie
Jak Jezus mówiący Judaszowi
Żeby już zrobił co ma zrobić
Ja to ty Piłacie
Ja to ty rzymski żołnierzu
Ty nawet nie wiesz kto twój Judasz
Demus będzie wściekły że Judasza nie ma
Chyba bardziej jego chciał dopaść niż ciebie
Ty po prostu stanąłeś na drodze
Ekstra premia dodatkowy sos do obiadu
Heckle biegnie obok Demusa korytarzem
I kulami przecina człowieka na pół
Seria przez brzuh
Po każdym strzale bryzga krew
Znowu sypiemy ołowiem

Tak jak chciałem
Żeby mieć pewność
Że nie żyjesz
A to ja powinienem cie zabić
Nie nawidze tego piździelca Joseya Walesa
Chce wrócić do kuchni
Gdzie leżysz tam zabity
I zabić cie mocniej
Funky Chicken przy drzwiach
O mało mie nie zastrzelił
Żone dorwałeś?
Ta dorwałem
Biegła
Do vokswagena
Jeszcze jeden na podłodze
W domu ucichło
Tylko sie trzensie w posadach
Łuuuu łuuuu dźwięki policji
Bestia Babilonu
Nadchodzi
Pędzimy
Ale ja staje
Bo jak wybiegamy
Wchodzi dziewczyna
Anioł co nie wie
Że sfrunął do piekła
Ładna i skóra brązowa
I tak wygląda
Jakby sie nie bała wejść
W seksownych dżinsach i ładnej bluzce
Wiem że przyszła do niego
Brązowa skóra ładne włosy
I chce mi sie ruhać ruhać ruhać
Widzi nas przystaje

Nie ucieka nie cofa sie stoi
Może płacze albo oko zatarte
Nieruchoma
Syreny coraz bliżej podnoszc broń
Ona od nich więc podnosze broń
Ale Josey dopada ją pierwszy
Podchodzi do niej
Twarz w twarz
Wąha
Ona odskakuje zaczyna płakać
Tak po cichu
Jak umią dorosłe kobiety
Chciałbym żeby sie zeszczała
Chciałbym sie z nią zabawić
Ale Josey znowu sie wtrąca
Zabije go
Do auta kurwa!
Pierwszego już nie ma
Demus Beksa Josey Heckle ja
Beksa gaz
Kobieta ciągle tam stoi
Jak żona Lota
To spojrzenie
Sól
Trzy strzały
Wylatuje nam szyba z tyłu
A ja chce zabić zabić zabić
I ruhać ruhać ruhać
Mi sie chce
Ale tylko krzycze krzycze krzycze
Poślizg przechyla nas w lewo
Prosto na jadące auto
Koniec
Piski klaksony

Policja wali ostro
Łuuuu łuuuu łuuuu
Nalot Babilonu
Auta uciekają na boki
Jedna kraksa dwie
Walimy Hope Road
Inni nas słyszą
Policja z tyłu
Jazda z drogi kurwa!
Bam! W prawo w East Kings House Road
Na czerwonym
Pisk gumy pisk zaraz jebną opony
Łuuu łuuuu łuuuu
Pierdolona policja
Piździelski Babilon
Głowa mi rośnie serce mi wali
Bum bum bum
A ty patrzysz na mie
Podnosze oczy
Auto jedzie prosto w moją głowe
Przestań wrzeszczeć jak piździelec piździelcu!
Mówi Beksa hamuje
Wale głową w deske
On szarpie kierownicą wciska gaz i i i i

DEMUS

atsun znowu jedzie jakąś drogą co jej nie znam potem w lewo w inną chłopak ucieka spod kół ale i tak słychać huk wszyscy wrzeszczą Beksa każe sie zamknąć, pizdocipy, znowu skręcamy skręcamy skręcamy i walimy w tak wąską uliczke, że trzemy bokami z obu stron iskry strzelają i ktoś krzyczy czy w środku czy na ulicy nie wiadomo wjeżdżamy w dziure jedna druga trzecia auto podskakuje odbijamy w prawo obok baru w którym grają JEGO numer ze znakiem Pepsi i z tym starcem od Schweppesa i Heckle mówi wyrzucać broń broni sieh trzeba pozbyć i wyrzuca a Beksa że jest pierdolony kretyn ale jedzie dalej i skręcamy w prawo droga mała nie ma latarni tylko reflektor pies walimy w psa potem lewo prawo i już nikt nie wie gdzie jesteśmy ja wiem że nie wiem i czuje zjazd w głowie działki nie ma i ten zjazd taki smutny coraz smutniej rzygi mi walą do ust to połykam znowu skręcamy w pusty zaułek i drugi zaułek i dalej do szerokiej drogi co biegnie jak dolina przez Wysypiska i teraz dopiero widze że policja już nas nie goni i sie robie jak chłopiec i chce moją kobiete co ją rano zostawiłem wiedząc że moge nie wrócić ale nie myśląc o tym chce moją kobiete ale wszyscy w aucie siedzą cicho aż wreszcie Heckle mówi pies nas sszamie na kolacje sie będziemy smażyć w piekle oni nas zajebią nas pod ciężki but wezmą nas wymażą i płacze i Beksa każe zatrzymać auto i wysiada i co ty piździelcu wyprawiasz pyta Josey ale Beksa wyciąga rewolwer i otwiera lewe drzwi i mówi do Heckle'a żeby ciota wyskakiwał ale ten nie chce Beksa strzela w powietrze ja myśle Jezu Chryste teraz to już policja na pewno przyjedzie a Beksa przystawia Heckle'owi lufe do głowy i mówi brada lepiej sie przesuńcie bo bryźnie i Heckle płacze już wysiadam wysiadam już mie nie ma i wyłazi i Beksa wyrywa mu M16 i rzuca na góre śmieci i celuje i mówi lepiej spieprzaj bo nie mamy już razem spraw i jak chłopak sie odwraca Beksa kopie go w dupe ten upada sie podnosi i biegnie i Beksa wsiada do auta jak który chce stamtym to niech wypierdala ale nikt nic wysiada ja chce tylko uciekać gdzieś do jakiejś jaskini na plaży dziury chce chce tylko jeszcze jedną kreske tylko jeszcze jedną kreske jeszcze jedną kreske przed śmiercią i wtedy dociera do mie że mie zabiją bo muszą i będę jednym z tych co zabili JEGO a to jak ten co zabił Jezusa bym chciał żeby mi moja kobieta zaśpiewała czemu ja nie umarłem od jakiejś choroby w gecie polio szkorbutu obrzęków czy od czego biedacy umierają Beksa rusza i jedziemy przez Wysypiska kto ma zegarek jak długo jedziemy jedziemy i sie w ogóle nie zatrzymujemy to czemu nie jesteśmy jeszcze w Kopenhadze i w wąwozie przy Trench Town Beksa przystaje wysiada i biegnie biegnie normalnie biegnie nas trzech zostało Beksa znika w krzakach jakby go połkneły czekam aż im sie odbije i Josey Wales z przodu patrzy na Bam-Bama i Bam-Bam biegnie i znika na zachodzie i Josey Wales patrzy na mic i mówi pierdolony kretynie byłeś o krok tylko sie tego gówna od Beksy nawciągałeś a ja że o czym on pierdoli ale już pobiegł w krzaki co go połkneły i myśle żeby zaczekać na beknięcie bo bym sie pośmiał ale nie ma sie z czego śmiać no to zaczynam płakać nikt nie patrzy a przynajmniej nie widze nikogo i chce mi sie płakać jeszcze bardziej chce moją kobiete chce kreske bo nie nawidze jak mam zjazd nie nawidze nie nawidze bardziej niż to że oni mie wszyscy zastrzelą i nawet miesiąc nie minął a ja wciągam i sie zmieniam w wariata na ulicy głód głód chce kokainy dostaje świra musk to mi gdzieś poszedł i już nie wróci ale nic nie wróci nic a nic coś szura w krzakach u góry wąwozu i światło tam buha jakby sie zapaliły włosy jak krzew gorejący w Księdze Wyjścia światło znaczy nadjeżdżający samochód tendy wąwozem na skróty wiem że to policja policja wiem czuje uciekać uciekać potykam sie o kamień wale kolanem auuuu w pizde zrywam sie chce biec ale lewa noga tylko kuleje jak temu mordercy w *Brudnym Harrym* a teraz Harry mie goni nie nie nie tam jest kempa chwastów wysokie takie że sie schowam tak jak na małym krześle może sie schować duży krulik którędy poszedł krulik którędy ale ja nie krulik ja Kurak Leghorn i sie schowam jak mówie schowam sie tutej o za tym zielskiem to taki żart… mówie że żart juuuu hiii hiiii he he he he auto pojechało a ja nie moge przestać he he he he nie wiem czemu sie śmieje zamknij sie zatykam sobie gembe auto grzechocze i jedzie dalej i pluska sie w tej paskudnej wodzie płynącej wąwozem budzi szczury ale dużo szczurów że sie krzyczeć chce i aiiiiiiiiiiiii nikogo nie ma nikt nie usłyszy aiiiiiiiiiiiii jak dziewczyna broń sie zgubiła znaleść nie moge szczury pewnie ukradły zedrą ze mie skure stopy mi zjedzą tyle śmieci w wąwozie pudełka po detergentach Brillo FAB po płatkach mąka z odzysku mąka wzbogacona torebki plastikowe zdechłe szczury w torebkach żywe szczury wyłażące z kartonów po mleku pudełka po herbatnikach biegają po butelkach po napojach po oleju spożywczym po płynie do mycia naczyń chyba Palmolive ja tone w tym tyle tych butelek jak szczurów szczury w butelkach bo wyjść nie mogą trzeba uciekać uciekać trzeba zapomniałem o broni i czy idą mie zabić nie chce umierać musze ubłagać Jezusa ubłagać Papa-Lo ubłagać Kopenhage ale to nie Papa-Lo mie wysłał to Josey Wales a Josey nic nie może bez zgody Papa-Lo może dobrze że próbuje myśleć prosto jak pod linijke pod kreske ale kreska znaczy biel znaczy koka musze mieć działke musze musze i strzelałem w JEGO domu i teraz nie myśle o tym ciągle tylko czasem odzywa sie w głowie tak jak czasem nosze gacie wiem że Josey Wales ma za to dostać dużo pieniędzy inaczej by nie zrobił bo polityka nic nie znaczy dla takiego jak on wiadomo i nie było policji nie było ochroniarzy nie było ochroniarzy w ogóle ani jednego więc wiedzieli że jedziemy ale Josey obiecał że będe miał przynajmniej jednego policjanta do odstrzelenia i żadnych strażników przy bramie od razu wjazd a moglibyśmy normalnie wejść powoli i chyba poszatkowałem tylko fortepian musze wrócić do Kopenhagi bo tutaj to wygląda jak teren LPN-u czemu Beksa nas zostawił w ta-

kim miejscu jak my właśnie zabiliśmy najsłynniejszego sufferah
LPN-u a jak mie ktoś znajdzie zabije mie na śmierć nie wiem
gdzie ta droga biegnie popękana i szczury szczury szczury szczury i uciekam i chyba sie późno zrobiło bo na pierwszej ulicy pusto
i nie wiem gdzie jestem dwa bary ale wywieszka zamknięte dwa
śpiące psy jeden skradający sie kot spalony samochód skorupa tylko blokująca droge znak Rose Town Walk Ride Drive and Arrive
Alive i jeszcze jeden co każe zwolnić bo szkoła oba podziurawio-
ne dawno kulami i jak to widze to każda dziura dźwięczy bam albo
paf albo bum jak Harry Callahan czy on strzelił sześć czy tylko
pięć razy a ja bez broni może zostawiłem na tych polach śmieci
polach wydmach górach i „szczerze mówiąc w tej całej zabawie
przestałem liczyć, ale ponieważ to jest magnum kalibru 44, naj-
potężniejsza broń krótka na świecie i elegancko odstrzeli ci łeb, to
musisz zadać sobie pytanie czy czujesz się szczęściarzem no czujesz się śmieciu?" i Harry bam bam bam ręce przestańcie sie trząść
no przestańcie sie trząść błagam nikt mie nie kocha sie nie przejmuje głowa mi już nie chce myśleć chyba mam zjazd po narkotykach dlaczego jak taki zjazd to człowiek tak sie czuje jakby spadał
w dół do dołu i dolszego jeszcze dołu i sie nie zatrzymuje haj to
był tylko taki szczyt z którego sie zlatuje spada bez ustanku spa-
dam coraz niżej niżej zaraz sie osune w droge i niżej pod sput do
piekła nikt mie nie zobaczy jak biegne przez noc szybciej biec żeby
świat zwolnił ale wszystko rusza sie szybciej ode mie w drodze są
dziury i płot z blahy zasłania domy biegne biegne prosto na ludzi
ale ich nie usłyszałem widze błyska za krzakami że grają w domino ktoś mie widział ktoś mie goni nie wszyscy pod latarnią czterech przy stole trzej męszczyźni przyglądają sie dwum kobietom
męszczyzna z przodu oparty o ogrodzenie wali jedno domino
drugie trzecie walą mocno stolik sie kiwa kobiety krzyczą i sie
śmieją radio: love to love but my baby he loves to dance he wants
to dance he loves to dance he's got to dance nikogo przy mie ale
nie nawidze ich bo ludziom z geta nie wolno być szczęśliwymi nie
wolno sie śmiać nikomu wszyscy mają być nieszczęśliwi ja nigdy

sie nie śmieje może dwa razy przez całe życie a jak mówie przez całe życie to sie czuje jak stary chociaż jeszcze nie mam dwudziestu lat i mam tylko moją kobiete a to dobra kobieta i wracam biegiem do niej ale wcale nie wracam do niej chce tylko uciec tylko sie czołgać lewe kolano prawe kolano lewe prawe lewe prawe ktoś mi kolana i ręce umazał błotem Boże Jezu alleluja tylko psa żadnego sie czołgam jak pies na czyjeś podwórko to teretorium LPN-u bo wszystkie ściany pomarańczowe i ci ludzie kurewsko jacyś szczęśliwi szkoda że nie mam broni powinni wiedzieć co to znaczy zabić pierdolonego Jezusa Chrystusa kamień w błocie au au au w pizde jebaną kobieta słyszy kobieta co nie gra gdzie podziałem broń gdzie broń broń ale potem ona sie znowu śmieje i mówi że to jakiś kundel przybłędah o tam a ja sie czołgam czołgam aż już nie słychać domina i biegne biegne biegne przez droge na wał nie wiem nawet jak Bóg jeden wie a może Szatan wie a teraz jestem na torach tory mie ciągną pchają prowadzą z powrotem do budy ktoś śpiewa: take me back to the track jack nie to radio w mojej głowie ciągnie mie tam gdzie sie to zaczeło i czy ludzie będą myśleć że to przez polityke ale to jest polityka biali gdzieś mają gonitwy koni pamiętam jak biały i Kubańczyk mówili żeby znać różnice między celowaniem z broni a strzelaniem a ja tu teraz na torach ale za ciemno żeby wiedzieć czy to tory dla koni to że jedna decha za drugą to musi chyba tak być żadnego pociągu o tej porze jeden jeździ wcześnie rano przed pianiem kogutów może sie położyć tutej i zasnąć na szynach i obudzić sie w piekle nie to nie moje ja tak nie mówie to ten zjazd Jezusie mam nadzieje że Beksa wrócił do szopy z kreskami ale nie ma szopy tylko tory sie ciągną wszędzie może tendy dojde na wieś albo nawet na teretorium LPN-u ale przynajmniej czuć morze pewnie go zabrali do szpitala tego szpitala gdzie gardzą rasta ale jesteś tam teraz na ostrym dyżurze otoczony białymi doktorami i doktor mówi potrzebuje bla bla bla bla bla żeby bla bla bla bla bla i łapie za te dwie rączki i mówi już i prądem wali ci w pierś muzyka narasta nie ładna muzyka ale muzyka że mi sie kark poci i pielęgniarka patrzy w bok i doktor mówi straciliśmy go i wszyscy aż sie czarni robią jakby mi głowa przestała łazić i zostawiła tą robote nogom bo idą do nikąd a tutaj półksiężyc ale pomarańczowy niebo czarne i czerwone w pizde jebaną kostke sobie zwichłem rozbita butelka szczury gówno na torach tata mówił że z kibla w pociągu leci prosto na szyny i co gorsze rozbite szkło czy suche gówno nie wiem czy w szopie jest jakiś ręcznik zasnąć błagam bo to nie jest dom ale mój dom teraz coraz bliżej kto patrzy kto pilnuje kto pułapke zastawił coraz bliżej drzwi sie tak łatwo przecież nie otwierały nie wiem mówie że nie wiem musze kreske musze mieć działke Beksa jebany piździelcu dawaj działke taka mała ta buda drużnika nie była okno jest za oknem nic tylko czarno w środku ciemno ciemniej potem już czarno a potem sie budze tonąc ale odpukuje w drewno. Czuje zapach niemytego mężczyzny ale nie widze nikogo.

— Oi, nie możesz tu zostać. Piździelcu. Musisz spadać. Yo. Yo.

— Mus zaczekać na Bekse. Mus zaczekać na Joseya Walesa.

— Clint Eastwood ma przyjść? A z nim kto, Francis muł który mówi?

— Pierwszy. Ja pierszy przyszłem.

— Nie, brada, ja cie widziałem w nocy. Ani pierszy, ani ostatni.

— Kiedy ty… Jechałeś w pierwszym datsunie czy drugim? Bam-Bam? Jestem skonany, więc…

(KLIK).

— Słyszałeś, pizdocipie? Znasz to? Potrafisz rozróżnić, czy broń klika, czy zegar tyka?

— W pierwszym czy drugim jechałeś? Znam cie? Ty jesteś… ty jesteś…

— To co słyszałeś przed sekundą? Broń czy zegar?

— Nie było przed sekundą. Beksa? Powiedz Bam-Bamowi żeby nie siał ze mną zła.

— Coś klikneło czy tykneło? Nie śmieszne?

— Nic nie słyszałem. Heckle?

— Jak jest tik, to potem jest tak. A jak jest klik, to wiesz, co potem?

— Nic nie słyszałem, żadnego klik.

— Nie słyszałeś? Po klik jest kurewskie bang, chcesz sie założyć, że usłyszysz?

— Bang bang bang la desz.

— Chłopaku, jesteś nagrzany?

— Próbuje wyciągnąć dolara z piętnastu centów.

— Paliłeś zielsko?

— A ona wiruje, ona sie kręci.

— Ile kresek wciągłeś?

— Znasz Joseya Walesa? Bekse znasz? Wiesz, czy przyjdzie?

— Kokso z ciebie jak chuj. Już lepiej być ciotah.

— Żaden kokso, chce tylko kreske. Jedną kreske. Jak Beksa przyjdzie, to mi da.

— Kokso.

— Powiedz Beksie…

— Tu żadna Beksa nie przychodzi.

— Przyjdzie i wtedy ci powie, kto tu może przychodzić. A kto nie może. To jego chata. Zobaczysz. Przekonasz sie.

— Chata? Widzisz tu jaką chate?

Krzaki. Żadnego drewna, podłogi, okna, krzaki tylko. Na ziemi, pod drzewem, co sie z niego zwiesza tamaryndy i nietoperze. Tamarynd na ziemi. Tamarynd w trawie, jeden obok drugiego, tamarynd przy tamaryndzie przy tamaryndzie tamarynd przy stłuczonym talerzu przy butelce po pepsi przy głowie lalki przy trawie przy chwastach przy ogrodzeniu z blahy. Podwórko, czyjeś. Kogoś co krzyczy jak tylko ja widze że leże w trawie na czyimś podwórku. Wrzeszczy i wrzeszczy i widze kto to.

— Nie możesz tu wracać.

— Jak nie moge? Wróciłem.

Szukam drewna, kamienia, gwoździ i zakrzepłej krwi, ale to nie buda drużnika, nawet nie jestem w środku, a ta kobieta to moja, z którą mieszkam, kobieta, której imienia nie moge powiedzieć. Mówie, że ja to ja.

— Szaleńcu, jazda z mojego podwórka!

Ale ja nie szaleniec. Ja mieszkam z tobą, jakbyś ty była mama, a ja tata. I wtedy do mie dociera, że nie pamiętam, jak ona wygląda, i nie widze jej twarzy, ale wiem, że jestem w jej domu. To ten czerwony przy Smitherson Lane, czwarty od skrzyżowania, dom z kuchnią w środku, co przeważnie nikt tutaj tak nie ma i gotować muszą na dworze.

— Przecież tu mieszkam z tobą jako twój męszczyzna.

— Męszczyzna? Ja nie mam męszczyzny. Mój męszczyzna umarł. Wynocha.

Skończyła gadke. Łapie za kamień. Pierwszy nie celny, drugi nie celny, ale trzecim dostaje w plecy.

— Co, kurwa, robisz?

— Wynocha z mojego piździelskiego podwórka! Gwałcą! Gwałcą! O rety, rety, gwałcą mie we własnym domu! Ratunku, do cipy sie dobierają. Gwałciciele!

Jest jedno, czego Papa-Lo nie dopuszcza, to gwałcicieli. Lepiej dziesięć kobiet zabić jak jedną zgwałcić. Kobieta, z którą mieszkam, chce mie ukamienować, ja uciekam, prawo, lewo jak jaszczurka. Ona znowu wrzeszczy i nagle słońce na mie pada z góry jak reflektor. Widze. Słońce posłało za mną demony, tak samo jak posłało za Judaszem Iskariotą.

Wynocha, wrzeszczy. Odwracam sie i widze, że podnosi ręke, żeby znowu rzucić kamień. Patrze na nią, nie mrugne nawet. Upuszcza kamień i biegnie do tej małej sypialni, co my ją we dwoje tak potrafimy zmoczyć, że trzeba wywieszać materac, żeby wysech. Nie słysze ich za płotem ani nie widze, ale wiem, że biegną. Wyglądam za płotu i widze Joseya Walesa z trzema, co ich już widziałem. Jeden to Tony Pavarotti, innych dwóch to nazwisk nie znam. Chce krzyknąć, że co to jest tutej odpierdalane, ci brada nigdy sie w jej domu nie pokazywali. Ale zanim krzykne, że to ja, słychać pap pap pap i bang bang bang na ogrodzeniu z blahy, ostatnie przeszło mi obok prawego ucha. Nie wiem czemu, ale znowu wyglądam, żeby Josey Wales zobaczył, że to ja, a nie żaden gwałciciel, ale on patrzy prosto na mie i strzela w biegu. Cztery kule walą przez płot, dwie zip zip tuż obok mie. Biegne za dom, hop przez płot, ale ląduje gdzie indziej jak myślałem. To nie ulica, tylko głęboki rów jak droga do piekła. Lece i lece. Próbuje sie przeturlać, jak zrobiłby Starsky i Hutch, ale wale kolanem w ziemie. Nie ma czasu na żadne au. Biec w lewo to głębiej w Kopenhage, w prawo to dauntaun.

Na dauntaunie od razu w autobus. Słońce stoi tak wysoko, że oświeca tylko góre budynków. Chłopcy młodsi ode mie biegają z plikami gazet na głowie. Śpiewak postrzelony! Menadżer w stanie krytycznym! Rita opatrzona i odesłana do domu!

Jah żyje.

Nie.

BAM-BAM

Nie chowaj sie na widoku, nie chowaj sie na widoku, piździelcu. To gówno z kina, zabójca widzi tylko z przodu. W tłumie też sie nie chowaj, bo jak sie tłum zmieni w motłoch, to i tak
będzie cie widać! To on! I wtedy już oni kontra ja. On był z nimi
i od nich, a teraz wszyscy przeciwko mie. Chce, żeby tata wrócił
i żeby mama nie była kurwa, i żeby Josey Wales nie próbował mie
znaleść. Wczoraj wieczorem, człowieku, wczoraj wieczorem. Beksa wyskoczył pierwszy, potem Josey Wales i ja nie wiedziałem co,
to też skoczyłem. Nie czekałem na Demusa. Nie, słońce. Ale pare
kroków zrobiłem i kule za mną lecą, brap brap brap. To biegne,
myśląc, że policja mie goni. Skręcam w lewo, kule skręcają w lewo.
Skręcam w prawo, kule też w prawo. Biegłem, aż znowu na Wysypiskach, a kule ciągle za mną lecą. To dałem nura w wielką górc
śmieci śmierdzącą gównem, szczynami i zgniłym jajem i mokro
tam było. Mokre i śmierdzi i to mokre i ten smród kapie mi na
włosy i usta. Sie nie ruszam. Śmierdzące śmieci mie chronią, kryją
mie, oni nadchodzą. Wcale nie policja.

Josey Wales i Beksa z odbezpieczoną bronią.

— Myślisz, że trafiłeś? — pyta Beksa.

— Jak to czy myśle? Spudłowałem ci kiedyś?

Beksa sie śmieje i czeka. Podjeżdża czerwone auto i wsiada-
ją. To ja teraz do domu nie moge wrócić. Zostaje w śmieciach,
aż ten mokry smród na mie wysycha. Sie ruszam, dopiero jak
wiem, że całe Kingston poszło spać. Uciekam wtedy z Wysypisk
i dalej przez pusty targ. Tutej niedaleko mieszka Shotta Sherrif.
Ja widze sklep, co albo sie nie zamknął, albo dopiero otworzył,
bo przecież godzina policyjna. Z radia słychać, że opatrzony wrócił do domu, ale czy będzie grał? To już wiem, że Josey chybił.

Ten wredny parszywy pizdocip spudłował, wiem, że powinienem wrócić i sam go wykończyć. Że powinienem wrócić dla pewności. Osiem jebanych kul wystrzelił i nie zabił. A teraz mie chce dopaść.

Potrzebuje koki, chociaż pół kreski. W nocy w środku nocy ktoś mi czymś brznął w twarz i nie mogłem oddychać. Nie wode, wody szybko zabrakło, i to coś sie trzymało twarzy, potem powoli spłynęło na nos, do ust, chociaż dmuchałem i dmuchałem. Coś jak ślina. Jakby sie Bóg na mie położył i zasnął i mu sie z buzi ulało. Sie budze zakrztuszony, a on ciągle na mie i mi dycha tym gorącym śmierdzącym oddechem w nos, nie, to pies. Pies mie lizał po twarzy. Sie zerwałem, wrzasnąłem, kopłem go, zawył i pobiegł na trzech łapach. Teraz leże na ławce w National Heroes Park. Mówią, że przyjdzie, napisali to na murze, ten plakat ze Śpiewakiem pokazującym niebo. Uśmiechnij się, Jamajko, koncert publiczny, niedziela piąty grudzień o piątej. Pokonał śmierć jak Łazarz, jak Jezus. Ludzie w parku gadają, już sie schodzą, idą obok mie, wariata na ławce, i mówią, że mają nadzieje, że policja mie dorwie, żeby przyzwoici ludzie nie musieli żyć obok parszywego szaleńca. Przyhodzą od samego rana, czekają na niego. Mrugam i patrze, i widze, jak wyłażą z ludzi, żeby mie dopaść. Wyglądają jak małe dzieci, ale jeden ma trzy oczy, a drugi zęby takie długie, że sterczą, a trzeci ma dwa oczy, ale bez ust, a tamten ma skrzydła nietoperza. Jak wczoraj wieczorem uciekłem przed Joseyem Walesem, ktoś znowu mie gonił. Gonili mie przez całą Duke Street aż do parku. Nie, w nocy sie przespałem na torach. Nie, w nocy usnąłem na Wysypiskach, bo Josey Wales do mie strzelał, a sie obudziłem, bo ktoś moją góre śmieci podpalił. Nie wiem, czy to dwie noce, od kiedy do niego strzeliłem, czy jedna. Ale przecież gazeta by nie potrzebowała dwóch dni, żeby powiedzieć światu, że Śpiewak oberwał, ale żyje. Że nawet pistolety go nie uciszą. Wszystko w jeden dzień, nie dwa. Wiem przecież, że dopadliśmy go w trzeci grudzień. Ale ludzie przyhodzą dwójkami, czwórkami, to to musi być piąty grudzień.

Josey Wales wyskakuje w mojej głowie i przypomina mi sie, jak uciekałem przed nim i że mówiłem sobie nie płacz, nie płacz, nie płacz, pedale mały, ale i tak płakałem, bo nic nie rozumiem i nie rozumiałem, czemu do mie strzela, skoro przecież to on nas posłał, i pierwszy raz mie dopadła myśl o innych, i zacząłem sie zastanawiać, gdzie są. Czy Josey Wales wystrzelał ich wszystkich i tylko ja zostałem? Nie wiem, czy to ma sens dla ważniaków, ale dla mie nie ma. Nawet jak już nie słyszałem Joseya Walesa, to ciągle biegłem. Poszłem z Wysypisk i pobiegłem biegłem i biegłem aż na dauntaun, na Tower Street, obok pasmanterji i syryjskiego sklepu i libańskiego supermarketu, co sie wszystkie pozamykały aż do wyborów. Tower Street przecina Princess Street i tą Orange Street z żebrakami, i tą King Street z przekupami, i tą Duke Street z handlarzami i potem prawnikami, i prawnikami. Skręcam w Duke Street i biegne po ciemku. I dociera do mie, że to nie Josey Wales chce mie dopaść, ani Papa-Lo, ani Shotta Sherrif, to on. Pokonał śmierć i mie goni. Nawet nie goni, siedzi sobie wygodnie może na jakiejś górce i zastawia pułapke, bo wie, że tacy jak ja sie urodzili głupcem, to w nią prosto wejdą. National Heroes Park. To dzisiej jego park i ma na własność każdego, co tu sie zjawi. Całe Kingsta. Całą Jamajke.

Gęsty sok mam na twarzy jak śline, ścieka do oczu do nosa. Budze sie zadławiony na ławce, ptasie gówno na ramieniu. Nie wiem, czy zasnąłem i sie obudziłem, czy jak sie obudziłem za pierwszym razem, to to mi sie śniło. Ludzie już są w parku, czekają i patrzą. Ja patrze i czekam. Na nich, na policje, na pistolety JPP, na pistolety LPN-u, na ciebie. O czwartej pewnie jest już z tysiąc więcej, wszyscy czekają, ale jakoś inaczej. Ci ludzie to nie JPP ani LPN, ani żadne inne P, po prostu mężczyźni i kobiety, bracia i siostry, krewniaki, brada i sista, i sufferah, ja ich nie znam. Wstaje i ide, obok nich, między nich, dokoła nich jak duh. Nikt mie nie dotyka, nikt sie nie odsuwa, w ogóle mie nie widzą. Nie znam takich ludzi, co nie stoją po żadnej stronie. Nie wiem, jak wyglądają, co sie dzieje w ich głowach, zanim coś powiedzą, ludzi, co nigdy nie noszą zieleni Parti Pracy Jamajki ani pomarańcza Ludowej Parti Narodowej. I tych ludzi tutej coraz więcej, tłum coraz większy i pas dokoła parku zaraz pęknie i sie wszystko rozleje, ale oni czekają na ciebie i śpiewają twoje piosenki, póki nie przyjdziesz.

Tłum to teraz jeden człowiek. Prędzej czy później, czy prędzej sie połapią, że ja nie od nich. Prędzej czy później któraś z tych owieczek krzyknie patrzcie na tamtego! Widzicie wilka. Nie wiem, jak sie połapią, ale połapać sie połapią. Ale nic ich nie obchodze. Robak jestem, mucha, wesz, nawet mniej. Gra Third World Band, otoczeni chyba przez całą policje Jamajki, i na scenie najpiękniejsza kobieta mówi, jakby była Janem Chrzcicielem, a Śpiewak Jezusem, a na to tłum oooch, aaaach i jeeee, a sukienke ma pomarańczowo-czerwoną do samej ziemi, jakby była gorejącym krzewem Mojżesza, ale nie mówi do nich, mówi do mie, mówi, ej, ty mały głupcze, kim jesteś, że myślisz, że możesz skasować takiego jak Tuff Gong?

Tłum faluje do przodu i sie cofa. Wschód sie buja na zachód, zachód sie buja na wschód, a ja próbuje nie patrzeć i próbuje, żeby nikt na mie nie patrzył, przechodzą dwaj chłopcy, jeden patrzy na mie za długo, drugi upuszcza gazete. Ciemno jest, ale światło z latarni pada na ludzi, czasem na ziemie. Jamajska „Daily News": „Śpiewak postrzelony. Wskutek napadu menadżer Wailersów Don Taylor…" ktoś nadepnął, potem ktoś drugi, trzeci, tłum połyka gazete, nie ma.

Podnosze oczy i on…

Nie on. Ty.

Patrzysz na mie.

Stoisz na scenie pięćdziesiąt, sto metrów dalej i patrzysz na mie. Zobaczyłeś mie o wiele wcześniej niż ja ciebie. Ale nie patrzysz na mie. Całe światło jest teraz na scenie, ja przepadłem w mroku.

Ubrałeś sie w ciasną czarną koszule, jakbyś wyszedł z piekła, spodni nie widze. Nie wiem, czy dżinsy, czy skórzane, co to do nich kobieta, z którą mieszkam, wzdycha tak mocno. Okręcasz sie i światło świeci na ciebie, błyskają dredy. Niebieskie dżinsy. Tylu ludzi na scenie, że nawet nie możesz tańczyć tak jak lubisz. Piękna kobieta, twój Jan Chrzciciel, ręce ma złożone, ale czuje muzyke. A potem po lewej stronie widze duha i chce uciekać. Wpadam na jakiś tułów. Przepraszam, mówie, ale ten człowiek w ogóle mie nie czuje, czuje tylko pozytywne wibracje. Patrze w tył i ten duh to nie duh, tylko twoja kobieta ubrana na biało. Trąbke słychać, ty stoisz nieruchomo. Nie słysze cie, słysze ludzi, oni cie słyszą, ale mie z tego wyłączyłeś jak głuchego, odciąłeś i sie zastanawiam, jak ta noc zabrzmi dla głuchych i czy naprawde rozpoczynasz rewolucje, skoro oni nie mogą sie przyłączyć.

Ty.

Mówisz, że zawsze wiedziałeś, zawsze miałeś niezachwianą wiare w ostateczne zwycięstwo dobra nad złem. Nie mówisz o mie. Ja wiem, że nie głosisz proroctwa o mie. Jesteś idiota. Zapomniałeś, że ty jesteś lew, a ja łowca. Znowu błyskasz dredami. A ja zapominam, że chociaż ty lew, a ja łowca, to ja siedze w twojej dżungli. Betonowej Dżungli. Obracam sie, żeby zniknąć, ale nikt sie nie rusza, nikomu nic złego sie nie dzieje. Tłum stoi, potem faluje do przodu. Potem zaczynają skakać i musze stać w miejscu. Jedna stopa mi depcze po palcach, druga, trzecia i jak nie zacznie skakać, to mie podepczą, aż stratują.

Twoja robota.

Mówisz im, żeby sie ścieśnili i zadeptali Babilon. Teraz ja skacze do tego, jak im śpiewasz o mie. Jesteś lew i teraz jesteś kowboj i wypędzisz zło czyńców z miasta. Patrze w ziemie, bas mie przygniata, żeby ludzie mie mogli zadeptać. Gitara sie przebija przez tłum jak strzała prosto w moje serce. Mie sie zdawało, że jeden dzień minął, jak strzelaliśmy do ciebie, ale jak sie zatrzymałem, zrobiły sie dwa i nie wiem, czy spałem na Wysypiskach, na Duke Street, w parku i kiedy z wieczora zrobiło sie rano i z rana wieczór razem dwa dni. I gdzie sie podziałem na cały dzień, że tego nie pamiętam. Ale teraz w ogóle nie moge myśleć, bo ty mie atakujesz i gdzie patrze żeby uciec, ludzie blokują mi droge i może powinni, bo Josey Wales na pewno też tu jest i Papa-Lo i teraz widze, że od początku to zaplanowałeś. Patrze do góry, ludzie ciągle na drzewach i jeden ma chyba broń i celuje mi w głowe. Macie, czego chcieliście, mówisz, chcecie więcej? I czy ty do mie to mówisz, czy ty o mie i tylko ja wiem, o co ci chodzi. Myślisz, że jesteś zły, piździelcu?, mówisz. Myślisz, że możesz przyjść i odebrać, pizdocipie? Myślisz, że możesz wykończyć Tuff Gonga? Myślisz, że możesz zgasić Jego Cesarską Mość? Jah żyje, piździelcu, i Jah przyjdzie ci wyciąć to kurewskie serce. Jah wyceluje palec i uderzy piorunem i spali cie na popiół, nieprzydatny na nic, tylko żeby parszywy pies podniósł łape i cie oszczał, żebyś spłynął rynsztokiem.

Macie to, czego chcieliście, mówisz, chcecie więcej? Nie. Ja nie chce więcej, bo ich widze, dziecko ze skrzydłami nietoperza i dziecko z dwoma oczami, ale bez ust, i syczący niebieski płomień, idą powoli przez tłum i chce krzyczeć, ludzie, czy nie widzicie? Demonów tych czy nie widzicie? Ale ludzie patrzą na ciebie, tylko na ciebie. Coś mi sie prześlizgowuje po stopie i łuskami ociera o kostke. I znowu wołam, ale w tej samej chwili woła gitara i mie zacisza. Może jakbym nie biegł, tylko szedł, to dałbym rade uciec. Wiec wysuwam noge, ale mur ludzi stoi, wszyscy skaczą, machają, tłuką sie, śpiewają i w lewo jest aptaun, w lewo widze szkołe dla chłopców, nikt by mie nie zobaczył, no to ide w lewo, ale ludzie ciągle śpiewają, tańczą, śpiewają, podskakują tak bardzo, że nic nie widać, ale ide i ide i jak tylko myśle, że doszedłem do końca parku, następny głos mówi: nigdzie nie pójdziesz, piździelcu, a wtedy ty śpiewasz, że tak mówi Jah i wszystko już oficjalnie zdecydowane.

Chce sie przedrzeć na wschód.

Nie.

Tak mówi Jah.

Żaden piździelski duh mie nie złapie.

Złapią, złapią.

Tak mówi Jah.

Josey Wales mie znajdzie, a jak mie znajdzie, to zabije, ale zrobi to szybko, bo ja wiem. A może Papa-Lo mie znajdzie i zabije, ale powoli, żeby wszyscy zło czyńcy wiedzieli.

Tak.

Tak mówi Jah.

Nikt nie może zabić Tuff Gonga.

Tak mówi Jah.

Przebieram nogami. Ide, szybciej stawiam kroki, ale ty coraz głośniejszy, głośniejszy, głośniejszy, ja przystaje i patrze, a ty bliżej mie niż przedtem. Popuścić żyłki, żeby rybe oszukać. I wtedy patrzysz na mie, a ja nie moge zrobić ruchu. I dzieci ze skrzydłami nietoperzy i niebieski płomień coraz bliżej, ja ich nie widze, ja ich czuje i nie moge uciec, bo ty na mie patrzysz. Lepiej przestań. Słyszysz? Lepiej przestań. To nie ja spiskowałem, żeby cie zabić. Nie obchodzi mie, żyjesz czy nie. Zostaw mie w spokoju, zostaw, pierdolony zawszony dred rasta ty. Patrzysz na mie, wiem, tak mówi Jah. Tylu ludzi na scenie, że sie nie możesz ruszać, szef policji w khaki, biały z kamerą, premier stojący na dachu vokswagena, i tylu czarnych takich czarnych, że wyglądają jak cienie w ubraniach, taniec i skank po ciemku. A ty śpiewasz i duh twojej żony też śpiewa, i wszyscy śpiewają, i tłum śpiewa, i twój prawdziwy głos się wślizga pod to wszystko.

Patrze na ciebie i widze, jak ruszasz ustami, śpiewasz jedno, ale mówisz coś innego. Patrz no tutaj, chłopcze z Babilonu, myślisz, że możesz wystąpić przeciw ubóstwieniu Jego Cesarskiej Mości Króla Królów Hajle Syllasje. Budowla Jego jest na świętych górach. Jah miłuje bramy Syjonu bardziej niż wszystkie namioty Jakuba. Wspaniałe rzeczy głoszą o tobie, o miasto Boże. Wymienie Rahab i Babilon wśród tych, co mnie znają. Oto Filistyni i Tyr razem z Etiopią powiedzą, że ten sie tam urodzi, a najwyższy sam umacnia ziemie, Jah! Rastafari. Patrz tutaj, chłopcze.

Patrze. Ale ty na mie nie patrzysz. Nie musisz na mie patrzyć z tego samego powodu, co Bóg nie patrzy na człowieka. Bo za jednym spojrzeniem oko człowieka by sie spaliło w czaszce, spaliło bez śladu, ani paprocha, ani drobinki, miej niż to. To nie ja tak mówie, to ty. Ja to już nie ja, ja już nie mówie jak ja, tylko jak ty i ludzie poznikali, cienie są tylko i żadnych dźwięków z głośników, tylko koniec głębokiego riddim. A ty wznosisz mikrofon do góry jak pochodnie i znowu zasłaniasz oczy, ale i tak widzisz wszystko. Myślą, że tańczysz, ale ty dajesz wyraz, twoje słowa, nie moje. Zimny pot sie ze mie leje i lać nie przestaje, po plecach jak lodowaty palec prosto w szpare między pośladkami.

Potem ruszasz ręką, błyskasz dredami i przebijasz mie spojrzeniem. We mie, prosto w środek, za serce chwytasz. Mówisz, miej wzgląd na dzieło rastafari. Patrz, jak lwa zmienia w łowce, a łowce w zwierzyne łowną. Wiesz, że zgubiłem broń, broń, z której prawie padłeś. Wiesz, że jakbym nawet i miał broń, nie umiałbym strzelić. Wiesz, że ja to już nic, że trup. Znasz bicie mego serca, znasz węża oplatającego mi nogi, wiesz, że wolą możesz pchnąć tłum, żeby mie strącił z wysokości albo pożarł. Jesteś w dżungli, w buszu i wychodzisz na polane na audiencje z Jego Cesarską Mością. Robisz krok do przodu, podwijasz rękaw. Babilon chce cie obalić uderzeniem, ale nie daje rady. Szarpiesz pierwszy guzik koszuli, potem drugi, potem trzeci, potem wypinasz klatke jak Superman. Wskazujesz na rane na ręku i rane na piersi. Tańczysz wojenny taniec zwycięstwa i odtwarzasz polowanie i wszyscy widzą, ale tylko ja wiem. Zimny pot. Wskazujesz rane jak Jezus wskazywał na swój bok, żeby pokazać dziure po włóczni. Coraz więcej ludzi na scenie, piękna kobieta odbiera mikrofon, ale najpierw wiatr dmie i kur pieje i wyciągasz z kabur rewolwery szybko jak Cisco Kid. Jak Marty Robbins. Jak, jak, jak Bezimienny. Odrzucasz głowe i sie śmiejesz tak długo, że twój śmiech nie potrzebuje mikrofonu. Śmiejesz sie ze mie, potem nagle cichniesz groźnie i patrzysz prosto we mie, twoje oczy dwa ognie. Zaciskam mocno powieki, dopóki nie czuje, że przestałeś, a jak otwieram, ciebie nie ma. I już wiem, że nie żyje. Uciec moge tylko, jak widze, że odchodzisz.

Ale frunie za mną dziecko ze skrzydłami nietoperza. Ludzie się cisną, ludzie pchają, coś albo ktoś bije mie w twarz. Potem drugi raz, w sam brzuch, i myśle, że się zrzygam, ale się poszczałem. Nie płacze. Nie płacze. Teraz nie moge zatrzymać niczego, co mi się dzieje, nawet sikania. Ścieka mi po nogach, ludzie biją, walą, grzmocą, przehodzą, biegną i biegną, i przehodzą. Wyrywam się z parku, zanim załapali, że zniknłeś i już nie wrócisz, więc na ulicy ciemno i pusto i pierwszy raz widze te domy po drugiej stronie. A tego człowieka od Joseya Walesa, tego Tony'ego Pavarottiego, to widze dopiero, jak staje przede mną, dopiero jak mi wali z pięści w twarz.

DEMUS

rzez cały dzień biegne do nocy. Dwie noce temu biegłem we śnie.

Wąwóz tak śmierdzi śmieciami, że nawet szczur tam niechętnie chodzi. Biegne z Duke Street do South Parade i wskakuje do pierwszego odjeżdżającego autobusu. Nie pamiętam, czy zapłaciłem konduktorowi pięć centów. Tylko czterech ludzi było w autobusie, jeden za mną. Głowa mie zaczyna bolić, nie bardzo, ale tak uparcie, jakby bzyczący moskit wleciał do ucha i teraz fruwał pod czaszką. Takie bzyczenie, że człowiek czuje jakby czyjeś spojrzenie na plecach. Odwracam sie, to uczeń. Jakby zdjąć mundurek, to ma tyle lat co ja, jak mi sie wydaje. Wcale nie patrzy na mie. A może patrzy tylko, jak siedze tyłem do niego. Znowu sie odwracam. Bym podszedł do niego i wyciął mu telefon kosą na policzku. Bym mu łeb roztrzaskał za to, że chodzi do szkoły, bo ja nie mogłem nigdy chodzić do żadnej ładnej szkoły w żadnym ładnym khaki mundurku. Ale to tylko chłopiec. Znowu sie odwracam i słysze konie. Coraz głośniej słysze tętent koni i wiem, że to ta-ta-ta tego starego silnika w tym starym autobusie, ale słysze zbliżające sie konie. Wyskakuje więc z autubusu w Barbican i z małego mostu schodze do wąwozu pot spodem i tam siedze.

Jak sie budze, to czuje ręke na jajach. Ręka mie cap za spodnie mocno, aż podskakuje. I widze tylko ręke wyciągniętą z kupy śmieci, potwornej góry śmieci, gazety, ubrania, plastikowe butelki, zepsute jedzenie i gówno. Kopłem z krzykiem w tego potwora, a on wrzeszczy i odskakuje. Gazety opadają i wystaje głowa kobiety. Czarna jak smoła, włosy skorupa z brudu i papieru i dwie różowe spinki i jak znowu krzyczy, widze tylko trzy zemby, jeden taki długi i żółty, że to na pewno wampir, co sie zakrył gazetą.

Rozglądam sie, widze kamień i groże jej, że rzuce, ale ona ciągle wrzeszczy. Odskakuje, zapomniałem, że wariaci umią być sprawni i skoczni, umią uciekać, ona ucieka wąwozem, wrzeszcząc, aż jest tak daleko, że sie z niej robi plama, kropka, już nic. Nie wiem, kiedy ostatni raz jadłem. Kiedy ostatni raz sie myłem. Myślałem, że jak nie będe myślał o kresce, to nie będe chciał kreski, ale teraz myśle o tym i nie moge przestać. Ale nagle znowu słysze końskie kopyta. Serce mi wali bum bum bum, a koń klak klak klak i ręce i nogi mam zimne coraz zimniejsze. W głowie słysze uciekaj kretynie i wąwóz sie trzensie. Ciężarówka jedzie przez most. Musze być głodny. Jak będe głodny, będe myślał o jedzeniu. A jak będe chciał kreski, będe myślał o kresce. A jak myśle, jaki jestem głodny, to nie myśle o Joseyu Walesie, pierdolony kretynie, mówił, byłeś o krok, tylko sie tego gówna od Beksy nawciągałeś. Nie musze myśleć o moście i jak to tylko chciałem pokazać na oczach brada Śpiewakowi, żeby nigdy nie zadzierał z Demusem. Mie sie już rzygać chce od tych ludzi, co mie wykorzystują, najpierw brada, potem Josey Wales, pierdolony pierdolony kretynie, mówił, byłeś o krok, tylko sie tego gówna od Beksy nawciągałeś, a potem wszyscy w gecie, co myślą tylko o tym, czego chcą i jak mie wykorzystać, żeby to dostać. Chyba mam na czole napisane: wykorzystaj go, jest głupi, i to pewnie prawda. W takim wąwozie to sie nie ma pojęcia, jak od smrodu człowiek wariuje. Że może mu różne zwariowane gówno przyjść do głowy, zwariowane, złe, paskudne, jak to, żeby zabić dziecko, wyruhać małą dziewczynke albo nasrać w kościele, takie gówno, bo tak ten smród śmierdzi, że człowiek myśli, że on sie wślizguje w niego jak woda przez sito i że teraz sam jest taki smród. A ja chce to zmyć, chce zmyć wszystko, ale woda, co płynie wąwozem, śmierdzi tak samo. Nie. Musze sie ogarnąć. Musze myśleć jak myślący człowiek. Musze sie wydostać z Kingston. Musze uciekać. Musze uciec gdzieś w takie miejsce, o jakim ludzie nie mówią, takie jak Hanover, kto kurwa wie, co sie dzieje w Hanover? Hanover tak daleko od całej Jamajki, że sie założe, że nawet nie głosują w wyborach. Jechać do

Hanover i wziąć sobie jakieś nazwisko jak Everton albo Courtney, albo Fitzharold, takie, żeby wyglądało, że oboje rodzice mie wyhowali, i ojciec, i matka razem. Znowu słysze końskie kopyta, zrywam sie i uciekam. Biegne w tą samą strone co ta wariatka, widać ja też wariat, słysze konie, jestem jak jaki goły zbiegły niewolnik, co go biały massa tropi po śladach, jakbym biegł do krainy Maronów. Pewnie tak, może trzeba uciekać do Maronów — ale kto ucieka do Maronów w tysiąc dziewięćset siedemdziesiątym szóstym roku? Ale znowu, kto mie tam będzie szukał? To chyba rozsądne. Jakby bardzo rozsądne. Jakbym ciągle miał rozsądek. Przynajmniej mam rozsądek. Mie sie śmiać zachciało, biegne przez ten wąwóz, patrze, jak sie robi czarny za każdym razem, jak przebiegam pod mostem i z powrotem na światło, jak wybiegam spot niego. Biegne, biegne i biegne, aż powietrze smakuje słono i wiem, że już morze jest blisko. Biegne i biegne, aż słońce sięga najwyżej i piecze mie w plecy, potem opada opada opada, aż ostatni raz pali niebo pomarańczowym światłem i tonie. A ja sie nie zatrzymuje, nawet wtedy, jak widze, że buty gdzieś podziałem i woda, co na mie bryzga, sie robi czyściejsza.

Biegne do spalonego auta i o mało sie nie zatrzymałem, żeby wsiąść, sie schować, aż zostaną ze mnie tylko kości, ale biegne dalej. Boli mie coś tylko, jak o tym myśle, więc jak myśle o jedzeniu, to głód we mie wali tak bardzo, że sie przewracam i turlam. To przestałem myśleć o jedzeniu. Jak biegne, to myśle, że zaraz na pewno będzie godzina policyjna, więc moge wyleźć z wąwozu i pójść gdzieś, gdzie będzie można ukraść jedzenie, napić sie wody i klne, no bo jak, przecież znowu myśle o jedzeniu i w brzuchu mi grzmi i ból mie tnie. To prawda, że lepiej sie człowiek czuje z takimi rzeczami, jak jest od nich najdalej.

Potem mijam szkielet furgonetki, ale dopiero jak mijam szkielet łodzi, to widze, że ja już nie jestem w wąwozie. Nad morzem też nie, chociaż czuje smak soli i zapach fal. Stopami grzebie w piasku i błocie, dokoła gęsto od drzew, żółtych, co wyglądają jak plastik z gałęziami wygientymi ładnie i winoroślą zwisającą do ziemi i wijącą się jak węże. Na jednym miejscu piasek zimny i mokry, na drugim suchy i gorący. Ide obok takiego mokrego miejsca i mała dziura sie otwiera i wypadają różne kraby. Pochylam sie, żeby popatrzeć, światło gaśnie, morze szumi coraz głośniej. Podnosze oczy i widze przed sobą samolot. Wygląda jakby spadł i chciał znowu wystartować, ale sie zaplątał w pajęczyne. Samolot walczy, ale gęstwina sieci mocniejsza. Stoi do góry jak krzyż, brzuch ma ciągle srebrny i błyszczący. Brakuje połowe lewego skrzydła, a ogon sie wbił w piasek. Do kokpitu i przez okna wpychają sie morskie wodorosty i kwiaty, jakby były pasażerem. Dokoła biegają kraby. Połowa mie chce otworzyć drzwi i poszukać w środku prawdziwego szkieletu, a druga połowa chce usiąść w fotelu i zaczekać, aż samolot sie poderwie i odleci uwolniony. Busz szumi, gałęzie trzeszczą jak dzikie świnie idące przez dżungle. Odwracam sie i otacza mie pięciu sześciu siedmiu rastamanów, cali w bieli.

— Co, w pi…

BAM-BAM

Chce krzyczeć! Ej! Nieeeeeeeeeeeeee!, chce wrzeszczeć, ale nie moge, bo mi kneblują usta, nie moge wypchnąć językiem, rzygi mi podchodzą, nie moge połknąć, kaszle, się ksztusze. Josey Wales zdejmuje ze mie swój pulower, co nim mi oczy zasłonił, i widze pochodnie i cień człowieka, i cień na drzewie, co wygląda jak olbrzymia ręka ciągnąca sie z ziemi, ale wszystko zamazane. Ciemno i chce uciekać, ale nogi mi związali, ręce tak samo. Kicać tylko moge, to kicam, a Josey Wales sie śmieje. Nie widze go, tylko śmiech słychać. A potem kiwa głową i wyhodzi zza drzewa i widze, że to człowiek, nie cień. Beksa i Tony Pavarotti łapią mie i podnoszą, a ja nic nie moge zrobić, ani uderzyć, ani dźgnąć, ani kopnąć, moge tylko patrzeć na nich groźnie, patrzeć na nich tak, żeby ten raz, ten jeden raz piździelski Jezus Chrystus dał mi supermoc, błagam pierwszy raz, od kiedy miałem dwanaście lat. Spraw, żebym patrzył na nich z mocą gorącej energi, co ich przetnie na pół. Jezu! Jezu! Łapią mie i bujają raz, dwa, trzy i rzucają mie do grobu, lece na brzuch twarzą w ziemie. Błoto w prawym oku szczypie i boli i mrugam ale nie pomaga. Sie przekręcam na plecy a oni patrzą z góry Josey Wales spogląda roześmiany na mie w ustach smak rzygów i kamienia i nieeeeeeeeeeeeeee nieeeeeee ręce mie pieką ale skóra nie chce zejść! Nie chce zejść skóra nie chce zejść żeby krew poluźniła sznur żebym sie uwolnił. Beksa zastrzel mie zastrzel prosze zastrzel zastrzel ty pierdolony wredny piździelcu zastrzel! Zastrzel mie! Josey podchodzi nad sam dół i szcza na mie. Ręce mam na plecach słysze robaki i mrówki słysze mrówki będą jeść i Pavarotti zaczyna zasypywać grób nieeee nieeeee nieeeeeeeee pada deszcz ziemi pada deszcz ziemi ja kopie kopie nogami półtora metra nie dwa nie moge wstać nie moge błoto i ziemia i kurz i kamienie jeden łamie mi nos wybija oko już nie widać stóp nieeeee strząśnij głową głową strząśnij ziemie dmuchaj dmuchaj mocno nie nie nie nie nie nie nie nie nie nie nie nie nie dmuchaj nie moge knebel Jezusie Supermanie Spidermanie Kapitanie Ameryko patrz groźnie i supermoc przyjdzie supermoc nie mam małego palca szarpie szarpie szarpie za sznur kikutem i wolny jestem! Wolny! Ale ziemia ciągle pada na mie, coraz wyżej sięga i nie widze ale ich słysze kopią łopatą i zsuwają ziemie ziemie i kamienie bach w czoło już nie myśle superspojrzeniem w nich pou uap zip zoooo zooooom zoooooom załatwie ich będe udawał prosze moge odkopywać sie z ziemi nogami kopać jak piłke ale to nie piłka nie daje już rady zmęczony zmęczony jestem ziemia spada mokra i ciężka jakby Bóg mie w ten dół wpychał nie nie nieh n... ziemia w lewym oku nie moge zamknąć nie moge mrugać nie moge Beksa sie śmieje więcej ziemi więcej ludzi więcej więcej wiercić sie! Wiercić! Wiercić! Stope wepchnij i sie rozbujaj! Rozbujaj! Rozbujaj na boki nie ma boków tylko ziemia przekręć sie przekręć i skul sie jak dziecko to będzie powietrze trzeba mi było sie rżnąć z kobietą co z nią mieszkam a nie z inną z tą dwa domy dalej i inną białą aniołkiem Charliego cipką anielską różową cipką co jest różowa widziałem w ukrytej książce taty pod łóżkiem co ją wyjmował jak myślał że śpie i sam sobie dogadzał i wydawał męskie odgłosy jezu ale mi stoi mógłbym ziemie wyruhać ziemie musze ziemie wyruhać ruhać ruhać ruhać chce cipki nie nie chce cipki ruhać ruhać weź ją od tylca pochyl potrzyj jej pizde podciągnij dupe do góry i sie wbij mocno dupa ciasna jakbyś sie wbił kutasem w kawał wołowiny wielki wielki jak kutas tatusia jak ruhał tą kurwe moją matke ona odwrócona gdzieś miała czy kto śpi czy nie śpi sie nadziewała na chuja tatusia jak maszt a ona sie nadziewa nadziewa ale nie mogła dojść sie osuwała i zawodziła cipa cipa chuj jaja jaja a ja nigdy ojca gołego nie widziałem nigdy nie widziałem jak ruhał matke może inny męszczyzna to tak może Funnyboy nie on przecież pedał co najpierw każe innym męszczyznom ssać mu kutasa a potem do

nich strzela zabija i nigdy już nie będe na Kubie i nigdy nie pojade
na Barbados i nigdy już nie zdejme Supermanowi S z piersi i nie
moge płakać lewym okiem bo zasypane ziemią oddycham płytko
nie głęboko powietrza mało powietrza mało nie czuje już nowej
ziemi jak spada tylko słysze tak tu ciemno mokro i mi ciężko
ziemia taka ciężka nie moge nie nie nie nie nie nie przestańcie musze oddychać szybko szybko oszczędzać co? Łopata łopata
łopata ziemia ziemia ziemia umierasz umierasz umierasz dajcie
szybko umrzeć nie żyć nie umrzeć umierasz złap powietrze nie
zużyj całego mokre i takie twarde i ciasno czyjaś ręka na moim
nosie jakby czyjaś ręka na moim nosie ach ach ach ach ach chrrrrrr
Jezu! Jezu! Jeeeeeszcze tylko raz raz dajcie raz jeden nabrać powietrza jeden oddech oddech drugi oddech trzeci oddech czwarty oddech oddech oddech żeby żeby żeby żeby żeeeeebyyyyyyyy
szósty oddech sió sió sió sióooooodmyyyyyóóóóóósmyyyyyy
oddddd dzdzdzdzdz chrrrrrrrrrr chrrr chrr oddeeeeee chrrr chrrr
chhrrrrrr chrrrrrr chr chr chr chr dziewiąty! Dziewiąty dzchrrrr
dzchrrrrr chrrrrr chrrrr chr chr chrrrrrrh tato nie żółty tylko czerwony wóz strażacki żółtych naprawde nie ma nie tato tato chce
napój kup mi kisko i lizaka i wszystkie cukierki i fioletową kred-
ke i czerwoną różowej nie różowe są dla dziewczynek różowe są
dla dziewczynek guma HubbaBubba sie nie przykleja nawet jak
sie zrobi wielkiego takiego wielkiego balona największego i naj-
balońszego balona balonik konik wianuszek kwiatuszek o rany
ale my o rany…

SIR ARTHUR GEORGE JENNINGS

Bóg umieścił ziemię z dala od nieba, bo nawet on nie może wytrzymać odoru trupów. Śmierć to nie łowczyni dusz ani ducha, to wiatr o zimnym oddechu, pełzająca choroba. Będę na miejscu, gdy zabiją Tony'ego McFersona. Będę na miejscu, gdy dom starców Eventide spowiją płomienie i dym. Nikt nie próbuje się uratować. Będę na miejscu, gdy pogrzebany żywcem chłopiec przejdzie na drugą stronę, myśląc, że wciąż żyje, i ruszę za nim, gdy skieruje swe kroki do domu Śpiewaka reggae. Będę na miejscu, gdy zjawią się po ostatniego na starym mieście. Gdy trzech spotka twarda sprawiedliwość. Gdy tańczący Śpiewak z ciągle żywym palcem upadnie w Pensylwanii i rozsypią się jego loki.

Ci, których czeka rychła śmierć, widzą umarłych. Mówię ci to, ale mnie nie słyszysz. Widzisz, że podążam za tobą, i zastanawiasz się, dlaczego wygląda to tak, jakbym się unosił nad ziemią, chociaż przecież idę za tobą, idę za nimi. Przyszli twoim śladem aż do miejsca, gdzie bagno spotyka się z morzem, zorientowałeś się dopiero, gdy cię okrążyli, tuż obok tego błyszczącego samolotu z nieżywym mężczyzną w środku otoczonym paczkami białego proszku. Było ich siedmiu, a ty pomyślałeś, że to jeźdźcy z Księgi Objawienia, ale to zwykli ludzie z kordelasami, zwabieni wonią twojego strachu, ludzie, którzy wcale cię nie ścigali, właściwie czekali tylko, żebyś dotarł na miejsce. Widzę, że mnie widzisz. To niedobrze dla ciebie.

Obudziłeś się z tym na twarzy, oblepiony charchą demona, jakby ktoś cię chwycił za nogi i zanurzył ci głowę w żelatynie. Starłeś trochę, myśląc, że to sen, ale już w ciebie weszła, wchłonąłeś ją z oddechem jak ryba. Ty i ten pogrzebany żywcem chłopiec, i pozostali, którzy się nie zorientują, że śpią teraz na wznak.

Skąd ten biały, to przecież bez sensu, tak w tej chwili myślisz. Idę za tobą jak wdowa za trumną. Zahaczasz spodniami o kamień wystający z ziemi i rozdzierasz lewą kieszeń. Ci ludzie ciągną cię jak rybę na żyłce i za każdym szarpnięciem zaciska się pętla na nadgarstkach. Wloką cię tak już wiele kilometrów, a ty się opierasz i miotasz, a ostatnim razem przekręciłeś się na brzuch wprost na ostre skały, pokaleczyłeś się, jedna czerwona i poszarpana rozcięła ci prawe kolano. Ciągnęli cię sekretnymi drogami, zapomnianym szlakiem, ścieżkami porosłymi chwastem, ukrytymi rzekami, przez pieczarę, dalej i dalej, głęboko w objęcia Kingston, o którym wiedzą wyłącznie zmarli niewolnicy. Tylko jeden cię wlecze i wcale nie musi się wysilać, nie szarpie, pociąga spokojnie, jakbyś był poduszką pełną lekkiego pierza, gąbki i powietrza. W ogóle nie jesteś ciężki — nikt nie jest ciężki przed dwudziestym rokiem życia. Gdy tak maszerujemy, próbuję pochylić głowę w wyrazie szacunku, ale zawsze gdy wygnę szyję, ona mi pęka i głowa spada. Znowu się turlasz i mokra trawa tnie cię po twarzy. Krzyczysz już od wielu kilometrów, ale twoje wołanie dławi knebel, ja jednak jestem na miejscu, żeby słuchać.

Mściciele rasta ubrani na biało pachną gandzią i żelazem we krwi. Siedmiu ludzi, którzy nie mają nic do powiedzenia, siedmiu ludzi, jeden ciągnie cię na linie przez busz, na wzgórze, w dolinę, na kolejne wzgórze, a krwawy księżyc w ogóle nie zwraca na to uwagi. Zastanawiam się, jakim cudem oni ciągle mają spodnie takie czyste w buszu. Trzech z siedmiu owinęło sobie głowy na biało, jak kobiety z plemion afrykańskich. Widzisz mnie. Masz nadzieję, że czytam z oczu.

Czytam i wiem, że im wszystko jedno, że się tarzasz i twarz i nos i usta pełne ziemi i trawy ostra taka ostra ostra kurwa gdzie gdzie idziemy gdzie mie biorą twarzą tre twarzą i głowa moja wygląda jak ten księżyc jak krew jakby krwawił i trawa mi ciacha skóre przy każdym kroku i wszyscy idą przez ten busz jakby nie szli nikt nie idzie każdy idzie nad ziemią szybuje przez busz źdźbła tną au.

Ale to nie ciebie wyczekiwałem, chłopcze. Pomyliłem się, bo wyczułem na tobie jego zapach, słaby wprawdzie, ale jednak, i gotowy byłem pomyśleć, że to on, lecz zobaczyłem ciebie. Wielu innych czeka cierpienie. Wielu innych czeka śmierć.

Ci mężczyźni nie śpiewają, gdy ciągną cię przez busz. Skórę mam białą jak ich ubrania, ale jestem nagi. Nie możesz się powstrzymać od krzyku. Zastanawiasz się, czy należę do ich grupy, czy oni mnie widzą, czy skoro nie jestem rzeczywisty, to może to wszystko też jest nierzeczywiste i nawet ten marsz ku śmierci to metafora czegoś innego. Nigdy nie słyszałeś słowa „metafora".

Ale masz w sobie coś, czego ja nigdy nie miałem. Zrozumienie dla tych, którzy cię dopadli. Może po tak długim wleczeniu, przez tyle kilometrów, dokonałeś podziału na id i superego, z jednej strony twój umysł, który wiedział, co cię czeka, z drugiej twoje serce, które nie mogło tego zaakceptować. To irracjonalna strona człowieka chwytającego się brzytwy, próbującego wszystkiego, żeby uniknąć śmierci, taki człowiek chwyta się powietrza w trakcie spadania z balkonu, wzywając Boga, aby dał mu coś, czego mógłby się złapać. Ja nie mam zrozumienia dla tego, który mnie zabił. Patrzysz na mnie i pomimo mroku widzę, że twoje czerwone oczy groźnie błyszczą.

Jest tam. Patrzy na mie, na nich. Idzie z tyłu, lewa prawa lewa prawa sporo kroków za nimi i patrzy na nich i na mie i na niebo jakby płakał i nie mówi do nich nie woła pomocy pomocy policja mordują nie idź tak spokojnie jakbyś nie widział krwi i nie był świątkiem. To chyba jeszcze bardziej bez sensu niż to że on biały więc biały człowieku powiedz coś eh? Krzycz uciekaj wróć z bronią krzycz uciekaj tylko tak nie idź i nie udawaj że nie patrzysz jak mie ciągną po buszu ja szarpie i lece na plecy busz pode mną sznur owijam na ręce piecze przekręcam sie na brzuch tak samo na plecach boku brzuchu bez różnicy i widze ich dwóch nie trzech nie czterech na wzgórzu chyba bo sznur mocniej mie ciągnie i boli a biały patrzy i nagle nie ma głowy ja nie widze gęste krzaki i kolce mie kłują o kurwa jezuuusie biały przepat ale wraca widze ciągle jest z tyłu ale bez głowy maha jakby szyji nie miał a ręką co on robi? Głowe z powrotem sobie sadza i dociska Jezuuusieeee Chrystusie Jezuuusieeee Chrystusie, to nie człowiek, to duh podobny do człowieka, ale oczów nie ma ognistych, a mie ciągle przez busz wloką przestańcie ciągnąć przestańcie ciągnąć krzyczę pod kneblem przestańcie i przestali i dwaj podhodzą nie nie kopcie i trzeci mi stopą bok dociska i pcha na plecy i ci dwaj to rasta dredy u nich żywe jak węże nie palą i są na biało i maczety w lewej ręce nie w prawej czoła rozjaśnione nie rąbcie mie błagam nie zarąbcie i zimno tam gdzie miałem mały palec u lewej nogi nie prawej moja kobieta płacze płacze w tej chwili znajdzie sobie innego kurewska dziwka pierdolona nie płacze poszła do Joseya Walesa i pyta dzieh mój się podział eh? Coś z nim zrobił? Josey Wales weźmie i ją też zerżnie zerżnie ją i zrobi z niej kretynke albo da jej pieniądze słyszałeś? U mie też kobieta judasz biały człowieku u mie też a rasta na biało mie kopie i wyciąga mie z buszu pierdolony księżyc biały nie krwawy nadgarstki napierdalają oni ciągną mie środkiem po kamieniu szuram haratam plecy się zahaczyłem spodniami ciągną ciągną przestańcie przestańcie przestańcie ciągną rozrywają pęka ciągną mie na wzgórze żegnajcie spodnie mokra trawa mie tnie biały zniknął ciągną wale głową wale asfaltówka ciągną mie przez droge przestańcie błagam błagam żwir mi się wbija w tyłek się lepi do pleców wbija i wbija w tyłek mokry tyłek mokry to krew wiem że krew klei się czuć żelazo biały człowieku powiedz mi czy to prawdziwa krew odpowiedz piździelcu gdzie żeś się podział? Ciągną mie przez droge dalej w busz na wzgórze Josey Wales mie zabije Josey Wales o Boże Jezu Chryste Jezu Chryste nie chce umierać rety Tato Jezu och Chryste nie daj mi umrzeć niech biały wróci biały niech wróci to Jezus czego nic nie mówisz patrz krew masz na twarzy.

Za dużo powiedziałem. Jestem człowiekiem, którego nikt nie słucha. Wkrótce ty też takim będziesz. Wciągają cię na najbardziej strome wzgórze, zahaczasz ciałem o gałęzie, tratujesz liście i nawet ja się zastanawiam, dlaczego księżyc pozostaje bezstronny w tej sytuacji. Wloką cię na szlak nad szumiącą ciemną rzeką. Pamiętam to miejsce, ale nie wiem, czy wspomnienia są moje. Przez jakiś czas ciągną cię po szlaku, a potem przystają. Patrzę przed siebie, a ty próbujesz się odwrócić i zrobić to samo. Kiedy zobaczysz to, co ja widzę, usta tak szeroko rozewrzesz do krzyku, że knebel o mało ci nie wypadnie.

Szereg, brama, mur forteczny złożony z rastamanów, większość w bieli, ale niektórzy w kolorach zgaszonych przez poświatę księżyca, jak okiem sięgnąć stoją w rzędzie, bok przy boku, z kordelasami, nożami w rękach, pistoletami maszynowymi założonymi na plecy. Człowiek przy człowieku, a dalej znowu człowiek, hen w prawo i w lewo, tak daleko, że szereg zakręca wokół wzgórza i ciągnie dalej. Pierścień ludzki dokoła góry, którą znam, ale której nazwy nie pamiętam. Nie mogę oderwać od nich oczu. Zapominam o tobie. Chciałbym obiec wzgórze, zobaczyć, czy szereg gdzieś się kończy, ale przecież wiem, że nie. Odcięli szczyt góry od reszty kraju. Przepuścili tylko siedmiu rasta ciągnących cię na sznurze. Wszyscy milczą, słychać jedynie twoje stłumione wołania. Ciągną cię przez piętnaście metrów, a potem odbijają nagle w bok, wszyscy, jak stado ptaków w locie. Krzaki sięgają do pasa i nie ma ścieżki, ale najwyraźniej wiedzą, dokąd idą. Drzewa dostrzegam wcześniej niż ty.

Przystają. Ten, który cię ciągnie, popuszcza sznura, dwaj inni stawiają cię na nogi. Widzisz drzewa rozłożyste nad głową i kolana się pod tobą uginają. Tamci chwytają cię, żebyś nie upadł. Czekasz, a gdy cię puszczają, zaczynasz uciekać w podskokach. Nie gonią cię, nie podnoszą alarmu, czekają na twój upadek. Ten duży, który wlókł cię przez całą drogę, chwyta cię za pasek i już jesteś w powietrzu. Niesie cię jak lalkę. Na tej górze czas jednego człowieka dobiegł końca. Tamten cię przytrzymuje. Pętla już gotowa. Czeka. Chce ci ją założyć na szyję, ale szarpiesz głową w lewo, w prawo, z północy na południe, wrzeszcząc pod kneblem. Wiercisz się, miotasz, odwracasz, patrzysz na mnie. Mimo ciemności widzę, że mrugasz. Krzyczysz od wielu minut, ale tylko ja wiem, że krzyczysz do mnie. Jedną ręką wielki rastaman przytrzymuje ci szyję, drugą zakłada stryczek. Zaciska. Myślałem, że postawią cię na beczce i kopniakiem odbiorą życie. Ale sznur, który oplata twoją szyję, biegnie wysoko nad grubym konarem, po czym opada po drugiej stronie, trzymany na końcu przez dwóch rasta, którzy owijają go sobie wokół nadgarstków i ciągną. Ciekawe, czy to, że zachowują się cicho — jak gdyby to była rutynowa praca — wydaje ci się tak samo obsceniczne jak mnie. Nie będzie ostatnich słów przed śmiercią. Ciekawe, czy płaczesz. Ciekawe, czy masz nadzieję, że jakimś cudem Śpiewak usłyszy twoje błaganie o litość.

Jedno powinieneś wiedzieć.

Żywi nigdy nie słuchają.

SHADOW DANCIN'

15 LUTEGO 1979

KIM CLARKE

Za każdym razem jak wsiadam do autobusu, nadchodzi taka chwila, gdy wiem, że wylecimy w powietrze. Zawsze myślę, że wybuch nastąpi z tyłu, siadam więc z przodu. Jakby siedzenie z przodu mogło cokolwiek zmienić. Może to przez ten zamach bombowy w londyńskiej restauracji — przez wiele miesięcy nie oglądałam wiadomości, a potem włączyłam telewizor i zobaczyłam to gówno. Chuck mówi, za bardzo się przejmujesz, żabciu, po prostu odpuść sobie autobusy. Jezu Chryste, nienawidzę tego określenia, tej jego żabci, wyciągnęłabym spluwę i zastrzeliła go na miejscu, dlatego on jeszcze chętniej się tak do mnie zwraca. Mówi, że lubi widzieć, jak marszczę czoło, zanim sama poczuję, że marszczę. Żabciu, odpuść sobie autobusy, jeśli nie lubisz się czuć jak sardynka w puszce, dodaje. Nie chce mi się tłumaczyć, że to nie o to chodzi.

Czuję to już, coraz bardziej prostuję plecy w drodze do domu. Jest z tym jakiś problem. Z tym moim chodzeniem. Niby lubię, gdy ludzie widzą, że idę do tego domu, ale nie lubię być obserwowana. Nie widzą mnie, widzą kobietę idącą do domu przy plaży, który wygląda, jakby ktoś go wyjął z *Hawaii Five-O*. Taki dom nie ma prawa tam stać i ludzie się zastanawiają, dlaczego czarnucha tam łazi i jeszcze głowę trzyma wysoko, jakby to była jej własność. Najpierw zobaczą mnie jako „kobiete", co polazła tam raz i wyszła rano z zarobkiem za usługę. Następnie zobaczą mnie jako „tą kobiete", co łazi tam często i chyba nieźle dogadza temu białemu, ale przynajmniej potrafi zachować dyskrecję. Potem może zobaczą mnie jako „jego kobiete", co wchodzi i wychodzi o różnych porach. A potem zobaczą, jak krążę z torbami pełnymi zakupów, i pomyślą, że może jednak mam coś wspólnego z tym domem, może jestem służącą. I zobaczą, jak wychodzę w nie za dobrym ubraniu, po czym wracam albo idę pobiegać, bo to nowa moda wśród białych w Ameryce, i dopiero wtedy przyjdzie im do głowy, że może faktycznie tam mieszkam. Ona i ten biały. Nie, biały i ona. Dzień dobry panu, panie Pcham-Wózek-Powoli-Żebym--Mógł-Zajrzeć-Innym-W-Prywatne-Życie, ruszaj dalej, mistrzu. W zeszłym tygodniu złamałam obcas na tej drodze. Na drodze — dobry żart. To po prostu ścieżka wiodąca na szczyt i dalej w dół, prowadzi na ten mały klif nad plażą, gdzie mają ochotę mieszkać tylko tacy ludzie jak Chuck. Albo Errol Flynn.

Chuck. *How much wood would a wood chuck chuck*, powiedziałam, kiedy zaczepił mnie w barze Mantana's, dokąd przyłażą wszyscy z diaspory i pracownicy Alcorp Bauxite, bo to jedyne miejsce, gdzie można dostać hamburgery, które nie smakują tak, jakby Jamajczycy naprawdę wierzyli, że hamburgery trzeba robić z szynki. Zdjął przy tym kapelusz jak jakiś kowboj i powiedział, siemasz, jestem Chuck. Na pewno nie ten Bill z działu sprzedaży, który zagadnął mnie tak samo trzy dni temu?, pomyślałam. Ale nie powiedziałam tego na głos. Chuck. To jak Chip, Pat, Buck albo Jack. Uwielbiam te amerykańskie imiona, są jak prawy prosty, jak Ameryka w pigułce i łatwy pieniądz, można je wymówić bez wysiłku, rach-ciach i już. Potem serwują to swoje siemasz, co słychać, mała, i nagle czuję dojmującą potrzebę, żeby im wyjaśnić, że nie, nie trafili na jedną z tych miejscowych dziewczyn, które dla wygody facetów nie noszą majtek pod kiecką, ale dzięki za szkocką, której nie mam zamiaru wypić. Nie wiem, co częściej odtwarzam w myślach, odliczanie godzin w Mantana's, rozkładanie ich na minuty w oczekiwaniu na NIEGO, czy to siemasz Chucka i moją decyzję, że facet się nada.

Mój dom. Przyhamuj, Kim, bo nazywasz to miejsce tak, jak nawet Chuck go nie nazywa. Wejdę do salonu, myśląc o autobusach wylatujących w powietrze, powiem, cześć, Chuck, a on spyta, co jest? Co słychać, żabciu? Poczuję się bezpiecznie jak królik w norze. Nie, nieprawda. To jakieś gówno z głupiej książki, na miłość boską, przestań myśleć, Kim Clarke. Chyba siedzi w pracy do późna, bo zwykle o tej porze jest już w domu. Przeważnie robię kolację, coś, co ujdzie, upichcone na poczekaniu; kurde, żabciu, nie wiedziałem, że w jamajskim ryżu jest papryka, powiedział wczoraj. Zobacz, gdzie to pieprzone myślenie cię doprowadziło, mewy za oknem. Jestem kobietą żyjącą w sąsiedztwie mew. Nienawidzę ich. Małe wredne docipniki każdego popołudnia sadzają swoje obsrane kupry na moim cholernym tarasie jak nieproszeni goście, panoszą się, mówią, spadaj, dziwko, to teraz naszah teretorium. Nie wiem, dlaczego ciągle wracają, przecież tutaj nie ma żadnego żarcia, a ja prędzej się zesram w gacie, niż będę je karmić. Do tego są tak cholernie hałaśliwe i paskudne, a odlatują dopiero na widok Chucka. Mnie mają głęboko w dupie. Wiem, co myślą. Myślą, myśmy tu były pierwsze, na długo zanim sie spiknełaś z tym facetem, na długo zanim on sie pojawił. Wrzeszczą, jakby sporo o mnie wiedziały — jazda od mojego okna, inaczej mój Chuck z Ameryki wyciągnie swoją amerykańską broń i bang bang bang Quick Draw McGraw, przestreli wam łby porcją ołowiu, kapewu? Jezu Chryste, od kiedy ja oglądam kreskówki?

Dziś zachwycę się jego włosami. Będę myślała o jego włosach, o tym, że są brązowe, ale nie w jednym odcieniu, lekko rude przy policzkach, i że lubi się strzyc na krótko jak żołnierz, choć teraz trochę zapuścił, bo powiedziałam, skarbie, byłby z ciebie przystojny pirat, przekonana, że te słowa ulecą bezpowrotnie tam, skąd przyszły, ale jemu się spodobały, więc jest teraz moim seksownym piratem — jednak nie użyłam słowa „seksowny". Może to przez „skarbie"?

Seksowny.

Seksowny to jest John… Jak on się nazywa? *Diukowie Hazzardu*, popylający w tym aucie Generał Lee, nie, nie ten z brązowymi włosami, on za bardzo wygląda jak mężuś, tylko John, jasny gwint, na imię ma John.

Seksowny. Luke Diuk ześlizgujący się z bagażnika samochodu, wsuwający jedną nogę do auta, pyton w drugiej nogawce, czy inne kobiety też to widzą, czy tylko ja? Kim Clarke, ty sprośna, zboczona dziewucho. On nigdy nie nosi majtek, ten John. Schneider. Tak się nazywa. W tym tygodniu *Diukowie Hazzardu* lecą na satelicie, a o ile wiem, jedyna taka antena jest przed siedzibą JBC TV w Kingston. Drugą Chuck zamontował na swoim dachu.

Tak, dziś będę myślała o tym, co zamierza zrobić z włosami, i będę tym zachwycona. Wczoraj tak bardzo mi się podobało, że zawsze zdejmuje czapkę, gdy wchodzi przez drzwi do domu, tak jest, psze pani. Zdejmuje, gdy wchodzi przez każde drzwi. Dzień wcześniej byłam zachwycona, bo kiedy się pieprzymy i siadam na nim okrakiem, nazywa mnie panną Kim, nie, nie podoba mi się to, wcale a wcale, nie pieprzenie mi się nie podoba, tylko panna Kim, ale podoba mi się to, że jemu się to tak bardzo podoba; oczywiście, że mu się podoba, wreszcie ma czarną dziwkę, wariuje od tego — historie o Jamajkach słyszał pewnie znacznie wcześniej, niż wylądował tutaj z kompletem przyborów do rysunku technicznego i stójką. Amerykanie stójkę nazywają wzwodem, co jest bez sensu. Nie, Chuck jest słodki. Jak dotąd jest słodki i miły i podnosi mnie na ręce, jakbym była z papieru, a dłonie ma takie miękkie i przyjemne, bierze mnie i sadza na blacie w kuchni i uśmiecha się, i pyta, ej, żabciu, tęskniłaś?, i nieraz już myślałam, że tak, tęskniłam, tęskniłam za tobą, bo jak cię nie ma, to jestem sam na sam ze swoimi myślami, a nie znoszę tego myślenia, kurwa, nienawidzę jak zarazy.

Myślenie zostaw Chuckowi.

Przeprowadzkę zostaw Chuckowi. Chuckowi zostaw podjęcie decyzji, co zabrać, a co zostawić. Druga część tej myśli podoba mi się o wiele bardziej niż pierwsza, kurwajezuchryste.

Moment,

to gaźnik.

Walnęło z gaźnika.

Jezu Chryste, oddychaj, Kim Clarke. Wdech, wydech, wdech, wydech. Już trzeci raz odruchowo nazwałam siebie Kim Clarke, nie myśląc, że powinnam się tak zwracać do siebie, i nie myśląc później, zobacz, nazwałaś siebie Kim Clarke. Nawet to myślenie o Kim Clarke jest o tym, jak dochodzę do momentu, gdy w ogóle nie muszę już myśleć o tym nazwisku. Ani o tym drugim. Pierdolić tamtą osobę. No i proszę bardzo. Mówię „pierdolić" jak Amerykanie, jak Chuck, który ciągle mówi, niech to szlag — to takie urocze. Chuck i jego w kurwę jebany, za każdym razem jak oglądał mecz futbolu w poniedziałek, to było w kurwę jebany to, w kurwę jebany tamto, to się nazywa atak przemienny, ty w kurwę jebany ty. W tym sporcie nie uderzają piłki nogami, ale to się nazywa futbol. Uwielbiam, jak Amerykanie twierdzą, że coś jest jakieś, choć gołym okiem widać, że takie nie jest. Jak mecz futbolu, w którym zawodnicy nie kopią piłki i który trwa w nieskończoność. Ostatnim razem jak mi kazał obejrzeć to gówno do końca, powiedziałam, kochanie, tylko seks powinien trwać tak długo, a on wtedy nazwał mnie swoją małą seksowną zdzirą. To też mi się nie spodobało, kolejny z tysiąca błędów, jakie mężczyźni popełniają codziennie w relacjach z kobietami, z którymi żyją, i zaczęłam się zastanawiać, z iloma kobietami spał do tej pory. To znaczy, jest dość atrakcyjny. Nie, jest śliczny. Nie, przystojny. W tej chwili prawdopodobnie ze trzysta Jamajek nienawidzi mnie za to, że z nim jestem. Mam to, czego wy byście chciały, cipy jedne. Ja, Kim Clarke. Przyjdźcie to wziąć, jeśli macie odwagę.

Kłamstwo. Wiem na pewno, że Jamajki nie polują na białych z zagranicy. Większość z nich nie ma pojęcia, jak taki wygląda nago. Myślą, że biali mają same jaja, zero kutasa, a to tylko dowodzi, że nigdy nie widziały pornola. Po pracy, o trzeciej po południu, Montego Bay daje poczucie, że jest się w Miami. Nigdy nie byłaś w Miami, Kim Clarke. Ale mimo to. Wracam, idę do domu, mam nadzieję, że Chucka nie ma. To było nieładne. Niepotrzebne, tak by to określił, a mówi tak ostatnio dość często, przez co się czuję, jakby wszystkie słowa padające z moich ust były czymś zarażone. Nie chcę tak myśleć, chcę po prostu mieć trochę czasu dla siebie. I znowu, tak często nadaję jak nakręcona na karierę Amerykanka, że nie mogę już wyrzucić tego jankeskiego gadania z głowy. Proszę myśleć normalnie! Mam nadzieję, że nie ma go w domu, bo chcę usiąść na kanapie i usłyszeć swój oddech, obejrzeć w telewizji *Wok with Yan* i wyłączyć mózg, bo wszystko, to życie tutaj, to łażenie, to gadanie, to siedzenie w przestrzeni, która ciągle nie jest moją przestrzenią, to kurewsko ciężka harówa. Istnienie to cholernie ciężka harówa. Nie, nieprawda. To życie jest piździelsko ciężkie. Czasem przeklinam.

Czy mewy słyszą moje myśli? Czy dlatego kręcą się na zewnątrz? Podsłuchują moje myśli i się śmieją? Czy sprej na muchy i robactwo działa też na ptaki? Może zadziobałyby mnie na śmierć i pożarły. Nienawidzę tych ptaszysk. I, kurwa, nie wiem, co zrobić z tymi wszystkimi chuckizmami, które ostatnio weszły mi w krew. Tak to się dzieje, prawda?, że w pewnej chwili facet przytłacza kobietę.

Nie ma go. Ta sofa jest miła. Ciągle na niej zasypiam, a w łóżku nie mogę. Najczęściej to leżę w nocy z głową na włochatej piersi Chucka i słucham, czy jego serce bije równomiernie.

Naprawdę powinnam wysprzątać ten dom, nieważne, że się wyprowadzamy. Pod koniec przyszłego miesiąca. Dałabym wszystko, żebyśmy się ewakuowali już w grudniu. Chciałam mieć białe święta. Marzyłam o białych świętach. Nie, marzyłam o świętach daleko stąd. Im szybciej wyrwę się z tego zapomnianego przez Boga kraju, tym lepiej. Kiedy Chuck powiedział mi, że pochodzi z Arkansas, to chyba spytałam, czy to gdzieś obok Alaski. On z kolei spytał, czy lubię niedźwiedzie polarne i drwali. Cokolwiek to miało znaczyć. Pogłaskałam go po brzuchu i powiedziałam, że ja już mam swojego misia, którego kocham, ale nie wydało mu się to śmieszne. Amerykanie są dziwni. Nie łapią najmniejszego żartu, za to śmieszy ich najbardziej porąbane gówno. I znowu myślę jak Amerykanka, porąbane gówno, myślę tak samo jak on. Dziś zachwycę się jego włosami. Wcisnę się w kanapę, zamknę oczy i oddam się rozmyślaniu o jego włosach. I o tym, co spakować.

Mają dosyć, mają już naprawdę dosyć tego, co wyprawia ten tragikomiczny rząd. Zabawne, dom stoi daleko od drogi, nad samym morzem, które huczy przez cały czas razem z tymi białymi pierzastymi dziwkami pohukującymi za oknem, a jednak odgłosy samochodów docierają nawet tutaj. Jak ten cholerny klakson, który wdziera się w moje myśli. Powiedział, że powiedzieli, że mają dosyć. Pora się ewakuować z tego pierdolonego kraju, stwierdził jego szef. Dość tego rządu i tego Michaela Manleya, próbującego wycisnąć gotówkę od firm wydobywających boksyt, jak gdyby nie dość już pomogli temu krajowi. Cholera, Alcoa odmieniła tę zacofaną wyspę, jasne, że to nie oni zbudowali kolej, ale z całą pewnością dali jej zarobić. I jeszcze jedno: szkoły, nowoczesne budynki, bieżąca woda, toalety, więc to było jak policzek w twarz normalnie, próba narzucenia dodatkowych podatków wbrew temu, co zrobiliśmy dla tego kraju. A ten policzek w twarz to jak pierwsze ostrzeżenie dla całego świata, że Jamajka zmierza do komunizmu, wspomnisz moje słowa. Nacjonalizacja to zawsze pierwszy krok, jakim cudem ludzie znowu zagłosowali na tę pierdoloną LPN, to jest dla mnie niepojęte, żabciu. Wygłasza tę tyradę tak często, że potrafię powtórzyć prawie wszystko słowo w słowo, nawet te przesadne metafory. W takim razie co z tym jeziorem asfaltowym, które zostawiliście po sobie i które nadaje się tylko do tego, żeby gangsterzy wrzucali tam trupy, bo się rozpuszczają bez śladu?, pytam. Czasem nawet jemu muszę przypominać, że metr na północ od tej waginy znajduje się mózg. Ale Amerykanie też nie lubią, jak kobieta jest za bardzo rozgarnięta, zwłaszcza kobieta z Trzeciego Świata, którą należy edukować. Ta sofa jest większa, niż mi się wydawało.

Dwa lata po wyborach. Jamajka nie jest ani lepsza, ani gorsza, po prostu znajdują się nowe sposoby, żeby robić to samo co zawsze. Nie da się zmienić kraju, ale może można zmienić siebie. Nie wiem, czyja to myśl. Ja skończyłam z myśleniem, szczerze mówiąc. Bo za każdym razem, kiedy myślę, to albo pojawia się groźba wybuchu bomby w autobusie, albo patrzę w wylot lufy. Cholera, to ja się tak trzęsę, nie sofa. To znaczy kanapa. Jasny gwint, ten facet mnie zmienia. Lubię się zachowywać, jakbym tego nie lubiła. Ale chyba nie uda mi się go oszukać. On traktuje to jak osobiste zwycięstwo, gdy coś u mnie uzyska, bo prawda jest taka, że nie pozwalam mu na wiele. Zabrzmiało ostro. Mam nadzieję, że nie jestem ostra. Nawet nie pamiętam, jak przeszliśmy od siemasz do randki, to znowu jego określenie, nie moje.

Próba orientowania się w sprawach to niebezpieczne zajęcie. Bo wtedy sprawiamy wrażenie upośledzonych umysłowo, a to też jest niebezpieczne. Robisz tak, to lądujesz z powrotem przy tym, co cię od początku pchało do przodu. Nie wiem, w dodatku przysięgam, że posadziłam tyłek na tej cholernej sofie, żeby przestać myśleć, kurwa mać. Szkoda, że nie ma go w domu. Idiotko, przecież chciałaś, żeby go nie było. Ledwie pięć minut temu, byłam przy tym, słyszałam każde słowo, kretynko. Czy to możliwe? Czy możliwe, że człowiek chce być z kimś przez cały czas, no prawie przez cały czas, a zarazem chce być sam? Nie raz tak, raz siak, w krótkich odstępach, tylko jednocześnie. W tym samym czasie. Przez cały czas. Chcę być sama, ale nie wolno mi chcieć. Chciałabym, żeby Chuck był jednym z tych mężczyzn, o których myślę, to miałoby sens. Przeważnie włączam radio, żeby wypełniło przestrzeń w domu, hałas, ludzie, muzyka, bo to towarzystwo, którego nie muszę dostrzegać ani na które nie muszę reagować, ale wiem, że jest obecne. Chciałabym umieć tak z prawdziwymi ludźmi. Chciałabym, żeby ludzie umieli tak ze mną. Gdzie jest mężczyzna, z którym mogłabym być i który nie potrzebowałby mnie po to, żebym go potrzebowała? Nie wiem, co mówię. Potrzeba to jedyny powód, dlaczego tu jestem, tutaj, w tej chwili, w tym pokoju. Nie. Jezu, co za suka. Dziś zachwycę się jego włosami.

Wieczorem będę się zachwycała wszystkimi odgłosami, które wydaje przez sen. Charkot, gwizd, gdy jedna dziurka w nosie mu się zatka. Urywane słowa. Mamrotanie. Chr-chr-chr chrapanie. Jęki. Amerykańskie pierdnięcie. I ta część nocy, około trzeciej, czwartej nad ranem, kiedy o coś pytam, a on odpowiada, i dlatego wiem, że nie za bardzo wie, jak jego rodzina zareaguje na taką kobietę jak ja, choć jego mama to najsłodsza babka, powaga, najsłodsza pod słońcem. Znam wszystkie jego odgłosy, bo nigdy nie zasypiam. W nocy nie mogę zmrużyć oka, śpię w dzień, wiem, jak się określa takie kobiety. Kobiety takie jak ja nie śpią. My wiemy, że noc nie jest naszym sprzymierzeńcem. Noc robi różne kawały, przyciąga ludzi, połyka ich. Noc wcale nie pomaga zapomnieć, lecz wślizguje się do snu, żebyśmy nie zapomnieli. Noc to gra, gdy się czeka, odlicza czas, aż ukazuje się mały różowy przedświt w oknie i wtedy wychodzę na dwór, żeby zobaczyć, jak słońce wyłania się z morza. I żeby powinszować sobie, że dotrwałam, bo przysięgam, że tak jest każdej nocy.

Wczoraj dotarło do mnie, że mogłabym zabić każdego człowieka, nawet dziecko. Chyba chłopca. Co do dziewczynki, to nie wiem. To, że się nie śpi, nie znaczy, że się nie ma snów. Tego matka mi nigdy nie powiedziała. Wczorajszej nocy mogłabym zabić jakieś dziecko. Była taka brama, zardzewiała, ale od razu wiedziałam, że muszę przez nią przejść. Jedyną drogą naprzód jest droga na drugą stronę. Kto to powiedział? Musiałam przejść przez bramę, inaczej bym umarła, zostałabym rozkrojona, pocięta nożem od szyi aż po wargi sromowe, wrzeszczałabym przez cały czas. Musiałam dojść do tej pierdolonej bramy. A przy bramie było to dziecko, jedno z tych, jakie widuje się w filmach, gdy nie można stwierdzić, czy to chłopiec, czy dziewczynka. Może było białe, ale jak płótno, nie jak skóra. I przez cały czas widziałam biały budzik, którego wskazówka zaraz miała dojść do drugiej, i cztery ściany dokoła, dwa okna, nawet niebo na zewnątrz, ale widziałam też bramę i słyszałam chrapanie Chucka, ale widziałam również to dziecko, a gdy spojrzałam na ziemię, zobaczyłam pokaleczone ludzkie mięso w miejscu, gdzie powinny być moje stopy. Wykończyłam nogi bieganiem. I chciałam przejść przez bramę, ale ten dzieciak bronił dostępu spojrzeniem, nie groźnym, ale pewnym siebie, przymilnym i bezczelnym zarazem — Chuck uznałby je za bezczelne. Chwyciłam nóż, który miałam ze sobą, złapałam małego za włosy, podniosłam go i wbiłam mu ostrze w serce, a ponieważ krew była niebieska, nie czułam wyrzutów sumienia, że go dźgnęłam, jeszcze raz i jeszcze, a za każdym razem jak ostrze przecinało skórę, miałam wrażenie, że jego ciało jest za twarde, dlatego nóż zsuwał się w inną stronę, niż celowałam, a dzieciak krzyczał i śmiał się, i krzyczał i pozostało tylko wyciągnąć nóż i oderżnąć mu głowę, i ją wyrzucić. I z wrzaskiem pobiegłam do bramy. A potem się obudziłam. Tylko że wcale nie spałam.

Może powinnam się wykąpać czy coś. Wychodząc do pracy, Chuck spytał, co zamierzam dziś robić. Trzeba mu było nic nie mówić, skoro też wyszłam. Może trzeba było zdjąć to ubranie albo przynajmniej buty. Nawet facet, który mówi, żabciu, nie znam się na tej gównianej modzie, potrafi odróżnić ubranie, w którym idę na miasto, od tego, w którym wychodzę po chleb. A gdy zobaczy swoją kobietę w dobrych ciuchach, to będzie wiedział, że próbowała zrobić wrażenie na jakimś mężczyźnie i być może jej się udało, a ten mężczyzna to nie on. Naprawdę trzeba było zdjąć przynajmniej tę bluzkę. Albo poleżeć, dopóki nie odlecą mewy. Jak spyta, może powiem mu, że dla niego się tak wystroiłam, bo miałam nadzieję, że wyjdziemy razem. Ale żabciu, teraz wszędzie jest niebezpiecznie, odpowie. Nawet w Montego. Ja na to, że Jamajczycy skracają Montego Bay do Mobay, nie mówimy Montego. I że chcę wyjść, chcę pójść potańczyć, a on mi odpowie, że tańczy lepiej ode mnie, a ja będę udawała, że te słowa mnie nie ubodły. Prawda jest taka, że nie chcę iść tańczyć. Za każdym razem kiedy to proponuję, liczę, że odmówi. Chcę po prostu, żeby myślał, że jestem gotowa robić z nim wszystko. Może znowu wróci z kumplami, a wtedy będę miała pretekst, żeby zostać w tych ciuchach. Gdy ostatnim razem przyprowadził czterech kolegów z pracy, wszyscy wyglądali jak jego niższe i wyższe klony, wszyscy mieli taką samą spaloną białą skórę. Przysięgam, że ten niski blondyn, który ma na imię Buck, ale brzmiało jak Chuck, powiedział, ech, jesteś najładniejszą squaw, jaką w życiu widziałem. A ja się wkurzam, kiedy Jamajczycy nazywają mnie cielęcinką. Wieczorem sie zachwyce tym, jak on śpi. Położe sie na jego wielkiej klatce piersiowej i będe go lizała po włosach i sie przytule, żeby nie odleciał beze mie. Mam takie wspomnienie, dawniej czekałam, żeby moja siostra zasnęła, a potem chwytałam ją za rąbek koszuli nocnej i owijałam go sobie na nadgarstku, bo jak przydzie duh- -duh, żeby mie porwać, to ją też szarpnie i obudzi nas obie. Tyle że nie mam siostry.

Kurwa. Jasna cholera, aki, jak to mi wlazło pod tyłek? Chyba się starzeję albo świruję, bo wracam do domu z torbą pełną aki i tego nie pamiętam. Stara i świrnięta baba. Może świrnięta i stara. Chuck uwielbia aki. Ciągle prosi o to coś, żaba, to coś, no wiesz, jak jajecznica, wiesz o co mi chodzi, to rośnie na drzewach i jest przesłodkie. Kupiłam dwa tuziny od tej kobiety, która słuchała amerykańskiego kaznodziei z kowbojskim akcentem, powtarzającego w tranzystorze, że nadchodzi kres czasów. Wie pani, że żyjemy w dniach ostatnich?, spytała mnie ta handlara. Nie, ale wiem, że jest tysiąc dziewięćset siedemdziesiąty dziewiąty, ja na to, chociaż akurat myślałam o tym kaznodziei, czerwonym i spoconym jak wieprz, ocierającym czoło chusteczką, poprawiającym tupecik. Nie takiej odpowiedzi się spodziewała, ukarała mnie więc, doliczając pięćdziesiąt centów do ceny. Mówię do niej, wiesz co, kochanieńka? A weź sobie te pięćdziesiąt centów. Masz, bo za kilka tygodni jamajskimi pieniędzmi będzie się można tylko podetrzeć. Spodobało mi się. Zabrzmiało po jamajsku. Ech, wcale tak nie powiedziałam. Nie nazwałabym nikogo kochanieńka.

W tym cholernym domu jest za cicho, ale nie mogę wytrzymać, jak gra radio. Nie chcę słuchać żadnych wiadomości. Odkąd przestałam słuchać wiadomości, czytać gazety i oglądać telewizję, moje życie wydaje się o wiele szczęśliwsze. Takie poczucie to jakby coś, co można wynieść z domu i sprzedać. Nie chcę wiedzieć, co się dzieje, i nie chcę, żeby ludzie mi o tym mówili. Źródłem całej mojej wiedzy jest Chuck, a to też mi się nie podoba. Ale jego wiadomości są inne. To wiadomości kogoś, kto wyjeżdża. Bo on wyjeżdża. My wyjeżdżamy. Czy kupił już bilety? Będą nam potrzebne? A może przyleci śmigłowiec, jakby to była wojna, i po prostu nas wywiezie? Wyląduje przed domem, a Chuck powie, żabciu, nie ma czasu na pakowanie, idziemy, i zrobi naprawdę smutną minę, bo nie będzie wiedział, że ja właśnie tego chcę, że nie chcę brać niczego, nawet ręcznika, niczego, co przypominałoby mi o życiu, które tutaj zostawiam, bo pierdolić to wszystko, naprawdę, pierdolić to, chcę wyjechać do Ameryki jako czysta tabliczka, bez żadnych wlokących się za mną wspomnień. Chcę nauczyć się pisać coś nowego na swojej skórze i mówić siema do ludzi, których nie znam. Śmigłowiec wystartuje i wyląduje dopiero wtedy, gdy będziemy już daleko, gdzieś w Buffalo, Nowym Jorku albo na Alasce, gdzieś, gdzie nigdy już nie usłyszę, co się dzieje. Nigdy.

W tym cholernym radiu chyba da się znaleźć coś dobrego? FM: więcej muzyki, mniej gadania. Szkoda, że Chucka nie ma. Tańczy o wiele lepiej ode mnie, jestem hańbą czarnej rasy. To fenomen, gdy biały mężczyzna umie tańczyć. Na naszą rocznicę zabrał mnie do klubu — jesteśmy razem już pół roku. Chciał to uczcić. A mówią, że to kobiety są sentymentalne. A jednak. Po szóstym miesiącu były tańce. Po piątym dostałam kolczyki. Po czwartym chciał upiec kurczaka, ale mu się nie udało. Moja matka stwierdziłaby: to dowodzi, że nie jest homoseksualistą, moja droga. Nie wiem, czasem za dużo tego Chucka. Bardziej go lubię, gdy jest w pracy. Nie, to nieprawda. W tej chwili zachwycam się jego włosami, a potem zachwycę się tym, jak śpi.

Wtedy w tym barze Mantana's, gdzie go poznałam, nadeszła taka chwila, że głos wewnętrzny powiedział mi, Boże, niech to się wydarzy, cokolwiek by to miało być. Miałam już dość tego, że mam dość. Byłam gotowa. Tego samego dnia szef położył mi rękę na kolanie, chyba już drugi raz. Nie, trzeci. I spytał, jak mi się podoba moja nowa praca. I dodał, że wie, że dla mnie to wóz albo przewóz, ostatnia szansa. Jakby sprzedawanie gówno wartej biżuterii w przereklamowanym sklepie o nazwie Taj Mahal prowadzonym przez kulisa było szczytem moich marzeń. Tyle że to prawda, Kim Clarke. Żeby wziąć tę pracę, wystarczyło zdać sobie sprawę, że nie będą się wahać ani sekundy, żeby poszukać kogoś innego na moje miejsce. Montego Bay musiała wypalić. Musiała, nie było powrotu do Kingston.

Nie myślę o Kingston. Chcę myśleć o Andym Gibbie. Jest prawie tak przystojny jak John z *Diuków Hazzardu*. Andy Gibb: włosy, klata, włosy, łańcuszek, włosy, zęby, włosy, włosy. John Diuk, jego uśmiech, włosy, dżinsy, włosy jak u dziewczyny, „Chciałbym być dla ciebie wszystkim", duży miecz Luke'a Diuka w lewej nogawce jego spodni, Jezu Chryste, w Montego Bay chyba nie ma drugiej tak sprośnej dziewczyny. Ale w radiu nie leci *I Just Want to Be Your Everything*. „Do it light, take me through the night, shadow dancin'". Wiem, czego chcę. Chociaż jednej nocy nie myśleć o Luke'u Diuku w chwili, gdy Chuck mnie przygniata i wchodzi we mnie. Nie, wcale tak nie pomyślałam. A właśnie że pomyślałam. Może lepiej pójść i przygotować aki dla niego. Lubi to na śniadanie. Na kolację też może być. I pomyślę o tym, jak będę się zachwycać jego włosami.

Prędzej czy później się zorientuje. Kim Clarke, myślisz, że jesteś taka cwana? Facet dowie się na bank, może już się zorientował. Dziś rano wzięłam tylko dziesięć dolarów. Do tej pory to najwięcej za jednym razem. W zeszły piątek — pięć. Cztery dni wcześniej sześć dolarów, nie, pięć, nie, banknot pięciodolarowy i dwa jednodolarowe. Amerykańskich nie tykam. Jeszcze pomyśli, że to urocze. A która żona nie podbiera mężowi z portfela? Tyle że ja nie jestem jego żoną. Ale będę. Nieważne, na razie tylko mieszkacie razem. Bo tak jest w dzisiejszych czasach, mamy rok siedemdziesiąty dziewiąty. Naprawdę trzeba się wziąć za gotowanie. Jestem pewna, że się nie zorientował. No bo który mężczyzna liczy, ile ma pieniędzy w portfelu?

Amerykanin.

Wszyscy oni przewijają się przez Mantana's. Biali, znaczy się. Jak facet jest Francuzem, to myśli, że może bezkarnie powiedzieć do ciebie ty cipo, mówi ty ćpooo, bo my, dziwki z buszu, nigdy nie skumamy jego cza-czy. Jak tylko zobaczy kobietę, rzuca jej kluczyki do stóp i pyta, zaparkujesz moje auto *maintenant*? *Dépêche-toi!*

Więc biorę kluczyki, mówię oczywiście, massa, po czym idę do damskiej ubikacji i spuszczam je w najbardziej obsranym kiblu. Jak jest Brytyjczykiem przed trzydziestką, to zęby ma ciągle własne i będzie na tyle czarujący, że zabierze cię na piętro, ale zbyt pijany, żeby cokolwiek zdziałać. Nie przejmie się tym, ty też nie, chyba że cię obrzyga i zostawi kilka funtów na komodzie, bo wyszło fatalnie, fatalnie. Jeśli jest Brytyjczykiem po trzydziestce, to przez cały czas patrzysz, jak nawarstwiają się stereotypy, począwszy od bęęęędęęęę móóóówiłłłł dooooo ciebieeeeee poooowooooooliiiii koooootkuuuuuuu booooo jesteeeeeeeś maaaałąąąąąąą Muuuuuurzyyyyynką, a tempo gadania idealnie pasuje do tych paskudnych zębów, żółtych od picia kakałka przed pójściem spać. Jak jest Niemcem, będzie chudy i będzie się umiał rżnąć w rytmie chodzącego tłoka, ale szybko skończy, bo nikt nie potrafi sprawić, żeby niemiecki brzmiał seksownie. Jak jest Włochem, to też będzie się umiał pieprzyć, ale prawdopodobnie się nie umył, uważa, że istnieje coś takiego jak czułe zdzielenie kobiety w pysk, a pieniądze zostawi tak czy siak, nawet jak mu powiesz, że nie jesteś prostytutką. Jak jest Australijczykiem, to wyciągnie się na wznak i będzie czekał, aż odwalisz za niego całą robotę, bo nawet my, kolesie z Sydney, słyszeliśmy o dziewczynach z Jamajki. Jak jest Irlandczykiem, rozśmieszy cię, w jego wykonaniu nawet największa sprośność wyda się seksowna. Ale im dłużej z nim jesteś, tym więcej wypija, więc na każdy z siedmiu dni przypada inny potwór.

Za to Amerykanie. Większość z nich poświęca dużo czasu, strasznie dużo czasu na to, żeby cię przekonać, że są tacy sami jak inni. Jestem facet z Oklahomy. Nawet Chuck przedstawił się jako zwykły jankes z Little Rock. Gdy spytałam, dlaczego ktoś chciałby być zwykłym facetem, nie wiedział, jak zareagować. Jest jednak coś w mężczyźnie, który prosto z mostu mówi, że ma w sobie tylko to, co widać na pierwszy rzut oka, nie mniej, a już na pewno nie więcej. Może nisko zawieszam poprzeczkę. Może spodobało mi się to, że trafił się chociaż jeden mężczyzna, który otwarcie powiedział, jak jest. Nawet nie myślę, że bardzo mu się spodobałam. No, oczywiście, że się spodobałam, w końcu podszedł do mnie z tym swoim siemasz, idealne wyczucie czasu, zaraz po tym, jak wyrzucili Francuza, bo wrzeszczał, gdzie są moje kluczyki, ty ćpooo, a Włoch poszedł tańczyć z jakąś głupią Amerykanką, która przyleciała sama, oszczędzała na to przez dwadzieścia sześć miesięcy i niech to cholera, ta wielka gruba dziwka będzie się P.I.E.P.R.Z.Y.Ć. Włoch nie był wprawdzie czarnym Mandingo ze sterczącą pod spodniami wielką dzidą, o którym czytała w *Mistress of Falconhurst*, ale skórę miał dość śniadą, więc się nadał.

Oczywiście, że przychodziłam tam co wieczór. Do Montego Bay przeprowadziłam się w styczniu, do jednopokojowego mieszkanka ze wspólną kuchnią w domu, który para emerytów wynajmuje przyjezdnym studentom. Ale tak naprawdę to mieszkałam w Mantana's. Już pierwszego dnia w pracy usłyszałam o tym klubie. No, właściwie podsłuchałam, bo żadna z tych azjatyckich dziwek u jubilera nie zwykła konwersować z czarnym personelem, chyba że chciały przypomnieć, że dobrze znają policjantów, więc niech zginie choć jeden wisiorek, to przez cały weekend będziemy gwałcone w areszcie. W każdym razie podsłuchałam, że Mantana's to miejsce, gdzie tętni prawdziwe życie, a wpuszczają tylko, jak się odpowiednio wygląda, co, dzięki Bogu, wyklucza czarnych. Kto by pomyślał, że właśnie czarna skóra okaże się odpowiednim ubiorem? Dwa tygodnie po przeprowadzce, tylko w białym T-shircie, dżinsach od Fiorucciego i szpilkach, wchodzę do środka. Gdy mijam jedną z tych azjatyckich dziwek, tę z orlim nosem i długimi włosami, niewiele brakuje, żeby wrzasnęła na mój widok, ale zobaczyła, że na nią patrzę, i wiem, że już do grobowej deski nie będzie mogła z tym żyć. Powinnam jej wtedy powiedzieć, że czasem faceci mają ochotę na czekoladę, nie na curry.

Ale jak już się znalazłam w środku, wszystko okazało się inne, niż myślałam. Didżej grał ciągle *Fly Robin Fly*, a biali tańczyli jak biali. Wszyscy niebiali, w większości kobiety, patrzyli na siebie spode łba, bo tylko takie patrzenie mogło zamaskować, że wyglądamy tak samo. Biały człowieku, proszę, podejdź i mnie uratuj, bo nie mam już siły szukać dalej. Czuję, jakbym dowlokła się na sam koniec Jamajki i zostało mi tylko wpaść do morza. Albo odlecieć. Kim będę w Ameryce? Samanthą z *Ożeniłem się z czarownicą*? Tą histeryczką z *One Day at a Time*? Chcę wbiec do centrum wielkiego miasta i rzucić czapkę do góry jak Mary Tyler Moore, bo w końcu mi się udało. Jezu Chryste, tak bardzo chcę jechać. Tak bardzo.

Prawie zapomniałam. Potarłam go rękami trzy razy w słońcu, czując każdą wypukłość. Dzięki temu stemplowi to jest rzeczywiste. Dzięki temu stemplowi dobrze pachnie, bo, owszem, powąchałam. Od samego patrzenia nic nigdy nie robi się rzeczywiste. Dopiero dotyk to sprawia, a jeszcze lepiej zapach. Moje palce pachną teraz jak amerykański papier, jakby chemikalia czekały na wyparowanie. Prawie zapomniałam. Kim, postaraj się zapomnieć o wszystkim wokół. I przestań się tak uśmiechać, policzki od tego bolą. Tyle że ty się nie uśmiechasz, ty płaczesz.

Śmierdzisz. Musisz zmyć ten smród. Zmyć tusz z cholernych palców. Jak mogłam zapomnieć? Za kilka godzin on wróci, a ja nie zmyłam jeszcze tego smrodu. Dziewczyno, idź do łazienki… dość. Oto co zrobię. Oto co poskutkuje. Pójdę się wykąpać. Przyrządzę mężczyźnie jego aki. On weźmie mnie na piętro i zerżnie. Nie, oboje się będziemy rżnąć, on mnie, ja jego. I obudzimy się razem, a on, nie, oboje, oboje nie wyjedziemy jeszcze przynajmniej przez trzy tygodnie. Spakuję się. Idź, dziewczyno, zmyj smród.

Codziennie przynosi coś z biura do domu. Częściowo to chyba kwestia wychowania. Ci Amerykanie. Gromadzą rzeczy. W Mantana's pojawi się Tony Curtis albo Tony Orlando i poproszą go o autograf, a on podpisze się na serwetce. A oni się tego uchwycą, dodadzą do swoich zbiorów, jakby już nigdy mieli nie zobaczyć Tony'ego Curtisa. I teraz Chuck przynosi rzeczy do domu, chomikuje je, jakby chciał się upewnić, że są bezpieczne. Nie wiem, przed czym musi chronić filiżankę. Albo pięć pudełek gumek recepturek, zdjęcie Farrah Fawcett, zdjęcie prezydenta Cartera i skrzynkę alkoholu, jakby w Ameryce nie sprzedawali wódy. Albo posążek rastamana trzymającego się za sterczącego penisa, z główką większą niż głowa. Chyba myśli, że jest Noem ratującym w arce rzeźbę rasta z dużym kutasem. Jeśli chce uratować ten posążek, a nie zamierza uratować mnie, to przysięgam na Boga, że go zabiję.

Pójdę wziąć prysznic, a potem przyrządzę aki i rybę. Nie, aki i peklowaną wieprzowinę, bez ryby. I pomidory. Kim Clarke, idź zmyć smród. Nie myśl, zostaw to w kuchni i idź się umyć. Wyszoruj zęby. Wypłucz usta odrobiną listerine. Może tak samo jest z mężczyznami. Jest? Może, nie wiem. Wpiszmy tutaj to, co powinnam czuć _____, żebym to poczuła. Bo nic nie czuję. Może powinnam czuć coś właśnie dlatego, że nic nie czuję, ale tego też nie czuję. Co z ciebie za kobieta, Kim Clarke? Za każdym razem kiedy oblizujesz wargi, czujesz jego woń i smak. Wypłucz go z ust, przynajmniej tyle, bezwstydnico.

Wyobrażam sobie, jak wyrzuca mnie na kopach z domu. Jak w filmie, w którym wszyscy mówią po włosku. Wyciąga mnie z mojego domu — z jego domu — ja na podłodze, wrzeszczę, błagam, czołgam się, płaczę, Chuck, nie, nie wyrzucaj mnie, nie wyrzucaj, cie błagam, cie błagam cie. Będę sie czołgać u twoich stóp. Będę ci gotować, będę ci rodzić nygusy i ssać fiuta, nawet jak go nie umyjesz. Weź, no weź! A on popatrzy na mnie i spyta, co, kurwa, znaczy to całe weź? Co to za durne murzyńskie narzecze, kiedy weź weź znaczy proszę, błagam? Fiut to fiut, to fiut, dla ciebie bez różnicy, odpowie, bo zabrzmi to okrutnie, jakby w ogóle się nie zastanawiał nad tymi słowami, więc może być wściekły i sprytny jednocześnie, gdy ja jęczę na podłodze, no weź, weź, weź, i się zastanawiam, czy mogę to rozegrać jak w *Dallas*, czyli to nie tak jak myślisz, skarbie.

Powinnam się wykąpać, wyszorować zęby, wymyć usta mydłem. Ale czy wtedy nie będę za czysta? Czy to nie wzbudzi podejrzeń? Jesteśmy już na takim etapie, że nie muszę ciągle się czesać, malować ust, pryskać perfumami, nie przejmuję się, jak mnie przyłapie na drapaniu się w tyłek i mieszaniu w garnku tą samą ręką. On z kolei puszcza bąki, kiedy go najdzie, a tego naprawdę nie lubię. Amerykańskie pierdy bardziej śmierdzą, jakby oni jedli za dużo mięsa. Uważaj, czego pragniesz, gdy w końcu sprawisz, że mężczyzna poczuje się komfortowo u twojego boku. Wtedy sobie uświadamiasz, jak duża część zalotów to gówniane mydlenie oczu. Nie mydlenie oczu, raczej przedstawienie. Gdyby musiał udawać dłużej, niż według niego byłoby warto, pewnie by się ewakuował i wziął na muszkę inną miejscową dziewczynę wpatrzoną w swojego drinka. Dzięki Bogu, na czarnej skórze niewiele widać. Czarne dziewczyny potrafią ukrywać ślady. Może dlatego mężczyźni myślą, że łatwiej bić czarne. Relację między białym mężczyzną i białą kobietą można prześledzić na jej skórze. Idiotko, w takim razie zachowuj się tak, żeby dziś wieczorem nie miał na ciebie ochoty. Udawaj, że boli cię głowa, że masz menstruację, on strasznie nie lubi tego słowa, mówi, że kojarzy mu się z masturbacją.

Zostały mi jakieś zdjęcia paszportowe?

Czy w Ameryce jest ciepła woda?

Głupia dziwko, oczywiście, że jest. I nie muszą wcale włączać bojlera i czekać. Może powinnam wrzucić do wody łyżeczkę odplamiacza. Jezu Chryste, ty masz na sobie jego pot, a nie ropę z paprzącej się rany. Słuchaj, szefie, to moje wszystkie pieniądze, dałam ci zegarek, dałam nawet łańcuszek, który od niego dostałam w zeszłym tygodniu. Będę musiała powiedzieć, że wpadł do odpływu albo coś. Dawaj mi ten cholerny paszport. Jak to mam jeszcze jedną cenną rzecz? Nie wiem, o co ci chodzi.

Och.

Mówię wam, nieważne, czy z bieguna południowego, czy z południowej części St. Catherine, mężczyźni, jesteście tacy sami. Nie odszczekuj się, Kim, tylko zrób, co trzeba, i miej to z głowy. Tutaj? W pańskim biurze? Przecież ludzie są za drzwiami. Oczywiście, że ludzie są za drzwiami. On chce, żeby wszyscy słyszeli, żeby wiedzieli. A skąd mam pewność, że po tym dostanę? Nie drażnij faceta, głupia cipo, dwa lata już czekasz, prawie dwa lata, to i tak długo, a on może podrzeć to wszystko na twoich oczach —

czy mam jeszcze jakieś zdjęcia paszportowe? — bardzo nie lubię, kiedy ludzie mnie fotografują, czy mam więc negatywy? Zdjęcia na całej ścianie, nagie białe kobiety, tylko dwie czarne, ściskające razem swoje cycki. Aha, nie zdejmować sukienki? Nie, nie, potrafię sama ściągnąć majtki, dziękuję. Kim, przestań patrzeć na kalendarz i pamiętaj, żeby zareagować, jakby to było tornado, gdy się w ciebie wepchnie. Och, och, Boże, nie mówiłeś, że masz takiego dużego, takiego D u ż e g o. Tak naprawdę to jak zgniły banan, prawda, Miss Grudnia? Wyobrażasz sobie, jak go wyjmuje i pokazuje każdej kobiecie, która przekroczy ten próg, która potrzebuje czegoś, co jej się nie należy? Czy starczy mi czasu, żeby potem kupić aki i wymyć go z siebie? Może mogłabym pójść do tego hotelu naprzeciwko, przemknąć do łazienki i zetrzeć z siebie skurwysyna. Cicho, Kim Clarke, zamknij oczy i pomyśl o Arkansas. Uch, uch, uch, uch, uch, uch, uch. Na jego drzwiach napisano na odwrót NOTARIUSZ I SĘDZIA POKOJU. Nigdy nie wiadomo, co facet szykuje, jak go masz za plecami. Cholera, nawet nie zauważyłam, że mój pieprzony palec wylądował na poduszce pod pieczątki. Świetnie, fioletowy tusz na opuszkach, a ten facet się uwija od tyłu i słyszę tylko szelest i plaśnięcia skóry. Może powinnam ukraść te lipne znaczki na wypadek, gdybym potrzebowała drugiego paszportu? Dojdziesz niedługo? Rok, pięć miesięcy, siedemnaście dni, jedenaście godzin i trzydzieści minut i na to ci przyszło? Trzeba przez to przejść, żeby wreszcie to dostać, paszport, wizę, bilet na wyjazd z tego piździelskiego Babilonu — modlę się do Boga, żeby ten facet już doszedł. Zamknij oczy i pomyśl o biegaczach stepowych pchanych wiatrem, Kim Clarke. Arkansas, nie, wymawia się Arkansoo, uwielbiam to. Podjedziemy wozem na szczyt wzgórza, a Laura Ingalls i Mary Ingalls, i ta mała, która zawsze upada w trawę, wybiegną nam na spotkanie, bo teraz już mamy troje dzieci, same dziewczynki, no dobra, może jest chłopiec, ale tylko jeden. Boże, dobrze, że biorę pigułki. Może ten skurwysyn nie sprzeda mi rzeżączki. Słyszę, że ludzie za drzwiami przystają, żeby podsłuchiwać. Od siedmiu minut ani jeden palec nie nacisnął ani jednego klawisza w ani jednej maszynie do pisania. Wystukuję sekundy i patrzę na zegar na ścianie. Miss Kwietnia, Miss Maja, Miss Września i Miss Sierpnia nie ściskają swoich cycków, tylko rozsuwają no... — może gdybym się zachowywała jak dziewczyna z pornola, uwinąłby się szybciej — czy Chuck wie, że ja wiem, że trzyma numery „Hustlera" pod kasetką w tajnej szufladzie biurka w gabinecie? I „Screw" za torbą golfową. „Penthouse'a" w tym samym pudełku co krawaty, bo chce, żebym to znalazła i liznęła trochę wiedzy od Xaviery Hollander? Zawsze trwa dłużej, niż można oczekiwać. Zabawne, to seks sprawia, że zaczynam z powrotem myśleć po jamajsku. Nie, Kim Clarke, nie będziesz teraz myślała o tym, co seks z tobą robi. Skurwysyn rżnął mnie przez kolejne siedem minut. Nikt za drzwiami nie napisał na maszynie ani jednej litery. Daje mi paszport, ja go otwieram i patrzę na siebie patrzącą na mnie, z wizą wstemplowaną na głowie. To B1/B2. Aż chciałam zakląć, bo przecież zapłaciłam za zieloną kartę, ale zaraz pomyślałam, że może poprzestać na tym, co mam, i niech Chuck załatwi resztę — kto wie, co ten skurwysyn każe mi zrobić w zamian za zieloną kartę.

Kim Clarke, ty kłamczucho.

Kłamiesz. Owszem, sporo z tego się wydarzyło. Ale nic nie mówiłaś do tego faceta, nawet nie stęknęłaś. Zadarłaś spódnicę, zsunęłaś majtki i tylko modliłaś się, żeby nie miał syfa. A on był podenerwowany, i to do tego stopnia, że dotarło do ciebie, że jesteś prawdopodobnie pierwszą kobietą, która nabrała się na jego groźby, nie może więc uwierzyć w swoje szczęście. Nie wystukiwałaś sekund, pukałaś go w plecy, żeby wszedł w rytm, żeby może przestał myśleć o żonie, a gdy wreszcie się spuścił, zrobiło ci się go żal, bo wiedział, że będziesz musiała przemaszerować do wyjścia na oczach personelu. I od tej pory nie zajrzałaś do paszportu, bo gdybyś zajrzała, to nawet to gówniane zdjęcie zmusiłoby cię do zadania sobie pytania, czy było warto. Było, Kim Clarke? Tak, tak, tak, do cholery, i nie drąż już. Ruhałabym się z nim znowu i wsadziła sobie jego kutasa do buzi. Bym mu nawet wylizała dupę, to tysiąc dziewięćset siedemdziesiąty ósmy. To tysiąc, kurwa, dziewięćset siedemdziesiąty ósmy i kobieta musi wiedzieć, że czasem jedyna droga naprzód to droga na drugą stronę. Kiedy wylądowałam w Montego Bay, wiedziałam, że stąd wyjadę, albo w samolocie, albo w trumnie. Wydaje ci się, że prawie mnie załatwiłaś, co, Jamajko? Prawie. No to w dupe weź mie cmoknij. Cholera, fioletowe ślady po palcach na całej lodówce — ile mycia trzeba, żeby się tego wszystkiego pozbyć?

Znowu czekam na wodę. Stoję pod słuchawką prysznica i słyszę, jak odpływ kaszle. Ten jebany kraj. Każdego dnia brakuje wody dokładnie wtedy, kiedy jest potrzebna. Szkoda, że za domem nie ma rzeki, poszłabym się umyć jak wieśniaczka. Kurwa, bosko, po prostu bosko, akurat tego jednego popołudnia, gdy potrzebuję wziąć prysznic. Spłukać tego faceta z siebie, zanim mój facet przyjdzie do domu. Dlaczego czuję tak mało? Dlaczego nie mogę czuć więcej? Serce bije mi szybciej, gdy eksperymentuję z nową potrawą w kuchni. Może jak będę się biła w piersi dostatecznie długo albo mocno, serce wpompuje krew tam, gdzie powinno być sumienie. Nie rozumiesz, że CHCĘ coś poczuć? Chcę, żeby moje serce pompowało, pompowało, bo poczucie winy mnie przygniata, nie odpuszcza. Poczucie winy coś by znaczyło. Ile razy trzeba umyć, żeby było czysto? Tyle bym dała, żeby włączyli teraz wodę. Błagam, zanim on wróci do domu. Nie? To pierdolić was. Jak tylko wróci, przygotuję mu kolację, a potem będę się bawiła jego włosami, ale tak, jakbym o tym w ogóle nie myślała, a jemu się to spodoba. Może zanucę *Dancing Queen*, on wie, jak bardzo lubię tę piosenkę, albo Andy'ego Gibba? Może znowu zagrają w radiu *Shadow Dancin'*, a ja ściągnę go z fotela i powiem, zatańcz ze mną, skarbie, a on odpowie, ej, Kim Clarke, żabciu, wszystko z tobą w porządku? I wtedy pokażę mu wizę.

Nie. Co za okropny pomysł. Przecież już mu powiedziałaś, że masz wizę, idiotko, a on nawet o to nie pytał. Pokaż mu, a zobaczy, że została podstemplowana dopiero w zeszłym tygodniu. Do tej pory nie zdeklarował się stuprocentowo, że cię zabierze.

Ale dlaczego miałby składać takie deklaracje? Przecież nie po to mieszkamy razem, żeby wstał i wyszedł. A może próbuje się rozeznać, jakie pożegnanie spowoduje najmniej łez? Jakie pożegnanie nie wywoła we mnie chęci mordu? Czy ćwiczy przed lustrem? Kim Clarke, gdybyś miała odrobinę oleju w głowie, już dawno zaszłabyś w ciążę. Jeśli dziś odstawię pigułkę, to czy uda mi się zajść w ciążę przed jego wyjazdem? Dziś będę się zachwycała jego włosami. I spytam, kiedy mam się pakować.

To zła zagrywka, Kim Clarke. Zamknij się i wyjdź spod tego prysznica. Muszę nałożyć odżywkę na włosy. Powinnam to zrobić tutaj czy dopiero w Ameryce? Ze wszystkim tak jest. Czy powinnam to zrobić tutaj czy dopiero w Ameryce? Jezu Chryste, co ja pocznę tego dnia, gdy znudzi mi się trzynaście kanałów w telewizji? Tego dnia, gdy znudzą mi się płatki kukurydziane, nie, nie, nie kukurydziane, lukrowane? Tego dnia, gdy znudzi mi się patrzenie na budynki zahaczające o chmury? Tego dnia, gdy znudzi mi się wyrzucanie chleba, bo kupiliśmy go cztery dni temu, czas więc na świeży bochenek? Tego dnia, gdy znudzą mi się twinkies, halston, lip smacker, l'eggs i wszystko marki Revlon. Tego dnia, gdy znudzi mi się spanie od wieczora do rana i budzenie się przy świergocie ptaków, w aromacie kawy i obecności Chucka, który mówi, dobrze spałaś, żabciu? A ja odpowiadam, tak, bardzo dobrze, kochanie — zamiast przez całą noc wpatrywać się w mrok, wsłuchana w cykanie cholernego zegara, bo jak zasnę, wszystko mnie dopadnie. Myślałam, że przerwiemy to myślenie, Kim Clarke. Poważnie, myśl to cwana suka. Bo wszystkie myśli prowadzą do tej jednej, a tobie nie wolno do niej wracać, słyszysz, Kim Clarke? Nie wolno. Cofają się tylko głupie kobiety.

— Kocham ten kraj. Wy, ludzie, macie tak dobrze i nawet nie zdajecie sobie z tego sprawy. Bo wasz premier ma nasrane we łbie. Jakim cudem znowu na niego zagłosowaliście? Jakim cudem, ludzie?

— Mógłbyś sobie darować „wy ludzie"?

— Przepraszam, żabciu, ale wiesz, o co mi chodzi.

— Nie, nie wiem, o co ci chodzi. Ja na niego nie głosowałam.

— Ale…

— Przestań z tym „ludzie", jakbym reprezentowała całą Jamajkę.

— Szszsz, to tylko takie wyrażenie.

— To wyrażaj się inaczej.

— Cholera, co cię dziś w cipę ugryzło?

— Znasz nas, ludzi, my tu codziennie mamy micsiączkę.

— Dobra, poddaję się. Idę do pracy.

Ty, dziewczyno w lustrze. Ty, Kim Clarke, przyznaj, że łatwiej ci było to zrobić, bo się na niego wkurzyłaś. Ale co tak naprawdę zrobiłaś, idiotko? Nigdy się nie wkurzasz, nigdy nie dajesz mu powodu, żeby pomyślał o wyjeździe bez ciebie. Nigdy nie jesteś wredną suką, to rola zarezerwowana dla białych kobiet.

— Mam nadzieję, że jak wrócę, będziesz w lepszym nastroju.

— A ja mam nadzieję, że przestaniesz pieprzyć, jak wrócisz.

Czasem wydaje mi się, że lubi, gdy się stawiam. Nie wiem. Kobieta powinna wiedzieć, kiedy się zamknąć, żeby mężczyzna myślał, że jest górą. Właściwie to nawet nie wiem, co to znaczy. Wydawało mi się, że wiem, czego chcą Amerykanie. Jak taki zabiera cię do Kentucky Fried Chicken, to jest to randka. Ale gdy tylko wpada raz na jakiś czas na seks, to po prostu „się widujemy". Albo ja „sypiam" z nim. Obłęd, bo jak wpada tylko na seks, to ostatnią rzeczą, jakiej bym chciała, to żeby ze mną spał. Czy można sprawić, żeby mężczyzna kochał bardziej?

Na „randce" w zeszłym tygodniu powiedział, że po trzydziestu latach firma zwija się z Jamajki. Przedsiębiorstwo wydobywcze Alcorp wreszcie nażarło się boksytu i pakuje się do odjazdu. Chuck mówi, że to z powodu tego podatku, który jest pierwszym krokiem do nacjonalizacji i do komunizmu. Powiedziałam, wy, jankesi, boicie się komunizmu, jak stare kobiety na wsi boją się tego szarżującego byka z legend.

— A co to? — spytał.

— Demon — odpowiedziałam.

Zaśmiał się głośno.

— Muszę stąd spadać, zanim to się zmieni w stolicę Kuby.

Teraz to ja zaśmiałam się głośno.

— Może wiem coś, czego ty nie wiesz, Kim.

— Nie. Natomiast może słyszałeś coś, o czym ja nie słyszałam. To nie to samo.

— Cholera, ta twoja niewyparzona gęba...

— Nie skarżysz się, jak wpychasz w nią kutasa.

— Żabciu, z ciebie jedna wielka wyuzdana suka, wiesz o tym?

Czy mężczyźni żenią się z wyuzdanymi sukami? Trzeba zabrać go tam, gdzie będzie musiał przedstawić mnie ludziom, wtedy usłyszę, jak o mnie mówi, i zorientuję się, na czym stoję. Akurat, jakbym naprawdę chciała to wiedzieć. Kim Clarke, twoje życie to ciąg planów awaryjnych. Muszę się cieszyć, że mam faceta, który lubi masować mi stopy. Wielki facet, wysoki, olbrzym. Metr dziewięćdziesiąt trzy? Co najmniej. Szare oczy, wargi tak cienkie, że usta wyglądają jak rozcięcie. Włosy zrobiły się kręcone, gdy już trochę je zapuścił. Wielka klatka piersiowa i ramiona, tyrał rękami, zanim zaczął pracować i jeść za biurkiem. Brązowe włosy na głowie, ale rude nad penisem i takie kiełkujące na jajach. Czasem aż trzeba się zatrzymać i popatrzeć.

— Co robisz?

— Nic.

— Jak się będziesz tak gapić, to sflaczeje.

— Czekam, żeby buchnął płomieniem.

— Czarni faceci nie mają włosów łonowych?

— A skąd mam wiedzieć?

— Bo ja wiem? W końcu jesteś nowoczesną kobietą, nie?

— Nowoczesna kobieta znaczy puszczalska?

— Nie, nowoczesna kobieta znaczy, że od miesięcy łaziłaś do Mantana's i dobrze się tam bawiłaś.

— A skąd wiesz, jak się bawiłam?

— Bo obserwowałem, co tam się dzieje, i minęło dużo czasu, zanim na mnie spojrzałaś, Kim. Ale teraz poważnie, nigdy nie spałaś z czarnym? Nawet z Jamajczykiem?

Uwaga, muszę sprawdzić, w jakich sytuacjach ten facet mówi do mnie żabciu, a w jakich mówi Kim. To ważne, Kim Clarke. Mężczyźni żenią się ze swoimi żabciami. Tak, tak, żenią. Może powinnam się cieszyć, że od dość dawna nie nazwał mnie seksowną dziwką. Kiedy ostatnio? Nie pamiętam. To się zastanów. No nie pamiętam. Muszę się postarać, żeby zrobił następny krok po kocham cię, ale mały, takie łzawe pożegnanko z kocham cię, żeby wykrzesał z siebie pobierzmy się, pobierzmy się jak najszybciej, żebyś poleciała do Arkansas jako pani Chuckowa. Czy Arkansas to nie jeden z tych stanów, gdzie nienawidzą czarnych? Jeśli potrafię go skłonić do małżeństwa, to może udałoby mi się namówić go do przeprowadzki do Nowego Jorku albo Bostonu? Byle nie do Miami, chcę oglądać śnieg. Wczoraj włożyłam rękę do zamrażalnika chyba aż na cztery minuty, żeby poczuć zimę, o mało nie wepchnęłam głowy. Chwyciłam bryłkę lodu i ją ścisnęłam, aż zimno zaczęło mnie parzyć, a ból dosięgnął skroni. Utoczyłam z tego kulkę i rzuciłam ją w okno. Przykleiła się na chwilę, a potem spadła, a ja się rozpłakałam.

— Skarbie, ja nigdy nie zostawiam nic przypadkowi.

Czy to znaczy mnie? Nie zamierzał ryzykować, że wyjdę z Mantana's i już nigdy nie wrócę, chociaż przychodziłam tam codziennie. Szukałam. Albo czy to znaczy, że kupił bilety do Ameryki? Bilety. Bilet. Przecież dali mu tylko jeden bilet, żeby tu przyjechał, dlaczego więc mieliby dać mu dwa, żeby wyjechał?

Charles, Charles, posłuchaj, nie możemy dawać dodatkowych biletów każdemu facetowi, który zakocha się w miejscowej zwierzynie, co jest, wydaje ci się, że to południowy Pacyfik? Och, przestań myśleć, Kim Clarke, uwierz mi, zwariujesz od tego. Na katechezie w kościele mówili, że zamartwianie się to grzech, bo nie pokładamy ufności w Bogu. W szkole średniej myślałam, że co jak co, ale przynajmniej wiem, że pójdę do nieba, a te wszystkie paskudne dziewczyny to nie, bo pozwalają się obmacywać chłopakom, twierdząc, że cycki szybko im rosną, a oni na to, że im nie wierzą. Musiałam się przenieść aż do Montego Bay, żeby mieć pewność, że nie nadzieję się na żadną z tych suk (nie, wcale nie dlatego, przestań kłamać, jakby to miało teraz znaczenie). Przynajmniej nie dorobiłam się żadnego bachora, który mi cycki obciąga do kolan, Jezu Chryste. Nienawidziłam tych dziwek. Powinnam się pakować? Zrób to... Kim, tak, Kim Clarke. Zrób to, apeluję do ciebie. Spakuj walizkę, tę fioletową, tę samą, z którą przyjechałaś do Montego Bay. Pakuj się, no już. Powinnam kupić nową walizkę do Stanów Zjednoczonych. Zastanawiam się, czy będzie chciał wziąć ręczniki. Kupiłam je dopiero tydzień temu. Pierdolić ręczniki, powinniśmy zostawić wszystko i na nic się nie oglądać. Nie zamieniaj się w żonę Lota, Kim Clarke.

„Do it light, do it through the night". Ten didżej mocno eksploatuje Andy'ego Gibba. Chciałabym teraz usłyszeć *You Should Be Dancing*. To właśnie chciałabym usłyszeć. Kochanie, chodźmy potańczyć, powiem tak, gdy tylko stanie w drzwiach. Pójdziemy potańczyć, ale nie do Mantana's, raczej do Club 8, a jak się upije, to powiem, kochanie, wiem, że do tej pory nie pytałeś, ale zaczęłam się pakować, żeby nam obojgu zaoszczędzić kłopotu. Jak wy, Amerykanie, to nazywacie? Proaktywność? Widzisz, wykazałam się proaktywnością, bo wy, mężczyźni, zawsze zwlekacie ze wszystkim, aż jest prawie za późno, nie wyłączając oświadczyn. Nie, o oświadczynach nie powiem. Żaden mężczyzna nie lubi być przymuszany do małżeństwa. A kiedy zacznie swoje ale, jeśli, może, to rozepnę mu rozporek, wyciągnę kutasa i pokażę, że nauczyłam się tego, czego miałam się nauczyć, kiedy puścił nam *The Opening of Misty Beethoven*.

— Bo ja wiem, nie spodziewałem się, że Jamajki będą jak czarne Amerykanki.

— Nie spodziewałeś się, że jesteśmy czarne?

— Nie to, niemądra. Nie myślałem, że będziecie tak niedzisiejsze seksualnie. Słowo daję, jak się człowiek wychowuje w Arkansas, to ma błędne pojęcie.

— Dlaczego zawsze używasz liczby mnogiej, jak o mnie mówisz?

— Bo może mam słabość do wszystkich czarnych dziewczyn.

— Aha. No to ja chyba jestem teraz ich przedstawicielką.

— Podobno Mick Jagger też ma.

— Słyszysz, co do ciebie mówię?

— Ale mam to coś, prawda, skarbie?

— O czym ty mówisz?

Jak się nad tym zastanowić, to jedyny drugi facet, który zbliżył usta do mojej cipy, też był biały. I też Amerykanin. Nie, nie wolno mi o tym myśleć. Coś wystraszyło mewy. Jak długo ich nie ma? Nawet sobie nie uświadamiałam, że myślę na głos. Nie odleciałby, chyba że... lepiej zajrzę do salonu.

— O, cześć, żaba.

— Eee. Cześć, Chuck.

Uśmiecha się szeroko.

— Nie wiedziałam, że wróciłeś. W ogóle nie usłyszałam.

— Ta? Brzmiało, jakbyś miała towarzystwo. Zrzucałem właśnie buty i chciałem wejść...

— Jestem sama.

— Poważnie? To gadasz do siebie? Jak jakaś szurnięta lala?

— Myślałam na głos.

— Ooo. O mnie?

— Nie mogę uwierzyć, że wszedłeś do domu, a ja nie usłyszałam.

— To mój dom, skarbie. Nie muszę urządzać parady z orkiestrą, gdy wracam.

Nie, nie zabolało, otrząśnij się, Kim Clarke.

— Właśnie miałam gotować kolację.

— Uwielbiam, jak Jamajczycy mówią „gotować kolację" zamiast „zrobić kolację".

— A co za różnica?

— No bo mogłabyś upichcić makaron z serem i już, kolacja zrobiona.

— Chcesz makaron z serem?

— Co? Nie, skarbie. Zjem wszystko, co ugotujesz. A co gotujesz?

— Nie mogę uwierzyć, że wszedłeś tak po cichu.

— Martwi cię to? Bądź spokojna, nikt nie będzie jechał taki kawał, żeby na ciebie napaść. Co na kolację?

— Aki.

— Bosko.

— Tym razem z peklowaną wieprzowiną.

— A co to jest?

— Takie jakby grube plastry bekonu.

— Z chęcią walnę bekon. To ty wracaj do gotowania, a ja do czytania gazety. „Star" to niezła heca, nie tak jak ten szmatławiec „Daily News", daję słowo.

Mam nadzieję, że nie zacznie mi mówić, co przeczytał. Codziennie coraz trudniej wykręcać się od słuchania o tym, co nowego na świecie. Jara go, że mi relacjonuje, bardziej go to jara niż samo czytanie. W ostatni wtorek zobaczyłam, że wchodzi do kuchni, to powiedziałam, że już czytałam gazetę, pewna, że wtedy się zamknie, ale się przeliczyłam. Jak tylko to usłyszał, chciał ze mną podyskutować. Nie mogę znieść niusów. Przeważnie nawet nie chcę wiedzieć, jaki mamy dzień tygodnia. Przysięgam, jak tylko o czymś słyszę albo wiem, że zaraz usłyszę, to serce zaczyna mi walić jak zwariowane i najchętniej uciekłabym z wrzaskiem do sypialni i zakryła głowę poduszką. Nawet na targu wystarczy, że jedna handlara powie, a to nie słyszała pani o tej i o tej?, a już idę dalej. Nie kupiwszy niczego. Nie chcę o niczym słyszeć. Nie chcę żadnych pierdolonych niusów. Niewiedza to błogostan. Znam go, zaraz wejdzie przez te drzwi — łap za oliwę, Kim Clarke, podgrzej szybko na patelni, to jak wejdzie, wrzucisz cebulę i dymkę i PSSSSSSSSSSS, zagłuszy go, więc spytam coooo? On powtórzy, a ja cooooo? i wleję kroplę wody, to oliwa zacznie pryskać głośno i go przepłoszy, i może sprawa przestanie być aktualna. Szkoda, że mew już nie ma, bo wybiegłby na zewnątrz, żeby je przepędzić, a ja mogłabym potem zadać jedno z tych kretyńskich pytań w rodzaju, czy w Ameryce są mewy? Jedno z tych pytań, na które biali mężczyźni uwielbiają reagować uśmiechem, kiwają lekko głową i dopiero wtedy udzielają odpowiedzi. Czy w twoim kraju są rowery? Wolno nimi jeździć po szosach? Oglądacie *Rodzinę Potwornickich* w Ameryce? Oglądacie *Wonder Woman*? Jak wysoka jest Statua Wolności? Czy macie dwupasmówki?

Weź głęboki wdech, Kim Clarke. Wszystko pod kontrolą. Jesteś zadowolona.

— Śmieszną rzecz piszą w dzisiejszej „Star".

Wchodzi do kuchni.

— Kochanie, a może się przebierzesz z tego garnituru?

— Będziesz mi teraz matkować?

Uśmiecha się.

— To ty przegnałeś mewy?

— Znowu nie dawały ci spokoju?

— Jak zwykle. Jakie mewy macie w Arkansas?

— Takie same, o jakich ci mówiłem w zeszłym tygodniu.

— Och, mózg mam jak sito. Informacja wleci i zaraz wyleci z drugiej strony.

— Dla mnie to brzmi bardziej jak odbytnica, a nie sito.

— Bystryś jak szwajcarski ocean.

— Uwielbiam, jak mi przygadujesz po jamajsku.

— Cha, cha. Słuchaj, jak ta oliwa cię obryzga, to ci powiem, że masz to, czego chciałeś, żeż w pizdę.

— Jeszcze.

— Podaj cebulę.

— Gdzie jest?

— W tym koszyku na szafce przy drzwiach, za tobą… Uważaj, myłam podłogę, jest ślisko.

— Sprawny jestem.

— Ehe.

— Rany, ale szybko siekasz. Wszystkie Jamajki potrafią gotować?

— Tak. To znaczy wszystkie, które są coś warte. Więc nie, w Montego Bay żadna Jamajka nie umie gotować.

— Próbujesz mnie skłonić, żebym przestał chodzić do Mantana's?

— Ha.

— Ej, żabciu, słuchaj, muszę ci coś powiedzieć.

— Skarbie, nie mogę się teraz zajmować tym, co piszą gazety. Ta cała „Star" to jeden wielki wstyd i skandal, białe kobiety pokazujące cyce na trzeciej stronie. Co dziś ukradłeś w pracy?

— Nie ukradłem. Słoik, zwykły słoik, ale zielony jak szmaragd.

— Powinieneś mi kupić jakiś szmaragd.

— Kim.

— To znaczy, urodziłam się w listopadzie, więc mój kamień to topaz, ale to ty zacząłeś o szmaragdach i…

— Kurde, nieważne.

— Nie chcę słyszeć o niczym, co piszą w tej piździelskiej „Star", Chuck.

— Co? Nie mówię o gazecie. Mam na myśli Alcorp.

— A co z Alcorpem?

— Dostaliśmy dziś wytyczne. Harmonogram zamknięcia działalności jest krótszy, niż początkowo oczekiwano, to znaczy planowano.

— Chcesz mi to przetłumaczyć na ludzki język?

— Wylatujemy w przyszłym tygodniu.

— O. O cholera. To dobrze.

— Tak naprawdę to trochę pojebane.

— Nie. Dobrze, że garaż już wysprzątany! Tyle spraw do załatwienia! Ale co tam, ekstra, cholera, jak byś powiedział. Co się nie spakuje, to zostanie, tak?

— Wylatujemy znaczy, że firma się zwija, Kim.

— No jasne. W Ameryce nie ma aki, więc lepiej to zjedz, jak już będzie gotowe.

— Znaczy personel i ekipa.

— Powinnam chyba się postarać, upichcić wyjątkowo smacznie, ostatnia wieczerza, sorry, Jezusie, podkradłam ci.

— Muszę się pakować.

— Pakować, tak, pomyśleć, pomyślisz, że to śmieszne, ale przyglądałam się przed chwilą temu brzydkiemu fioletowemu uchwytowi.

— Moje rzeczy, całe to barachło z biura, nie mam na to miejsca.

— Zastanawiam się, czy spakować dżinsy. Naprawdę się zastanawiałam, czy spakować dżinsy. To znaczy wiem, że nie będę pakować ręczników i ścierek, bobym się zachowała jak kobieta z getta. Ale dżinsy? No bo wiesz, jak bardzo lubię halstony albo raczej jak ty lubisz, gdy noszę halstony.

— Mnóstwo będę musiał zostawić.

— Ale pakować ręczniki? Nie zachowujmy się jak nędzarze. Przecież nie przeprowadzamy się w góry Macho. To jak spakować szczoteczkę do zębów. Chcę w Ameryce na świeżo umyć zęby. Wiem, że to głupio brzmi, ale co tam.

— O Boże, Kim.

— I pastę. Wy w Ameryce macie pastę w żelu, w tych wielkich rodzinnych paczkach z dozownikiem przy zakrętce.

— Nie myślałem, że do tego dojdzie.

— Będę miała czas pójść do fryzjera? W mordę, didżej w radiu znowu gra Andy'ego Gibba? Co jest, ta piosenka to numer jeden na liście czy co? A może można dzwonić i zamawiać?

— Kim.

— Dobra, to nie będzie fryzury. Jeśli będę wyglądała w samolocie jak wariatka, to będzie twoja wina. Będziesz mnie musiał wytłumaczyć.

— Wystarczy, Kim.

— Zanim celnicy mnie zatrzymają.

— Kim.

— Jezu Chryste, ty to wiesz, jak zaskoczyć kobietę. Przynajmniej nikt nie powie, że uciekliśmy potajemnie, żeby się pobrać.

— Jak my…

— Pościel. Jedzie czy zostaje?

— E?

— Rany, człowieku, zero z ciebie pożytku.

— Nie będą…

— Całą białą zostawiamy, ale zabierzemy tę egipską bawełnę. Egipską bawełnę zabieramy, słyszysz? W sumie to lepiej, żebym ja spakowała twoje osobiste rzeczy, bo mężczyźni nie umieją pakować.

— To wina tego waszego Manleya. On wszystko spieprzy, wszystko… tym… tym…

— Uważam, że powinieneś zabrać spodnie z gabardyny, ale te garnitury kariba sobie odpuść, nie chcę, żeby ktoś w Ameryce pomyślał, że jego syn stał się socjalistą.

— A teraz…

— I tę niebieską koszulę, co w niej chodzisz ze mną potańczyć. Jest jakieś Studio 54 w Arkansas?

— Nie wracam do Arkansas. Nigdy nie zamierzałem wracać do Arkansas.

— O. Aha. No to gdziekolwiek. Właśnie miałam powiedzieć, że wszystko jedno gdzie, bylebym była z tobą, ale przypomniałam sobie, że taki sam tekst słyszałam w filmie w zeszłym tygodniu. Może to był odcinek *Dallas*? Myślisz, że *Dallas*? Pamela Barnes mogłaby powiedzieć taki gówniany tekst.

— Kurwa mać, to jak odwrót wojska. Powiedziałem Jackmanowi, że to Montego Bay, a nie Sajgon, skurwysynu.

— Mam ich uprzedzić u jubilera? No bo wiesz, oficjalnie to jeszcze nie odeszłam. Po prostu przestałam pracować.

— Wyczarterowali samolot.

— Pierdolić ich, nie, jebać ich, jak ty byś powiedział. No bo nie odeszłam, po prostu przestałam przychodzić, pamiętasz? Uważałeś, że to zabawne…

— Wyczarterowali jebany samolot, jakby nas mieli ewakuować pod ostrzałem.

— No wiem, nie ma sensu się teraz z nimi kontaktować. Będę po prostu musiała wytrzymać z tymi żonami w samolocie, ale jebać tamtych, nie? Uwielbiam, jak mówisz jebać ich.

— Kim...

— Tyle jeszcze do zrobienia. Nie mogę uwierzyć, że tak mnie zaskoczyłeś. Nie mogę uwierzyć, że ciebie tak zaskoczyli.

— Kim...

— Ale co tam, jest, jak jest. Kiedy...

— KIM!

— CO?

— Kochanie, żabciu, było nam tutaj naprawdę bajecznie, ale...

— Co?

— Przyślę ci trochę pieniędzy, tyle, ile potrzebujesz, wszystko, czego potrzebujesz.

— Co?

— Możesz tu mieszkać, jak długo chcesz. Zapłacone do końca roku.

— Co?

— Myślałem, no przecież, no przecież... To znaczy, było bajecznie, kochanie, naprawdę było bajecznie, ale przecież nie myślałaś...

— Co?

— Przecież zdawałaś sobie sprawę. No przecież wiesz, że nie mogę... Kochanie...

— Dobra, ewakuuj się beze mnie. Zostaw mi bilet, żebym mogła wlecieć do Ameryki tylnymi drzwiami. Wcale mnie to nie wkurza. Nie bardzo w każdym razie.

— Kochanie, nie...

— Przestań z tym kochanie i powiedz, co chcesz powiedzieć, do ciężkiej cholery.

— Próbuję od pięciu minut.

— Co próbujesz? Co, Chuck? Co?

— Nic z tego. Ty ze mną nie lecisz.

— Nie lecę z tobą.

— Nie, nie lecisz. No przecież zdawałaś sobie sprawę.

— No przecież zdawałam sobie sprawę. Zdawałam sobie sprawę. Jasne, zdawałam. Nie, czekaj, powiem to jak ty. Zzzzzdawałaś sobie sprawę.

— Jezu Chryste, Kim, kuchenka!

— Zdawałam sobie sprawę.

— Kim!

Przepycha się obok mnie i wyłącza gaz. Wszędzie dym. Widzę tylko jego, właściwie same plecy, dym wali na wschód, wali na zachód, jakby buchał z jego uszu, jak w kreskówce z Królikiem Bugsem.

— Co cię tak śmieszy? Co cię tak śmieszy?

Kim. Kim. Kim, przecież zdawałaś sobie sprawę.

— Przestań się, kurwa, ze mnie śmiać. Jezu Chryste, Kim, nawet nie zdjąłem obrączki. Nie rozumiem, dlaczego myślałaś, dlaczego zakładałaś... No przecież bywasz w Mantana's. Wszyscy wiedzą o Mantana's. Wszyscy. Ani razu nawet nie zdjąłem obrączki. O rany, kurwa, patrz, kolacja spalona.

— Kolacja spalona.

— Nie szkodzi.

— Kolacja spalona?

— Nie szkodzi.

Obrączka, obrączka, pierdolona obrączka jak te tandetne zabaweczki w pudełkach Cracker Jack.

— Kochanie, wiesz, jak bardzo cię lubię.

— Jak ona ma na imię, ta twoja biała żona?

— Co?

— Twoja biała żona, kobieta, którą zdradzasz, pukając czarną cipcię na boku.

— Nie jest biała.

— Chcę papierosa.

— Przecież nie palisz.

— Chcę papierosa.

— Żabciu...

— Powiedziałam, że chcę pierdolonego papierosa, więc daj mi tego kurewskiego papierosa!

— Dobrze, dobrze już, żab…

— Przestań mnie tak nazywać, przestań mnie nazywać tym piździelskim słowem.

— Przepraszam, proszę papie…

— Mam go sobie potrzeć o dupe, żeby przypalić?

— Proszę, zapalniczka, mam ją po ojcu.

— A co, wyglądam ci na złodziejke, co chce ci zajebać pierdoloną zapalniczke taty?

— Kim, tak mi przykro.

— Wszystkim przykro. Wszystkim tak kurewsko przykro. Wiesz co? Mam powyżej uszu, że wszystkim przykro. Nie chce, żeby ci było przykro. Chce, żeby ci nie było przykro, żebyś powiedział, że ze mnie jebana kretynka. Że bawiliśmy sie w dom, było fajnie, a teraz musisz wracać do swojej amerykańskiej białej żony.

— Nie jest biała.

— Musze sie położyć.

— Oczywiście, kochanie, spokojnie, spokojnie, nie trzeba…

— Przestań do mie mówić, jakbyś był mój pierdolony doktor. Biedny Chuck nie myślał, że do tego dojdzie? Nie myślałeś, co? Ile razy sie przygotowywałeś do tej rozmowy? Dwa? Trzy? Ćwiczyłeś w drodze do domu? Zasługuje przynajmniej na cztery takie razy.

— Kim…

— Przestań do mie tak mówić. A może uściśniemy sobie teraz dłonie i powiemy, że było miło, ale sie skończyło?

— Ej, posłuchaj, nie ma…

— Wolisz wypisać czek i zostawić go na kredensie?

— Nigdy nie nazwałem cię prostytutką.

— Oczywiście, że mie lubisz. Piździelskie pierdolenie białasa.

— To nie jest kwestia bycia białym czy czarnym. Moja żona…

— A ja tak bardzo cię polubiłam. Tak bardzo się polubiliśmy, mój drogi, tak bardzo…

— Jest czarniejsza od ciebie.

— A więc co to jest? Konkurs czarnych cip?

— Kim.

— Zamknij się! Nie będziesz mi mówił, że nie miałeś w tym jakiegoś kurewskiego celu.

— Co? Gadasz bez sensu.

— Zabierz mie zagranice.

— Co?

— Po prostu zabierz mie zagranice.

— Co ty mówisz?

— Po prostu zabierz mie zagranice, w pizde jebaną. I zostaw na najbliższym przystanku.

— Kim, to bez sensu.

— Słuchaj, musze stąd wyjechać. Musze, kurwa. Tak bardzo chce. Chuck, zrobie wszystko. Tak bardzo chce wyjechać. Tak bardzo, tak bardzo, kurwa...

— Gdzie wyjechać? Nie rozumiem cię, Kim. Nie szarp mnie za koszulę, co jest, kurwa? Co cię napadło? Kim, puść mnie, puść, żeż kurwa mać!

— Aaa...

— O rany, przepraszam, przepraszam. No widzisz, do czego mnie sprowokowałaś? Kim, to twoja...

— Zamknij sie, prosze.

— Ale chyba krew ci leci. Daj, zo...

— Nie waż sie mie dotknąć, kurwa. Dawaj tą pierdoloną gazete.

— Ale przecież nie czytasz „Star", nie cierpisz wiadomości.

— Przestań gadać, jakbyś mie znał. Nie znasz mie, słyszysz? Gówno o mie wiesz. Rzygać mi sie chce. Pół kochanek, pół tatuś, paternalistyczne pierdolenie będące dodatkiem do ruchania. Żebyś wiedział, rzygać mi sie chce, zaraz sie zrzygam na tą twoją pierdoloną podłoge. Nie znoszę aki. Dawaj tą gazete, bo dostane szału.

— Kochanie...

— Błagam, błagam, błagam, zamknij sie. Zamknij sie. Musze ochłonąć.

Biorę jego gazetę, idę do sypialni, zatrzaskuję drzwi. Obrączka. Jakbym nie widziała obrączki na jego paluchu. Widziałam bardzo dobrze. Nie, nie widziałam. Nie chciałam widzieć. Pierdolony skurwysyn.

— Ale z ciebie pierdolony skurwysyn.

Uspokój się, Kim Clarke, uspokój się. Nie mogłaś nawet tego wykrzyczeć, bo wiesz, że nie masz powodu. Przypomnij sobie, dlaczego Bóg przywiódł cię do tego domu. Przypomnij sobie, dlaczego Bóg przyprowadził cię do tego pomieszczenia, a potem wyjdź i zachwyć się włosami Chucka. Powiedz mu, że nie musisz być jego żoną, że będziesz kimkolwiek, czymkolwiek może być kobieta. Chce dystansu? Jesteś Jamajką, wiesz, jak zapewnić mężczyźnie dystans. Wyjdź i mu powiedz, tak, kochanie, rozumiem. Tutaj masz jedno życie, tam masz drugie, one nie mogą się pomieszać, wiadomo. Ale popatrz na nas, popatrz, przez cały czas mamy podwójne życie, a nawet nie mieszkamy w tak dużym kraju jak Ameryka. Pan Ważny ma żonę w górach i kobietę w klubach na nizinach. Żona nigdy nie zejdzie w dolinę, kobieta nigdy się nie wdrapie wysoko, więc mężczyzna zachowuje równowagę. Pokażę ci. Nie muszę lecieć żadnym samolotem Alcorpu, nie muszę mieszkać w Arkansas. Nie muszę mieć domu... My nie musimy, och, kurwa, zamknijże się, kobieto. Że co, że możesz się zaadaptować? To nie znaczy, że jesteś kobieta, jesteś bakteria. Facet cie wyrolował. Okradł złodzieja, a Bóg sie śmieje. Wyrolował na cacy. Nie chciałaś sie bawić w żaden dom w Arkansas. Chciałaś bilet na droge. Chciałaś światła. Chciałaś wyjechać na jego plecach, a potem zeskoczyć, i wszyscy w tym pokoju to wiedzą. Idź tam i zachwyć się jego włosami. Masz już paszport i wizę. Ale z nim miałabym... Co? Dziewczyno, musisz wydostać się z tego kotła, póki czas. Myślisz, że nic ci nie grozi, ale zajrzyj pod sukienkę, a zobaczysz koncentryczne koła zbiegające się w środku. Myślisz, że na czole ciągle nie masz śladu? Myślisz, że przestali cię szukać?… Nie. Wyjdę i zachwycę się jego włosami. Dziś wieczorem miałam się zachwycać jego włosami. Ale spaliłaś aki na gazie. Przecież wiesz, jak bardzo on lubi aki, a jednak spaliłaś. Może powinniście pójść potańczyć, powiedz mu, że to ostatnia okazja przed jego odjazdem. Idziemy. Miałaś wylądować z tym mężczyzną w krainie Boga i najeść się amerykańskości.

Wiesz co…

Zamknij się.

Po prostu się zamknij.

Zachowujesz się jak dwa amerykańskie bachory w komedii telewizyjnej. Zamknij się. Cholera, ja nawet nie palę.

— Kim, wszystko w porządku?

— Nie wchodź.

— Przylepiłaś plaster na policzek?

— Nie wchodź.

Powinnam być mądrzejsza. Co on sobie w pizde myśli, że co to jest, że każda kobieta spotkana w Mantana's przygotowuje sie na taki dzień od pierwszej chwili, gdy jej noga tam postanie? Jasne, każda, ale nie ja. Nie przypominam sobie żadnego innego faceta w tym klubie. To znaczy pamiętam ich, ale nie pamiętam ich palców. Biedna Kim Clarke, gdy wreszcie wylądowałaś w Mantana's, oślepiły cię własne dążenia. Biedna Kim Clarke, mamusia i tatuś nie nauczyli cię, że gdy kobieta i mężczyzna z odmiennymi planami na życie docierają do rozstaju dróg, to wszystko obróci się przeciwko niej, jeśli on będzie miał swobodę ruchów? Biedna Kim Clarke. Wiedziałaś, że Alcorp się zamyka i wynosi, zanim poznałaś Chucka. Alcorp szykował się do wyjazdu, a ty się rozglądałaś. Żeby wziąć kogoś na cel. Kogokolwiek, byle kogo. Jak sprawić, żeby mężczyzna mocniej cię pokochał? Czy wszyscy faceci w Mantana's mieli obrączki albo ślad po nich na czwartym palcu? Szybka decyzja, Kim, szybka decyzja.

— Kim.

— Nic mi nie jest. Po prostu nie wchodź.

— Okej.

Stój nieruchomo. Stój nieruchomo i poczuj spokój. Szkółka niedzielna wreszcie na coś się przydaje. Nie, nie będziesz teraz myśleć o Bogu. Może jednak przeczytam tę gazetę, przeczytam „Star", organ ludowy. Nie wiem, dlaczego on to czyta codziennie, chyba tylko po to, żeby sobie przypomnieć, jak głupi są Jamajczycy. A jednak słyszałam, co się wydarzyło w Little Rock. Ta durna dziewczyna uważała na lekcjach, gdy tematem były prawa obywatelskie i Martin Luther King.

Galimatias: Straż Przyboczna, Straż Przybrzeżna i Gwardia Krajowa w trójkącie miłosnym. Nasza redakcja rozumie... Bliźniaczki... o tytuł Miss Jamajki... Nasza dziewczyna z trzeciej strony, nadobna Pamela, hojnie obdarzona przez naturę piękność uczy się, żeby zostać stewardesą, i ceni sobie długie ramię pra... Niedobory mąki w Hanover. Gazeta dowiedziała się, że sklepikarze „żenią" środek owadobójczy w aerozolu, zmuszając klientów do kupna jednej puszki na każde dwa funty mąki... Upiór zaatakował grabarza na cmentarzu May Pen. Eulalee Legister jak co dzień szła do sklepu, gdy... Czy przez St. Mary znów zakrada się do nas komunizm?... Eliminacje i szarfy dla kandydatek do tytułu Miss Jamajki 1979. Shelly Samuda, Miss Marzouca, Arlene Sanguinetty, Miss Bobcat, Jacqueline Parchment, Miss Hunter Security, Bridget Palmer, Miss Sovereign Supermarket, Kim-Marie Burgess, Miss Ammar's

Kim-Marie Burgess, Miss Ammar's
Kim-Marie Burgess, Miss Ammar's
Kim-Marie Burgess, Miss Ammar's
Stacey Barracat, Miss River Road Cleaners. Konkursy piękności to głupota. Przemoc domowa kończy się na celowym uszkodzeniu ciała, orzekł dziś sędzia Patrick Shields... Cztery ofiary strzelaniny w Jonestown... Dwudziestego kwietnia, horoskop na urodziny. Jesteś spod znaku Barana na styku z Bykiem i kierujesz się emocjami...

Właśnie bez tego obywałaś się przez prawie dwa lata. Następna strona.

OD KONCERTU DO BUDOWANIA SPOŁECZNOŚCI ROK PÓŹNIEJ

...po powrocie z czternastomiesięcznego wygnania po nieudanym zamachu na jego życie trzeciego grudnia tysiąc dziewięćset siedemdziesiątego szóstego roku. Koncert zainaugurował Jego Królewska Wysokość Asfa Wossen, książę koronny Etiopii... to owoce dwuletnich wysiłków, powiedział aktywista Jamajskiej Partii Pracy Raymond „Papa-Lo" Clarke. Za dużo walk i niepokojów na ulicach, czas na pojednanie. Dochody z koncertu zostaną przeznaczone na rozmaite projekty społeczne, przede wszystkim na infrastrukturę sanitarną i nową salę w szpitalu w West Kingston, dodał wysoki rangą aktywista Ludowej Partii Narodowej Roland „Shotta Sherrif" Palmer. Istotną rolę w tych wysiłkach odegrał gwiazdor reggae, który przyleciał do kraju po prawie dwuletniej nieobecności.

Dość, przestań czytać, Kim Clarke.

Zdjęcie: działacze polityczni podają sobie ręce nad pieniędzmi uzyskanymi z koncertu.

Nie patrz, Kim Clarke.

Od lewej do prawej: Minister Młodzieży i Sportu _____, aktywista z ramienia JPP Raymond „Papa-Lo" Clarke, aktywista z ramienia LPN Roland „Shotta Sherrif" Palmer.

Kim Clarke, przestań patrzeć, przestań czytać, przestań szukać. Nie patrz: Papa-Lo w białym bezrękawniku, mięśnie piersiowe sterczą mu jak cycki. Nie patrz: Shotta Sherrif w spodniach khaki, jak student, jak żołnierz. Zdjęcie jest czarno-białe, ale wiesz, że ten kolor to khaki. Nie biegaj oczami od twarzy do twarzy, do twarzy patrzących w obiektyw, do twarzy odwróconych w bok i do twarzy spoglądających w dal na tym przeklętym zdjęciu. Obok Papa-Lo stoi kobieta. Obok kobiety mężczyzna. Za tym mężczyzną jest jeszcze jeden, w okularach przeciwsłonecznych. Znasz tę twarz, prawda? On nie chowa się przed tobą, to ty chowasz się przed nim. Odłóż już tę gazetę, Kim Clarke. Stoi tam, z tyłu, nie uśmiecha się, nie patrzy, nie zgadza się na żaden piździelski pokój.

Nie jest świadkiem zawierania żadnego pokoju. Patrzy na ciebie. Dwa lata uciekania, a on patrzy na ciebie. Idiotka jesteś. Znalazł cie.

— Kim, co się dzieje?

Kim?

Kim?

Dwa lata uciekania w prostej linii i nagle zataczasz koło. Idź do bramy. Nic cię teraz nie zatrzyma. Nic cię też nie popycha, ale idziesz do bramy, bo co innego ci pozostało, tylko iść naprzód. Podejdź do bramy i pogłaszcz się po brzuchu, jakbyś była w ciąży. Nie zwracaj uwagi na petardy, chociaż to dużo za wcześnie, przecież dopiero początek grudnia. Popatrz na tego mężczyznę, twarz już pociemniała od zmierzchu, idzie w twoją stronę, a ty jesteś jak sparaliżowana. Patrzy na ciebie, rozbiera cię oczami, ocenia. Słyszysz wrzaski dobiegające z domu, syreny policyjne na ulicy, a przed nosem widzisz broń. Gdy rzuciłaś się do ucieczki, to już się nie zatrzymałaś. Spakowałaś fioletową walizkę i uciekłaś od tego dnia, trzeciego grudnia tysiąc dziewięćset siedemdziesiątego szóstego roku, bo jebać ten dzień zesłany przez Boga i wszystko okropne razem z nim. Myślisz, że uciekniesz do Ameryki, ale ten facet już wszystko zaaranżował w taki sposób — aż po ostatnią opłatę za dom — żeby się od ciebie uwolnić. A ten drugi mężczyzna? Wyszedł ze zdjęcia i stanął przed tobą. On ma nazwisko — nie czytaj!

Głupia kobieto. Nigdy nie uciekłaś od tamtego dnia, trzeciego grudnia tysiąc dziewięćset siedemdziesiątego szóstego roku, wprost przeciwnie, wbiegłaś w sam środek. Nigdy nie przeżyłaś czwartego grudnia, nie przeżyłaś dwudziestego kwietnia, znasz tylko trzeciego grudnia. Ten dzień domknie się dopiero wtedy, gdy ten mężczyzna się zjawi, żeby go domknąć. To zdjęcie mówi, że trzeciego grudnia niedługo przyjdzie po ciebie. Mamy niedokończone sprawy, mówi zdjęcie. Montego Bay cię nie uratuje, Ameryka też nie. Idę po ciebie, Nin... nie wymawiaj tego imienia, nigdy, kurwa, nie wymawiaj tego imienia. To martwe imię martwej kobiety w martwym mieście. Uciekaj, uciekaj, bo ona nie żyje. A teraz zapal papierosa tą zapalniczką, którą chce, żebyś mu oddała, ale oddaj ją dopiero, jak poprosi. Zapal papierosa i się sztachnij. Zakaszl, nie tak, dłużej, głośniej. Sztachnij się jeszcze raz. Sztachaj się, aż serce znowu zacznie bić normalnie, tak powoli, że gdy przyłożysz rękę do piersi, będziesz mogła policzyć uderzenia. A teraz weź papierosa i wypal mu głowę. Przytknij do zdjęcia, wypalaj, aż buchnie jasny płomień i wtedy rzuć gazetę na łóżko.

— Kim, co się dzieje, do cholery?

Wypal sobie drogę do wolności, na drugą stronę poprzez natrętne pukanie białego mężczyzny, poprzez jego krzyki i wołania, poprzez walenie do drzwi, które nie chcą ustąpić, poprzez gdakające poduszki, warczącą jedwabną pościel, śmiejące się zasłony z poliestru, patrz, płomienie strzelają jak spod spódnicy i odsłaniają rozwrzeszczane okno.

Ogniem utoruj sobie przejście do bezpiecznego życia. Jedyną drogą naprzód jest droga na drugą stronę.

BARRY DIFLORIO

Niezłe gówno właśnie jebnęło w Iranie. To znaczy jebnęło w styczniu, ale dopiero teraz na nas bryzga. Gówno wali na całym świecie. Chaos i nieporządek, nieporządek i chaos, Sodoma i Gomora, Gomora i Sodoma, powtarzam to bez końca, jakby jedno miało z drugim coś wspólnego. Wszystkie fotografie rodzinne idą do torby, nie do nesesera, wyjąłem z nesesera i ten folder też, trzeba dać go Sally, żeby wylądował w niszczarce, ale czy najpierw nie należałoby kliknąć paru zdjęć? Jezu Chryste, chyba złapałem nixonowską gorączkę. Tyle czasu spędzam na mówieniu ludziom, że nasze życie to nie życie pierdolonego 007, że przegapiam chwile, kiedy tak właśnie jest. Najchętniej rozsiadłbym się w tym fotelu, zdjął buty i skarpetki i zaczął zgadywankę, gdzie teraz w pierwszej kolejności gówno jebnie w wentylator. Tymczasem gówno kompletnie innego rodzaju jebnęło w Jugosławii. A ten chłoptaś od NATO nawet się nie zorientował. Jest szefem pierdolonej CIA, ale się nie zorientował.

Lindon Wolfsbricker. Proszę bardzo, dostaliście takie imię na chrzcie, że nie ma wątpliwości, że rodzice cholernie długo się zastanawiali, co, kurwa, może stać przed nazwiskiem Wolfsbricker. Poważnie, przecież to pasuje jak ulał do jakiegoś nazistowskiego fetyszysty. Wolfsbricker, ambasador Stanów Zjednoczonych w Jugosławii. Nie pytajcie, jakim cudem dostał tę fuchę, ale dziwnym trafem panu ambasadorowi wpada w ręce dyrektywa z Firmy. Dyrektywa od Operacji Tajnych do szefów placówek na całym świecie, żeby główne działania były utrzymywane w tajemnicy przed ambasadorami. Najpierw to pomyślałem, ej, dajcie spokój, o co ten szum, brzmi sensownie. Niektórzy faceci zostają ambasadorami, bo prezydent ich lubi, a dobra fucha na dobrym terenie, gdzie można zabłysnąć, powiedzmy na Cyprze, to trampolina do fotela senatora, gubernatora albo wiceprezydenta. Niektórzy dostają tę robotę, bo prezydent nie znosi skurwieli, a czy jest lepszy sposób pozbycia się kłopotu, niż wysłać gościa do Związku Radzieckiego albo jakiegoś miejsca, które wszyscy mają głęboko w dupie, jak Papua-Nowa Gwinea? Tak czy owak, ambitny dureń upojony władzą nie jest kimś, kogo należałoby informować o czymkolwiek, bo przede wszystkim to wielki ból w czterech literach. No i mamy miernotę Wolfsbrickera w rozmowie telefonicznej z admirałem Tunneyem, wściekłego jak cholera, bo jest wyłączony z obiegu informacji, co stanowi pogwałcenie obowiązujących zasad, sięgających, przy okazji powiem, siedemnastu lat wstecz.

No więc Wolfsbricker wysyła wiadomość do admirała, że CIA zostaje wyłączona w Jugosławii, dopóki zasady nie będą uszanowane, i mówiąc to, wcale nie żartuje. Powiedział, że nikomu nie wolno przychodzić do biura ani prowadzić żadnych działań w Belgradzie czy gdziekolwiek indziej w całej Jugosławii. Pan Ambasador był wkuuuuuurzony. Gorzej, sklął dyrektora za to, o czym ten nie miał bladego pojęcia. Podobno admirał tak się zdenerwował, że wylał sobie na spodnie wrzątek z cytryną. Rozesłano pytanie na cały świat, żeby ustalić, kto wiedział o dyrektywie i kto ją autoryzował. Oczywiście kiedy się ze mną skontaktowali, powiedziałem, że Firma jest w okresie przejściowym między panem Bushem a admirałem Tunneyem, a ja wykonuję rozkazy. Czyje? Nie Operacji Tajnych, panowie, jeśli o to pytacie. Ja nie nakreślam polityki, ja tylko pilnuję, żeby była realizowana. Zabawne, bo w chwili gdy to powiedziałem, zdałem sobie sprawę, że nigdy nie dochrapię się biura z oknem, co wkurzy moją żonę o wiele bardziej niż mnie.

Ale dobry Boże, mamy rok siedemdziesiąty dziewiąty i dla miłej odmiany Jamajka wydaje się jedynym miejscem, które nie schodzi na psy. No, przynajmniej nie dziś. W przyszłym tygodniu lecimy do Argentyny i pierwszy raz od lat Claire jest zadowolona. Musimy się teraz uczyć hiszpańskiego?, pyta młodszy i wtedy przypomniałem sobie, że od trzech lat nie byliśmy w hiszpańsko-języcznym kraju. Sądząc po liczbie rozmów po hiszpańsku w tym miesiącu, moja żona uprzedza wszystkie swoje zaprzyjaźnione dziwki, że orzeł niedługo wyląduje. Zabawne, że ktoś, kto nie mógł przestać złorzeczyć i bez przerwy powtarzał, jak bardzo nienawidzi tego kraju i chce wracać do Vermont, ani razu nie wspomniał ostatnio o Vermont. Ciekawe, czy mój następca będzie chciał ten przycisk do papieru. Bóg mi świadkiem, że nie chcę... a może chcę... Strasznie dziś jestem rozkojarzony. Cholera, o czym to ja myślałem? Aha, ten Wolfsbricker i Jugosławia. Admirał w szale. No bo, kurde, fakt faktem, że Firma łamała prawo. Temperówka to by się przydała synowi. Kurwa, chyba się biuro nie zawali z braku jednej temperówki, a jeśli nawet, chuj to kogo obchodzi? Jakby ktokolwiek na Jamajce prowadził jakieś rejestry. Najbardziej niechlujny zakątek... właściwie to nieprawda. W Ekwadorze było o wiele, wiele gorzej. Wyraźnie się wściekam i nie wiem dlaczego. Może dlatego, że wracamy do jebanej Argentyny. Nie mogę powiedzieć, że nienawidzę Argentyny, miło będzie zjeść coś w ogródku kawiarnianym i dla odmiany pogapić się na seksowne Argentynki. Chodzi o ten kraj. Cholera. Nie zamierzam być jeszcze jednym durnym białym, który zakochał się w Jamajce. Nie zamierzam. Nie zakocham się. A jeśli, to przynajmniej powinienem przebimbać życie, paląc zioło na Treasure Beach z tymi wszystkimi hipisami wyrzuconymi przez morze.

Spokojny wieczór na Jamajce, w jedynym miejscu na świecie, gdzie naprawdę jest spokojnie. Iran, Jezu, kurwa, Chryste, pomyśleć, że mieliśmy tam jechać. I ten pierdolony buraczany nieudacznik, nasz prezydent. Louis powiedział mi, że zaraz po tym, jak facet posadził swój wsiowy zad na urzędzie, wierciąc Firmie drugą dziurę w dupie i nazywając nas hańbą narodu, wydał nam więcej rozkazów niż Ford i prawie tyle samo co Nixon. Oczywiście on widziałby to inaczej. Nieustanne wyrzuty sumienia, to jeden z tych przypadków. Ten facet chce ratować czarnych za granicą, bo nie może pierdnąć w sprawie czarnuchów we własnym kraju.

Osłabmy apartheid, jasne, wystarczy para czerwonych butów na obcasie. Osłabmy na rzecz czego? AKN od lat finansują Sowieci, bo wiecie co, mimo całego tego gówna komunizm jest społecznie bardziej postępowy niż my. Chce wstrzyknąć apartheidowi śmiertelną dawkę trucizny i pozbyć się tego nazistowskiego maniaka Iana Smitha z Rodezji. Znam dwóch gości, którzy pracowali dla B.O.S.S., obu fajtłapów złapała za dupsko pierdolona rodezyjska tajna policja. Trzeba się naprawdę wznieść na wyżyny niekompetencji, żeby dać się schwytać jakiejś afrykańskiej tajnej policji. Trzech naszych złapanych przez tych matołów, czwarty wydany przez sam B.O.S.S. Rany, ale ci południowi Afrykańczycy byli z siebie zadowoleni. Nas nawet nie powinno być w Afryce, trzeba to zostawić jebanym Brytolom, jebanym Belgom i tym przeklętym Portugalczykom, tyle lat mają za sobą, a ciągle tak kurewsko nieporadni w kolonizowaniu. Jezu Chryste, Barry, gdyby ktoś cię posłuchał, mógłby pomyśleć, że zrobił się z ciebie liberał. Oddaj przynajmniej Louisowi sprawiedliwość, że otworzył ci oczy na to, jak sprawy naprawdę się mają, kurwa mać. A może to William Adler.

Sally się zastanawia, czy ją też przerzucą. Moja sekretarka trochę się we mnie podkochuje. Dobrze wiedzieć, że coś takiego ciągle jest możliwe. Żona już uczy Aidena hiszpańskiego. Timothy nawet nie pamięta, że kiedyś mówił po hiszpańsku. Rany, ale się wściekł, gdy się dowiedział, że wyjeżdżamy. Ejdiotyzm, krzyknął i rzucił widelcem w swój samolocik. Na domiar złego nie bierze do ust amerykańskiego jedzenia, tylko kraby i jam, i peklowaną wieprzowinę, i chlebowiec. Musiałem przypomnieć małemu sukinkotowi, kto w rodzinie nosi długie portki. Biedaczek, myśli, że nie wiem o jego małej jamajskiej koleżance, cholera, pokapowałem się już w chwili, gdy powiedział Aidenowi, że superbohaterowie z komiksów to ejdiotyzm, a uwaga — to były jego zabawki. Cholerny dzieciak, wydaje mu się, że już wie, co to jest miłość. Tak naprawdę miłość to kompromis. Jebany kompromis.

Louis Johnson, mój mały *compadre* z tysiąc dziewięćset siedemdziesiątego szóstego, trafił z powrotem do Ameryki Środkowej.

Zgaduję, że School for the Americas potrzebowała w tym roku eksperta. Trzeba dalej rozbudowywać tę armię, która pokona siły socjalizmu i komunizmu, i każdego innego izmu, który morze wyrzuci na brzeg w przyszłym tygodniu. Zabawne jest to, że nigdy się nie lubiliśmy, tak naprawdę nie znosiłem tego wszarza bijącego własną żonę, ale teraz dzwoni do mnie bez przerwy. Wstawia mi kit, że musi raz na jakiś czas usłyszeć więcej niż jedno zdanie po angielsku. Mógłbym odpowiedzieć, słuchaj, przestań spuszczać wpierdol żonie, to może będziesz miał z kim pogadać, ale to byłoby za łatwe. Gadamy sobie o Operacjach Tajnych, on w nich robi, a ja nie, i o tym, kto spieprzył sprawę. On uważa, że winny jest admirał Tunney, człowiek, który nawet w najlepsze dni ma tylko mgliste pojęcie o tym, jak działa Firma. Tunney to urzędas, powiedziałem mu. Gra na czas. Poza tym kto ufa człowiekowi, który pije wrzątek z limonką, a nie whisky czy choćby kawę? Co jeszcze, może siusia na siedząco? Nie, proszę pana, to Nixon spieprzył CIA. Nigdy nie ufał Firmie, od tego zacznijmy. A jednak trzeba podziwiać prostotę jego światopoglądu, czyli że planeta Ziemia zamieszkana jest przez ludzi, którzy są z nim albo przeciwko niemu. A ja, cholera, nigdy faceta nie poznałem.

Bo na czym polegał problem z tym cwaniaczkiem? Nie można iść na chama, stworzyć wręcz cały nowy system inwigilacji, a potem narzekać, jak coś wycieknie. Bo to oznacza, że tylu ludzi obserwuje tylu ludzi, że tracisz rozeznanie, kto obserwuje kogo. Gorzej, dał robotę jebanym weteranom z Zatoki Świń — wiemy, co to za fachowcy. Jedno trzeba przyznać Louisowi, on zdaje sobie z tego sprawę i nie zamierza niczego ukrywać. Sekretarz Obrony węszy wokół Kissingera, tak przynajmniej słyszałem. Ciężko uwierzyć, żeby Kissinger o tym nie wiedział. Pluskwy w Białym Domu i Camp David. Kissinger podsłuchujący własnych doradców i ludzi, w tym mnie, ja mam uszczelniać przecieki, ale przecieków jest coraz więcej. Problem polega na tym, że wybrali kogoś, kogo ja i Louis znamy bardzo dobrze, cholera, gdy Louis do mnie zadzwonił, to dostał czkawki ze śmiechu. Chip Hunt.

Ja pierdolę w mordę jeża, Diflorio, to jest dopiero gówno, majsersztyk, arcychujoza. Jezu Chryste, człowieku, jakim cudem? Facet w pojedynkę spieprzył cały Urugwaj. Myślisz, że Tricky Dicky wybrał Chipa, bo czyta jego powieści szpiegowskie?

Tak czy siak, nasza Agatha Christie już więcej nic nie napisała, poza tym to było ponad osiem lat temu, a nowy system wydymał Nixona w zadek i kiedy Nixon poszedł na dno, pociągnął prawie wszystkich za sobą.

Zabawne, bo gdy William Adler zadzwonił do mnie wtedy w siedemdziesiątym szóstym, obwiniłem go o śmierć Richarda Welcha w Grecji. Pieprzyłem coś o tym, że przekazał nazwiska ludzi z Firmy i tym samym naraził ich na niebezpieczeństwo, ale to gówno prawda. On wiedział i ja wiedziałem, po prostu musiałem zagrać tą kartą. Richard Welch zginął przez pierdolonego Nixona. Nixon kazał nam robić różne gówna po całej Grecji, co spowodowało wojnę z Turcją o Cypr. A potem, jakby tego było mało, pozwolił, żeby to gówno wyciekło. Zanim się obejrzeliśmy, Richard Welch i jego biedna żona zostali zabici. Zabici, kurwa. Jezu Chryste, szef placówki. Jebany Nixon próbował też rozwalić FBI, jak tylko Hoover wykorkował. Ale znowu, kogo to obchodzi w siedemdziesiątym dziewiątym?

Pomyślałem to tylko czy powiedziałem na głos? Nikogo nie ma, cichy wieczór w Kingston. Trzeba iść do domu. W jednej chwili Claire narzeka na przeprowadzkę, w następnej obdzwania wszystkie przyjaciółki w Buenos Aires, jakby naprawdę były jej przyjaciółkami, żeby wypytać, czy tamtejsza amerykańska szkoła nie zeszła na psy. Ja tymczasem się zastanawiam, kogo ciągle znam w Argentynie i z kim chciałoby mi się gadać. Boże, czy nie można wrócić do czasów, kiedy życie było prostsze, kiedy spotykałem się z tymi, co są na miejscu, i pilnowałem, żeby prezydent nie upaprał sobie rąk, nakreślałem im sytuację na świecie, podsuwałem trochę gotówki i obiecywałem skurwielom, co ich palce świerzbiły, że jasne, rozejrzę się za sprowadzeniem jakichś nowych zabawek?

Gdy okazywali się wyjątkowo dobrzy, organizowaliśmy nawet jakieś miłe wakacje w Fort Bragg.

Boże, cholera, ale to uczucie, jak tęskni się za czasami, kiedy robota znaczyło robota. Ja w Argentynie, dowiaduję się od agenta w La Paz, że wreszcie dopadliśmy Che. Nawet nie wiem, dlaczego w tej chwili myślę o Che Guevarze. Myślałem o Argentynie i o tym, jak bardzo ten kraj się zmienił od sześćdziesiątego siódmego. Claire tak nadaje przez telefon, że można pomyśleć, że wślizguje się z powrotem na miejsce, które przyjaciółki cały czas dla niej trzymały. Oto moja żona, zawsze zakłada, że wszystko zostało takie samo, jakie było, gdy wyjeżdżała. Myślę, że po prostu jest szczęśliwa, bo wreszcie wypierdala z Jamajki. Rany, ale się wkurzyła, bo jak mi powiedziała, że pokłóciła się z Nelly Matar, to skwitowałem, że nareszcie. Ci Syryjczycy na Jamajce to jebani hipokryci, w dodatku wszyscy cholernie prymitywni. Dobra, wiem, że to sklepikarze, ale Chińczycy jakoś potrafią być inni.

— Spytałam tylko Nelly, czy Matar's Cash and Carry Downtown to interes jej rodziny. No przecież nie ma nic złego w uczciwym biznesie. Z jakiegoś powodu strasznie się obraziła.

— No coś podobnego!

— Proszę cię, Barry. Albo jest się sklepikarzem, albo snobem. Nie można być jednym i drugim. Poza tym jak jeszcze raz musiałabym jej powiedzieć, że kapelusze, które nosi, pasują wyłącznie na gale na wyścigach konnych, to wolałabym już ściągnąć jej to cholerstwo z głowy.

Zawsze myśli o innych, ta moja żona. Ja jestem księgowym. Mój priorytet to efektywność. Dlatego właśnie największym pojebom wydaje się, że mogą się na mnie wyładować. No dobra, rozumiem — nikomu szukającemu porządnego info nie przyszłoby do głowy, żeby spytać Barry'ego Difloria. Jeszcze jedno, czego moja pani chyba nie wie. W Argentynie ciągle dzieje się syf.

Swoich mąciwodów Egipcjanie rozbierali do golasa, rzucali na czworaka, oblewali suczymi szczynami i spuszczali psy, a te, biorąc biedaków za suki z cieczką, dymały ich w dupę. Ten Szach był jeszcze gorszy. Ale przyszedł luty i czwartego dnia gówno trafiło w wentylator. Zadzwonił do mnie Roger Theroux. Pierdolony Bill Adler w najlepszym razie był miernym agentem, natomiast Roger to klasa, może najlepszy amerykański towar, jaki mamy. Znam kogoś w Waszyngtonie, kto zna Rogera, no i mnie, no i ten ktoś spytał, czy chcę zobaczyć jego raport w sprawie Iranu. Theroux stwierdził coś całkiem innego, niż Firma powiedziała Carterowi. On tam był, w terenie, i powiedział, że to jak Kuba w pięćdziesiątym dziewiątym, tylko jeszcze gorzej, bo chodzi o religię.

Rozumiem nawet, dlaczego taki raport brzmiałby bezsensownie w uszach Cartera czy kogokolwiek innego. Religia? Przecież rewolucja to liberałowie, hipisi, komunizm, te wszystkie pierdoły związane z Baader-Meinhof, a tu mi mówią, że Irańczyków napędza religia? Ej, mamy tysiąc, kurwa, dziewięćset siedemdziesiąty dziewiąty. Połowa tych saudyjskich i irańskich bachorów mieszka w Paryżu, noszą obcisłe dżinsy i dymają się w zadek częściej niż przeciętna amerykańska ciota — jakim cudem więc znowu podnosi głowę religia? A potem Roger Theroux został porwany.

Nieźle go pokiereszowali. Od razu oskarżyli go, że jest z CIA, sfingowali proces, uznali go za winnego i skazali na karę śmierci, wszystko w niecały miesiąc. Dzięki Bogu albo Allahowi Roger czytał Koran. Kiedy w końcu rozmawialiśmy, powiedział mi, Barry, zażądałem widzenia z jebanym mułłą. Jak skurwiel się w końcu pojawił, a wierz mi, że się nie śpieszył, powiedziałem, słuchaj pan, możecie to mędlić w nieskończoność, ale Koran nigdzie nie przewiduje takich kar. Więc jeśli to zrobicie, postąpicie wbrew woli waszego Boga i Proroka. Puścili go. A jednak to, co stało się dwa dni później, znów było pierdoloną niespodzianką dla Waszyngtonu. Aż człowiek w głowę zachodzi. Jak coś może być nieuchronne i jednocześnie niespodziewane?

Nie wydaje mi się, żeby czytała ostatnio cokolwiek o Argentynie. Lepiej teraz nie poruszać tego tematu, poza tym jestem pewien, że sytuacja za bardzo nie wpływa na życie jej przyjaciółek. Będzie chociaż tęskniła za tym domem? Przecież włożyła w niego mnóstwo wysiłku, ale zawsze taka była. Nawet jak mieszkała przez dwa dni w hotelu, musiała coś poprzestawiać, poczuć się u siebie. Zastanawiam się, za czym ja będę tęsknił poza kurczakami po jamajsku. Co tam, kurwa, Barry Diflorio, trzy lata, a gadasz, jakbyś tu przypłynął na wycieczkę Statkiem Miłości. Może powinienem jej powiedzieć? Że po siedemdziesiątym siódmym roku słuch zaginął o wszystkich tych poetach, których zapraszała na kolacje. I o tancerzu, i o tym siwym homoseksualiście Umbercie, którego uznała za czarującego komunistę. Wyobrażam sobie, że facet nosił się na biało od stóp do głów aż do samego końca.

Kiedy w siedemdziesiątym ósmym wybuchła bomba w tym bloku mieszkalnym w Buenos Aires, od razu pomyślałem, że to robota de las Casasa. Ale on jest z powrotem tutaj, na Jamajce, chyba po to, żeby dokończyć sprawy z siedemdziesiątego szóstego i Bóg jeden wie, co to znaczy. Wiem, że facet jest nietykalny. Gorzej, że on o tym wie. I nikt mnie nie zastąpi, choć zdecydowanie ktoś zastąpi Louisa. O ile wiem, to nawet już chyba się zjawił kilka dni temu. Nie mam pojęcia, czy to, że nie znam nazwiska tego człowieka, dowodzi efektywności Operacji Tajnych czy niekompetencji całej Firmy. Przynajmniej ktoś doszedł do wniosku, że zamknięcie rozdziału jamajskiego nie byłoby w tej chwili mądrym posunięciem. Z tym krajem, z tymi ludźmi to nigdy nie wiadomo. Czasem można odnieść wrażenie, że mówię o Filipinach.

Nadal chcę wiedzieć, kto napisał ten przeklęty raport i kto go autoryzował. Oraz jak bardzo miękki jest prezydent, skoro musieli ten kurewski raport tak okropnie podrasować. „Nie mamy do czynienia z sytuacją rewolucyjną ani nawet przedrewolucyjną". Jezu Chryste, a potem, trzy dni temu, powstańcy w końcu pokonują wojsko Szacha i wszyscy są zszokowani. Wszyscy, tylko nie Roger Theroux.

Patrzę na biuro, którego już nie będę musiał oglądać, i zastanawiam się, ile powiedzieć żonie. Umberto zmartwi ją najbardziej, wydzwania do ich domu od tygodni, przekonana, że albo się przeprowadzili, albo zapisała błędny numer. Pewnego razu nawet spytała, czy celowo dali jej zły numer, a ja naprawdę nie miałem pojęcia, cholera, jak zareagować. Najdziwniejsze jest to, że gdy wypytuje o niego przyjaciół, oni nie mają nic do powiedzenia. Również państwo Figueroa, którzy mieszkają pięć domów dalej. Jeśli nawet nie wiedzą, co konkretnie się z nim stało, to zdają sobie sprawę, że jednak coś się stało.

Polityka kształtuje strategię. O tym myślę przez ostatni tydzień. O tym i o Billu Adlerze. Znowu do mnie zadzwonił, dwa dni temu, o dziwo obaj zadzwonili tego samego dnia, on i Louis. Był wyjątkowo wkurzony, bo w końcu wykopali go z Wielkiej Brytanii.

— Daj spokój, Bill, są tyci jak fiut Ameryki, ale rozciągną się przez cały Atlantyk, żeby go possać.

— Racja. Zdawałem sobie sprawę, że gram na zwłokę, no ale wiesz, miałem coś jakby nadzieję.

— Słabo, nawet jak na byłego agenta.

— Nie byłego. Zwolnionego.

— Tomatou, tomejtou. Jak w Santiago?

— Latem podobno słonecznie. Poważnie, Diflorio, dla Brzezińskiego nasza rozmowa nie byłaby nawet w połowie tak interesująca jak dla Kissingera.

— Może i tak, ale nie słyszałeś? Tniemy wszędzie koszty. Czyli? Każdy, kto czeka, żeby mu odpluskwili telefon, ma gównianego pecha. A skoro mowa o cięciu kosztów, jak tam…

— Jak tam twoja zdarta płyta, która się ciągle kręci?

— Drażliwa sprawa.

— Chujowy luty mamy w tym roku, jeśli nie zauważyłeś. Wszyscy są drażliwi.

— Czego chcesz, Adler?

— A skąd pomysł, że czegoś chcę?

— Och, słoneczko, zadzwoniłeś, bo czujesz się taki samotny?

— Nigdy nie spotkałem w terenie nikogo, kto by się nie czuł, Diflorio. No ale ty jesteś…

— Księgowym. Wiesz, jeśli mamy się zakolegować, to musisz przestać nazywać mnie…

— Księgowym?

— Nie, Difloriem.

— Nie bądź taki lizus, nie pasuje to do ciebie.

— Gdybyś wiedział, co do mnie pasuje, nazywałbyś mnie Bar albo Barry, albo Bernard, jak moja teściowa. A teraz pytam znowu, czym mogę panu służyć?

— Widziałeś, co się dzieje w Iranie, Diflorio?

— A czy disco to kiepska muzyka?

— Próbuję z tobą pogawędzić.

— Nie, próbujesz przygotować sobie grunt. Podobno John Barron pisze drugą część tej swojej książki o KGB.

— No i dobrze, Bóg mi świadkiem, że musimy wykurzyć tych wszystkich ruskich śpiochów.

— I zdrajców, którzy ich wspierają.

— Czyli niby kogo? Masz na myśli tego Billa w jego książce? Przeczytałem, że jestem alkoholikiem, który ciągle ugania się za spódniczkami i jest bez grosza.

— A więc przeczytałeś?

— Oczywiście, że przeczytałem. Dziwię się, że tak poważnie traktujesz tę jego pisaninę. To niespełniony agent, i tyle.

— Jego książka jest przynajmniej tak zajmująca jak twoja.

— Pierdol się. Aha, skoro o tym wspomniałeś, szykuję nową do wydania.

— Oczywiście, że szykujesz. Pozostało ci jeszcze co najmniej tysiąc osób, którym musisz spieprzyć życie. A przy okazji, jak tam twój kumpel Szeporow?

— Kto?

— Sprytnie. Z wyczuciem. Tylko wiesz co, Adler, nawet „Daily Mail" wie, że gadasz z Szeporowem.

— Nie wiem, o kim…

— O Edgarze Anatoliewiczu Szeporowie z agencji Nowosti w Londynie. Jest z KGB. Śmiało, ja usiądę sobie wygodniej, a ty możesz zgrywać zbulwersowanego, bo przecież nic nie wiedziałeś.

Ale uwaga, udawanie zbulwersowanego jest trudne, gdy druga osoba nie widzi twarzy.

— Szeporow nie jest z KGB.

— A ja noszę slipy, nie bokserki. Kontaktujesz się z nim co najmniej od siedemdziesiątego czwartego.

— Nie znam nikogo z Nowosti.

— Musisz się lepiej postarać, mój drogi. Najpierw mówisz, że go nie znasz, a potem mówisz, że on nie jest z KGB. Może przerwiemy na moment, a ty zbierzesz myśli? Jeśli nie wiesz, że Szeporow pracuje dla KGB, to albo jesteś bardzo głupi, albo bardzo naiwny. A może potrzebujesz pieniędzy. Ile ci zapłacił kubański wywiad? Milion?

— Milion? Mało wiesz o Kubie.

— Ale wiem, że ty wiesz. No dobra, czego chcesz, chuju?

— Są pewne informacje.

— Za ile? Za sezam pełen skarbów? Czy to nie twoje słowa w rozmowie z KGB, kiedy postanowiłeś się skurwić?

— Nie proszę o informacje, kutasie. Tylko chcę przekazać. To nawet może dotyczyć cię bezpośrednio, fiutku z Yale.

— Ej, nie wytykaj mi wykształcenia tylko dlatego, że urodziłeś się wśród florydzkich komarów. Nieważne, co sprzedajesz, bo ja, cholera, nie kupuję. Ta rozmowa jest rejestrowana.

— To już ustaliliśmy.

— Nie bój się, posłuży później za materiał dowodowy.

— Kiedy? Jak się oddam w wasze ręce?

— Jak cię wreszcie złapiemy, kurwa.

— Wy, księgowi, nie umiecie nawet złapać trypra.

— I to mówi pracownik służb, który dał się przydybać o piątej rano przy podkładaniu pluskiew w ambasadzie.

— A wiesz, że jesteś w tej książce? W *Horrorach*.

— Co to są horrory?

— Nie mogę potwierdzić, że taki ma tytuł, jeśli w ogóle jest jakiś tytuł. Przysięgam, że w całym życiu tego właśnie najbardziej żałuję. Że nie zdążyłem ze swoją książką, zanim pierdolnie ta bomba.

— Nie wiem, o czym mówisz. Ale pewnego dnia znajdziemy twój kurewski przeciek.

— Jeszcze w tym stuleciu?

— Szybciej, niż myślisz, spokojna głowa. To cholernie długa rozmowa telefoniczna. Na pewno cię stać? Bo ja muszę zamykać sklepik, Bill.

— No tak, całe to pakowanie, pożegnania. Cudownie. Biedny prezydent Ford. Zasiadał w komisji Warrena i nie wiedział, że nie powiedzieliśmy mu wszystkiego.

— O czym teraz bredzisz?

— O tej książce. Kto dał jej taki tytuł? Człowiek aż się zastanawia.

— Ja się nie zastanawiam. Daję słowo, Adler, czasem jest tak, że ty w ogóle ze mną nie rozmawiasz. Przypominamy dwie dziewczyny, ty nadajesz o jakimś chłopcu tylko po to, żeby on cię usłyszał. Wystarczyło kilka lat poza Firmą i już jesteś jak ci porąbańcy, co twierdzą, że kosmici ich porwali i wepchnęli im dildo w dupę. Jezusie Nazareński.

— Może właściwie to nie książka. Tylko akta. Raport.

— Akta? Chłopie, CIA ma mnóstwo akt, w dodatku ściśle tajnych. Jakim cudem w ogóle dostałeś u nas robotę?

— Nie obrażaj mojej inteligencji, Diflorio.

— Nie muszę. Samo się dzieje.

— Mówię o aktach, które Schlesinger zebrał dla Kissingera, o tym samym raporcie, który przekazał Fordowi w Boże Narodzenie tysiąc dziewięćset siedemdziesiątego czwartego roku.

— Rozmawiasz ze mną o siedemdziesiątym czwartym? Kolego, z przykrością muszę cię oświecić, że mamy już innego prezydenta i nawet on nie zagrzeje długo miejsca, jeśli dzisiejsza sytuacja jeszcze się pogorszy. Iran jest na ustach całego świata, a ty, biedaku, chcesz mi sprzedać gówno wysrane w tysiąc dziewięćset siedemdziesiątym czwartym?

— Kissinger przekazał wersję, w której wyretuszowano najbrzydsze sprawy. Oryginalny raport Schlesingera krąży i podobno to tykająca bomba.

— No cóż, znasz już moją opinię na temat twoich opinii, Adler. Kończą ci się tematy, o których mógłbyś pisać?

— Śmieć z ciebie, Diflorio. Nie jesteś zainteresowany tylko dlatego, że za nisko stoisz, żeby być zainteresowany. W raporciku Schlesingera siedzi wszystko, całe to gówno, które przeciętny Amerykanin uważa za wymysły autorów powieści szpiegowskich. Analiza ostatnich wyczynów Toma Haydena. Kogo dyma Bill Cosby. Kontrola umysłów za pomocą LSD. Zamachy na całym świecie, Lumumba w Kongu na przykład, mnóstwo różnych rzeczy i twój kumpel Mobutu...

— Mała poprawka. Kumpel Franka.

— Ech, ty, on i Larry Devlin jesteście jak z jednej matki i jednego ojca. Łacińsko-amerykańsko-afrykańscy chłopcy.

— Plus liczba zamachów na życie Castro autoryzowanych przez samego Bobby'ego Kennedy'ego.

— Wiesz, że zmuszają Havilanda do odejścia?

— Kogo?

— Havilanda. Człowieka, który wyszkolił ciebie i mnie. A, przepraszam, zapomniałem, że ty wyszkoliłeś się sam. Zdajesz sobie sprawę, że gdyby amerykańska opinia publiczna albo choćby tylko Carter dostali w łapy ten raport, byłby to koniec Firmy? Twoja posada prysłaby jak bańka mydlana.

— Przysięgam, że czasem to nie wiem, czy jesteś jebanym kretynem, czy udajesz, że występujesz w telewizji. Jak ci się wydaje, Adler, co to za świat? Jesteś chyba jedynym agentem, który nie ma pojęcia, co się dzieje na tej pierdolonej planecie. Wydaje ci się, że twoi kumple z KGB prowadzą jakąś misję charytatywną? Tak myślisz?

— Jestem byłym agentem, nie zapominaj. I nie wiesz, co myślę.

— Och, wiem dokładnie, co myślisz. Oryginalność to akurat nie jest twoja mocna strona.

— Powinienem zgadnąć, że będziesz miał w dupie ten raport. Jesteś najgorszy z nich wszystkich. Jak akceptujesz to, co robi rząd twojego kraju, to jedno, ale co innego, kiedy ciebie to nawet nie obchodzi. Zameldować się w robocie i wziąć wypłatę, nic więcej.

— Uwielbiam, kiedy ci się wydaje, że mnie rozgryzłeś. To jedna z twoich największych wad, Adler. Myślisz, że czytasz w ludziach jak w otwartej księdze, a ty gówno potrafisz przeczytać.

— Czyżby?

— Czyżby, czyżby. A wiesz dlaczego? Bo przez cały ten czas, jak trułeś o tym raporcie, jak oświecałeś mnie, biedaka, że rząd był zamieszany w różne pierdolone gówno, przez cały ten czas, kiedy nie udało ci się wzbudzić we mnie najmniejszego zainteresowania, ani razu nie przyszło ci do głowy, że może to ja napisałem to kurewstwo.

— Co? W chuja sobie lecisz?

— Czy zachowuję się, jakbym był choć odrobinę zainteresowany leceniem sobie z tobą w chuja? Tak, skurwielu, ten mały księgowy to napisał. A co, myślisz, że autorem tego cholerstwa jest sekretarz obrony? Wiesz, z początku czułem się trochę urażony, że zostałem tak bezceremonialnie pominięty, że nie pojawiam się w twojej książce ani razu. Ale potem uświadomiłem sobie, że ty nie masz, kurwa, bladego pojęcia, czym ja się zajmuję, prawda? Zielonego pojęcia. Bo gdybyś miał, nie marnowałbyś mojego czasu przez ostatnie sześć i pół minuty. Zamiast tego spadłbyś z tego swojego pierdolonego hamaka i leżąc na ziemi, podziękowałbyś swojemu komuszemu Bogowi, że to nie ja jestem tym skurwysynem, którego wysłali twoim tropem. Aha, przy okazji, ekspres do kawy ci się zepsuł, a widok z okna masz naprawdę chujowy. Powiedz Fidelowi, że chciałbyś poglądać morze.

Oczywiście skurwiel się rozłączył. I już nie zadzwonił. Czuję, że już nigdy nie zadzwoni.

Jebać to biurko. Jebać to całe biuro. Jebać ten kraj. Jebać ten rok, co się dopiero zaczął. Jadę do domu.

PAPA-LO

orwać Micka Jaggera i zgarnąć dwa miliony. W aucie z Tonym Pavarottim jedziemy drogą, co sie wije i zakręca jak rzeka, jedziemy nad samym morzem kotłowanym przez wiatr. Josey Wales nie przyszed. Ostro przy poboczu, ford cortina. Wirasz w lewo, wirasz w prawo, fala sie rozbija o skałe, piana pryska na szybe. Tony Pavarotti, z tym nosem jak Pavarotti. Nie pamiętam jego matki ani ojca, nie pamiętam, jak dorastał i robił to, co robią chłopcy, jak dorastają i urządzają bijatyki. Wygląda jak pomagier szefa z filmu, złyyyyy *hombre*, co sie pojawia w środku akcji i zaczyna łazić i gadać, jakby wszyscy na niego czekali. Tony Pavarotti po prostu jest Tonym Pavarottim i trzeba sie dobrze zastanowić, czego sie chce, dopiero potem ewentualnie go wezwać. A on sie przyczaji i przez cały dzień będzie czekał w oknie starego budynku albo przez całą noc na drzewie na samym szczycie wzgórza, albo w wale ze śmieci na Wysypiskach, albo za drzwiami, tak długo, jak trzeba, żeby sie stać cieniem i ustrzelić wroga z prawie stu metrów. Wykona robote dla Joseya Walesa, ale nawet Josey Wales nie potrafi utrzymać go przy sobie na stałe, a w tych czasach niejeden chentnie by sie trzymał Joseya. Nie rozmawiamy ze sobą, ja i Josey. Jak zostaje w domu, to wole siedzieć w środku, a jak wychodze, to jade za granice. Nie chodze pod jego drzwi. Za to Tony Pavarotti to człowiek, co służy każdemu i nikomu, i dziś przez cały dzień jest u mie w pracy, siedzi z prawej strony za kierownicą i trzyma sie wąskiej drogi, za cienkiej jak na bliskość takiego rozgniewanego morza.

Wiedzcie jedno: więzienie to uniwersytet dla człowieka z geta. Trzask, dzyng, trzask. Będzie już dwa lata, jak dopad mie Babilon —

już dwa lata? Staram sie nie zapominać ani jednej sekundy, jak Babilon mi nadepnie na odcisk. W furgonetce do więzienia policjant plunął mi w twarz (nowy był), a drugi, jak powiedziałem, pizdocipie, twoja charcha śmierdzi jak różowa balonówa do żucia, kolbą mie uderzył tak mocno, że w pudle musieli mie wodą polać, żebym sie obudził. Ci obaj pożegnali sie z tym światem jeszcze przed tysiąc dzicwięćset siedemdziesiątym ósmym, a to za sprawą tego człowieka, co siedzi teraz obok mnie, bo mi ich przyniósł, jak tylko wylazłem. Wiedzcie jedno, zacni przemili dżentelmenowie. Mama-Lo nie urodziła syna, co ma wyprostowane plecy po to, żeby na niego łatwiej było pluć jak na parszywego kundla. Ten tutej Papa-Lo nie zapomina takich rzeczy. My nie zapominamy, my sie rewanżujemy. Bierzemy ich na koniec Kopenhagi, gdzie mieszka tylko John Crow i gdzie bogacze spuszczają gówno do morza i taki od razu łe, łe, łe, że ma żone bez pracy i trzy nygusy, a ja na to, że to jeszcze dla nich gorzej, bo teraz zdechłego piździelca będą mieli za tatusia.

Ale wróćmy do wtedy, jak mie wsadzili do więzienia. Nawet jakby sie cwaniacko prześlizgnąć przez system, to sie nie da prześlizgnąć przez żelazo. Żelazo to żelazo, żelazo silniejsze od lwa, stal nie ustąpi. Kraty mówią, nie można wyjść, więc przestań, sie uspokój, a jak chcesz być na wolności, to lepiej popukaj sie w głowe i powiedz jej, żeby to w niej ta wolność zagościła. To pewnie dlatego ludzie czytają tam książki, coby ich nigdy nie przeczytali, a nawet piszą. Ale kraty mówią też, że nikt nie może przyjść i zakłucić tej nauki, więc może to tylko nawiedzenie w głowie, nic innego i może więzienie uspokoiło twoją dusze i będziesz gotowy słuchać, bo, dżentelmenowie moi, bo nikt ale to nikt niczego sie nie nauczy, jak nie jest gotowy słuchać.

Auto wpadło na garba, ale Tony nie zauważył. Szkoda, że podskoczyłem jak taki, co nie umie kierować samochodem. Z tych co znam on jeden kieruje w rękawiczkach, zakrywają ręce, ale widać kostki palców przez takie wycięcia i wierzchy też. Z brązowej skóry. Słońce już gaśnie, jak dojeżdżamy do zatoki. Słońcu brak czegoś, nie może być światkiem, jak człowiek wkracza w mrok. Księżyc, księżyc to lepszy towarzysz, zwłaszcza jak jest cały, okrągły i taki mocno czerwony, jakby sie z krwi wynurzył. Widziałeś kiedy wschód księżyca?, mam ochote spytać Tony'ego Pavarottiego, ale pewnie by nie odpowiedział. Takim jak on nie zadaje sie takich pytań.

Wyciągam z kieszeni dwa papierosy i daje mu jednego. Wsadza sobie do ust, ja mu przypalam. Palisadoes, obok lotniska, odcinek do Port Royal, gdzie w pościgu za Jamesem Bondem tamten spad w przepaść w *Doktorze No*. Dojeżdżamy do fortu, co go zbudowali, jeszcze zanim tacy jak ja przyjeżdżali tutej na statku jako niewolnicy. W tysiąc dziewięćset siódmym, jak było trzęsienie ziemi, osunął sie do połowy w piach, ale jak sie szybko jedzie, to wygląda, jakby sie podnosił. Działo widać sterczące z piasku i sie człowiek zastanawia, jakie dumne i wysokie było, kiedy Nelson kuśtykał dokoła na tym swoim kuśtyku. O Nelsonie sie w szkole uczyliśmy tak jak o admirale Rodneyu, co uratował Jamajke przed Francuzami. A kto teraz uratuje Jamajke?

Dalej przy tej drodze jest Port Royal i Fort Charles, co to każdy wie. Ale mało kto wie, że w nadmorskim buszu sie schowały jeszcze dwa inne forty, ten też. Wystawiam głowe przez okno i patrze, jak ostatnia smuga słońca robi sie pomarańczowa, potem różowa, potem już nic i nawet przez warkot silnika słychać, jak morze sie burzy. Ja i Tony Pavarotti jedziemy do zaginionego fortu między tonącym słońcem, wstającym księżycem i znikającymi cieniami. Skręcamy ostro w lewo w kolczaste krzaki i walimy przez wysoki garb. Sie znowu trzymam drzwi jak człowiek, co nie umie kierować. Wjeżdżamy na wzniesienie, wygląda jak czubek góry, bo stamtąd jest pionowa przepaść do samej plaży. Wyboje i dziury w dół, skręt w lewo, w prawo, wciągnąć ręke do środka, bo kolce krzaka zaraz chlasną o okno — już by mi z ręki krew leciała. W dół, w dół, w dół. Auto skręca w lewo, potem znowu w prawo, potem podskok — zaraz zaczniemy koziołkować, koniec z nami, jak ten piździelec może siedzieć tak spokojnie, nic nie mówi, tylko trzyma tą kierownice jak rajdowiec? Auto wpada w poślisk, ja już chce krzyknąć ej!, ale hamujemy. Tony Pavarotti zwalnia i wleczemy sie do cienkiego pasa plaży przy wejściu do fortu. Bramy nie ma, no to wjeżdżamy. Kingston jest teraz po drugiej stronie morza.

Auto sie zatrzymuje. Tony odkręca szybe i wysiada jednym ruchem, no wiecie, styl taki. On z prawej, ja z lewej, obaj dochodzimy w tej samej sekundzie do bagażnika. Wsadza klucz, klapa podskakuje. Jakby ten pierwszy chłopak mógł krzyczeć, toby krzyknął na widok gasnącego światła, bo to i tak najjaśniejsze, co widział od trzech godzin. Musiałem mocno szukać w sobie gniewu, żebym dwóch ostatnich sam wepchnął, bo sprawy mam z nimi zadawnione, będzie prawie dwa lata, więc niewiele we mnie tego zostało, właściwie nic oprócz pary rąk, żeby wyciągnąć pierwszego. Jak go łapie za kołnierz, to jest lekki jak piórko. Kajdanki, co ma na plecach, lepią się od krwi, a nadgarstki ma białe, chociaż przecież jest czarny chłopak. Śmierdzi gównem i żelazem. Mazgaji sie przez łzy, policzki i oczy ma czerwone, z nosa gil goni gila. Ten, co go wyciąga Tony Pavarotti, taki sam, obaj śmierdzący i zaszczani.

W drodze tutej sie przygotowałem, żeby ich spytać, pamiętacie plaże, pizdocipy? Pamiętacie, jak żeście wyciągneli broń na Śpiewaka, bo inny człowiek zepsuł wam kant, a wyście chcieli, żeby on za to zapłacił? Wiedzieliście, że zapamiętał wasze gęby? Wiedzieliście, żeście trupy byli w tej samej sekundzie, co wyciągneliście broń na tego człowieka? To tak, jakbyście wyciągneli broń na Pana Boga. Przygotowałem sobie to wszystko, żeby powiedzieć, ale teraz, w tym forcie, gdzie Hiszpan, Brytyjczyk i Jamajczyk gineli przez tyle lat, że mi to przypomina, że ja nie długo też umre, to nie mam nic do powiedzenia. A Tony Pavarotti to nigdy nic nie mówi.

Za to im sie gęba nie zamyka. Nawet spod tego knebla rozumiem każdą litere, słowo, zdanie. Każde mruganie tych zaczerwienionych oczu wyciska gorące łzy. Błagam, Papa, no weź, ja w tym nie byłem, popatrz, ciągle jestem biedak. Błagam, Papa, Śpiewak już przebaczył. Błagam, Papa, no weź, ja tylko wiem o tych gonitwach, o tej zasace w nocy to nie wiem nic. Błagam, Papa, to każ mi iść w morze, ja przepłyne jak syrena na Kube i nigdy już nie wróce na Jamrock. Ale ja mam to gdzieś. Jest banda, co urządziła w nocy napad na Śpiewaka. Jest banda, co wyciągneła broń na niego na plaży, bo go wmieszali w kant na wyścigach, chociaż nie miał z tym kurestwem nic wspólnego. Jeden podmuh wiatru mi mówi, że to są jedni i ci sami. Drugi podmuh mówi, że to zupełnie inni. Ale nawet na to nie mam już słów. Nie obchodzi mie. Oni przecieli coś między mną a Śpiewakiem, rane zrobili, co sie goi, ale blizna zostanie. Człowiek musi być ukarany za to, że wyciągnął broń, musi też być ukarany za to, że z niej strzelił. To już diabeł, co stoi u bram piekła, zdecyduje i zrobi selekcje. Wszystko to myśle, żeby tym dwóm powiedzieć, ale milcze. Ja, Papa-Lo, największy najbardziej najprześwietniejszy człowiek w getcie. Równie dobrze mógbym być Tonym Pavarottim. On już ciągnie pierwszego przez krzaki, na czarny piasek.

Sztuka polegała na tym, żeby go sprowadzić z powrotem, ale nie na stałe, tylko żeby przewrócił pierszą kostke domina. Sprowadzić go na ten koncert, chociaż gadamy już o większych sprawach. Lepszych. Sprawach, o których, rany, ja nie mam pojęcia. Jamajko, jesteś gotowa? W sercu jest nadzieja, ale spokoju nie ma, tak bardzo nie ma, że spokój może przynieść tylko myśl, że biedne serce Papa-Lo nigdy nie zazna spokoju. Znaczy to, co ma sens w Angli, wcale nie musi mieć sensu tutej. Anglia to Anglia, Londyn to Londyn, a jak jesteś w takim dużym mieście, to zaczynasz też myśleć po dużemu i gadać po dużemu i przepowiadasz wielkie zmiany, a potem wracasz na Jamdown i sie zastanawiasz, czy ci głowa za bardzo nie spuchła zagranicą.

Mnóstwo ludzi nawet w samym środku cierpiętnienia wybiorą zło, co znają, zamiast dobra, co o nim tylko mogą marzyć, bo kto marzy, jak nie wariat i głupiec? Czasem wojna sie kończy, bo człowiek zapomina, dlaczego walczy, czasem bo sie zmęczy wojną, a czasem umarli do niego wracają we śnie, a on nie pamięta, jak sie nazywają, albo sie zorientuje, że ten, z którym walczy, to wcale nie jego wróg. No bo popatrzcie na Shotta Sherrifa.

Ta plaża to piasek do samego morza. Dalej są kamienie, co sie toczą i przewracają z falami, i gdakają jak duh kobiety, jak więcej fal napłynie. Kekekekekekeke. Tony Pavarotti ciągnie chłopaka nad samą wode i kopie go pod kolanem od tyłu, żeby tamten klapnął, jakby sie chciał modlić. I sie modli. Szybko i nerwowo, jakby jedno słowo wypychało drugie z ust. Kekekekekekeke. Chłopak w białych gatkach, co są z przodu żółte, z tyłu brązowe. Tony Pavarotti na granatowo — żołnierska koszula z pagonami i mnóstwem kieszeni i spodnie z gabardyny zawinięte wyżej wojskowych butów nad łydką. Przytrzymuje chłopakowi głowe obiema rękami, delikatnie, jakby uważał. Chłopak to dotknięcie bierze za oznake łaski. Znowu płacze i głowa mu sie za bardzo trzensie. Tony go przytrzymuje. Kekekekekekeke — pam.

Ten w moich rękach wrzeszczy w knebel, ale też jest sflaczały i musze go ciągnąć na piasek. Woda mu jeszcze spodni nie dosięgła, to wiem, że ta nowa plama to świeże szczyny. Tony zostawił auto na chodzie i mógłbym przysiąc, że słysze radio, ale to pewnie te kamienie w wodzie. Kekekekekekeke. Ciągne chłopaka obok tamtego trupa i go popycham na kolana. Pozwoliłem mu nie ściągać tych zielonych szortów. Przytrzymuje mu głowe, ale sie odwraca, akurat jak pociągam za spust. Pam. Pam w skroń, oko wywala. Kekekekekekeke. Dyga i upada. Tony Pavarotti pokazuje mi morze, ale ja mówie, że nie, żeby ich tak zostawić.

Kiblowanie przypomina człowiekowi, że z drugim staje sie bratem nie przez krew, tylko przez cierpiętnienie. A jak sie jak bracia cierpi razem, to sie razem nowej mądrości nabiera. Nabrałem mądrości w tym samym czasie co Shotta Sherrif i jak dotarło do nas, że jesteśmy jednej myśli, tośmy z tym nowym rozumem pojechali do Angli i sie zorientowaliśmy, że u Śpiewaka taka sama logika. Tak naprawde on nawet mądrzejszy, bo według tej mądrości dom prowadził od dawna, gdzie wrogowie sie spotykali jak przyjaciele, nawet że wszędzie indziej walczyliśmy jak dzikie zwierzęta. Ludzie myślą, że to dzięki koncertowi albo temu, że biały człowiek z LPN-u podał ręke białemu z JPP, jakby można było raka szczepionką wyleczyć. Nawet ja wiedziałem, że ten koncert to pestka, chociaż to przecież ja wciągłem Seagę na scene. Shotta Sherrif też był na scenie, ale zeskoczył i zaczął chodzić za Mickiem Jaggerem, który łaził rozkołysany tam i z powrotem, dyskutując z ludźmi, jakby nie wiedział, że na ziemi roi sie od zło czyńców. Co chwila błyskał tym szerokim uśmiechem. Weźmy porwijmy Micka Jaggera i wymieńmy go na dwa miliony, powiedział żartem Shotta Sherrif, ale potem już patrzył, jak Jagger pojawia sie i znika w tłumie i wiem, że zaczyna myśleć na poważnie. Bo biały chłopaczek sie urwał i szczerzy sie jak jaki nygus bogatego polityka chwalący sie podróżą do Mah-ja-mi. Shotta swoje słowa próbował złagodzić długim cha, cha, cha, ale Śpiewak go usłyszał i posłał mu takie spojrzenie, co chyba Mojżesz by chciał mieć w dziesięciu przykazaniach. W każdym razie niech myślą, że wrócił, żeby zaśpiewać ładny numer o miłości, bo nagrał ładny album. Niech idzie spać, kiedy my tyramy jak Nikodemy. Bo jak ja i Shotta Sherrif uplanowaliśmy już koncert, to wcale nie przestaliśmy ze sobą gadać, ciągle gadamy.

Tony Pavarotti kieruje, a w radio puszczają piosenke. „Do it light do it through the night, shadow dancing". Znam to. Moja to bardzo lubi, mówi, że jakiś Gibb to śpiewa. Spytałem jej, skąd wie, to mi odszczekneła, że co sobie myśle, że z niej jakaś, co nic nie wie? Ja sie śmieje, bo tak jak w tej piosence, ja też tańczyłem z cieniem i rano, i w nocy. Nawet w jasny dzień szukamy mroku. Cztery dni mi zabrało zgarnąć wszystkich, co zrobili ten kant na torach i wyciągneli broń na Śpiewaka. Jednego wieczora wszystkich żeśmy zamkneli w tej celi, co jeszcze pare lat temu ja, don nad wszystkimi donami, jako jedyny w gecie o niej nie wiedziałem. Josey Wales będzie sie jeszcze musiał mi z tego wytłumaczyć.

Wcześnie rano wyciągneliśmy pierwszych dwóch, a to dlatego, że sie pchali na przód i najgłośniej wrzeszczeli, jeden o tym, że to duh z peleryną z niebieskiego ognia i wielkimi kłami jak u rekina całą noc pożerał im ciało i zatykał gemby, żeby krzyczeć nie mogli. Upiór chlastał ich pięścią po twarzy raz dwa trzy cztery jak kafar. Obaj mieli oczy spuchnięte i mokre. Pierwszy klepnął sie w pierś i powiedział, że duh mu wyżar serce, chociaż żadnych śladów nie było. Drugi bez końca sie mazał, że wąż mu wygryz dziure w głowie i wylaz lewym okiem, patrzcie, jaka dziura, mówił, pokazując oko. I obaj bełkotali, że charche diabelską mieli na twarzy, jak sie obudzili. Nie chcieli sie zamknąć, tośmy im jadaczki zatkali kawałkami perkalu i wrzuciliśmy do bagażnika. Nawet sie nie opierali, jak ciągneliśmy ich do auta. Zawieźliśmy ich na Hellshire Beach, ten kawałek, co jest teraz zamknięty z tym znakiem, że wstęp wzbroniony. Szli z własnej woli, co mi sie nie spodobało. Nie lubie, jak ludzie są tacy gotowi na to, co ich zaraz czeka, to pchnąłem tego z wężem w głowie i sie przewrócił. Ale nic nie mówił, wstał i poszed dalej.

Tony Pavarotti położył pierszemu ręke na ramieniu, żeby go pchnąć, ale sami szybko uklękli i zamkneli oczy, coś tam szeptając, jakby modlitwe. Jak ten z wężem w głowie otworzył oczy, to miał mokre i kiwnął głową, jakby chciał powiedzieć, szybko, zróbcie to, no już, dłużej nie moge. Tony Pavarotti stanął za nimi i zastrzelił bez ceregieli. Nawet najbardziej zły cyngiel będzie sie mazać i błagać o życie, a te dwa chłopaki nic a nic. Zacząłem sie zastanawiać, na co ich życie spełzło, że można być tak gotowy na śmierć. Duh ubrany w niebieskie płomienie, takiego wała. Ciekawe, co mie będzie budzić w środku nocy.

Jak sie wieczór robi, wyciągamy drugich dwóch. Czas idzie, płynie, ucieka i wiem, że ja zostaje w tyle, ale co tam. Niech mie cholera, jak Joseyowi Walesowi sie uda. On biegnie szybciej niż czas i mówi, patrz pizdocipie, jestem tutej wcześniej od ciebie, pokonałem cie, jak ty mie pokonałeś w sześćdziesiątym szóstym. Wszystko to na mojej głowie zostawił, bo on ciągle ma gdzieś Śpiewaka. Josey chodzi na spotkania z Kubańczykiem, bo ten wrócił, chociaż te jego wszystkie bomby i dynamity nie przyniosły JPP zwycięstwa w siedemdziesiątym szóstym.

Wielu innych czeka cierpienie. Wielu innych czeka śmierć. Jak Babilon po mie przyszed, żeby mie usunąć z drogi, żeby zastrzelić

Śpiewaka, a ja żebym nie mógł tego powstrzymać, to przyszli też po Shotta Sherrifa. Ludzie po obu stronach zaczeli myśleć, że już po nas, po dwóch donach nad donami. Postawisz kota przy psie, to od razu leć po wiadro na krew. Myśleli, że jak wszystkich nas z Kopenhagi i wszystkich ich z Ośmiu Ulic wsadzą do tego samego pudła, zamkną i wyrzucą klucz, to my sie na pewno pozagryzamy. Ale w pudle coś umarło, coś umarło naprawde.

Pierwsze dni obchodzimy sie dokoła jak lwy, co sie spotkały w jednej dżungli. Ja siedze od wschodu, mam ludzi wiernych i gotowych, bo w więzieniu zawsze sie jacyś z geta znajdą. Shotta Sherrif zajął miejsce od zachodu, ze swoimi. Obaj dostajemy wiadomości o tym, gdzie drugi i co robi, i jak zasypiamy, to warte trzyma przynajmniej jedna para oczu. Niedużo czasu trzeba, żeby człowiek zaczął kombinować. Jeden z moich sie wyrywa, żeby pociąć jednego od Shotta Sherrifa. Shotta Sherrif wysyła mi wiadomość, że wykończy w odwecie jednego z moich. Ja mu wysyłam wiadomość, że w ogóle go nie napadłem, czemu więc on chce napaść mie? To on wysyła wiadomość, że jeden z moich wyciągnął nóż od obiadu i wyciął jakby telefon na twarzy drugiemu, kiedy tamten wyszed na spacerniak. To ja wysłałem wiadomość do Shotta Sherrifa, że powinien mi wskazać tamtego.

Treetop, tak było stwierdzone w odpowiedzi. To następnym razem jak wychodzimy na zewnątrz, ide do Treetopa i pytam, ej, młodzieńcze, wiem, że od dawna chcesz awansować w hierarhi, to pokaż no mi swój nóż.

— Papa, teraz to nie da rady.

— Musisz mi udowodnić, co umiesz, musisz pociąć jednego pizdocipa z LPN-u — mówie, trzymając jego nóż, żeby sprawdzić ostrze.

— Papa, to to ja już mam na koncie. We wtorek nadkroiłem jednego. Chcesz, że bym sie zajął Shotta Sherrifem?

— Ale sie palisz, eh? Nie, młodzieńcze, nie ma potrzeby, za to musisz wiedzieć jedno — mówie i wbijam mu jego własną kose w szyje i ciacham gardło. I wbijam jeszcze trzy razy z boku szyji, a moi ludzie robią zasłone. A potem sie rozchodzimy, a ten docipnik tryska krwią, na ziemi podskakuje jak kurczak z odrombanym łbem.

Dostaje wiadomość od Shotta Sherrifa, że pora pogadać. Jak kot i pies sie pozabijają, to pożytek jest tylko dla Babilonu. Ja biore do siebie te prawde i myśle. Babilon to kraj, Babilon to syfsystem, Babilon to ucisk, Babilon zatruwa policje. Babilonowi sie znudziło czekać, to najważniejszego kota i najważniejszego psa włożył do jednego pudła, żeby sie szybko pozagryzali, ale w pudle słychać inne wibracje. Pozytywne wibracje.

Od tej pory ja i Shotta Sherrif przez cały czas gramy w domino, Babilon czeka za murem, a jedyne oko, jakie ma, to policja. Słysze, jak Shotta myśli, on słyszy, jak ja myśle, i myślimy obaj na nowo. Mie pierwszego wypuszczają z więzienia, w styczniu wychodzi Shotta Sherrif. Od razu sie ze mną kontaktuje. Tamtego wieczora, dziewiątego stycznia tysiąc dziewięćset siedemdziesiątego ósmego, jego ludzie i moi ludzie składają broń, zapalają świece i śpiewają tą pieśń, że już nie będą sie ćwiczyć do bitwy. Tego wieczora Jacob Miller przyszed z nową piosenką, reggae armatą normalnie, nie piosenką, z przebojem *Peace Treaty Special*, co był jedynką na listach. Pozytywne wibracje. Ale wiedzcie jedno, mili i zacni dżentelmenowie, do każdej sytuacji sie podchodzi ze strzykawką albo z bronią. Jedne rzeczy sie leczy, do drugich sie strzela.

Bo oto, moi przemili i zacni ludzie, ostatnie podrygi Babilonu. Piątego stycznia, to będzie cztery dni przed tym, jak zapaliliśmy świece i zabrzmiał nasz śpiew. Coś czułem, bo za wczesna pora w roku była, żeby taka ciężkość człowieka dopadła. Przychodzi nowy rok i Wang Gang są bez broni. Kretyny to wielkie jak chuj, ci Wang Gang. Pomysł Petera Nassera, co mu sie wymknął, jak są poza Kopenhagą. Oni ciągle podnosili łby, nie słuchali rozkazów od takich jak ja ani nawet Josey. Ale pod koniec siedemdziesiątego siódmego nie mieli już czym strzelać, bo nawet do Petera Nassera dotarło, że sie nie zbroi ludzi, co sie ich nie da kontrolować.

Ktoś im powiedział, że jak obiecają, że skoszą kilku chłopaków z LPN-u na Ośmiu Ulicach i osłabią centrum, to mogą zatrzymać dostawe broni, co miała sie jak czary-mary pojawić w starej zatoce w St. Catherine.

Ten ktoś miał zostawić auto z bagażnikiem pełnym żelaza, a oni tylko musieli wziąć, zrobić ruchawke na teretorium LPN-u, a potem mogli sobie broń zatrzymać. Ale jak zwykle Wang Gang nie słuchają nikogo. Od razu im palma odbiła, bo ten ktoś, kto im powiedział, miał związek z Siłami Obronnymi. Obiecali im nawet jakąś poważną fuche na nabrzeżu, ochrona, i że mogliby zrobić użytek z broni. Na Jamdown nic nie jest za friko, ale ci sie zgodzili i wcześnie rano dwie wojskowe karetki przyjechały na teren Wang Gang i zgarneły czternastu chłopaków.

Karetki wywiozły ich z West Kingston na wschód, za Port Henderson, przez most, za cztery plaże w Portmore i dalej na klify. Jak dojechali do Green Bay, kierowca kazał im wysiąść i czekać na miejscu. Powiedział, że przyjedzie furgonetka z bronią — nikt z nich nie pamiętał, że wojskowi mówili, że będzie auto z bagażnikiem, nie furgonetka. Chłopaki patrzą i czekają. Żołnierz podchodzi i zaczyna gadać z tym, co im szefuje. Idą we dwóch w krzaki, a pozostali słyszą wystrzał, jakby wyścig sie miał zacząć. A potem jest apokalipsa.

Spadają na nich ci z Sił Obronnych Jamajki i otwierają ogień. Żołnierze atakują chłopców, walą z karabinów maszynowych, jeden taki duży, co sie schował w krzakach, wyłazi i tra-ta-ta-ta-ta-ta, jak na wojnie. Ci, co dali rade uciec, sie nadziewają na innych żołnierzy, głowa przestrzelona, padają, uciekają w krzaki, ciernie im rozrywają skóre, do morza, do morza. Pięciu zastrzelonych, jeszcze więcej rannych, jeden, dwóch dali nura do wody, a tam ich uratowali rybacy. Reszta pryska. Żołnierze pokazują sie w telewizji i mówią, że wieczorem chłopaki ich napadli na strzelnicy w trakcie ćwiczeń. Są w telewizji, są w radio, minister dodaje, że w Green Bay przecież nie zgineli żadni aniołowie. Trzy dni przed koncertem, jak policja Babilonu robi nalot i zabija

trzech naszych, w tym kobiete, wystosowujemy protest, że ludzie w gecie ciągle srają i jedzą w tym samym miejscu. Ten sam
minister:

— Jeśli w tym roku zginie choć jeden funkcjonariusz policji,
winni tego będą tropieni jak psy.

Wielu innych czeka cierpienie. Wielu innych czeka śmierć.
Pierwszego dnia w pudle Babilon bił mie na okrągło. Nie chcieli
cynku, nie chcieli ze mie zrobić uchola. Po prostu każdy po kolei
chciał mi pokazać, kto tu rządzi. Policjanci nigdy nie przychodzili
pojedynczo po tym, jak jeden wlaz, a ja dałem mu takiego kopa,
że mu sie jajca wbiły do mózgu. Potem przychodzili we dwóch,
we trzech, raz nawet czterech. Tak jakby mieli zawody, że wygrywa ten, przy którym Papa-Lo sie zacznie mazgajić. Pierwszych
trzech jak przyszli, to sobie ich nazwiska zapamiętałem, Watson,
Grant i Nevis, sie prawie zakradli do mie nocą. Usłyszałem brzęk
kraty i mie dopadli z pałami. To za Rodericka!, jeden woła. I za
wdowe po nim. No to musicie sobie wbić do łbów, że jak mie
zabijecie, to ktoś sie wami zajmie, mówie i wypluwam tylnego
zemba. Pewnie i tak był czarne pruchno. Potem nowi prawie codziennie przez tydzień przychodzili, zawsze z jednym z pierwszej
trójki, jak z przewodnikiem wycieczki.

Ostatniego wieczora czterech przyszło, dwaj mi twarz przy-
cisneli do podłogi, śmierdzącej moimi szczochami. Zwineli ręcznik, w środek włożyli mydło. A potem mie bili na zmiane po
plecach, śpiewając, jeden kartofel, drugi kartofel, trzeci kartofel,
czwarty. Mie sie znudziło to gówno, to mówie do Granta i Nevisa,
żeby sie lepiej cofneli, bo zaraz dostane szału. Zeszokowani są, że
znam nazwiska, ale za to tylko jeszcze bardziej mie biją. Dwa dni
później obaj proszą o kilka dni urlopu. Żona Granta chyba już
nigdy nie będzie widziała na lewe oko, a syn Nevisa sobie ręke
i noge połamał biedaczek. Nevis wpada do celi i mówi, że mie
zabije gołymi rękami. Na to ja, że mi naprawde przykro z powodu syna, ale teraz musi mocno uważać, żeby jego trzynasto-
letniej córce błony nie przekuł nieodpowiedni kawaler. Zawsze

jest śmiesznie, jak czarny sie robi nagle biały jak ściana. Jak mie w końcu wypuścili z celi na świetlice, gdzie czekali na mie moi, to wszyscy byli tacy cisi i przyklapnięci. Najpierw myślałem, że słyszeli o synie Nevisa i uznali, że przeholowałem, albo że tak okazują należny mi szacunek. Ale potem łapie gazete od jednego i na pierwszej stronie widze Śpiewaka.

Wieczór. Jesteśmy z Pavarottim spóźnieni. Nie mam zegarka, ale umiem liczyć, jak czas mija. Umiałem od małego. Dziadek mie nauczył, jak poznać, która godzina, jak człowiek z Colon. Czekajcie, to nie był mój dziadek, żaden w gecie nie ma dziadka. Był po prostu stary człowiek, pechowiec, jedyny, co dożył takiego długiego wieku, i śpiewał te piosenke o tych, co wrócili z zegarkami z przekopywania kanału w Panamie: One two three four Colon man a come. One two three four Colon man a come. One two three four Colon man a come, with him brass chain ah like him belly bam bam bam. Ask him the time and him look up in the sun with him brass chain a lick him belly bam bam bam.

Pavarotti patrzy na mie głupio — nie wiedziałem, że śpiewam na głos. No więc wieczór, może pół do ósmej, ale jesteśmy nad morzem, to nic nie zasłania opadającego słońca. Tony Pavarotti jedzie powoli, ja mu nie każe szybko, i muzyka disco zapełnia auto, gdzie dwaj ludzie nie mieliby o czym mówić. Najpierw pomyślałem, że to wajby od tej cioty, ale potem piosenka sie we mnie rozlała. Taniec cieni, żebyście wiedzieli. Tańczymy z cieniami, jak tylko światło gaśnie. Co sie stanie w ciemności, nie wróci we świetle.

Jedziemy nad morzem spokojnie i myśle o tym, jak sie narodził ten drugi koncert dla pokoju w Angli. No bo siedemdziesiąty siódmy to była sama wojna. Koncert był wezwaniem do jednej miłości, a myśmy brali dwa dolary za sektor wspólnota, pięć dolarów za sektor miłość i osiem dolarów za sektor pokój, w ten sposób jak bogaci spaleni słońcem biali chcieli przyjść, to mogli bez strachu, chociaż nie było mowy, żeby przyszli. Spaleni słońcem biali nie chcą pokoju, chcą, żeby Jamajka sie stała amerykańskim stanem numer pięćdziesiąt jeden, cholera, co tam, wystarczyłaby im nawet kolonia.

Robimy koncert, bo czy jesteś zielony, czy pomarańczowy, to i tak w niektórych miejscach ciągle nie ma ustempów, a nygusy może i przeżyją kija, kamień i kule, ale nie przeżyją łyka zatrutej wody. Robimy koncert, bo jeden na trzech nigdy nie znalaz pracy i to sie nie tyczy tylko geta. Robimy koncert, bo Babilon chciał wykończyć nas wszystkich. Śpiewak wrócił, ale sporo zmieniony. Dawniej łapał człowieka w ramiona, jak tylko zobaczył, teraz czeka sekunde dwie, kiwa głową i sie trzyma za podbródek i uśmiecha. Dawniej jak kończył mówić zdanie, to człowiek zaczynał, teraz czeka, żeby inni skończyli, świdruje oczami i nic nie mówi. Zrozumcie jedno, ja nie miałem nic wspólnego z grudniem tysiąc dziewięćset siedemdziesiątego szóstego, ale wiem, że on teraz śpi z jednym okiem otwartym i czasem skierowanym na mie. Ja i Tony Pavarotti zostawiamy morze i jedziemy do McGregor Gully.

Koncert. Ja nie widziałem tego w siedemdziesiątym szóstym. Ale widziałem wojne, co sie potem rozpętała. No to dwudziestego drugiego kwietnia jestem na tym drugim koncercie. Na scenie. Obserwuje Seagę i Manleya, jak robią z rąk wieże nad głową Śpiewaka. Ludzie zawsze wypatrują znaków i cudów, ale znak nic nie znaczy, a w cudzie nie ma nic cudownego. Z tamtych to ja nigdy nie zapomne Tosha. Najpierw to myślałem, że przyszed sie wysrać na nasz koncert. Jakoś tak mie głaskał pod włos przez cały czas, aż w końcu go skumałem. Ale nawet jak w końcu go skumałem i pomyślałem, że sie rozumiemy, to ciągle taki był z niego mały popierdoleniec, może dlatego, że bardziej niż tamtym dwóm właśnie jemu Babilon spuszczał największy wpierdol, zwłaszcza policja. Ledwie miesiąc przed powrotem Śpiewaka celnicy przyskrzynili Tosha na lotnisku i długo trzymali. Jeden celnik tak mu szepnął, czekam na pretekst, żeby cie zastrzelić. Ja nawet nie chciałem go za bardzo mieć na tym koncercie, bo taki człowiek nie poczuje pozytywnych wibracji. To Śpiewak sie uparł i go namówił. A ja sie nie mieszam do spraw rodzinnych. Miesiąc prawie minął i ciągle Tosha pamiętam. Bo to Tosh dał sie zapamiętać. Tuż przed koncertem mówi, że nie zagra na żadnym piździelskim wystempie, bo wszyscy, co w tym biorą udział, będą gryźć ziemie. W gorący wieczór bez wiatru facet włazi ubrany cały na czarno, jak jakiś urzędnik, jakby to CIA robiła dla rasta. I najpierw mówi wszystkim, żeby pogaśli te piździelskie kamery.

— To brzmienie i moc słowa zrywa kajdany ucisku, przepędza występek i zaprowadza równość. W tym kraju mamy system czy bardziej syfsystem, co trwa od wieków. Czterysta lat i ci sami massa i niższość czarnych i wyższość brązowych i białych rządzą tym czarnym krajem od dawna. Ja i Ja nadchodzimy z błyskawicą i gromem jak trzensienie ziemi, żeby zerwać kajdany ucisku, przepędzić występek i zaprowadzić równość wśród pokornego czarnego ludu.

Stoje zeszokowany jak nygus, co pierwszy raz widzi trupa ożenionego z ołowiem. W głowie rasta wibracje, ale ani razu nie pomyślałem o czarnych, nawet jak przejeżdżam koło plantacji, co ciągle stoi. Na koniec mówi:

— Jak wy chcecie do nieba trafić z takimi waszymi porządkami, to ja wole tu zostać na miliard lat.

Mick Jagger paraduje jak pijany kozioł, mina dumnego ojca. Z Tonym Pavarottim jedziemy drogą. Ile minut przegapiłem? Czuje sie jak wtedy, jak zasne i sie przebudze, a samolot ciągle leci. Tony Pavarotti nic nie mówi.

— Skręciliśmy już na McGregor Gully?

Kiwa, że tak, akurat jak sobie przypominam. Może jestem zmęczony. Naprostowywać sprawy to harówka. Cięższa od zbrodni. W McGregor zawsze śmierdzi gównem i taką chemią, co sie wylała z fabryki. Mieszkają tu ludzie, ale dwa dni temu dałem znać, żeby sie lepiej zmyli na nasz przyjazd. Mogą wrócić, jak sie wyniesiemy.

Policja żadnego by nie znalazła, ale ja to co innego. Dwa lata patrze i czekam. Widze, że sie pochowali jak pizdocipy, i czekam, żeby Śpiewak wrócił, to sie nimi zajme porządnie. Jeden sie schował w Dżungli i cała wina jego matki. Niech ich cholera i ich matczyną miłość. Mnóstwo tych, co zabijają kobiety, pamięta o Dniu Matki. No więc mama chowa synka w kredensie przez ponad rok, aż w końcu sama ma dosyć. Leggo Beast, skulony w szafce z chlebem, robakami, serem i myszami przez ponad rok. Wychodzi tylko nocą, jakby był hrabia Drakula. Mały pizdocip nigdy sie nie nauczył, że jak sie chcesz ukryć tam, gdzie cie każdy znajdzie, to nie bądź głupi i nie wysyłaj matki na ulice po kokaine. Josey dał mi cynk.

Za piętnaście ósma rano, Babilon śpi jeszcze, jak zawsze, kiedy sie dzieje sprawiedliwość. Puściłem wieść, że czas sie policzyć z małym piździelcem. Pierdolony kretyn. Wysłałem dwóch, żeby mi go wyciągneli z kredensu, przyprowadzili jego i matke. Słysze, jak ona wrzeszczy, że tam nikogo, chociaż nikt jej nie pyta. Dobry Boże, kobiety to potrafią bezczelnie kłamać. Jak przyprowadzili do mie chłopaka i matke jego, pod samą furtke, on mruga oczami od słońca, a skóra biała od stóp do głowy. Ja nie życze sobie, żeby mój dom shańbili swoją obecnością, więc wylazłem na droge. Matka sie mazgaji, nie zabierajcie mojego chłopaczka, nie zabierajcie mojego chłopaczka. Na to też nie mam słów. Ale chce, żeby chłopak zrozumiał, jaka jest cena tego, co zrobił, i jak te cene mi zapłaci. Po roku w kredensie przestał rosnąć. Sama skóra i kości i patrzy na mie krętacko jak jaszczur, a potem sie wlepia w ziemie. Go wołają Leggo Beast. Patrze na jego podkoszulek z siatki i szorty z dżinsów, za wysoko obcięte, i na strupa na prawym ramieniu. Leggo Beast znowu na mie patrzy, ja sie mu przyglądam, mierze go porządnie wzrokiem, potem szybko zaciskam mocno pięść i wale jego matke w twarz.

Ona sie zatacza, on wyje. Ja łapie ją za przód sukienki, że by się nie odchyliła za bardzo, i znowu raz dwa trzy szybkie piąchą. Usta jej pękają jak pomidor, kolana lecą, puszczam ją i pada na droge. Zesuwam palce i pac ją w prawy policzek, potem w lewy, potem znowu w prawy, potem znowu w lewy. Leggo Beast sie mazgaji za matką, ja wskazuje i jeden z moich ludzi bierze broń i kolbą wali go w jaja. Schodzą sie ludzie popatrzeć. Niech patrzą. Niech zapamiętają, jak Papa-Lo zaprowadza dyscypline. Znowu ją wale na odlew, lewy policzek, prawy, lewy. Jakaś kobieta krzyczy, Papa, okaż jej miłosierdzie, to ja puszczam jebaną dziwke, podchodze do mojego człowieka i biore broń. Podchodze do tej drugiej, przystawiam jej lufe do czoła i sie pytam, chcesz miłosierdzia? To ja okaże miłosierdzie w pizde jebaną. Ja okaże jej miłosierdzie, jak sie zgłosisz i weźmiesz jej kare na siebie. Kobieta sie wycofuje.

Wracam do tamtej i kopie ją dwa razy. Potem łapie ją za lewą ręke i ciągne ją na plecach aż na jej podwórko, a ludzie idą za nami. Chłopak sie mazgaji za matką. Ona sie nie rusza, więc każe jakiejś kobiecie przynieść wiadro piździelskiej wody, no już. Biegnie i szybko wraca. Wylewam wiadro na tamtą, rusza głową i kaszle, i wrzeszczy. Łapie ją za włosy i szarpie do góry, żeby mie zobaczyła.

— Masz pół godziny, żeby sie wynieść, dociera? Nie chce więcej nawet powąchać twojego smrodu ani o tobie słyszeć, dociera? Jak cie zobacze, to cie zabije, ciebie, twojego brata, matke, tate i wszystkie twoje pozostałe nygusy, dociera? Trzydzieści masz minut, żeby sie wynieść z mojego piździelskiego teretorium, inaczej każe ci patrzeć, jak będe go zabijał.

Potem sie odwracam do ludzi.

— Słuchajcie no. Jak który jej pomoże, jak który tylko usta otworzy do suki, to sie będziecie pakować razem z nią.

Wsadziłem chłopaka do celi razem z tamtymi, co strzelali do Śpiewaka. Jeden już zwariował, gada do siebie i sra w gacie, powtarza, że radio w jego głowie mówi, że nie wierzy, że nie żyje. Nadaje przez cały dzień i całą noc i rano opowiada, że nagi duh owinięty niebieskim płomieniem z długimi kłami jak u rekina pożerał mu ciało przez całą noc i usta mu zatkał, żeby nie mógł krzyczeć. A jak duh skończył żreć, otworzył paszcze i opluł mu twarz śliną genstą jak galareta. Wiesz piździelcu, dlaczego twoje życie sie urwie?, pytam go. A on na to: Jah żyje, Jah żyje, Jah żyje.

O trzeciej po południu mówie ludziom, żeby poszli do domu matki, wynieśli wszystko i spalili na środku ulicy. Leggo Beast siedzi w celi i błaga, i żebrze, i płacze, i jęczy, i mówi, że to Josey Wales go zwerbował, a ten biały człowiek, co ich szkolił, był z CIA. Facet z CIA w brązowych spodniach i ciemnych okularach nawet po nocy zabierał ich w wysoki busz w St. Mary, na pewno St. Mary, bo to było na wschód i na wzgórzach i nam pokazywał, jak ładować i odbezpieczać M16 i M9. I żeby kierować lufe w bezpieczną strone. Pociągnij rączke, aż zamek sie zatrzyma, nie, pociągnij zamek, aż rączka sie zatrzyma. Przesuń rączke do pozycji wyjściowej. Ustaw dźwignie w pozycji przełącznika, nie, ustaw dźwignie przełącznika w pozycji zabezpieczony. Sprawdź, czy komora pusta. Włóż od spodu magazynek, żeby zatrzask trzymał magazynek. Uderz w denko, żeby magazynek nie wypad. Naciśnij przycisk zwalniania zamka, żeby zamek wrócił do poprzedniego położenia. Naciśnij dosyłacz zamka, żeby upewnić sie, że zamek jest w przednim położeniu, a lufa zaryglowana. Męszczyzna, co mówił jak Speedy Gonzales, pokazywał nam, co robić z C-4, nie jest tak? Ugniatasz jak kit, co nie? O tak i wsadzasz taki drut i coś takie mechaniczne, detonator, i masz długi kabel, żeby wybuchło, stykasz i bum, *hombre*. A od kiedy mi dawali kokaine i heroine, to mi sie strasznie chciało zabijać ludzi i ruhać kobiety, męszczyzn i psy, ale przez heroine kutas nie chce stanąć, chociaż sie strasznie chce zalać forme. Niektóre noce to nas zamykali w takiej ciasnocie, żebyśmy sie wypocili, bo wy jebane Jamajce nie macie energii, duszy nie macie, nie macie zaangażowania, nie umywacie sie do Boliwijczyków ani nawet jebanych Peruwiańczyków, co w ciągu jebanych dwóch tygodni potrafią sie nauczyć o wiele więcej, niż wy jebane matoły sie nauczycie przez dwa lata. A ten Jamajczyk, co przyleciał z Wilmington trzeciego tygodnia z dwiema dużymi walizkami w wojskowe plamy, dotknął białego w ramie i mówi, spokojnie, wspólniku, wyluzuj, bracie, rewolucja sie tutaj tworzy, a my znikamy z Joseyem i Speedym Gonzalesem, co ciągle mówi tylko po angielsku, jak chce, żebyśmy wiedzieli, że ciągle sie wścieka za Zatoke Świń. Josey z nim po hiszpańsku. Tak, zna hiszpański, to prawda, prawda, prawda, ja sam słyszałem. Nie wierz, co mówi, wszyscy słyszeliśmy. I cały miesiąc sie szkolimy, dzień i noc w mundurach wojskowych, i jednej nocy Josey wchodzi i strzela chłopakowi w głowe, bo powiedział, że nie chce tego zrobić. Josey odchodzi ze Speedym Gonzalesem i obaj dyskutują, bardzo długo. Po tym, jak już sie wydyskutowali, wychodzimy po północy, żeby wziąć wózek na nabrzeżu, co w nim było jeszcze więcej broni, w tym to, co ja teraz widze, że ty masz, Papa. Ty też masz żelazo z tej dostawy. A ten biały mówi, tylko wy chłopaki możecie uratować Jamajkę od chaosu, więc musicie czynić dzieło Boże. Uratować ład od chaosu. Uratować ład od chaosu.

Uratować ład od chaosu.

Uratować ład od chaosu.

Uratować ład od chaosu.

Uratować ład od chaosu.

Uratować ład od chaosu.

Tony Pavarotti wali go kolbą.

Od razu jak mi dali kokaine, to chciałem więcej i więcej, bardzo, Jah mi świadkiem, że za kreske to bym dupe nadstawił białemu do wyruhania. Jah mi świadkiem. Powiedz to ławie przysięgłych, mówie mu, żeby sobie darował te cwelowe historie, ale nie moge nie zauważyć, że mie zdeprymił. Połowa z tego, co padło z jego ust, nie tylko to, co mówi, ale jak mówi, sie wzieła spoza Kopenhagi.

To gadanie o CIA — głupotyzm, bo widziałem wszystkich białych, co tu przyłażą z Peterem Nasserem, i żaden nie mówił, że jest z CIA. Ale tacy jak ten to nie mają takiego rozumu, żeby tak kłamać. Jest, jakby mały nygus otworzył usta i zaczął gadać jak w telewizorze. Więc ja sie mocno zastanawiam, bo w końcu Śpiewak śpiewał, że żadni rasta nie robią dla CIA. Ja o CIA wiem tylko, że są z Ameryki i chcieliby zwycięstwa JPP bardziej niż LPN-u, bo komunizm jest taki zły na Kubie, że matki zabijają własne dzieci.

Ale czemu dla CIA to takie ważne, że próbowaliby go zabić? W końcu to nie polityk, nie ma rządu. Czemu nie przysłać Jamesa Bonda albo jakiegoś agenta specjalnego, a nie brać trzech kretynów z geta? To pytam Joseya, o czym tamten piździelec mówi, a on na to, że jak jestem za głupi, żeby wiedzieć, że chłopak tonie i sie każdej brzytwy schwyta, to trudno, a to brzmi, jak jabym sam to powiedział, a potem on sie zwinął i pojechał, jakby to była jakaś awantura gówniarzy nie dla takiego dorosłego męszczyzny jak on. Uznałem, że nie bęe z nim teraz wyjaśniał, że nazwał mie głupi, jakbym to nie ja wyciągnął go w sześćdziesiątym szóstym własnymi rękami. Zawsze sie nadymał, ale ostatnio za bardzo sie przy mnie sadzi, jak jabym sie bał, żeby przykroić jego wyrodne, półkitajskie ego do odpowiedniej wielkości. Patrze na niego i to wszystko myśle, ale nic nie mówie. Tylko pytam, skont mam wiedzieć, że naprawde nie miał nic wspólnego z tą strzelaniną, bo tylu ludzi mówi, że był zamieszany, a on na to, ej, brada, jak jabym chciał zabić Śpiewaka, to pizdocip już by gryz ziemie.

Wierzyć mu, nie wierzyć, sam nie wiem. Dużo jest czarnych, co nie lubią Śpiewaka, ale przeważnie tacy noszą koszule, krawaty i pracują na Duke Street. Co mi sie mocno nie widzi, to coś nowego w jego twarzy i te syczące zęby, co mówią, że ma gdzieś, czy mu wierze, czy nie. Ja sie drapie po głowie, chce odnaleść rok, miesiąc i dzień, godzine, kiedy ten człowiek mie wyprzedził i zaczął myśleć, że jest bardziej zły ode mnie. I kiedy rudeboye w gecie zaczeli to widzieć. A ja ostatni sie orientuje, że rudeboye już nie chcą sie nazywać rudeboye. Teraz sie nazywają shotta. I teraz to nie gang, tylko posse. I odbierają telefony z Ameryki. Kilka dni temu wysłałem przez Tony'ego Pavarottiego wiadomość do Śpiewaka i menadżera. Spotykamy się w McGregor Gully, ja do nich mówie, i raz na zawsze zaprowadzimy sprawiedliwość.

Wjeżdżamy głęboko w McGregor Gully, tak głęboko, że sie smród robi inny. Leggo Beast i tamci dwaj związani, ten gadający wariat zakneblowany, bo nie moge znieść jego pieprzenia. Tony Pavarotti kopie wszystkich od tyłu pod kolano i upadają na ziemie. Z Pavarottim stoją dwaj inni. Po drugiej stronie trzy kobiety i trzej męszczyźni, którzy przed mną odpowiadają. Sąd spoczywa na nich, wyrok spoczywa na mie. I wtedy słychać warkot dwóch samochodów, zatrzymują sie i cztery światła gasną. Dwaj moi wysiadają pierwsi. Za nimi Śpiewak i jego menadżer.

Na świecie sie mówi, że ludzie zasługują na sprawiedliwość, więc damy im sprawiedliwość, chociaż na świecie jest tylko sprawiedliwość Babilonu, co nas traktuje jak zwierzęta. McGregor Gully to dziura w ziemi. To przejście pod getem, co nim deszczówka ma płynąć, żeby nie było powodzi, ale Babilon nie przysyła śmieciarek do geta, to wszyscy tam wyrzucają śmieci, a jak deszcz pada, to ci sami ludzie toną we wodzie, śmieciach i gównie. Tyle śmieci, że sie z tego zrobił wał. Najpierw myślałem, że sąd osądzi szybko, żeby sie wynieść od tych szczurów i gówna, ale siadają na kamieniach i pniach i są poważni. Ja sie im przypatruje, oni sie przypatrują mie. Nawet nie patrzą na Śpiewaka ani menadżera. Na widok Śpiewaka Leggo Beast zaczyna lament, płacze, wyje, jakby doznał objawienia, to mówie Tony'emu Pavarottiemu, żeby go uciszył, no to on go jeb kolbą.

— Ci trzej napadli na Hope Road i chcieli popełnić morderstwo — mówie.

— Ja nie, Papa, ja nie…

— Ty, chłopcze, zamknij pysk. Ludzie ich widzieli, mamy świadka. Ale ja jestem człowiek łaskawy. Nie chce wymierzać sprawiedliwości dla siebie. Sądy Babilonu to jedno wielkie pierdolenie, mamy własny sąd. Wy, ludzie, jesteście ten sąd. Wy, ludzie, sądzicie, to sąd ludzi dla ludzi i nikt nie powie, że Papa-Lo sprowadza apokalipse, jakby był Bóg ze Starego Testamentu. Postępujemy jak należy. Babilon nie zna sprawiedliwości, szlachetni panowie i panie. Babilon nie złapał ani jednego z nich, bo Babilon ma inną misje. Wysłuchajcie mie teraz. Zaraz wysłuchacie świadka i wysłuchacie oskarżonych, bo nawet oni mają prawo mówić za siebie, bo w końcu ma sie wykazać wine człowieka, a nie człowiek ma wykazać swoją niewinność. To więcej, niż zasługują, i więcej, niżby dostali od babilońskiego syfsystemu o nazwie Gun Court. Jakby w ogóle doszło do sądu. Bo policja by ich zastrzeliła i zabiła, zanim by doszło do sądu. Wiemy aż za dobrze, że to Babilon pociąga za spust. Panie Menadżer, prosze nam powiedzieć, co sie stało tamtego wieczora.

— No więc muszę stwierdzić, że w tej chwili widzę przed sobą jednego z nich. Ale kilku najważniejszych nie ma.

— A kogo pan nie widzi?

— Nie ma go.

— Kogo?

— Ale ten tam był. I tamten. I... Podsuńcie go do światła. Tamten też.

— Śpiewak chciałby coś powiedzieć?

— Przemawiam w imieniu Śpiewaka i swoim, bo tylko my dwaj byliśmy w kuchni.

— Rozumiem.

— Warto zwrócić uwage na to, co przed chwilą powiedział ten młody człowiek.

— A co? Proszę mówić.

— Może nie wiecie, ale służyłem jako żołnierz w armii amerykańskiej. Służyłem od sześćdziesiątego szóstego do sześćdziesiątego siódmego. Wtedy rozpętał sie kryzys wietnamski.

— Jimmy Cliff nagrał jeden taki numer *Vietnam*.

— Ee? A, no tak, oczywiście. Ale chodzi mi o to, że wiem wszystko o działaniach CIA. Wiem, że każdy atasze, konsultant, pracownik ambasady, każdy biały w garniturze kręcący się niedaleko New Kingston to najpewniej ktoś z CIA. Na waszym miejscu nie ufałbym żadnemu białemu spotkanemu gdziekolwiek indziej niż Negril i Ocho Rios. A co sie tyczy kwestii tamtego dnia...

— Nikt tego dnia nie kwestionuje.

— To takie wyrażenie. To... nieważne, właśnie oddawałem się zasłużonemu wypoczynkowi w pewnym jamajskim zakątku, gdy nagle musiałem wyjechać w interesach, złapać samolot do Miami. Wróciłem następnego dnia, czyli kiedy, szóstego grudnia? Tak, to się chyba zgadza. A więc zobaczmy. Najpierw wróciłem do tego zakątka, żeby sprawdzić to i owo. Potem udałem sie do House of Chen, żeby zjeść koźlinę w curry…

— Co to ma wspólnego z…

— Właśnie do tego dochodzę, panowie. I pani. I panie. Więc udałem się do House of Chen przy Knutsford Boulevard na smaczną koźlinę w curry. Stamtąd pojechałem do Sheratona, żeby zgarnąć szefa wytwórni, ale go nie było. Zwróciłem samochód do wypożyczalni i swoim autem pojechałem na Hope Road numer pięćdziesiąt sześć. Zawsze parkuję pod altanką i tak też zrobiłem tym razem. Usłyszałem, że zespół ma próbę, więc oczywiście zacząłem go szukać, ale go tam nie było. Był w kuchni. No więc poszedłem do kuchni i tam go zastałem, jadł grejpfruta. Mieliśmy sprawy do omówienia, a ja ostatni raz jadłem grejpfruta Bóg jeden wie kiedy. Więc powiedziałem, że chętnie skubnąłbym kawałek, a on machnął do mnie zachęcająco. Jak tylko wyciągnąłem rękę, usłyszeliśmy hałas jak huk petardy. Oczywiście panowie i pani. I panie. Oczywiście nadchodziło Boże Narodzenie, więc nie zwróciłem na to szczególnej uwagi, obaj wzięliśmy to za petardę. On chyba nawet spytał, kto na moim podwórku strzela piździelskimi petardami? Coś w tym rodzaju. Ale nie zdążył chyba dokończyć, bo zanim się obejrzeliśmy, słychać było więcej tra-ta-ta-ta-ta-ta. I nagle poczułem pieczenie. A potem znowu i znowu, tak szybko, że wydawało się, jakby to było jedno i to samo. W ogóle nie docierało do mnie, że zostałem trafiony. Tego się tak nie czuje, czuć tylko pieczenie w nogach i człowiek się osuwa, ale ma czas się zastanawiać, o co chodzi. Wiem tylko, że upadłem na niego, a on powiedział Syllasje Ja Jah Rastafari. Wszystko działo się tak szybko, tak szybko.

— Skoro został pan postrzelony w plecy, to skont pan wie, kto strzelał? — pyta jedna z kobiet.

— Chyba straciłem przytomność. A kiedy ją odzyskałem, ciągle leżałem w kuchni. Trafili mnie. Słyszę, jak ktoś mówi, ten nie żyje czy coś. Ponieważ uznali mnie za trupa, to nie chcieli mnie podnosić, bo, jak dobrze wiecie, rastafari nie dotykają martwych ciał. Policjanci wrzucili mnie na tył jakiegoś auta, bo też myśleli, że nie żyję. W szpitalu pielęgniarka popatrzyła na mnie i powiedziała, no ten to nie żyje. Już mnie wieźli na wózku do kostnicy i przez cały czas słyszałem, jak tak o mnie mówią, i nic nie mogłem zrobić. Wyobraźcie sobie. Dzięki Bogu za Bahamczyków. Ten doktor z Bahamów przechodził akurat obok i mówi, pozwólcie, że sprawdzę, no i powiedział im, że ja żyję. Cztery postrzały, panowie. Jeden tuż obok podstawy kręgosłupa. To cud, że mogę chodzić. To dzięki lekarzom w Miami. W każdym razie to był cud, że nie uwierzyłem w to, co mówili jamajscy lekarze i pielęgniarki.

— Czy Śpiewak chciałby coś dodać w związku z…

— Mówię w imieniu Śpiewaka.

— Czy on wie, kto go próbował zabić?

— Oczywiście, że wie. Niektórych zna osobiście.

— Kto oddał strzał?

— Strzały.

— Strzały. Widział, kto oddał strzały?

— Ci trzej, wiadomo. Ale gdzie są pozostali?

— Pozostali nie żyją.

— Nie żyją?

— Nie żyją.

— To niemożliwe. Przynajmniej dwóch widziałem na koncercie dla pokoju. Jeden stał nawet blisko sceny.

— Nie wiem, o czym pan mówi. Mamy tu trzech i wszyscy sie przyznają.

— Nawet ten z kneblem w ustach?

— Tamci dwaj mówią, że on też brał udział.

— Mie zmusili, szefie! — woła Leggo Beast.

— Oni i Josey Wales, i CIA, i oni użyli proszku, że by mie zahipotyzować! I grozili, że zabiją.

— Czy możemy wysłuchać tego zakneblowanego? — pyta menadżer.

— Nie za dobry pomysł.

— Domagałbym się.

— Domagałbym? Co to znaczy?

— To znaczy, że obaj odjeżdżamy, jeśli nie usłyszymy, co on ma do powiedzenia.

— Tony, weź mu wyciąg te szmate.

Tony go odkneblowuje. Chłopak tylko sie ślini i patrzy prosto w przestrzeń jak ślepy.

— Młody chłopcze, co masz do powiedzenia w swojej sprawie? Ty, ty, chłopcze. Co, nie widzisz, że dajemy ci szanse?

Głupi głupiec. Patrzy na menadżera i mówi:

— Widze przeze mie na drugą strone. Na drugą strone widze przeze mie, Księga Kapłańska, Liczb i Powtórzonego Prawa.

— Z tej gemby nic sensownego sie nie usłyszy — mówie i kiwam na Tony'ego Pavarottiego, żeby go zakneblował.

— Widzieliście któregoś z nich?

— Widzieliśmy tego z tyłu, który nic nie mówi — mówi menadżer.

— A tego to matka chowała przez rok. Pod naszym nosem.

— CIA nas oszukali. Ja nic nie pamiętam. Dopiero jak mi matka powiedziała, że ja strzelałem... Dopiero wtedy sie dowiedziałem, bo nic nie pamiętam, Jah mi świadkiem.

— Chwileczkę. Ja go znam. Nazywają go Leggo Beast. Jest z Dżungli. Tam niedaleko wszyscy się wychowaliśmy. Często przychodził na Hope Road, tak często, że go poznaję, chociaż ja się tam rzadko pokazywałem.

— To CIA, to CIA i Josey Wales, i ten drugi, co gada jak Jamajka i Ameryka razem. Tak jak ty. Czemu nikt mi nie wierzy?

— Tony, zatkaj tego pizdocipa. Jego pan widział pod domem? Leggo Beasta?

— Raz albo dwa, zawsze na dworze, do domu nigdy nie wszedł, ale pod bramą albo w bramie to stał, jednego razu nawet wyszliśmy, żeby pogadać z nim i jego brada.

— Wyszliśmy?

— My dwaj. My, których tu widać. Wyszliśmy, żeby pogadać z nim i jego kumplem, ale powiedzieli, że są z Dżungli i mają sprawę do innego kumpla, nie do Śpiewaka.

— Rozumiem. Bo ja wiem, że nigdy nie pozwoliłem nikomu chodzić niepokoić Śpiewaka. Nikt bez mojego pozwolenia pod jego dom nie chodzi. Jeszcze gorzej, jakby żebrali u niego.

— Nie o to chyba chodziło.

— Tak właśnie mówie, nie? Nigdy do niego nie chodzimy! Nigdy do Śpiewaka! Ja poszłem do kumpla, ja i Demus.

— Tony, czy ja ci nie kazałem go zakneblować? Co to za jeden ten Demus?

— Jeden od nas. I Beksa. I Jeckle, nie, Heckle. I Josey.

— Weś go zatkaj.

— Josey? — pyta menadżer.

— Dość tego gadania — mówie.

— Mamy czas na więcej świadków? Pani Tibbs?

Jedna z kobiet zrywa się jak ukąszona.

— Ta pani jest ławnikiem i jednocześnie świadkiem? — pyta menadżer.

Widać, że lubi gadać. I śmiać sie, kiedy nie powinien sie śmiać.

— Pani Tibbs? — zwracam sie do kobiety, a ona rozgląda sie dwa razy, ale na Śpiewaka nie patrzy.

— Godzina na zegarze była dziesiąta, nie, jedenasta. Ja właśnie odmówiłam moje modlitwy, chwała królowi, i spojrzałam przez okno i widze białego datsuna, aż piszczy. Widze wysiada czterech, w tym ten tam z tyłu. Tak, tak, tak widziałam z okna na moje własne oczy. Wysiedli z białego datsuna i sie rozbiegli na wszystkie strony jak karaluchy, jak sie światło zapali. Ktoś spytał tamtego, tamtego co stoi za Leggo Beastem, nie tego wariata, tamtego. Ktoś go spytał, gdzie masz broń, eh? A on, że nie wie, że pewnie upuścił, jak wyjeżdżali z Hope Road. Ja słyszałam, jak mówi Hope Road na własne moje uszy. Drugiego dnia jego dziewczyna sie wyniosła i ja już nigdy jej nie widziałam.

Następny nawet nie czeka, żebym mu kazał wstać. Podnosi sie i mówi, wszyscy mie znają jako tego, co mu wolno chodzić po Kopenhadze i Ośmiu Ulicach tak samo. To ja poszłem do Shotta Sherrifa i powiedziałem mu, że ci, co strzelali do Śpiewaka, są stont, nikt z Kopenhagi to nie. Papa-Lo nigdy by nie zaaprobował takiego kurestwa...

— Prosze sie nie wyrażać.

— Takiego czegoś, znaczy sie. I mówie mu, więc Shotta ty wiesz, że oni nie są już na teretorium JPP. Więc ty sie przyjrzyj swojemu teretorium i dalej, wyniuchaj ich. To oni znaleźli tego wariata, sie pochował w buszu aż w St. Thomas. Miał broń w gaciach. Spytałem sie ludzi Shotty, jak go znaleźli, to mi powiedzieli, że policja wiedziała, gdzie będzie, bo wskoczył do minibusa i pojechał na wieś.

— A ten, który osobiście do niego strzelał? Ten sam zbir, który strzelał i do mnie.

— Nie żyje, już mówiłem.

— Ten, który cztery razy mnie postrzelił?

— Nie żyje.

— Niestety mam odmienne zdanie w tej sprawie. Był na kon...

Śpiewak dotyka menadżera w ramie.

— Aha, rozumiem. Może tak jest lepiej. Proszę kontynuować.

Menadżer zamyka wreszcie jadaczke. Ja myślałem, że Śpiewak przemówi. Ja miałem nadzieje, że Śpiewak przemówi. Ale on już dość mi powiedział. Wie, kto do niego strzelał. Ja też wiem, kto do niego strzelał.

Josey Wales.

Pozostali w tych dwóch autach, brada moi, to były dodatki, członki ciała, nie głowa, nie serce. Milczymy, ale to nie znaczy, że nie mówimy. Patrze na niego i znowu jest mną zawiedziony. Ale przecież zna ten świat i zna niebo i planety, i wie, że nie tylko one są większe od zwykłego człowieka z geta, co próbuje zło naprawić.

Josey Wales.

Zło jest dwa metry wyższe od dobra, chce mu powiedzieć. Jak nie możesz złapać Harry'ego, to przynajmniej chyć go za koszule i tego sie trzymaj, chce mu powiedzieć. Stary już człowiek ze mie, a jak człowiek robi sie stary, to wszystkie jego kule to ślepaki, chce mu powiedzieć. On patrzy na mie i widzi tego, co celował mu w serce.

Josey Wales. Miałem nadzieje, że ten, co strzelał, znajdzie sie wśrud tych trzech, chociaż wiedziałem, że tak nie będzie. Przecież człowiek zna tego, który chce go zabić, choćby tylko zna duszą. W dodatku menadżer został postrzelony od tyłu, ale Śpiewak dostał kule w pierś. Ale to mie deprymi. Dlaczego ktoś chciałby zabić Śpiewaka? Nawet chłopaki, co dali sie oszukać na tym kancie na torach, mieli wyrok na kumpla, nie na Śpiewaka. On patrzy na mie, ja patrze na niego i obaj wiemy, że na pewnych ludzi nie moglibyśmy patrzeć. Pragne zabić Leggo Beasta, wskrzesić go i zabić znowu. Co najmniej siedem razy, aż Śpiewak będzie zadowolony. Ale to niczego nie załatwi. A ten sąd to żart. Chce już iść, jeszcze zanim on chce iść.

— Ja do niego nie strzelałem — mówi Leggo Beast. — Ja do żony strzelałem.

Po tych słowach nawet menadżer siedzi cicho. W całym wąwozie cicho i wszyscy patrzymy twardo na Leggo Beasta. Powiedział to tak, jakby miało znaczenie, było ostatnią brzytwą, co sie chwyta. I wtedy w mojej głowie jest ta myśl o tym człowieku, co raz do mie powiedział, Papa, ja nie zabiłem tej kobiety, zgwałciłem tylko. Ten obok zaczyna sie śmiać.

— Bam-Bam do żony strzelał, nie ty — mówi.

— A nie, to ja.

— Gdzie? — pytam.

— W piździelską głowe musowo było. We głoweh.

Ten drugi, nie wariat, tylko ten drugi, sie śmieje. Mie głęboko w środku pod sercem też chce sie śmiać.

— Postrzeliłeś żone w głowe i nie udało ci się zabić? CIA cie szkoli prawie dwa miesiące, a ty nie umiesz zabić jednej kobiety?

Gdzie sie podziało to wszystko, co oglądamy w filmach? Co to za pierdolone szkolenie, że ośmiu czy dziewięciu ludzi z karabinami maszynowymi nie może zabić jednego człowieka? Nieuzbrojonego człowieka? Dziesięciu dudków w studio?

A potem moja mi mówi, Papa, ale z ciebie myśliciel.

Podnosze głowe i wydaje mi sie, że ją widze na skarpie, ale tam nic nie ma, nawet drzew. Zimny wiatr wieje na dnie. Mógłbym przysiąc, że widziałem, jak zawisł nad nami na sekunde, a potem zanurkował, chociaż przecież wiatr nie ma koloru. Ta piosenka wyskakuje z radia i nurkuje do wąwozu. „Do it light. Do it through the night. Shadow". Jade z Tonym Pavarottim autem. Nie, ja w taksówce z trzema, ale bez Tony'ego. Tony Pavarotti przepad. Nie, siedzi obok mie. Nie, tam stoi, za trójką ławy przysięgłych. Stoimy w McGregor Gully i on tu jest. On patrzy w ciemność, nie siedzimy w aucie. Śpiewak też jest, on i menadżer. Gadaj, panie menadżer, powiedz coś zarozumiałego nie pytany, żebym wiedział, że tu jesteś. Ja nie strzelałem do Śpiewaka, ja strzelałem do żony, ciągle mówi Leggo Beast. Czuje sie, jakbym był gdzieś dalej i teraz wszed w dyskusje, co daleko sie potoczyła, od kiedy odszedłem. Ale ja nigdzie nie byłem. Jestem tutej cały czas, a w górze wiatr hula jak duh i raz go widze, raz nie widze i sie zastanawiam, czy tylko ja jeden widze, wiatr wstaje nad wąwozem jak dusza odlatująca.

— Dosyć będzie tego piździelstwa. Jak osądzacie? Winni czy nie winni?

Winni — dudni po całym wąwozie. Rozglądam sie po wszystkich, od pierwszego do ostatniego, licząc ich po kolei. Jeden... trzy... pięć... siedem... osiem... dziewięć. Dziewięć? Patrze jeszcze raz i widze ośmiu. Mrugam i między mrugnięciem a otwarciem oczu widze dziewięciu, głowe bym dał, a dziewiąty wygląda jak Jezus. Nie, jak Superman. Nie, jak CIA? Mrugaj, Papa, mrugaj jeszcze, zamrugaj. Zamrugaj i wydaj wyrok.

— Sąd uznaje...

— W pizde taki sąd.

— Sąd uznaje was za winnych.

— Chuja jesteście sąd. Chce sprawiedliwości.

— Sąd uznaje was za winnych.

— Wy wszyscy jesteście kurestwo. Ty i on, i on też. Zmuszacie ludzi, a potem…

— I zostajecie skazani na śmierć. To cywilizowany sąd.

— Ważniakom uchodzi, biedaki cierpią.

— Teraz wszyscy cierpią przez was.

— On nie cierpi. On teraz jak lew ze Syjonu.

— Tony, daj mi tu tego piździelca.

Tony wpycha Leggo Beastowi knebel w jape i ciągnie go do mie. Nawet sie nie stara go prowadzić, ciągnie go za koszule, jakby ten już był trup, nogami tylko szura po drodze. Wlecze go do mie, ale ja kiwam głową w strone Śpiewaka. Myślałem, że kobiety opuszczą zgromadzenie, ale zostają i patrzą. Podchodze pierszy raz do Śpiewaka. Wie, co zrobie. Może jednym ruchem głowy pozwolić albo zakazać, ale musi musi mi dać znak. Człowiek skrzywdzony przez sprawiedliwość musi wybrać, jak mamy to naprawić. Menadżer usuwa sie na bok, bo to sprawa między mną a Śpiewakiem. Patrzy na mie, ja patrze na niego przez sekunde i widze błysk, i słysze huk i pam, i syk. Ja z trzema na drodze, ale nie z Pavarottim. Śpiewak sie włącza i wyłącza jak kiepski sygnał z telewizora, a z oczu jego błyska płomień. Otrząsam sie. Nie czuje wiatru na sobie. Chłodnego wiatru, jakbyśmy byli nad morzem. Otrząsam sie. Patrze na niego i on patrzy na mie. Za plecami w portkach mam wepchniętą broń. Wyciągam zza pleców, biore za lufe i podaje Śpiewakowi. Czekam, żeby wziął do ręki. Patrze na Leggo Beasta i na Śpiewaka. Ręka mu nawet nie drgnie. Nawet nie pokręcił głową. Odwrócił sie i odszed z menadżerem dyrdającym za nim. Nie chce, że by poszed, zanim sie dowie, że Papa-Lo dopilnuje, żeby tego tutaj spotkała sprawiedliwość. Zatrzymuje sie na sekunde, jak naciskam spust. Gdzieś na jakimś jam session didżej spytał, ludzie jesteście goo-too-wiii? Śpiewak sie nie odwraca, Leggo Beast pada martwy na ziemie, a ja wpycham broń do portków. Leggo Beast leży jak długi na ziemi, dziura w potylicy już bulgocze krwią jakby sie noworodek zerzygał. A wiatr wiruje i wiruje jak amerykańskie tornado.

Jesteśmy przy plaży, czuje sól morza. Ale McGregor Gully nie leży blisko morza. Śpiewak i menadżer odeszli. Kiedy odjechali? Mrugłem i już ich nie było. Znowu potrząsam głową. Patrze i widze go na łóżku w kraju białych i pokój w domu z długą drogą, co sie ciągnie do gór, miejsce, co wygląda jak z bajki. I znowu mrugam i inny człowiek idzie do mie, nie, to nie Śpiewak, ten człowiek to prawie same kości i czarny jest. Podchodzi i z ust mu czuć ziołem i jedzeniem i cuhnie i mówi: gdzie pierścień? Gdzie pierścień Jego Cesarskiej Mości? Wiem, że go widziałeś. Że widziałeś, że go nosił. Gdzie on, w pizde, położył ten pierścień? Chce go, no już, nie może z powrotem wrócić do ziemi razem z nim, słyszysz? Chce piździelski pierścień. Mam do niego prawo, mam prawo do ubóstwienia Jego Cesarskiej Mości Króla Menelika syna Salomona, włacy Izraela, co posłał ogień stworzenia do brzucha królowej Saby, tak mówi i podchodzi do mie, a ja patrze dalej za niego i wiatr zimniej wieje i głośniej, i mocniej jak burza, ale to nie burza, to morze, i sie trzense trzense naprawde mocno sie trzense i wszystko znika i znowu wyraźnie widać McGregor Gully. Pistolet mie uwiera w plecy, ciągle ciepły po strzale, lufa tuż pod paskiem, dwaj, co byli ławą przysięgłych, sznurują tamtych dwóch jak świnie, co sie wiezie na targ, i kobiety ciągle tu są i patrzą. Patrze, jak patrzą. Chciałbym wiedzieć, czemu kobieta chciałaby oglądać uczynki złego człowieka. Może jak kobieta nie jest świadkiem sądu, to sąd sie ważny nie odbył?

Ale z ciebie myśliciel, Papa, mówi moja.

Ja ją słysze, ale nijak nie widze. Sznurują tych dwóch i biorą w busz. Nie ma bębnów, nie ma ceremoni, nie ma muzyki. Przerzucają koniec liny przez dwie gałęzie na drzewie. Skont sie wziął ten biały? Czemu stoi za nimi, patrzy na nich i czemu sie odwraca i patrzy na mie? Jak na mie patrzy, to wiatr sie robi taki zimny. Ci dwaj już na wysokich stołkach, a jak sie stołek rusza, to oni krzyczą. Ten nie wariat myśli, że wystarczy naprężyć szyje, napiąć wszystkie mięśnie, to jak sie stołek wywróci, to on nie umrze. Nie wiem, skont wiem, co mu siedzi w głowie, ale on tak właśnie myśli i ja wiem. Biały na nich patrzy, patrzy na line w górze i patrzy na mie, aż chce podskoczyć i krzyknąć, czego chcesz, biały człowieku? Ty kto? Śledzisz Śpiewaka? Skont sie tu wziołeś tak daleko? Ale nie moge mówić, nie moge słowa wydusić, bo wszyscy sie zachowują, jakby białego nie było. Nikt go nie widzi. Nic już nie wiem on patrzy na nich i wgapia sie we mnie. Tony Pavarotti nie czeka. Kobiety patrzą. Może ten biały to duh?

Tony Pavarotti kopie w pierwszy stołek, tamten opada na pół łokcia, może cały. Dyga i charcze i sie miota mocno i dziko, aż przewraca stołek drugiemu i tamten też sie osuwa w śmierć. Dyndają i dygają lina trzeszczy ja na nich patrze i między nich patrze na białego i kark mie piecze i sie rozcina i krew buha i krew w głowie sie pompuje jak balon nabierający wody. Ciągle dygają. To wina tych filmów o kowbojach. Ludzie myślą, że wisielec umiera tak szybko, jak sie urywa muzyka. Ale jak szyja nie pęka, to wieszanie może trwać bardzo, bardzo długo. Trwa teraz za długo i kobiety zaczynają cofać sie w ciemność. Tym dwóm głowy puchną, sie wypełniają krwią. Płuca gasną z braku powietrza i obaj przestają dygać. Ale ciągle żyją. Wiem. Nie wiem, jak wiem, ale wiem. Wiem, bo to czuje u nich w środku i na zewnątrz i jak widze te szyje.

Biały człowiek ciągle tu jest. Biały duh. Mrugam i siedzi ze mną w aucie. Ja i dwaj inni, co ich znam, ale nie umiem sobie przypomnieć, i jedziemy drogą przez most nad morzem, ale to nie Tony Pavarotti kieruje, inny. Wiem, bo sobie żartuje o kretyńskim koniu, co go kupiłem rok temu i jeszcze żadnego wyścigu nie wygrał. Ale to bez sensu, bo ja tego konia kupiłem tydzień temu. Mówie, ale nikt mie nie słyszy, mówie w aucie i widze siebie mówiącego w aucie, słysze, co mówie o tym koniu, i mówie sobie, że przecież Papa, kupiłeś konia tydzień temu.

Ciała sie teraz bujają na wietrze, poza tym nie ruchome. Wszyscy poszli, kobiety odeszły, męszczyźni odeszli, noc odeszła, niebo szare, mewy wrzeszczą. A ja nie widze już tego białego. Siedzimy w aucie. W aucie, ale sie dawno zatrzymało. Jedziemy do McGregor Gully. Wracamy z meczu piłkarskiego, a ja myśle o gonitwach, bo w aucie siedzi Lloyd, on trenuje konie. Nie, to dwudziesty drugi kwietnia tysiąc dziewięćset siedemdziesiątego ósmego. Nigdy nie zapomne tego dnia egzekucji. Teraz jest piąty luty tysiąc dziewięćset siedemdziesiątego dziewiątego, nigdy nie zapomne tego kretyńskiego meczu, bo gadałem z Lloydem o tym, jak trenuje mojego konia.

Nie, czekaj. Cofnij taśme. Z moją głową coś źle.

Chmury szare, ciężkie, idzie na deszcz.

Trevor, w pizde, czemu ty zawsze tak szybko jeździsz po tej cholernej grobli, uciekasz przed dniem czy co?

Znasz go, szefie. Nie może sie doczekać, jak wyjedzie z Portmore.

Nie może, eh? A na imie jej Claudette czy Dorcas?

Cha, cha, wiesz, jak jest, szefie, dziewczyny z Portmore to wampirzyce.

To przestań im podsuwać szyje i może spęć troche czasu ze swoim nygusem. Co ty na to?

Dobre, szefie, dobre.

Całe to gadanie o kobietach, jakim cudem w aucie sami męszczyźni? Łeh!

Możemy zawrócić, szefie, i sprawdzić te dwie, Claudette i Dorcas.

Nie, psze pana, nie chce resztek po Trevorze. Te dziewczyny już wyciśnięte. Zero pożytku.

Rany, szefie, sie żarty ciebie trzymają.

Papa, jak mi tak możesz robić? I to Lerlene i Millicent, nie Claudette i Dorcas.

Claudene i Dorcent.

Lerlent i Millicene.

Cha, cha.

Wy wszyscy świry. Lloyd, może ty pogadasz ze mną do sensu.

O w pizde, Papa.

Brada, czemu hamujesz?

Patrz.

Co to?

Czterech. Babilon. Trzy motory i czterech z policji. Czerwone lampasy do tego. Zatrzymać sie?

Nie. Któryś widział jakieś zaparkowane auto po drodze? Żeby nas od tyłu nie odcieli.

Ja nie pamiętam żadnego auta.

To w takim razie co to jest tam z tyłu? Żeż w pizde. Lloyd, daleko do fabryki cynku?

Ze sto metrów, szefie.

Na piechote nie dojdziemy.

Szefie, to auto za nami sie zatrzymało.

Ilu policji? Nie tych trzech z przodu, tylko ilu wysiada?

Nikt. Zatrzymujemy sie?

Zwolnij troche. Żeż w pizde kurwa.

Jak sie nie zatrzymamy, zasypią nas ołowiem.

To tylko czterech ludzi na trzech motorach.

Czterech z kałahami, szefie.

Do tyłu, zawracaj.

To nas od razu złapią.

Za co? W aucie nic nie mamy.

Za cokolwiek, szefie, będą walić ołowiem. Tamten ma megafona.

Czekaj. Znam go.

Prosze zatrzymać pojast i wysiąś z rękami do góryh!

Trevor, Trevor, zatrzymaj sie. Ale nie gaś silnika.

To rutynowa kontrol. Prosze wysiąść z rękami do góryh!

Papa, nie wysiadaj. Nie wysiadaj, Papa.

Rutynowa kontrol. Opuścić piździelski pojast z rękami do góryh!

Papa, słońce, mi sie to nie podoba. Nie wysiadaj.

Czwarty raz nie będzie powtarzania. Wysiadaj, Papa-Lo!

O co chodzi, panie władzo?

Papa, oni cie znają?

O co chodzi, panie władzo?

Czy ja wyglądam, jakbym chciał z tobą dyskusje toczyć? Powiedz swojemu personelowi, żeby opuścił pojast.

Wrzucaj wsteczny, brada.

Tam nas auto blokuje. Zwariowałeś czy jak? Papa, co chcesz zrobić?

Ktoś ma gnata? Ja mam swoją trzydziestkeósemke.

Ja nie.

Ja też nie.

Ja konie trenuje, Papa.

Cholera.

Papa, ponawiamy żądanie! Nie spodoba ci sie, jak znowu ci każemy opuścić pojast!

Co robimy, Papa?

Wysiadamy. Już wysiadamy, panie policjancie. Widz…

Nie dyskutuje sie z takimi jak ty. Wysiadać i stanąć tam przy krzakach. Tak, przy krzakach po drugiej stronie drogi, ejdioto!

Spokojnie, kolego.

Nie jestem twoim kolegą, piździelcu! Myślisz, że sie ciebie boje?

A powinieneś…

Zamknij morde, Trevor. Gdzie mamy stanąć, panie władzo?

Głuchy w pizde jesteś czy co? Mam przeliterować? Odsunąć sie od pojazdu, żeby policja mogła przeprowadzić kontrol. Przesunąć sie w lewo i podejść do tego dzikiego krzaka przy poboczu.

Papa, Papa, myślisz…

Zamknij sie, Lloyd, spokojnie.

Panie Papa-Lo, chcesz wiedzieć, z jakiego powodu zatrzymaliśmy twój pojast?

Mie nie obchodzą sprawy Babilonu.

Chyba musimy cie nauczyć manier.

Rób pan, co chcesz.

Sierżancie, nie uwierzy pan, co tu mamyh.

Pani H. w pojeździe Papa-Lo?

Pani H. w pojeździe Papa-Lo. I radio u nich.

Radio? W aucie z geta? Jakim cudem? Włącz. Czekaj, podgłośnij... Jeszcze. Ale jaja, kapralu, to wy umiecie tańczyć disco? Działeczki moooc, przez całą noooc, tańczące cienie.

Cha, cha, to nie tak leci, sierżancie.

Chcesz mi mówić, jak leci ta piosenka? Może byłeś wczoraj ze mną w Turntable Club?

Wczoraj? Wczoraj wieczorem pilnowaliśmy godziny policyjnej.

Morda w kubeł. Inspektorze, chce pan tymczasem obszukać tych czterech osobników? Uwij sie pan, obmacaj po fiutach i dupach, bo chłopcy z geta myślą, że my głupi i tam nie sprawdzamy. Najpierw Papa-Lo. Tak jest, man, działeczki moooc przez całą noooc, tańczące cienie la la la, jeszcze, jeszcze, tańczące cienieeeee la la la. Tak, tak, człowieku, dziewuha cie pokocha, jak sie nauczysz pląsać disco. Inspektorze, któryś z nich tam tańczy z cieniem?

Nie, sierżancie, ale jak pan zerknie, to pan zobaczy, że łapią dryg.

Kapralu, coś jeszcze w aucie?

Nic a nic, sierżancie. Nic. Nic, tylko ten pistolet kalibru trzydzieści osiem, co to ktoś go chciał schować pod fotelem.

O w pizde. Trzydzieści osiem? Na podłodze? To chyba nie twój, Papa? Bo to by było nie ładnie ze strony syna tej ziemi takiego jak ty. Kogo własność, twojej mamy? Inspektorze, prosze sie przyjrzeć broni, a ja i konstabl popilnujemyh tych czterech osobników. Prawdziwa trzydziestkaósemkah?

Prawdziwa jak ciąża mojej żony, sierżancie.

A niech mie diabeł cmoknie. Trzydziestkaósemkah. Tak sobie myślałem, moi drodzy funkcjonariusze. Mamy tu trzydziestkeósemke, tak? Więc sie tak zastanawiam, czy to ta sama trzydziestkaósemka, co to z nią Papa-Lo i jego kumple strzelają do policji.

Ciężko stwierdzić, inspektorze.

Ta, a nie pamiętasz? Jak Papa-Lo i jego kumple strzelali do policji, kiedy to była rutynowa kontrol? Wy czterech ręce do góry.

Ja nie pamiętam.

To sie skup mocno i sobie przypomnij. Inspektorze, ja widze, że pan już czuje, o czym mówie. Nie pamięta pan, jak Papa-Lo otworzył ogień do policji? Strzelał z tej samej trzydziestkiósemki, a biedna policja nie miała wyjścia i musiała odpowiedzieć ogniem?

Kiedy to było?

Teraz jest. Ognia!

Strzela z mojej broni kula rozrywa mi usta wybija dwa zęby pali w język z tyłu głowy wlata powietrze wylata krew i ja podparty przez tych dwóch tak dwóch i prorok Gad mie pyta gdzie jest ten piździelski pierścień jak jabym coś wiedział o rękach Śpiewaka i kule EK EK EK szyją mi przez pierś jedna druga trzecia czwarta piąta szósta siódma ósma i a w domu jest Peter Tosh na kolanach jak jedna kula przebija kobiecie usta i wywala zęby i Leggo przystawia broń Toshowi do czoła i pam pam dwie kule dla człowieka w radio jedna kula dla następnego w plecy gdzie została już na zawsze ale to do mie strzelają to ze mnie płynie rzeka krwi i szczyny między nogami Carlton widze cie, Carlton za bębnami kiedy żona za twoimi plecami ociera sie cipą o męszczyzne który cie zabije, Carlton! Śpiewak nie ma już włosów Śpiewak w łóżku Śpiewak dostaje zastrzyk od białego któremu na czole płonie znak niemieckiego Hitlera kula mi odstrzela palec i naznacza mie jak Jezusa Chrystusa w lewym ręku nie czuje bólu tylko piecze w moim ciele kilkadziesiąt płomieni i powietrze wieje przez moje ciało aż śwista Trevor i Lloyd już w tańcu śmierci miotają sie dyg dyg dyg podskakują wrzeszczą kaszlą trzensą sie jak w szale podskakują od kul i ja podskakuje i uchylam sie przed wystrzałem i z szyji mi wali krew i usta nie mogą mówić anioł śmierci przysiadł Śpiewakowi na ramieniu anioł śmierci to biały człowiek ja już go wcześniej widziałem teraz wiem że widziałem go stojącego na scenie tak samo jak Seaga i Manley obiecujący biedakom słodkości i potem mi szyja pęka i widze siebie w tańcu śmierci jakbym z balkonu patrzył na scene w teatrze coraz wyżej i wyżej, wysoko nad groblą i morzem wysoko nad siedmioma nadjeżdżającymi autami i to wszystko sie tam roji w dole jak muchy policjanci wyłażą podchodzą i strzelają raz dwa trzy strzały ja już na ziemi sie wtapiam w asfalt i jeszcze jeden strzela dwa razy a masz piździelcu teraz nie jesteś już taki groźny i jeszcze jeden i jeszcze jeden i jeszcze pam pam pam no wstawaj i strzelaj do nas jak takiś cyngiel i policja w krótkofalówkach mówiąca zgadnijcie kim sie właśnie zajeliśmy i jeszcze więcej policji przyjeżdża i wszyscy składają hołd a ten celuje mi w kark i pam tamten w kolano i pam tamten w jaja i pam jak to że auta nie jeżdżą żadne auta tylko policja zablokowali droge z daleka wiedzieli że będe wracał ktoś z geta wykablował powiedział że jade i twarz Trevora wyżarta pierś i brzuch Lloyda rozrywane moja głowa rozpłatana moje serce ciągle bije i jeszcze jeden z policji sie pohyla i mówi to za Seberta i strzela prosto w serce i serce pęka i umiera i on sie wyprostowuje i wraca do samochodu i inni policjanci wracają a ja sie unosze wyżej i wyżej ale ciągle leże na drodze i widze ich wszystkich sznur samochodów odjeżdżają z włączonymi syrenami żeby ludzie schodzili z jezdni jadą jak jedno zwierze jak wąż co wyje syreną aż do kwartału gdzie jest kancerlarja ministra spraw wewnętrznych i jadą w kółko w kółko w kółko przez cały czas sie głośno śmieją i widze wszystko w górze w dole dokoła i to co sie stało dziesięć lat wcześniej Peter Nasser z pierwszą bronią w sześćdziesiątym szóstym kiedy wziołem do siebie Joseya Walesa i kiedy przez pomyłke zabiłem tego ucznia i to co sie dzieje w szarym miejscu jakbym mógł coś zrobić zmienić jak krzykne mocno głośno odetnij sobie ten palec u nogi odetnij nie słuchaj tych piździelskich kretynów rasta co wysysają ci krew przez czilum odetnij palec i niech cie hitlery nie dotykają ale biały człowiek stoji po drugiej stronie drogi biały człowiek co go znam i nie znam i patrzy z tego krzaka na bagnie pływa kierowca nie krwawi po strzałach a to dobrze to krokodyle go nie dopadną i pływa pływa pływa i z kutra go widzą i pyr pyr

pyr po niego żeby wyciągnąć i sie gramoli i trzensie i mazgaji że przecież on tylko taksówką jechał i rybak odpływa a mie już nie ma w McGregor Gully ogłaszającego wyrok mie tam w ogóle nie było to ponad rok temu sie działo wszystko ponad rok temu sie wydarzyło między strzałem w moją głowe a strzałem w moje serce w błysku ostatnie rzeczy co zrobiłem w życiu sie dzieją na raz sie działy wtedy sie dzieją teraz i dzieją jedna po drugiej i wszystkie na raz i Trevor ciągle broczy krwią i Lloydowi śmierć charcze w gardle i jestem ja, dżentelmenowie. Jestem ja.

ALEX PIERCE

o it light, do it through the night". To gówno musi zadziałać. Weź odpuść tę piosenkę, jasna cholera, co jest, do kurwy nędzy? Jak będziesz podkręcał, to w końcu się poruszysz, drgniesz, w końcu — sam nie wiem, nie wiem, kurwa — w każdym razie zorientuje się i skończysz jako zwłoki na miejscu zabójstwa, obrys kredą, bo się obudziłeś z tą pierdoloną piosenką w głowie, jebiącą spoconym plastikiem. Prędzej czy później massa srassa zapłaci za to, że jest jedynym białym, który umie się poruszać. Prawa strona mojego mózgu mówi mi, że przynajmniej poświęciłem się dla czegoś poważniejszego niż *Disco Duck*. W końcu możliwe, że ciągle śpię. Na pewno śpię. Stukam po kolei palcami w poduszkę, cztery znaczy sen, pięć znaczy jawa. Raz dwa trzy cztery pięć.

O ja pierdolę.

A jeśli mi się śni, że to jawa? A jeśli to sen we śnie? Czytałem gdzieś, że tak się dzieje, jak człowiek umrze. Jezu Chryste, co za porąbane gówno. Oddychaj powoli. W ogóle nie oddychaj. Nie, oddychaj. Przestań oddychać. Nie, nie, on to wyczuje, wyczuje, że nie śpisz. Wiem, co się dzieje. To znaczy się domyślam. Mam zjazd po chujowym towarze. Bokiem mi wychodzi to gówno, tak to jest, jak się wali panią K. z innego źródła niż róg Czterdziestej Drugiej i Ósmej, przecież tam właśnie mnie skierował naganiacz z rogu Czterdziestej Pierwszej i Piątej. Chwila moment. Nie mam żadnej jazdy. Na Jamajce w ogóle nie mam jazd, sama Jamajka to jedna wielka jazda, Jezu Chryste, za dużo myślę. Jak nie przestanę, to zacznę myśleć na głos, powiedziałem już coś? Jezu Chryste, Jezu Chryste, Jezuchrysteeeeeeeeee, ej, Alex Pierce, przestań, przestań, przestańkurwamać. Wyluzuj, wyluzuj DO CHUJA. Zamknij oczy i spróbuj dogonić ten sen, co ci umknął, leć i go złap, a jak się obudzisz, to już nie będzie tego faceta siedzącego na brzegu łóżka. Jeszcze lepiej, nie będzie faceta otwierającego drzwi i wchodzącego do środka, jak tylko się obudzisz, bo tak naprawdę wcale nie zasnąłeś, nie da się zasnąć na tym łożu tortur. Żadnego wchodzącego faceta, zbliżającego się do okna, szarpiącego za zasłony, sięgającego pod koszulę po... — nie patrz, nie patrz tam, kurwa — siadającego na brzegu łóżka. Żadnego cyk-cyk tik-tak. Zamknij oczy. To takie proste, na pewno się uda. NA PEWNO SIĘ UDA.

Jestem w hotelu Skyline. Zameldowałem się dwa dni temu, choć w Kingston siedzę od pięciu miesięcy, a na Jamajce od ośmiu. Już osiem miesięcy, odkąd Lynn postawiła mi ultimatum: albo ona, albo Jamajka. Pieprzona. Nie spodziewałem się, że zrozumie, co robię, ale miałem cień nadziei, że chociaż to uszanuje. Nie chodziło o to, że tego nie cierpiała. To bym jeszcze zniósł, bo nienawiść jest przynajmniej jakimś uczuciem. Ale ona była tak obojętna, że dostałem pierdolca, i co gorsza, postawiła mi ultimatum, mimo że wszystko miała głęboko w dupie. Ta, wywala mi teraz całe to gówno na nią. Przysięgam na Boga, że kazała mi wybierać między sobą a książką z czystej ciekawości, żeby zobaczyć, co zrobię.

A teraz najbardziej porąbana część: obie odpowiedzi by ją zadowoliły. I co? Chyba rzeczywiście jej nienawidzę za to, że mnie nie nienawidzi. Nienawidzę tego, jak wlazła do mojej pracowni na Brooklynie, czytaj: do sypialni z blatem na kozłach, i powiedziała: kochanie, to twój szczęśliwy dzień. Dziś musisz wybrać pomiędzy swoją jamajską książką, która utknęła w martwym punkcie, a naszym związkiem, który w tej chwili też utknął w martwym punkcie, jedno albo drugie powinno ruszyć z miejsca. Jezu Święty Chryste, mówię: nasłuchałaś się *Slow Train Coming*? Nie mogłaś wybrać gorszego momentu, żeby zostać fanką Dylana. Nazwała mnie patriarchalnym fiutem, który powinien odpowiedzieć na zadane pytanie. To mówię, że ostatnio czytałem sporo z psychologii, a coś takiego nazywa się szantaż emocjonalny, nie zamierzam więc odpowiadać. Patrzy na mnie i wali: o nie, to właśnie jest twoja odpowiedź, i wychodzi z mojej sypialni. Z naszej sypialni. Jezu Chryste, oddałbym wszystko, żeby mi wtedy dała w pysk. A może ja powinienem dać jej w pysk.

Sam nie wiem, co myśleć. Trzeba było wybrać ją, jasne, szczęście stałoby się wtedy aktem woli, odbębnilibyśmy kolejne dwa lata, żeby w końcu przyznać, że znudziliśmy się sobą do wyrzygania, ale może właśnie na coś takiego zasługuję — żeby być znudzonym mężulkiem z coraz większą oponą tłuszczu na brzuchu, może wtedy po przebudzeniu nie widziałbym faceta siedzącego na brzegu łóżka, wpatrzonego w podłogę. Znudzony na Brooklynie — a to dobre. Droga Abby, znalazłem rozwiązanie, zanim jeszcze pojawił się problem.

Prawda jest taka, że wróciłem do Nowego Jorku świadomy, że mam w sobie pustkę wielkości całego Trzeciego Świata, której ona nie jest w stanie wypełnić, ale i tak chciałem, żeby ją wypełniła. Chyba miałem żal, że nie spróbowała, nie urządzała scen, nie krzyczała, że nie jest żadną Superwoman, że przy rozstaniu nie zalała się łzami, nie napisała o mnie żadnej tandetnej piosenki w stylu Carly Simon. Lynn potraktowała mnie tak samo jak Jamajka — moja druga dziewczyna — to znaczy fajnie nam razem, ale jesteś kretynem, jeśli myślisz, że kiedyś zacznie mi zależeć bardziej. Może w niej uwiodło mnie to samo, co wciąż uwodzi mnie w Jamajce. Od razu wiedziałem, że nic z tego nie będzie, ale to i tak nie powstrzymało mnie przed tym, żeby spróbować. Dlaczego? Pojęcia nie mam, kurwa mać. Dałbym sobie spokój, gdybym wiedział dlaczego? Raczej nie.

Przez cały ten czas facet siedzi na brzegu łóżka i gapi się w podłogę. Czuję, że gapi się w podłogę, bo tylko raz uniosłem głowę i prawie zesrałem się ze strachu, przecież on na pewno zauważył, że się poruszam. A może nie. Na brzegu łóżka przysiadł mężczyzna, ale tak lekko, że ledwo czuję wgłębienie w materacu, problem jednak w tym, że przygniata kołdrę, aż się naciągnęła, i więzi moją prawą nogę tuż za jego plecami. Bóg jeden wie, gdzie jest moja lewa noga, po prostu nie wolno się poruszać. Nie ruszaj się. Będzie dobrze. Koleś, miałeś z powrotem zasnąć, przecież taki był plan. Super, zamknij oczy i udawaj, że zasypiasz, aż naprawdę zaśniesz, a jak się obudzisz, jego nie będzie. Przestań myśleć, że to się nie uda, palancie, nawet jeszcze nie spróbowałeś. Zamknij oczy. Zaciśnij powieki tak mocno, żeby łzy popłynęły. Zaciśnij i odliczaj sekundy, raz-dwa-trzy-cztery-pięć, za szybko, kurwa, za szybko, raz... dwa... trzy... cztery... pięć... sześć..., jeszcze wolniej, jeszcze wolniej, a gdy otworzysz oczy, jego już nie będzie. Jego już nie będzie... nie, ciągle tu, kurwa, jest.

Ciągle tu jest. Spójrz na niego spod powiek przymkniętych na trzy czwarte. Zapalił światło? Czy skurwiel zapalił światło? Kto zapalił, do cholery? Nie, nie patrz. Czarne spodnie, nie, granatowe. Jestem pewien, że to granat. Niebieska koszula? Łysa głowa? Trzyma twarz w dłoniach? Biały? Śniady? Trzyma twarz w dłoniach? Co za facet nosi koszulę i spodnie w tym samym granatowym kolorze? Nie patrz. Może sobie pójdzie, jak zacznę chrapać? Cholera. Powinienem się przekręcić na bok, każdy wierci się przez sen, jak się nie przekręcę, to będzie wiedział, że nie śpię. A jeśli moje ruchy wystraszą skurwiela i zareaguje? Spodnie ciągle wiszą na krześle obok biurka, obok biurka, przy którym mi robota nie idzie. Portfel prawie wypada z kieszeni. Bilet autobusowy, kondom, trzydzieści dolców, nie, pięćdziesiąt dolców, po chuja robię teraz mentalny przegląd zawartości portfela? Puste pudełko po Kentucky Fried Chicken. Na Jamdown to żarcie ma kultowy status i gdzie, kurwa, podziała się moja torba? Ma ją przy nogach? Czy właśnie dlatego się tam gapi, grzebie mi w torbie? Panie Alex Pierce, ty pierdolony tchórzu, podnieś się i spytaj: co jest, brada, do chuja pana, nie za bardzo czujesz się tutaj u siebie?

Że co? O w dupę, kolego, myślałem, że to mój pokój.

A wygląda ci na twój pokój?

Jesteśmy w hotelu, brachu, to jak coś ma wyglądać?

Tu mnie masz.

Człowieku, ale się schlałem wczoraj, ja cię, nawet nie wiem, jak wlazłem po schodach, zresztą to twoja wina, że zostawiasz drzwi otwarte i każdy pijany kutas taki jak ja może sobie wejść. Dobrze, że nie jesteś cizią, bobyś się obudził z moim kutasem wbitym aż po migdałki.

Dobrze, że nie jestem cizią.

A żebyś wiedział.

Musisz stąd wyjść — jasna cholera, do kogo ja to powiedziałem? Powiedziałem czy tylko pomyślałem? Nie poruszył się. Nie rusza się. W ogóle się nie rusza.

Weź się w garść, człowieku. Weź się w garść. Oddychaj powoli, oddychaj powoli. Może jak bym go lekko kopnął, tak tylko leciutko? W końcu to bezpieczny hotel. Może on mieszka w pokoju czterysta dwadzieścia trzy i po prostu się pomylił, może naprawdę zostawiłem otwarte drzwi albo hotel przyoszczędził na zamkach i dają jeden klucz do wszystkich drzwi, przekonani, że nikt się nie zorientuje, bo przecież, na miły Bóg, wszyscy wiedzą, że niezadający pytań biali ludzie spragnieni przygód w kraju Trzeciego Świata nigdy się nie upijają.

Jezu, tak bardzo chciałbym przestać myśleć. Wal w kimę, człowieku, wal w kimę, a kiedy naprawdę się obudzisz, jego już nie będzie. To jak... to jak... wiesz jak? Jak zostawić otwarte okno, gdy się w pokoju znajdzie jaszczurkę. Zamknij oczy, proszę. Obok pudełka z pułkownikiem Sandersem stoi kurewsko ciężka i rozklekotana maszyna do pisania. Może gdy wyduszę z siebie, ile jest warta, to facet ją weźmie i sobie pójdzie? Zachowujesz się jak rasowy pisarz, przekonany, że dla złodzieja książki warte są choćby pierdnięcia. Jezu Chryste, Mannix już dawno złapałby lampę i nią walnął. Po prostu złap za nóżkę i zdziel go w potylicę. Prawdziwe życie nie biegnie w tempie dwudziestu czterech klatek na sekundę. Barnaby Jones już by coś zrobił. Nawet sierżant Anderson już by coś zrobiła, chociaż nigdy nic nie robi.

Po lewej mam biurko, po prawej łazienkę, a pośrodku tego faceta. Do łazienki pięć kroków. Sześć, no, nie więcej niż osiem. Drzwi otwarte. Był w nich klucz, musiał być, wszystkie drzwi do łazienki mają klucz, nie, te nie mają. Wyskoczę z łóżka, wyszarpnę nogę prawie spod jego tyłka i wyskoczę z łóżka, może uda mi się dobiec do drzwi, dobiegnę do drzwi, zanim mnie dopadnie. Albo zrobię najwyżej dwa, trzy kroki. Na podłodze dywan, to się nie poślizgnę. Są tuż obok, te pierdolone drzwi do łazienki są tuż obok, muszę tam dobiec, zatrzasnąć je i trzymać za klamkę z całej siły, jeśli nie ma klucza, ale jest klucz, musi być klucz, musi, a jak nie, to kurwa… no to co zrobię?

Pewnie akurat jak będę wyskakiwał, to mi przygniecie stopę tym jebanym dupskiem, będzie miał dość czasu, żeby się odwinąć maczetą, w końcu Bóg mi świadkiem, że to, kurwa, Jamajczyk, więc na pewno ma maczetę, dość czasu, żeby mnie sieknąć w udo, i już nigdzie nie ucieknę, bo mi przetnie tętnicę, przecież czytałem, że jak się ją przetnie, to się człowiek wykrwawia na śmierć w kilka sekund i nic nie można na to poradzić, błagam, nie siadaj mi na stopie, ty skurwysynu. Może mógłbym się zerwać gwałtownie, z przerażeniem, jak z koszmaru, i kopnąć go w plecy albo w żebra, a gdy on będzie robił to, co bandyci robią w takich sytuacjach, będzie się zbierał z podłogi, sięgał po broń, wszystko jedno, skoczę do otwartych drzwi, wybiegnę w białych slipach na korytarz i zacznę wrzeszczeć: gwałcą mordują policja, no bo, koniec końców, on tu nie przyszedł po mnie.

Brada, słyszysz mie? Czas pomyśleć, jak skombinować klamke.

Klamkę?

Klamke. Wyglądasz mi na gościa, coby sie dobrze czuł z berettą.

Co, kurwa? Nie, Kapłan, nie chcę żadnej broni, do chuja. Broń ma dużą wadę. Ludzie od tego giną.

To nieważne, brada.

Niewłaściwi ludzie.

Zależy, kto celuje i w kogo celuje.

Co ja niby zrobię z bronią? Po co mi broń?

Lepiej spytaj, jak szybko możesz dostać broń i jak szybko zrobisz z niej użytek.

Dobra, w takim razie: jak szybko mogę dostać broń?

Od ręki.

Jasna cho…

Weź.

Co? Nie, kurwa, nie.

Brada, bierz klamke.

Kapłan…

Bierz klamke ci mówie.

Kapłan…

Brada, bierz, trzymaj.

Nie, Kapłan, nie chcę żadnej pierdolonej klamki, Jezu Chryste.

Pytam cie, chcesz?

Jamajczycy uwielbiają mówić zagadkami. Pewnego dnia powiem mu: wiesz, Kapłan, to, że gadasz szyfrem, wcale nie znaczy, że jesteś mądrzejszy. Ale wtedy stracę najlepszego informatora w Kingston.

Jak długo cie znam?

Nie wiem, dwa, trzy lata?

Powiedziałem coś kiedyś bez sensu?

Nie.

To weź klamke. Albo nóż, weź coś, brada.

Po co?

Po to, że po wtorku jest środa. A to, co zrobisz we wtorek, zmienia środe, która dopiero będzie.

Jezu Chryste, Kapłan, możesz chociaż raz mówić normalnie?

Myślałeś że sie nie dowiem? To ja ci mówie o wszystkim, co sie dzieje, nie jest tak? Wiem wszystko o wszystkich. Nawet o tobie.

Nie wciskaj tyłka głębiej w łóżko, błagam, nie odwracaj się, nie dotykaj mojej stopy. Czy on skrzyżował nogi? Nikt nie krzyżuje nóg, chyba tylko brytolskie cioty. Teraz patrzy na mnie, dopada mnie takie swędzenie w karku, gdy czujemy na sobie czyjś wzrok. Piecze mnie i już, kurwa, nie przestanie. Jak na mnie patrzy? Przekrzywia łeb jak pies, pewnie myśli, że zabawnie wyglądam, jak robią te jamajskie dzieci, zerkając na mnie raz i drugi, zastanawiając się, czy gdyby Jezus naprawdę znów zstąpił na ziemię, to też w obcisłych dżinsach? Wyciągnie rękę i złapie mnie za jaja? Widzi mnie w ogóle pod tą kołdrą?

Brada, wiesz, żeś to spierdolił? Wiesz, jak bardzo żeś to spierdolił? Teraz mi sie nawet nie chce z tobą gadać.

Co znowu? Chodź na górę, bo pada. Zadzwonię na recepcję, żeby cię wpuścili.

Nie uciekam, jak Jah zsyła mi kąpiel.

Nie gadaj głupot, jest wpół do dziesiątej, ledwo cię słyszę przez te grzmoty.

W zeszły poniedziałek przyszłeś do mie i mówisz: Kapłan, chce tylko jedno pytanie zadać człowiekowi, a ja mówie: możesz zadać, ale po pierwsze, on nie musi odpowiedzieć, po drugie, jak odpowie, to ci sie może nie spodobać. Pamiętasz?

Oczywiście, że pamiętam, bo mi powiedziałeś, żebym uważał, o co pytam Papa-Lo.

A ja nie o Papa-Lo teraz mówie. Nie tylko jego pytałeś tamtego dnia.

Co? Chodzi ci o Shotta Sherrifa? Przecież to nie ty mnie z nim umówiłeś, sam się zakręciłem.

Mówie o człowieku z JPP, brada. Rozmawiałeś z Joseyem Walesem.

Tak. I co z tego? Był tam, to go zaczepiłem, czy możemy chwilę pogadać o pierdołach, zgodził się, zadałem mu więc pytanie. Ja powiedziałem mu też, że niedługo będe musiał gembe sobie zasznurować, bo już cuchnie z niej ucholem. Brada, ja tylko mówie, jak jest naprawde, że ze mnie żaden uchol.

Nie jesteś informatorem, rozumiem. A teraz wejdź na górę.

Mówie ci jeszcze, że nie wszyscy na Jamdown głupieją na widok białego, nie wchodź więc do geta bez przepustki.

Kapłan...

Nie wchodź bez przepustki, mówie ci.

Kapłan, to jakieś pieprzenie.

Nie wchodź na teretorium, najpierw musze uprzedzić tych ludzi, mówie ci. Nie wchodź tam sam, musisz iść ze mną.

Pierdolony Kapłan. Dopiero po pewnym czasie połapałem się, że nie jest tym, za kogo się podaje. Ale chyba obowiązuje następująca hierarchia: do informacji z samej góry dostęp mają tylko ci na samym dole. Wychodzi na to, że kable to najniżsi z najniższych, zawsze i wszędzie. Zwłaszcza ten tutaj, w jednej trzeciej gnida, w jednej trzeciej kłamca, w jednej trzeciej kulawy nieudacznik, który wie, że liczy się tak długo, jak długo mówi, że się liczy. Mądrzy się, jakby własnoręcznie napisał Księgę Powtórzonego Prawa. Przepustka, co za pierdolenie, faceci z Ośmiu Ulic, z którymi gadałem, uważają go za największą piździelską łajzę w całym getcie.

Kapłan myśli, że jego gadanie coś znaczy na Ośmiu Ulicach?, pytają. Wydaje ci sie, że mogłeś tu przyjść, bo Kapłan tak mówi albo przyjdzie z tobą? Wiesz dlaczego go wołają Kapłan?

Dlatego, że jako jedyny może chodzić po Ośmiu Ulicach i Kopenhadze, tak powiedział.

Ożeż w pizde, tak ci powiedział? Brada, słyszałeś co ten Kapłan mu wcisnął?

To nieprawda?

Eh, człowieku, niby prawdah, ale nie że ma moc Jezusa, piździelski kretyn, zgrywa sie, jakby miał rozdawać ludziom po pięć chlebów i dwie ryby.

Eee?

Kapłan może łazić, gdzie mu sie podoba, bo on jedyny w gecie, co sie go nawet koty nie boją. Myślisz, że dlaczego wołają go Kapłan?

Bo...

Wysłuchaj mie, biały chłopcze. Kapłan od dawna chciał być wielki shotta. Od dawna. Codziennie prosił dona: don, brada, daj mi klamke, co? Daj mi klamke, co? Nie widzisz, że urodzony ze mnie rudeboy? W końcu Shotta Sherrif miał dość jego cipowatego ple-ple i dał mu klamke. I wiesz, co on zrobił? Wcisnął sobie te klamke w gacie i bang! Odstrzelił sobie kutasa. Cud, że ciągle żyje.

Jednego razu go pytam, czy umyślnie odbezpieczył, ale nie odpowiedział.

Sam sie głowie, czemu sie potem nie zabił. W sensie, że jak nie możesz wyruhać cipki, to po co ci takie życie?

Ale brada ciągle ma język.

Coś ty powiedział?

Osiem Ulic. To prawda, Kapłan palcem w bucie nie kiwnął, żeby mnie wkręcić. Sam spytałem tę nerwową paniusię z Rady Kościołów, czy mogę porozmawiać z kimś stojącym za układem pokojowym. Zadzwoniła gdzieś, a zaraz potem powiedziała, że tak, może pan tam jutro podskoczyć. Jamajczycy nigdy nie mówią o miejscach konkretnie. Zawsze jest „tam" albo „gdzieś". Nigdy nie nazwą Kopenhagi Kopenhagą. Kluczysz po bazarowych alejkach i już masz oczopląs od tego wszystkiego, od straganów, a na nich banany, mango, aki, grejpfruty, chlebowce, sukienki z falbanką, gabardyna na spodnie — mrugniesz okiem i przegapisz — bibułki i dudniące reggae, wiecznie dudniące, tego nie usłyszysz w radiu, więc masz już oczopląs i łatwo wtedy ominąć Ulicę Numer Jeden z Ośmiu Ulic.

Każda ulica ma swój róg, a na każdym rogu stoi czterech, sześciu gości chętnych do mordobicia. Mnie zostawili w spokoju, więc od razu pomyślałem, że to dzięki Śpiewakowi teraz już się nie gorączkują, że biały wchodzi na ich teren. Albo może nikt nie rwie się do walki, dopóki don nie wyda rozkazu. Niezły widok, tacy czterej napaleni chłopcy z dymem w uszach, poskromieni przez niewidzialną smycz. Kapłan był tak pochłonięty przestrzeganiem mnie przed łażeniem po Kopenhadze, że nie przyszło mu do głowy, że mogę się wybrać na Osiem Ulic. Wspomniał o tym dopiero dzień przed moim wypadem. Myśli, że zrobię tylko to, na co mi pozwoli. Uważa mnie za durnego Amerykańca, który dzięki niemu wciąż pozostaje przy życiu. Bóg jeden wie, może ta wycieczka to rzeczywiście głupi pomysł.

Po prostu za cholerę nie chcę być wrzucony do jednego wora z tymi kretynami z North Coast łażącymi w koszulkach „Jamaican Me Crazy", no bo czy taki może powiedzieć, że widział prawdziwą Jamajkę? Byłem tutaj, gdy Stonesi nagrywali *Goats Head*

Soup w Dynamic Sounds, ale to nie moja wina, że wyszło z tego takie absolutne gówno. Od tysiąc dziewięćset siedemdziesiątego szóstego roku Peter Tosh już mnie nie wyprasza, gdy siedzimy w jednym pokoju. Szkoda, żeście nie widzieli, jak mówiłem Śpiewakowi, że jego wersja *And I Love Her* to ulubiony cover Paula McCartneya z wszystkich coverów Beatlesów.

Podsumowując, nie, nie boję się zapuścić głębiej w serce Kingston. Ale, słodki Jezu, serce Kingston to jedno, a to coś to co innego. To coś, co widzi się pierwszy raz, chociaż widziało się już setki razy. Wcześniej szukałem podobieństw, ale się nie da, gdy się tam jest. Przechodzisz obok chłopaków stojących na rogu i nawet nie myślisz, żeby podnieść wzrok i rozejrzeć się po okolicy. Mijasz ich i mężczyzn grających w domino. Ten siedzący przodem zakręcił ręką wysoko w powietrzu, żeby trzasnąć kostką w stół, bo chyba wygrał. Dostrzegłem uśmiech na jego twarzy, ale zauważył mnie, opuścił ramię i delikatnie położył kostkę na stole, jakby gra była tak nudna, że aż się speszył, że biały go przyuważył.

Idziesz dalej, zastanawiając się, czy robisz z siebie widowisko. Spodziewasz się, że ludzie będą na ciebie zerkać, co tam, gapić się na ciebie, ale wcale tego nie oczekujesz, trochę jak w filmach. Wszystko dzieje się w zwolnionym tempie, w uszach dudni cisza rozkręcona na cały zycher, więc wydaje ci się, że muzyka przestała grać albo jakaś szklanka się stłukła, albo gdzieś dwie kobiety wstrzymały oddech, albo przez cały czas tak było. Mijasz pierwszy budynek, nie, nie budynek, może czyjś dom, ale to nie jest budynek, i za wszelką cenę starasz się nie patrzeć nad głowami trójki dzieci stojących w progu. Ale patrzysz i zastanawiasz się, jak to możliwe, że wnętrze jest tak ładnie oświetlone. Może to tylko przejście między budynkami albo nie ma dachu? Jednak potem dostrzegasz w głębi ścianę pomalowaną na niebiesko i zaczynasz sobie wyobrażać osobę, która tak bardzo dba o to miejsce.

Mały chłopiec w sięgającej do kolan żółtej koszulce ze Starskym i Hutchem uśmiecha się, ale dwie dziewczynki, wyższe od niego, już wiedzą, że uśmiechać się nie należy. Ta stojąca na najniższym stopniu, prawie już na ulicy, zadziera sukienkę, odsłaniając dżinsowe szorty. Drzwi za nią są zbutwiałe jak belki wyrzucone przez morze na brzeg, staram się nie patrzeć, bo niecały metr obok stoi kobieta i czesze włosy starszej dziewczynce, stojącej stopień niżej. Pomiędzy trójką dzieci a kobietą — ich matką? — widzę ścianę, w której brakuje tylu cegieł, że przypomina szachownicę. Ktoś zaczął malować ją kiedyś na biało, ale szybko zrezygnował. Coś takiego strasznie wkurza, bo człowiek sobie przypomina, że LPN wygrała wybory, a to jest właśnie ich rewir. Człowiek myślałby, że zadbali o swoje slumsy, a tu jest gorzej niż na terenach JPP. W Kingston słowo „gorzej" codziennie nabiera nowego znaczenia, a... kurwa, co ja robię, jakiś facet siedzi na moim łóżku, a ja myślę o getcie piętnaście kilometrów stąd?

Cholera, koleś, usiądź prosto, nie siadaj głębiej na łóżku. Przestań, jesteś tu od ilu, dziesięciu minut? Śpisz? Ja też tak czasem robię, opieram głowę na dłoniach, a łokcie na kolanach, ale zwykle wtedy nie śpię, tylko odlatuję. Nie wiem. Jebać to, przekręcam się na bok. Co się może zdarzyć? Najwyżej trochę spanikuje, ale zaraz się kapnie, że wciąż śpię. Przewracanie się na bok to naturalna rzecz, zacznie coś podejrzewać, jak się nie przewrócę. Czy nie? Chcę zobaczyć jego twarz. Drapie się po łepetynie, jest łysy, teraz widzę, ręce ma chyba takie czerwonobrązowe. Może mu naszły krwią. Przekręcę się i kopnę go w plecy. Tak, tak zrobię.

Nie. Chcę się tylko obudzić we własnym pokoju i zamówić filiżankę pierdolonej czarnej, pewnie podadzą mi jakąś lurę, bo ten hotel to taniocha i uważają, że Amerykanie nie mają pojęcia, jak powinna smakować prawdziwa kawa, co właściwie się zgadza, bo jesteśmy w stanie wypić każde obrzydlistwo do ostatniej kropli, ja i tak ją wypiję, bo muszę czymś zająć usta w czasie spisywania tego cholernego nagrania z wczoraj, na którym chyba i tak nie ma żadnej rewelacji.

Potem wezmę plecak, włożę dżinsy i wskoczę do autobusu pełnego ludzi myślących sobie: w mordę jeża, białas jedzie autobusem, tylko że będą myśleli o tym inaczej, w końcu zajmę się

swoimi sprawami, wysiądę przed redakcją „Gleanera", żeby porozmawiać z Billem Bilsonem, choć to pierdolony pachołek JPP
i amerykańskiego rządu, zawsze karmi tego faceta z „New York
Timesa" kompletnymi bzdurami. Ale w głębi duszy to dobry
człowiek, a to, co mówi, świetnie się nadaje na jeden, dwa cytaty
z anonimowego źródła, ja zaś chcę go tylko zapytać, jak to jest,
że Josey Wales nie pamięta daty, kiedy Śpiewak został postrzelony (co za tragedia to była), pamięta natomiast, że oberwał akurat
w chwili, gdy częstował grejpfrutem swojego menago, chociaż
takich szczegółów nie zna nikt oprócz Śpiewaka, menago i mnie,
bo przecież tylko ze mną o tym gadali. Nie żeby to była wielka
tajemnica, ale takie detale wychodzą na jaw dopiero, gdy się długo
urabia rozmówcę, żeby wreszcie poczuł się komfortowo w towarzystwie dziennikarza.

Oczywiście nie wspomnę o grejpfrucie, tylko o nieodpartym
wrażeniu, że don wie naprawdę sporo o tym nieudanym zabójstwie, które swoją drogą muszę inaczej nazwać. Gdy ostatnim razem spytałem Śpiewaka, kto chciał go zabić, to spojrzał na mnie
z uśmiechem i powiedział, że to ściśle tajne. Joseya Walesa o to
nie pytałem, bo, o ile się orientuję, nie mam jeszcze na czole wy-
tatuowane JEBANY PEDZIO.

Cholera, nie myślę klarownie. Przecież wcale tak nie było.
To znaczy jeszcze nie było, bo dopiero wchodzę na Osiem Ulic
w poszukiwaniu Shotta Sherrifa, nie Joseya Walesa. Dlaczego
o nim myślę, kurwa mać? To nie jest człowiek, o którym wszyscy
ciągle myślą, w dodatku jestem przekonany, że jemu to na rękę.
Josey Wales to Kopenhaga. To się stało później, Alex. Do Kopenhagi przygnało cię to, co usłyszałeś na Ośmiu Ulicach, chciałeś sobie to wszystko poukładać. Najpierw pojechałem na Osiem Ulic.
A skoro tam pojechałem, to po to, żeby się spotkać z Shotta Sherrifem. Chciałem wiedzieć, czy pokój wciąż obowiązuje po strze-
laninach na Orange Street i Pechon Street, po tym jak młodziak
z JPP pokłócił się z młodziakiem z LPN-u o dziewczynę i go zabił.
No i jeszcze ta pokazówka policyjna, no wtedy, gdy chłopcy ubrani

na czarno i czerwono odkryli skład amunicji i broni, jaki ciężko byłoby znaleźć w arsenale amerykańskiej Gwardii Narodowej.

Oczywiście w życiu bym o to nie zapytał. Po krótkiej rozmowie z komitetem powitalnym, który wyjaśnił mi to i owo o Kapłanie, zobaczyłem go, jak siedzi pod latarnią i czeka na mnie. Powiedział dokładnie tak: brada, długo czekam tutej na ja. „Ja" znaczyło ty, znaczyło ja. System komunikacyjny getta, mniej sprawny i zarazem sprawniejszy od telefonu. Siedział na stołku barowym wziętym z prawdziwego baru, dziesięć metrów od skrzyżowania, na którym skręciłem, palił papierosa, pił heinekena i obserwował partię domina. Wyglądał na takiego, co można go zapytać: ej, wiesz, gdzie znajdę Shotta Sherrifa?

— Nie spodziewałem się takich ładnych stołków w takim miejscu.

— A ja ponownego przyjścia Jezusa. Z dyktafonem.

— Często to słyszę.

— Co słyszysz?

— Nieważne.

Wiedział, że przyszedłem pogadać o układzie pokojowym. Okazało się, że w czasie gdy zbiry próbowały odstrzelić Śpiewaka, Shotta Sherrif wylądował w pierdlu razem z Papa-Lo. Jak to bywa z rozsądnymi ludźmi wrzuconymi do jednego pudła, zaczęli się zastanawiać nad sensownym rozwiązaniem. No i zaraz potem mamy układ pokojowy, ten Jacob Miller nagrywa o tym piosenkę, fakt, że nie za dobrą, a Śpiewak wraca na Jamajkę, żeby ustalić termin kolejnego koncertu. Chciałem wiedzieć, skąd tak naprawdę wziął się ten układ i czy już go diabli wzięli. Spytałem go o wieczór przed tą aferą, kiedy żołnierze zabili chłopaków w Green Bay, bo to właśnie odblokowało ten pokój. Spytałem, czy słyszał o facecie, co się nazywa Junior Soul. Ciężko uwierzyć, że cyngiel mający pseudo jak jakiś doo-wopowy wokalista naprawdę istnieje, ale jeśli tak, to Shotta Sherrif na pewno o nim słyszał. Chodzi mi o to, że facet odegrał ważną rolę przy zawieraniu układu pokojowego, choć w dość porąbany sposób.

— Nie, słońce, pojęcia nie mam, kto to. To chyba jakiś JPP, co?

— Mówią, że Junior Soul to oprych na usługach LPN-u.

— Oprych?

— Typ spod ciemnej gwiazdy.

— Ciemnej?

— Dobra, nieważne. Czyli nie jest stąd?

— Nikt tutej sie tak nie nazywa, Jezusku.

To by było tyle, jeśli chodzi o Shotta Sherrifa. Zanim zdążyłem zadać mu kolejne pytanie, złapał mnie za frak, rozejrzał się, czy nikt nie widzi, i powiedział: ten układ sie utrzyma, młodzieńcze. Musi. Prawie jakby mnie błagał. Zadałem jego ludziom jeszcze parę głupich pytań w stylu, czy wiedzieliście, że ta, co śpiewa *More More More*, to w rzeczywistości gwiazda porno, i poszedłem.

Kilka dni wcześniej Kapłan znalazł mi kogoś jeszcze ciekawszego. Zabrał mnie na parszywą, spływającą gównem ulicę po stronie Kingston należącej do JPP i przedstawił mi chłopaka, któremu udało się uciec z Green Bay. Po raz pierwszy miałem do czynienia z kimś z Wang Gang. Zaprowadził mnie do baru tuż obok i zaczął gadać. Podobno ten Junior Soul prześlizgnął się na Southside, teren JPP, zaprzyjaźnił z Wang Gang i dał im cynę, że armii brakuje ludzi do pilnowania placu budowy w Green Bay. Junior Soul skontaktował ich z jakąś Matą Hari w hotelu w Kingston, która powiedziała, że niedługo dostaną broń i po trzysta amerykańskich dolarów na łeb, a potem przeleciała trzech czy czterech z nich, żeby przypieczętować układ. Kapłan mówił mi o Junior Soulu, ale to od tego chłopaka dowiedziałem się o Sally Q., cholernie jamajska ksywa. Biedny dzieciak, nie miał jeszcze siedemnastu lat, ale jak na Jamdown to i tak dość późny wiek, żeby pierwszy raz zasmakować cipki.

Ten cały Junior Soul zjawił się czternastego stycznia, chłopak tak to zapamiętał, a raczej przypomniał sobie, kiedy mu dałem paczkę marlboro, siedemdziesiąt dolców i kasetę Gerry'ego Rafferty'ego, o której zapomniałem, że ją w ogóle mam w plecaku. Zjawił się, a razem z nim dwie karetki, co było dosyć podejrzane, mówi, ale powiedzieć młodemu napaleńcowi z getta, że jest broń i może ją sobie wziąć, to jak powiedzieć ćpunowi, że w śmietniku za rogiem leży bezpańska działka hery. Dodał też coś, sprzedał mi jakąś kurewsko ważną informację, tylko nie pamiętam, co to było. Muszę sprawdzić w notatkach. „Prawie wszyscy z nas, co poszli, to rasta, nie labourzyści". Tak, znalazłem. „Zawsze daleko od polityków i ich trików, nie? Nie siedzimy u nikogo w kieszeni, to robimy dla tych i dla tych, nie jest tak?" Był styczeń, zaraz po świętach, wiadomo, że nikt nie miał żadnych pieniędzy, zresztą Wang Gang spalili za sobą wszystkie mosty i zerwali kontakty z innymi gangami w Kingston.

No to otwarli ten plac budowy i szukają dozorców do pilnowania, ale nie dadzą broni w robocie, broń musisz załatwić sobie sam. Nie wyglądało to za dobrze, ale jak ci cizia z północy truje, że musi dzieciaka wykarmić, a druga z południa, że potrzebuje na szkolny mundurek dla nygusa, to sie człowiek nie zastanawia nad oczywistymi rzeczami. Ten, co miał dać broń, skumał sie z wojskiem. Żołnierze nie są tacy bardzo Quick Draw McGraw, rozumiesz? Jakby to policja była, tobym powiedział Junior Soulowi o tym piździelcu i jeszcze skuł mu morde. Ale żołnierzami nie trzeba sie przejmować, jak sie im w droge nie wchodzi. Mówiłem, że my zawsze z daleka od polityki. No i tak, jak żołnierze powiedzieli, że mamy tam stanąć przy tarczach, no to, no to upadłem, jakbym przytomność stracił, upadłem, a zaraz potem zaczeli strzelać. Czołgam sie na boso przez krzaki z kolcami. Oddychać zacząłem chyba dopiero, jak uciekłem od nich, dolazłem do pola trzciny. Oni nawet helikopter mieli, żeby nas szukać, i nie wiem, dlaczego nie znaleźli, bo pohlastane stopy miałem i zostawiałem krew za sobą. Dobrze znam Green Bay. Czterech uratowałem, bo ich zaprowadziłem w pole trzciny, dzięki Bogu urosła taka wysoka, żeby sie ukryć przed helikopterem, no i żeśmy doszli aż do szkoły sióstr benedyktynek. Jeden z nas dolaz inną drogą do morza i dwaj rybacy wyciągli go z wody. Pierwszy raz w życiu żeśmy policje wezwali. Kiedy indziej toby nas chcieli wystrzelać, ale najbardziej ich wnerwia, jak żołnierze nas wystrzelają piersi, bo wojska nie cierpią jeszcze gorzej jak bandytów. Dasz wiarę, brada? Policja przyjechała nas bronić.

Im więcej mu stawiałem wódy, tym bardziej mu się język rozwiązywał, a im więcej gadał, tym mniej faktów z jego opowieści się zgadzało. Siły Obronne też wcale nie siedziały chicho. Wcześniej spotkałem się z oficerem dyżurnym, który wydawał się całkiem miłym gościem, no może trochę topornym. Wszyscy tamci byli członkami albo byłymi członkami Wang Gang, dostali się na strzelnicę Sił Obronnych Jamajki w Green Bay i otworzyli ogień do kilku żołnierzy, którzy przyszli rano poćwiczyć. Może chcieli się zemścić za trzymanie ich społeczności pod ciężkim butem. A może usłyszeli o słabo zabezpieczonym składzie, pomyśleli, że nowa broń po prostu na nich czeka. Tak czy inaczej, dostali to, na co zasłużyli, przychodząc w samo południe jak jacyś kowboje. Tylko że… Coś się nie zgadza. Nie atakujesz, waląc z wszystkich luf, skoro dopiero przyszedłeś, żeby wziąć broń.

Gdy wróciłem do redakcji i powiedziałem Billowi Bilsonowi, że znalazłem jednego, który ocalał z Green Bay, to strasznie chciał się dowiedzieć, kto to jest. Chłopak, odparłem. Zrozum, po pewnym czasie oni wszyscy wyglądają tak samo, dodałem. Kretyńskie pieprzenie, wiem, ale skoro Jamajczycy uważają, że każdy biały jest w głębi duszy rasistą, to dlaczego tego nie wykorzystać? Pokazał mi zdjęcia, które jakiś facet zostawił w jego skrzynce pocztowej. Jakiś facet? I kto tu kręci, miałem ochotę zapytać, ale nie zapytałem. Popatrzyłem tylko na pięciu martwych ludzi leżących na piasku. Dwóch na jednym zdjęciu, dwóch na drugim, a potem pięciu razem plus cienie stojących nad nimi żołnierzy, ale żadnej twarzy. Tylko jeden z zabitych miał buty. Mało krwi, może wsiąkła w piasek, nie wiem. Nie pierwszy raz widziałem zwłoki na Jamajce.

— Bill, o co tu chodzi? Siły Obronne Jamajki wiedzą, że masz te zdjęcia?

— Teraz już na pewno. Może nawet to od nich ten przeciek.

— Tak? Więc co to za historia?

— A twoja?

— Co? Nie, bracie, ty pierwszy. Musieli wydać jakieś oświadczenie, w końcu to było prawie rok temu.

— Oświadczenie? Wojsko nic wydaje oświadczeń. Ale twój przyjaciel, major...

— To nie jest mój przyjaciel.

— Powiedz to pewnym bandytom. W każdym razie major nie wydał żadnego oświadczenia, powiedział tylko, że grupa napastników zaatakowała żołnierzy podczas porannych ćwiczeń. Prawdopodobnie myśleli, że skoro to się nazywa strzelnica, to musi tam być broń.

— Skąd pewność, że to byli bandyci?

— Wszyscy pochodzili z West Kingston.

— To jego wersja czy twoja?

— Cha, cha. Z tobą nie ma lekko, chłopcze. On twierdzi, że tamci im weszli na teren w biały dzień jak jacyś kowboje, dlatego żołnierze nie mieli wyboru, musieli odpowiedzieć ogniem.

— Nie można odpowiadać ogniem, jak nikt do ciebie nie strzela.

— Że co?

— Nic, przyjacielu, tak sobie gadam od rzeczy. Zaatakowali w samo południe? Tak powiedział, w południe?

— Ehe.

— Ale przecież...

Nic nie łapię. No bo, kurczę, prawdę widać wyraźnie jak striptizerkę na scenie. Może on jest taki głupi, a może stosuje zasadę nic-nie-widziałem-nic-nie-słyszałem, jak każdy Jamajczyk, który się orientuje, że to triki polityki. Major wydał oświadczenie, stwierdził, że żołnierze zostali zaatakowani w samo południe i musieli się bronić. Patrzę na te zdjęcia i na te cienie. Wszystkie cienie są długie, wyciągnięte. W południe nie ma takiego cienia. To się stało rano, każdy półślepy, stetryczały, niedorozwinięty pryk by się zorientował. Za długo patrzę na te zdjęcia. On to dostrzega, w dodatku na pewno zauważył, że urwałem w pół słowa. Gdy Jamajczycy się połapią, że biały jednak sporo kuma, zaczynają patrzeć na niego w dość specyficzny sposób. A potem już patrzą tak przez cały czas, bo nie wiedzą, kiedy skumał pierwszy raz i czy jednak nie za dużo mu powiedzieli. Dlatego odtąd koniec. Jeśli są z czegoś dumni, to na pewno z tego, że umieją trzymać język za zębami. Nic ci nie powiedzą, nawet jakby chcieli cię przelecieć i nie mogli już wytrzymać.

Nie wiem, dlaczego w moich myślach pojawiła się Aisha. Może dlatego, że leżę w łóżku. A może dlatego, że jestem w łóżku z jakimś, kurwa, facetem siedzącym obok. Szkoda, że już nie śpię z zegarkiem na ręku. Brada, nie możesz po prostu czegoś ukraść i spierdolić stąd? Co za złodziej robi sobie przerwę w trakcie roboty? Jezu, nie, nie, proszę cię, nie siadaj, Jezu, on zaraz usiądzie… kurwa, usiadł mi na stopie. Jebaniec przygniata mi nogę kościstym dupskiem. Odwraca się, jasna cholera. Ciemność, ale taka bardziej czerwona, bo światło wdziera się przez moje powieki. Otwórz powoli oczy… nie, ty pierdolony idioto. Chcesz widzieć, jak do ciebie strzela? Może byłoby lepiej, gdyby przestrzelił dziurę w środku wypowiadanego przeze mnie zdania? Może powinienem umrzeć z jakąś mądrą sentencją w głowie? To chyba ten moment, kiedy powinienem pomyśleć o niebie i innych pierdołach. Moja matka luteranka byłaby dumna. Czy on myśli, że śpię? Gdzie druga poduszka? Zakryje mi nią głowę i strzeli? Jestem takim tchórzem, takim tchórzem, takim pierdolonym tchórzem. Niech to szlag. Otwórz jebane ślepia. Nie patrzy na mnie, ciągle patrzy w podłogę. Cholera, do chuja pana, japierdolekurwa, na co on się tak gapi, na dywanie jest jakaś plama układająca się w twarz Jezusa? Myślałem, że tylko na suficie robią się takie zacieki. Może to zaschnięta sperma jakichś jebaków, którzy spali w tym pokoju wcześniej. Mam nadzieję, że wyprano po nich pościel. Nie wiadomo, czego się spodziewać po hotelu przy Half Way Tree Road.

Jak się pójdzie dwa skrzyżowania dalej i skręci w Chelsea, dojdzie się do zakrętu, to tam jest hotel Chelsea, a przed nim tabliczka, że pod żadnym pozorem nie wynajmą pokoju dwóm dorosłym mężczyznom. Myślę, że da się żyć w tym mieście, gdy się jest na przykład pedofilem. Nie wiem, dlaczego tak myślę, nie wiem, skąd to nagłe pragnienie, żeby pościel była wyprana, nieskazitelnie czysta. Nie tylko wyprana, ale w dodatku czysta nieskazitelnie? Jezu Chryste, ja pierdolę, idź już sobie. Wtedy przynajmniej zapomnę, jakim jebanym tchórzem byłem, jak leżałem w łóżku zesrany, że mi coś z torby wypadnie, że noga zacznie mi drżeć jeszcze mocniej, może mi tak drga, bo już zasnęła, jak mi sie uda dobiec do łazienki, jak mam noge uśpioną? Mam noge? Jakby tego było mało, to jeszcze zaczynam myśleć po jamajsku. Brada, a może byś się okazał zwykłym zboczeńcem, złapał mnie za jaja, zrobił swoje i sobie poszedł?

Czyli cały ten układ pokojowy zaczął się od żołnierzy strzelających do dzieciaków w Green Bay w tysiąc dziewięćset siedemdziesiątym ósmym roku. Niecały rok później policja strzela na dauntaunie i wszyscy nagle mówią, że to na pewno koniec. Zazwyczaj jak się jakiś cyngiel szarogęsi na neutralnym terenie i nagle pojawia się policja albo wojsko z bronią, to wiadomo, że to ustawka, często zrobiona przez partię tego cyngla. Tak się stało parę lat temu z cynglami z LPN-u (Kapłan tak twierdzi) i mogło się stać z tym kolesiem, o którego chciałem wypytać Papa-Lo. To spotkanie rzeczywiście zaaranżował Kapłan, Bóg jeden wie, co o mnie myśleli, skoro mieli mnie za palanta, który się skumał z Kapłanem. Nie mogłem zrozumieć sensu tego odstrzału, bo Kapłan powiedział mi, że jedna z zasad układu pokojowego brzmi: nikt nikogo nie wystawia policji.

Cholera, minister to się prawie uśmiał, gdy mu to wszystko wywaliłem. Powiedział, że to nieoficjalna rozmowa, zanim jeszcze wyciągnąłem dyktafon, jakby to słyszał w jakimś gównianym filmie w zeszłym tygodniu, a potem powtórzył to, co powiedział prasie, czyli że ci ludzie będą tropieni jak psy. Mnie się wydawało, że to zazwyczaj psy tropią, a nie są tropione, ale każdy ma swoją metaforykę. Był na tyle cwany, że się zorientował, że ja też jestem cwany, więc zamknął jadaczkę i to by było tyle, jeśli chodzi o mój wywiad z ministrem. I tak gadał same bzdury, do tego miał głupią fryzurę, kręcone włosy zaczesał do tyłu tak mocno, że aż mu się prostowały.

Gadam bez ładu i składu. Według Kapłana w tym zawarciu pokoju chodzi głównie o to, żeby już nikt nie podawał nazwisk ludziom takim jak minister. Ale znowu mamy trupa, trupa bandyty, o przepraszam, działacza politycznego, a jako że ostatnio jestem mocno wtajemniczony w różne kryminalne historie, to wiem, że nie ma chuja, Babilon nie dopadł tego gościa na własną rękę. Jadąc przez Half Way Tree, jamajscy policjanci nie zauważyliby billboardu z gołą babą wsadzającą sobie paluchy do cipy i wołającą: hej, Babilon, patrzcie tutaj, chyba że ktoś by im powiedział, gdzie mają patrzeć. Tak jak Kapłan, tamten facet mógł się swobodnie poruszać po terenach JPP i LPN-u. I inaczej niż Kapłan, naprawdę miał wpływy, bo był numerem dwa albo trzy naszego Papa-Lo. To chyba o czymś świadczy. W naszym Kingston jest taki obyczaj, że wysoko postawieni mogą iść pić nawet z ludźmi, którym powyrzynali przyjaciół. Pytasz Billa Bilsona, Johna Hearne'a, jakiegokolwiek dziennikarza, intelektualistę, jasnoskórego, co mieszka powyżej Crossroads, każdy szuka sposobu, żeby się dowiedzieć, czy to przetrwa, ale nie są powodowani troską. To głośne westchnienie i to skinienie głową mają oznaczać, że ich to wnerwia, ale w rzeczywistości mają to w dupie. Po co się tak interesuję tym pierdolonym układem pokojowym? Przecież nawet nie został spisany na papierze. Tyle że Shotta Sherrif i Papa-Lo polecieli do Śpiewaka do Londynu, żeby wszystko obgadać. Nie żeby to była jakaś rewelacja, ale chuj wie, jak bardzo w ciągu jednego roku nadzieja może się przerodzić w beznadzieję.

Właściwie to ja wiem. Papa-Lo też, ale o tym nie mówi. Shotta Sherrif też wie, ale znacie takie sytuacje, kiedy ktoś opowiada kawał albo anegdotę i urywa w połowie, bo się orientuje, że druga osoba zna zakończenie? Chociaż ja tak naprawdę nie znam.

Na brzegu mojego łóżka siedzi facet ubrany na granatowo. Papa-Lo poznałem wcześniej. Tuż przed koncertem dla pokoju pojechałem do Kopenhagi z Kapłanem. Był tam wielki facet, co się robił jeszcze większy, gdy rozkładał ręce i przytulał wszystkich po kolei. Niełatwo się peszę, ale trochę mnie zdetonowało, jak mi też zrobił niedźwiedzia. Wszyscy są bezpieczni! Tutaj tylko dobre wajby, pokój i miłość!, powiedział, a potem spytał, gdzie jest Mick Jagger, pewnie sie zamknął z taką liczbą czarnych cipek, że nie da rady dźwignąć. Dopiero po dwóch minutach dotarło do mnie, że reputacja Glimmer Twins wykracza poza Studio 54.

— Słyszałeś *Some Girls*? Powrót do formy.

— Ja formy nigdy nie tracę.

To by było tyle, jeśli chodzi o niego. Teraz akcja przeskakuje do czasu sprzed zaledwie kilku dni, w życiu nie widziałem, żeby tak wielki facet zrobił się taki malutki. Nawet nie miał siły, żeby dogadać Kapłanowi, że jest piździelec, bo znowu tego białego do getta sprowadza. Nie chciał rozmawiać o gościu, którego zastrzeliła policja. W ogóle nie chciał rozmawiać o policji. Zachowywał się tak, jak się zachowują starcy, gdy dowiedzą się za dużo albo wkraczają w ten wiek, kiedy rozszyfrowuje się świat. Rozszyfrowuje się to gówno, które wyczyniają ludzie, widzi się, że ludzie są podli, plugawi i odrażający, że jebane z nas zwierzęta, to wiedza, która przychodzi z wiekiem. Niekoniecznie z wiekiem zaawansowanym, bo przecież Papa-Lo w ogóle nie jest stary, w getcie nikt nie zdąży się zestarzeć. To po prostu wiek, w którym zaczynamy rozumieć pewne rzeczy, nie wiem jakie, doniosłe i mroczne, i widzimy, że już nie warto się starać. I jak mówiłem wcześniej, wystarczył rok, żeby Papa-Lo nabrał tego wejrzenia, zaczął wyglądać na człowieka wyczerpanego. Nie, nie wyczerpanego. Znużonego.

— Dlaczego policja zabiła twojego numer dwa?

— A dlaczego kaczka robi kwa, kwa?

— Nie łapię. Mmm. Mnie możesz…

— Dużo M u ciebie. Jak odwrócisz M, to będzie W. W to włóczęga. Ty jesteś włóczęga.

— Jak udało im się go zabić?

— Słyszałem, że wjechali we dwie albo trzy głowy.

— Myślisz, że to LPN wystawiła twojego człowieka?

— Co?

— LPN. Wystawili go? Dlaczego policja nie respektuje układu?

— Zabawny jesteś, białek. Skąd wiesz, że policja w ogóle podpisała układ? I o co ci chodzi z tym, że LPN coś wystawiła?

— Pewnie masz rację.

— Cha, cha, ty będziesz mi mówił, kiedy mam racje?

No i miał rację. Shotta Sherrif spojrzał na mnie, gdy wspomniałem o śmierci numeru dwa. Spojrzał na mnie dokładnie tak samo jak Papa-Lo.

— Złe czasy dla jednych to dobre czasy dla takich jak ja, chłopcze. Złe czasy zawsze są dla kogoś dobre.

— Kto dał policji cynę o numerze dwa?

— Widziałeś Joseya Walesa, jak tu do nas przyjechałeś?

— Spotkałem go tylko raz.

— Mieszka na drugim końcu. Jego pytaj o numer dwa.

— Joseya Walesa?

— Ja już nie wiem, co sie dzieje na ulicy. Pokój skończony.

— Pokój między kim a kim? Mogę spytać, co masz na myśli? Mogę zadać jeszcze kilka pytań?

Chyba nie mogłem. Nie musiałem też szukać Joseya Walesa, bo sam mnie znalazł. Jak tylko wylazłem za furtkę, nie pytajcie, dlaczego wychodziłem tyłem, ale jak już wyszedłem, to się dupą nadziałem na dwóch gości. Łysy słowem się nie odezwał, nawet na mnie nie popatrzył, choć prowadził mnie cały czas pod ramię ulicą. Don z tobą pogada, mówi drugi, większy i grubszy, z dziecinnymi dredami. Przecież don to Papa-Lo. Jednak nie powiedziałem tego. Łysy ubrany na niebiesko, dziecinny dred na czerwono. Idą po obu stronach równym krokiem, jak w kreskówce. Wszyscy na ulicy odwracają wzrok. Jak przechodziliśmy, naprawdę odwracali wzrok, prawie wszyscy. Z wyjątkiem dwóch kobiet i mężczyzny, ci patrzyli na mnie, ale jakby mnie nie widzieli. Jakbym był duchem albo obcym wygnanym z miasta. Jamajskie miasteczka to faktycznie wiochy zabite dechami. Zabrali mnie do domu Joseya Walesa, wpuścili do środka, ale nikt nie powiedział, gdzie mam usiąść. Na pierwszym z trzech okien w dużym pokoju wisiał kalendarz Esso. To jedyne okna w okolicy nieposzatkowane kulami. W każdym zasłony w żółto-czerwone kwiaty. Jakaś kobieta z nim mieszka.

— Ładne zasłony.

— Strasznie dużo pytań zadajesz, biały chłopcze.

— Ee? Nie zadałem…

— Paradujesz z czarnym notesem w ręce. Zapisujesz wszystko? Słyszałem, że Josey Wales posługuje się świetną angielszczyzną.

— Gdzie się pan tak nauczył mówić?

— A ty gdzie sie nauczyłeś srać?

— Eee?

— Inteligentne pytania zatrzymałeś na koniec?

— Przepraszam, ja… ja… ja…

— Ty… ty… ty…

Przez cały czas widzę tylko głowę owiniętą ręcznikiem, należącą do człowieka siedzącego na sofie bokiem do mnie, w głębi. Don, facet, w towarzystwie milczącej dziewczyny. Skąd się, do cholery, bierze ten głos?

— Szybko zapominasz cwanego języka w gębie. Siadaj, biały. Osuwam się na krzesło przy drzwiach.

— W twoim kraju nie siada się w salonie?

Wchodzę do dużego pokoju, jeśli można to tak nazwać, bo jest mały jak poczekalnia w prywatnym gabinecie lekarskim. Szara sofa, ciągle obłożona sklepową folią. Nie tylko dziewczyna na niej siedzi, najpierw widzę siatkową koszulkę, a potem wielkie łapska ściągające ręcznik. Drapie się po głowie przez chwilę, następnie rzuca ręcznik za plecy. Może jego kobieta z tych, co podnoszą rzeczy po mężczyznach? Josey Wales. Naprawdę jest wielki.

Nie tak wielki jak Papa-Lo, ale oczy ma węższe, niż można by się spodziewać, prawie jak Chińczyk. Brzuch mu już lekko wypycha tę siatkową koszulkę do przodu, takie wdzianka wkładają wyłącznie młodziaki z getta, ale on to pewnie nosi tylko po domu. Awans bandyty na Jamajce w pierwszej kolejności widać po jego garderobie. Słyszałem, że ten człowiek zawsze wkłada koszulę, gdy ma wyjść, jakby codziennie liczył się z tym, że stanie przed sądem.

— Masz długopis pod ręką?

— Tak.

— Znam paru typów, co tak samo używają broni. Dwaj tacy stoją właśnie przed moim domem.

— A ty?

— Z lufy jeszcze nigdy nie wyleciało nic dobrego. Musisz sie troche podszkolić.

— Że co?

— Lepiej reagować. Mieć szybsze odruchy, tak sie to chyba nazywa.

— Nie rozumiem.

— Przed chwilą, jak mówiłem, że z lufy nigdy nie wyleciało nic dobrego.

— Słyszałem, panie Wales.

— Panie Wales to mi w sądzie mówią. Jestem Josey.

— Dobrze.

— No więc mówiłem, że z lufy nigdy nie wyleciało nic dobrego...

— Słyszałem.

— Dupa cie swędzi, że mi ciągle przerywasz? Jak mówiłem, kiedy mówiłem, że nic dobrego nigdy z lufy nie wyleciało, widziałem, jak zareagowałeś. Podskoczyłeś, oczy talerze, jakbyś sie nie spodziewał, że don może powiedzieć coś takiego.

— Wcale nie...

— Właśnie że tak. To był ułamek sekundy, zwykły człowiek by nie zauważył, za szybko. Ale ja mam trzy imiona i żadne z nich nie nadaje sie dla zwykłego człowieka. Pewnie nawet ty sie nie zorientowałeś.

— Nie, nie zorientowałem, a to przecież moje ciało.

— Tacy jak ty niewiele widzą. Zawsze robicie notateczki w tych małych książeczkach. Zaczynacie pisać historie, zanim jeszcze wysiądziecie z samolotu, a potem tylko szukacie gówna, które można dopasować, i wołacie: popatrz, Ameryko, tak właśnie wygląda Jamajka!

— Nie wszyscy, nie każdy dziennikarz taki jest.

— Ty z „Melody Makera"?

— Z „Rolling Stone".

— To co tu robisz od prawie roku? Czarne cipki tak ci zasmakowały?

— Co? Nie, nie, robię artykuł.

— Rok ci zajmuje pisanie artykułu o Copperze?

— O Copperze?

— O Copperze. Nawet nie znasz nazwiska człowieka, o którego wszystkich wypytujesz. Copper, pechowiec, co układu nie doczytał dokładnie.

— Istnieje jakiś dokument?

— Nie mów mi, że jesteś najbystrzejszy z całego „Rolling Stone".

— Najgłupszy też nie.

— Po co „Rolling Stone" przysyła tu człowieka na rok? Jaki temat może być tak ciekawy i ważny?

— Właściwie to nie oni mnie przysłali.

— Jasne, że nie, bo naprawdę nie pracujesz ani w „Rolling Stone", ani w „Melody Makerze", ani nigdzie. „New York Times", oni najprędzej przysłaliby człowieka na tak długo, ale to nie jest pismo, co daje cwele na okładce. Myśle, że to czarne cipki cie tu trzymają. Jak tam Aisha? Dobrze ci z nią? Jej C-I-P-A cały czas ciasna jak ucho igielne?

— Mój Bo…

— Wygląda, że wiem o tobie więcej niż ty o mnie, biały chłopcze.

— Aisha nie... nie jest moją dziewczyną.

— Oczywiście, że nie, wy, białasy, wykorzystujecie czarne kobiety do innych celów.

— Ja nie wykorzystuję żadnej kobiety do żadnych celów.

Josey Wales śmieje się, jakby świstał, jakby przepuszczał śmiech przez zęby, w odróżnieniu od Papa-Lo, który odchyla głowę daleko do tyłu i wybucha rechotem w górę prosto z ogromnego brzuszyska.

— Wredna odpowiedź, młody białku, wredna i szalona.

— Będę tu przez tydzień.

— Nie, dziś sie wyniesiesz.

— To żart. Że zostaję tu przez tydzień. Mówię coś śmiesznego, ty się z tego śmiejesz, a ja daję do zrozumienia, że mam więcej takich żartów, starczy na cały tydzień. Tak się mówi w stand-upie... Dobra, nieważne.

— Dlaczego łazisz i wypytujesz o Coppera?

— Ja...

— Nawet tego idiote Shotta Sherrifa wypytujesz.

— Właściwie nic mi nie powiedział.

— A co miał powiedzieć? Nawet go dobrze nie znał.

— Byliście przyjaciółmi?

— Josey Wales kocha wszystkich.

— Mam na myśli Coppera, nie Shotta Sherrifa. Naprawdę był zaangażowany w tę Radę Pokoju?

— A co ty wiesz o Radzie Pokoju? Widzisz, nie połapałeś sie, że żartuje. Pokój. W gecie może zapanować tylko jeden rodzaj pokoju. To proste, tak proste, że nawet niedorozwój zrozumie. Nawet białek. Jak zaczynasz nawijać pokój to, pokój tamto, porozmawiajmy o pokoju, to bandyci odkładają broń. Ale wiesz co? Jak tylko odłożysz broń, policja sięgnie po swoją broń. Pokój to niebezpieczna sprawa. Pokój ogłupia, bo zapominasz, że nie wszyscy podpisali układ. Dobre czasy dla jednych to kiepskie czasy dla innych.

— Przysiągłbym, że już to... więc mówisz, że układ pokojowy to zły pomysł?

— Nie, to ty tak mówisz.

— To o co chodzi?

— Copper pochodził z Wareika Hills, to prawie inny kraj. Nie rozumiał, jak to wszystko działa w Kingston. Dlatego przyjechał do Kopenhagi, do swojego dobrego przyjaciela Papa-Lo, a potem poszed sie napić rumu z drugim dobrym przyjacielem, Shotta Sherrifem. Wszystko było ładnie pięknie, dopóki znajdował sie na terenie JPP albo LPN-u.

— Ale w maju pojechał do Caymanas Park, a to...

— Ziemia niczyja.

— Tym gorzej, że był sam.

— Te pokojowe wajby zrobiły z niego głupca. To jest właśnie problem z pokojem. Pokój usypia czujność.

— Skąd policja wiedziała, że tam jest?

— Myślisz, że tak trudno znaleźć bandyte?

— Ich tam był cały oddział. Nie dwóch przypadkowych gliniarzy, którzy poszli zarobić na ustawionych gonitwach.

— Zasadzka. Lubisz filmy o kowbojach?

— Szczerze mówiąc, to pierdolę filmy o kowbojach. Częściowo jestem Siuks.

— Seks?

— Siuks. Jak Czirokez albo Apacz.

— Jesteś Indianin?

— Częściowo.

— Kumam.

— Kto go wkopał? Coppera, znaczy się.

— Może sam sie wkopał.

— Ale niektórzy mówią, że on był numerem dwa Papa-Lo. Że pewnego dnia może zostałby numerem jeden.

— Facet, co nie mieszkał w Kopenhadze, bo sie bał oberwać kulke? Kto wygaduje takie bzdury?

— Ludzie. Zginął...

— Od jebanych kul, przed którymi starał sie ucicc. Co z tego, że zginął? W gecie każdego da sie zastąpić, nawet mie.

— Rozumiem. Jak według ciebie Śpiewak zareaguje na to wszystko?

— Wyglądam ci na matke Śpiewaka?

— Nie, ale... nie macie do siebie wontów?

— Nie wiem, co masz na myśli, ale ten człowiek dużo przeszedł. Ludzie powinni dać mu spokój. Po prostu pozwolić mu odpocząć.

— Jest bardzo oddany sprawie, skoro wraca tutaj, żeby zagrać kolejny koncert, zwłaszcza jeśli weźmiemy pod uwagę to, co stało się przy poprzednim.

— Cha, cha. Na Śpiewaka już nikt sie nie porwie.

— Wtedy też chyba nikt się nie spodziewał, że ktoś może się na niego porwać.

— Wtedy przyjaciel pozwolił przyjacielowi ustawić gonitwy w jego domu. To sie już więcej nie zdarzy. Nikt mu nie strzeli w pierś, bo nikt mu nie wbije noża w plecy.

— Zaraz, myślisz, że to był atak na kumpla Śpiewaka? O co chodziło z tymi gonitwami?

— Nie mam nic do powiedzenia o Śpiewaku.

— Ale mówiłeś o jakimś jego przyjacielu, nie o nim.

— Niektóre drzewa zostały przycięte dawno temu.

— Teraz gadasz jak Papa-Lo.

— Tak to jest, jak ludzie odchodzą. Pozostają w pamięci.

— Ja czasem gadam jak mój ojciec.

— Ja czasem dyscyplinuje jak mój ojciec.

— Naprawdę?

— Tak, biały chłopcze. W gecie są tacy, co znali swoich ojców. Niektórzy byli nawet pożenieni z matkami.

— Nic nie mówię.

— Wszystko ważne, co do tej pory wyszło z ciebie, nie wyszło przez usta.

— O.

— To dzięki Papa-Lo dobrze nam sie tu żyje. To dzięki Papa-Lo jak spuszczam wode w kiblu, to moje gówno znika i nie wraca. Dla ciebie to takie oczywiste, co nie? Że jak wciśniesz spłuczke, to już nie musisz sie gównem przejmować. Tak, dzięki Papa-Lo ludziom w gecie dobrze sie żyje. Papa-Lo taki jak Śpiewak. I spotka go to samo co Śpiewaka.

— Słucham?

— Siebie sobie słuchaj.

— Rozumiem, że nie jesteś fanem.

— Lepiej we mnie wchodzi Dennis Brown.

— On chyba uwierzył w to zawieszenie broni.

— Siedziałeś kiedyś w pudle?

— Nie.

— To dobrze. Bo jak już zamkną, to policja bije bez litości. Nie chodzi o to, jak leją po ryju pałą albo kopią po plecach, albo ci dwa zdrowe zęby wybiją, że nie możesz jeść, trzeba uważać, żeby sobie języka nie odgryźć. Nawet nie chodzi o to, że podłączą ci dwa kable, jeden do jajec, drugi do główki kutasa, a potem włączą prond. To wszystko dzieje sie pierwszego dnia i nie to jest najgorsza rzecz, jaka sie może zdarzyć w więzieniu. Najgorsze jest, że ci kradną czas, daty, twoje urodziny. To straszne, jak nie wiesz, czy jest środa, czy sobota. Tracisz sens. Tracisz kontakt z tym, co sie dzieje na zewnątrz. Wiesz, co sie robi, jak przestajesz odróżniać noc i dzień?

— Powiedz.

— Czarne robi sie białe. Góra i dół odwrotnie. Pies z kotem zostają przyjaciółmi. Zadaj sobie jedno pytanie: czy ten układ pokojowy został zawarty przez dwie społeczności, czy przez dwóch ludzi, co za długo siedzieli w więzieniu?

— Co myślisz o…

— Ja nie jestem od myślenia.

— Chciałem spytać, co myślisz o Śpiewaku.

— Cały czas myślisz, że ja coś myślę o Śpiewaku.

— Chodzi mi o drugi koncert dla pokoju, w zeszłym roku. Może on uznał, że ten cały proces pokojowy to gra o dużą stawkę.

— Pierwszy koncert był dla pokoju. W drugim chodziło o kible.

— Co?

— Pracujesz w gazecie i nie wiesz? Może to jakaś jamajska gazeta?

— Przecież wrócił dwa lata po tym, jak chcieli go zabić.

— Kto chciał?

— No... no... oni. Mordercy.

— Jak w filmie z Bruce'em Lee.

— Zabójcy.

— Jak w filmie z Clintem Eastwoodem.

— Nie wiem... W sumie nie wiem, kto to był.

— Ha, Papa-Lo chyba wie. Chce zadać ci pytanie o Śpiewaka, być może tylko ty jako przyjezdny... Jesteś wykształcony?

— Tak.

— Tylko wykształcony będzie umiał odpowiedzieć. Wiesz, co to przenośnia?

— Tak.

— Śpiewak dostał w klatkę piersiową, choć miał dostać w serce. Myślisz, że wziął to za zwykły postrzał w klatkę piersiową czy za coś więcej? Za przenośnie może?

— Masz na myśli symboliczny znak?

— Coś w tym stylu.

— Chodzi ci o to, że skoro o mało nie został trafiony w serce, to może znaczyć...

— Wszystko, co trafia w serce, coś znaczy.

— Skąd wiesz, że prawie dostał w serce?

— Tak słyszałem.

— Od kogo?

— Słyszałeś tą jego piosenkę? *Natural Mystic*. Takie coś właśnie krąży w powietrzu.

Kiedy powiedziałem Kapłanowi, że rozmawiałem z Joseyem Walesem, stał w deszczu i za nic nie chciał wejść do środka. Znacie to uczucie, gdy nie widzicie twarzy drugiej osoby, ale i tak wiecie, jak na was patrzy?

Na brzegu mojego łóżka siedzi facet ubrany na granatowo. Dwa dni temu umarł Sid Vicious. Nikt nic nie wie, ale słyszałem plotki, że matka go nafaszerowała heroiną, jak tylko wyszedł z odwyku. Rock jest chory i martwy w Nowym Jorku. Znaleźli go nagiego w łóżku z jakąś aktorką, pewnie też gołą. Dwadzieścia dwa lata. Jebać punk. Jedyne, co do czego się zgadzamy, to *Two Sevens Clash*. Moja matka byłaby dumna. Bóg mi świadkiem, że być melomanem w czasach, kiedy zespołem *du jour* jest Hawkwind, to kiepski pomysł. Sid Vicious umarł dwa dni temu, kilka miesięcy po tym, jak zabił swoją dziewczynę. Nieżywi, ci wszyscy nieżywi ludzie. Tylko cztery osoby wiedzą, że Śpiewak prawie dostał w serce. On, jego menadżer, chirurg i ja, bo go dorwałem i miałem szczęście, ponieważ nie kazał mi spadać, jak się zorientował, że jeździłem za nim po całym Londynie. Tylko trzy osoby wiedzą, że jadł ćwiartkę grejpfruta i akurat odkrawał cząstkę, żeby dać ją swojemu menago. Tylko dwie osoby wiedzą, że Śpiewak powiedział: Syllasje ja Jah Rastafari, a ja usłyszałem o tym dlatego, że szczęście mi dopisało w Londynie.

Jakiś jebany gość w jebanym granatowym wdzianku siedzi na jebanym brzegu mojego jebanego łóżka. A ja zaczynam się czuć jak ofiara morderstwa w widowisku na żywo, zaraz powiem mordercy, żeby chwycił tę pierdoloną broń i, kurwa, zakończył sprawę. Żebyśmy, kurwa, mieli to z głowy.

Moja lewa noga poszła spać. Widzę coraz więcej i więcej czarnych mężczyzn i wszyscy zlewają się w jednego i w nikogo. Łysy facet ubrany na granatowo siedzi na brzegu mojego łóżka, pociera głowę, pociera swoją lśniącą od potu brązową łysą głowę. Koszulę ma granatową. Lewa noga mi zasnęła, tuż za jego zapadającym się w łóżko dupskiem. Patrz w sufit, poszukaj pęknięć w sztukaterii, wypatruj oblicza Jezusa. Tutaj jest Jezus. Poszukaj krzyża.

Poszukaj mapy Włoch, poszukaj buta, poszukaj kobiecej twarzy. Facet na moim łóżku, o kurwa, on ma broń, ma broń, ja pierdolę, ten skurwysyn ma broń, wymachuje nią i celuje sobie w skroń, nie, we mnie, nie, w skroń i zaraz mi tu odstawi jebanego Hemingwaya, dlaczego wybrał akurat mój pokój, żeby ze sobą skończyć, nie będę twoją publicznością, ty skurwysynu. Jezukurwachryste nie pociągaj za spust bo mózg rozbryźnie na czystej pościeli brudnej pościeli co za chuj ubrudzona spermą pościel cała we włosach łonowych ale to moja pościel i nie życzę sobie mieć na niej twojego mózgu ani krwi on wcale nie chce się zastrzelić chce zastrzelić mnie zastrzeli mnie muszę powstrzymać bicie serca usłyszy dudnienie nikt nie jest w stanie usłyszeć bicia serca on jest tak usłyszy kurwa kurwa kurwa obraca rewolwer na palcu wymachuje nim to kowboj z sześciostrzałowcem *W samo południe Człowiek, który zabił Liberty Valance'a Synowie* jebanej *Katie Elder* przynajmniej zginę jak prawdziwy Jamajczyk to nie jest śmieszne to nie jest kurwa śmieszne pierdolę to nie umrę dzisiaj nie umrę dzisiaj kurwa przestań kręcić tym rewolwerem jakbyś właśnie znalazł porysowany egzemplarz *Gunfighter Ballads* który można zobaczyć w każdym jamajskim domu nie zginę dzisiaj moja matka nie będzie na lotnisku w Minneapolis załatwiała formalności związanych ze sprowadzeniem trumny ani rozwieszała plakatów po całym Kingston ZAGINĄŁ CZY WIDZIAŁEŚ TEGO CZŁOWIEKA? nie będzie występowała u Dicka Cavetta żeby opowiedzieć o biednym synu i strasznej jamajskiej biurokracji i że nikt tu nie chce jej pomóc i że to żmowa albo przynajmniej coś ukrywają może syn naprawdę zaginął przez niekompetencję władz ona wie że coś jest nie tak i poruszy niebo i ziemię żeby poznać prawdę nawet jak policja minister i ambasador nie kiwną palcem w tej sprawie ja się stanę gorącym tematem a ona będzie kolejną zabiedzoną staruszką z którą reszta dzieci zerwie kontakty (była najlepszą mamą na świecie ale potem zaczęła uganiać się za zjawą) i pozostaną jej tylko papierosy i misja misja żeby odkryć prawdę.

Wystąpi też w *60 Minutes* i znów u Cavetta i powoli ludzie zaczną zapominać, a wtedy ona... nie wiem co wtedy zrobi.

Jezu Chryste, spraw, żeby on zniknął. Że jak zamknę oczy, zamknę na tak długo, jak będziesz chciał, a potem je otworzę, to jego już nie będzie. Chcesz, żebym się pomodlił? Mogę się pomodlić, klnę się na Boga. Klnę się na Boga. Obiecuję. Jebać to. Nie będę się zastanawiał, jak jest w niebie. Ludzie tak robią? Ja nie będę. Powiem mu tylko, jak mnie teraz zabijesz, to spojrzę ci prosto w oczy i wwiercę się do twojej głowy i zostanę tam aż do końca twoich dni. Przysięgam że będę cię nawiedzał tak długo ty skurwysynu że w końcu egzorcysta na ciebie popatrzy i powie synu nie ma dla ciebie ratunku. Dopadnę cię razem z tą opętaną kurwą Lindą Blair i z tym pojebem z Amityville co dymał własną siostrę i zajebał całą swoją rodzinę i wytnę ci kawałek mózgu i sobie w tym miejscu we troje zamieszkamy a potem zeżremy cię od środka jak nowotwór. Dopadnę cię skurwysynu. Sprawię że będziesz się miotał w szale w kościele że oślepniesz i wyruchasz własną siostrę i będziesz gadał do siebie co chwila bo tylko ty i ja będziemy wiedzieć że tak naprawdę gadasz do mnie. Potem zjedziesz z prostej drogi do pierdolonego morza ale nie utoniesz bo ja ci na to nie pozwolę będziesz żył sto lat żebym mógł cię przez cały czas prześladować za każdym razem jak będziesz brał prysznic na zaparowanym lustrze będzie się pojawiało moje imię a kiedyś na suficie przeczytasz szykuj się na obciąganie kutasów w piekle zatrzęsę twoim łóżkiem ramiona zaczną cię swędzieć i będziesz się drapał tak mocno że wszyscy przyjdą szukać heroiny i żaden pies się do ciebie nie zbliży bo wyczuje że w twojej głowie za darmochę mieszka upiór więc lepiej odwróć się lepiej wstań i wyjdź z tego pokoju bo przysięgam na Boga że ci to wszystko zrobię. Zrobię. Zrobię.

Dzwoni telefon.

On podskakuje.

Ja podskakuję.

Broń obraca się w powietrzu i spada na podłogę.

Patrzymy na siebie.

Schyla się po rewolwer kopnij go kopnij.

Kopnąłem go w plecy i drugi raz w potylicę.

Przekręć się, wyskakuj z łóżka… złapał mnie za nogę.

Puść mnie puść mnie do chuja próbuję wstać.

Walę z pięści ale chwyta mnie za rękę nie puszcza.

Ściąga mnie z łóżka krzyyyy… ręką oplata mi szyję.

Zaciska. Robię się czerwony coraz bardziej czerwony jak tłusty rak gdzie są twoje oczy? Kaszlę kaszlę silny uścisk prawie miażdży mi jabłko Adama on nie zwraca uwagi nie mogę uderzyć nie mogę kopnąć drap drap nawet nie próbuje mnie powstrzymać jak go drapię po twarzy po policzku w końcu wali mnie z otwartej jakbym był dziwką jebaną dziwką kaszlę on siada mi na klatce piersiowej nie mogę oddychać nie mogę oddychać ściska jak imadło Jezu Chryste Jezu Chryste łapie mnie za prawą rękę jakbym był zwykłą głupią dziwką głupią dziwką głupią dziwką nie mogę się ruszyć szyja przygwożdżona ogień płonie w głowie zaraz wybuchnie w głowie jasno w głowie ciemno muszę jej powiedzieć że od pierwszego dnia wiedziałem że odejdzie pierdolę takie życie zaraz przemknie przed oczami najpierw rozluźnij stopy najpierw stopy niech mnie przynajmniej znajdą w stanie uspokojenia po co kurwa dzwoni ten telefon ja podskakuję on podskakuje nie na szyję za wolno odwija się ręką pac w moją dłoń pac w jego dłoń pac w twarz kłykcie pięść walę z otwartej jak mam być dziewczyną to będę dziewczyną nic nie mówi palce mi się ślizgają jego ręka na mojej szyi nie dusi przygważdża szuka jej o kurwa broń broń broń on patrzy ja patrzę na lampę kurewsko ciężka lampa serwetka Biblia wydawnictwa Gideon Jezu kurwa Chryste nóż do otwierania listów na papeterii wyrazy szacunku od hotelu odwraca się do mnie żeby mi dać broń? Nie ma broni? Nie widzę broni nie pamiętam kiedy go złapałem ostry koniec ciemny koniec dlaczego nic nie mówi on mi zaraz ściśnie gardło ja ściskam nóż jego ucisk mój zamach celuję prosto w szyję kłykciami uderzam w podbródek czuć jak cios pięścią palce się ześlizgują o nie kurwa wlazło i to głęboko. Patrzy na mnie spod brwi oczy wybałuszone nie dotyka noża w szyi krew najpierw ciurkiem potem tryska jak z kranu oczy wykonują to coś jakby nie wierzyły w to co robi reszta ciała. Nie mówi nie mówi drży stacza się ze mnie leży na łóżku wstaje idzie do drzwi prawe kolano się ugina wyprostowuje ugina pada na podłogę.

JOSEY WALES

*ﬞ*uż wiem, że są trzy rzeczy, które nie powinny wracać. Jedna to
słowo wymówione. Drugą zapomniałem w tysiąc dziewięćset
sześćdziesiątym szóstym. Trzecia jest tajemnicą. Ale jakbym miał
dodać coś czwartego, to byłby on. Ile kul musi ominąć twoje serce i trafić cie w ramie, żebyś zrozumiał, że dom to już nie dom?
Tej kuli w ramieniu nie wyciągnie żaden lekarz, bo wiedzą, że
jakby cie tknęli, już byś nigdy nie zagrał na gitarze. Siedze w fotelu, który moja kobieta wypucowała, i w końcu dzwoni telefon.
Ile kul? Chyba pięćdziesiąt siedem. Mówią, że tak powiedział, ale
nikt nie wie, kiedy i komu, że za pięćdziesiąt sześć kul wystrzelonych w jego domu sprawcy umrą od pięćdziesięciu sześciu kul.
To nowe proroctwo trzeba by dopowiedzieć. Pięćdziesiąt sześć
na głowe, pięćdziesiąt sześć razy osiem? Czy pięćdziesiąt sześć
przez osiem, a to skomplikowane dzielenie, nie mam czasu na
takie mądrości.

A może on myśli, że pięćdziesiąt sześć dla tego, co stoi za tym
planem, tego na samej górze, Dada Dona? Mam po dziurki w nosie tych czarów marów pierdolonych szamańskich przepowiedni.
Jak dziś ktoś sie zrobi rasta, to w przyszłym tygodniu będzie gło-
sił proroctwa. I wcale nie musi być mądry, wystarczy pare słów
o ogniu piekielnym i siarce z Biblii. Albo stwierdzi, że to wzięte
z Księgi Kapłańskiej, bo nikt nie czytał Księgi Kapłańskiej. Po tym
można poznać. Przecież nikt, kto przeczytał Księgę Kapłańską do
końca, nie może wziąć tego na serio. Nawet w takiej Biblii, pełnej pierdół, Księga Kapłańska to jedno wielkie wariactwo. Nie
będziesz obcował z mężczyzną, tak jak sie obcuje z niewiastą.
Dobra, z tym mi jakoś pod drodze. Ale nie jeść krabów? Nawet jak
sie doda smaczny miętki podsmażony jam? I czemu za to zabijać

człowieka? No i przysięgam, że ostatnie, na co może liczyć taki, co zgwałci moją córke, to że pozwole mu sie z nią ożenić. Nie da rady, pokroje skurwiela żywcem na kawałki i rzuce jego stopy bezpańskim psom.

Pamiętam, jak zeszłego roku na jednej z tych imprez z okazji zawarcia pokoju, co sie od nich roiło jak od wszy na brudnej głowic, jeden rasta nauczał mie o znaku bestii. Nic takich nie podjara bardziej niż gadka o armagidonie. No i ten rasta mówi:

— Yo, ja kupuje tylko świeże, brada, bo wszystko opakowane ma teraz znak bestii. Wiesz, chodzi o ten kod kreskowy w białym kwadraciku.

Starałem sie nie spuszczać oka z człowieka, co sie podwalał do mojej kobiety, wyglądającej miło w świetle latarni, jak inni tańczyli dokoła, taki jeden z Ośmiu Ulic, co nie rozumie, co znaczy obrączka na jej palcu. Nie było powodu do obaw — ona umie sobie radzić z takimi, jest ostrzejsza ode mie. No ale do rzeczy, tak właśnie kombinują rasta. Nawet jak wiesz, że od początku do końca to jedno wielkie pierdolenie, w środku jest jakiś haczyk.

— Kod kreskowy? — pytam. — W kodzie kreskowym jest od groma cyfer, ale dam głowę, że do tej pory nie widziałem trzech szóstek.

— Mówisz, że sprawdzasz?

— Nie, tylko…

— Tylko to sie kozioł nadaje do dymania, brada. Weź na rozum. Nikt na Jamajce nie ma mocy besti. Oni tylko szamią to, czym sie żywi bestia. Nie zauważyłeś, że wszystkie liczby zaczynają sie od zero zero zero? To matematyka dziesiętna. Liczby całkowite, liczby naturalne, podwójne. A to oznacza, że wszystkie liczby na wszystkich kodach paskowych na całym świecie sumują sie do sześćset sześćdziesięciu sześciu.

Ulotniłem sie, bo to akurat zaczęło mieć jakiś sens. A na tej imprezie dla pokoju nic nie miało sensu. Na pewno nie tych dwanaście plemion z ruchu rastafari, których kolor skóry bielał z każdym miesiącem, nie JPP ani LPN debatujący razem, nie

Kopenhaga, Osiem Ulic grający w domino i padający sobie w ramiona, buzi, buzi, spijający sobie mleczko z dziubków, jakbym nie zabił ci brata, ojca i dziadka trzy lata temu. Co to jest pokój? Pokój to jak podmucham córce czoło, gdy sie za bardzo spoci we śnie. A to to sie nie nazywa pokój, to sie nazywa pat. Tego słowa nauczyłem sie od Doktora Love.

Doktor Love poleciał do Miami, bo tam wybierają prezydenta. Tam też posłałem Bekse. Kto wie, co oni wymyślą, bo obaj książki kochają bardziej niż kobiety. Doktor Love mówi Hermano, te skurwysyny z Medellín będą cię chcieli sprawdzić, a tak, jeszcze raz będą chcieli cię sprawdzić, a czegoś sie spodziewał, *muchacho*? W zeszłym tygodniu ukradli trupa z kostnicy, wybebeszyli go jak rybę, wypchali kokainą i kazali jakiejś dziewczynie lecieć z tym do Fort Lauderdale, dzień po jej *quinceañera*. Ostre jak ostre porno, nie? Ja już jestem troche zmęczony tym sprawdzaniem. Oni wiedzą i ja wiem, że trzeciego grudnia to był właśnie taki durny sprawdzian. Wysłałem im konkretny sygnał, a oni mówią, że chcą mieć trupa. Trup to trup, nie obchodzi mie to. Ale obchodzi mie, że jakieś gadające po hiszpańsku pizdocipy myślą, że mają do czynienia z gówniarzem, co go ciągle trzeba sprawdzać.

Grudzień tysiąc dziewięćset siedemdziesiątego szóstego roku, Śpiewak dał koncert w parku, a ja marnuje czas w jebanym Jamintel Communications, bo musze zadzwonić za granice tylko po to, żeby posłuchać, jak Doktor Love i jakiś kretyn przeklinają po hiszpańsku, ale to nie hiszpański z Kuby, więc prawie nic nie rozumiem, wiem tylko, że był wściekły. I myśle sobie, temu pizdocipowi sie wydaje, że z kim ma do czynienia? Jakbym nie wiedział, co znaczy *hijo de puta*? Czekał, że co, że sie rozpłacze, że zacznie przepraszać, tak mi przykro, szefie, następnym razem sprawie sie lepiej, przysięgam? Jak jakaś kurwa, co ją alfons musi postawić do pionu? Już miałem powiedzieć temu *maricón*, co z niego za piździelec, ale Doktor Love mówi do mie: dokończ robote, *muchacho*, po prostu dokończ robote. A więc jamajski Syryjczyk, Kubańczyk i Kolumbijczyk wszyscy chcą mieć trupa. Tylko że do żadnego z nich nie dociera, że dałem im coś lepszego niż trupa. Tego samego tygodnia dzwoni do mie Peter Nasser.

— Co sie, kurwa, z wami porobiło? Wy pierdoleni ludzie z geta.

— Znowu: wy ludzie z geta? Już to słyszałem.

— Nie powiedziałem wy ludzie z geta, tylko wy pierdoleni ludzie z geta. Co z wami, w pizde? Dziewięciu i co?

— Ośmiu.

— Dobra, ośmiu. Ośmiu wpada do O.K. Corral, z iloma, czternastoma sztukami broni? I żaden nie umie trafić?

— Umią trafić.

— Zostaliście pierszymi w historii, co trafiają człowieka w głowe i nie umieją go zabić. Jakim cudem? Odpowiedz.

— Nie wiem, o kim mówisz. A może jesteś taki głupi i nie słyszałeś, że telefony mogą być na podsłuchu?

— Co? A co to, gramy w filmie szpiegowskim? Co za piździelec chciałby cie podsłuchiwać?

— Tak czy siak, nie wiem, kogo masz na myśli, mówiąc wy, ale jestem pewien, że ten ktoś nie celował w głowe.

— Ten ktoś nie celował w ogóle w nic, chyba że w ściane albo w niebo. Nie, wodzu, taka kretyńska fuszerka to komedia normalnie. Pomyśl, setki kul i nikt nie zginął! Przecież wy ludzie mieliście piździelskie karabiny maszynowe, tak z nich trudno trafić? Myślałem, że Louis nauczył was, jak sie z czymś takim obchodzić.

— Nie znam żadnego Louisa i nie znam żadnych wy ludzie.

— Nie przeginaj, Joseyu Walesie. Wiesz, ja go uprzedzałem, że czarnuhów z geta nie ma sensu uczyć niczego, co wymaga minimum inteligencji, bo na pewno spierdolą robote. Moja ślepa babka celuje lepiej niż wy. Niż każdy z was ośmiu. Nie wiem, po co w ogóle do ciebie dzwonie.

— Ja też nie wiem, bo nikt z tych, o których gadasz, tutej nie mieszka.

— Po co nabijam rachunek telefoniczny, eh? Powiedz.

— Nie wiem po co, szefie.

— Sadzisz sie? Wiesz, z kim gadasz? Wiesz, z kim gadasz, mały pizdo...

— Mały? Znowu ściągłcś gacie i gapisz sie w swoje krocze? Odkładam słuchawke. To niezły kop, jak człowiek sobie uświadomi, że jako jedyny nie chodził do mądrej szkoły ani do college'u za granicą, ale i tak tylko on ma olej w głowie. Naprawde chciałem dokształcić tego bezmózgiego syryjskiego gnoja, co gada ze mną jak czarnuh. Pouczyć go, że wystarczy, że mnóstwo ludzi traktuje Śpiewaka jak proroka. Więc jak go zabijemy, to jeszcze awansuje na męczennika. A moim sposobem cały świat sie dowiedział, że co, no że prorok jest jak inni ludzie, można go zranić jak każdego — że jak wszyscy w tym kraju, on też nie jest bezpieczny. Zestrzeliłem go z piedestału, spadł przykrócony do normalnej wielkości. Ale nic z tego nie powiedziałem Peterowi Nasserowi. Trzeba patrzeć do środka, pod skóre, zobaczyć prawdziwą nature człowieka, żeby wiedzieć, że mimo tej białości (na twarzy, on nawet nad morze nie chodzi, bo opalenizna wyglądałaby jak czarna skóra) Peter Nasser jest takim samym bezmózgiem jak pierwszy lepszy zasrany czarnuh. Ale przynajmniej teraz mówi do mie wodzu. Musze spytać moją kobiete, kiedy dokładnie zmieniłem sie w białego, co pije drinki w hotelu Mayfair. Rany w pizde, nie znosze, jak mie ktoś tak wkurzy, że przeklinam. Tylko bezmózgi przeklinają.

Powiedziałem Doktorowi Love, bo też zadzwonił tego samego wieczora, że w sześćdziesiątym szóstym skończyłem z udowadnianiem czegokolwiek ludziom, a jak Medellín myśli, że to jakaś szkółka i muszą robić mi klasówki, to może niech sie przeproszą z tymi pedkami z Bahamów. Ale potem, jakby powiedzieli rasta, walneła mie inna myśl. Jakby Śpiewak stał sie męczennikiem, to byłby spory problem, wiadomo, ale ich problem, nie mój. Peter Nasser srałby po nogach, żeby wykończyć legende, i nie miałby czasu nękać mie swoimi pierdołami, bo tak po prawdzie obaj wiemy, że dawno już mineły czasy, kiedy polityk kazał mi skakać, a ja sie grzecznie pytałem: jak wysoko? Teraz jak polityk mówi, żebym skakał, to moja kobieta mu odpowiada, że nie moge podejść do telefonu i niech zostawi wiadomość. A skoro o głupcach mowa, jak myślicie, co sie stanie, jak człowiekowi z łbem na karku dacie broń i powiecie, że ma ją zwrócić? Nawet Papa-Lo nie był aż takim kretynem.

No więc postanawiam pogłówkować troche nad tym nowym układem. Ósmego grudnia tysiąc dziewięćset siedemdziesiątego szóstego poszła wiadomość, że on i pozostali przeżyli. Za dużo Babilonu w szpitalu, no i wtedy już złapałem Tony'ego Pavarottiego, bo sie okazało, że Beksa sie nie nadaje, nie ma takich umiejętności. Opatrzyli go na ostrym dyżurze i odesłali do domu. W szpitalu został tylko menadżer, a jego wykończyć akurat nie było sensu. No to jedziemy z Tonym Pavarottim na Hope Road pięćdziesiąt sześć, spodziewając sie policji. Policja to pestka, gdy trzeba oddać strzał. Poza tym jeden mój telefon i zwineliby sie w minute. Tyle że numer pięćdziesiąt sześć był jak widmo. Pusty podjazd, wszystkie okna ciemne. Ani jednego policjanta. Ja sie śmieje, a Pavarotti patrzy na mie, jakby chciał o coś spytać. Tymczasem Peter Nasser odstawia takie dziadostwo, jakby to był teleturniej, ile błędów można narobić. Ten głupi balas przekazuje mojej kobiecie wiadomość, cholerną wiadomość, że jak nasz prorok zagra na scenie, na świecie będzie zaskoczenie, iskrzenie i wrzenie. To była jedna z tych rzadkich chwil, kiedy słyszałem, jak Tony Pavarotti sie śmieje, bo mu przeczytałem na głos tą wiadomość. Moja kobieta nie miała kurewskiego pojęcia, o co chodzi, więc zostawiła nas dwóch w pokoju. No to z Tonym Pavarottim w pokoju zaczołem sie zastanawiać, czy nie popełniłem błędu, wybierając Bekse, wysyłając go, żeby posprzątał po nas. Zamiast samemu to zrobić, on wezwał rasta, jak dziewczyna, co sie boji. A najgorzej, że przez mój telefon. No to zadzwoniłem.

— Gdzie ptaszek leci?

— Brada, po co ty sie ze mną kontaktujesz?

— Nie lubie sie powtarzać.

— Odleciał wam. Menago zostawili w szpitalu, a jego zabrali na wzgórze białych.

— Policja?

— Jeden w aucie z nimi, reszta na miejscu. Dwanaście plemion rozstawieni na warcie po całym wzgórzu. I biały chłopak...

— Biały chłopak?

— Biały z kamerą. Nikt nie wie, skont sie wzioł, mówi, że jest z ekipy filmowej. I tyle. Dobra, koniec pieśni.

— Chwila, ty jeszcze nie skończyłeś, inspektorze.

— Owszem. Ja już ci swój gospel odśpiewałem.

— Ej, kanarku, dopiero zaczołeś trele.

— Dzisiaj nawet Jezus nie przedostanie sie na to wzgórze.

— A na koncercie?

— Pełna policyjna eskorta w obie strony.

— A następnego dnia?

— Nie wiem.

— Mów, piździelcu.

— Następnego ma wylecieć. Prywatnym odrzutowcem go zabiorą.

— Kiedy?

— Pół do szóstej, szósta.

— Rano czy wieczorem?

— A jak myślisz?

— Gdzie?

— Nikt nie wie.

— Odrzutowiec leci i nikt nie wie gdzie? Szefie, znowu robisz kretyna z człowieka, bo jest z geta?

— Mister, mówie ci, że nikt nie wie. Nawet komisarz. On nawet nie wie, że Śpiewak planuje lecieć.

— Ściśle tajne?

— Bardziej tajne niż kolor barchanów królowej. My wiemy, bo nasz człowiek, co z nimi jechał autem, udawał, że śpi, i podsłuchał, jak gadali. Ten jego biały menago na wzgórzu powiedział, że jak tylko da koncert...

— A więc to oficjalnie potwierdzone? Da koncert?

— Nie, nic niepotwierdzone. Przygotowują sie na wszelki wypadek. No więc menago mówi, że jak tylko da koncert, to podstawią mu samolot na lotnisku, ale wcześnie, zanim lotnisko sie otworzy.

— Które? Normana Manleya czy Tinson Pen?

— Manleya.

— Czyli lot międzynarodowy. Połącz sie z policją na wzgórzu.

— Ta, jasne. Po co miałbym...

— Połącz sie ze swoimi na wzgórzu. No już.

Szósta rano i lotnisko wygląda jak pierwsze sceny westernu. Brakuje tylko świszczącego wiatru i tych fruwających krzaków. Różowe niebo. Ja i Tony Pavarotti na schodach, co prowadzą na taras widokowy. Ktoś uznał, że to świetny pomysł zrobić taką ścianę w kratke, z dziurami jak otwory strzelnicze. Za nami wpół mroku kraciasty cień. Pavarotti sie kręci i wierci, kont mu chyba nie odpowiada. Samolot już stoi na pasie, czeka. Pavarotti milczy, prawa ręka na karabinie, lewe oko przy lunecie.

Daleko na końcu pasa startowego zapuszczają korzenie dwa jeepy Sił Obronnych Jamajki, z czterema, pięcioma żołnierzami z tyłu, dwaj z lornetkami. Zobaczyłem ich, jak tylko weszliśmy na taras. Na widok pilnujących żołnierzy pomyślałem, że Śpiewak zjechał już ze wzgórza białych. Ale musiał mieć mine, jak sie budził i zobaczył, że nie ma policji. Pewnie wysłał przodem ze dwóch albo trzech braci rasta, żeby sprawdzić, czy na drodze jest bezpiecznie, a to znaczy, że on i jego prawa ręka przyjadą sami. Bez żołnierzy patrzących przez lornetke. Co do policji to zawsze można założyć jedną, dwie rzeczy: 1) jak pieniądze trafią na konto w banku albo do tylnej kieszeni spodni, to wszystko może sie zdarzyć; 2) zawsze tanio sie sprzedadzą. A z żołnierzami to nigdy nie wiadomo. Stoją z dala, może pilnują, a może tylko sobie patrzą. Ciekawe, czy pilot sie spodziewa, że podjadą do samolotu.

— Postaraj sie go zdjąć przed tym, jak wojsko ruszy.

Pavarotti kiwa głową.

Dwie po szóstej. Wszyscy czekają na Śpiewaka, tylko słońce robi swoje. Przez chwile sie czuje, jakbym czekał na defilade, jak na tym niewyraźnym nagraniu, co pokazują każdego listopada, Kennedy w Dallas. Wszyscy czekają na Śpiewaka. Nie tylko ja, nie tylko wojsko, nie tylko Tony Pavarotti czy samolot, ale tak samo Peter Nasser, Doktor Love i telefon, na którym tamci wykręcają numer do kartelu w Medellín. Ale potem zaczynam główkować. Wszyscy czekają na jego następny ruch czy na mój? Kto w tym odcinku faktycznie jest wytresowaną małpą? Kogo ludzie tak naprawde obserwują w napięciu? A jak ludzie mówią skacz, a ty skaczesz odpowiednio wysoko, to przestają ci rozkazywać czy raczej zaczynają tobą pogardzać, bo nie zachowałeś sie jak mężczyzna, nie powiedziałeś: jebcie sie, zło czyńca nie będzie skakał dla nikogo? Problem z udowodnieniem czegoś jest taki, że ludzie nie zostawią cie potem w spokoju, tylko dadzą ci coś nowego do udowodnienia, jeszcze trudniejszego. Wynikną z tego różne pierdoły, aż sie zrobi komedia jak w telewizji. Albo kiepski żart.

Tony Pavarotti puka mie w ramie. Jest. On i jeszcze jeden rasta idą do samolotu. Wszystko nieruchome, tylko kurz fruwa im spod nóg. Lotnisko ciągle puste, obudzi sie dopiero o siódmej. Idą powoli, rozglądają sie po drodze, przystają i znowu idą. Śpiewak patrzy na samolot, w prawo i lewo, drugi rasta idzie tyłem, pilnuje pleców. Dostrzegają wojskowe jeepy i sie zatrzymują. Śpiewak patrzy na jeepa i patrzy na samolot. Nikt sie nie rusza. Tony Pavarotti przesuwa karabin w ich strone, żeby wycelować. Przesuwa palec na spust. Śpiewak patrzy na wojsko i mówi coś do rasta. Ruszają, ale wolniej, zatrzymują sie przed samolotem. Może czekają, żeby ktoś wysiadł. Przypominam sobie, że Tony Pavarotti nie musi mieć mojego rozkazu. Słysze szczęk.

— Czekaj.

Patrzy na mie, patrzy na ich dwóch biegnących teraz do samolotu.

— Szkoda potu.

Wbiegają do samolotu, sami muszą zamknąć drzwi.

Jak następnego dnia dwa razy zadzwonił telefon, to obie rozmowy uciołem tym samym tekstem. Jak tak bardzo chcecie, żeby nie żył, to sami go zabijcie.

Teraz siedze sobie u siebie i czekam na telefon. Lepiej, żeby zadzwonił jak najszybciej. Bo jak tylko zadzwoni, będe mógł przestać myśleć. Będzie czas działać, nie myśleć. Ciekawe, czy ona płaci rachunki za telefon? Telefon ma zadzwonić trzy razy, zanim położe sie do łóżka. Jak nie zadzwoni, to jutro nie nadejdzie. Siedze i czekam na telefon i Śpiewak znowu włazi mi do głowy i aż mi sie chce kląć. Ten człowiek nigdy nie będzie wiedział, że dwa razy był o włos, żebym go wykończył. Że go puściłem, bo jak wsiadał do samolotu, to byłem pewny, że nigdy nie wróci. A jednak w tysiąc dziewięćset siedemdziesiątym ósmym przyleciał, wysiad z samolotu, nawet narobił afery na cle. W ciągu tych dwóch lat Peter Nasser zmądrzał na tyle, że już nie przychodził, żeby na mie szczekać jak pies, tylko żeby rozmawiać jak człowiek. Nawet zaczął mie nazywać wodzu, aż sprawdziłem, czy od tego mydła karbolowego skóra mi sie nie robi biała. Przestałem go używać i moja kobieta bardzo sie z tego ucieszyła, bo przestała czuć, że chodzi do łóżka ze szpitalem. Nie wiem, co bardziej go zaskoczyło, czy to, że Śpiewak wraca, żeby dać kolejny koncert, czy że wiedziałem od dawna i mu wygarnołem.

— Ten pierdolony układ pokojowy. Masz z tym kurestwem coś wspólnego?

Siedzimy w Lady Pink Go-Go Club, do którego on troche za bardzo lubi przychodzić. Wygląda na to, że poznikały te kurwy, co Beksa sie z nimi zadawał. Wygląda na to, że straciły ochote ruhać sie z butelką po pepsi, jak tylko on stracił ochote na nie. Ale w nowej obsadzie jest jasna dziewczyna, więc lokal napakowany. Mama posadziła nas w pokoju na górze i spytała, czy chcemy umyć kutasów albo przetrzeć tyłków. Nie dzisiaj, mówie jej, ale Peter Nasser nie zamierzał przegapić okazji na spotkanie z odkurzaczem z geta, jak sam to nazywa, i sie patrzył, jakby miał nadzieje, że jednak dołącze. Chciał gadać o sprawach, nawet jak kurwa go wysysa do ostatniej kropli. Ja na to, brada, dwaj mężczyźni nie mogą obnażać fiutów na raz w jednym pokoju, bo jakby to wyglądało? Najbardziej nie lubi, jak sie go nazywa ciota, więc zanim zdążył mie wyprosić, mówie, że ide na dwór przewietrzyć sie na kwadrans, ale jak wracam po ośmiu minutach, ona już wychodzi, pluje i klnie, że piździelski biały spuścił sie jej do ust.

— Wiesz, czego mam dosyć? Pierdolenia o tym całym układzie pokojowym. Teraz nawet Jacob Miller zrobił o tym piosenke, nie? Słyszałeś już? Chcesz, żebym ci zaśpiewał?

— Nie.

— Układ pokojowy w pizde jebaną.

— Następnym razem powiedz żołnierzom, żeby nie strzelali.

— Żołnierzom? O co ci chodzi? O Green Bay? To wszystko przez Green Bay? Nie oglądasz telewizji? W Green Bay nie zgineli aniołkowie.

— Dziwne, he? Czy oni wszyscy nie byli przypadkiem z twojego okręgu? Jeden z nich nawet mi mówił, że jakiś facet zwany Junior Soul przyszed na twój teren i powiedział im, że dostaną broń za darmohe.

— W życiu nie słyszałem o żadnym Junior Soulu.

— Ale jakoś wszyscy myśleli, że ja słyszałem. Rozpytałem ludzi, kto z geta miałby taką ksywke? To brzmi jak jakiś piosenkarz z Motown.

— Tyle wiesz o… Nieważne.

— Może coś wyczuł w powietrzu.

— A co, zaśpiewasz mi teraz *Natural Mystic*?

— Wiesz, że on wraca? Wraca z powodu tego pierdolonego układu pokojowego.

— Przyjechał tylko na ten cholerny koncert. I tak za dużo. On teraz londyńczyk, nie? Może będzie sam instalował te kible w gecie?

— Jak wy byście kupili kible, to nie miałby po co wracać.

— Oczywiście, Joseyu Walesie, bo to moja partia jest u władzy. Wydaje... Ej, wodzu, co cie tak śmieszy?

Na parterze zaczeła lecieć *Ma Baker*. Usłyszałem ponad krzykami tłumu, żartami, przekleństwami, wołaniem, żeby kobieta pokazała miensko. Nie chciało mi sie tłumaczyć, dlaczego *Ma Baker* mie bawi.

— Nic, szefie. Myślisz, że Śpiewak naprawde wpada na chwile z powodu tych kibli?

— Niedokładnie kibli, z powodu armatury i kanalizacji, czy jak sie nazywa to, o co tak błagają ludzie z geta. A niech dalej błagają, kto im kazał głosować na tych w pizde jebanych socjalistów? Dwa razy w dodatku. Trzeba zadać sobie pytanie, jak głęboko kutas musi ci wleźć do dupy, żeby do ciebie dotarło, że pedek cie dyma?

— Śpiewak nie przyjeżdża po to, żeby otwierać jakieś kible.

— No to przyjeżdża z powodu tego pierdolonego pokoju. Mam nadzieje, że zdajesz sobie sprawe, że to bardzo martwi ludzi z samej góry. Bardzo. Wiesz, ilu Kubańczyków przyleciało na Jamajke w zeszłym tygodniu? A teraz ten pierdolony ambasador Erik Estrada sie przechadza, jakby sobie kupił ten kraj.

— Śpiewak spotykał sie w tym samym czasie z Papa-Lo i Shotta Sherrifem.

— Jest, kurwa, ktoś, kto o tym nie wie? Wszyscy sie miksują i miksują pod numerem pięćdziesiątym szóstym, nawet twój jebany premier sie zachowuje, jakby tam pracował.

— Ci trzej spotkali sie w Angli tuż przed koncertem.

— No i? Koncert był ponad rok temu. Więc?

— Myślisz, że trzej najważniejsi ludzie z naszego dauntaunu spotkali sie tylko z powodu koncertu?

— Wydaje mi sie, że tych trzech na nic więcej nie stać.

— Koncert to tylko bonus.

— Zakładam, że wiesz, co znaczy to słowo.

— Sto procent. Tak samo ja zakładam, że twój szef, czarownik od finansów, wie, co naprawde powoduje inflacje.

I znowu. Spóźniona reakcja w samych oczach. Myśli, że nie zauważyłem. Syryjczycy.

— Co ten kundel w pizde jebany knuje, zakłada trzecią partie? To coś poważnego?

— Jeszcze przed chwilą cie to nie interesowało.

— Wodzu, gadaj, kurwa żeż mać. Poważnie, człowieku.

— Po koncercie będzie realizowany pewien program. Plan. Strategia, jak wolisz.

— Jaka strategia?

— Naprawde chcesz wiedzieć? Rząd rasta.

— Cooo? Coś ty, kurwa, powiedział?

— Dotrze do ciebie, jak cały oddział rasta przyleci tutej z Angli. Niektórzy już wylądowali. Czekaj, chłopcze, ty chyba nie wiesz, że nawet Papa-Lo sie zrobił rasta? Już całe miesiące nie je wieprzowiny. Spotkania dwunastu plemion. To teraz dla niego normalka.

— Uwierze, jak sie przestanie czesać.

— Kto ci powiedział, że wszyscy rasta mają dredy? Jezu Chryste.

Musze pilnować swoich reakcji, żeby nie wyszed na wielkiego kretyna.

— Jak to, że…

— No dobra, chcesz wiedzieć, co rasta i honorowi rasta planowali w Angli, czy nie?

— Zamieniam sie w słuch, wodzu.

— No więc jeden z nich, nie wiem który, mówi, że idea jest taka, żeby rasta wrośli w społeczeństwo, w polityke, wszystko oddolnie.

— Tak dosłownie powiedział?

— Wyglądam ci na sekretarke?

— Hurra. A więc spotkali sie z okazji koncertu i zaczeli gadać o przejęciu władzy. Jak każdy człowiek na każdym ganku w każdym domu na Jamajce. To jest nius?

— Nie, brada. Najpierw spotkali sie w sprawie nowego rządu, a dopiero potem zaczeli gadać o koncercie.

— Co?

— Ty nie masz pojęcia, która godzina wybiła na zegarze. Nawet nie wiesz, że ten zegar to Big Ben. Poznaj plan: założyć nową opozycje z obu stron geta, założyć partie naprawde dla ludzi, żeby pozbyć sie was wszystkich w imieniu rasta.

— Jakieś jamajskie Mau-Mau?

— Co?

— Ale przecież rasta chcą wyjechać do piździelskiej Etiopi. Dlaczego nie pomażą jakiegoś statku na czerwono, czarno i zielono i stąd po prostu nie wypierdolą? Niech to nazwą Black Star Liner Dwa czy jakieś inne kurestwo.

— Tobie sie wydaje, że londyńscy rasta słyszeli o Etiopi? Szefie, londyńskie dredy znają rasta przez reggae. Tam gdzie jest ojczyzna reggae, tam jest ojczyzna rasta. Nagle rastaman w Angli uczy sie w akademi biznesu, startuje w wyborach do parlamentu i posyła dzieci do różnych szkół, nawet dziewczynki. Jak myślisz, po co to wszystko? Anglia ich nie chce. Jak myślisz, gdzie pojadą?

— Cholera.

— Podziały na dauntaunie, mistrzu. Powinieneś wiedzieć, bo te podziały to przecież twoja robota.

— Ja nic nie podzieliłem.

— Ej, wypisujesz sie teraz ze swojej parti? Wy dwaj to podzieliliście. A ja? Ja tylko realizuje. A jak myślisz, co ma sie wydarzyć po koncercie? Co sie stanie, jak ludzie sie zejdą?

— Nie będzie więcej podziałów.

— To tylko pierwszy etap, ser. Jak ludzie sie zejdą w pokoju, to znaczy, że zaraz sie zejdą w polityce. Ludzie już próbują ustalać, który don będzie posłem z którego terenu. Wychodzi na to, że z wami koniec.

— I to wszystko zaplanowali na tym spotkaniu w Londynie?

— Na sto procent.

— Ale, wodzu, to spotkanie było rok temu.

— No, było.

— Czekałeś rok, żeby mi powiedzieć?

— Nie myślałem, że cie to ciekawi.

— Nie myślałeś, że mie to ciekawi. Joseyu Walesie, czy ja cie wynajołem do myślenia, kurwa mać? Czy wyglądam na takiego, co jak potrzebuje odwalić myślenie, to dzwoni po czarnuha na pomoc? Odpowiedz mi.

— Uważaj, żebyś nie usłyszał odpowiedzi, która ci sie nie spodoba — mówie i znowu oglądam spóźnioną reakcje samych oczu.

— Kurwa żeż w pizde jebana. W cipe dziwka pierdolona. Znaczy sie, że jakaś zawszona tajna rasta sekta emigruje z powrotem na Jamajke, kiedy prawie wszyscy stąd wyjeżdżają? Wiesz, ilu ich już tu może być? Pomyślałeś o tym?

— Nie, szefie. Myślenie zostawiam tobie.

— O w dupe, o w dupe, o w dupe jebaną. W przyszłym roku wybory. Już w przyszłym roku. Co za pierdolone kurestwo. Wiesz, ilu ludzi musze teraz obdzwonić? Nie wierze, że czekałeś z tym rok. Ja ci tego nie zapomne. Josey Pierdolony Wales.

— To dobrze. Bo wy wszyscy uwielbiacie zapominać, kiedy wam to odpowiada. Bo po pierwsze zapomniałeś, dlaczego to Papa-Lo rządzi. Ale to sprawa między tobą a nim.

— Jasne, bo ciebie teraz interesują tylko te wypady do Miami. Myślisz, że ministerstwo nie ma oczu? Zanim pomyślisz, że przerosłeś wszystkich o głowe, przypomnij sobie, że masz wyznaczoną role.

— Co to znaczy?

— Mówisz, że lubisz myśleć? To sam sobie wykombinuj.

Prawda taka, że wykombinowałem o wiele wcześniej, niż jemu sie wydaje. Wykombinowałem już ósmego grudnia tysiąc dziewięćset siedemdziesiątego szóstego. Wykombinowałem, zanim Śpiewak wsiad do samolotu, że jeżeli wróci, to wróci z nową logiką i nową siłą. Bezmózgi mały syryjski siurek nie skapował, że niektóre psy już wyczuwają nosem innego pana.

Patrze na tego kretyna z garbatym nosem i dociera do mie coś, czego sie dowiedziałem dawno temu ze szkółki biblijnej. Że ten człowiek otrzymał już swoją nagrode. Że nie ma dla niego żadnej drogi, nawet w dół. Wydaje mu sie, że może podnosić głos, bo niektórzy ciągle myślą, że dzięki białej skórze taki ma autorytet i może mówić do każdego, jak mu sie podoba, zwłaszcza do ludzi, którzy nie znają takiego słowa jak „autorytet". Ma szczęście, że w tej chwili ja czuje przypływ samarytańskości. Rok temu Doktor Love dał mi oklepaną rade, żebyś przyjaciół trzymał blisko siebie, a wrogów jeszcze bliżej. Wiadomo, suche to jak gówno, co pies wysrał tydzień temu, ale za każdym razem, jak sie pójdzie szczebel wyżej, rada robi sie świeża. W końcu myśliwi nie strzelają do ptaków, co nisko latają.

Peter Nasser wynajął trzech ludzi, żeby zwłaszcza nocą wypatrywali na lotnisku Normana Manleya lądujących rasta, co mówią cockneyem. Z jakiegoś powodu uznał, że rewolucja rasta nie nadejdzie przez Montego Bay. Nawet kazał im co dwie godziny biegać do jedynej budki telefonicznej na lotnisku i dzwonić do niego. A potem chce, żebym sam pojechał albo wysłał swojego najlepszego człowieka do Londynu, żeby odszukać Śpiewaka i coś zrobić, nieważne, czy jest w trasie, czy coś nagrywa. Spytałem, czy mu sie wydaje, że to film z Jamesem Bondem, i czy mam też zdjąć tą królową piękności, co on z nią teraz jest, bo byłoby szkoda zlikwidować najpiękniejszą kobiete na świecie. Śmieje mu sie do słuchawki, bo inaczej bym kloł, że znowu marnuje mój czas. Poza tym Śpiewak spylił sie na dobre. Załatw, żeby sie człowiek otar o śmierć, a zdziałasz więcej, niż jakbyś go zabił. Wykorzeniasz go, odrywasz od domu i już nigdzie nie będzie żył w spokoju. Jedyny sposób, żeby Śpiewak wrócił na dobre, to w trumnie.

Ale to był tysiąc dziewięćset siedemdziesiąty ósmy, a z tysiąc dziewięćset siedemdziesiątym ósmym już skończyłem. Jak stary Amerykanin wyjechał w styczniu do Argentyny, to przyjechał nowy i zajął jego miejsce. Ta sama amerykańska piosenka, tylko słowa troche inne. Nazywa sie pan Clark. Po prostu, pan Clark,

Clark, z odjętym „e". Znał wcześniej Doktora Love, ale co z tego, wygląda na to, że każdy Amerykanin, co łazi po Kingston w spoconej białej koszuli i luźnym krawacie zna Luisa Hernána Rodrigo de las Casasa. Kwiecień tysiąc dziewięćset siedemdziesiątego ósmego i siedzimy w Morgan's Harbour, w hotelu dla białych w Port Royal. Patrzymy na Kingston z prawie pustej restauracji, no, oni patrzyli, ja obserwowałem. Ja z dwoma cudzoziemcami, co ich już duh piratów opanowuje od czubka głowy po jaja. To niezły cyrk, jak coś takiego dopada białych, gdy sie ich zawiezie do Port Royal. Człowiek sie zastanawia, czy to ten sam duh, co sie w nich budzi za każdym razem, jak wylądują na jakiejś skałce pośrotku morza. Stawiam, że tak jest od czasów Kolumba i niewolnictwa. Coś sie kryje w tym wychodzeniu na ląd, że biały człowiek czuje, że może robić i mówić jak chce.

— Czy Czarnobrody złupił i splądrował te rejony, *matey*?

— Ja słyszałem tylko o Henrym Morganie, ser. Poza tym w jamajskim *matey* to kobieta, co ją mężczyzna ma, ale sie z nią nie ożenił.

— A. To sorry.

Od dawna nie gadałem umyślnie po czarnuhowemu, a teraz aż tak, że Doktor Love musiał tłumaczyć dwa razy. Ten przynajmniej nie był taki jak Louis Johnson, co trzymał tekst do góry nogami, żeby pokazać białym, że czarnuh nie umie czytać. Ciągle to pamiętam. A potem mówi:

— Wy biedni wartościowi ludzie nawet nie wiecie, że jesteście o krok od anarchi.

— Nie rozumiem. Skoro biedni, to jak wartościowi? Wartościowe są diamenty.

— Ale właśnie tacy jesteście, chłopcze, jesteście nieoszlifowanymi diamentami. Ta wyspa jest nieoszlifowana. Grubo rżnięta i piękna. I taka rozchwiana. Przez rozchwiana rozumiem to, że stoicie na krawędzi. Rozumiem przez to…

— Rozchwiana?

— Tak. *Exactamente*. *Exactamente*, prawda, Luis? Luis i ja znamy sie jak łyse konie. Właściwie za długo nawet. Kilka *estados latinos* wcześniej, co?

— To ty też od tej partaniny w Zatoce Świń?

— Co? E? Nie, nie. Wtedy mnie jeszcze nie było. Wtedy jeszcze nie.

— Hm, może kiedyś wynajdziecie trucizne, co zadziała na Castro.

— Che, che, che, bystry jesteś, cwany nawet, eh? Luis jest twoim źródłem informacji?

— Nie, moim źródłem informacji są programy informacyjne.

Przyhamuj, Joseyu Walesie. Nic tak nie deprymuje tych Amerykanów jak to, że sie pomylili co do ciebie. Pamiętaj, żeby przed jego odjazdem przynajmniej raz powiedzieć *no problem, mon* i zawibrować tym mon jak mohhhhhhn, żeby pomyślał, że znalaz odpowiedniego człowieka. Pierwszy raz żałuje, że nie mam dredów i nie umiem podskakiwać w miejscu na jednej to na drugiej nodze, jak to robią rasta, nawet jak nie ma muzyki. Cały czas obserwuje Doktora Love kiwającego głową na wszystko, co tamten mówi, więc prawie zapominam, że on próbuje mi powiedzieć, że Jamajka jest w stanie wojny. Większej wojny niż w tysiąc dziewięćset siedemdziesiątym szóstym, tak mówi. Pierwszy raz wymienił tysiąc dziewięćset siedemdziesiąty szósty.

Mówi, że to zimna wojna.

— Wiesz, co rozumiemy przez zimną wojne?

— Wojna nie ma temperatury.

— Co? O nie, synu, zimna wojna to takie określenie, przenoś… nazwa na to, co sie tu dzieje. Wiesz co? Mam tu coś… Masz, przejrzyj sobie.

Biały wyjmuje książeczke do kolorowania. Jak zgrywasz głupa przed Amerykanami, to możesz sie spodziewać wszystkiego, ale to nawet mie obala na plecy.

— Co to, eh?

Patrze na to do góry nogami, bo chyba nikt nie potrzebuje przekręcać, żeby przeczytać tytuł na okładce: *Demokracja jest dla NAS!* Amerykanin patrzy na mie, trzymając książkę na odwrót. Dokładnie wiem, co myśli: Widzisz, Luis, *compadre*, wiem, że wiesz, o czym mówisz, ale jesteś pewien, że to odpowiedni człowiek? — To jest zapaść, ot co. Luis, czy on wie, co... To znaczy... Patrz. Mogę na moment? Dzięki. Zobaczmy, zobaczmy... Ach! Strona szósta i siódma. Widzisz, na szóstej? To jest świat w demokracji. Widzisz? Ludzie w parku. Dzieci biegnące do lodziarza, może ktoś tam dorwał batona. Patrz, widzisz tego faceta czytającego gazetę? I zobacz tę cizię, gorąca, nie? W tej minispódniczce. Nie wiem, czego uczą się te dzieci, w każdym razie chodzą do szkoły. A dorośli na tym obrazku? Mogą głosować. Decydują o tym, kto będzie rządził krajem. Aha, i popatrz na te wysokie budynki. To dzięki podstępowi, znaczy postępowi, rynkom, wolności. To jest właśnie wolny rynek, synu. A jak komuś na tym obrazku nie podoba się to, co mają, może o tym otwarcie powiedzieć.

— Mam to pokolorować, szefie?

— Co? Nie, no skąd. Nie. Powiem ci coś. Dam ci kilkadziesiąt takich dla twojej szkoły. Musisz iść z przesłaniem do dzieci, zanim te jebane różowe komuszki je przerobią na swoje kopyto. Te komuchy to pojeby. Wiesz, dlaczego tak wielu z nich to pedzie? Bo normalni ludzie tacy jak ty i ja się reprodukujemy. A komuchy? Oni są jak homosie, tylko się werbują nawzajem.

Albo jak każdy amerykański Kościół, co tu przyjeżdża, pomyślałem, ale siedze cicho. Mówie tak:

— Święta prawda, szefie, święta prawda.

— Dobrze, dobrze. Dobry z ciebie człowiek, panie Wales. Czuję, że mogę być z tobą szczery. Powiem ci coś. To, co teraz ode mnie usłyszysz, to zastrzeżone informacje wywiadowcze. Nawet Kissingera jeszcze nie wprowadzono w sprawę. Nawet Luis usłyszy o tym pierwszy raz. Ej, Luis, założę się, że byś nie zgadł, jaka jest teraz najbardziej chodliwa branża w Berlinie Wschodnim. Późne aborcje. Tak, tak, dobrze słyszałeś, jakiś rzeźnik wyjmuje dzieciaka z brzucha cizi w piątym, siódmym, a czasem nawet dziewiątym miesiącu i podrzyna mu gardło, jak tylko główka się pokaże. Dasz wiarę, kurwa? Sprawy wyglądają tak źle, że kobiety wolą zabić swoje nienarodzone dziecko, niż pozwolić, żeby przyszło na świat w NRD. W NRD ludzie stoją w kolejkach po wszystko, tak jak w tej książeczce. Tak, panie Wales, stoją w kolejce po jebane mydło. A wiesz pan, co robią z tym mydłem? Wymieniają na żywność. Biedne skurwiele nie mogą nawet zaliczyć porządnej kawy, bo władza miesza ją z cykorią, żytem, burakami, a potem nazywa to gówno Milchkaffee. Brzmi jak kiepski żart, he? A myślałem, że już nic mnie nie zdziwi. Aż mózg, kurwa, staje, to ci powiem. Mózg, kurwa, staje. Pijesz pan kawę, panie Wales?

— Ja wole herbate, ser.

— Brawo, chłopcze, brawo. Ale ten mały wartościowy kraj, który tu mamy, to co? Stanie się drugą Kubą albo gorzej, w ciągu niecałych dwóch lat stanie się drugim NRD, jeżeli tego procesu nie da się cofnąć. Widziałem, jak niewiele brakowało w Chile. Widziałem, jak niewiele brakowało w Paragwaju. I chyba tylko Bóg wie, jak się sprawy potoczą na Dominikanie.

Troche z tego to prawda. Pod pewnym względem. Ale oni nie potrafią sie powstrzymać, ci faceci z CIA. Kiedy już myślą, że człowiek im uwierzył, to jest tak, jakby kłamanie stało sie narkotykiem. Nie, nie narkotykiem, sportem. Zobaczmy, jak daleko ujade z kretyńskim czarnuhem. Kątem oka widze, jak on patrzy na mie, przekonany, że jestem taki, jak sie spodziewał. Jak Louis Johnson wyjeżdżał, był pod wrażeniem, że facet, który prawie nie umie czytać, jest taki rozgarnięty. Oczywiście rozgarnięty w taki sposób jak dobrze wytresowany pies albo małpa, gadał ze mną o kosmitach, żeby zobaczyć, czy, jak to sam mówił, to łykne. Ale teraz pan Clark tak spoważniał, że patrze w niebo, żeby zobaczyć, czy sie robi szare, dostrajając sie kolorem do opowieści.

— Próbuję powiedzieć, że twoja ojczyzna znalazła się na rozdrożu. Następne dwa lata będą kluczowe. Możemy na ciebie liczyć?

Nie mam, kurwa, pojęcia, jakiej odpowiedzi się spodziewa. Mam mu powiedzieć, że wchodze do gry? Że jestem w jego załodze? Może mu powiedzieć, ahoj, kapitanie, w końcu siedzimy w Port Royal. Doktor Love rzuca mi spojrzenie, zamyka oczy i kiwa mocno głową. W ten sposób przekazuje mi, *muchacho*, masz powiedzieć kretynowi to, co chce usłyszeć.

— Chce być w pańskiej załodze, ser.

— Cieszę się, że to słyszę. Super, kurwa, ekstra.

Pan Clark wstaje, żeby wyjść, mówi, że wróci samochodem do hotelu Mayfair, gdzie się zainstalował, dopóki nie przygotują mu mieszkania. Zostawia na stoliku dziesięć amerykańskich dolarów, odwraca się i nachyla do mojego lewego ucha.

— A przy okazji. Zauważyłem twoje wypady do Miami i do Kostaryki. Pracowita z ciebie mrówka, co? Oczywiście rząd Stanów Zjednoczonych nie interesuje się relacjami między Jamajką a członkami jej diaspory na obczyźnie. Jeśli pomożesz nam w różnych sprawach, będziemy honorować ten układ. Przetłumacz mu to, Luis, dobra?

— Z Bogiem, panie Clark.

— Clark. Można sobie darować…

— E na końcu? — pytam.

— *Hasta la vista!*

Patrze na Doktora Love.

— Naprawde nazywa się Clark?

— A ja naprawdę jestem Doktor Love?

— Zamiast my mówi ja.

— Też zauważyłem.

— Czy powinienem przywiązywać do tego wage?

— Niech mnie chuj strzeli, jeśli wiem. Po prostu trzymaj kurs. Rozpakowaliście już bombonierkę z cukierkami?

— Amerykanie powiedzieliby, że z czekoladkami.

— Czy ja ci wyglądam na jebanego jankesa?

— Jak mam odpowiedzieć na to pytanie, doktorze Lee Jeans?

W każdym razie bombonierka dawno odpakowana.

Gada teraz o drugiej dostawie, która przyjdzie tą samą drogą co ta ostatnia w grudniu siedemdziesiątego szóstego. W dużej skrzyni opisanej jako Nagłośnienie / Koncert Dla Pokoju pozostawionej na nabrzeżu dla mie, Beksy, Tony'ego Pavarottiego i dwóch innych. Siedemdziesiąt pięć z tych M16 zatrzymaliśmy dla siebie. Dwadzieścia pięć sprzedaliśmy w Wang Sang Lands, bo tamci strasznie chcieli sie zbroić. Ale zachowaliśmy całą amunicje, to był pomysł Beksy. Niech sobie sami robią kule, powiedział.

Wygląda, jakbyśmy sie szykowali do wojny, kiedy wszyscy inni sie szykują na pokój. Papa-Lo wyskoczył z tej szarej chmury, w którą sie zawinoł, kiedy Śpiewak został postrzelony. Cały on, wine wziął na siebie, bo jak sie bierze wine na siebie, to jakby sie sobie przypisało zasługę, tylko odwrotnie. Powiedział Śpiewakowi, że to dlatego, że siedział w pudle, jak sie sprawy zaczeły dziać, inaczej by sie nie zadziały. Papa-Lo już dawno wsiad do rakiety i odleciał z tej ziemi, równie dobrze może dołączyć do świń w kosmosie. Problem w tym, że każdego dnia coraz więcej ludzi załapuje sie na ten lot. Zarażają sie w gecie tą gorączką pokojową do tego stopnia, że facet, który zabił mi krewniaka, podchodzi do mie z otwartymi ramionami pod koniec pierwszego Tańca Jedności, jakby myślał, że przytule go do serca. Spadaj, pedale, powiedziałem i sie odwróciłem.

Ta gorączka dociera aż na Wareika Hill, gdzie ludzie tacy jak Copper schodzą na dół pierwszy raz od lat, jakby zapomnieli, że każdy policjant na Jamajce ma w magazynku nabój z ich nazwiskiem. No więc jak Copper schodzi ze wzgórza, żeby jeść, pić i sie bawić, to pora, żebym sie rozejrzał za innym krajem.

Papa-Lo nawet przyszed do mojego domu, żeby spytać, czemu nie tańcze do nowego rytmu czasów pokoju, no i że najwyższa pora, żeby czarni ludzie zaczeli słuchać tego, co Marcus Garvey planował dla nas przez cały czas. Nie chciało mi sie go pytać, czy wie coś o Marcusie Garveyu, czy tylko recytuje, co usłyszał od jakiegoś cholernego rasta z Londynu. Ale jak na niego spojrzałem, to miał mokre oczy. Błagające. I wtedy coś o tym człowieku sobie uświadomiłem i o tym, co robi. On bieg spojrzeniem poza chmury, poza geto, poza czas i swoje miejsce w świecie. Ten człowiek już myślał o tym, co mu napiszą na nagrobku. Co ludzie będą o nim mówić, gdy ostatni kawałek zgniłego mięsa odpadnie z jego kości. Nieważne te siedem razy, jak poszed do więzienia za zabójstwo i próbe zabójstwa, od czego sie zawsze wykręcił. Nieważne, że zanim sie jeszcze pojawił biały i Doktor Love, to on uczył wszystkich, jak sie strzela. Nieważne, że on i Shotta Sherrif działają w granicach, które sami wyznaczyli. Chce, żeby mu na grobie napisali, że zjednoczył geto.

Ludzie myślą, że ja sie wrogo nastawiłem do Papa-Lo. A ja tylko miłość mam dla niego, i tak bym odpowiedział każdemu, kto by spytał. Ale tutej jest geto. W gecie nie ma czegoś takiego jak pokój. Jest tylko ten jeden fakt: twoją moc, żeby mie zabić, może powstrzymać tylko moja moc, żeby zabić ciebie. W gecie są ludzie, co umią patrzyć tylko do środka. A ja odkąd byłem małym chłopcem, patrzyłem na zewnątrz. Budziłem sie i patrzyłem na dwór, szedłem do szkoły i cały dzień patrzyłem przez okno. Szedłem na Maresceaux Road i stawałem przy ogrodzeniu, co dzieli szkołe Wolmera dla chłopców od Mico College, przy płocie z blachy, co większość ludzi nie wie, że oddziela Kingston od St. Andrew, rozdziela aptaun i dauntaun, tych, co mają, od tych, co nie mają. Ludzie bez planu czekają i patrzą. Ludzie z planem patrzą i czekają na odpowiedni czas. Świat to nie geto, a geto to nie świat. Ludzie w gecie cierpią, bo są ludzie, którzy żyją z tego, żeby tamci cierpieli. Dobry czas dla jednych to zły czas dla drugich.

Dlatego ani JPP, ani LPN nie zrobią żadnego kurewskiego pokoju. Pokój nie nastanie, skoro tak dużo można zarobić na wojnie. Poza tym komu potrzebny pokój, skoro i tak zostaniesz biedakiem? Myślałem, że Papa-Lo to rozumie. Możesz do usranej śmierci prowadzić ludzi do pokoju. Możesz wysłać Śpiewaka w świat, żeby śpiewał za pieniądze, za które postawi nowy kibel w gecie. Możesz stawać na głowie w Rae Town i Dżungli, możesz sie bratać z tym, który w zeszłym roku zabił ci brata. Ale człowiek może pójść do przodu tylko tyle, potem smycz go szarpnie do tyłu. Bo wtedy pan mówi: dosyć tego pierdolenia, do nogi, kundlu, gdzie indziej idziemy. Smycz Babilonu, smycz kodu policyjnego, smycz Gun Court, smycz dwudziestu trzech rodzin, co rządzą Jamajką. Za tą smycz pociągnięto dwa tygodnie temu, kiedy syryjski piździelec Peter Nasser próbował gadać do mie szyfrem. Za tą smycz pociągnięto tydzień temu, kiedy Amerykanin i Kubańczyk przyszli z kolorowanką, żeby mie uczyć o anarchi.

Przez tych trzech mam ręce pełne roboty. Pan Clark mówił o Kubie jak facet, co nie może sie pogodzić, że kobieta już go nie chce. Nie pozwoli na to na Jamajce, cokolwiek to znaczy. Dziwne, jak to facet chce sie rżnąć z krajem, w którym nigdy nie mieszkał. Może powinien tu przesiedzieć z rok i dopiero potem postanowić, czy ta wyspa jest warta kartki na walentynki. Mówie wam, pozadaje sie człowiek troche z tymi białymi i zaczyna gadać jak oni. Może dlatego Peter Nasser nazywa mie teraz wodzu. Jeden wulgarny polityk, co czeka co dziennie na telefon z lotniska o nadchodzącej rasta apokalipsie. Jeden Amerykanin, co sie melduje drugiemu Amerykaninowi, co sie melduje trzeciemu Amerykaninowi, co chce się odbić od tego kraju i przeskoczyć na Kube. I jeden Kubańczyk, z Wenezueli, co chce, żeby ten Jamajczyk pomóg Kolumbijczykom w przerzucie kokainy do Miami i rozprowadzeniu jej na ulicach Nowego Jorku, bo Bahamczycy to banda ciot, zaczeli podbierać z dostaw i sprzedawać u siebie. Jakby tego było mało, te cipy nie lubią smaku krwi. Trzej, co chcą, żeby czwarty, ja, urobił dla nich rok tysiąc dziewięćset siedemdziesiąty dziewiąty. A mie sie już rzygać chce od robienia tego, co chcą inni, w tym Papa-Lo.

Papa-Lo zapalił sie do misji czynienia sprawiedliwości. Buzuje to w nim jak witaminy. Człowiek by myślał, że wykonuje pięćdziesiąt sześć pokut za pięćdziesiąt sześć kul wystrzelonych na Hope Road. Tuż przed drugim koncertem dla pokoju dałem mu Leggo Beasta. Powiedziałem mu, że Leggo Beast chowa sie w kredensie u matki pięć domów dalej, ale mu nie powiedziałem, że siedzi tam już dwa lata. Westchnął na to. Nie wiem, czy to była złość, czy ulga. On, Tony Pavarotti i jeszcze jeden pomaszerowali do tego domu, jakby był Jezusem, co zaraz wypędzi handlarzy ze świątyni. Chciał z tego zrobić widowisko, dla ludzi, dla geta, nawet dla Śpiewaka, żeby zobaczyli, że dokonuje pomsty, chociaż nikt go nie prosi. Wyciągnął kobiete i chłopaka z domu i obił biedaczke, już dobrze po czterdziestce, na oczach wszystkich.

Można różne rzeczy myśleć o chłopaku, co chciał zabić Śpiewaka, ale jak matka próbuje uratować jedynego nygusa, to już inna historia. Ale Papa-Lo musiał pokazać ludziom, że coś robi. Jakby móg mieć wpływ na coś, co już sie stało i sie nie odestanie. Z tej kobiety chciał zrobić przykład, spalił jej dom, wyrzucił ją na kopach, ale tylko zrobił przykład z siebie. Jak czarnuh, co sie sili na niegodziwość, żeby sie przypodobać swojemu massa.

No i Leggo Beast wrzeszczy, że to CIA kazała mu to zrobić. CIA i ludzie z Kuby, co nie ma sensu, bo wszyscy wiedzą, że Kubańczycy to komuniści i nie zadają sie z nikim z Ameryki. Jakby o CIA Papa-Lo wiedział cokolwiek więcej niż przeciętny Jamajczyk. No i potem Leggo Beast wrzeszczy, że to był mój pomys. Patrze, jak Papa-Lo na mie patrzy, czy mi powieka drgnie. Leggo Beast wrzeszczy tak długo, że on już sie zastanawia, czy nie uwierzyć, w końcu na Jamajce jak sie całej prawdy nie da wygrzebać, to niecałą da sie. Właśnie tak powiedział, jak przyszed i zapukał do moich drzwi dzień po tym, jak mu powiedziałem, gdzie ma szukać, z dwoma chłopakami, takimi nygusami, że im sie pistolety zsuwały do gatek. Spoglądam na tych dwóch ostro, więc zaraz patrzą w bok, a ten z lewej strony Papa-Lo sie wierci jak przestraszona dziewucha. Drugi odwraca z powrotem głowe, próbuje patrzyć. Sobie go zapisuje w myśli. Papa-Lo tupie nogą, jakby już był wściekły.

— Jak sie całej prawdy nie da wygrzebać, to niecałą da sie.

— A co teraz Leggo Beast jeszcze wymyślił? Nie słyszałeś powiedzenia o tonącym?

— Tonący nie ma czasu, żeby wymyślić taką spektaklarną historie.

Zaciskam graby, że by mu nie powiedzieć, że nie ma takiego słowa.

— A ja nie mam czasu tłumaczyć, dlaczego nie wolno wierzyć takiemu kretynowi jak Leggo Beast. Miał dwa lata, żeby uciec na drugą półkule, a doszed tylko do kredensu matki.

— Ale jakoś wiedziałeś, gdzie go szukać, brada.

— Matka co tydzień chodziła na zakupy i z targu wracała z pełnymi torbami. Po co jej tyle jedzenia, jak mieszka sama? Myślisz, że działa w Armi Zbawienia? Podstawowe pytanie brzmi, jakim cudem ty, don nad donami, żeś sie nie zorientował?

— Nie moge zaglądnąć pod każde łóżko i do każdego konta, brada. Od czego mam ciebie, he?

— Och, tylko teraz nie zadaj kretyńskiego pytania o Śpiewaka, bo już znasz odpowiedź.

— Powaga? No to powiedz szybciutko, tak? Bo jak…

— Jak to bym ja próbował zabić Śpiewaka, to każda z tych pięćdziesięciu sześciu kul trafiłaby prosto w cel.

Zawsze trzeba mówić ładnym językiem, jak sie chce, żeby ten drugi poczuł, że dyskusja skończona. Papa-Lo odchodzi, z dwoma gówniarzami dyrdającymi za nim. Zaraz po tym zabrał Leggo Beasta na małpi sąd w McGregor Gully, żeby sobie udowodnić, że ciągle może wymierzać twardą sprawiedliwość. Niektórzy mówią, że sam Śpiewak sie zjawił, żeby to zobaczyć, co by mie zdziwiło, skoro świat obserwuje każdy jego ruch, a jedynym, któremu bym uwierzył, jest Tony Pavarotti, a on nic nie mówi. Potem znajduje paru, co brali udział w tym kancie z końmi, zawozi ich do starego fortu i karmi nimi ryby. Chciałbym zadać pytanie: zaangażowałeś sie w misje pokojową, to jak to jest, że masz tyle krwi na rękach?

W pokoju robi sie ciemno. Czekam na trzy telefony. Mój najstarszy przechodzi obok z kurzą nóżką w ręku. Już tak bardzo mie przypomina, że musze sie pogłaskać po brzuchu, żeby wiedzieć, że to u mie sterczy.

— Mały, co tu robisz, idź do mamy. Ej, mówie do ciebie.

— Rany, tata man. Czasem nie da sie z nią wytrzymać, powaga.

— Coś znowu nabroił, że sie wściekła?

— Nic nigdy nie podoba, jak o tobie coś mówie.

— Nic jej się nigdy nie podoba.

— Rany, tata man.

— A co powiedziałeś?

— Cha, cha, że nawet źli ludzie gotują lepiej niż ona.

— Cha, cha, cha, cha, ciężko z tobą żyć. Ale to prawda. Nigdy nie znałem drugiej kobiety, coby była tak na bakier z kuchnią. Może dlatego za długo z nią nie wytrzymałem. Masz szczęście, że matka cie nie zastrzeliła.

— Co? Zna sie z gnatami?

— Zapomniałeś, kto był jej facetem? A jak myślisz? Nieważne, za późno jest, żebyś łaził po domu jak duh.

— Ale ty nie śpisz. Nigdy nie śpisz o tej godzinie.

— E? A ty co, pilnujesz własnego ojca?

— Nie…

— Umiesz kłamać jak twoja matka gotować.

Nie rozumiem, że tego nie przewidziałem. Patrze na chłopaka, rok w szkole średniej, chociaż nie ma jeszcze dwunastu lat. Struga bohatera, patrzy na mie, oko w oko, troche marszczy czoło, bo jeszcze nie wie, że trzeba pożyć, żeby mieć kamienną twarz. Pierwszy raz tak robi, on wie i ja wiem, syn próbuje zgasić ojca wzrokiem. Ale chłopiec to chłopiec, nie meszczyzna. Nie wytrzymuje, jeszcze za wcześnie. Pierwszy odwraca głowe, zaraz znowu strzela oczami, ale wie, że przegrał pojedynek.

— Czekam na telefon. Idź pomęcz brata — mówie i patrze, jak odchodzi.

Niedługo to ja będe musiał obserwować jego.

Pewnego dnia, synu mój, dowiesz sie aż tyle i tyle naoglądasz, że będziesz miał ostatnie słowo. Ale nie dzisiej. Telefon, którym nie chce być nękany po nocy, będzie od Petera Nassera. Mineły dwa miesiące, jak dałem mu cynk o rasta apokalipsie, i on albo ciągle sra ze strachu, albo zafundował jakiejś dziewczynie w Lady Pink najpaskudniejsze osiem minut w jej życiu. Sprawa Śpiewaka została przesądzona, dla niego, dla Jamajki, dla Medellín — i dla Cali — ale on nie odpuści. Dlaczego? Bo nawet jak Śpiewak nie byłby głosem nowej parti, ruchu czy jak to nazwać, to byłby czymś o wiele ważniejszym: forsą. W tej chwili trzy tysiące rodzin co miesiąc przytula pieniądze dzięki Śpiewakowi, nawet rodzina tego chłopaka, co do niego strzelał. A skoro o tym mowa, to przeżyłem szok stulecia, jak następnym razem zobaczyłem jego zdjęcie w „Gleaner". Bo obok stał Heckle.

Od tamtego dnia, jak Beksa zatrzymał sie niedaleko Wysypisk i wyrzucił Heckle'a z auta, nie powąchałem nawet jego smrodu. Jeszcze jeden z tych, co nie wiedziałem, że jest cwańszy od Beksy, jeśli nie bardziej odważny, na tyle cwany, że sie zaczołem zastanawiać, kogo ja postanowiłem oszczędzić. Tak cwany, że skumał cza-cze, że po tym, co zrobiliśmy, nie ma powrotu. Lubie, jak człowiek potrafi przeczytać mane tekel fares napisane na ścianie. Ale Heckle powinien wiedzieć, że nie ma sie czego obawiać, odwet miał doścignąć głupców, nie mądrych. Gdybym z nim rozmawiał, powiedziałbym mu: brada, ty sie nie frasuj. Świat jest mądrzejszy z tobą, nie bez ciebie. A jednak szybko wyczuł, z której strony wiatr wieje, i sie ulotnił, wyskoczył z auta jak pies spuszczony ze smyczy. Nawet nie mieliśmy sie zatrzymywać przy Wysypiskach. Beksa wywąchał, gdzie większość z nich pouciekała, a tych, których nie móg znaleść, znaleźli rasta. Nikt nic o nich nie mówi, bo jedynym dowodem, że rasta ruszyli na polowanie, był Demus dyndający na drzewie w górach, a że tam żyją urubu, to już miał oczy wyżarte i usta. Ale nikt nie wiedział, gdzie znaleść Heckle'a. Nawet jego kobieta, nawet wtedy, jak dostała trzy razy w ryło i kark jej prawie złamałem. Powiem uczciwie, że jeszcze bardziej mi zaimponował, prawdziwy z niego znikacz.

Ale prawie rok później Papa-Lo wparowuje do mojego domu wściekły bardziej niż zwykle. Nie tylko wściekły, ale taki skołowany, że prawie z zezem.

— Wziął tego piździelca ze sobą w trase? Wyobrażasz sobie? Załatwił mu piździelską wize.

— Uspokój sie, brada, nie wiesz, że już piąta?

Naprawde był wieczór, spokój w gecie.

— Nic nie rozumiem. W ogóle. Może z niego faktycznie prorok. Nie wiem, czy nawet Jezus by sie poważył na takie wariactwo, a on tak miłował, że mędrcy od tego głupieli.

— Komu Śpiewak wize załatwił?

Przecież nie móg mówić o nikim innym.

— Nie mogłem uwierzyć, ale w końcu zobaczyłem małego piździelca, jak sie chowa za nim jak wystraszony wróbel. Heckle. O Heckle'u ci mówie.

— O Heckle'u? Powaga?

Kto wie, gdzie Heckle sie zadekował na prawie dwa lata? Na South Coast z hipisami? Na Kubie? Wszystko jedno gdzie, fakt faktem, że rozsiad sie pod pięćdziesiątym szóstym trzeciego dnia, jak Śpiewak przyjechał na drugi koncert. Zero broni, prawie boso, śmierdzący buszem. Oczywiście, że Śpiewak wiedział, z kim ma do czynienia, chociaż jestem pewien, że nikogo wtedy nie widział. Nie wiem, co bardziej podziwiać, jego odwage czy głupote, ale po prostu polaz na Hope Road, wyminął ochrone, bo zobaczyli człowieka jak śmierć, pad Śpiewakowi do nóg, jak ten wyszed z domu, i zaczął błagać o przebaczenie. Zabij mie albo uratuj, tak podobno powiedział. Oczywiście każda żywa dusza w tej rezydencji chciała zabić. Nie musieliby sie nawet martwić, co zrobić ze zwłokami.

Może Heckle miał szczęście, że Papa-Lo tam nie było. Albo miał szczęście, że w tym czasie Śpiewak patrzył już na sprawy dalekim wzrokiem. A może Śpiewak myślał, że żaden człowiek o takich pustych oczach, jakby wypalił za dużo jaszczurczego ogona, śmierdzący krowim łajnem i buszem, w butach, z których paluchy wyglądają, nie może już niżej upaść. A może naprawde z niego prorok. Bo Śpiewak nie dosyć, że mu przebaczył, to jeszcze szybko wciągnął do swojego wewnętrznego kręgu, a nawet go zabrał ze sobą z Jamajki. Papa-Lo sie dowiedział dopiero, jak zobaczył zdjęcie w „Gleanerze".

Pierwszy raz od lat musze przemyśleć Śpiewaka. Papa-Lo znowu wygaduje na sytuacje, w której jest bez silny. Bo skoro Śpiewak pobłogosławił, to kto by takiego przekloł? Heckle sie zrobił nietykalny. Nie wrócił już do Kopenhagi ani do Dżungli, ani Rose Lane, ale sie osiedlił w tym samym domu, gdzie próbował zabić ludzi, co tam mieszkają. Jak go tam nie ma, to sie włóczy po świecie.

Robi sie późno, a ja ciągle waruje przy telefonie, żeby zadzwonił trzy razy. Ci ludzie wiedzą, co myśle o punktualności. Spóźnienia nie znosze, przedwczesności nie nawidze. Punktualnie to punktualnie. Jeden ma cztery minuty. Drugi osiem. Trzeci dwanaście.

— Niech mie, czy wszystkie moje dzieci dzisiej są nawiedzone?

Moja córeczka stoi w drzwiach, ziewa i pociera oczy. Stoi na jednej nodze, drugą drapie sie w łydke. Jej koszulka z Wonder Woman rzuca sie w oczy nawet w ciemności. Matka zaplotła jej włosy w dwa warkocze przed snem i głowe dam sobie uciąć, żeby sie wściekła, jakby ją zobaczyła łażącą po nocy, gmerającą przy majtkach, jakby ją swędziało. Nie straci tych policzków, tak jak matka nie straciła. No i jasną ma skóre jak matka. Na Jamajce nie ma przyszłości dla czarnych dziewczyn, żeby nie wiem jakie pierdoły gadali o sile czarnych. No bo wystarczy spojrzeć, jaka właśnie została Miss Świata.

— Duh ci usta zapieczętował, dziewczynko?

Nic nie mówi. Tylko podchodzi do mie, podciągając majtki i przystaje mi przy kolanach. Moja córeczka znowu pociera oczka i patrzy na mie długo, jakby sie musiała upewnić, że ja to ja. Bez słowa łapie mie za spodnie i sie podciąga, gramoli na kolana i zasypia. Czy że tak sobie pozwala, to sie nauczyła od matki, czy ode mnie?

Jak sie robiło zło przed wynalezieniem telefonu? Nawet ja już zapomniałem, jak krążyły wiadomości. Pierwszy telefon w ciągu trzech minut. Drugi mi wyskakuje w głowie. Jasne, że wiem dlaczego. Doktor Love to nazywa to deża wu. Mniej więcej w tym czasie, kiedy każdy rozsądny człowiek rzyga już tym pierdoleniem o miłości i pokoju. Mniej więcej w czasie, kiedy Copper schodzi ze wzgórza, jakby ludzie, znaczy sie ja, zapomnieli, co z niego za piździelec był przed zawarciem pokoju, najpierw zabijał męszczyzn, a potem gwałcił ich kobiety. Nawet Papa-Lo, Pan Zabije-Każdego-Kto-Zgwałci-Kobiete, dał Copperowi się wyślizgnąć i uciec na Wareika Hills. Dobre czasy dla jednych to złe czasy dla drugich, a ludzie, dla których właśnie przyszły złe czasy, osiągneli to, co Amerykanie nazywają masą krytyczną. Masa krytyczna uświadamia sobie to, co uświadamia sobie kobieta, którą mąż bije. Złe, wiadomo, ale sie nie stawiaj, skoro da sie żyć. Takie złe to my znamy. A dobre? Jasne, dobre to dobre, ale dobrego to nikt jeszcze nie zaznał. Dobre to duh. Od dobrego to sie kieszonkowego nie dostanie. Jamajka lepiej wychodzi na złym, bo takie złe jakoś działa. Więc jak niektórzy wpadają w panike na te wibracje dobra zagrażające następnym wyborom, zwłaszcza że wiedzą, co sie z tego urodzi, to wtedy dzwoni mój telefon. Moja kobieta odebrała wiadomość, tylko jedno słowo.

— Copper.

— Coś jeszcze? Mówił coś jeszcze?

— Nie, tylko Copper.

Dla mie nie ma problemu, od pierwszego dnia nie nawidze tego pierdolonego grubasa, ale nowy pokój nie znaczy, że skretyniał. Nic mu nie groziło na wzgórzu, nic mu nie groziło w Kopenhadze, a nawet na Ośmiu Ulicach. Ale groziło mu ze strony policji. Copper pływał więc tylko w stawie, który znał. No to jednej niedzieli na jam session w Rae Town mówie mu, wiesz, Copper, ty siedzisz tam na wzgórzu, to kiedy ostatni raz jadłeś smażoną rybe?

— Rany, man, jakby prawde ci powiedzieć, to szmat czasu nie szamałem nic takiego.

— Co? O nie, słońce, to nie w porządku. Jutro, jutro walimy na plaże na smażoną rybe i ubaw.

— Oi, ubaw, powaga? Smażą na rybim oleju? Kusisz jak diabeł.

— Do tego podsmażony żółty jam, podsmażona kukurydza z suchym kokosem, dziesięć placków, pięć na parze z papryką, pięć usmażonych na tym oleju co ryba.

— O Boże, człowieku.

— Weź paru swoich i jeźdźcie do Fort Clarence.

— Na te plaże skarbów? Mówisz?

— Zostawie ochroniarzom twoje nazwisko. No dobra, możesz sie zgrywać, że pomysł ci sie nie podoba. Mnóstwo ryby i ubawu, podepczesz troche plaże Babilonu, policji nie będzie.

— Człowieku, jakbyś był kobieta, klęknołbym przed tobą i sie ożenił. Ale brada, co za gówno, nie da rady. Jakbym tylko na metr wjechał na groble, od razu by mie dorwali w trzy radiowozy. I wcale by nie kazali podnieść rąk do góry.

— Brada, rusz głową. Policja sie ma za cwaniaków. Myślisz, że nie wiedzą, że bandyta będzie chciał ich wykiwać i jechać od drugiej strony?

— No…

— No właśnie. Najlepiej sie ukryć pod latarnią.

— To jakiś pojebany pomys.

— Wyglądam ci na takiego, co miał choć jeden pojebany pomys w życiu? Jak chcesz, żeby policja cie dorwała, jedź wałem. Jedź przez Trench Town, jedź Maxfield Park Avenue. A jak chcesz spokojnie dojechać na plaże, to jedziesz tą drogą, co boisz sie jechać. Weź sie zastanów, po tylu latach nie wiesz, jak myśli policja? Za milion lat nie przyjdzie im do głowy, że w biały dzień będziesz grzał Harbour Street. Dlatego tam nie będą patrolować.

Łasuch na jedno zawsze będzie łasuch na wszystko. Mówie jeszcze Copperowi, żeby rozpytał o panią Jeanie, kulisa w spódnicy z własnym straganem rybnym na plaży. Wychowała dwie już soczyste pół azjatyckie córki o imieniu Betsy i Patsy. Weź którąś do auta, a będziesz miał deser. Tego samego wieczora telefonem zrywam inspektora z łóżka, żeby mu nagrać robote. No i Copper nie dojechał na plaże.

Minuta.

Czterdzieści pięć sekund.

Dwadzieścia.

Pięć.

Łapie słuchawke po pierwszym dzyń. Za szybko.

— Ta?

— Matka cie nie wychowała? Porządni ludzie mówią halo.

— No i?

— Dokonało sie.

— Jezus wie, że mu teksty podpierdalasz?

— Dobry Boże, Joseyu Walesie, chyba nie chcesz mi powiedzieć, że z ciebie bogobojny chrześcijanin?

— Nie, ja tylko jak Łukasz. Gdzie?

— Na grobli.

— Pięćdziesiąt sześć?

— Co jest w pizde, wyglądam ci na Liczyhrabie z *Ulicy Sezamkowej*?

— Załatw, żeby przeciekło do gazet, że było pięćdziesiąt sześć kul. Słyszysz mie?

— Słysze, ser.

— Pięćdziesiąt sześć.

— Pięćdziesiąt sześć. Jeszcze jedno. Ja…

Rozłączam sie. Cała ta cholerna rozmowa zajeła cztery minuty. Nie zadzwoni już dzisiaj.

Czterdzieści pięć sekund.

Trzydzieści pięć sekund.

Dwanaście.

Jedna.

Pięć do tyłu.

Dziesięć do tyłu.

Minuta do tyłu.

— Spóźniłeś sie.

— Sorry, szefie.

— I?

— Szefie, rany, nie wiem, jak powiedzieć.

— Najlepiej normalnie.

— Zniknoł, szefie.

— Ludzie nie znikają. Chyba że ktoś ich zniknie.

— Przepad.

— O czym ty, kurwa, gadasz, kretynie? Jak to przepad? Miał wize?

— Nie wiem, szefie, ale sprawdziliśmy wszędzie. W domu, u jego kobiety, u drugiej kobiety, w domu kultury w Rae Town, gdzie troche pracował, nawet w domu Śpiewaka, gdzie miał biuro tej całej rady. Od wczoraj czajimy sie na niego czaj czaj na rogu każdej ulicy.

— I?

— Nic. Sprawdziliśmy jego dom, wszystko zniknęło, tylko jedna szuflada została. Czyściutko, czyściuteńko, pajęczyny żadnej nie ma.

— Chcesz mi powiedzieć, że jeden skretyniały rasta uciek dziesięciu cynglom? Tak po prostu? Co jest, rozpowiedzieliście, że po niego idziecie?

— No jak, szefie.

— Macie go znaleść.

— Tak jest.

— Jeszcze jedno.

— Słucham.

— Dowiedz sie, kto mu dał cynk, i go zabij. Aha, i brada, jak go nie znajdziesz w trzy dni, to ja zabije ciebie.

Czekam, żeby sie rozłączył.

W pizde to jebać.

W dupe.

Nie wiem, czy to powiedziałem, czy tylko pomyślałem. Ale ona ciągle śpi, prawe kolano mam mokre od śliny. Tristan Phillips, rasta, który wymyślił cały ten pokój i przewodniczył radzie jedności, właśnie zniknoł. Po prostu. Trzeba go dodać do Heckle'a. Żywy czy martwy, przepad. A Peter Nasser, i tak głupi jak dziurawy but, nie zmądrzeje od tego. Właśnie sobie uświadamiam, że nie dostałem jednego telefonu. Od człowieka, co sie nigdy nie spóźnia. Nigdy.

Pięć minut spóźnienia.

Siedem minut.

Dziesięć minut spóźnienia.

Piętnaście.

Dwadzieścia.

Tony Pavarotti. Podnosze słuchawke i słysze ton, odkładam i nagle dzwoni.

— Tony?

— Nie, to ja, Beksa.

— Czego chcesz?

— Yo, mrówki ci nawłaziły do gaci?

— Skont wiedziałeś, że nie będe spał?

— Wszyscy wiedzą, że nie śpisz. Jesteś teraz wysoko na drabinie.

— Co? Za późno, żeby cie pytać, co to znaczy. Poza tym nie blokuj mi lini, czekam na telefon.

— Od kogo?

— Od Pavarottiego.

— Kiedy ma dzwonić?

— Miał o jedenastej.

— On ci już nie zadzwoni. Jak o jedenastej, toby zadzwonił o jedenastej. Wiesz, jak z nim jest.

— To samo pomyślałem.

— Czemu każesz mu dzwonić tak późno?

— Bo go posłałem, żeby coś posprzątał w Four Seasons.

— Takie drobne sprawy i jeszcze nie dzwonił? Dziwi mie, żeś jeszcze nie wysłał dwóch ludzi, żeby spra...

— Nie mów mi, co mam robić, Beksa.

— Rany, człowieku, naprawde cie swendzi w gaciach.

— Nie lubie, jak nie można polegać na jedynym człowieku w Kopenhadze, na którym można polegać.

— Aua.

— Aua? Podebrałeś to od swoich nowych amerykańskich przyjaciół?

— Może. Posłuchaj, może coś się stało i musiał się zadekować. Znasz go, najpierw robota musi być zrobiona tipes-topes, dopiero potem zadzwoni. Nie wcześniej.

— No nie wiem.

— Ale ja wiem. Ej, jak to jest, że wszyscy wiedzieli, że się plany zmieniły, tylko nie ja? Prawie wyszłem na kretyna przed tą kolumbijską dziwką.

— Brada, ile razy mam ci mówić, że nie rozmawiamy o sprawach przez telefon?

— W pizde to jebać, Josey. Mieliśmy sprzedawać krzaki. Jak mie tu wysyłałeś, mówiłeś, że będe opychał krzaki, nie powiedziałeś słowa o białej żonie.

— Brada, cztery razy już ci mówiłem. Krzaki za duży kłopot i zajmują za dużo cholernego miejsca. Poza tym jankesi hodują teraz własne krzaki i nie potrzebują naszych. Biała żona zajmuje mniej miejsca i przynosi siedem razy tyle pieniędzy.

— Ja tam nie wiem, man. Ja ich nie lubie, tych Kubańczyków. Komuniści byli okropni, ale ci od Amerykanów w pizde gorsi. I żaden nie umie jeździć samochodem.

— Kubańczycy czy Kolumbijczycy? Beksa, naprawde nie moge teraz zajmować się tobą i nimi.

— Zwłaszcza ta baba, ty wiesz, że ona jest kopnięta, nie? Ta, co wszystkim rządzi. Kopnięta zdrowo w pizde. Brada, ona przez całą noc liże cipe innej, a rano ją zabija.

— Kto ci to powiedział?

— Nie powiedział. Wiem.

— Beksa, zadzwonie do ciebie jutro z Jamintela. W taki wieczór jeden telefon może mieć trzy ucha. A na razie idź gdzieś i się zabaw. Mnóstwo rozrywki dla takich jak ty.

— Oj, co masz na myśli?

— Na myśli mam to, co mówie, kurwa. I żeby mi więcej nie było takiego gówna, jakie odstawiłeś w Miramar w zeszłym tygodniu.

— Ej, a co niby miałem robić według ciebie? Facet mie złapał...

— Co według ciebie powinienem zrobić z Pavarottim?

— Daj mu czas do rana. Jak nie usłyszysz nic od niego, to na pewno usłyszysz o nim.

— Dobranoc, Beksa. I nie ufaj tej kolumbijskiej dziwce. W zeszłym tygodniu dotarło do mie, że ona jest tylko przystankiem na naszej trasie.

— O! A gdzie to my sie wybieramy, młodzieńcze?

— Do Nowego Jorku.

SIR ARTHUR GEORGE JENNINGS

Coś nowego wieje po świecie, zły wiatr. Malaria. Wielu innych czeka cierpienie, wielu innych czeka śmierć, dwóch, trzech, stu, ośmiuset osiemdziesięciu dziewięciu. A ja widzę, że wirujesz jak derwisz, pod i nad rytmem, skaczesz po scenie i zawsze opadasz na ten swój brutusowy palec. Sporo lat wcześniej na boisku piłkarskim zawodnik w lekkoatletycznych butach z kolcami — kto gra w takich butach w piłkę? — nadepnął ci na korki i zranił cię w palec. W dzieciństwie o mało nie rozpłatałeś go motyką na pół. Rak to rebelia, komórka zbuntowana przeciw całemu ciału, renegat płynący pod prąd, namawiający innych do tego samego. Podzielę cię na części i pokonam. Po kolei wyłączę z użytku wszystkie twoje członki, wleję truciznę w kości, bo spójrz, we mnie jest sama czerń. Nieważne, ile razy matka owinie ci palec bandażem i posypie go talkiem leczniczym Gold Bond — nigdy już nie będzie zdrowy.

A teraz wieje coś nowego. Trzej biali zapukali do twoich drzwi. Pięć lat wcześniej pierwszy z nich przestrzegał cię przed wyjazdem. W połowie tysiąc dziewięćset siedemdziesiątego ósmego roku trzeci — zawsze wiedzą, gdzie cię znaleźć — przestrzegał cię przed powrotem. Drugi zaś przyszedł z darami. Nawet go teraz nie pamiętasz, przybył niczym jeden z Trzech Króli, z pudełkiem opakowanym jak w Boże Narodzenie. Otworzyłeś i aż podskoczyłeś z wrażenia — ktoś wiedział, że wszyscy mężczyźni z getta marzą o tym, aby być Człowiekiem, Który Zabił Liberty Valance'a. Brązowe buty ze skóry węża, z czerwonymi przebarwieniami: ktoś wiedział, że takie buty kochasz prawie tak samo jak brązowe skórzane spodnie. Wciągnąłeś but na prawą nogę i wrzasnąłeś jak ten chłopiec, który odciął sobie stopę, próbując rozłupać orzech kokosa. Zsunąłeś but, rzuciłeś go na bok i patrzyłeś, jak z każdym uderzeniem tętna z dużego palca bucha krew. Gilly i Georgie mieli noże pod ręką. Nacięli szew, odciągnęli skórę od podeszwy i oto się ukazał, cienki zaostrzony miedziany drucik, prosta idealna igła, na której widok pomyślałeś o Śpiącej Królewnie.

Wieje coś nowego. U stóp Wareika Hill człowiek zwany Copper wychodzi z domu i zamyka furtkę. Granatowa noc idzie i mija, mija i idzie. Człowiek zwany Copper robi dwa kroki i na tym koniec. Człowiek zwany Copper upada, wypluwając tę resztkę krwi, która nie trysnęła z piersi i brzucha. Zamachowiec porzuca M1, ale się reflektuje, podnosi go i biegnie do odjeżdżającego już samochodu.

Jesteś w studiu, zespół przygotowuje nowy numer. Zegar odmierza jamajski czas. Gapie biorą dwa sztachy zioła i podają dalej w lewą stronę. Dwie gitary prowadzące przeplatają się mocno, wiją jak węże sczepione w walce. Nowy gitarzysta, ten rockman z krótszymi dredami, który lubi Hendrixa, wyjmuje kabel z gniazdka. Otwierasz szeroko oczy i rzucasz mu błyskawiczne spojrzenie.

— Nie idź! Ja już nie mam dużo czasu.

Wieje coś nowego. Don zwany Papa-Lo wraca z gonitw do domu taksówką przez groblę, z odkręconymi szybami. Ktoś z pasażerów rzuca żart i słony morski wiatr podchwytuje donośny śmiech. Nie ma zakrętu, na most prowadzi łagodny łuk, najpierw pod górę, potem w dół, wprost na trzy motocykle blokujące drogę. Wie, że wiedzą, kim jest, zanim kierowca się zatrzymuje. Oni wiedzą, że on wie, że oni wiedzą, zanim zakrzykną, że to RUTYNOWA KONTROL DROGOWA. On wie, zanim podejdą, że z tyłu czai się więcej samochodów. Policjant numer jeden mówi, żeby się odsunęli od pojazdu, bo funkcjonariusze chcą dokonać przeszukania. Przesunąć się w lewo i podejść do tego dzikiego krzaka na poboczu. Policjant numer dwa znajduje jego trzydziestkęósemkę. Policjanci numer trzy, cztery, pięć, sześć, siedem, osiem, dziewięć, dziesięć, jedenaście, dwanaście, trzynaście, czternaście, piętnaście i szesnaście strzelają. Niektórzy powiedzą później, że kul było czterdzieści cztery, inni jednak, że pięćdziesiąt sześć, a więc dokładnie tyle, ile łusek znaleziono na Hope Road numer pięćdziesiąt sześć tamtego grudniowego dnia w tysiąc dziewięćset siedemdziesiątym szóstym roku.

Kopiesz piłkę w Paryżu, na zielonym boisku pod wieżą Eiffla. Grasz z każdym, kto ma ochotę. Z podziwiającymi cię białymi chłopcami i tym facetem z reprezentacji Francji. Twój zespół, mimo lat spędzonych w trasie, nie przywykł do tego, do miast, które nigdy nie zasypiają. Twoi ludzie ruszają się jak muchy w smole, chociaż jest dopiero popołudnie. Francuzi grają inaczej niż Brytyjczycy. Żadnych indywidualnych pawich popisów. Ci chłopcy poruszają się jak jeden organizm, a przecież większość z nich spotkała się dzisiaj pierwszy raz. Jeden fauluje, nadeptuje ci na prawą stopę i zrywa paznokieć z dużego palca.

Wieje coś nowego. Człowiek, który kazał mnie zabić, płaci Wang Gang sześćdziesiąt dolarów dziennie za strzelanie do ludzi na dwóch z Ośmiu Ulic. Tych najbliżej morza. W zaułkach pełno rdzewiejących ogrodzeń z blachy i cuchnących fekaliów. Gangsta podjeżdżają w porze odpoczynku i z całkowitego zaskoczenia walą z wszystkich luf. Grad kul. Nawałnica.

Jesteś w Londynie. Amputujmy ten palec, amputujmy go jak najszybciej, mówi lekarz, nie patrząc ci w oczy. Wypchaj te buty ligniną, bawełną, kitem i buzia na kłódkę. W pomieszczeniu czuć środki antyseptyczne tłumiące smród gówna. I żelazo, jakby ktoś w pokoju obok szorował garnki. Ale rasta uważają, że kulawa stopa to klątwa Boga, jak myślisz, co powiedzą o amputowanym palcu? Jesteś w Miami. Lekarz wycina miejsce na lewej stopie i pobiera tkankę skórną. Mówi, że to sukces, ale innymi słowami, dokładnych słów nie pamiętasz. W każdym razie mówi, że rak zniknął, że nie masz raka. Ale każdego wieczoru, gdy na scenie przygniatasz Babilon prawą stopą, but aż po cholewę wypełnia się krwią.

Wieje coś nowego. Tony McFerson, poseł do parlamentu z ramienia LPN-u, i jego ochroniarz wjeżdżają w zasadzkę w August Town. Cyngle ze wzgórz, w zmowie z Kopenhagą, dopadają ich i otwierają ogień. Tamci odpowiadają ogniem. Napastnicy szatkują drzwi auta i okna, kule odbijają się od przedniej szyby. Ostrzał jest silny, wróg pozostaje ukryty za płotem i w krzakach otoczonych drutem kolczastym. Syreny, policja, szalona ucieczka, kroki cichnące z każdą sekundą. Koła buksują na żwirze, obracają się, aż wreszcie łapią przyczepność. Syreny cichną nagle, buty dudnią na drodze, policja już jest, bliżej, głośniej. Tony McFerson wysiada pierwszy, z szerokim uśmiechem, olbrzymie westchnienie ulgi, które słychać na kilometr. Trzecia kula trafia go w kark pod ostrym kątem, rozrywa rdzeń przedłużony, zabijając wszystko poniżej szyi, zanim mózg uświadomił sobie, że nie żyje.

Jesteś w Nowym Jorku. Dwudziesty pierwszy września. Wszyscy wiedzą, że zawsze pierwszy się budzisz i ostatni idziesz spać, zwłaszcza w studiu. Nikt nie zauważa, że od roku jest inaczej. Budzisz się rozpalony, materac wchłonął litr wody z twojej skóry, a przecież gdzieś w pobliżu słyszysz szum klimatyzacji. Myślisz o bólu po prawej stronie głowy, no i jest. Teraz się zastanawiasz, czy dopóki o tym nie pomyślałeś, ból był tylko myślą. A może ból zagnieździł się w tobie tak dawno, że stał się nieodłączną częścią ciała, jak pieprzyk ukryty między palcami? A może rzuciłeś klątwę, która się ziściła, jak klątwy tych starych bab z gór? Nie wiesz, że jest dwudziesty pierwszy września, nie pamiętasz nic z drugiego koncertu z poprzedniego wieczora, nie masz pojęcia, gdzie ani z kim jesteś, ale przynajmniej orientujesz się, że to Nowy Jork.

Wieje coś nowego. Icylda mówi do Christophera: tylko masz zjeść całą swoją porcję, myślisz, że kurczaki potaniały? Jej syn połyka trzy kęsy naraz i rzuca się do drzwi. Po drodze chwyta płytę winylową z blatu, ciepły jeszcze dub prosto z tłoczni. Tylko pamiętaj, że jutro pracujesz, dodaje Icylda, ale śmieje się, wypędza go gestem na dwór. Na Gold Street cza-cza boys szpanują w spodniach z gabardyny i nylonowych koszulach, dziewczyny są seksowne, namiętne i gotowe, w obcisłych dżinsach, topach z odkrytymi plecami i tak dalej. Sound system przestał grać Tamlinsów, teraz jedzie nowiutki winyl, nowi Michigan & Smiley, ale Christopher ma coś od Black Uhuru, to dopiero rozkręci imprezeh. Chłopcy i dziewczęta tulą się do siebie, wiją, ocierają, bas wbija się ludziom do serc i tam zostaje. Ale kto przyniósł petardy na tańce? To nie petardy, to chyba duży deszcz dudni w blaszane ogrodzenia. To dlaczego nikt nie jest mokry?, pyta głośno Jacqueline w tej samej chwili, kiedy dwa pociski wyrywają dziury w jej prawej piersi. Jej wrzask cichnie w tłumie. Patrzy do tyłu, cienie nadciągają od morza, pięcioramienny rozbłysk światła, bo zaczął strzelać karabin maszynowy. Didżej obrywa w szyję i upada. Wrzaski i panika, bieganina, nogi tratują przewrócone dziewczyny. Ludzie walą się na ziemię raz dwa trzy. Więcej mężczyzn nadciąga od morza, ubrani w kolory nocy, ze światłami. Rozciągają się w tyralierę. Jacqueline przeskakuje przez blaszane płoty, rozcinając sobie kolana, biegnie w głąb Ladd Lane, ścigana przez wrzaski. Zapomniała, że z jej piersi tryska krew, upada pośrodku ulicy. Para rąk chwyta ją i odciąga na bok.

Kule spadają na ocynkowaną blachę, ludzie z Gold Street mają tylko dwie sztuki broni. Tamtych nadbiega coraz więcej, niektórzy nacierają od morza, inni lądem, wszystkie trzy drogi ucieczki odcięte. Ostrzał jak deszcz budzi policjantów śpiących ze sto metrów dalej, chwytają za pistolety i rzucają się do zablokowanych drzwi. Rastafarianin nie ma dokąd uciec, a tamci nadciągają. Z tyłu ludzie osuwają się powolną falą. Fat Earl na ziemi, bulgoczący krwią. Rastafarianin pada na niego, jeszcze żywego, i przetacza się po nim, żeby się umazać. Gdy zamachowcy podchodzą, myślą, że to on nie żyje, i dobijają Fat Earla. Potem wycofują się do morza.

Biegasz dokoła jeziorka w Central Park South. Inny kraj, ta sama ekipa i przez sekundę czujesz się jak w Bull Bay przed wschodem słońca. Przebieżka po czarnej plaży, kąpiel w wodospadach, może trochę piłki, żeby nabrać zdrowego apetytu na śniadanie przygotowane przez Gilly'ego, czekającego na twój powrót. Ale jednak jesteś w Nowym Jorku i parność już się wciska we wszystkie szpary. Podnosisz wysoko lewą nogę, żeby wydłużyć krok, zanim ją opuścisz, ale prawa odmawia posłuszeństwa. Biodro się porusza — co sie, kurwa, dziejeh? — tylko prawa noga nie chce. Podnieś ją bezwiednie. Nic z tego. Podnieś ją, myśląc o tym. Też nic z tego. A teraz i lewa nie chce się poruszyć. Obie nogi utknęły, chociaż wydałeś im polecenie doprawione trzema kurwami. Z tyłu nadbiega twój przyjaciel, chcesz się odwrócić, żeby go zawołać, ale szyja obraca się tylko na pół cala i blokuje. Nie można kiwnąć głową, nie można nią pokręcić. Krzyk zamiera w drodze z gardła do ust. Twoje ciało się pochyla, nie dajesz rady tego powstrzymać. Nie, nie pochyla, przewracasz się, w dodatku nie możesz wystawić rąk do przodu, żeby złagodzić upadek. Ziemia zderza się z tobą, najpierw z twoim nosem.

Budzisz się w Essex House. Odzyskujesz władzę w rękach i nogach, ale strach pozostaje. Zbyt osłabiony, żeby wstać z łóżka, nie wiesz o tym, że kilka minut wcześniej okłamali twoją żonę, spławili ją. Budzisz się i czujesz seks, dym i whisky. Patrzysz i czekasz, ale nikt nie słucha, nikt nie patrzy, nikt nie przychodzi. Twoje uszy budzą się i słyszą, że przyjaciele dają sobie w żyłę, przyjaciele wciągają całe metry bieli, przyjaciele rżną groupies, przyjaciele rżną kurwy, przyjaciele rżną przyjaciół. Rastaman po freebase gwałcący świętą fajkę chillum. Mężczyźni w garniturach, mężczyźni na dorobku, biznesmeni pijący twoje wino, twój pokój świątynią czekającą na Jezusa i jego oczyszczenie. Albo na proroka. Albo na jakiegokolwiek proroka. Wciskasz się w łóżko, wdzięczny, że przynajmniej możesz kręcić szyją. W pobliżu przechodzą chłopaki z Brooklynu, z bronią, z kutasami. Ogień rasta wygasł. Nie masz siły wstać, nie masz takich ust, żeby przekląć, więc tylko szepczesz: proszę, zamknijcie drzwi. Ale nikt tego nie słyszy, a gdy Essex House się nadyma i pęka w szwach, przyjaciele wysypują się na Siódmą Aleję.

Wieje coś nowego. Odwrócona ewolucja. Mężczyźni, kobiety i dzieci w getcie Rose Town zaczynają od tego, że wstają i chodzą wyprostowani, czasem biegną ze szkoły do domu, z domu do sklepu, ze sklepu na rum do baru. W południe wszyscy siadają do domina, do lunchu, do zadanych lekcji, do plotek o tej puszczalskiej z Hog Shit Lane. Po południu wszyscy przyginają się do podłogi. Wieczorem czołgają się z pokoju do pokoju i jedzą z ziemi jak ścierwojady. Gdy nadchodzi noc, wszyscy leżą płasko na linoleum, ale nikt nie śpi. Dzieci na wznak, czekają na bębnienie kul o blachę, jakby padał deszcz. Kule zderzają się z kulami, świszczą w oknach, pod sufitami, szatkują ściany, lustra, lampy i wystawione na stołach jedzenie. W tym samym czasie człowiek, który mnie zabił, występuje w telewizji: Michael Manley i LPN powinni natychmiast wyznaczyć datę wyborów.

Padasz jak kłoda w Pittsburghu. Nigdy nie jest dobrze, jak się słyszy, że w rozmowie lekarzy pojawia się słowo zakończone na -ak. Ten ak przeskoczył, prześlizgnął się, przerzucił ze stopy do wątroby, płuc i mózgu. Na Manhattanie bombardują cię radem, aż ci się dredy sypią z głowy na wszystkie strony. Jedziesz do Miami, a potem do Meksyku, do tej kliniki, w której nie dali rady uratować Steve'a McQueena.

Czwarty listopada. Twoja żona przygotowuje chrzest w Etiopskim Kościele Prawosławnym. Nikt nie wie, że teraz nazywasz się Berhane Selassie. Stałeś się chrześcijaninem.

Wieje coś nowego. Na murze w ubogim Kingston: MFW — Manley Fatalny Wybór. Wybory powszechne wyznaczone na trzydziestego października tysiąc dziewięćset osiemdziesiątego roku.

Ktoś wiezie cię przez Bawarię, niedaleko granicy austriackiej. Z lasu wyrasta szpital jak w bajce. W tle góry przyprószone śniegiem jak ciasto lukrem. Poznajesz oziębłego wysokiego Bawarczyka, człowieka, który pomaga ludziom w beznadziejnym stanie. Uśmiecha się, ale oczy ma zbyt głęboko osadzone, nikną pod nawisem czoła. Mówi, że rak to alarm, że ciału grozi niebezpieczeństwo. Dzięki Bogu, że jedzenia, którego Bawarczyk zakazuje, rastafari zakazali już dawno temu. Wschód słońca niesie obietnicę.

Wieje coś nowego. Listopad tysiąc dziewięćset osiemdziesiątego roku. Nowa partia wygrywa wybory powszechne i człowiek, który mnie zabił, wchodzi ze swoimi braćmi na mównicę, żeby przejąć kraj. Czekał na to od tak dawna, że wskakuje pośpiesznie na stopień i się potyka.

Bawarczyk rezygnuje. Nikt nie mówi o nadziei, nikt nie mówi o niczym. Jesteś w Miami, nie pamiętasz lotu. Jedenasty maja, oczy otwarte, obudziłeś się pierwszy (jak za dawnych czasów), ale widzisz tylko dłonie starej kobiety, kościste i poznaczone czarnymi żyłami, i sterczące rzepki kolanowe. Plastikowa machina z rurkami wbitymi w twoje ciało wykonuje wszystkie czynności życiowe za ciebie. Czujesz się senny, zapewne od tych wszystkich leków, to zakrada się jak płaz i już wiesz, że gdziekolwiek pójdziesz tym razem, nie będzie powrotu. Coś dolatuje zza okna, przypomina ten numer Steviego Wondera *Master Blaster*. W Nowym Jorku i w Kingston jedno i drugie niebo goreje południową bielą, uderza grzmot i błyskawica przecina chmury. Letnia burza, trzy miesiące za wcześnie. Kobieta idąca po Manhattanie i kobieta siedząca na ganku w Kingston, obie wiedzą. Odszedłeś.

WHITE LINES/KIDS IN AMERICA

14 SIERPNIA 1985

DORCAS PALMER

W iesz, jak to z naszymi dziewczynami, przejeżdżają taki szmat drogi do Ameryki, a potem i tak zachowują się jak brudne zdziry z Gully. Mam ich powyżej uszuh. Powiedziałam jednej takiej paskudnej wywłoce, co pracowała dla pani Colthirst, ty paskudna wywłoko, dopóki masz tutej te prace i mieszkasz pod tym tu dachem, zaryguj te swoją cytrynke, rozumiesz? Zaryguj cytrynke. Oczywiście dziwka nie posłuchała, to tera chodzi z brzuchem. Oczywiście pani Colthirst musiała ją zwolnić — za moją radą oczywiście. To dama. Wyobrażasz sobie, że jakiś obesrany mały czarnuh kręciłby sie po ich domu? Przy Piątej Aleji? O nie, kochanieńka. Biali dostaliby tej swojej białej gorączki.

— To pani Colthirst taka ważna?

— To pani Colthirst taka ważna? Pod gazem jesteś czy co? Szybko cie polubią, zobaczysz. Jej, czasem nawet ja nie wiem, jak bardzo ona ważna. Czyta te eleganckie pisma. Ja mówie do niej prosze mojej pani. I ty też tak mów.

— Prosze mojej pani? Jak za niewolnictwa?

Wreszcie zrobiła minę, jakby nie wiedziała, co odrzec. Już trzy lata pracuję dla agencji God Bless Employment i za każdym razem, jak tu przychodzę, ona ma nową historię o jakiejś puszczalskiej z getta, która zaszła w ciążę na swoim dyżurze. Nie rozumiem, dlaczego myśli, że właśnie mnie powinna to wszystko opowiadać. Nie próbuję okazać zrozumienia ani współczucia, chcę po prostu dostać jebaną pracę, żeby łaskawca nie wykopał mnie z tej ekskluzywnej kawalerki na piątym bez windy, z ubikacją wydającą makabryczne odgłosy, jak się spuszcza wodę, i tak rozbestwionymi szczurami, że im się zdaje, że mogą siedzieć ze mną na sofie i oglądać telewizję.

— Uważaj na gadki o niewolnictwie przy Colthirstach. Nowojorczycy, co mieszkają na Park Avenue, bardzo czuli na takie teksty.

— Aha.

— Przynajmniej masz takie biblijne imie, co uwielbiają w Jamajczykach. W zeszłym tygodniu załatwiłam nawet robote facetowi, wyobrażasz sobie? Pewnie dla tego, że na imie miał Hezekiah. Kto wje? Może myślą, że jak ktoś ma imie z zacnej księgi, to nie będzie ich okradał. Ty chyba nie kradniesz, dziewczyno?

Pyta mnie o to co tydzień, gdy przychodzę po wypłatę, chociaż siedzę w Ameryce już trzeci rok. Ale teraz patrzy na mnie, jakby naprawdę czekała na odpowiedź. Colthirstowie to nie są zwykli klienci, wiadomo. Gdzie jest teraz nauczycielka z mojej dziesiątej klasy, żebym jej powiedziała, jakie drzwi się przede mną otworzyły tylko dlatego, że umiem mówić poprawnie? Pani Betsy patrzy na mnie. W jej spojrzeniu jest trochę zazdrości, a jakże, ale każda kobieta tak reaguje. Trochę zawiści, bo mogę się pochwalić tym, co dziewczyny z konkursów piękności nazywają postawą, w końcu jestem po szkole średniej Havendale St. Andrew. Trochę dumy, wiadomo, bo w końcu ma pracownicę, którą może zaimponować Colthirstom, a zależy jej na tym tak bardzo, że ostatniej dziewczynie wstawiła chyba jakiś kit, żeby ją zwolnić. Ale i trochę litości, zdecydowanie. Bo pewnie się zastanawia, dlaczego taka dziewczyna jak ja stoczyła się tak nisko.

— Nie, proszę pani.

— To dobrze, dobrze, cudownie dobrze.

Nie pytajcie, dlaczego szłam Broadwayem za Pięćdziesiątą Piątą, bo nic a nic się nie działo, ani na tej ulicy, ani w moim życiu. Czasem to nie wiem… iść ulicą w Nowym Jorku… to nie rozwiązuje ani nie zmniejsza problemów, ale daje poczucie, że można przynajmniej iść. Nie żebym miała problemy. Tak naprawdę to nic nie mam. I założę się z każdym, że moje nic jest większe niż ich nic każdego dnia tygodnia. Czasem się martwię, że nie mam zmartwień, ale to byłoby jakieś psychologiczne pierdolenie, żeby mieć się czym zająć. Może mi się po prostu nudzi? Ludzie tutaj mają po trzy prace i szukają czwartej, a ja nawet nie znalazłam jeszcze wtedy zajęcia.

A to oznacza chodzenie po mieście. Nawet ja wiem, że to bez sensu, chociaż tłumaczy, dlaczego ludzie ciągle łażą, mimo że można dojechać metrem. Aż się człowiek zastanawia, czy w tym mieście ktoś w ogóle pracuje. Skąd tyle tłumów na ulicach? No więc szłam Broadwayem od Sto Dwudziestej. Nie wiem, przychodzi taka chwila, gdy się idzie, że poszło się za daleko i nie pozostaje już nic innego jak iść jeszcze dalej. Aż do nie wiadomo czego. Zawsze zapominam, aż się zorientuję, że znowu idę. A poza tym to było tylko kilka przecznic przed Times Square, a Bóg mi świadkiem, że wystarczy spędzić tam dziesięć minut, żeby zatęsknić za tak uroczym staroświeckim zakątkiem jak West Kingston. Nie żebym chciała wylądować w Kingston, o nie, za żadne skarby. W każdym razie szłam Broadwayem za Pięćdziesiątą Piątą, wypatrując dziwolągów, ekshibicjonistów i wszystkiego, co oglądałam w telewizji, ale czego nigdy tutaj nie widziałam (z wyjątkiem meneli, ale żaden z nich nie przypominał tajnego agenta w wykonaniu Gary'ego Sandy'ego). Mały szyld nie rzucał się w oczy między dwiema chińskimi knajpami na Pięćdziesiątej Pierwszej. Agencja God Bless Employment, z samej nazwy by wynikało, że to jamajski interes, a gdyby nawet nie, to wątpliwości rozwiewało biblijne przysłowie pod spodem: „Odpowiedź łagodna uśmierza zapalczywość", pasujące do sytuacji jak kurewska pięść do nosa. Może powinni jeszcze dopisać INTERNATIONAL. Ale to bezczelność z mojej strony pouczać agencję, która istnieje po to, żeby pomagać takim nieudacznicom jak ja, w końcu ile razy można telefonować do swojego byłego w Arkansas, żeby poprosić o pomoc, i nie usłyszeć wreszcie: no dobra, wyślę ci znowu trochę pieniędzy, ale jak jeszcze raz zadzwonisz do mnie do domu i zagrozisz, że powiesz mojej żonie, skontaktuję się ze służbami imigracyjnymi i twoja dupa, czarnucho, znajdzie się w pierwszym samolocie lecącym na Jamajkę, a ty będziesz ściskała przezroczystą foliową torbę, jakie dają deportowanym na ich rzeczy, i wszyscy na lotnisku dowiedzą się, jakich podpasek używasz. Nie chciałam mu mówić, że czarnucha nie zabolała mnie aż tak, jak na to liczył, suka i cipa też nie, bo Jamajki nie reagują na takie określenia. Tak czy owak, znalazłam się w parszywej sytuacji i nie mogłam przejść obojętnie obok agencji pośrednictwa pracy. Ostatnia zapomoga z Arkansas właśnie się kończyła.

— Wiesz, czemu daję ci te posade? Bo jesteś u mnie piersza dziewczyna z manierami.

— Naprawdę, proszę pani?

Już wcześniej odbyłyśmy tę rozmowę. Prowadzi agencję, znajduje pracę w większości dla czarnych kobiet, przeważnie imigrantek, w zamożnych domach, gdzie trzeba się opiekować bardzo małymi nygusami albo bardzo starymi rodzicami, a jedni i drudzy, to była dla mnie nowość, mają identyczne potrzeby. W zamian za to, że ogarniamy najrozmaitsze gówno, czasem dosłownie gówno, oni nie zadają pytań o status imigracyjny czy pozwolenie na pracę. Wszyscy więc na tym korzystają. No, dwie strony korzystają, ja tylko zarabiam pieniądze. Właściwie to nie wiem. Bo jednak to co innego, gdy musisz prosić szefa o gotówkę, a co innego, gdy pracodawca z ochotą ci ją daje.

Pierwszymi klientami, do których mnie wysłała, było białe małżeństwo w średnim wieku z Gramercy, zbyt zajęte, żeby zauważyć, że ich słabowita matka śmierdzi kocimi szczynami i ciągle gada o tych biednych chłopcach z USS Arizona. Leżała sama w swoim pokoju, z termostatem nastawionym przez cały czas chyba na pięćdziesiąt stopni. Gdy pierwszy raz się z nimi spotkałam, ona w ogóle na mnie nie patrzyła, a on patrzył za często. Oboje byli ubrani na czarno i mieli okulary w czarnych oprawkach, jak John Lennon. Ona powiedziała do ściany obok mnie: mama jest tam, proszę robić to, co należy. Przez ułamek sekundy myślałam, że chcą, żebym zabiła tę starą kobietę. Jaką kobietę właściwie? W tym pokoju były tylko poduszki i sterta pościeli na łóżku. Musiałam podejść, żeby zobaczyć, że pośrodku tego wszystkiego leży drobna staruszka. Odór szczyn i gówna o mało nie zmusił mnie do odwrotu, ale przypomniałam sobie, że koniec z przekazami pieniężnymi z Arkansas.

W każdym razie wytrzymałam tylko trzy miesiące, i to nie przez gówno. Gdy mieszka się z mężczyzną pod jednym dachem, prędzej czy później przychodzi taka chwila, że mu się wydaje, że odtąd może chodzić nago. Gdy zrobił to pierwszy raz, widziałam wyraźnie, że liczy na to, że się zmieszam, ale ja zobaczyłam tylko kolejnego starszego człowieka, który będzie niedługo wymagał opieki. Za piątym razem powiedział, że żona poszła na spotkanie Matek Weteranów, więc ja na to, chce pan, żebym znalazła pańskie kalesony, bo gdzieś je pan zapodział? Za siódmym razem zaczął nim wywijać na moich oczach, dostałam więc takiego ataku śmiechu, że skończyło się czkawką. Stara matka krzyknęła z pokoju, że też chce usłyszeć ten żart. Powiedziałam jej. Było mi wszystko jedno. Uśmiała się tak samo jak ja, wyznała, że jej ojciec był identiko, zawsze odstawiał jakieś przedstawienie, choć nie było chętnych do oglądania. Ale od tamtej pory ostro mnie traktowała, a nawet zaczęła pyskować. Za dużo pyskówek, za mały fiut. Rzuciłam tę robotę, zanim on zdążył mnie zwolnić, i powiedziałam pani Betsy, że nie mam nic przeciwko sprzątaniu nawet tony gówna, ale nie chcę mieć nic do czynienia ze zwiędłymi białymi siurami. Była pod wrażeniem tego, że przez całą rozmowę posługiwałam się poprawną angielszczyzną, nawet gdy zapytałam, czy to jest burdel, a opieka nad tą biedną babcią to jakiś bonus.

— Ty chyba skończyłaś tę Niepokalanego Poczęcia — powiedziała.

— Nie, Dzieciątka Jezus — odpowiedziałam.

— Bez różnicy.

W dniu kiedy zginął John Lennon, zabrałam moją drugą podopieczną do parku. Kolejną starą kobietę, która nie miała jeszcze takiej demencji, że zapominała, że zapomina. Wróciłyśmy już ze spaceru i zamierzałam się położyć, gdy nagle powiedziała, że chce iść pod Dakotę, uparła się jak dziecko. Więc albo bym ją zabrała, albo dostałaby szału, co zwykle kończyło się krzykami, że porwali ją ci dziwni ludzie i Murzynka.

— Chcę iść, cholera jasna, nie zatrzymasz mnie — powiedziała.

Jej córka spojrzała na mnie, jakbym chowała te wszystkie dawki valium. A potem odpędziła nas obie machnięciem ręki.

No więc całą noc spędziłam przed Dakotą z tą staruszką i może dwoma tysiącami ludzi. Chyba śpiewali *Give Peace a Chance* przez cały czas. W pewnym momencie też przyłączyłam się do śpiewania i nawet się rozpłakałam. Umarła dwa tygodnie później.

W następnym tygodniu poszłam na Brooklyn do jamajskiego klubu o nazwie Star Track. Nie pytajcie dlaczego. Nie lubię reggae i nie lubię tańczyć. Bóg mi świadkiem, że nigdy nie miałam nic wspólnego z tą społecznością. Ale poczułam, że muszę tam iść, bo nie mogłam zapomnieć o śmierci tych dwojga. Klub znajdował się w jakimś starym trzypiętrowym budynku, prawie jak kamienica. Gdy weszłam, leciało *Night Nurse* Gregory'ego Isaaca. Niektórzy popatrzyli na mnie, jakby im płacono za lustrowanie klientów, jakbyśmy występowali w jakimś westernie czy coś. Co jakiś czas buchał kłąb dymu ze skręta albo cygara. Gdybym została dłużej, prędzej czy później jakaś z Jamajki uznałaby, że mnie poznaje, a to wydawało się najgorsze. Bo w pewnym momencie suka spytałaby, czym się zajmuję, a zanim zdążyłabym odpowiedzieć, sama zaczęłaby gadać, co robi i gdzie mieszka, kto się upasł, a kto się rozmnaża jak jebane króliki.

W pewnej chwili rasta, który zerkał na mnie, odkąd weszłam, przysunął się do baru i powiedział, że przydałby mi się masaż pleców. Nastała ta chwila, o której nam mówiono w szkole: jeśli zignorujemy mężczyznę, to on odstąpi. Tylko że chłopcy chodzili do tej samej klasy. Przynajmniej przypatrz się gościowi, powiedział w mojej głowie ktoś podobny do mnie. Owszem, ma dredy, ale wyraźnie zrobione u fryzjera. Skóra dość jasna, prawie kulis, wargi grube, ale ciągle zbyt różowe mimo palenia całymi latami, żeby ściemniały. Co tu robi Yannick Noah, spytałabym chyba, gdybym myślała, że skuma, o kogo chodzi. Chciał wiedzieć, czy według mnie Śpiewak wyzdrowieje, bo to nie za dobrze wygląda. Ugryzłam się w język, żeby nie spytać, jaki Jamajczyk używa wyrażenia, że coś nie za dobrze wygląda. Nie chcę rozmawiać o Śpiewaku, odparłam. Naprawdę nie chcę. Truł dalej, z lekkim jamajskim akcentem, podebranym od rodziców, a może sąsiadów. Nie musiałam usłyszeć, że Montego Bay skraca do Montego, zamiast Mobay, żeby wiedzieć, że nie jest prawdziwym Jamajczykiem. Zdradził się w chwili, kiedy spytał, czy doszłam. Zostawił swój numer na szafce, kiedy spałam. Jedna połowa mnie była gotowa się obrazić, gdyby pod kartką leżały pieniądze, ale druga miała nadzieję, że będzie tam co najmniej pięćdziesiąt dolców.

Teraz jest rok tysiąc dziewięćset osiemdziesiąty piąty i nie chcę myśleć, że od czterech lat rżnę się z niedzielnymi Jamajczykami z Ameryki i podcieram obrane stare tyłki, ale praca to praca, a życie to życie. W każdym razie trafiłam do Colthirstów, gdzie dla odmiany musiałam się opiekować mężczyzną. Sama nie wiem. Myć krocze kobiecie to jedno, myć krocze facetowi to zupełnie co innego. Owszem, ciało to ciało, ale żadna część kobiecego ciała nie sztywnieje i nie dźga mnie w brzuch. Ale znowu, kogo ja próbuję nabrać? Ten biedak pewnie nie ukłuł żadnej kobiety od czasów, kiedy Nixon był jeszcze uczciwym politykiem. Stary facet, ale ciągle facet.

Pierwszy dzień, czternastego sierpnia. Osiemdziesiąta Szósta Wschodnia numer osiemdziesiąt, między Madison a Park Avenue. Piętnaste piętro. Pukam do drzwi i otwiera mężczyzna wyglądający jak Lyle Waggoner. Stoję tam jak idiotka.

— Chyba jesteś ta nowa, co ma mi podcierać tyłek — mówi.

BEKSA

K ołdra sie zsuneła. Patrze na siebie, pierś dyha do góry, do dołu, pare włosów, dwa sutki, fiut śpiący na pempku. Patrze w lewo, owinął sie kołdrą ciasno jak gąsienica trzy dni przed motylkowaniem. Nie jest zimno, po prostu chłodne rano. Leży tam, jakby ktoś mu pozwolił zostać albo był za bardzo zmęczony, żeby nie pozwolić. Najpierw myślałem, że to zwykły śniadek z włosami farbowanymi na jasno, ale powiedział, że jest stuprocentowy soczysty białek, krewniaku. Rano, tak pokazuje zegar przy łóżku po jego stronie. Za oknem w ogóle nie widać, że jest rano. Brooklyński granat. Światła latarni rzucają mrok w zaułki, gdzie zabija sie męszczyzn, gwałci kobiety, a żałosny głupiec dostaje po ryju z otwartej dwa razy za kare, że jest palant.

Scena sprzed trzech tygodni, sobota wieczór. Wracam do domu na skróty, biały klient, chude mięśnie napięte pod postrzępionym T-shirtem, sterany nie przez siłownie, tylko przez koke, dwa kroki za mną jak muzułmańska żona. Żaden z nas nic nie mówi, słychać tylko *Let's Hear It For the Boy* Deniece Williams dolatujące z okna na drugim piętrze z gaciami wiszącymi na sznurku na schodach przeciwpożarowych. No i was wyczaiłem, skurwysyńskie pedryle, mówi ten czarnuh, zeskakując ze ściany, jakby był żywe graffiti. Wy kakaowe dwa oka, wybraliście sobie złe geto na to wasze dupodajne kurestwo. Biały kokso cofa sie o krok, a ja mówie: stój. Ten sie ciągle przysuwa, więc obracam głowe i patrze na niego. Stój, powtarzam. Białek wydaje dźwięk jak syk węża, mówi, że czarnuh zaraz coś wyciągnie. Myk w bok przed ręką ściskającą nóż, pociągam go lewą, obracam sie plecami i wale prawą. Knykciami w nos. Czarnuh wrzeszczy, a ja sprzedaje mu kolanem kopa w jaja, wytrącam kose, łapie za nadgarstek, pcham go na zabite dehami okno i przybijam w pizde jebanego skurwiela do drewna jak Jezusa. Czarnuh wyje, a ja mówie do białka, teraz możesz pryskać. Śmieje sie głośno. Biegniemy, macamy sie, biegniemy, śmiejemy, twardniemy, stajemy, mam język w ustach, bo nie zdążyłem mu powiedzieć, że z języczkiem nie reflektuje. Jak wchodzimy na klatke do mojego mieszkania, to już przeskakujemy po dwa stopnie na raz. Ostatnie pół piętro, szarpanie za klamre paska, spodnie opadają na podłoge, gacie do kolan, dupa na wystawe. Nie boisz sie tego gejowskiego choróbska? Spluwa śliną i sie wciska. Nie, mówie.

Trzy tygodnie później.

Dziś.

No więc rano. Stopy już idą po podłodze. Słońce zaraz przyjdzie tędy albo tamtędy. Wschodni północny wschód. Pociągnij za koniec kołdry i go odwiń. Spadłby na podłoge, ale przynajmniej przestałby chrapać. Chłopak sie owinął ciasno, jakby dla ochrony, tylko przed czym? Ciągne, szarpie, ciągne, szarpie, tarmosze, ciągne, szarpie, a ten kurwa i tak sie nie obudził. Próbuje sobie przypomnieć jego twarz. Brązowe włosy, ruda broda, kłaki. Rude kłaki na całej białej klatce piersiowej jak u dzieciaka. Och, niegrzeczny z ciebie chłopiec, co, pytał za każdym razem, jak sie wbijał głęboko. Wreszcie go odpakowałem z kołdry i leży na plecach. Ale dalej śpi. Śpi czy aby nie umar? Wczoraj w Strandzie nie mieli nic Bertranda Russella. Niewielu wie, że jestem myśliciel. Może otworzyć okno? Może wrócić do łóżka, pogładzić go po włochatej klacie i sutkach, wcisnąć mu język do pempka, zsunąć sie i zrobić mu loda na dzień dobry? Wczoraj wieczorem był jeszcze jednym umysłem, który dowiedział sie czegoś nowego. Nie myśl, że dymany facet to od razu dziwka, mówi. Zatkałem mu usta i pokazałem, do czego mam moją dziure. Kocham cie — nie mówie serio, powiedziałem.

Kop w noge na przebudzenie i wykop z domu.

Zostaw go w spokoju, może tu będzie, jak wrócisz.

Zostaw go w spokoju, a wrócisz do domu tak wyczyszczonego, że poznikają ci nawet karaluchy. Kop w noge na przebudzenie i wykop z domu.

Zostaw go tutej i podzielcie sie kreską, jak wrócisz. Nie prosił o pieniądze.

Na niebie różowa kropka, wschodni północny wschód. Zdecydowanie słońce wychodzi. Śniadek przekręca sie na bok, potem znowu na plecy. Myśl jakby w filmie. W tej scenie sie ubierasz, chłopiec sie budzi (tylko że byłby dziewczyną) i jedno z was mówi: kochanie, musze iść. Albo zostań w łóżku i zrób cokolwiek, kołdra facetowi sięga do pasa, kobiecie do piersi. Nigdy nie będzie takiej sceny w kinie jak w tym pokoju, nigdy. Nie wiem. Mógłbym wrócić do łóżka, wsunąć sie pod jego ramie i zostać tak na pięć dni. Tak. Zrób to. Teraz. Dziś może być ten jeden dzień, kiedy świat obejdzie sie beze mnie. Zrób to. On nie chłopak, on męszczyzna. Rozwalony teraz na łóżku, jakby był gotowy na wszystko, nie bał sie niczego. Coś sie we mnie wczoraj obudziło. Zły człowiek nie bierze kutasa. Ale ja nie jestem zły, jestem o wiele gorszy. Zły człowiek nie daje poznać drugiemu, że ten dobrze go ruha, bo wtedy tamten będzie górą. Lepiej stanąć albo sie wypiąć, żeby podszed od tyłu i natarł. Pojęczeć troche, posyczeć, powiedzieć, żeby podkręcił tempo, jebaka jeden, jak mówi biała dziewczyna dostająca czarnego kutasa w pornosie. Ale tak naprawde chciało sie wyć, wrzeszczeć, skowyczeć, tak, czytałem *Skowyt*, pierdolony bezczelny białasie, myślisz, że jak jestem czarny z geta, to nie umiem czytać? Ale to nie chodzi o tego białego przygłupa, chodzi o to, że tak bardzo chcesz krzyczeć i ryczeć, ryczeć i krzyczeć, ale nie możesz, bo wtedy byś sie zdemaskował, a nie możesz sie zdemaskować, przed nikim, przed żadnym białym, przed nikim, nigdy. Jak nie zaczniesz jęczeć, nie jesteś dziewczyną. Nie po to sie urodziłeś.

Wychodzisz z więzienia i mówisz: jebać Biblie, dziura to dziura. Wpłata na konto albo pobranie, zostawiasz coś w środku. Albo jesteś deponentem, albo bankiem. Tak czy siak w więzieniu zawsze coś sie nosi w dupie, a wszystkie cwele za kratkami tworzą jeden wielki szlak handlowy. Dupa na wschodzie dostarcza towar dupie na zachodzie, cel wędrówki: osadzeni na południu, z pieniędzmi albo innym towarem. Torebka koki, paczka gumy do żucia, batony, hershey, snickersy, milky way, gandzia, haszysz, pager, pasta do zębów, pigułki dietetyczne, xanax, percocet, cukier, aspiryna, papierosy, zapalniczka, tytoń, piłka golfowa z tytoniem albo kokainą, bibułki, zapałki, błyszczyk do ust, nawilżacz, strzykawka z gumką do wycierania na igle, piętnaście kuponów loteryjnych. Trzy lata w pudle i kutas staje sie po prostu jeszcze jedną rzeczą, którą można sobie wcisnąć w dupe. Ten leżący w łóżku nie wygląda mi na njuuu joorkera. Nie myśle, żeby sie jeszcze z nim spotkać. Kutas to po prostu fiut. W morde, nie pamiętam już cipek. Od czasów Miami i wydymania Griseldy Blanco. Musze walić na lotnisko.

Piętnaście po szóstej. Za dziewięć godzin Josey w samolocie lecącym z Jamajki. Za dwanaście, trzynaście godzin będzie tutej. Pojedziemy do domu na Brooklynie, wziął go na cel jeszcze na Jamajce. W każdym kwartale Nowego Jorku jest melina z koką, a melina to melina, ale on chce zobaczyć właśnie tą jedną. Chce sie od razu przekonać, kto kupuje crack i kto go sprzedaje, żeby osobiście składać meldunki Medellín. Tak powiedział przez telefon. Spytałem go, czy linia jest bezpieczna. Śmiał sie przez trzy minuty, a potem powiedział, żebym robił swoje i przestał oglądać telewizje. Nowy Jork musi być nasycony jak Miami, powiedział, ale nie powiedział, że nie wierzy, że ja moge tego dokonać. Ja chce wsunąć sie temu facetowi pod prawą ręke i tam zamieszkać. Josey powiedział, że przylatuje do Nowego Jorku, żeby odzipnąć od Jamajki. Ale to Jamajka musi koniecznie odzipnąć od Joseya Walesa. Dwa tygodnie temu jeden gangsta przewinął sie przez Brooklyn i opowiedział mi o tym, co sie stało w maju.

Mineła Wielkanoc i Rema, ten czyrak na dupie Kopenhagi, zachowują sie jak zwykle. Nikt nie wie, gdzie kończą sie Wysypiska, a zaczyna Rema, ale przynajmniej raz do roku tamci napinają mięśnie i żądają nowego kawałka terenu. Niewiele więcej niż poła od surduta Kopenhagi, a im sie wydaje, że mogą żądać i sie odgrażać jak to, że przejdą na strone LPN-u. Śmieci na północy, morze na południu, ale lepiej nie jeść tych ryb, co oni złapią. Sobota wieczór, dziewiąta, może dziesiąta, może ciągle upał. Mężczyźni grają w domino, kobiety piorą na tyłach przy hydrancie. Dzieci grzmocą w dwa ognie. Sześć aut wbija sie w ulice i rozjeżdża, trzy w lewo, trzy w prawo. Z pierszego wyskakuje Josey z pięcioma. Z pozostałych pięciu jeszcze piętnastu, każdy z M16. Josey i jego oddział czeszą ulice, kobiety, mężczyźni i nygusy uciekają z wrzaskiem. Kobieta i mężczyzna biegną do domu, ale Josey nie odpuszcza i sprząta ich przy drzwiach. Pozostali otwierają ogień, koszą wszystkich od domina, dwaj próbują uciekać, ale już odwalają taniec śmierci. Kobiety zgarniają nygusy w biegu. Oddział śmiga od domu do domu, od płota do płota, wystawiając rękę nad blahe i tra-ta-ta-ta. Gdzie mężczyźni? Dziewiętnastu cyngli strzelających w biegu, ludzie uciekający w panice na boki jak mrówki. Josey Wales idzie, on nigdy nie biegnie. Widzi cel, zastanawia sie, podchodzi powoli, zabija. Oddział wywala kulami wzór w ogrodzeniu. Ktoś zabija nygusa. Matka krzyczy za głośno, mazgaji sie za bardzo, więc Josey podchodzi do niej i przystawia jej lufe do potylicy. Josey i oddział odjeżdżają z Remy, bilans dwanaście trupów. Policja spada na Kopenhage i zabiera dwie sztuki broni, ale nic więcej. Dona nikt nie tknie.

Josey wali do Nowego Jorku. Nie wiem, czy już tu był, nie mówił. Jego brada z Bronxu rządzi aptaunem. Dwa grochy z jednego strąka, znają sie z tysiąc dziewięćset sześćdziesiątego szóstego. Brada sprzedaje zioło od siedemdziesiątego siódmego, ale potem rozszerzył na kokaine, zanim jeszcze stała sie białą żoną czarnuha. Handluje na w chuj wielką skale: sto czterdzieści tysięcy kilo gandzi, dziesięć tysięcy kilo koki. Bronx to baza wypadowa, stamtąd przerzuca towar do Toronto, Filadelfi i Marylandu. Nie znam go za dobrze, a Josey nie chce, żebym dla niego pracował. A może on powiedział Joseyowi, nie przysyłaj mi tu tego faceta? Jak jego ekipa potrzebuje potwora, to Josey wysyła człowieka z Kingston, Montego Bay i St. Ann. Niezależny cyngiel, tak mnie nazywa, ale nie w oczy, tylko Joseyowi tak mówi.

Josey wali do Nowego Jorku. Chodzi o mnie. Nie chodzi o mnie i nie chodzi o tego faceta w łóżku. Jak tylko Jamajczyk przyjedzie do Nowego Jorku, to znika. Spika sie od razu z innym jamalem na Bronxie, żeby mogli zbudować Jamdown między Boston Road a Gun Hill. Nie ja. Ja chce zniknąć, dlatego wyjechałem z Miami do Nowego Jorku. Przyjedzie dopiero wieczorem, nie mam gdzie iść. Trzy i pół kreski koki na stoliku przede mną. Ten facet na wznak w łóżku. Z rękami za głową patrzy na mnie. W zeszłym tygodniu w East Village, parking za takim jednym apartamentowcem. Biały chłopak cały nadęty rozwalony na leżaku, jakby za rogiem było morze. Brązowe włosy, ruda broda, kłaki na całej białej klatce piersiowej, niebieskie szorty, które podwinął tak wysoko, że myślałem najpierw, że to bikini. Kąpiel słoneczna, mówi. No to go pytam, czy chodzi mu o to, że od tego wygrzewania sie tak na słońcu zrobi sie czysty? Wyciąga paczke newportów i mie częstuje.

— Nie jesteś stąd?
— E?
— Nie jesteś stąd.
— No nie.
— Szukasz?
— Eh… nie…
— Jak nie, to jak się zorientujesz, że znalazłeś?

TRISTAN PHILLIPS

anie Alex Pierce, ja widze to twoje spojrzenie. Nie, nie to w tej chwili, nie ten wytrzeszcz sowy w świetle reflektora, chodzi mi o tamto sprzed piętnastu sekund. Znam to. Obserwujesz mie od pewnego czasu, ile to już będzie, pół roku? Może siedem miesięcy? Wiesz, jak to jes w pudle, wszyscy tracą rachube czasu, nawet jak kalendarz wisi nad sedesem. A może nie wiesz. Poważnie, Jimmy Wietnam mi mówi, że więzienie jes jak przeszkolenie wojskowe. Najnudniejsza rzecz na świecie. Nic tylko patrzeć i czekać. Człowiek nie ma na co czekać, uświadamia sobie, że nie musi, po prostu jes w trakcie czekania, a jak zapomni, na co czeka, to już zostaje mu tylko czekać. Powinieneś tego spróbować.

Teraz odliczam dni, kiedy wysram fiolke z crackiem i wsune któremuś klawiszowi do kieszeni, za co kupie sobie kolejny miesiąc z kudłami na głowie. W zeszłym tygodniu jeden chłopak mie zaczepił, dredek, mówi, w pudle garujesz, a ciągle masz włosy, jakim cudem? Pewnie myślą, że chowam w kudłach z piętnaście kosiorów. Mówie mu, sorry, powiedziałem mu, zapominam, że to sie nagrywa, mówie mu: po latach udało mi sie przekonać władze, że skoro muzułmamin może zachować czapeczke i farbować brode na rudo, to ja mam prawo zachować swoje dredy. Jak nie kupią takiej gadki, to mówie im to, co chcą usłyszeć, że tyle w tych kudłach wesz i kleszczów, że jak tylko sie dotkną, borelioze mają jak w banku. No i znowu to zrobiłeś, to twoje spojrzenie. To spojrzenie „szkoda, że". Szkoda, że ja nie miałem szans, nie, perspektyw, bo mógłbym być kimś, może nawet tobą. Problem w tym, że jakbym był tobą, to całe życie czekałbym na rozmowe z kimś takim jak ja. Nie pytaj mie o życie w pierdolonym gecie, zapomniałem już, dawne czasy. Jakbym sie nie nauczył zapominać, nie przeżyłbym na Rikers dwóch dni. Cholera, tu sie zapomina, że nie wolno ssać fiuta. No więc nie, zły adres, żeby pytać, jak wygląda życie w gecie. Ja po pierse w ogóle sie tam nie urodziłem.

Tysiąc dziewięćset sześćdziesiąty szósty? Brada, naprawde chcesz mie pytać o sześćdziesiąty szósty? Nie, słońce, ja nie będe gadać o sześćdziesiątym szóstym. O sześćdziesiątym siódmym tak samo nie.

Alex, musisz wiedzieć, że biblioteka więzienna to kurewsko porządna instytucja, powaga. Widziałem dużo bibliotek na Jamajce i w żadnej nie było tyle książek co na Rikers. Jedna z nich to ta *Podróż karaibska*. Jakiś kulis to napisał, V.S. Naipaul. Brada, on pisze, że West Kingston to tak kurewsko parszywe miejsce, że nie można nawet zrobić zdjęcia, bo piękno procesu fotograficznego wprowadzi cie w błąd i nie będziesz widział tej autentycznej brzydoty. O, czytałeś? Nawet on nie ma racji, uwierz mi. W błąd to cie wprowadza piękno tego zdania, co napisał, dlatego nie widzisz brzydoty. Tam tak brzydko, że nie powinny z tego wychodzić takie ładne zdania, nigdy.

Ale co zrozumiesz z pokoju, jak sie nie dowiesz, co najpierw wywołało wojne? Jaki byłby z ciebie dziennikarz, jakbyś nie chciał poznać tła? A może już znasz? Nie ważne, nie zrozumiesz pokoju ani wojny, ani skont sie wzieła taka Kopenhaga, jak nie poznasz histori tego miejsca, co sie nazywa Balaclava.

Wyobraź sobie, biały chłopaku. Dwa hydranty. Dwie łazienki. Pięć tysięcy luda. Ani jednej ubikacji. Ani jednego kranu z wodą bieżącą. Dom rozwalony na kawałki przez huragan, ale sie sklecił z powrotem do kupy, jakby go trzymał magnes. I popatrz, co dokoła. Największe śmietnisko na Bumper Hall, Wysypiska, gdzie teraz jes szkoła. Rzeźnia, z której krew płynie ulicą aż do wąwozu. Największa oczyszczalnia ścieków, żeby aptaun mógł swobodnie spuszczać gówno aż do nas. Największy cmentarz publiczny w Indiach Zachodnich. Kostnica i dwa największe szpitale położnicze w Indiach Zachodnich. Targowisko Coronation, największe na Karaibach, prawie wszystkie zakłady pogrzebowe, ropa, kolej i zajezdnia autobusowa. I… ale po coś tu przyszed, panie Alex Pierce? Czego naprawde szukasz i czemu marnujesz mój czas, zadając pytania, na które może ci odpowiedzieć Jamajska Służba Informacyjna? Aha, rozumiem. Rozumiem twoją metode. Kiedy ostatni raz byłeś na Jamajce? Bez powodu, po prostu wyglądasz na takiego, co albo nigdy tam nie był, albo nie może wrócić. A jak ktoś taki wygląda? Z ręką na sercu, to nie wiedziałem aż do teraz, jak to powiedziałem, żeby zobaczyć, jak zareagujesz. Ale teraz już wiem, jak ktoś taki wygląda. Aż na Rikers przylazłeś, za jakie sznurki musiałeś pociągnąć, Pierce, he? Czekaj, nie mów, dowiem sie tak samo, jak sie dowiedziałem o tobie i Jamajce. Dobra, dajesz, zadawaj te swoje pytania.

Brada, wiesz, że pochodze z terenów rastafari, to czego zadajesz takie pytanie? Naprawde myślisz, że JPP chciała pomóc części należącej do rasta albo LPN z Balaclavy? Taki jesteś nierozgarnięty? Nie ważne, ryż wujka Bena twardy jak chuj. Ale tamten dzień, brada. O w dupe.

A wiesz co? W Balaclavie nigdy nie było aż tak źle, zależy gdzie sie mieszkało i z kim. Nie było wcale tak, że codziennie umierało niemowle i szczury komuś twarz zeżarły albo coś. Znaczy, dobrze też nie było. Wcale nie. Ale ja pamiętam takie rana jak wychodziłem na dwór, kładłem sie na trawie, na czystej zielonej trawie, i patrzyłem, jak motyle i kolibry tańczą nade mną. W tysiąc dziewięćset czterdziestym dziewiątym sie urodziłem. Zawsze miałem takie wrażenie, że jak matka mie wydawała, to była już w drodze do Angli i wyrzuciła mie ze statku do morza. Mam gdzieś, czy mama i tata byli jak z obrazka, ale musieli koniecznie mi dać taką gębe półkulisa? Nawet moi rasta, brada, sie z tego śmieją i mówią, że jak w końcu Black Star Liner przyjedzie, żeby nas zabrać do Afryki, to będą mie musieli przekroić na pół. Człowiek, co ty wiesz o układach na Jamajce? Czasem mi sie wydaje, że półkulisem być gorzej niż cwelem. Jednego razu taka brązowa na mie patrzy i mówi: jakie to smutne, że Bóg dał mi piękne włosy, a przeklął mie taką skórą. Suka jeszcze powiedziała, że dzięki tej skórze wie, że moim przodkiem byli niewolnicy. No to ja jej powiedziałem, że też mi jej żal. Bo twoja jaśniejsza skóra to mi mówi, że zgwałcili twoją praprababke. No dobra, Balaclava.

Niedziela. Mój mały materac był ze szpitalnego łóżka, co go wyrzucili. Już nie spałem, ale jakby mie dudnienie obudziło. Nie pytaj, czy to usłyszałem, czy poczułem. To jak w jednej sekundzie nic nie było, a w następnej już dudniło. Potem mi kubek spad z taboreta. Dudni coraz mocniej, teraz to już hałas, jakby samolot leciał bardzo nisko. Drżą wszystkie ściany. Siadam w łóżku i jak patrze przez okno, ściana nagle sie wali. Wielkie żelazne szczęki schrupały mi ściane. Szczęka chaps-chaps i normalnie ją odgryzła. Wrzeszcze jak dziewucha. Wyskakuje z łóżka, szczęka wbija sie w blahe i chrupie ziemie, moje łóżko, taboret i kawał dachu, co go sam położyłem. Wybiegłem na dwór, zanim wszystko sie zawaliło. Szczęki żarły dalej.

Nie, o Wareika Hill też nie chce gadać. Skont ty, kurwa, bierzesz te pytania?

Człowiek, o co ci wreszcie chodzi, o tysiąc dziewięćset sześćdziesiąty szósty czy osiemdziesiąty piąty? Weź sie zdecyduj i przestań zadawać pytania, skoro już znasz odpowiedzi, cholera jasna. Przyszedłeś gadać o Joseyu Walesie. Po tamtym maju nikt nie chce gadać o niczym innym. Zaraz, nie wiesz? Ja na Rikers i wiem wszystko, a ty taki pan redaktor i nic?

Podobno ja i Wales mieszkaliśmy blisko siebie, ale spotkaliśmy sie dopiero dziesięć lat później. On był JPP, a po tym, jak mie JPP wypędziła z Balaclavy, nie chciałem mieć z nimi nic wspólnego, dopiero potem, jak układ pokojowy zrobiliśmy. W każdym razie jakby nie Sylassje Ja Jah Rastafari, to nie wiem, coby ze mną było. W każdym razie po upadku Balaclavy, cha, cha, zrozumiałeś? W każdym razie po upadku Balaclavy Babilon mie zapuszkował. Nawet nie pamiętam, w którym to klubie było. Turntable? Neptune Bar? Zawsze sie mówi, że ten, co wie lepiej, żyje lepiej. Cholerstwo, w kieszeni miałem tylko pięć dolarów i butelke johnniego walkera. Wychodzi dolar na rok, nie?

No to z zakładu karnego wyszedłem, kiedy, w tysiąc dziewięć-set siedemdziesiątym drugim? No i Jamdown to był wtedy już inny kraj. A przynajmniej inna partia rządziła krajem. Nawet muzyka, co ją słuchano, była inna. A może wcale nie różniło sie tak bardzo? Ale w siedemdziesiątym drugim, jak sie było młodym i sie coś chciało, prace, dom, w dupe, nawet jakąś kobiete, trzeba było sie ułożyć z dwoma ludźmi, Buntin-Bantonem i Ścierą. Ci dwaj byli najwyżsi donowie LPN-u w Kingsta, może na całej Jamajce. Znaczy, wychodze i widze ich wszystkich, Shotta Sherrifa, niech spoczywa w spokoju, Szkota, Tony'ego Flasha z S90, wszyscy odpicowani jak ważniaki z mnóstwem gorących i chętnych dziuń, i ja ich pytam: skont macie pieniądze? Mówią: lepiej sie skumpluj z Buntin-Bantonem i Ścierą, prace znajdziesz w Gully Works Project. Przynajmniej pieniądze były przyzwoite, chociaż głową nie trzeba było ruszać. Jedyny kłopot to policja. To znaczy do dnia, jak zabili Buntin-Bantona i Ściere. Śmieszne, bo jak dokoła byli dilerzy, to dobrze zarabiałem, jak dilerów wykończyli, sam zostałem dilerem. Chodzi o to, że ci z LPN-u, chociaż wredne typy, nie mieli ambicji. Ze zbirem jes tak, że umie myśleć tylko przyziemnie. Shotta Sherrif przejął Osiem Ulic jako don i miał tego zastępce, co pewnie teraz rządzi, chyba go nazywali Funnyboy. Naprawde nie pamiętam. W każdym razie oni potrafili tylko bronić teretorium i uważać, żeby nie stracić nic na rzecz cynglów z JPP. Ale ci rudeboye z JPP, człowieku. Ci to mieli pomysły. Josey Wales zaczął gadać z Kolumbijczykami na długo, za nim do tych dotarło, że dość mają Bahamczyków. Aha, jes jeszcze coś, o czym ludzie nie wiedzą. On umie po hiszpańsku. Słyszałem, jak raz gadał przez telefon. Bóg jeden wie, gdzie sie nauczył.

Te dwie strony, LPN i JPP, rozumią, że jedno ich łączy. Babilon czyha, żeby cie zabić, nie ważne, czy jesteś zwierze w paski, czy w łaty. Po Green Bay już wszyscy o tym wiedzieli, nie tylko cyngle.

Jak byłeś z LPN-u, to dawali ci spokój. Ale policja i wojsko zabijali każdego. Chyba ci opowiem, jak sie nadziałem na

Rawhide'a. O Rawhidzie słyszałeś? Nie? I ty piszesz książke o Jamajce? Rawhide to jeden inspektor z Jamajskiej Komendy Policji i osobisty ochroniarz ważnego polityka. Nie, ja jego prawdziwego nazwiska nie znam. No to siedzimy w klubie Two Friends na dauntaunie, głęboko na dauntaunie, przy molo, i wszyscy nadają na pozytywnych wajbach, wszyscy luz, żadnych utrapieństw, nikt do nikogo nie strzela, każdy sobie pije drina, dyskutuje i obmacuje dziewczynke, bo nowy numer Dennisa Browna robi klimat. No i kto wparowuje w te sytuacje jak nie Rawhide? Zło czyńca i rudeboy nie boją sie nikogo, ale wszyscy wiedzą, że Rawhide też sie nikogo nie boji. Włazi odstawiony na paryską mode. Dwa pistolety na pasku przy biodrach, jakby naprawde sie nazywał Rawhide, w łapach M16.

Wszyscy znają zasady Rawhide'a. Jak znajdzie przy tobie broń, nie żyjesz. Po prostu. Żadnych pytań, nie żyjesz, pstryk. Dwoma palcami wyciągłem klamke ze spodni jak obsraną pieluche, objołem ramieniem moją dziewczyne, jakbym z nią chciał tańczyć i wcisnołem żelazo w jej łono.

Lola! Na imie miała Lola. Była... Czego sie śmiejesz? Oh, no tak. Wydawało mi sie, że mie pytasz o układ pokojowy. Rany, chłopie, ale ty złazisz z tematu. Powiedz mi coś, panie Alex Pierce, czemu cie ten temat intryguuje? Tak sie mówi? Dlaczego tak cie intryguuje? Poważnie, bo jak spojrze w przeszłość, to widze, że ten układ pokojowy to była mała plama po gównie, co zeszła w pierwszym praniu.

To Shotta Sherrif do mie przyszed, żebym przewodniczył radzie pokoju. Najpierw on i Papa-Lo, i jeszcze ktoś polecieli do Angli, żeby namówić Śpiewaka do powrotu i do koncertu, żeby zebrać pieniądze dla geta. To teraz mie spytaj, czemu jak tylu polityków zjeżdżało do geta co dziennie, myśmy musieli ciągle robić koncert, żeby zebrać pieniądze. W każdym razie on mie wytypował na przewodniczącego, nikt nie protestował. Shotta Sherrif, człowieku, nigdy nie widziałem, żeby ktoś był taki smutny jak on, jak mi wtedy dawał broń, jakby sie na mie zawiód albo coś.

Nawet wśród cyngli zawsze dawał mi robote pokojową, zorganizować tańce, załatwić pogrzeb, dwa razy to nawet kazał gadać z politykami, co przejeżdżali przez geto. Jednego razu jakiś biały z kamerą przyszed, żeby nakręcić jakąś historie o targowisku Coronation i Shotta mówi: Tristan, kulisku, idź pokaż białym nasz jarmark i odwal z nimi z jedną gadke. Ja nie wiedziałem, o co mu chodzi, ale potem ta biała kobieta wycelowała we mie kamere i mówi, że nie tylko mam im pokazać targowisko, ale jeszcze o tym opowiedzieć. Dali mi mikrofon, jak bym miał prowadzić *Soul Train*. Shotta Sherrif, człowieku. On to było coś. On był... był...

Ja... Ja...

Wyłącz nagrywanie.

Zgaś. Zgaś to, kurwa.

Gdzie idziesz? Siadaj no... a ja ci opowiem historie. Śpiewak sie szykował do drugiego koncertu, tak? Oświetlenie ustawione, mikrofony, scena, wszystko, Śpiewak robi jeszcze jedną próbe dźwięku. Ja w biurze, dzwoni do mie Josey Wales, że jedna ze skrzyń z oświetleniem ciągle czeka na nabrzeżu i trzeba ją zgarnąć. No to ja dzwone do ministra bezpieczeństwa narodowego, żeby przepuścili skrzynie. Wales wysyła jednego ze swoich z JPP, żeby zaopiekował sie sprzętem, tego, co ma ksywe Beksa. Wystarczy spędzić z nim minute, żeby wiedzieć, że on udaje, że coś z nim nie tak, coś, że człowiek wie, że widzi w nim tylko tyle, ile on chce pokazać. On nawet tak przytakuje, jakby występował przed widzami. No więc ja jestem na spotkaniu i ktoś mi mówi, że skrzynia ze sprzętem nie dojechała, a przecież papiery leżą na moim biurku. A jak ktoś zaraz powiedział, że goście z Kopenhagi opylają starą broń tym z Wang Gang, bo nagle pojawiła sie dostawa świeżyzny prosto z fabryki, to do mie dotarło i patrze na Bekse, ale ten nawet nie mrugnie. To ja zamykam spotkanie i przypominam im, że część pieniędzy z koncertu jeszcze nie przyszła.

— Beksa, jedna sekunda — mówie, a on przystaje. — Co jes w pizde grane?

— Co w pizde grane co?

— Co to za kurestwo z tym sprzętem oświetleniowym? Wiedziałeś, że to broń?

— Phillips, przecież to ty mi kazałeś zgarnąć. I teraz mie pytasz?

— Nie próbuj być taki sprytny, piździelcu, nie pasuje ci — odpowiadam.

Wykrzywił ryja, jakby poczuł smroda.

— Słuchaj, brada — mówi — ty robisz ten koncert, dociągnij to do końca, ja ci nie wchodze w droge. Ja też sie zajmuje pokojem, ale inaczej.

Potem poszed. Dziwne, bo mi sie wydaje, że z żadnym innym z geta by tak nie gadał. Do tej pory nie wiem, czy wysłał mi sygnał, że jes groźny, czy że cwany. Wyraźnie mu sie nie spodobało, jak powiedziałem, że nie jes sprytny.

Ale wystarczy o tym piździelcu. Powiedz mi szczerze, panie Alex Pierce, dlaczego nie możesz wrócić na Jamajke?

JOHN-JOHN K.

Co się tyczy tego zlecenia, to ta zdrowo jebnięta w dekiel kolumbijska dziwka nie grzeszyła konkretami. Wykończyć go powoli i żeby wiedział, że to ona, co nie, nagrała robotę, to smoluchy od Biscayne Bay po Kendal West nauczą się szacunku do mamajamy — jej słowa, nie moje, pogubić się można, bo ta śniada lesba mówi po jankesku jak porąbana. I tyle, to info ma zapaść w świadomość, a skurwysyn ma się wykrwawić na śmierć. Powiedziała jeszcze mnóstwo innych pierdół, których też nie zrozumiałem, może dlatego, że nie pamiętała treści oryginalnego zlecenia. Dziwka prawie przez cały czas udawała, jakby to była jej decyzja, a przecież jest tylko jebaną sekretarką. Ale pierdolić Griseldę Blanco. Siedzę w Nowym Jorku i wszystko jest kurewsko super ekstra.

Teraz uwaga, byłem z powrotem w Chicago, chociaż obiecałem paru zbirom, że nigdy nie wrócę, bo z ostatniej roboty, pięć lat temu, to wyszła jatka. Z tego swojaka z Southside zrobiła się wielka świnka skarbonka, którą mafia chciała rozbić. Zjadłem w knajpie Denny'ego, zapłaciłem rachunek i przeszedłem do rozmów. Powiedzieli: co ty na pięćset dolców, a za to razem ze swoim brachem Paco wykończysz tego całego Eustace'a. Eustace ma na imię? To jakaś ciota?, spytał Paco. Mafioso nie odpowiedział. Prościzna: we wtorki dziesięć po dziewiątej jego żonka wychodziła śpiewać w chórze, a on zasiadał z projektorem w piwnicy, z cygarem w lewej łapie i kutasem w prawej, i trzepał kapucyna do *Lecimy z krewką* część 1, 2, 3 i 4. Paco się wycofał, powiedział, że jest złodziej, nie zabójca. Facet usłyszał mnie, jak byłem na schodach do piwnicy, ale jedną grabą ściskał dziobaka, a drugą miał w miejscu, o którym większość facetów nie myśli, więc czym miał wyciągnąć giwerę? Zacząłem strzelać i nie mogłem przestać. Hałas był taki, że w pierwszej chwili nie usłyszałem krzyków żony. Dała w długą, ja pobiegłem za nią, modląc się, żeby nie zdążyła dopaść drzwi. Ale dopadła i wyskoczyła z wrzaskiem na ulicę. No i tak biegniemy Martin Street, ona w nocnej koszuli i kapciach z futerkiem, wyjąc, jakby jej ktoś gardło poderżnął, a ja za nią. Puknąłem ją na środku jezdni, akurat jak nadjechały dwa kombi. Jedno się zatrzymało, więc strzeliłem w tylną szybę, raz, drugi, trzeci, aż odjechali i zaraz walnęli w drzewo z sześćdziesiąt metrów dalej. Syf się narobił, więc musiałem spadać z Chicago.

Ale po zadekowaniu się w Nowym Jorku kurz opadł i w końcu dostałem telefon. Najwyraźniej rozeszła się fama. No dobra, robota na Southside wypadła amatorsko i niechlujnie, ale jednak została wykonana. Straty uboczne wyszły duże, nie przeczę. Byłem młody, ale nie byłem głupi. Owszem, bezczel, ale umiałem słuchać, więc wybór był dla mnie prosty jak drut. Sumienie nagle ruszyło jednego Żydka, co przez dziesięć lat machlował księgi dla mafii. Właściwie nikt nie miał pewności, ale były zdjęcia, na których facet włazi do budynku fedziów i wyłazi z budynku fedziów trzy godziny później. Tak czy siak, pejsaty na pewno zainkasował. A ja miałem ubić szczura w wannie, łatwizna, aż tak mi się nudziło, gdy dostałem telefon.

Czternasty grudnia, czwarta po południu. Ulica Dwieście Siódma, żydowski Bronx, ale zaczęły już tutaj przenikać te czarnuchy z Jamajki, co dziwnie gadają i z nikim nie chcą się zadawać. Piętro i poddasze. Zamki otwieram od siódmego roku życia. Problemem były schody, miałem nadzieję, że leży tam ta gówniana wykładzina, co zagłusza skrzypnięcia. Nie podali mi żadnych szczegółów, ile jest pomieszczeń w domu i tak dalej, więc musiałem wchodzić na chama.

Na parterze bieliźniarka, kto, kurwa, ma bieliźniarkę przy drzwiach?, na pierwszym łazienka, wyżej coś jak sypialnia, no to wchodzę, czując się przyciężko, bo nowa broń sporo waży. Pusto. Dalej korytarzem, pchnąłem ostatnie drzwi. Chłopak siedział wyprostowany, oparty o wezgłowie, jakby na mnie czekał.

Bez kitu. Siedział i patrzył na mnie, a ja nie mogłem strzelić. A potem dotarło do mnie, że on wcale na mnie nie patrzy, tylko tępo przed siebie. Walił konia. Co za posrana sytuacja. Jak strzelę, obudzę cały dom.

— Oni teraz śpią na poddaszu — powiedział. — Wiesz, jak to jest, starzy ludzie chcą mieć ciepełko.

W ciągu tygodnia nowojorski „Post" napierdala o nowym Davidzie Berkowitzu. Potem odezwał się Paco i powiedział, żebym wpadł do niego do Miami. Pierdolić Nowy Jork i resztę cierpiącej Ameryki, tu się rozkręciła jebana Gomora. Tutaj zamrażają diamenty i używają ich jak kostek lodu. Wypierdoliłem pierwszym samolotem.

No więc siedzimy w Anacondzie i dociera do mnie, że poszła fama o robocie w Nowym Jorku, policja mówi o podwójnym zabójstwie, mąż i żona skasowani we śnie, oboje strzałem w głowę. W Anacondzie łykam trochę nocnego życia, w garderobie siedziała Donna Summer, parę innych twarzy też wyglądało na wielkie sławy. Podszedł do mnie brachu Baxter, znałem go, bezproblemowy facet.

— Skurwielu, przyjechałeś złapać trochę słońca? — spytał wesoło, patrząc na mnie niewesoło.

— W Nowym Jorku już sprawy załatwiłem.

— Za to ja mam robotę, mama chyba jest ze mnie dumna. Paco wie, że tu jesteś?

— Jebać tego *putito*.

— Czyli nie. Co tu porabiasz, John-John? Tak poważnie.

— Regeneruję się. Brachu ściągnął mnie z Nowego Jorku, tam za gorąco, wpadłem przydupczyć.

— To może warto zapolować w innym miejscu, zajrzyj do Tropic City tam kawałek dalej.

— A co z tym nie tak?

— To starożytna chińska tajemnica.

— Ee?

— Słuchaj, dobra, powiem ci, bo cię lubię.

— Co? Kurwa, ale muzyka napierdala.

— Widzisz tych Kubańczyków, o tam? Przy tym dużym stole, tych sześciu?

— Ehe.

— Skurwysyny do rozwałki.

— Skąd wiesz, że to Kubańczycy?

— Kolego, popatrz na te marynarki. Kolumbijczycy przynajmniej mają trochę klasy. Nieważne, łazimy za nimi od pewnego czasu, ale nigdy nie schodzą się wszyscy razem. Teraz wreszcie mamy ich spakowanych w jednym miejscu. Przysięgam, stary, to jakby ci dziewczyna ssała kutasa i lizała rowa jednocześnie. Ci dwaj tam przy stole narazili się mojej szefowej, a ona nie łyka takiego gówna. Urządzimy zaraz skurwielom drugie My Lai. Więc lepiej się ulotnij. I to w podskokach.

— Jasne, dzięki, bracie, za cynk.

Przy barze wpadam na Paca obściskującego jakiejś dzidzi lewy cycek, jakby sprawdzał numer stanika.

— Kolego, musimy lecieć, tu zaraz jebnie megagówno.

— Śmieszne, że wspominasz o jebaniu. Chcesz się przyłączyć? Obaj możemy się uraczyć biustem Charlene, co ty na to?

— Musimy spadać.

— Sam sobie spadaj, i to w pizdę, JJK. Tu dzisiaj przyszła Donna Summer. Podobno za kulisami jest Gene Simmons z Peterem Crissem, walą jakąś chińską cizię na dwa baty. Kolego, wyluzuj, wyluzuj, nie widzisz, że jestem zajęty?

— Kurwa, myślisz, że to żarty? Zaraz pierdolnie wielkie gówno, więc wyjmij palec z tego kurwiszona i posłuchaj, co do ciebie mówię.

— Ej, kogo ty nazywasz…

— Spokojnie, skarbie, to jeden z tych pedziów, co nie wiedzą, jak się obchodzić z damami.

— Ehe, ja nie wiem, jak się obchodzić? Paco, co z tobą, kurwa?

— Raczej co z tobą, kurwa?

— Słuchaj, przed chwilą nadziałem się na Baxtera.

— Na Baxtera? Ten kutas jest tutaj? Jebać go, człowieku...

— Jest z dwunastoma cynglami.

— O kurwa! Dlaczego tutaj? Kurwa, rozwalą taki fajny klub!

— Nie wiem dlaczego, jakieś wonty między Kubańczykami i Kolumbijczykami. Zaraz wykoszą cały stół.

— W mordę jeża, muszę go ostrzec.

— Rób, co chcesz, ja się ewakuuję.

Wyszedłem na dwór, zostawiając Paca, który chyba poszedł uprzedzić swoich ludzi, że lokal za chwilę zamieni się w gruzowisko. Po chwili zacząłem się zastanawiać, czy może ogłuchłem. Ale niecałe pięć minut później ludzie faktycznie zaczęli wybiegać z klubu, chociaż ciągle nie było słychać strzałów. W końcu wyszedł Paco.

— Alarm się uruchomił — mówi.

— Powiedziałeś swojemu człowiekowi, żeby spadał?

— Ehe. I całe szczęście, bo przyszedł chyba z pięcioma krewniakami zza morza.

— Jeden? Z pięcioma? Czyli sześciu Kubańczyków przy jednym stole?

— Ehe, a skąd wie...

— Pierdolony kretynie. Ty pierdolony niedorozwinięty skurwysynu.

Następnego dnia rezerwuję błyskawiczny lot z powrotem do Nowego Jorku. Czekali na mnie na lotnisku, jak tylko wyskoczyłem z taksówki. Czterech, jeden w brązowym garniaku, z kołnierzem postawionym jak skrzydła, trzech w hawajskich koszulach, jedna czerwona, jedna żółta i jeden Różowy Hibiskus. Nie było sensu się stawiać. Zabrali mnie aż do Gables, dalej niż te parcele z samymi drzewami, drogi z tablicami i latarniami ciągle przekrzywionymi po ostatnim huraganie, kurwa, dwa kluby rozwalone jednego dnia. Minęli pustą szkołę w Coral Gables, piętrowy budynek z mustangiem zaparkowanym od frontu.

— Mamy cię przywieźć żywego. Ale to nie znaczy, że musisz być w jednym kawałku — powiedział Różowy Hibiskus.

— Chodzi wam o wczoraj?

— Ehe.

— Za to gówno odpowiada mój kumpel Paco.

— Nie znamy żadnego Paco. Baxter powiedział nam, że to tobie dał cynk.

— To dlaczego nie przypierdolicie się do Baxtera?

— Już z nim rozmawialiśmy. To była bardzo poważna rozmowa.

— O. A wasza szefowa, czy będzie…

— Kto wie, co ta *loca* zrobi?

Powiedziałem, że ona jest jak wielki znak zapytania, ale nikt w samochodzie nie zareagował, więc chyba nie usłyszeli. Wyjrzałem przez okno na Florydę nabierającą kolorów z sekundy na sekundę.

— Ciągle jesteśmy w Coral Gables?

— Nie.

— Jeśli kazała mnie zabić, to zróbcie to chłopaki tu i teraz i rzućcie aligatorom albo coś.

— Nic z tego, ona za bardzo szanuje aligatory. A teraz zamknij mordę, kurwa. Dostaję szału od tego pierdolonego nowooojooorskiego akcentu.

— Jestem z Chicago.

— Jeden chuj. Dobra, dojechaliśmy.

Ciągle wyglądało jak Coral Gables. Zaparkowali na podjeździe akurat w chwili, gdy na zewnątrz wybiegło dwóch półnagich chłopców, jeden gonił drugiego z pistoletem na wodę. Na ulicy było sennie i pusto. Po drugiej stronie jezdni za mustangiem stał niebieski chevy. Jestem z Nowego Jorku i Chinatown, nigdy nie czułem się dobrze na przedmieściach z tym całym gównem na widoku, jeden dom, dwa auta, trzy drzewa i tak aż do końca ulicy, potem zawrotka i to samo po drugiej stronie. Ten dom był tak bardzo podobny do poprzedniego i do następnego, że aż wydawało się to gorączkowe, jakby *chico* czy *chica* za bardzo się starali, żeby być sto procent stąd. Domy nijakie i kurewsko wielkie. Wszystkie

parterowe, jakby od wchodzenia po schodach miała wysiąść pika-
wa. Wszystkie przykryte dachówką w hiszpańskim stylu, wszystkie
w pastelowych odcieniach, ten akurat niebieskawy. To się szybko
zauważa w Coral Gables, tę różnicę między rezydencją, co dyskretnie pachnie klasą, a wielką landarą, z której dodatkowe pokoje
wykwitają jak krosty na kujonie z szóstej klasy. Tandetne popisiarstwo, nieustanny wrzask, o żebyście wiedzieli, w kurwę jebani,
łyknąłem w życiu trochę kasy, to se teraz taki kupiłem.

To był bardzo długi podjazd. Po obu stronach palmy, jakby
to była jakaś plantacja kokosów. Ale ten dom nie był szczególnie
wsiowski. Z kamiennym łukiem nad wejściem i ścianami ze szkła
dokoła, żeby z zewnątrz było widać salon, wyglądał całkiem sty-
lowo. Brązowy Garniak wskazał drzwi i trochę mi ulżyło. Może
chcą tylko pogadać albo przynajmniej najpierw pogadać? Kultu-
ralnie, bez chamstwa, może Kolumbijczycy nabrali kontynentalnej
ogłady, której prymitywni Kubańczycy nigdy nie liznęli. Ruszył
za mną tylko Garniak.

Domowe jedzenie. Poczułem głód. Nie pamiętam, w którym
momencie przystanąłem, ale Garniak zaraz mnie pchnął tak mocno, że się potknąłem.

— Kurwa mać.

Pogroził mi kolbą pistoletu.

— Pani nie lubi przeklinania pod swoim dachem — powiedział.

Po lewej było drugie wejście pod kamiennym łukiem, prowadzące do salonu, w którym mały chłopiec z bujną czarną czupryną
oglądał *Ulicę Sezamkową*. Wszyscy mieszkamy w dużej literze I.
Bekon i placki. Prowadził nas zapach bekonu i placków.

JOSEY WALES

Zło czyńcy nie robią notatek. Powiem coś, czego jestem pewien tak samo jak tego, że słońce za oknem zaraz zrobi się większe i bardziej gorące. Zło czyńca zapisuje sobie w myśli i ćwiczy szare komórki, żeby pamiętać. Nie znam słów „zapomnieć" ani „przebaczyć". Nie to, żebym w ogóle nie przebaczał, jakbym w ogóle nie przebaczał, toby rzeka krwi płynęła od National Heroes Park aż do Kingston Harbour. Ale pamiętam, czekam i robie swoje, tak właśnie działam. Ten pedzio Boy George pyta mie właśnie w radiu, czy zarabiam na czarno. Ja wszystko robie na czarno.

Beksa siedzi w Nowym Jorku, mówi mi, że jest za stary na breakdance'a. Od samego początku ten brada sie nie nadawał na Miami, wiedziałem to, jak jeszcze siedział na Jamajce. Lubi sie uważać za myśliciela, ale żaden z niego myśliciel, przeczytał tylko kilka książek. Tak jak te gówniarze, co myślą, że już sie wyrobili i mają doświadczenie, bo liznęli troche jakiegoś kurestwa. Kazałem Beksie zrobić jedną rzecz. Utrzymać kontakty między Jamdown a Griseldą Blanco. Ona musi szybko mieć towar w Miami, żeby go przerzucić do Nowego Jorku. Do Miami przerzucamy z Kingston, przez North Coast albo przez Kube.

Ale Beksa ma taki problem, że sie nie może dogadać z żadną kobietą, albo inaczej — żadna kobieta mu nie będzie mówić, co ma robić. Tylko że Griselda to nie kobieta. To wampir, któremu sto lat temu odpad kutas. Straciła cierpliwość do Beksy, a jak taka wariatka traci cierpliwość, to nawet dla jamajskiego rudeboya będzie kurewsko ostra jazda bez hamulców. Kwestia czasu, kiedy go zabije.

W kościele mówią o darze rozeznania. Nie tylko kaznodzieje czy uduhowieni mają ten dar, ale każdy, komu sie wydaje, że może wskoczyć w te portki i przejąć kierownice. Jak poznałem Blanco, od razu sie połapałem, że z niej brutal bez wyczucia, ale taka jest uparta, że byka powali. Ona tak jak ja wie, że „dobro" i „zło" to puste słowa wymyślone przez jakiegoś kretyna, a liczy się tylko to, dlaczego ja jestem wyżej ciebie, a ty niżej mie. Ona jeszcze nie wie, jak to wykorzystać, i wychodzi na to, że czasem głupim czarnuhem okazuje sie szkaradna wiedźma z Kolumbi, tak durna, że nie ma pojęcia, że robie interesy i z Medellín, i z Cali jednocześnie, no bo przynajmniej wiadomo, że chłopaki z Cali potrafią myśleć.

Rozeznanie. Patrze na człowieka i od razu wiem, kim jest. Tak jak z Beksą. Dawno wiem, że on nie tylko ruha facetów, przeważnie to jego ruhają i żeby nie wiem, co mówił, na pewno żałuje, że wyszed z więzienia. Lata temu powinienem go za to zabić, ale po co? Bardziej mi działa na wyobraźnie, jak zalicza cipe za cipą, jakby pedalstwo siedziało w jego spermie, więc jak wystrzeli jej dużo, to mu przejdzie ochota na branie kutasów do dupy. Nie znam sie za bardzo na tych sprawach i nie czytam Bibli. Ale na pewno potrafie poznać, kiedy człowiek sam siebie oszukuje. To zawsze niezły ubaw. Kto wie, co on tam kombinuje w Nowym Jorku. Nie moge mu przylepić oka, boby sie zorientował. Poza tym są rzeczy, do których tylko Beksa sie nadaje.

Wczoraj moja kobieta spytała ze śmiechem, skont wezme wize do Ameryki. Ma racje, że sie śmieje. Ale w tym roku są ważne sprawy do załatwienia. Nie pamiętam, kiedy sie ostatni raz przejmowałem wydarzeniami na ulicach Kingston. JPP tak bardzo chcieli wziąć Jamajke, że w końcu wzieli. Jedni i drudzy mogą sie udławić. Zło czyńcy nie robią notatek. Zło czyńcy zapisują w głowie.

Eubie z Bronxu. Ludzie nie rozumieją, po co mi taki facet, ludzie w tym przypadku znaczy Beksa, który go nie cierpi jak zarazy. Ciężko lubić człowieka, co chodzi do fryzjera dwa razy w tygodniu, gada, jakby miał mature, i przy każdej pogodzie nosi jedwabny garnitur. Ale ja mam powody, których nikt nie rozumie: jak wszyscy cie mają za alfonsa, to nikomu nie przyjdzie do głowy, że handlujesz prochami. Eubie kończył szkoły, przez co myśli, że ma klase. I ma, troche. Chciał nawet studiować prawo na Columbi, ale mu sie odwidziało. Świetnie sobie radzi na Queens i Bronxie, pozwoliłem mu przejąć Miami od Beksy. Beksie nie powiedziałem, to zadzwonił do mie w tym tygodniu.

— Brada, co jest, w pizde?

— Chyba potrzebujesz zmienić klimat. Dla ciebie Miami to wiocha. Powinieneś siedzieć w Nowym Jorku. W Nowym Jorku są książki. I mnóstwo nocnej rozrywki.

— Co to, w dupe, znaczy?

— Znaczy, co znaczy, pizdocipie. Przerzucam cie na Manhattan, może na Brooklyn.

— Nie wiem, gdzie to.

— Kup sobie mape i sie dowiedz.

Brada, ty wiesz, że ja mam intuicje, no więc mu nie wierze, mówi mi co tydzień prawie tymi samymi słowami. Ale z Beksy żaden myśliciel, przeczytał tylko pare książek, za to Eubie myśli daleko i szeroko. Olał Columbie, żeby handlować zielskiem, bo na Columbi niczego by sie nie nauczył o robieniu pieniędzy, czego by już nie wiedział. Jest prawie za cwany. Czterdzieści pięć tysięcy kilo zielska i pięć tysięcy kilo białej żony w jeden rok. Ja to wiem, on to wie i Beksa to wie, dlatego go nie cierpi. Dzięki pomyślunkowi tego człowieka staliśmy sie bogaci. Ale bez moich dostaw ten pomyślunek byłby gówno wart, chociaż jestem pewien, że sie próbował bezpośrednio kontaktować z Escobarem, to nikt nie zaufa takiemu lalusiowi. Nie rusza mie, że to zrobił, nawet sie tego spodziewałem, ale nie powiedziałem Beksie. Beksa zadzwonił do mie jednego razu i mówi, że Eubie to chyba jedyny człowiek z Jamdown, co sobie robi pedicure, musi być pedziem albo coś, ja się na to tak głośno i długo śmiałem, aż Beksa w końcu mówi, że wcale nie żartował. Kazałem mu wyluzować. Nie mówie mu, że nawet jak Eubie sam nie zabija, to ma dwóch braci, bardzo sie kochają, co skasowali dla niego ponad pięćdziesięciu ludzi, tak słyszałem. Na pewno jest określenie na takich jak Eubie, ale to tylko psychiatra by wiedział.

Zło czyńcy nie robią notatek. Ja sobie przypominam ludzi, jak inni wspominają ważne nazwiska. Robie liste, zapamiętuje to jak piosenke, wierszyk dla dzieci. Jakby sie ktoś dowiedział, nikt nie potraktowałby tego serio. Wysłałem Bekse z drugim chłopakiem po sprzęt na Floryde, a potem przesiadłem go na inną ciężarówke i kazałem jechać po reszte do Wirgini, nawet do Ohio. Ale w zachodniej Wirgini zatrzymała ich policja. Zaraz potem chłopaki strzelają w Waszyngtonie, Detroit, Miami i w całym Nowym Jorku.

W środku całego tego syfu Beksa ciągle wierci mi dziure w brzuchu w sprawie Eubiego.

— Myśli, że jest taki cza-cza boy, bo sobie zrobił garnitur z prześcieradeł od matki. Zapamiętaj moje słowa, Josey, on cie jeszcze wykiwa.

— Mam na niego oko, Beksa.

— To lepiej miej dwa oczy. Nie ufam mu. Zawsze sie ręką maca po szczęce, jakby kombinował, jak cie wydymać.

— Poważnie mówisz? Nie tylko na niego mam oko.

— Co to, kurwa, znaczy?

— Znaczy, co znaczy. Dlaczego mi facet z Queens mówi, że handel sie skisił między tobą a Eubiem? Co, nie macie kontaktów w Nowym Jorku?

— Nic sie nie skisiło, facet musi sie nauczyć czekać, żeż w pizde.

— Naprawde myślisz, że będzie czekał? Co sie, kurwa, z tobą porobiło?

— O co ci chodzi?

— Brada, wydaje ci sie, że Nowy Jork to twój monopol? Ranking Dons, Blood Rose Crew i Hot Steppers, wszyscy chcą chociaż kawałek z każdej ulicy, a tylko Jamajczyków wymieniłem. To proste, jak nie dostarczasz towaru, znajdą innego dostawce. Przez takich jak ty musze jechać do Nowego Jorku, żeby znowu zaprowadzić porządek. Jezu Chryste, Beksa, naprawde musze jechać do Nowego Jorku? A może powinienem dać Eubiemu Queens, a ciebie ściągne z powrotem na Jamaj...

— Nie! Nie, Josey, nie, brada. Nie moge... Ja się tym zajme. Ja tylko...

— Ty co tylko? Lepiej, żeby ten z Queens już do mie nie dzwonił. Nie zrozumiałem co drugiego słowa z tego, co skurwiel gadał.

— Jasne, brada, załatwie te sprawy — mówi Beksa.

Ale nie mówi, że sobie nie radzi, i nie chodzi o to, że interes kiepsko idzie, ale że nowy człowiek z nowej ekipy wlaz mu na rewir, tej samej, co próbowała sie rozpychać łokciami w Miami. Ludzie zapominają, że jak JPP wygrała wybory w tysiąc dziewięćset osiemdziesiątym roku, to mnóstwo ludzi szybko pouciekało do Stanów. Teraz działają w Blood Rose, Hot Steppers, ale przede wszystkim w Ranking Dons, walczą o teren, jakby ciągle byli w Kingston. Tu też trzeba sie zastanowić, ale z Beksy żaden myśliciel, przeczytał tylko kilka książek.

Jest coś jeszcze. Tak naprawde nie wymagam dużo, ale mówie Beksie, ej, pamiętasz tego pizdocipa Tristana Phillipsa? Tego od tej rady pokoju z Papa-Lo, Shotta Sherrifem i Śpiewakiem. Tego, co wyparował jak czary-mary, chociaż kazałem sie nim zająć, i to nie jednemu, ale dwóm. On teraz mieszka na Queens, chce, żebyś nakrył tego brada czapką niewitką. Zanim on zrobi coś głupiego, na przykład przyłączy się do tych bandytów z LPN-u, chociaż to przecież on opowiadał w amerykańskiej telewizji o ruchu pokojowym.

W osiemdziesiątym drugim wysyłam Bekse, żeby sie nim zajoł. Kazałem mu kupić bilet do Nowego Jorku, potem skombinować broń i zamknąć ten jamajski rozdział. Tydzień później dostaje telefon, ale nie od Beksy, tylko od Benny'ego, chłopaka, który dla niego biega, że sprawa załatwiona. Nie chciało mi sie pytać Beksy, jak bardzo sie naćpał, że dał temu gówniakowi mój numer. Co gorsza, chłopakowi sie wydaje, że może sie do mie odezwać w te słowa: Beksa kazał powiedzieć, że czapka niewitka siedzi głemboko na głowie, kumasz mie, brada? Nara. Dlatego mi sie nie chciało. Bo jakbym zapytał, co to jest w pizde, to on by spytał, ale co? I to nie dlatego, że taki ostry z niego docipnik, tylko naprawde nie miałby pojęcia, o co mi chodzi. Spłyneło to po mie, bo Phillips nie żył, więc ten rozdział zamknięty.

Dwa czwartki temu jeden z moich ludzi, co właśnie wyszed z Rikers, pyta mie, czy znam Tristana Phillipsa, bo on podobno wie o mie bardzo dużo. Ej, jak to wie?, ja na to, chyba chcesz powiedzieć, że wiedział. A on: nie, Josey, facet żyje, garuje na Rikers drugi rok z pięciu za napad z bronią. Wcześniej był w Attica, ale go przenieśli na Rikers. Trzyma teraz z Ranking Dons.

Moge puścić słowo, żeby go zdjeli, mówi mój człowiek, ale ja, że nie, zostawcie go w spokoju. W piątek dzwone do Beksy.

— Wiesz, na kogo wpadłem niedawno? Na matke dzieciaka Tristana Phillipsa, przyjechała w rewir JPP, szuka pieniędzy. Mówi, że Tristan ją zostawił i nie chce bulić na nygusa. Dziwne, nie?

— W chuj dziwne — odpowiada Beksa.

No to pakuje torbe na podróż do Nowego Jorku. Nie zamierzam długo zostać. Eubie już wszystko po umawiał. Patrze i widze mojego najstarszego w mundurku szkolnym, jak mi sie przypatruje z drzwi.

— W pizde, tata man, skont żeś ty wrócił? Wyglądasz jak naćpany.

— Co sie tak gapisz, jakbyś lubił męszczyzn? Zasuwaj do szkoły, młody.

— Szkoła to pierdolenie w bambus.

— Wyglądam ci na zgreda, co pozwala swojemu nygusowi kląć mu prosto w twarz?

— Nie, tata.

— No właśnie. To przestań wykrzywiać jape, jakbyś zeżar cytryne, i bierz piździelską dupe w troki. Myślisz, że ta twoja szkoła jest za darmo?

— Nauka w ogóle jest za darmo, więc nie ma sie co przejmować.

— Wiesz, co jeszcze jest za darmo? Oberwanie kolbą po ryju za pyskówki. Więc przestań zasłaniać przejście i zabieraj tyłek do szkoły, bo zaraz ci brame zamkną.

— Tata, skont będe wiedział, że…

— Wiedział? Co wiedział? Chcesz sie czegoś dowiedzieć, to jazda do szkoły, jak mówie, a nie musze ciągle patrzeć na twoją gębe w tych drzwiach. Każdego dnia wyglądasz coraz bardziej jak twoja pizda matka.

Uśmiecham sie do niego, żeby aż tak bardzo sie nie bał, ale pamiętam, jak sam miałem szesnaście lat, i wiem, że głód w nim rośnie. To odszczekiwanie z sympatycznego robi sie groźne. W jakimś sensie mie rozczula, jak widze, że to gówno zaczyna mu serce rozsadzać od środka. Odwraca sie, żeby wyjść, i wtedy mówie:

— Następnym razem, powaga.

Nie uśmiecha sie ani nic, tylko kiwa głową i wychodzi, patrze na malejący niebieski plecak. Za rok, dwa już nie dam rady go poskromić.

TRISTAN PHILLIPS

Bałach mi wciskasz. W siedemdziesiątym siódmym nie było jeszcze klubu Two Friends? Otworzył sie dopiero w siedemdziesiątym dziewiątym? To gdzie ja niby poznałem Rawhide'a, w Turntable? Nie, słońce, to na pewno nie było w Turntable, nawet premier tam kiedyś chodził. Ludzie, co dobrze żyją, lubią czasem sie przemiksować z klasą średnią, żeby poczuć kontakt z tą samą kulturą, wiesz, o co chodzi. Powaga? A skont taki pewny? Jak na kogoś, kto mówi, że nie był na Jamajce po tysiąc dziewięćset siedemdziesiątym ósmym, to kurewsko dużo wiesz, co sie działo w siedemdziesiątym dziewiątym. Mówisz mi, że piszesz książke o Śpiewaku, ale co to wszystko ma wspólne ze Śpiewakiem? Wiesz, że on sie wymeldował z tego świata w osiemdziesiątym pierwszym, czy siedziałeś w jakiejś czarnej dupie aż do teraz? Wyglądam ci na takiego, co go krowa wysrała? Piszesz historie o duhach? Duppy Śpiewaka nawiedza Rose Hall? Sam pomyśl, jak piszesz o Śpiewaku, to po jaki chuj gadasz ze mną? Myślisz, że ze mie kretyn, panie Pierce?

Przepraszasz, że zajołeś mi czas... Co jes, kurwa, siadaj. Co z tobą, jedno małe pytanko, a ty już sie gotujesz i chcesz dupe zwiać. Może to pierwsza interesująca rzecz w całym twoim dniu. Sczerwieniałeś na ryju jak przyduszona świnia. Panie Alexandrze Pierce, siadaj grzecznie na dupie, zawrzyjmy umowe: ty mi nie powiesz, dlaczego tak cie interesuje ten ruch pokojowy i Josey Wales, i Papa-Lo, i Shotta Sherrif, a ja ci nie powiem, jak sie zorientuje, dlaczego cie to kręci. To jak? Jest umowa?

Rada pokoju miała nawet swoje biuro. Śpiewak dał miejsce we własnym domu, na parterze, z tyłu. Dobrze żeśmy sie dogadywali, aż nas ludzie mieli za braci. Troche byliśmy jak bracia.

Obaj pochodziliśmy z geta na Jamdown. Mało kto to wie, ale ja też siedziałem mocno w muzyce. Grałem z chłopakami w domu taty premiera, znaczy byłego premiera, sorry. Nawet dorastałem z najlepszym kumplem Śpiewaka. Zawsze sie miałem za łebskiego gościa, ale nie wiem, Śpiewak chyba był jeszcze bardziej łebski. Każdy z geta ma w sobie coś takiego, że jak cie kto inny nie wykończy, to sam sie wykończysz. Każdy w gecie sie z tym rodzi, ale Śpiewak to jakoś w sobie zaleczył. Patrzysz na zdjęcie nas dwóch, dwóch bardziej łebskich od całego geta, ale tylko jeden naprawde sie wydostał z geta. Niektórzy i tak spierdolą sobie życie, nawet jak są mądrzejsi od reszty.

No to Śpiewak dał mi miejsce, żebym zrobił biuro dla rady pokoju. Nie wiedziałem jeszcze, co będziemy konkretnie robić, ale pierwsza rzecz to było zgarnąć wszystkie pieniądze z koncertu dla pokoju. Jednego popołudnia Papa-Lo przysłał Joseya Walesa, żeby podrzucił kase za bilety z bramek po zachodniej stronie. Śpiewak stał na zewnątrz przy drzwiach, akurat skończył grać w piłkę. Josey Wales zaparkował białego datsuna i wysiad i Śpiewak go obserwował, jak szed, a potem spojrzał przez okno do biura prosto na mie. Mówie ci, brada, jakby z oczu dało sie strzelać promieniami jak w komiksie o X-Menach, toby mie wtedy wysłał do Królestwa Niebieskiego razem z całym domem. Jak tylko facet pojechał, Śpiewak wszed do biura. Nie zdążyłem ust otworzyć, on od razu pyta, co to za brada. Josey Wales, mówie, działacz społeczny z Kopenhagi, prawie zastępca Papa-Lo. Rany, w tym krótkim czasie całkiem dobrze poznałem Śpiewaka i widziałem, jak szlag go trafił raz czy dwa. Ale nigdy nie widziałem, żeby on albo ktokolwiek wpad w taką wściekłość, zaczeło nim trząsać, przez kilka minut nawet mówić nie móg, bo słowa bulgotały, nie chciały wyjść z ust. Siedziałem i patrzyłem, jak dyszy i sie dławi z wściekłości. Mówi do mie tak:

— Tristan, ja znam tego brada. Był tu, tamtej nocy, jak mie postrzelili.

Wiesz, panie Pierce, kiedy przestałem wierzyć, że ten cały pokój sie uda? Właśnie wtedy.

Poleciałem do Kanady rozmawiać z różnymi organizacjami o radzie pokoju i spotkać sie z jednym brada w Toronto. Tyle opowiadał o koncercie, że mówie: brzmi, jakbyś tam był. A on, że nie, brada, widziałem w telewizorze, na takim kanale, gdzie puszczają programy o kulturze. Zaczołem sie zastanawiać, jak to możliwe, że ludzie w Kanadzie oglądali koncert, jak nikt mie o prawa nie prosił, i słysze, że jakaś firma Kopenhaga Promotions sprzedała nagranie telewizjom w Toronto, Londynie i Mississauga. Dzwonie oczywiście do Papa-Lo i pytam, brada man, co tu sie, kurwa, odpierdala. On mówi, że nie wie nic o żadnym nagraniu, bo cały czas pilnował Micka Jaggera. Pytam, po co ktoś nazywałby firme Kopenhaga Promotions, jakby nie był z naszej okolicy? A on do mie, że może ktoś pochodzi z tej prawdziwej Kopenhagi zagranicą, powaga, sprzedaje mi taki tekst, jakbym miał napisane na czole, że sie urodziłem idiota. Nawet mi sie nie chciało mu przypominać, że żadna biała ekipa nie kręciła koncertu. Obaj wiedzieliśmy, kto za tym stoi. A potem on powiedział, że może Shotta Sherrif, a ja w śmiech i już sie mieliśmy rozłączyć, ale ja jeszcze mówie: weź tego Joseya Walesa zapnij na krótką smycz albo zrobie to za ciebie. Stacja WLIB New York chciała, żebym wrócił i wystąpił w ich audycji, więc powiedziałem Papa-Lo, że zmieniam lot z Toronto i lece na JFK. Jak tylko odłożyłem słuchawke, to mi sie odechciało i poleciałem do Miami. Paru Jamajczyków w Miami nawet jeszcze nie słyszało o radzie pokoju, a z tym radiem to przez telefon mogłem pogadać.

Cztery dni później siedze w tym Miami. Pojechałem zobaczyć sie z moim brada A-Plusem jeszcze z Balaclavy. Pukam do drzwi, on otwiera i piszczy jak siusimajtka. Kapujesz, Pierce, chce spierdalać, jakby mu sie duppy objawił. Duppy to duh, tak swoją drogą. Mówie ci, koleś nie wiedział, czy sie najpierw zesrać, czy zeszczać. Łapie mie jak własnego nugusa, a znasz zasady, zło czyńcy sie nie przytulają. A już na pewno nie z drugim męszczyzną. Ale on mie przytula i mówi: Jezu Chryste, Tristan, co ty tu robisz? Żyjesz?

— Jak żyje, co żyje?

— Jak to co, brada? Przecież poszła fama między lud, że cie skasował.

— O czym ty mówisz, w pizde?

— Zastępca Joseya Walesa, Beksa Cztery Oczy, opowiada ludziom, że dwa dni temu pojechał do Nowego Jorku i cie skasował.

— Skasował? Mie? A-Plus, to co ja niby jestem, duh?

— Tak właśnie mi sie zdało.

— Brada, raz, ten pizdocip mie nie zabił, dwa, ja nawet nie byłem w Nowym Jorku.

— Jak to?

— No nie, słońce, rozmyśliłem sie, bo przecież z tym radiem mogłem pogadać przez telefon. Za dużo ludzi w Miami czeka na wiadomości o radzie pokoju.

— Chłopaku mój, całe szczęście, że sie pokazałeś, bo już miałem skrzyknąć dwóch brada i dać piździelcowi nauczke.

— Zaraz, jak to? On ciągle w Miami?

— No a jak, wiadomo, zbija bąki u kumpla, róg Trzydziestej i Czterdziestej Szóstej. Wiesz, tam jak Lincoln Memorial Park, co?

— Kojarze, man. Masz tu jakieś żelastwo?

A-Plus pokazał mi maszynowego thompsona i dziewiątke. Wziołem dziewiątke, a on automat, i pojechaliśmy do Lincoln Memorial. Zaparkowaliśmy dwie ulice dalej i poszliśmy szukać chaty tego kumpla. Byłeś kiedyś w tamtej części Miami? Parterowe domy z werandą z boku i czasami ze ścianą ze szkła. Jakieś wyschnięte badyle i kawałek wypalonej ziemi, co nazywają trawnikiem. Ten dom z tym poobijanym autem to wyglądał jak w East Kingston. W każdym razie walimy tam, A-Plus od frontu, a ja od tylca sie zakradam. Oczywiście piździelce zostawiły otwarte drzwi. Słysze głos Beksy, głośno, wyraźnie. Dochodzi z lewej strony, od korytarza. Robie dwa kroki do przodu i widze go, plecami do mie szcza do kibla. Rzucam sie na niego, lecimy koło sedesu, przez zasłone od prysznica, on wali w ściane. Jeb prosto zeszokowanym ryjem. Aż mu okulary spadły. Nie zdążył nawet fiknąć, przystawiam mu lufe do skroni. Jak usłyszał głośne klik, to dostał takiej trzęsiawki, że prawie mi wytrącił pistolet z ręki. Wreszcie przestał sikać, a ja mówie:

— Pizdocipie, wyobraź sobie, że wysiadasz z samolotu w Miami, a tu wszyscy oprócz ciebie wiedzą, że nie żyjesz. Wiesz, jak to jest?

— Oj, oj, Tristan, nie wiem, skont mam wiedzieć, ty, że ty nie żyjesz, czemu, ah?

— Nie wiesz? A to nie ty napierdalasz w koło do wszystkich, że mie skasowałeś? Kiedy? Tydzień temu? Wczoraj?

Wtedy do środka wszed ten jego kumpel z podniesionymi łapami, a za nim A-Plus ze thompsonem przyklejonym do jego karku.

— No to, Beksa, brada mój, opowiadaj, jak mie zabiłeś, bo ja sie w ogóle nie czuje trup.

— Kto twierdzi, że mówie, że cie zabiłem, szefie? Kto tak kłamie?

— Chce tylko wiedzieć, czego żeś sie tak pospieszył? Może najpierw trzeba było zabić ja, a potem sie chwalić, he?

Piździelca zamurowało. Potem sie rozpłakał i ten drugi też. Ale to nie był taki normalny płacz, tylko jakby beczeli. Beczeli. Stara prawda mówi, ten, kogo ja nie zabije dzisiaj, mnie zabije jutro, więc przyciskam Beksie lufe do skroni, żeby go skasować. Ten drugi nagle wrzeszczy i sie mazgaji, błaga, że bym Beksie darował. Naprawde, błagał na kolanach, dla mie to już było za dużo, no ale jednak. Bo nie mogłem sie nadziwić, jak tamten sie mazgajił, że bym Bekse oszczędził, jakby był jego nugusem czy co. Zanim opuściłem broń, Beksa spojrzał na niego. W życiu nie widziałem tak wściekłego człowieka. Ogłuszyliśmy ich kolbami i wyszliśmy.

Słuchasz tego z dużym spokojem, panie Pierce, ale pod biurkiem to już sie chyba zeszczałeś, co? Nie, coś mi mówi, że nie tak łatwo cie przestraszyć.

Że czego miałem sie bać? Odwetu? Wierz mi, Beksa to ostatni człowiek na ziemi, coby mie ścigał. Potem policja zabiła Coppera. I Papa-Lo. Musisz zrozumieć jedno: układ pokojowy zawarły geta JPP i LPN. Policja nic nie podpisała, ani z jednymi, ani z drugimi. Problem w tym, że policji jamajskiej ciężko idzie myślenie. Za młody jesteś, żeby pamiętać… widziałeś kiedyś ten serial *Keystone Kops*? Tak? No właśnie, cała policja jamajska to takie faje. Papa-Lo i Copper dobrze wiedzieli, że gliniarze mają za dużo wendety do odrobienia na ulicy, żeby podpisać jakie takie kolwiek gówno. Rzecz w tym, że oni są zbyt tempi, żeby namierzyć Coppera, bo ich kiwał przez dziesięć lat. Ty masz łeb na karku, panie Pierce, wiesz, do czego pije. Potem ten wypadek samochodowy Jacoba Millera. Shotta Sherrif sie szybko połapał, co jest grane, i jeszcze w ten sam dzień zarezerwował sobie jeden z tych pięciu codziennych lotów do Miami. Ale później podkrad dostawe koki bratu faceta z Wang Gang i spylił sie na Brooklyn. Jak wiadomo, koleś z nowojorskiego Wang Gang go dopad w Starlight. Zastrzelił na środku parkietu. Zanim sie człowiek obejrzał, wszyscy zaangażowani w układ pokojowy gryzą piach, oprócz mie i tej kobiety. Przypadek czy nie przypadek, mie sie nie śpieszy, żeby sie przekonać. Poleciałem na Jamajke pochować Coppera i zaraz znowu przyleciałem. I już nie wróciłem.

DORCAS PALMER

C hyba już z godzinę siedzę i patrzę na tego mężczyznę, który siedzi i patrzy na mnie. Wiem, że muszę czekać na instrukcje od pani Colthirst, czy jak ta kobieta będzie o sobie mówić, ale on wygląda, jakby też czekał na te instrukcje. Dłonie na udach, plecy wyprostowane, głowa wysoko, przypomina trochę C-3PO. Albo psa, ale to by znaczyło, że ja, kobieta, wyglądam jak suka. To musi być coś, takie przekonanie, że mamy prawo kazać ludziom czekać tak długo, jak nam się podoba. Zawsze mnie zastanawiało, czy takie gówno to jakaś manifestacja siły, czy chodzi o to, żeby pokazać innym, gdzie jest ich miejsce. To ja wypisuję czeki, więc masz mnie w dupę pocałować. Tu jest forsa, zatrzymaj taksówkę i czekaj pół dnia. Co za cholerny kraj. Z drugiej strony to jej pieniądze. Płacą mi od godziny, dlatego jak ma ochotę bulić za moje nicnierobienie, to jej sprawa. Facet naprawdę wygląda jak Lyle Waggoner. Wiem, bo co tydzień oglądam powtórki *Carol Burnett Show*. Wysoki brunet, siwawy na skroniach, szczęka jak z kreskówki o przystojnym mężczyźnie z fajną szczęką. Co chwila patrzy na mnie, ale gdy napotyka moje spojrzenie, od razu ucieka oczami.

Może powinnam powiedzieć, że chce mi się szczać, wtedy mogłabym stąd wyjść. Albo raczej powiedzieć, że muszę siusiu. Jezu Chryste, nienawidzę słowa „siusiu". Powinno być zabronione dla wszystkich chłopców powyżej dziesiątego roku życia. Zawsze gdy jakiś mężczyzna używa tego słowa, od razu sobie wyobrażam, że siusiu robią tylko małe siurki. Spojrzał na mnie, bo chyba zachichotałam. Boże, mam nadzieję, że nie powiedziałam tego wszystkiego na głos. Nie pozostaje mi nic innego jak udawać, że odkaszlnęłam. Z gabinetu dobiega głos „mojej pani", pewnie kłóci się z mężem przez telefon albo coś. Lyle Waggoner patrzy na drzwi i zaczyna się śmiać, kiwając rytmicznie głową. Rzadko widuje się mężczyzn w różowych spodniach. Musi być odważny. Albo homo. Ale homo nie miałby córek i wnuczek, tak mi się przynajmniej wydaje. Białe polo ładnie się układa na jego klatce piersiowej i bicepsach. Trzeba przyznać, że gdyby się zjawił na jakiejś orgietce, za drzwi by go nie wykopali. Pierwszą wypłatę postawiłabym na to, że nosi obcisłe gatki, a na basen wkłada slipy. Można nawet powiedzieć, że z niego nieźle zachowany tatusiek albo ciacho, jak Amerykanki nazywają mężczyzn, z którymi ruchają się gratis. Lepiej, żeby „moja pani" skończyła tę piździelską rozmowę, bo inaczej zacznę to wszystko mówić na głos, a zorientuję się dopiero wtedy, gdy Lyle Waggoner wskaże mnie z przerażeniem palcem.

Mogłabym też rozejrzeć się po domu. Ale coś mi podpowiada, że jak tylko wstałabym z miejsca, Lyle Waggoner zacząłby wołać: nie dotykaj tego, nie dotykaj tamtego. To chyba jeden z takich domów, gdzie w tym pustym wazonie na stole na pewno nie ma zapodzianej monety ani urwanego guzika. Szkło, ale to nie jest stół do jedzenia posiłków. Oboje siedzimy w fotelach z zaokrąglonym oparciem i miękkimi poduchami, obitych kremowo-brązowym materiałem w paisley. Portrety na ścianach takie jak wszędzie — trzy białe kobiety zapięte po samą szyję, dwóch białych mężczyzn, wszyscy z tą niezadowoloną miną, jaką mają ludzie na obrazach. Po prawej i lewej stronie stoją jeszcze dwa fotele, identyczne jak te, na których siedzimy. Dywan ma taki sam wzór. Na stoliku poniewierają się egzemplarze „Town & Country", to jedyne miejsce w tym pomieszczeniu jakby niesprzątane. Fioletowy szezlong na lwich nóżkach, takie same miała moja wanna na Jamajce. Salon jak w tych reklamach na końcu „New York Magazine". Obrazy na ścianie po lewej są jakieś porąbne.

— Ten pośrodku to Pollock.

— Raczej Kooning — odpowiadam.

Patrzy na mnie i kiwa głową.

— No tak, nie wiem, co kupuje moja cholerna rodzina, chociaż ten już od dawna tutaj wisi. Moim zdaniem wygląda, jakby się jakiś dzieciak nażarł kredek świecowych i zrzygał na płótno.

— Rozumiem.

— Ale się nie zgadzasz.

— Nie bardzo mnie obchodzi, co inni myślą o sztuce, proszę pana. Albo ludzie chwytają, albo nie, może lepiej, że nie chwytają, dzięki temu w muzeum jest luźniej, można mieć więcej przestrzeni dla siebie i nie natykać się na kretynów mówiących, że ich czteroletnia córka lepiej maluje.

— Skąd oni cię wytrzasnęli, do diabła?

— Słucham, proszę pana?

— Ken.

— Panie Ken.

— Nie panie, tylko… no dobra. Myślisz, że Zapracowana Pszczółka uszanuje czas innych i WRESZCIE SIĘ, KURWA, ROZŁĄCZY?

— Chyba pana nie usłyszała.

— Mówiłem, że mam na imię… Pewnie nie zdradzają wam takich rzeczy, ale może wiesz, czy moja synowa upierała się, żeby opiekunka była czarnoskóra?

— Nie mam dostępu do tak poufnych informacji, proszę pana.

— Ken.

— Panie Ken.

— Po prostu mnie to zastanawia, bo Consuela, przynajmniej tak mi się wydaje, że na imię miała Consuela, ukradła nam tyle rzeczy, ile tylko zdołała wynieść.

— Rozumiem.

Jestem przekonana, że nie istnieje żadna jamajska służąca o imieniu Consuela.

— Była bardzo pomysłowa. Wszystko, co kradła, wsadzała pod meble. Powłoczki na pościel pod łóżko, innego dnia mydło przy drzwiach do sypialni, coś jeszcze pod stolik na korytarzu, pod fotel w salonie, pod drugi fotel, aż w końcu wsuwała pod ławę przy wyjściu. Dzięki temu, codziennie przekładając wszystko o jedno miejsce, zawsze miała coś pod ręką, gdy wychodziła. Mówię do niej, że ta latynoska dziwka urządziła w naszym domu pierdolony kanał przerzutowy! Wiesz, co mi odpowiedziała? Tato, na północy takie słowa są nie do przyjęcia, jakbym się, kurwa, nie urodził w Connecticut. Myślałem, że będzie miała dosyć Portoryków.

— Jestem Jamajką.

— Poważnie? Byłem kiedyś na Jamajce.

Jedyna myśl, jaka przychodzi mi do głowy, to: o Boże, nie, zaczyna się, jeszcze jeden białas, który opowie mi, jak mu się bardzo podobało w Ocho Rios, a spodobałoby mu się jeszcze bardziej, gdyby nie ta cała bieda. I że to piękny kraj, ludzie tacy serdeczni i mimo tych wszystkich niedostatków wciąż mają siłę, żeby się uśmiechać, zwłaszcza piździelskie nygusy. Chociaż on mi bardziej pasuje do Negril.

— Oj, Treasure Beach.

— Coh?

— Słucham?

— Przepraszam, Treasure Beach?

— Znasz to miejsce?

— Oczywiście.

Prawda jest taka, że nie znam. Ledwo coś tam słyszałam. Nie wiedziałam, czy to w Clarendon, czy w St. Mary, jednej z tych parafii, gdzie nigdy nie byłam, bo już nie miałam babci. A może w jakimś miejscu, które znają tylko turyści, jak Frenchman's Cove czy coś. Nieważne.

— Zachowane w nietkniętym stanie. Tak ludzie mówią o miejscach, których nietknięty stan chcą tknąć. Powiem tak, nie widziałem tam nikogo w koszulce z napisem „Jamaican Me Crazy”. Spytałem jednego faceta, czy może przynieść mi colę, bo miał białą koszulkę i czarne spodnie, a on: sam sobie przynieś, piździelcu. Dasz wiarę? W jednej chwili zakochałem się w tym miejscu. W każdym razie ty…

Pani wreszcie wyszła z gabinetu, ściskając torebkę i poprawiając włosy.

— Tato, będziesz tak miły i oprowadzisz pannę Palmer? Tylko się tym razem nie nadwyrężaj.

— Przepraszam, panno Palmer, ale czy chowa pani za plecami jakieś pierdolone dziecko?

— Tato.

— Bo ona wyraźnie gada do jakiegoś dziecka.

— Na miłość boską, tato! Poza tym czy wiesz, że twój syn robi mi piekło przy każdej rozmowie o nowym mieszkaniu? Tylko dlatego, że chcę mikrofalówkę. Według niego jest za droga. Dlatego muszę się zmywać. Pokażesz jej, gdzie jest kuchnia? Przepraszam, nie masz nic przeciwko, żebym ci mówiła po imieniu?

— Nie, proszę pani.

— Świetnie. Środki czystości są pod zlewem, uważaj z amoniakiem, bo smród długo zostaje. Obiad zazwyczaj jest o piątej, dziś wyjątkowo możesz zamówić pizzę, tylko nie z Shakey's, bo tam lubią przesolić. Chciałam coś jeszcze powiedzieć... hm. No nic, zapomniałam. Czołem, do zobaczenia, tato.

Zamyka za sobą drzwi i zostajemy sami. Nie wiem, czy powinnam mu powiedzieć, że nie jestem pokojówką, a agencja God Bless nie zajmuje się wyszukiwaniem pokojówek.

— To chyba jakaś pomyłka.

— Mnie to mówisz? Co poradzę, skoro mój syn się z nią ożenił? Po herbacie.

Wstaje i podchodzi do okna. Do tego jest wysoki. Im dłużej na niego patrzę, tym bardziej się zastanawiam, co ja tu robię. No bo chyba nie będę musiała zmywać z niego gówna, zmieniać zaszczanych prześcieradeł ani kłaść go do łóżka. Jest naprawdę wysoki, nachyla się teraz do okna, z jedną nogą wyprostowaną, drugą ugiętą, jakby próbował wypchnąć szybę. Chyba nigdy nie widziałam starszego mężczyzny z takim tyłkiem.

— Jesteś druga w tym miesiącu. Zastanawiam się, jak długo wytrzymasz — powiedział, wciąż patrząc przed siebie.

— Proszę wybaczyć, ale nie wiem, po co mnie tu zatrudniono.

— Nie wiesz po co.

— Agencja God Bless nie zajmuje się zatrudnianiem pokojówek, proszę pana. Może dlatego ta poprzednia się nie sprawdziła.

Odwraca się i opiera plecami o okno.

— Nie wiem nic o żadnym God Bless i błagam, błagam, błagam, przestań mi mówić proszę pana.

— Panie Ken.

— Rozumiem, że lepiej nie będzie. Która godzina? Jesteś głodna?

Zerknęłam na zegarek.

— Dwunasta pięćdziesiąt dwie. Wzięłam ze sobą kanapkę.

— Znasz jakieś gry?

— Co?

— Żartuję. O wiele bardziej wolę to twoje coh, a nie co. Wtedy przynajmniej mam poczucie, że siedzę w jednym pokoju z prawdziwą Jamajką.

Myślę sobie, że to jakiś haczyk, nie połykaj, to haczyk, nie połykaj, to haczyk, uważaj.

— Jeśli nie jestem prawdziwą Jamajką, to kim?

— Nie wiem. Kimś, kto próbuje się jakoś urządzić. Albo po prostu udajesz. Niedługo się dowiem.

— Proszę pana, pani najwyraźniej się pomyliła i zadzwoniła do niewłaściwej agencji. Ja nie jestem pokojówką.

— Nie przejmuj się, ta tępa cipa wszystkich ma za służących. To na pewno mój syn dzwonił do agencji, nie ona. Ona zazwyczaj traktuje mnie jak powietrze, ale ostatnio często gadam z prawnikiem, więc pewnie się boi, że zmienię testament. Jakoś udało się jej przekonać mojego syna, że wymagam opieki.

— Dlaczego?

— Musiałabyś spytać mojego syna. Nudzę się. Znasz jakieś dowcipy?

— Nie.

— Boże, naprawdę jesteś taka drętwa i nijaka? W porządku, ja ci opowiem dowcip. Przyda ci się trochę rozrywki. Uwaga. Wiesz, dlaczego rekiny nigdy nie atakują czarnych?

Już chcę wypalić, żeby uważał, bo ma przed sobą jedyną Jamajkę, która umie pływać, ale szybko dodaje:

— Bo biorą ich za wielorybie balasy.

Zaczyna się śmiać. Nie głośno, to raczej chichot. Nie wiem, czy powinnam się oburzyć jak Afroamerykanie, czy siedzieć cicho i poczekać, aż zapadnie niezręczna cisza.

— Co robi kobieta, gdy dopada ją banda napalonych białych facetów? — pytam.

— O kurde, nie wiem.

— Nic. Od penetracji przez krosty dzieci nie będzie.

Błyskawicznie robi się czerwony. Mija długa chwila, po czym facet wybucha niepohamowanym śmiechem. Śmieje się tak, jakby miał się zaraz udusić, puchnie i kaszle, oczy zachodzą mu łzami. Nie wiedziałam, że to aż takie zabawne.

— O Boże, mój dobry Boże.

— Na mnie już czas, panie Ken. Pański syn powinien zadzwonić do agencji dla poko…

— Nie, nie, nie, do ciężkiej cholery. Nie możesz teraz wyjść. Jeden szybki. Dlaczego czarni mają jasne dłonie i podeszwy?

— Chyba nie chcę wiedzieć.

— Bo łazili na czterech łapach, gdy Bóg rozpylał po świecie czarną farbę.

Znów rechocze. Próbuję zachować kamienną twarz, ale zaczynam się trząść i w końcu też się śmieję. Podchodzi do mnie, rży tak, że w ogóle nie widzę jego oczu.

— Na czterech łapach, he? Dlaczego Murzyni mają fiuty do kolan?

— Jezu, nie wiem.

— Bo każdemu facetowi się kurczy po kąpieli w zimnej wodzie.

Kładzie mi dłoń na ramieniu. Chyba musiał się na mnie oprzeć, żeby nie stracić równowagi. Wreszcie się opanowuje.

— Chwila, też mam jeden, tym razem o białych. Dlaczego białej kobiecie urodziło się czarne dziecko?

— Nie wiem. Bo chciała poczuć coś dłuższego od własnego palca?

— Nie! Bo miała randkę w ciemno.

Teraz ja mu kładę dłoń na ramieniu i śmieję się niepohamowanie. Potem urywamy i zaczynamy od nowa. Nie pamiętam, w którym momencie torebka zsunęła mi się z ramienia i upadła na podłogę. Siadamy z powrotem w fotelach i patrzymy na siebie.

— Proszę, nie idź — mówi. — Zostań.

JOHN-JOHN K.

edne, drugie, trzecie drzwi, kuchnia, zapach bekonu i skwierczący tłuszcz. Szafki z ciemnego drewna dokoła, w otwartych drzwiczkach jednej widać było płatki, Wheaties i Life. Za stołem siedział mężczyzna dość podobny do Brązowego Garniaka, jakby ważny papa czy jakieś inne gówno, czytał gazetę, podkreślając coś czerwonym flamastrem. Po bokach dwaj chłopcy, jeden z wąsikiem za często chyba natłuszczanym. Ładny i mógłbym przysiąc, że mrugnął do mnie, ale uszy wielkie jak u Alfreda Neumana, tego z okładki „Mad". Na widok drugiego pożałowałem, że miałem ojca, który nazywał mnie pierdoloną ciotą, gdy w wieku dwunastu lat próbowałem zapuścić włosy.

— Maniok! Maniok!

— Arturo! Ile razy mam ci mówić, że nie wrzeszczymy przy stole — powiedziała. Wydawało się, że plecami wydycha każde słowo. W pofałdowanym prążkowanym swetrze wyglądała jak ten ludzik Michelina, ale to jasne spodnie wszystko psuły, tandetne popisiarstwo, jak bogaci biali, którzy kupują jachty, ale nie potrafią na nich pływać. Włosy upięła w ciasny kok i kiedy się odwróciła, miałem wrażenie, że brwi jej się podciągnęły do góry. Ciemne oczy, mnóstwo tuszu na rzęsach o tak wczesnej porze, usta bardziej połyskliwe niż u nastolatki, która zjadła cały błyszczyk.

— Niski jesteś.

— Co? Przepraszam, że co?

— Przepraszam, że co? A co, ja się jąkam czy chrząkam, chrumkam czy kumkam?

Starszy dzieciak jęknął.

— Mamo, zlituj się.

Uśmiechnęła się do niego.

— Nie podoba ci się, *guapo*?

— Świetne, wszystkie ziomy by się podjarały na taki tekst.

— Pyskować to możesz własnej dupie.

Starszy stęknął, a młodszy wysunął talerz po dokładkę manioku.

— Siadaj do śniadania — powiedziała, wskazując mnie patelnią.

Stałem dalej jak drętwus, bo nie wiedziałem, do kogo ta mowa, ale Brązowy Garniak pchnął mnie w plecy, a raczej dał dwa razy z piąchy między łopatki. Starszy gówniarz spojrzał na mnie i się odwrócił, a młodszy wciągnął paszczą coś, co wyglądało jak blade frytki. Mężczyzna nic nie mówił, nie odrywał wzroku od gazety.

— Weź, daj mu talerz — powiedziała nie wiadomo do kogo.

Mężczyzna wstał, wyciągnął talerz z szafki i wrócił do czytania gazety. Wygarnęła z czerwonej patelni maniok i chorizo na mój chyba talerz.

— Wciąłeś mi się w interesy, skurwielu — powiedziała.

— Przepraszam?

— Znowu przepraszasz i przepraszasz. A co, pili cię do kibla? Młodszy gówniarz się zaśmiał.

— Co się tnie?

— Mamo, mówi się „co się kroi"! Ja pierdolę!

— *Muchacho*, a ty myślisz, że ja studiowałam angielski? Mówię im, że jestem bizneswoman w Ameryce, to muszę się uczyć gadać jak Amerykanie, tak? Trzymaj formę.

— Spoks, mamo.

— W każdym razie ty, tak ty, do ciebie mówię. Ty. Spierdoliłeś mi akcję, kutafonie.

— Nie chciałem. Twój człowiek…

— Ten człowiek jest już historyczny.

— Ten człowiek to historia, mamo!

— Historia. Ten człowiek to już historia. Fuszer się zrobił. Tak to jest, jak się robotę zleca czarno-czarnym. Zero dyscypliny, zero niczego, oni tylko w gębie mocni ple-ple. Co ci mówił?

— Właściwie nic. Powiedział, że zaraz skasują cały stół śniadków…

— Uważaj na słowa, pierdolony *putito*.

— Sorry. Powiedział, że z chłopakami sprzątną zaraz paru Kubańczyków w klubie. Dał mi cynk, żebym spadał. No to ja powiedziałem mojemu kumplowi Paco, że musimy zjeżdżać. On na to, że tylko ostrzeże przyjaciela. Myślałem, że chodzi o gościa na bramce, a nie...

— Dosyć. Twoja wersja jest... mało interesująca. Wiesz, co mnie interesuje? Ci tam *maricones* byli w jednym i tym samym miejscu pierwszy raz od pół roku. Pół roku, białak.

— Białek, mamo, Jezuuuu...

— Wystarczy tego aroganctwa przy stole — powiedziała, celując w chłopaka palcem.

Natychmiast zasznurował jadaczkę.

— Kontynuując. Wiesz, kim jestem? Jestem amerykańską bizneswoman. Przez ciebie straciłam dużo pieniędzy. Bardzo dużo gotówki. Więc chciałabym wiedzieć, co zamierzasz z tym zrobić.

— Ja?

Ugryzłem placek. Uznałem, że jeśli to ma być mój ostatni posiłek w życiu, sensowne się wydaje, że jest to śniadanie. W końcu do kuchni dobiegły dźwięki z telewizora, coś tam o dwunastometrowym goooryluuuuu! Mężczyzna ciągle z nosem w gazecie. Nigdy nie myślałem, że w Miami dzieją się aż tak ciekawe rzeczy, żeby usiąść i czytać o tym. Ale przynajmniej maniok był dobry. Nie żebym wcześniej w ogóle jadł maniok, ale cóż, porządny domowy posiłek, a to znaczy, że smaczny, chociaż szczerze mówiąc, moja matka gotowała paskudnie.

Trzasnęła mnie na odlew w papę. I powiedziała, coś że niby się rozkojarzyłem. Od tego kurewskiego ciosu zrobiło mi się ciemno przed oczami. Odruchowo sięgnąłem do marynarki, nie pamiętając, że nie mam przy sobie broni. Jeszcze zanim ryj mnie zapiekł, jeszcze zanim Griselda cofnęła się o krok, gotowa jebnąć mnie patelnią pełną tłuszczu, zanim się zerwałem, wywracając krzesło do tyłu, zanim zdążyłem ją nazwać jebaną córką parszywej bambo kurwy, usłyszałem kliknięcia. Pięć, dziesięć, piętnaście naraz. Nie pamiętałem, w którym momencie Hawajskie Koszule weszły do kuchni, ale teraz tam stali. I Brązowy Garniak. I mężczyzna siedzący przy stole. I starszy gówniarz, wszyscy patrzyli na mnie, tak samo marszcząc brwi, wszyscy celując we mnie z broni, z dziewiątek i glocków, nawet z jakiegoś sześciostrzałowca z białą kolbą z kości słoniowej. Podniosłem ręce do góry.

— Siadaj — powiedział mężczyzna przy stole.

— Ty się, kurwa, lepiej naucz szacunku do mamajamy — warknęła.

Różowy Hibiskus podał jej szarą kopertę. Rozerwała ją i wyciągnęła zdjęcie. Zachichotała głośno, zaczęła świszczeć i się trząść. Najwyraźniej to kurewskie zdjęcie w chuj ją rozśmieszyło. Podała fotkę mężczyźnie przy stole, a on obejrzał ją z taką samą obojętnością, z jaką czytał gazetę. Potem rzucił ją do mnie. Obróciła się kilka razy w powietrzu i wylądowała prawie idealnie przede mną.

— Wygląda, że *el gator* woli chyba zabijać samemu, nie? Następnym razem rzucę im żywego skurwysyna, he?

To był Baxter. Aligatory nie bardzo wiedziały, co zrobić z jego głową. Nie zrzygaj się, nie zrzygaj się, nie zrzygaj. Jak człowiek to powtarza, to się nie zrzyga.

— Po co go skasowaliście?

— To sygnał. Kto ma uszy, niech słucha, tak mówiła siostra w tym, jak to się tutaj nazywa? Klasztorze? He, he. Baxter sknocił i ty też. Ale moi chłopcy trochę się rozpytali. Podobno w Nowym Jorku odwaliłeś robotę, którą nawet policja uznała za majstersztyk.

O mało nie parsknąłem śmiechem. Wszyscy przecież wiedzieli, że odstawiłem paskudną fuszerkę. Jakimi partaczami są chłopcy z Miami, skoro w porównaniu z nimi wyszedłem na gładkiego fachmana?

— Teraz dla mnie będziesz odwalał takie fuchy.

Chyba film mi się urwał na parę godzin, jak padłem do wyra. Że mam towarzystwo w łóżku, zorientowałem się dopiero, jak usłyszałem:

— Nie uwierzysz, co ci zrobię.

To ten towar z przetłuszczonymi włosami z wczoraj. Boże, mam nadzieję, że nie zabrałem tej cioty do domu tylko po to, żeby stracić przytomność, gdy się na mnie położył. Ciągle tu jest, więc albo mu się spodobało, albo nie mógł znaleźć mojego portfela i czeka na wypłatę. A może nie ma gdzie iść. Rany, ale bajzel, ja na podłodze, tylko w T-shircie, ta kolumbijska dziwka wdziera się w moje sny z tymi swoimi gównianymi rozkazami, a nawet nie pamiętam lotu z Miami do Nowego Jorku. Zaraz, wylądowałem o siódmej. O dziewiątej zameldowałem się w hotelu na Chelsea (po jakiego wała na Chelsea?, spytał mnie Różowy Hibiskus. Ja nie spytałem, dlaczego wybałuszył oczy, kiedy powiedziałem Chelsea), zgarnąłem tego towara w obcisłych spodenkach sportowych i koszulce z Ramonesami, jakby chciał szturmować gejowo dwadzieścia po jedenastej.

— E? Że co?

— Mówiłeś, że chcesz, żebym zrobił ci dobrze. Ale zapłać ekstra, inaczej muszę iść.

— Musisz iść? Akcja na molo taka gorąca, że nie chcesz przegapić?

— Na molo? Nie nadążasz, człowieku. Tam spada się przez deski i jeszcze można nabawić się tężca albo coś. Poza tym tam już nikt nie chodzi, od kiedy tego gejowskiego raka nazwali AIDS. Zamknęli też kilka łaźni.

— Powaga? A co byś powiedział na to, że ściągniesz majtki, czekaj, kurwa, moment. Najpierw wyjmij mój kurewski portfel z kieszeni swoich kurewskich spodni, bo to, co trzymam w ręku, a co wyjąłem właśnie spod poduszki, widzisz, jak tu nacisnę, to z lufy nie wystrzeli chorągiewka.

— Jezu, ojczulku.

— Nie ojczulkuj mi, kurwa mać. No, grzeczny chłopiec. Jak następnym razem zakosisz facetowi portfel, to nie czekaj na śniadanie, głąbie. A teraz przejdźmy do tego, co masz zrobić.

Przekręciłem się na plecy i zadarłem nogi. Stopy wcisnąłem sobie pod pachy i otworzyłem się jak jebany kwiatuszek.

— Tylko użyj dużo śliny.

No dobra, nie oczekiwałem, że da mi całe dossier, ale przedstawiła tego Jamajczyka tak nieprecyzyjnie, że od razu stał się zagadką. Spytałem prosto z mostu, dlaczego nie mogę przejąć fuchy Baxtera i dokończyć tamtej roboty, ale się nie zgodziła, powiedziała, że najpierw muszę zasłużyć (tak, zauważyłem, że powiedziała „najpierw", dając do zrozumienia, że będzie drugie, może trzecie zlecenie, kto wie, ile w ogóle). No więc okazało się, że w Nowym Jorku jest Jamajczyk, którego mam skasować, i właśnie tego dnia nadarzała się jedyna okazja w życiu, żeby zrobić to, jak Pan Bóg przykazał, to jej melodramatyczne określenia, nie moje — żeby była jasność, no bo, Jezu, jestem pedek. Nie raczyła szczegółowo opisać jego wyglądu, powiedziała tylko, że jest czarno-czarny i prawdopodobnie nosi klamkę. Brązowy Garniak dorzucił adres i z grubsza nakreślił modus operandi. Pewnego dnia w tysiąc dziewięćset osiemdziesiątym roku facet pojawił się w towarzystwie jednego Kubańczyka, który się nazywa Doktor Love, i tyle, wystarczy, bo Griselda nie będzie współpracować z żadnymi jebanymi Kubańczykami, przecież stara się ich wszystkich pozabijać, więc rozkaz współpracy z tym jamajem i fidelem musiał przyjść bezpośrednio z Medellín. No i facet wchodzi do gry, jakby miał na własność całe Miami, żeby zrobić z Jamajki stację przerzutową między Kolumbią a Miami, zwłaszcza że jebani Bahamczycy spierdolili kontakty i zaczęli grzać towar, zamiast go sprzedawać. Griselda dowiedziała się też, że Jamajczycy współpracują z kartelem z Cali, a to już było kurewsko porąbane. Jednak ci z Medellín nie mieli zastrzeżeń do Jamajczyków, nawet okazywali im szacunek po starszeństwie. No więc też z nimi zaczęła pracować, nie podobało się jej to, ale nie mogła odmówić. Po jej słowach zorientowałem się, że cholernie uwiera ją, że ta ekipa wzięła ją z obu stron, kontrolując dostawy z Kolumbii do Stanów i przejmując handel detaliczny na ulicach. Powiedziała, że Jamajczyka wyszkoliła CIA, pewnie gówno prawda, ale trzeba taką ewentualność wziąć pod uwagę.

Tak czy inaczej, facet jest w Nowym Jorku i komuś bardzo zależy na wyeliminowaniu go z gry. Nie powiedziała komu, ale wyraźnie wyczułem, że to nie ona podjęła decyzję. Ja jestem tylko pośredniczką, dodała. Szczerze mówiąc, dla mnie to bez różnicy, nigdy nie czułem potrzeby, żeby się dowiedzieć, dlaczego ktoś chce kogoś wyeliminować, skoro za to płaci. Ale to wszystko było dość dziwne, bo jak już dała mi zlecenie, to nie chciała, żebym poszedł, tylko żebym z nią pogadał. Wyrzuciła wszystkich z kuchni. Temat został. Gadała o tym, że facet podobno nie zna się na żartach, nie potrafi się zorientować, czy ktoś się zgrywa, czy wali na poważnie, w efekcie czego raz zastrzelił gościa, bo ten mu powiedział, że ma tak grube wary, że idealnie się nadają, żeby mu obciągnął. No nie wiem, białak, myślisz, że Jamajczyków śmieszą Jeffersonowie? *Three's Company*? Mówię ci, ten człowiek w życiu z niczego się nie śmiał.

Wszystko jedno, ważne, że ktoś chce go odstrzelić. Dopóki Jamajczyk prowadzi handel, handel idzie źle. To było zlecenie od kogoś wysoko postawionego. Im wyżej stoi decydent, tym głupsze powody. Griselda wreszcie się zamknęła, dolna warga jej drżała. Po chwili otworzyła usta, żeby coś powiedzieć, ale się rozmyśliła. Milczała. Coś nie grało, chciała o czymś pogadać, ale nie mogła. To nie ona decydowała. Zleceniodawcy nie obchodziło, jak wykonam robotę, ale miałem na to tylko jeden dzień i jedną noc — najbliższą noc, mówiąc konkretnie. Delikwenta najlepiej dopaść w domu, wtedy się nie pilnuje. Powiedziała, że on będzie siedział u siebie do późnych godzin nocnych. Tam jest pewnie mnóstwo gangsta, więc może trzeba to zrobić po snajpersku.

Wszystko jedno, miałem tylko wleźć, stuknąć go i wyleźć. Towar się zdenerwował, ciągle gapił się na mój portfel i zerkał na poduszkę. Musiałem odłożyć klamkę, ale teraz przestałem rozumieć, co skurwiel chce zrobić.

— Zerżniesz mnie czy jak?

JOSEY WALES

Patrzyłem, jak moja kobieta pakuje mi te torbe Adidasa, kiedy nagle zadzwonił telefon. Nie chciałem odbierać, ale rzuciła mi to spojrzenie znaczące wydaje-ci-sie-że-masz-służącą?

— Halo?

— Brada, wierze, że spakowałeś przynajmniej trzy chlebowce, dziesięć szprotek i całe wiadro ryżu z fasolą dla ja, nie jest tak?

— Eubie. Co się u ciebie kręci?

— Wiesz, jak jest. Trzeba do życia podchodzić swobodnie, wiadomo.

— To samo mówie. A konkretnie to jak tam, brada?

— Spoko, man, spoko. Ale słuchaj. Wiem, że tacy jak ty nie lubią latać. Masz paszport i wize? To nie przejażdżka autobusem, wiesz?

— Wszystko hula.

— To super. Ej, Josey, byłeś już kiedy w Nowym Jorku?

— Nie, słońce, tylko w Miami. Biznesmen nie ma czasu na urlopy.

— Prawda, prawda. Jak tam twoja pani?

— Spodobałoby sie jej, że tak o niej gadasz. Cholernica od miesiąca mi truje, kiedy sie ożenimy na poważnie jak ludzie z aptaunu i czemu my tacy żebracy i w gecie. Gadałeś z nią?

— Cha, cha, nie, słońce. Ale brada, w Bibli napisane, że męszczyzna, co znajdzie żone, dobrą rzecz znajduje.

— Moją kobiete nazywasz rzeczą, Eubie?

— Ja nie, Biblia. Z Bogiem musisz to załatwić. Chociaż Biblia nie chce, żebyś to rozumiał tak dosłownie. Jesteś pod...

— Rozumiem, Eubie, nie trzeba skończyć Columbi, żeby to zrozumieć.

— Oua. Ja mieszkam w Nowym Jorku już dziesięć lat i ciągle nie rozumie tego miasta. Chętnie zobacze, jak ty sie tu rozeznasz. Nowy Jork, tak jak sobie wyobrażałem, drapacze chmur i wszystko...

— Co to gra? Jeffersonowie?

— Stevie Wonder, człowieku. Wy Jamajczycy chyba wiecie, że brada nagrał coś więcej, nie tylko *Master Blaster*, czy jak?

Gadamy od dwóch minut i Eubie już drugi raz próbuje mi powiedzieć, że gówno wiem o świecie.

— Wy Jamajczycy? A ja myślałem, że ty w zeszłym tygodniu musiałeś skakać ze statku, bo sie nie chciał zatrzymać w Nowym Jorku.

— Cha, cha, dobre, Joseyu Walesie, bardzo dobre.

Moja kobieta posyła mi spojrzenie z-kim-kurwa-tak-gadasz? Wie, co myśle o Eubiem, chociaż w życiu go nie spotkała. Z Eubiem jest taki problem, że inaczej niż wszyscy, których wychowało West Kingston, on sie nie wziął z geta. I sie cały ukształtował jeszcze w czasach, zanim go poznałem. Spiknął Bronx i Queens z Medellín, zanim jeszcze mi przyszło do głowy zostawić Miami tej piździe Griseldzie Blanco, która i tak woli robić interesy z Bahamczykami. I już w siedemdziesiątym siódmym zabrał z Kopenhagi paru najlepszych brada. Zabawne, bo ledwo go pamiętam. Nie był z Balaclavy, Country ani Gazy, ale z dobrego domu z dwoma dobrymi samochodami i dobrym wykształceniem na dodatek. Poznałem po tym jednym razie, jak przyszed i patrzył na wszystkich, jakby był w zoo. I pocił sie pod tym garniturem z jedwabiu, ale nie wyjął z kieszonki tej białej chusteczki, żeby otrzeć ryja. Mnóstwo ludzi w takich układach sie męczy, bo sie stoji tam, gdzie sie stoji, więc sie udaje wielkiego, dopóki sie wielkim nie urośnie. Ale ja tam nie wiem. Jakbym był nim i pochodził skont on, nie ma mowy, żebym w tym teraz siedział. Eubie to jedyny, jakiego znam, co gra w tą gre, bo chce. Więcej, on z tego ma to, co niektórzy faceci z uganiania się co chwila za świeżą cipką. Wielka ambicja i nic do stracenia. Jednocześnie ten ktoś, kto w dwie minuty opanował miasto, ciągle sie stroi w tą białą chusteczke, bo nikt w Ameryce nie wie, że to znaczy, że facet sie boi obeah bardziej niż niektórzy diabła wcielonego.

— Eubie, to jak jest, nie mogłeś sie doczekać, żeby usłyszeć mój głos, chociaż za chwile mie zobaczysz, czy o coś ci biega?

— Ej, Josey, aleś ty bystrzak, mówił ci to kiedyś kto?

— Mamusia.

— No dobra, fakt, dzwonie w sprawie. W sprawie, że... Dobra, nieważne, brada, jak tylko powiesz, że to nie twój ból, zamykam jadaczke i nie było rozmowy.

— W jakiej sprawie, brada?

— No słuchaj, próbowałem sie skontaktować z twoim Beksą w jednej sprawie, ale nie mogłem i...

— W jakiej sprawie?

— To Beksa do ciebie nie dzwonił? Ja myślałem, że ty mi powiesz, że sprawa dawno załatwiona. Bo jak sie siedzi na Bronxie i słyszy o tym, co sie dzieje na Brooklynie, to myślisz sobie, ej, nie mój biznes, to należy do człowieka, co sie nazywa Beksa. Ale ci powtarzam, dzwoniłem do niego na ten numer, co mam od ciebie, i zero Beksy. Zmienił numer?

— Jaki biznes?

Eubie sie przymyka. Na pewno sie mie nie boi, więc wiem, że siedzi cicho nie dlatego, że speniał. Po prostu nie śpieszy mu sie, woli przeciągnąć. Chce, że bym poczuł, że ma coś, na czym mi zależy, chociaż mi sie wcale tak nie wydaje.

— Taka historia nie musi nic znaczyć. Zdarza się, że kokso latają z dzielnicy na dzielnice, żeby zaliczyć jak najwięcej towaru, nie jest tak? To znaczy, eh, dobra, nieważne. Ale sześciu takich przywaliło z Brooklynu na Bronx, to wygląda na to, że coś jest na rzeczy.

— Chcesz mi powiedzieć, że miałeś dzisiaj sześciu klientów z Brooklynu? Może nie wiedzą, gdzie szukać na swoim podwórku.

— Skont tyś sie urwał, Josey Wales? Kokso sie nie wyrobi bez działy, uwierz mi, skurwysyny dobrze wiedzą, gdzie iść. Poza tym nikogo nie stać na to, żeby nie handlować towarem na własnej dzielnicy. Bliskość to warunek sukcesu, brada mój, ale jasne, ja ci mówie coś, co i tak już wiesz. W każdym razie jeden z moich ludzi dorwał jednego z tych koksów i go wypytał, czemu przydrałował aż na Queens, a on mówi, że na Bushwick sie już nie da kupować.

— A co sie stało na Bushwick?

— A to nie twój Beksa tam rządzi?

— Co sie stało na Bushwick, brada?

— Tamten mówi, że dwaj dilerzy nagle zaczeli śpiewać dwa razy więcej za to samo, tak po prostu. Ja wiem, że ty wiesz, że my tu tworzymy lojalność i zawsze szukamy nowych klientów, ale nie pamiętam, żebyś coś mówił o wzroście cen, no to sie zdziwiłem, że tam ceny tak skoczyły. Według mie to nie ma sensu, bo przez ustawianie cen za dużo sie czasu traci na latanie po dzielnicach.

— Hm.

— I jeszcze jedno, mój młody przyjacielu. Wygląda na to, że paru twoich dilerów bierze. Nie wiem, jakie są zwyczaje w Miami, ale tutaj interes zawsze na tym cierpi. Zawsze. Jeden z tych kokso mówił, że nie mógł znaleść twojego dilera, to poszed na meline przekonany, że ktoś mu da działke, a tam dwóch dilerów było w siódmym niebie. Dwóch! No w pizde, jak to jest, masz dwóch dilerów w środku, a na zewnątrz stoi kolejka ludzi na głodzie i przebierają nogami? Poza tym czy można ufać komuś, kto sie koksuje, że ci będzie dobrze prowadził interesy? I jeszcze jedno, skont mają towar? Podbierają z twoich dostaw, wiadomo. Josey?

— Tak, słysze cie.

— Po prostu mówie ci, brada, jak ja to widze. A jak koleś musi fruwać do innej dzielnicy, żeby łyknąć działke czy dwie, no to to jest problem. Pozwól, że ci powiem, ja na Bronxie mam pełną kontrole, miałem nawet w tych czasach, kiedy lubiłem tylko przepalić troche zielska. Jeszcze w siedemdziesiątym dziewiątym ustawiłem sprawy jak w każdym interesie, lepiej niż inni dostawcy, bo diabeł mi podpowiedział, że sie nie rozwiniesz, jak sobie bazy dobrze nie poukładasz. U mie nie ma partactwa. A jeszcze gorzej, jak to mi brada wycina taki numer. Wiesz, co powiedziałem ostatniemu takiemu, co mi pieprzył robote? Dałem mu do wyboru, powiedziałem: młodzieńcze, wyświadcze ci łaske. Masz wybór, które oko stracisz, prawe czy lewe. Jak w aucie ci sie obluzuje koło, to zaraz odpadnie i wszyscy sie pozabijają. A to, co prawdą na Bronxie, to prawdą na Queens.

Ciągle nie moge uwierzyć, że facet mówi do mie młodzieńcze.

— Kto ich wynajoł, ty czy Beksa? Nobo Beksa przecież powinien widzieć, co sie dzieje, i ciach, ciach to wyplenić, ale znowu, Beksa... Nieważne, pewnie wiesz, co robisz.

— Ta.

— Ale powiem ci, ostatnim razem, jak mój numer dwa zaczął zażywać, to zaraz skreśliłem tego brada. Bo, Joseyu Walesie, z kokainą nie jest jak z galaretą. Kokso chociaż ma jakiś styl, a jak nie ma stylu, to przynajmniej ma pieniądze. Ciągle można sprawy załatwiać po dżentelmeńsku. A crack? Taki obciągnie ci druta i wykroi serce własnemu dziecku, żeby tylko zaliczyć. Nie możesz z takich robić sprzedawców. Nie możesz, młodzieńcze. Nie ma mowy. Ale w końcu ty i Beksa jesteście starzy znajomi, nie?

— Nie tacy starzy.

— Aha. No to już nie wiem. Jak mówie, ty znasz Bekse, nie ja. Ale powinieneś przynajmniej sprawdzić, co tam sie wyprawia na twoim kwadracie na Bushwick. Ja do każdej sytuacji podchodze z igłą i ze spluwą. Albo da sie zacerować, albo cie uwolnie od niedoli. Jak chcesz, żebym pojechał i wyprostował sprawy na Bed-Stuy, Bushwick czy gdzie, to daj znać. Będe potrzebował większych sił, ale...

— Już ci mówiłem, Eubie, mam teren pod kontrolą. Ty handluj u siebie. Zadzwonie, jak już będe na miejscu.

— Co? A, jasne, no dobra. Zadzwoń.

Rozłączam sie. Moja kobieta na mie patrzy. Dzwonie do Beksy, nie odbiera. Wiem, że mie ciągle obserwuje, bo umie poznać, jak sie wściekam w środku. Już słysze, jak mówi, żebym nie pokazywał tego gówna przy jej jedynym nie zepsutym jeszcze dziecku.

— Jest spoko, kobieto, przestań sie tak gapić.

BEKSA

Nie odbierzesz?
— Nie.
— Nie miałeś zgarnąć jakiegoś faceta z lotniska?
— Mówiłem ci o tym? Dopiero później.
— To przynajmniej ścisz dzwonek. To ten dzyndzel tam…
— Wiem, kurwa, jak sie ścisza telefon. Gdzie żel?
— Nie wiem, gdzieś w betach.
— Gdzie?
— Mówię, że nie wiem. Może na nim leżysz. Albo pod poduszką pod twoją głową. Wiesz co? Przekręć się. Jasne, że zostaję, nie wiem, co jest złego w pluciu. Jamajczycy mają takie dziwne wyobrażenie o ślinie.
— Co to za tekst? Jak plujesz na kogoś, to go nie szanujesz.
— Człowieku, to woda. Byś mi napluł na tyłek i wylizał?
— Jezuuu. Nie.
— Ale nie, bo dupa, czy nie, bo ślina? Uświadamiasz sobie, że liżąc tyłek, lizałbyś swoją ślinę?
— Jak można z powrotem wylizać swoją ślinę? Jak wychodzi ci z ust, to jej nie ma, nie powinna nigdy wracać.
— Cha, cha, no weź się przekręć.
— Co?
— Słyszałeś. Przekręć się.
— A ja lubie w ten sposób. Wejdź głębiej.
— Chuja głębiej, ty nie chcesz na mnie patrzeć.
Popołudnie w pokoju. Przekręcam sie. Łóżko jest za miękkie, zapadam sie, on na górze, wciska mie w pościel. Zapadam sie. Mówi o uprzedzeniach, ja nie wiem, co to znaczy, chociaż sie uśmiecha. Patrzy na mie, nie odwraca głowy. Dziś mamy wtorek,

jakiś żółty ten dzień. Ciągle na mie patrzy — mam suche wargi? Zeza? Myśli, że ja pierwszy odwróce wzrok, ale nie odwróce, nawet nie mrugne powieką.

— Jesteś piękny.

— Daj se spokój.

— Mówię ci, niewielu mężczyzn potrafi tak zrobić z okularami.

— Skończ te pierdoły. Facet facetowi nie mówi takich rzeczy jak...

— Jak co? Że to gadki pedałów? Wiem, słyszałem już siedem razy. Polubiłbyś Portorykańczyków, gwarantuję ci. Oni w ogóle nie uważają, że od ciągnięcia druta czy ruchania w dupę robią się gejami. Dopiero jak ciebie pierdolą, to stajesz się pieprzoną ciotą.

— Nazywasz mie ciotą?

— Nie, skąd, przecież ty masz obsesję na punkcie cipek, nie?

— Lubie cipki.

— Koleś, pieprzymy się, czy ja będę Harrym Hamlinem, a ty Michaelem Ontkeanem?

— O czym ty, w pizde, gadasz?

— Chcesz zgadnąć, ile razy w ciągu ostatnich dwóch lat miałem taką rozmowę? Już mi się znudziła, powyżej uszu mam zakamuflowanych lachociągów. Zwłaszcza was, czarnych. Chcę to zrobić.

Zamykam jadaczke. Czekam. On już ssa mój prawy sutek, a potem mocniej lewy, jakby chciał go odkleić. Zaczyna mie boleć i już mam powiedzieć, że boli, kurwa, ale wtedy zaczyna lizać. Językiem mizia i liże, liże i mizia. Drże. Mam ochote go błagać, żeby polizał prawy, żebym przestał drżeć. Czuje kółko z ciepłej śliny na lewym sutku, na które chucha, jakby studził. Powinien przestać robić ze mie kobiete. Nie przez ruhanie, tylko przez to chuchanie w sutek.

— Chryste, wykrztuś to z siebie, skurwielu. Jak będziesz tak mamrotał, to się w końcu udusisz.

— Że co?

— Nie można zgrywać twardziela i jednocześnie czuć rozkoszy w ciele, więc się zdecyduj. Może powinienem sobie pójść, a ty zadzwoń, jak się zdecydujesz.

— NIE. Znaczy nie.

Znowu mi sie wciska do ust, zanim zdąże powiedzieć, że zło czyńcy sie nie całują. Ssa mi język, dociska wargi do warg, język z językiem, wywija, zmusza do takiej samej reakcji. Zmusza, żebym myślał jak ciota.

— O, no proszę. Zachichotałeś jak uczennica. Może jeszcze nie wszystko u ciebie stracone.

Warga na wardze, warga przesunięta w bok, liżą mie w usta, język na języku, pod językiem, wargi ssą mi język, otwieram oko i widze jego dwa zamknięte. Te jęki to jego, nie moje. Wysuwam ręce i ściskam go za sutki, ale nie mocno. Ciągle nie widze tej granicy między aha i aua. A on jęczy i teraz jedzie językiem po mojej klacie do sutek i do pępka, zostawiając mokry ślad, aż czuje zimno, chociaż przecież język ma ciepły. Nowy Jork mnie podgląda? Ja podglądam, że ty podglądasz? C W E L z dziurką ciasną jak ucho igielne. Okno na czwartym piętrze, ale bo ja wiem? Za wysoko dla czyściciela okien, gołębia czy kto tam by sie wspinał po ścianie, chociaż nikt sie nie będzie wspinał po żadnej ścianie. Nikt mie nie widzi, tylko niebo. Ale ten samolot Air Jamaica będzie tędy przelatywał i Josey mie zobaczy. Facet łachocze mie językiem w pępek, a ja go łapie za głowe. Podnosi oczy i patrzy na mie przez sekunde, uśmiecha sie i jego włosy przesuwają mi sie między palcami, takie cienkie, takie miękkie, takie brązowe. Takie włosy wystarczą, żeby wiedzieć, że to biały.

— Wracaj tu, skurwielu.

Chce mu odpowiedzieć, że przecież tu jestem, ale on właśnie łyka mojego kutasa, więc z ust wychodzi mi co innego. On mówi coś o napletku. Odciąga go, patrzy na główke nurkującą do ust, a ja aż podskakuje. Wy nieodkrojeni jesteście strasznie wrażliwi, nie? Liże, ssa, łyka do oporu, aż trze nosem o moje włosy łonowe. W góre, w dół, ruhanie, a ja czuje jego usta i język i podniebienie, wilgoć i ciepło i ssącą próżnie i odpuszcza, ssa i odpuszcza, ssa i odpuszcza, ssa i odpuszcza, a ja łapie go za każdym razem, jak mi odciąga napletek. I ten wzrok, biały nurkuje, potem sie wynurza, biały nurkuje, wynurza sie, liżąc wywijając różowym językiem. Biały na czarnym. Za trzecim razem łapie go za ramie i ściskam. Wreszcie przestaje. Ale wtedy chwyta mie za kostki i zadziera mi tyłek i ruha językiem. Nie myśle o tym, że nie za bardzo to lubie, nie myśle, że czuje, jakby coś mokrego wilżyło mi odbyt. Zostawia mie z nogami w górze, stacza sie z łóżka i bierze kondoma. Ciągle nie widze różnicy między na surowo a w ogumieniu, tak tu sie kondom nazywa, więc nie rozumiem. Wiem, że to czwarte piętro, ale jakby ktoś teraz przechodził za oknem i mie zobaczył z nogami w górze? To sie dzieje. Za mało sie rżne, żeby za każdym razem nie myśleć, że to sie dzieje. Za mało sie rżne, żeby nie myśleć, że w pokoju jest drugi twardy fiut. A ja mam ochote go złapać, ścisnąć, pociągnąć, a może któregoś dnia possać. A teraz on palcami wciera mi żel w oko i chociaż raz nie myśle, że to więzienne cwelowanie, chociaż jak mówie, że o tym nie myśle, to właśnie o tym pomyślałem, on wciera na całego maź we mie, porządnie, robi mi palcówe, po coś gdzieś sięga i podskakuje, i nie, nie zastanawiam sie, czy tak czują kobiety, kiedy utrafiam w łechtaczke, bo jebać kobiety, jebać cipy, jebać te starania, żeby zerżnąć ciote na wiór, przynajmniej teraz tutej na czwartym piętrze. I jebać myślenie, co to oznacza, że biały jest aktywny, bo nie myśle o białym, co jest aktywny, dopóki nie pomyśle, że to Ameryka, a jak będe myślał jak czarnuh, to to, że biały jest aktywny, będzie coś znaczyło, i może powinniśmy sie zamienić, chociaż on ciągle może mie ujeździć. Dzięki Bogu to nie ja teraz musze mieć sztywnego kutafona.

Znowu dzwoni telefon.

— Wpuścisz mnie kiedyś, skarbie?

— Co? Aha.

— Coś taki spięty? Muszę przyznać, że to całe gadanie o wyluzowanych Jamajczykach to chyba jakiś mit. Tylko mówię.

— Nie jestem spięty.

— Kochany, mógłbym zwisać z sufitu z kciukiem w twojej dziurze, a i tak byś nie zauważył.

— Cha, cha.

— Aha, więc chodzi o to, żeby cię przy tym rozśmieszyć. Albo rżnąć cię po ciemku. Wtedy nie ma dla ciebie problemu.

— We wszystkich filmach, co widziałem, pieprzą sie po ciemku. Nawet w telewizji.

— Kiedy do ciebie dotarło, że nie każdy facet w Ameryce wygląda jak Bobby Ewing?

— Lubie po ciemku.

— W mordę, zmień temat, Batmanie.

— Ty zmień, ja nie.

— Wiesz, jedyny facet, który może cię zobaczyć przez to okno, to Superman. Decyduj, czy w to wierzysz, czy nie. Ja idę się odcedzić. Zaraz wracam.

Musiałem zatkać sobie gębę ręką, żeby nie krzyknąć, żeby się szybko uwinoł. Ale ciągle myśle, że Josey zafiluje przez okno, coś jakby Kilroy tu był. Wiesz co, tak mu powiem. To Ameryka i ja moge robić, co mi sie, kurwa, zamarzy, więc pierdole to, co któryś z was by chciał powiedzieć, albo, jak mówią Amerykanie, pocałuj mie w dupe. Lower East Side jest pod kontrolą, a sprawy na Bed--Stuy sam wyprostuje i wcale nie musze dzwonić do tego idioty Eubiego, a jak nie będzie uważał, to za chwile przejme ten jego Bronx. Tak naprawde nie potrzebuje żadnego jebanego Bronxu i czarnych, bo mam białych na Manhattanie, co mi zapłacą trzy razy tyle. A jak dziś w końcu ten samolot wyląduje, to on zobaczy, że Beksa rządzi w Nowym Jorku i robi lepiej to, co ma być zrobione, bo mi, kurwa, trzeba dać wolną rękę, nie przychodzić mi do domu, nie zaglądać pod kołdre, a jak już zaglądasz pod kołdre, to sie zamknij, nic nie mów. Ile jeszcze, kurwa, człowiek musi sie narobić?

Jest ciężko. To wszystko. Ciężko jest po prostu.

Wychodzi z łazienki ze sterczącym kutasem, przechyla sie w lewo, gume już założył. Biali mają jaśniejszą skóre, dokładnie w odcieniu gatek, które noszą. Dokoła kutasa i jajec gorejące krza-czory. Zastanawiam sie, czy męszczyzna powinien być czuły. Czy to ta czułość sprawia, że sie czujemy jak cioty? Nigdy nigdzie tak sie nie czułem. Nie w Mineshaft, nie w Eagle's Nest, Spike, New David's Theater, Adonis Theater, West World, Bijou 82, The Je-wel, Christopher Street Bookstore, Jay's Hangout, Hellfire Club, Les Hommes, Ann Street Bookstore, Ramrod i Badlands, i nie w Ramble, nie z biznesmenem wracającym do żony ani nie z ro-werzystą, ani nie z tym długowłosym hipisem studentem, ani nie z *guapo*, a nie z *muchacho*, ani nie z *mariconcito*, ani z ministrantem, ani nie z tym klonem z dwudziestocentymetrowym odciskającym się w spodniach, ani z tym, co go inni nazywają lalek, ani z siwym wyprowadzającym psa, ani z tym, co wygląda jak zwyczajny facet robiący zwyczajne rzeczy i nic więcej. Niektórzy zachodzą mie od tyłu, jak tylko ściągne szorty, inni zabierają do domu, jeśli mają białą żone, chociaż nikt w Ameryce nie wie, co u mie znaczy biała żona, więc mówie: je-jo, charlie, proszek, biała dama, pani K. albo po prostu kurewska kokaina. Dilerowi wolno uszcznąć ze swo-jego towaru. W domu czy w parku, spuszczam majtki, a oni plują albo nawilżają i rżną, a ja czekam na ten ich dygot, a czasem oni czekają, żebym doszed pierszy, a wtedy trzepią sie na mój tyłek. Poczucie, że facet dorywa faceta, żeby być facetem. A w łóżku i tak delikatnie to sie obaj czujemy jak cioty. Gadamy jak dwie cioty. I co? W takim razie wychodzi na to, że jesteśmy dwie cioty, nie ma rady.

— Będziesz sie tak branzlował cały dzień? — pytam.

W tej samej sekundzie dzwoni telefon. On patrzy na aparat, potem na mie. Chce coś powiedzieć, ale nie mówi. Telefon dzwo-ni. Czekam, żeby przestał, a on włazi na łóżko i łapie mie za kostki. Telefon cichnie, a on znowu zadziera mi nogi do góry. Czekam, żeby telefon znowu zadzwonił, bo jak to było ważne, to on by jeszcze raz próbował. Pociera mi oko żelem. Telefon cicho. Wciera żel w kutasa. Telefon cicho. Prawie sie spodziewam, że on powie, no to wchodzimy, i chociaż nie mówi, to ja chichocze jak gówniara. Uśmiecha sie, patrzy prosto na mie i wciska sie do środka, ani szybko, ani wolno, ale stanowczo i nie przestaje i w jednej sekundzie ból znika, bo on sie wpasowuje dobrze z tym zagiętym kutasem i wali.

Jak ide sie wysikać do łazienki, ten pierdolony telefon znowu dzwoni.

— Halo?

Kurwa. Pajac w łóżku odebrał.

— Halo. Proszę powtórzyć, że co? Chwilę. To chyba do ciebie.

Nie mija pięć sekund, jak łapie za słuchawke.

— Halo?

— Kto to był, kurwa?

— Co? O czym ty gadasz?

— A jak ci sie zdaje, w pizde? Co, duh ci odbiera telefony w domu?

— Nie, Eubie.

— No to kto?

— Taki jeden brada z mieszkania obok, przyszed, bo... bo... usłyszał, że gram muzyke, znasz... znasz Phila Collinsa?

— I ten facet odbiera ci telefony od wspólników?

— Chwila, Eubie. Ja mu nic nie kazałem odbierać. Wyłaże z kibla i widze, że już odebrał. No to co sie dzieje, młodzieńcze? Co sie kroi?

— Przestań jechać do mie amerykańskimi tekstami.

— A ty przestań do mie gadać, jakbym był twój nygus. Co sie dzieje?

— Żebyś wiedział, dupodaju, że sie dzieje. Trzy razy już dzwoniłem.

— No i sie w końcu dodzwoniłeś.

— Ze skutkiem.

— O co ci chodzi, kurwa?

— Że sie plany pozmieniały. Ja odbieram Joseya, nie ty i...

— Pierdol sie. Josey by mi powiedział, jakby sie coś zmieniło.

— To prosze cie bardzo, przyjedź na lotnisko i sobie popatrz, jak go odbieram. Im większe towarzystwo, tym weselej, zawsze tak mówie. Aha, jeszcze jedno, Josey nie chce znowu jechać na East Village, chce zobaczyć sytuacje na Bushwick.

— Bushwick? A co tak nagle chce na Bushwick?

— A co, ci sie wydaje, że ja jakieś medium czy co? Masz problem z Joseyem, gadaj z Joseyem.

— Miałem go najpierw zabrać do Miss Queenie. Najlepsze jamajskie żarcie w całym Nowym Jorku, w samym środku Flatbush, na Brooklynie.

— Beksa, czy tobie sie wydaje, że Josey wyjeżdża z Jamajki, gdzie ma jamajskiego żarcia po kokarde, po to, żeby wpieprzać jakieś pierdolone podróby? Ty jesteś kretyn, czy tylko grałeś takiego w telewizji?

— Ej, kogo nazy…

— Zgarniam go pół do dziesiątej. Spotykamy sie na Bushwick.

DORCAS PALMER

Może niektórzy ludzie wiedzą to, czego ja nie wiem, ale nigdy nie spotkałam mężczyzny, który okazując zaciekawienie, nie miałby czegoś więcej na myśli. Mieszkasz sama? Tak pytam, z ciekawości; owszem, od tych słów zaczęła się bajeczna noc. Oczywiście okazałam się kretynką, bo zabrałam go do domu. Dlaczego? Jak już zapolowałam na niego w tym głośnym jamajskim klubie, bo nie wyglądał na Jamajczyka, jak już go poderwałam, jak już zachęciłam na parkingu, żeby zrobił następny krok, to nie chciałam jechać do niego, bo jaką trzeba być wywłoką, żeby się tak zachować?, spytałaby dyrektorka Szkoły Niepokalanego Poczęcia. Zabrałam go więc do siebie, a wtedy urosło mu siedem dodatkowych rąk, jedna na mojej szyi, druga już wetknięta w majtki, zaciskająca palce, bo mu się chyba wydawało, że łechtaczka sterczy jak fiut. Zabawne, że piwny oddech pachnie seksownie tylko w barze. Powiedziałam, że mi się odechciało, a wtedy złapał mnie za gardło i zaczął dusić. Chwyciłam go za ręce, ale tylko mocniej ścisnął, mówiąc: chyba nie będziemy robić żadnych problemów, co? Nie, skarbie, wydusiłam z siebie, muszę tylko najpierw do łazienki, chcę włożyć coś swobodniejszego. No wiesz, jak na filmach.

— A gdzie masz barek, to coś sobie naleję.

— Nie będziesz miał czasu nic wypić, mój ty Romeo.

No więc poszłam do łazienki i odszukałam coś, od czego od razu poczułam się swobodniej. Pamiętam, że polazłam aż na sam skraj Gun Hill Road, żeby to skombinować. Sklepikarz spojrzał na mnie i spytał, co ja chcę tym ścinać. Facet się rozsiadł na jednym z krzeseł w dużym pokoju. Nie ma problemu, będę musiała pójść jedną, dwie przecznice dalej i znajdę inne krzesło. Tak zwane straty uboczne. Pochylił się, ściągając resztkę ubrania, czyli skarpetki nie do pary. Maczeta świsnęła w powietrzu tak szybko, że prawie wypadła mi z ręki. Przecięła na czysto górną deszczułkę i wbiła się w oparcie. Podskoczył, ale zareagował za późno. Potem zrobił to, co mężczyznom wydaje się właściwym postępowaniem, czyli zaczął się przysuwać, zbliżać, ze śmiechem, jakby uznał, że kobieta dramatyzuje. To nie mój nagły atak tak kurewsko go przeraził, tylko to, że szybko się opanowałam i zamachnęłam znowu, jakbym była kaskaderką w filmie z Bruce'em Lee. Dziewczyna potrzebuje jakiegoś hobby, powiedziałaby moja matka. Siekałam powietrze dokoła niego, wrzeszcząc: wypierdalaj z mojego domu! On do mnie, spokojnie, kochanie, spokojnie, a ja wtedy: ludzie, ratunku, gwałcą! Wypierdalaj z mojego domu, kurwa. Wzięłam zamach i chlasnęłam tak, żeby wyglądało, że nie trafiłam i niechcący roztrzaskałam swój drogi wazon, który tak naprawdę był gówno wart, rozwaliłam go po to, żeby do faceta dotarło, że ta rozwścieczona dziwka nie żartuje. Ciągle cofał się za wolno jak na mój gust. Mogę przynajmniej wziąć ubranie?, ale ja cały czas z wrzaskiem atakowałam, wymachując pierdoloną maczetą na boki, jakbym karczowała dżunglę. Wreszcie pobiegł do drzwi, wyskoczył na klatkę schodową, wrzeszcząc coś o pojebanej pierdolonej dziwce. Nie mam pojęcia, o kim mowa. Zastanawiam się, czy wtedy byłam bardziej Jamajką, a teraz jestem tylko jakąś amerykańską niedołęgą. I...

— Dobra, nie mów, nie chcę wiedzieć.

— Czego?

— Przysięgam, że mój kuzyn Larry z alzheimerem ma lepszą zdolność koncentracji niż ty.

— Ach, przepraszam.

— Przeprosiny odrzucone. Teraz muszę ci opowiedzieć dowcip za karę.

— Boże, panie Ken, jeszcze jakiś dowcip o czarnuchach?

— Wielkie nieba, nic z tych rzeczy. Dowcip o alzheimerze. Zabawne, bo ludzie z dużym a żartują sobie z ludzi z dużym r, jakby to, że pacjent zapomina, że jest chory, rzeczywiście poprawiało jego stan.

— A pan to duże a czy duże c? P? C? Moja rodzina na Jamajce to sami c.

— C?

— Cukrzyca.

— No jasne, racja, a p to parkinson? Czasem żałuję, że nie przyplątała się do mnie jakaś średniowieczna choroba, na przykład suchoty albo czerwonka.

— A co pan ma?

— Nie róbmy z tego tak szybko filmu tygodnia, dobrze? Bo wtedy będę miał poczucie, jakbym żył w telewizorze mojej córki. Tak naprawdę cała ta scena powinna mniej przypominać *Zwierciadło życia*, a bardziej *Podróże Guliwera*.

Podchodzi do drzwi, bierze czapkę i szalik.

— Idziemy.

— Co? Gdzie? Do Krainy Liliputów? Przecież zaraz przywiozą pizzę.

— Ja nie jem tego gówna. Zostawią na schodach i obciążą nam konto. Ewakuujemy się. Kurewsko tu nudno.

Tak naprawdę sama miałam ochotę wyjść. Działały mi na nerwy te stylowe meble z epoki niewolnictwa, wyprodukowane zaledwie kilka lat wcześniej. Gdzieś w tym domu pani Colthirst trzymała wszystkie numery „Victorii". I prawdopodobnie „Redbooka", żeby mogła sama zrobić lukier, gdy najdzie ją ochota.

— Gdzie idziemy?

— A kto to wie, do cholery, może zabierzesz mnie na kolację na Bronxie? Jak widać, czytałaś Swifta.

— Szkolniaki na Jamajce czytają *Podróże Guliwera* w wieku dwunastu lat.

— O kurczę. Co jeszcze zadziwiającego usłyszę w ciągu następnych czterdziestu minut? Dociekliwe umysły chcą wiedzieć. Idziemy.

Nie żartował z tym Bronxem. Sama nie wiem, dlaczego nic nie powiedziałam, kiedy wyskoczyliśmy z taksówki na Union

Square, zeszliśmy do stacji metra i wsiedliśmy do piątki jadącej w stronę, z której właśnie przyjechaliśmy. Usiedliśmy na trzyosobowej ławce przy drzwiach. Głowę miałam spuszczoną, żeby nie widzieć, czy ktoś na mnie patrzy. Było graffiti. Do Dziewięćdziesiątej Szóstej w wagonie przeważali biali, starzy mężczyźni i kobiety, którzy pewnie nie mieli dokąd pójść, i uczniowie, którym nie śpieszyło się do domu. Między Sto Dziesiątą a Sto Dwudziestą Piątą większość białych wysiadła, zostali Latynosi i paru czarnych. Gdy dojeżdżaliśmy do Sto Czterdziestej Piątej, wagon był prawie cały czarny. Ściągaliśmy na siebie spojrzenia wszystkich. Żałowałam, że nie jestem ubrana jak pielęgniarka i że on wygląda jak Lyle Waggoner. Może czarni myśleli, że ten facet musi być kimś wyjątkowym, skoro potrafi zgarnąć czarną kobietę. Albo się zastanawiali, czy naprawdę wali taki szmat drogi z powodu call girl. Ale było gorzej, bo jechaliśmy aż na Sto Osiemdziesiątą, musiałam więc siedzieć i czekać, aż w końcu w pociągu zabrakło gapiów.

— Mieszkasz gdzieś tutaj?

— Nie.

— Tak pytałem.

— Zdaje pan sobie sprawę, że to dość niebezpieczne jechać tym pociągiem w to miejsce o tej godzinie?

— O czym ty mówisz. Minęła piąta po południu.

— Piąta po południu na Bronxie.

— I?

— Ma pan telewizor?

— Ludzie sami decydują, czego powinni się bać na tym świecie, Dorcas.

— Ludzie mieszkający przy Park Avenue mogą sami zdecydować, czy danego dnia zafundują sobie porcję strachu. Dla reszty z nas zasada jest prosta, mianowicie nie chodzisz na Bronx po piątej.

— To dlaczego jedziemy?

— Jedziemy? Ja nie jadę. Pan jedzie. A ja panu towarzyszę.

558

— Ej, przecież to ty opowiadałaś mi o kurczaku po jamajsku przy Boston Road, tak? Mówiłem ci, że nie jadłem niczego jamajskiego od tysiąc dziewięćset siedemdziesiątego trzeciego.

— Właśnie, bo każdy biały musi sobie zafundować emocje jak z *Jądra ciemności*.

— Nie wiem, co powinno wywrzeć na mnie większe wrażenie, to, że jesteś taka oczytana, czy to, że im bardziej się oddalamy od Piątej Alei, tym śmielszym tonem ze mną rozmawiasz.

— Co usłyszę w następnej kolejności? Że świetnie mówię po angielsku? A co, Amerykanie nie czytają książek w szkole średniej? Co do mojego tonu, to ponieważ zatrudnienie mnie okazało się błędem, może pan być spokojny, że jutro nie zobaczy pan nikogo z agencji. Ani Dorcas, ani innej kobiety.

— O, to dopiero byłby błąd o dalekosiężnych konsekwencjach — powiedział, ale nie do mnie, tylko do kogoś za oknem.

Rozejrzałam się po wagonie, żeby sprawdzić, czy ktoś przysłuchuje się naszej rozmowie.

— Ja chyba wiem, o co panu chodzi.

— Naprawdę? Mów.

— Z powodu tej choroby pan chyba chce igrać z ogniem. Nie musi się pan już bać niczego, to może pan robić, co się panu podoba.

— Może. A może, droga pani Freud, chcę po prostu wtranżolić pieprzonego kurczaka po jamajsku i jam, łyknąć ponczu, mając w dupie twoją tanią pseudopsychologię? To ci do głowy nie przyszło, co?

Dwaj mężczyźni podnieśli głowy.

— Przepraszam, ale dość się już nasłuchałem takich pierdół od syna i jego żony. Nie potrzebuję więcej, zwłaszcza od kogoś, komu płacę.

Trzej mężczyźni i dwie kobiety spojrzeli na nas.

— Dziękuję, że teraz wszyscy w tym pociągu myślą, że jestem prostytutką.

— Co? O czym ty mówisz?

— Wszyscy pana słyszą.

— Aha. O nie.

Wstaje. Otwieram szeroko torebkę i zastanawiam się, czy moja głowa wlazłaby do środka.

— Przepraszam państwa... Ja... Ja chyba wiem, co myślicie.

— Jaja pan sobie robi? Oni nic nie myślą. Siadaj pan.

— Chciałbym tylko powiedzieć, że Dorcas, o, ta tutaj, to moja żona, nie żadna prostytutka.

Wiem, że krzyknęłam w duchu. Nie wiem, czy krzyknęłam naprawdę w tym metrze, ale w duchu krzyknęłam wniebogłosy.

— Jesteśmy małżeństwem od ilu lat, złotko, będzie już cztery? I muszę przyznać, że ciągle jest tak jak pierwszego dnia, prawda, najdroższa?

Nie potrafię powiedzieć, czy ta kiepska obrona mojej reputacji to po prostu najlepsze, na co go stać, czy dobrze się bawi. Patrzę teraz śmiało na ludzi, którzy nieśmiało odwracają głowy. Starsza kobieta się śmieje, zakrywając dłonią usta. Też mam ochotę się roześmiać, żeby dać do zrozumienia, że nie biorę udziału w tej błazenadzie, ale mam ściśnięte gardło. Zabawne, bo nawet nie jestem na niego wściekła. Trzyma się poręczy, kołysząc razem z pociągiem, jakby zaraz miał zatańczyć. Zatrzymujemy się w Morris Park.

— Nasza stacja.

— Tak? Przecież to Morris Park. Myślałem, że wysiadamy na Gun Hill Road.

— Nasza stacja.

Gdy tylko otwierają się drzwi, wyskakuję z wagonu, nie czekając na niego. Nawet nie zerkam przez ramię. Nie miałabym nic przeciwko temu, żeby nie zdążył wysiąść, niech zapierdala aż do Gun Hill Road. Ale zaraz potem słyszę jego oddech za plecami.

— Boże, ale było śmiesznie.

— Peszenie ludzi jest śmieszne?

Stoję na peronie i czekam na przeprosiny, bo widziałam na filmach, że tego właśnie wymagałaby sytuacja.

— Może powinnaś zadać sobie pytanie, dlaczego tak łatwo cię speszyć.

— Coh?

— Uwielbiam, jak walisz jamajskim.

— Poważnie pan mówi?

— Do kurwy nędzy, Dorcas. Nie znasz nikogo z tych ludzi w pociągu, nigdy więcej ich nie spotkasz, a jeśli nawet, to nie będziesz pamiętała, jak wyglądają, więc kogo obchodzi, co oni sobie pomyślą?

Słodki Jezu Chryste, nienawidzę, gdy ktoś okazuje się rozsądniejszy ode mnie.

— Musimy zaczekać na następny.

— Pieprzyć to. Przejdźmy się.

— Chce się pan przejść. Po Bronxie.

— Tak jest, tak właśnie zamierzam zrobić.

— Wie pan, że prawie każdego ranka znajdują zwłoki w Haffen Park?

— Będziesz weteranowi opowiadała o trupach?

— Wie pan, zbrodnia wygląda trochę inaczej niż w *Sierżant Anderson*.

— *Sierżant Anderson*? Kiedy ostatni raz oglądałaś telewizję?

— Nie możemy spacerować po Bronxie.

— Nie bój się, Dorcas, w najgorszym razie pomyślą, że pomagasz mi kupić działkę heroiny.

— Powiedział pan „heroiny"?

Zapowiadało się bajecznie, ja imigrantka z wątpliwymi papierami idąca przez Bronx w towarzystwie białego dziwaka, wyraźnie z obcej parafii, któremu się wydaje, że wypił magiczny sok o nazwie jestem-biały-więc-niepokonany.

— I nie zadzwoni pan do rodziny?

— Pieprzyć ich. Warto będzie zobaczyć nową zmarszczkę na czole mojej synowej, zwłaszcza po tym ostatnim liftingu.

TRISTAN PHILLIPS

Aha, więc możesz wrócić na Jamajke, kiedy chcesz? Jesteś jak ci, co mówią, że w każdej chwili mogą odstawić here. Uważaj, panie Alex Pierce, bo spróbujesz troche Jamajki i ci będzie krążyć w żyłach jak niezdrowy słodki nałóg. Ale skończyłem już gadać zagadkami. Bo chodzi o to, że byś mie nie znalaz, jakbyś nie wiedział, gdzie szukać. Ta, ta, interesuje cie rozpad układu pokojowego, ale w takim razie weź mi wyjaśnij, jak chcesz sie o tym dowiedzieć, jak cie tam nie było od tysiąc dziewięćset siedemdziesiątego ósmego? Ja sie w ogóle dziwie, że ty o tym słyszałeś, bo nie było cie na wyspie, jak to sie działo. Będziesz gadał z Lucy? Brada, żarty sobie robisz. Lucy to klucz. Ja i ona to jedyni z rady pokoju, co ciągle żyją. Będziesz musiał ją odnaleść na Jamajce, młodzieńcze. Nie zastanowiło cie, jakim cudem my dwoje żyjemy, jak wszyscy inni nie żyją? Oczywiście, że nie, bo do tej chwili myślałeś, że jestem jedyny. Ale pamiętaj, wiesz, w papierach to ja oficjalnie też nie żyje. Wszyscy zgineli, zależy z kim gadasz, a to sie też tyczy Śpiewaka. Powiedz mi coś, słyszałeś, żeby ktoś kiedykolwiek zaraził sie rakiem?

Ciągle nie rozumiem, dlaczego ten temat tak cie jara. W twoich ustach to brzmi jak Dzień, w Którym Jamajka Zeszła na Dno, jakby wyspa mogła gdzieś pójść. To jakie było twoje ulubione miejsce na Jamajce? Trench Town? Kto wybiera Trench Town jako ulubione miejsce? Masz szczęście, żeś biały, eh? Pozwól, że cie o coś spytam, myślisz, że Trench Town byłoby ulubionym miejscem kogoś mieszkającego w Trench Town? Myślisz, że któryś z nich tam siedzi na schodkach i myśli sobie, no, to jes życie? Turyści to zabawne istoty, o rany.

A, nie jesteś turystą. Tylko mi nie mów, że poznałeś prawdziwą Jamajke. Miałeś tam panne? Aisha? Ładne imie, brzmi jak coś, co sie mówi, jak sie szczytuje. Miła była, kutasa ssała? Cha, cha, mie nie przeszkadza, biały chłopcze, ze mnie światowiec. Światowiec z Trzeciego Świata, ale jednak. Ile mamy dziś czasu? Nie ma ograniczeń? Na Rikers? Brada, z kim ty sie kumplujesz? Mimo to wracajmy lepiej do tematu.

Ja nigdy nawet dwa razy nie pomyślałem o Joseyu Walesie, dopiero jak mi Śpiewak o nim powiedział. Ale wtedy to już sie sprawy zadziały i człowiek widział znaki, każdy, nawet ten, co nigdy nie lubił Kościoła. No bo jakby jemu naprawde zależało na odstrzeleniu Śpiewaka, dokończyłby robote następnego dnia. Jemu na pewno chodziło o coś innego. No bo, kurwa, przyjść na podwórko Śpiewaka dwa lata później jakby nigdy nic? Mieć aż takie jaja? Lepiej nie wchodzić mu w droge. Teraz to łatwo powiedzieć, że pokój był skazany na porażke, bo ludzie z geta wojne mają we krwi. Ta, brzmi strasznie mądrze, ale musisz zrozumieć, wiesz, jak to jes, jak sie pojawia nowa, świeża nadzieja i ona nawet ma swój kolor? Jak coś, co chowasz w zakamarku głowy, bo przecież nigdy sie nie stanie, a tu nagle wygląda, że jednak naprawde może sie stać. Jakbyś sie zorientował, że umiesz latać. Nas krowa nie wysrała, jak mówimy, w sensie nie jesteśmy naiwniaki. Nie jesteśmy idioci. Wszyscy wiedzieliśmy, że ten pokój to dziewięćdziesiąt procent szans na porażke, ale człowieku, w całym naszym życiu dziesięć procent nigdy nie wyglądało tak słodko. Wystarczyło sięgnąć. No to jak Shotta Sherrif do mie powiedział, że musze przewodniczyć tej radzie, to było, jakby pierwszy raz ktoś na mie popatrzył i zobaczył coś innego nawet od tego, co sam w sobie widze. Ja...

Znowu sie pogubiłem.

Potem ani sie obejrzysz i załatwili Coppera, załatwili Papa-Lo. Ja najpierw myślałem, że to policja wyrównuje rachunki, skorośmy przestali sie pilnować. Albo gorzej, że to partie polityczne, bo one wcale pokoju nie chciały, próbują sie go pozbyć przed następnymi wyborami. Ale już gadaliśmy o inteligencji policji. I nawet politycy by nie chcieli, żeby wyszło, że oni niszczą pokój. No to trzeba było szukać dalej. Policja zabiła złych ludzi, bo jes wendeta. Ale oprócz tego, że mogą poparadować z trupem po dauntaunie, to nie mają innej korzyści z zabicia nikogo. Trzeba główkować. Kto po tych zabójstwach przeskoczył wyżej, niż stał wcześniej? Tylko jeden człowiek.

Josey w Pizde Jebany Wales.

Papa-Lo nie żyje i teraz on rządzący don w Kopenhadze. Shotta Sherrif nie żyje i od tej pory ekipy LPN-u w Nowym Jorku idą w rozsypke, w tym moja własna. Wszyscy w Nowym Jorku popalają, wciągają, grzeją białą żone, a Kolumbia potrzebuje człowieka z umiejętnościami, co potrafi rozprowadzić towar dalej po Stanach. A nawet po Angli, jak słyszałem. Weź uwal układ pokojowy, a zrobisz pewnym politykom taką wielką przysługe, że przez całe życie ci sie będą odwdzienczać. Wykończ wszystkie ruchy Jah i Amerykanie przestają sie bać, że sie zrobimy druga Kuba. Ja nic nie wiem na sto procent, ale daje głowe, że niektórzy ludzie, może nawet wysoko w straży przybrzeżnej, urzędzie imigracyjnym, celnym patrzą w drugą strone, jak sie zjawiają pewne statki i samoloty, bo jeden facet dał im Jamajke na talerzu w tysiąc dziewięćset osiemdziesiątym.

Brada, jakby ludzie tacy jak ja wiedzieli, dlaczego lądują w więzieniu, toby nie lądowali w więzieniu. Możesz śmiało zacząć tak pierszy akapit swojej książki, nazwij to mądrością geta czy coś, jakkolwiek cokolwiek wy biali piszecie, jak sie nadziejecie na szemranych czarnych. Ta, ja też czytam, panie Alex Pierce, więcej niż ty. Rany, tacy jak ja cie ekscytują, nie? Postaw białego redaktorka obok jego własnej wersji Staggera Lee, a od razu mu palma odbije. To dlatego, że nie masz własnej histori? A jednak gdzieś we mie głos mi mówi, że to twoja historia, nie moja. Interesuje cie jakiś rok po tysiąc dziewięćset siedemdziesiątym ósmym? Może osiemdziesiąty pierwszy? Działo sie wtedy, Śpiewak trafił do miejsca zwanego niebo, a ja trafiłem do miejsca zwanego Attica.

564

Co, wydaje ci sie, że człowiek przyjeżdża na Rikers, bo przeczytał prospekt turystyczny? Na Rikers to trzeba awansować, brada.

No w każdym razie, chociaż wiedziałem, że ta ciota Beksa nie będzie mie próbował dorwać drugi raz, to nie wiedziałem, czy Josey Wales nie spróbuje. A przy okazji, spotkałeś tego brada? Nie? Gadasz o pokoju i nie poznałeś... nieważne. Naprawde nie mogłem wiedzieć, co on planuje, więc sie spiknołem z Ranking Dons. To proste, Storm Posse, czyli Josey Wales, to Kopenhaga, a Ranking Dons to Osiem Ulic. Osiem Ulic to był mój teren, od kiedy buldożery rozjechały Balaclave, więc gdzie indziej mogłem iść? Nie, słońce, walka polityczna nie kończy sie tylko dlatego, że sobie zmienisz pole bitwy. Ja potrzebowałem mieć więcej luf za sobą, a oni potrzebowali rozumu, bo małe skurwysynki nie potrafiły sie nawet zorientować, kto co sprzedaje na której ulicy albo którą ulice miał ostrzelać Eubie Brown i jego Storm Posse.

Nie ma problemu, brada, spokojnie zmień kasete.

W każdym razie jedno trzeba powiedzieć o Storm Posse i Eubiem, a nawet o Joseyu Walesie. Mogą skosić całą kolejke ludzi przed kinem, żeby dorwać jednego, ale przynajmniej mają troche klasy. No, przynajmniej Eubie ma troche klasy. A może po prostu umie nosić jedwabny garnitur i nie wyglądać jak alfons? Ale moja załoga? Same parszywe wstrętne czarnuhy. Tak jak tamtego razu, co szefu usłyszał o jednym z Jamdown, co sie osiedlił w Filadelfi, że dostał dużą porcje zioła, ale chociaż był z Kopenhagi, nie miał ochrony od Storm Posse, bo kretyn myślał, że jej nie potrzebuje. No to szefu nas wysłał do Filadelfi.

Tak sie nie spodziewał, żeśmy normalnie z ulicy mu weszli do domu. Nawet drzwi nie zamknął na klucz. W ogóle sie nie zachowywał jak taki, co ma duży zapas. Pamiętam, że powiedziałem Ranking Dons, że jak ten zapas jes dla Eubiego, to będzie następna wojna przynajmniej na jednej z pięciu dzielnic. Ale oni byli pewni, że facet jes niezależny, jakby sie potknął o całą dostawe zielska na ulicy i ją przytulił. W każdym razie widzi, że wchodzimy, i biegnie na piętro po broń, bo przy sobie nie miał. To ja sie siebie pytam, co to za amator? Nie ma wątpliwości, Ranking Dons przysłali mie pod właściwy adres, bo facet sie nie zachowywał, jakby miał coś cennego do ukrycia. Ten jebany kretyn, co był ze mną, mówi, że może to jakiś odwrotny mehaniz psychologiczny, no wiesz, że jak sie zachowuje, jakby nie miał nic do stracenia, to może pomyślimy, że jes czysty, i damy spokój. Niechętnie musze przyznać, że możc to miało jakiś sens. No to go związaliśmy i daliśmy troche po mordzie, żeby oddał towar, albo zrobi sie nieprzyjemnie. Nie zdążyłem nawet powiedzieć, jak nieprzyjemnie, bo ten pierdolony kretyn jeb go prosto w usta. Co z tobą, kurwa?, pytam, a ten sie tylko uśmiecha jak kretyn. Teraz wszystko wyśpiewa, mówi. Jak wyśpiewa, jak żeś mu uszkodził to, czym ma śpiewać, niedorozwinięty kretynie?, pytam, to sie wreszcie zamknoł, ale posłał mi takie długie spojrzenie, jakby myślał, że takim gównem napędzi mi stracha.

Jakby tamta nie wrzasnęła, tobym w ogóle nie wiedział, że facet ma żone. Chciała uciekać, ale nie ucieknie sie daleko z dzieckiem na ręku. Posadziliśmy ją na krześle, ja wziołem dziecko, bo ten pierdolony kretyn chciał je położyć na zimnej podłodze. Trzy razy pytam tamtego o towar i trzy razy on mi mówi, że nic nie ma. Ja wiem, że kłamie. Bo czemu miałby mówić prawde? W końcu stawka na razie niska. Tamten pierdolony idiota przez cały czas patrzy sie na tą żone i skrobie sie po jajach. Wyciąga noge i stopą zadziera jej sukienke, odsłania zielone majtki. Zielone? Czemu nie różoweh?, pyta. Ja już mam powoli dosyć tego domu, tego faceta, jego żony i tego pierdolonego kretyna, a nawet tego dzieciaka, co mi zasnął na ramieniu, gdy nagle pierdolony kretyn mówi: yo, młodzieńczce, ty pilnuj, ja zajrze do cipki, zamocze ogórka, jes tak? Nie zdąże nic powiedzieć, bo zsuwa spodnie i łapie sie za fujare przez majtki. Ty jedna z tych sprośnych Amerykanek, lala? Dajesz, obciągaj, tylko żebym sie nie spuścił, za nim cie wypierdole. Aha, i żadnego buzi, buzi.

— Nie będziesz jej gwałcić — mówie do pierdolonego kretyna.

— Ej, a bo co, kto mi zabroni, ty?

Powiedział to, jakby mi rzucał rękawice. Myśle tak, kurwa, ten pierdolony idiota zerżnie te biedaczke na oczach jej dziecka, a ja nic nie moge zrobić, bo wszystko od samochodu po hotel wynajęte na jego nazwisko. Żona krzyczy, a on ją z pięści w ryj.

— Co z tobą, w pizde?

— Nic ze mną, pokazuje dziwce, że milczenie złotem.

Ściąga gacie i mówi:

— Rozkładasz nogi i wystawiasz cipe czy musze cie siłą?

Ona płacze i patrzy albo na mie, albo na dziecko, ciężko powiedzieć.

— Brada, wciągaj gacie.

— Pierdol sie, wciągne, jak sie spuszcze.

— Chcesz zgwałcić kobiete na oczach jej faceta?

— Niech patrzy i sie uczy, jak sie obrabia panny.

— Brada, a ja ci mówie, że nie będzie gwałcenia.

Na to on celuje we mie z klamki. Zamknij morde, mówi. Ona pyta, czy ma kondoma, a on do niej, że te kondomy to zaplanowany podstęp, żeby wykończyć czarną rase. Poza tym w kondomie to on traci swoją nature.

Patrze, jak jej na siłe rozsuwa nogi, tamten patrzy na mie, ja patrze na dziecko. I nagle mówi, w piwnicy za biblioteczką. Ale mam tylko pięć toreb. Chyba dodał prosze, ale nie usłyszałem dokładnie, bo żona stęknęła, pierdolony kretyn ścisnął ją za cycka. A potem ją pociągnął na podłoge.

— Brada…

— Spierdalaj.

— Kretyn jesteś? Bierzemy zioło i nas nie ma. On nie może zadzwonić na policje. Ale jak ją zgwałcisz, policja tu będzie i nas dopadną przed granicą stanu.

— To ich pozabijamy.

Rzucił to tak przez ramie. Ej, ja nie mam problemu z powystrzelaniem klubu pełnego pizdocipów, ale nie będe kasował całej rodziny tylko dlatego, że popełnili błąd, bo im sie wydawało, że mogą na własną ręke handlować.

— Ile razy siedziałeś w pudle, pacanie?

— Kogo nazywasz pa…

— Pytam, ile razy siedziałeś w kurewskim pudle.

— Raz i na pewno już nie wróce.

— No to jak ją zgwałcisz, wsadzą cie za gwałt. Jak ją zabijesz, wsadzą cie za morderstwo. Bo może nie zauważyłeś, ale tylko jeden z nas ma rękawiczki, i to nie ty jesteś tym cwanym skurwysynem.

Popatrzył na mie, jakbym go wpieprzył w zasadzke, ale sam niech ma do siebie pretensje za głupote. Zwłaszcza że przez całą jazde zachowywał sie jak don nad donami.

— To może jednak wciągniesz portki i pójdziesz po te zioło?

Idzie do piwnicy i wraca tylko z czterema torbami. Torby duże jak ten papier, na którym piszesz notatki. Tym razem tamtego sam jebłem kolbą. Kurwa, nie kłam mi tu, mówie, bo zaraz sobie pójde, a wtedy mój kumpel zatańczy z twoją żoną, jak będzie chciał. Rozpłakał sie, biedny skurwiel, pewnie nie wiedział, w co sie ładuje. Jak ta kobieta potem z nim została, to miłość nie jes ślepa, ale jeszcze w dodatku głucha, durna i kretyńska. Mówi mi, że ostatnia torba w sypialni. Pierdolony kretyn znalaz ją pod łóżkiem, plus trzy sztuki broni, które wyraźnie chciał sobie zabrać. W dupie to miałem, nie chciało mi się mu tłumaczyć, że tą broń cholernie łatwo namierzyć. Poza tym coś mi mówiło, że ta parka nie zgłosi nic na policje. Wredne czasy, co? Ale przynajmniej z Joseyem Walesem jes tak, że jak mówił, że będzie pięć toreb w domu, to możesz wierzyć, że jes pięć. A z Ranking Dons to jes tak, że oni nawet nie umieją normalnie wyjść przez otwarte drzwi.

Wiesz co, panie Pierce? Widze, że za każdym razem jak wspomne Joseya Walesa, to podskakujesz. Troche, ale jednak. Tik nerwowy, eh? Seaga ma taki tik. Ty podskakujesz. Chyba już wiem, po co przyszłeś sie ze mną zobaczyć. Wszyscy, co muszą wiedzieć, to wiedzą, że był taki czas, że Josey Wales chciał mie sprzątnąć, ale teraz już wyraźnie odpuścił. Pytanie za milion dolców brzmi: skont ty wiesz, że jes zlecenie na ciebie?

BEKSA

Mówię ci, przyłapałam tą pierdoloną dziwkę, jak próbowała obciągnąć mojemu synowi za kieszonkowe. Ta spasiona, co tam stoi przy drzwiach. Myślisz, kurwa, że ślepa jestem? On ma dopiero dwanaście lat. Nalazło tu tych wszystkich obleśnych kurwiszonów z zasyfionymi cipami, co się puszczają za działkę. Mówiłeś, że ich tu nie będzie, że twój interes jest prawie legalny i takie tam. Wiesz co, w czarną dupę możesz mnie pocałować. Aha, i jeszcze jedno...

Bushwick. Słońce już dawno zaszło, ale na Bushwick zawsze jest kurewski upał. Ten babiszon stoi przede mną, wali mi od niej czosnkiem prosto w nos. Powieki pomalowane, ale zero szminki, na łbie sie suszy trwała à la wczesny Michael Jackson. Brzuch sterczy jak balon ze spodni. Jesteśmy na ulicy, ona mi pokazuje tą kurwe, co idzie, biegnąc.

— Nie uprzedzałeś, że zrobisz tu kwadrat z crackiem. Dosyć mam tego gówna. Te budynki to własność miasta, nie twoja.

Ona tu nie mieszka. Mieszka w jednym z tych domów na przeciwko, ciąg wolno stojących, z cegły, przez które Bushwick wygląda jak Bronx. Przed jej płotem trzech czarnych chłopaków i dziewczyna naprawiają rower, ale ten płot nie chroni żadnego trawnika, tylko beton. Pięć domów po drugiej stronie, każdy z ogrodzeniem z żelaza. My stoimy przed moim budynkiem, na drugim piętrze odchodzi handel. Radiowóz za bardzo sie kręci po ulicy, więc musimy sie zwinąć do środka, wydzielamy dilerom takie porcje, żeby sprzedawali po trochu — na tyle mało, żeby policja miała to w dupie. Tak jest lepiej, przynajmniej można to kontrolować. Miasto zawiaduje budynkiem, kręcą sie tu bezdomni i my. Siedzą cicho, a ja już pilnuje, żeby im sie to opłaciło. A jakby chcieli puścić farbe, to na wszelki wypadek przypominam zarządcy, że jak policja zrobi na nas nalot, to koniec z odpalaniem mu działki. Niejeden zarządca na Brooklynie chciałby mieć udział w tym biznesie, który rozkręciłem. Ale Bushwick to jedno wielkie gówno. Na East Village nigdy nie miałem najmniejszego problemu, na Bushwick za to co tydzień coś pieprznie. Patrze i aż do skrzyżowania nie widze ani jednej czujki, ani kuriera.

Dwie prawie puste ulice dalej czujka siedzi sobie na krawężniku z jamnikiem napieprzającym na całą moc o tym, że świrusy wychodzą w nocy. Młodziak próbujący dorosnąć do za czystych adidasów. W zeszłym tygodniu nie miał ani jamnika, ani adidasów. Zobaczył mie dopiero, jak przed nim stanołem.

— Odsuń sie, kurwa, dziwko jeden, mam teraz wolne — mówi, nie podnosząc głowy.

— Popatrz na mie, pizdocipie.

Zerwał sie na nogi razem ze swoimi piętnastoma latami i stanął na baczność.

— Tak jest!

— Co my, w wojsku?

— Nie, prosze pana.

— Co sie dzieje?

Wbił oczy w ziemie, jakby sie bał powiedzieć coś, co mi sie nie spodoba.

— Brada, twoje zadanie to przynosić info. Nie zabijam posłańca. Co sie dzieje?

Ciągle patrzy w ziemie, ale teraz coś mruczy.

— Co?

— Nic, człowieku. Gówno sie dzieje od kilku dni.

— Pierdolisz. Co jest, pewnego pięknego dnia wszyscy kokso obudzili sie i przerzucili na here? Rynek wyseh?

— No…

— No co?

— Jednemu brada znudziło sie przysyłać tutaj klientów tylko po to, żeby wracali i mówi, że szukali wiatru w polu, bo na tej ulicy nie ma nikogo z towarem. Zero ustawek. Ja robie swoje, klienta potrafie rozpoznać na kilometr. Podchodze do nich na spoko i mówie: jo, Bushwick to świeżyzna, macie ochote na coś dobrego, crack czy inne gówno, kiwają głową i od razu kieruje ich na meline, zanim zaczną mi pierdolić jak koksy.

— Wiesz, gdzie jest melina?

— Wszyscy wiedzą, gdzie jest pierdolona melina. Tylko nie chcą sie ze mną zadawać. Przeważnie jest dwóch, trzech naganiaczy, prowadzą ich do źródła i gówno trafia z rąk do rąk, ale od czterech dni ludzie wracają mi tędy i mówią, że chuj, bo nie ma naganiaczy na ulicy. I nie ma dilerów. Twój goryl tak miał dosyć tego gówna, że sie wyniós i znalaz sobie normalną robote na Flatbush.

— Gdzie sie podziali?

— Pojęcia nie mam. Nikt już nikogo nigdzie nie kieruje. Twoi dilerzy nie dilują.

— A co, kurwa, robią?

— Może idź na meline i sam zobacz.

Patrze na tego gówniarza strugającego gościa i myśle, żeby mu albo dać kolbą w ryj, albo awans. Do kurwy nędzy, Josey tu będzie za niecałe pięć godzin.

— I ej, nie było klientów, żeby ich wypatrywać, to wypatrzyłem co innego, yo. Od dwóch dni taki pontiac gówniany sie tu kręci, daje głowe, że te czarnuhy to Ranking Dons. Już obwąchują, bo wiedzą, że nikt nie pilnuje.

— Jak na takiego gówniarza to bystry jesteś.

— To może zarobiłem chociaż na te buty.

Patrze na chłopaka i już wiem, że będe go potrzebował, żeby wyprostować sprawy na Bushwick przed przyjazdem Joseya. Nawet nie zauważyłem, że ten cholerny babszytl za mną przylaz.

— Najpierw ten zarażony kurwiszon przychodzi mi aż pod samą furtkę, zadziera kieckę, zero majtek, i mówi mojemu synowi, że może zaliczyć cipę za dwa dolce. Dobrze, że stałam w oknie, dlatego usłyszałam, co się dzieje. Zanim się obejrzałam, przylazły za nią trzy takie parszywe szlaje, bo myśleli, że u mnie melina, a to przecież w twoim budynku.

W moim budynku. Melina. Najgorzej strzeżona tajemnica w Nowym Jorku. Czerwona cegła jak czerwona ziemia na Jamajce, w każdym pokoju dwa okna wychodzące na ulice. Pośrodku schody przeciwpożarowe. Trzy stopnie do wejścia pod kopułą, jakby to była elegancka kamienica, ale jedyni bogacze, co mieszkali kiedykolwiek na Bushwick, to robili piwo. Ja i Omar sterczymy na dworze już prawie dziesięć minut i nawet ta kobieta, co tu mieszka, w oknie na przeciwko, wie, że sie zjawiłem, a żaden diler ani goryl jakoś sie nie pokazał. Chłopak ma racje, zero naganiaczy w zasięgu wzroku.

— Omar, idź sprawdź w środku. Zobacz, czy te dwa piździelce tam są.

— Ta.

Omar patrzy w lewo, patrzy w prawo. Nawyk. Potem śmiga obok kurwiszona do wejścia i pcha letko drzwi. Od razu sie otwierają. Chujowo, zły znak. Już chciałem mu krzyknąć, żeby wyciągnął klamke, ale sie okazało, że nie ma takiej potrzeby. Przy krawężniku stoi furgonetka na cegłach, czeka na kogoś z kołami. Dzieciaki reperujące rower przepadły na stacji metra. I ta baba wrzeszcząca, że nie obchodzi jej, czy jakiś czarnuh chce robić interesy, biznes to biznes, okej, a jak jakiś czarnuh czy inny kokso chce bulić pieniądze na to gówno, to jego sprawa, ale nikt jej nie uprzedził, że tu będzie magazyn koki. Poza tym co za geniusz zakłada meline dwa metry od miejsca, gdzie sprzedają towar? Już jej miałem powiedzieć, żeby sie szła pierdolić, bo jak ćpun dostanie troche koksu, to go pili, żeby od razu zrobić z tego użytek, więc melina, co jest blisko, z większą ilością towaru, oznacza dwa razy większy obrót i zysk. Poza tym nie muszą sie bać, że policja znajdzie przy nich jakiś sprzęt. Ale to nie do mie należy, żeby tłumaczyć sie tej dziwce, jakby była moją nauczycielką w szkole.

Omar przy drzwiach kręci głową. I dopiero wtedy dociera do mie, że chłopak miał racje, że zostawili ulice i poszli na meline.

Dwa przystanki dalej na zachód, róg Gates i Central. Ostatnie dwa budynki przy ulicy, których nikt nie podpalił ani nie zaprószył niechcący ognia. Przy prawie każdym skrzyżowaniu i ulicy na Bushwick jest taki dom, mieszkanie albo kamienica spalona do fundamentów, żeby zgarnąć wypłate z ubezpieczenia, bo nikomu jeszcze nie udało sie sprzedać nieruchomości na Bushwick. Jesteśmy na rogu Gates i Central. Melina.

— Pierdoleni Jamajczycy, zachowują się, jakby byli nie wiadomo kim, kurwa. Nie jesteście nie wiadomo kim, kurwa. Nie potraficie nawet kontrolować własnych spraw. Gówno umiecie. Wam trzeba wziąć kogoś takiego jak ja, żeby wam prowadził interesy, bo wy nie umiecie nawet...

Reszte wciskam jej fangą z powrotem do gardła, aż sie zatacza. Potrząsa głową, chce krzyknąć, ale dostaje drugi raz z piąchy. Łapie ją za pierdolone gardło i ściskam, aż gdacze jak kaczka.

— Słuchaj, jebana tłusta dziwko, już mi uszy pękają od tego twojego jazgotu jak od piździelskiego moskita. Nie dostajesz pieniędzy co tydzień? Chcesz mieć pieniądze czy ołów we łbie, wybieraj które. Które, kurwa? Aha. Tak myślałem. A teraz won mi z oczu, bo inaczej zrobie sobie z tego twojego tłustego bebzola tarcze strzelniczą.

Bierze dupe w troki i dzida. Ruszam na meline. Omar i chłopak za mną.

Tablicy o rozbiórce ktoś używa jak stołu. Nie musiałem patrzeć daleko. Jeden z moich dilerów na materacu w pierwszym pokoju, na lewo od drzwi. Wygląda, jakby właśnie zrobił sobie strzał, fajka zwisa między palcami, jakby mu zaraz miała wypaść, ale sie zorientował i zacisnął palce. Nie widze jego oczu.

— Ej, piździelec, podbierasz sobie z towaru na handel?

— Aocooo biegaaaa, brada? Przyszłeś zaliczyć? Nie ma sprawy, nie jestem samolub, podziele sie.

— Piździelcu, kto pilnuje bajzlu, jak ty tu jesteś?

— Bajzlu?

— Bajzlu. Miałeś pilnować towaru. Miałeś wydawać porcje aptekarzom. A gdzie oni?

— Aptekarzom? Aptekarzom... Że jak, apte... To chcesz działke czy... Bo wezme wszystko, jak nie chcesz.

I patrzy na mie, jakby wiedział na pewno, że wezme.

— Dociera do ciebie, że spierdoliłeś robote? Teraz musze znaleść nowego detaliste, nowego dilera, nawet nowego goryla, a to wszystko w cztery godziny, bo mi sie jebany diler zmienił w ćpuna...

— Diler w ćpuna...

Powtarza jak echo, bo spać mu sie chce.

Nawet nie mam ochoty zaglądać głębiej, ale nagle ta sama, co chciała gówniarzowi obciągnąć, wsadza łeb do środka, jakby znała tego tam. Albo mie. Macham do niej klamką, ale sie nie boi, tylko patrzy z góry na dół i dopiero po chwili znowu znika w ciemności. Omar przy oknie. Miasto zabiło okno dechami, ale ćpuny zrobiły dziure. Na materacu mój diler z zapalniczką.

— Gdzie twój numer dwa? — pytam.

— Kto?

— Wiesz co? Wstawaj, bo ci spuszcze wpierdol.

Patrzy na mie. Najpierw gały nieprzytomne, ale potem jakby troche sie budzi, a może po prostu pierszy raz mi sie przygląda.

— Nie będzie mi rozkazywał jakiś ciota, co mu kisiel kapie z japy.

Patrze mu w oczy, podnosze broń i jednym strzałem wywalam dziure w jebanym czole. Opada na materac, ciągle na mie patrząc. Łapie go za lewą noge i ciągne pod okno. Kobieta znowu w drzwiach, zagląda do środka, pochyla sie, bierze jego fajke. Celuje do niej.

— Won, bo zajebie.

Odwraca sie i wychodzi, ale tak samo powoli, jak weszła. Podciągam go wyżej i sadzam, że widać, jakby siedział w kucki. Ręce mu zakładam na kolana i pochylam głowe, jakby spał albo sie budził po chujowym odlocie. Z kieszeni wypadają mu dwie porcje. Wkładam fajke, zapalniczke i działki do kieszeni. Omar czeka na mie na zewnątrz.

— Znajdź drugiego dilera — mówie. — I przyprowadź mi zaraz tego pierdolonego czujke.

JOHN-JOHN K.

urwa, chciałbym mieć to już za sobą. A przynajmniej chciałbym nigdy nie spotkać tej latynoskiej dziwki. Albo nie wpaść na Baxtera. Albo nie pójść do tego pierdolonego klubu. Albo żeby ten jebany chłopak nie dał mi powodu, żeby polecieć do Miami. Bo wtedy byłbym teraz z powrotem w Chicago i szukał tego drugiego jebanego chłopaka, który na pewno nie tęsknił za mną nawet przez minutę. Cześć, skarbie, przepraszam, wróciłem. Tak? W ogóle nie zauważyłem, że cię nie było, a przywiozłeś może jakieś poppersy? I to by było tyle, nie? Okrutna prawda. Jak to się, kurwa, stało? Czy to wystarczyło, żeby kogoś potrzebować — tyle że, kurwa, ten ktoś nie potrzebuje ciebie? No, był ten jeden raz. Ten jeden raz, kiedy...

— Tatuśku, sypnąłbyś trochę kasy? Przydałoby się też trochę drobnych na taksówkę, żeby wrócić na gejowo.

Dałem mu piętnaście dolców. Spojrzał na mnie dziwnie, a potem wcisnął forsę do kieszeni. Skąpa ciota, szepnął i podciągnął spodnie. Gdyby to było rok wcześniej, dostałby w pysk. Zatoczyłby się, zaplątał we własne spodnie i przewrócił. Miałby twarde lądowanie, walnąłby głową w stolik. Złapałbym go, półprzytomnego, wyciągnął na drabinkę przeciwpożarową i zadyndał nim z balustrady. Skąpa ciota, tak? To ci pokażę, kto tu jest skąpa ciota. Wciągnąłbym go z powrotem, ale dopiero jak by się zeszczał w dżinsy. Teraz wziąłem na wstrzymanie, odpuściłem mu.

Nie ma podręcznika na temat likwidowania ludzi, ale gdyby był, występowałbym na pierwszym obrazku w pierwszym rozdziale — przykład, jak spieprzyć robotę. Zimny jak lód, gdzie tam, lodowaty jak lód, gładki jak skurwysyn i trochę świr. Nie ja, ja jestem partacz z Chicago, łajza, cienka skóra i chujowy charakter,

facet, któremu fuksem udało się wejść do branży, do której nie
miał prawa wejść. Popisowe krojenie wózków oraz spartaczo-
ne zlecenie na West Side, w tym czasie czarna przestrzeń, mgła
zamiast wspomnień. Przed poznaniem tego chłopaka nie miałem żadnego powodu, żeby zapamiętać czyjkolwiek numer telefonu. I jebać go za to. Skurwysyn pewnie siedzi w domu i nie
odbiera.

Późno się robi. Wiem, bo Griselda zadzwoniła pół godziny
temu, kiedy ostro ruchałem towara. Powiedziała, *chico*, masz mało
czasu, i jednocześnie kazała synowi zgasić ten pierdolony telewizor i zjeść tamale.

Jamajczyk. Jej fagasy w hawajskich koszulach dały mi dobry
adres. Przez chwilę miałem wątpliwości, bo gówno wiem o Flatbush, a te chłopaki to jebane gamonie. Osiemnasta Wschodnia, mieszkanie numer cztery jeden zero sześć, czwarte piętro
w sześciopiętrowcu bez windy. Duży pokój z oknem na wschód,
żeby podziwiać budzące się słonko. Griselda mi pozostawiła usta-
lenie, czy facet jest w domu. Dobry stary Nowy Jork, cała ulica to
sześciopiętrowe budynki bez windy, tak samo przez dwie przecznice. Przynajmniej nad wejściem wisi niebieska markiza. Uznałem, że poczekam po drugiej stronie ulicy, aż się ściemni, no bo ej,
wyelegantowany biały facet w ogóle nie rzuca się w oczy, prawda?
Pozostałe budynki stanowiły żywy dowód, że czarni w Nowym
Jorku nie są estetami. Estetami. Ja jebię, wystarczy mnie posłuchać,
pierdolona ciota jestem.

Dość wyelegantowany biały facet z jasną czupryną spod ma-
szynki, w kurtce z demobilu. Niewiele brakowało, a wziąłbym tę
atomową walizę, którą mi dostarczył Różowy Hibiskus, w środku jebane uzi, bo pewnie tak właśnie załatwiają wonty w Miami.
Z lubością tłumaczył mi, na czym polega moja robota. Wytyczne:
użyć i porzucić. W stylu mafiosów. Ale miałem zlikwidować jednego człowieka, a nie całą grupę etniczną, więc poprzestałem na
swojej dziewiątce. No dobra, na dziewiątce i amt, bo cacuszko
potrzebuje wsparcia. Jezu Chryste, chciałbym, żeby mi to gejowo

nie wchodziło tak do głowy, jest coraz gorzej, im dłużej siedzę w tym gównianym mieście. Amt, jak będzie trzeba podejść blisko, *muchacho*, powiedział Różowy Hibiskus. Może w gadaniu o gej-radarze naprawdę jest jakiś sens, bo gdybym został jeszcze jedną noc w Miami, ten *pendejo* wlazłby we mnie kutasem aż po jaja. Na bank, kurna. Jak w hotelu popatrzyłem na to uzi, pomyślałem, to kogo, kurwa, ja mam sprzątnąć, któregoś z Kennedych? Teraz pozostało czekać.

Chicago. Jest w domu, nie? Skulony w kącie gdzieś w mieszkaniu, nie odbiera pierdolonego telefonu, chłopak, który nienawidzi łóżka. Może siedział dawniej skulony jak ptak przed łóżkiem tatusia, próbując wymyślić, jak zabić ojca, pracowałeś kiedyś *pro bono*? Rany, wiem, że spieprzyłem sprawę. Że zachowałem się mało elegancko, po chamsku, prawie w ogóle nie myślałem. I jakby głupio. A ludzie przez całe lata ostrzegali mnie, że mam krewki temperament, nawet mój stary, chociaż był przekonany, że i tak brak mi ikry, żeby przeciwstawić się agresji.

Drugie zlecenie, na Southside w dodatku, skasować tego bandziora z rogu Czterdziestej Ósmej i Ósmej, który machlował księgi. Nie poszło zgodnie z planem, ujmując rzecz delikatnie. Facet był tak kurewsko gruby, że kule grzęzły w sadle, a ten potwór tylko się śmiał. Dopiero po chwili, gdy nazwał mnie cipą cip-cip, dotarło do mnie, że powinienem celować w głowę. Ale nawet jak dostał w lewe oko i potylica rozbryzgała się na łóżku i ścianie, śmiał się i nie mógł przestać.

Strzelałem i strzelałem, podchodząc coraz bliżej, aż został tylko kikut szyi i luźne włosy. Ten śmiech prześladował mnie do wylotu Ósmej Ulicy, nie mogłem przed nim uciec.

Po powrocie do mieszkania zrobiło mi się kurewsko zimno i dostałem dygotu. Ten śmiech wcisnął mi się pod skórę. Rocky mnie dotknął, złapałem go i przyparłem do ściany. Potem puściłem chłopaka, pozwoliłem mu mnie rozebrać, jakbym był dzieckiem, zanieść do wanny, a tam pogłaskał mnie po głowie i odkręcił ciepłą wodę. Już dobrze, kochany, już dobrze, powtarzał przez całą noc. Ten pierdolony chłopak to ostatnia rzecz, o jakiej powinienem myśleć, gdy mam zlecenie do wykonania.

No i się teraz, kurwa, rozklejam na Flatbush. Zachowuję się jak kretyn, bo ta ciota ma mnie w garści, ten chłopak, który jest bardziej oziębły niż bryła lodu, bo się zadał z facetem, który zabija ludzi, bo prędzej czy później zabije też tego, od którego to wszystko się zaczęło, tego, przez którego taki właśnie się stał. Pierdolę to, pociągnę za spust i wywalę wielką dziurę w tym kurewskim świecie, zabiję tych macho i te dzieciaki, które mnie przyłapały na patrzeniu na innego dzieciaka pod prysznicem, i wszystkich, którzy ściągali mi ręcznik, żeby zobaczyć mojego pindola.

Spieprzę zlecenie, jak będę się tak nakręcał. Pozostało tylko czekać na drugi telefon od Griseldy. Albo może pokaże się któryś z Koszul Hawajskich, bo na pewno wysłała co najmniej jednego, żeby mnie przypilnował, a potem posprzątał. Może Różowego Hibiskusa, bo on dużo wie o klubach, więc może pozwoli mi odejść, jak mu obciągnę. Bo nawet kiepskie ciągnięcie druta sprawia, że mężczyzna zamyka oczy — w nadziei, że zaraz będzie lepiej. Potrzebowałem tylko sekundy, żeby chwycić za broń, przestrzeliłem mu głowę spod podbródka, zobaczyłem, jak krew bryzga na sufit. Wolałbym być z powrotem w Chinatown i kraść samochody.

Trzy metry ode mnie, budka telefoniczna.

— Halo?

— Rocky? Gdzie byłeś, do cholery? Odpowiedz, szlag by to trafił.

— Cześć, John-John.

— Dzwoniłem. Mnóstwo razy.

— Muszę odespać.

— Więc pewnie miałeś kurewsko ciężki dzień.

— Nie, nie bardzo. Zastanawiałem się, jaką kartkę wysłać tacie na urodziny. Co roku wysyłam. Po co dzwoniłeś?

— Co? E? Jak to po co? Co masz na myśli?

— Zawsze wyraźnie mówię, co mam na myśli. Po co dzwonisz?

— No bo, no bo…

— Obejrzałem mocno przygnębiający odcinek *M*A*S*H* i jeszcze bardziej przygnębiający odcinek *One Day at a Time*. Albo Lou Grant, albo łóżko. Chociaż w tym odcinku było o fajtłapowatej cizi o skłonnościach samobójczych, ale to dopiero pierwszy odcinek, znaczy mam na myśli *One Day at a Time*. Czego chcesz?

— Co? Niczego nie chcę.

— Naprawdę muszę się przespać.

— To śpij, kurwa.

— Że jak? Masz problem, co?

— Nie mam problemu. Tylko to jakiś fenomen, nie? Jak ktoś, kto cały dzień nic nie robi, może być taki zmęczony?

— Wydawało mi się, że moja macocha nie żyje. A okazuje się, że gada do mnie przez telefon.

— Pierdolę twoją macochę.

— Tęsknisz, co nie?

— Nie rozśmieszaj mnie, kurwa. Co za kurewsko idiotyczne pytanie.

— Ta, idiotyczne. Wyszedłbyś na homosia, gdybyś przyznał, że tak.

— Homosiem to ty jesteś.

— A ty się zachowujesz, jakbyś miał dwanaście lat. Tak czy siak, ani mnie to ziębi, ani grzeje.

— Co? To, czy jestem ciota?

— Nie, ta rozmowa. Coś jeszcze?

— Dlaczego jesteś tak kurewsko… Wiesz co? Nie, kurwa, nic.

— No to dobranoc.

— Dobranoc, Rock. Czekaj, moment.

— Co?

— Mm… ja… ja… ty… Spotykasz się z kimś?

— A co cię to obchodzi?

— Kurwa mać, żeż kurwa mać!

— Nie, nie spotykam, ale nie wiem, co to ma za znaczenie, nie jesteśmy razem ani nic. Rób, co chcesz. A ty się spotykasz?

— Nie.

— Nie rozumiem, dlaczego nie. Przecież siedzisz w Nowym Jorku, tam pełno ciot, starych pierników, cudzoziemców, w końcu ciągle jesteś dość młody. Dobra, nieważne, idę, czeka na mnie moje wygodne łóżko.

— To nie twoje łóżko.

— Dobranoc.

— Czekaj.

— Jezu, co jeszcze? Seks, telefon będzie czy jak? Chcesz, żebym mówił, rżnij mnie, rżnij, tatuśku, aż wytrzepiesz kapucyna do słuchawki? Och, rżnij mnie, rżnij, tym swoim wielkim kutasem. Tatuśku, och, spuść mi się na twarz, zrób ze mnie szmatę, och...

— Jezu Chryste, nie możesz powiedzieć jednego miłego słowa? Raz w życiu.

— Przepraszam, jestem... O rany, ale mi się ziewnęło. Na czym stanęliśmy?

— Dobranoc.

— Do zoba...

Satysfakcja, bo pierwszy się rozłączyłem. Skup się teraz. Czekam po drugiej stronie ulicy, żeby odstrzelić Jamajczyka. Tyle że jeszcze nie obmyśliłem dokładnie, jak to zrobię. Nawet nie wiem, czy to powinno być zlecenie dla jednego człowieka, właściwie to chyba nie, skoro tak mocno trzeba improwizować. Nie wiem, czy będzie sam w domu. Od kilku godzin nikt nie wchodził ani nie wychodził, tak mi się wydaje, ale pewien nie jestem, bo ciągle nie zapalono świateł. Wejdę tam prawie po omacku, na głupa, jakby od początku taki był porąbany plan Griseldy. Skasować gościa, ale jeśli przy okazji on mnie skasuje, to będzie jak dodatkowa wygrana na loterii. Dopiero ósma. Jeśli nawet jest w domu, to przecież niemożliwe, żeby już spał. Najlepiej zaczekać, aż wyjdzie, i zdjąć go na ulicy. Ale jeżeli jest taki, jak mówiła, to na pewno będzie miał obstawę i może właśnie dlatego chłopaki z Miami dały mi uzi. To wszystko zrobiło się kurewsko skomplikowane. Nic, trzeba poczekać do rozsądnej godziny i wbić się do środka. Dokręcić tłumik. Sforsować zamek, ogarnąć pokój, namierzyć gościa i go zdjąć. Może wystarczy myśleć jak zawodowiec, żeby działać jak zawodowiec. Zachować zimną krew.

Zamiast tego nerwy. To w ogóle nie powinno być moje zlecenie, kurwa mać, ja po prostu próbuję przeżyć kilka kolejnych dni. Jezu Chryste, który profesjonalny zamachowiec cierpi takie katusze, bo ma niezałatwione sprawy z ojcem? Dziesięć lat temu, całodobowy na rogu w Chicago. Dzień wcześniej przeszedłem dwadzieścia przystanków, żeby taki znaleźć. Spocony w pękatej skórzanej kurtce ojca. Dzień wcześniej, gdy robiłem rozpoznanie, starszy facet słuchał gadki w radiu. Tym razem to była dziewczyna w bordowym T-shircie z napisem „Virginia Is For Lubbers", śliniąca się do *Love Train* w radiu. Nawet nie podniosła głowy, jak wszedłem. Na końcu regału z czasopismami „Penthouse", „Oui", „Penthouse Forum", „Penthouse Letters". „Hustler" był fajny, bo pokazywali fiuty, chociaż jeszcze wtedy nie wiedziałem, że chcę fiuta, a dalej „Honcho", „Mandate", „Inches", „Black Inches", „Straight to Hell". „Blueboy" nie był zafoliowany, w dodatku nikt nie wlazł między regały. Przez moment zastanawiałem się, kto oddycha tak ciężko jak Darth Vader, aż nagle uświadomiłem sobie, że to ja sam. Dwadzieścia przystanków od domu, nikt się nie dowie, tak? Ten facet mówił jej, że w Iranie sprawy wymknęły się spod kontroli, więc lepiej, żeby ten zdrobniały prezydent coś zrobił. Na okładce wszystko było w cieniu tego kowbojskiego kapelusza, ale widziałem mokre usta jakby całujące papierosa. „Blueboy", marzec tysiąc dziewięćset siedemdziesiątego dziewiątego roku. WYRZUTKI. Niegrzeczni Chłopcy Zawsze Gotowi.

Obrzydliwiec, tak mnie nazwał ojciec, kiedy któregoś dnia przetrząsnął moje klamoty w poszukiwaniu gotówki, żeby sobie kupić fajki, sodówkę i czipsy i jeszcze bardziej upaść kałdun. Szkoda, że mnie przy tym nie było, gdy znalazł „Super Nova Cocks",

„Super Hung Cocks", „Cock Tease", „Cock Hungry" i „Super Cocks", ten ostatni z Alem Parkerem wyglądającym jak tryskający Jezus. Wyrzygał się na ten widok? A może pokręcił głową i szepnął: wiedziałem, że z tym chłopcem od dawna coś jest nie bardzo? A może usiadł i przewertował kilka stron? No więc wreszcie wchodzę do domu, nikt mi kitu nie będzie wstawiał, a już na pewno nie ten nieudacznik, i zaraz widzę, że wparowuje do dużego pokoju, z tym pismem z różową okładką w łapie, „Super Nova Cocks", i wrzeszczy: ty mała plugawa cioto! Ty pierdolona mała plugawa cioto! W piekle jest osobne miejsce dla takich jak ty. Kurwa, nie wierzę, kurwa, mój własny syn, krew z mojej krwi, idzie na miasto i wali jakiegoś skurwysyna w kakao. To na pewno przez tę pierdoloną rodzinę twojej matki. To tym się zajmujesz, cioto, przez całą noc dymasz dupska?

— Odwrotnie, tato. Przeważnie oni dymają mnie w dupsko. Przez całą noc.

— Coś ty, kurwa, powiedział?

— To nic nie wiesz? Jestem najbardziej namiętna dupa po tej stronie rzeki. Stoją w kolejce przez całą przecznicę, żeby mnie dosiąść, zwłaszcza czarne ogiery. Ostatnim razem jeden czarny zerżnął mnie bez gumy tak mocno, że normalnie nie mogłem…

— Powinienem…

— Co powinieneś, staruszku?

Podskoczył do mnie, ale nie miałem już dziesięciu lat. Jasne, był wyższy, no i grubszy, ale nic więcej. Czekałem na to całymi latami.

— Powinienem…

— Powinieneś wypierdalać do swojego pokoju i obejrzeć *Wszystko w rodzinie*, a do moich spraw się nie mieszaj, kurwa. Ej, tata, chcesz dwa dolce na fritosy?

Próbowałem go wyminąć w drodze do łazienki, ale złapał mnie za łokieć i pociągnął.

— Powinienem cię zabić, a nie żebyś taką hańbę ściągał na rodzinę.

— Zabieraj łapy, kurwa.

— Będziesz się smażył w pierdolonym pie…

— Zabieraj łapy.

— Powinienem…

Wyciągnąłem berettę z kabury. A owszem, kurwa mać, nosiłem już wtedy klamkę na wypadek, gdyby w jednym z tych aut, które podprowadzałem, siedział kierowca i chciał się stawiać. Ojciec odskoczył, wystawiając ręce przed siebie jak jakiś kasjer w trakcie napadu na bank.

— No co powinieneś, skurwysynu jeden? Przestań się jąkać. Wydaje ci się, że się ciebie boję?

— Ty, ty…

— Wydaje ci się, że mnie znasz, a tak naprawdę pierdolisz bez sensu cały dzień. Idę teraz do swojego pokoju i będę spał, kurwa. Masz tam więcej nie wchodzić, rozumiesz?

— Wypierdalaj z mojego domu, jesteś zwykłym śmieciem.

— A ty jesteś jedno wielkie zero, które było stać tylko na to, żeby wychować ciotę. Bogaty w tę mądrość biegnij zagrać w brydża z panem Costą. A przy okazji, obciągam mu za każdym razem, jak idzie na górę do kibla.

— Zamknij tę parszywą mordę.

— Ustami to robię normalnie jak ryba wyjęta z wody, takiego wielkiego ma kutasa.

— Wynocha z domu.

— Już mnie nie ma, stary. Już mnie nie ma. Dosyć mam tego domu i twojego pierdolenia. Chcesz trochę grosza?

— Nie chcę twoich pedalskich pieniędzy.

— Twój wybór. To sobie kupię butelkę pedalskiej whisky.

— Jesteś jebany diabeł wcielony.

— A ty jebany łamaga życiowy.

Poszedłem do swojego pokoju. Stary coś mruczał.

— Co mówisz?

— Odczep się ode mnie.

— Coś, kurwa, powiedział?

— Myślisz, żeś taki cwany? Może i jestem zero, ale to ciebie wszyscy uznają za najgorszą kanalię. Lisa, tak jej było ciężko przez ciebie, o mało nie umarła, kiedy się urodziłeś.

Jezu Chryste, czy ja muszę łykać to gówno? Nie, nie muszę, nie. Chcę wyjechać z tego miasta. Że stoję znowu w budce, uświadomiłem sobie dopiero wtedy, gdy sygnał w słuchawce ucichł.

— Rocky, to ja. Chodzi... Jestem... Jestem w Nowym Jorku i... Ja... ja... chciałbym... eee...

— Proszę zostawić wiadomość. — Piiip.

Trzasnąłem słuchawką.

DORCAS PALMER

Teraz już za ciemno się zrobiło, żebym mogła powiedzieć, że robi się ciemno, i użyć tego jako pretekstu, żeby go wyprosić. Inna Dorcas Palmer, bardziej inteligentna, zastanawiałaby się, jakim zrządzeniem losu ten człowiek wylądował w jej mieszkaniu. Ale znowu — chuj to kogo obchodzi. Mężczyzna może przyjść do kobiety i wcale się nie przejmować tym, co sobie pomyślą sąsiedzi. Poza tym ja nie znam sąsiadów. Ale jeśli jemu się wydaje, że ten wieczór zakończy się jak we francuskiej komedii, ze mną pod kołdrą naciągniętą na cycki i z nim z zadowolonym uśmiechem na twarzy i papierosem w ustach, to facet się srogo przeliczy. Patrzy z okna na panoramę miasta. A ja myślałam, że mam gówniany widok.

Tę część mam obcykaną, oglądałam *Dynastię*. Powinnam go zapytać, czy ma ochotę na drinka. Tyle że została mi tylko tania wódka, bo alkohol zawsze smakuje mi gorzko, plus sok ananasowy, który może już się zepsuł. Ale zaraz, czy zaproponowanie drinka nie jest zakodowaną zachętą, żeby mnie zerżnął? Co i tak się nie zdarzy, chociaż on naprawdę wygląda jak Lyle Waggoner, który podobno pozował w „Playgirl". Smutne jest to, że naprawdę chciałabym wskoczyć w coś bardziej wygodnego. Ten tweed w letni dzień kurewsko mnie swędzi. A moje stopy wytrzymują na obcasach dokładnie pięć godzin, potem zaczynają wrzeszczeć: dziwko, co, chcesz nas ukatrupić? Chichoczę za głośno, on się odwraca i patrzy na mnie. Uśmiech na twarzy faceta to jak zaliczka. Dorcas Palmer, nie próbuj mu nic sprzedać.

— Wiem, że obiecałam, że nie będę mówiła o powrocie do domu.

— To nie mów. Wiesz, ilu ludzi, których znam, nie potrafi dotrzymać obietnicy?

— Wygląda mi to na problem bogaczy.

— Słucham?

— Słyszał pan.

— Zapewniam, że nie mogę wyjść między innymi dlatego...

— Nie może pan?

— Dlatego, że z każdą godziną robisz się coraz śmielsza. Kto wie, co z ciebie wyjdzie o dziesiątej?

— Nie mogę się zdecydować, czy uznać to za komplement.

— Ja też nie. W takim razie musimy zaczekać do dziesiątej.

Chciałam coś powiedzieć o tym, że ma tupet, bo wparował w moją przestrzeń i zajmuje mi czas, przekonany, że nie mam nic lepszego do roboty, ale wtedy palnął:

— No ale w sumie pewnie masz coś lepszego do roboty, niż dogadzać staremu facetowi.

— Już dwa razy mówiłam, że nie jest pan stary. Może powinien pan zapolować na inny komplement.

Śmieje się.

— Słońce zaszło. Mamy tu coś do picia?

— Wódkę. I trochę soku ananasowego, poza tym nie wiem.

— A lód?

— Na pewno coś się znajdzie.

— A więc gówno masz do picia. W takim razie poproszę wódkę z sokiem ananasowym plus co tam masz w lodówce.

— A co, ręce zwichnięte? Wódka i czyste szklanki są na blacie.

Patrzy na mnie, kiwa głową i parska śmiechem. Uwielbiam to, kurwa, mówi. Zastanawiam się, czy gramy teraz w filmie, w którym pyskata czarna służąca na nowo odkrywa przed starym massa uroki życia. Po pierwsze, ten facet nie jest stary, po drugie, nic nie wskazuje na to, że potrzebuje czyjejś pomocy w tym względzie.

— Pański syn i synowa pewnie już się martwią.

— Możliwe. W lodówce jest woda sodowa. Mogę wziąć?

— Tak.

— I może już czas wyrzucić ten kawałek pizzy. I to pudełko z ramen.

— Dziękuję. Jeszcze jakieś sugestie w sprawie mojej lodówki?

— Ja bym się też pozbył tego niedojedzonego hamburgera. I żaden szanujący się człowiek nie powinien zostać przyłapany na piciu piwa Coors.

— Tylko żartowałam.

— Hm. To po co to pytanie? Chcesz wódki z sodówką i odrobiną soku?

— Tak.

— Już się robi.

Patrzę, jak ten mężczyzna przejmuje we władanie moją kuchnię. Nie pamiętam, kiedy kupiłam limonkę, ale chyba niedawno, skoro on jej używa. Trzy razy próbował przekroić ją nożem, wreszcie wyjął drugi z szuflady i zaczął je ostrzyć, jakby sam ze sobą się pojedynkował. Potem pokroił limonkę. Popatrzył na szklanki i pokiwał głową chyba z litością. Nie pamiętam, żebym miała dwie buteleczki salsy, ale jakimś cudem się znalazły. Kroi, zgniata, wyciska, miesza, mężczyzna przy pracy to niezły widok. Nie wiem, czy kiedykolwiek widziałam w kuchni mężczyznę, w życiu, a nie na ekranie telewizora.

— No i? Dobre?

— Bardzo dobre.

— Dziękuję za okazany entuzjazm.

— Cudowne, naprawdę.

Siada w fotelu, który sąsiad pomógł mi przytaszczyć z ulicy. Sąsiad, z którym od tamtej pory nie zamieniłam ani słowa. Mam nadzieję, że tapicerka nie śmierdzi. Popija powoli, jakby nie chciał, żeby drink się skończył, a w domyśle, żeby skończyła się jego wizyta.

— Nie gorąco ci w tej spódnicy? No bo, rany, mamy lato.

— Nie zdejmę jej.

— Nie myśl, że o to mi chodziło. Zastanawiasz się teraz, jak wielki błąd popełniłaś, zapraszając mnie do siebie.

— Nie.

— A więc tak.

— Nie lubię takich dwuznacznych gadek.

— To dobrze.

Dziwne, ale siła to jedyne słowo, które przychodzi mi do głowy na opisanie, jak on siedzi w tym fotelu. Zauważyłam to już wcześniej u Colthirstów, no i w metrze, unika tych wszystkich miejsc, które zapraszają, żeby usiąść niedbale. Siedzi wyprężony, ma wyprostowane plecy. To pewnie nawyk z wojska.

— A może policja już pana szuka?

— Zgłoszenia o zaginięciu przyjmują dopiero po dwudziestu czterech godzinach.

— A zgłoszenia o porwaniu?

— Jestem chyba trochę za duży, żeby mnie porwać, nie sądzisz?

— Myślałam, że wielkość nie ma znaczenia.

— Mów tak dalej, a będziesz miała z tej rozmowy tyle samo radochy jak ja. Masz jaką muzykę?

— A co, chce pan być na czasie, wiedzieć, czego dzieciaki teraz słuchają?

— A żebyś wiedziała. Co jest świeże? *Good Times* to całkiem dobra muzyka, nie sądzisz? Dobra czy nie?

— Rany, mocno pan nie nadąża.

Wstaję i nastawiam płytę, pierwszą z brzegu. Zabawne, bo mój ojciec słuchał płyt na Jamajce, ale to było zawsze przeraźliwe instrumentalne gówno, jak *La Paloma* Billy'ego Vaughna i kawałki orkiestry Jamesa Lasta. Mamy tysiąc dziewięćset osiemdziesiąty piąty i chyba jestem jedyną osobą, która może się pochwalić szafkowym zestawem stereo, a przynajmniej jedyną z takim, co się nazywa Telefunken. Pamiętam, kiedy matka jeden jedyny raz przyniosła płytę do domu. Czterdziestka piątka, *If You're Not Back In Love By Monday* Millie Jackson, ale puszczała ją dopiero, jak wszyscy wyszli z domu.

— Organy kościelne? Wielkie nieba, słuchasz muzyki kościelnej?

— Nie.

— To kaznodzieja, mówi o życiu pozagrobowym, a to na pewno organy.

— Zamknij się pan i słuchaj.

Siada z powrotem w chwili, gdy Prince mówi, że w życiu jesteśmy zdani na samych siebie.

— Ojej. Ojej. Podoba mi się, żebyś wiedziała.

Znowu wstaje, kiwa głową i pstryka palcami. Zastanawiam się, czy dorastał w czasach Elvisa i co myśli o Beatlesach. Chciałabym zapytać, czy lubi rock and rolla, ale byłoby to raczej durne pytanie, zważywszy, że facet właśnie pstryka i tupie, jakby Bill Cosby uczył go jive'a.

— „Oszalejmy, ześwirujmy" — wtóruje Prince'owi.

Jest mi głupio, że nie tańczę. Dlatego wstaję i zaczynam się ruszać. A potem robię coś, czego nigdy przenigdy nie robię.

— „Doctor Everythingwillbealright, makes everything go wrong, thrills spills and dafodills will kill, hang tough children. He's coming. He's coming. He's coming. He's coming". Łuu-huuu-huuu.

Łapię grzebień z blatu, teraz to mikrofon do kolejnych trzech łu-hu-hu. Potem wchodzi solówka na gitarze i w pierwszej chwili wydaje mi się, że facet dostał zawału, ale on tylko udaje, że szarpie druty. Ja skaczę i wrzeszczę: „go crazy, go crazy!", i dzięki tej piosence czas się wydłuża — to znaczy słuchałam jej miliony razy, ale nigdy nie trwała tak długo, aż w końcu opada, a my razem z nią. Ja na podłodze, on na sofie. Wchodzi *Take Me with U*, on od razu się zrywa, ale ja ciągle leżę, zdyszana i uśmiechnięta.

— Nie miałem chyba takiej frajdy, odkąd Beatlesi się pojawili u Eda Sullivana.

— Co z wami, ludzie, i z tymi Beatlesami?

— To najlepszy zespół rockowy wszech czasów.

— Moja ostatnia klientka kazała się zabrać pod kamienicę Lennona i musiałam tam z nią sterczeć przez całą noc.

— Po co? Nagrywał z Paulem?

— Co? To raczej nieśmieszne.

Podchodzi do stereo i bierze okładkę płyty.

— Co to za przystojna lesba na motorze?

— Prince.

— Co za Prince?

— Po prostu Prince. Po wąsach nie widać, że facet?

— W następnej sekundzie pomyślałem, że to najbardziej wdechowa pani z zarostem.

— Jest teraz z nim film. *Purple Rain*.

— Purple Haze?

— Rain. To Prince, nie Jimi. Chyba powinnam zmienić płytę, bo on tam ostro jedzie w tekstach.

— Serdeńko, jestem chyba jedynym białym w całym Nowym Jorku, który ma płyty Blowfly. Więc nie boję się tego Prince'a. Przepraszam, że nazwałem cię „serdeńko", podobno kobiety już nie lubią, żeby się tak do nich zwracać.

Miałam ochotę mu powiedzieć, że się nie gniewam i że od dość dawna żaden mężczyzna nie mówił do mnie, używając czułych słówek. Ale tylko wyjrzałam przez okno na rozpalającą się światłami panoramę miasta.

— Kto to ta dziewczyna na okładce?

— Apollonia. Podobno w normalnym życiu to jego dziewczyna.

— A więc on to nie ciota?

— Pewnie jest pan głodny. Nie tknął pan pizzy w domu.

— Trochę. A co masz?

— Nachosy i ramen.

— Dobry Boże, ale chyba nie naraz?

— Woli pan kurczaka McNuggets sprzed tygodnia?

— Waszmość pani słusznie prawi.

Nastawiam wodę w czajniku na makaron, co znaczy, że potem trzeba usiąść i wysłuchać płyty do końca. Gdy czajnik zaczyna gwizdać, muzyka cichnie. Myślę o tym, żeby przerzucić płytę na drugą stronę, bo wiem, że nie wytrzymam siedzenia w ciszy, on zresztą też nie.

— To tak dokładnie skąd jesteś?

— Co?

— Skąd… Możesz to zgasić? No wiesz, nie jest tak, że Elvis właśnie nas opuścił. Skąd jesteś?

— Jedz pan makaron. Z Kingston.

— To już mówiłaś.

— Z Havendale.

— To dzielnica?

— Przedmieścia.

— Coś jak Środkowy Zachód?

— Bardziej jak Queens.

— To upiornie. Dlaczego wyjechałaś?

— Bo czas był wyjechać.

— Tak po prostu? Z powodu Michaela Manleya i całego tego komunistycznego hurra kilka lat temu?

— Widzę, że sporo pan wie o zimnej wojnie.

— Serdeńko, dorastałem w latach pięćdziesiątych.

— To była ironiczna uwaga.

— Wiem.

— No więc co mnie stamtąd wygnało? Może po prostu chciałam wyjechać. Zdarzało się panu być z rodziną i zarazem mieć poczucie, że pański pobyt za bardzo się przeciągnął?

— Kurwa, Jezu Chryste, ty mi to mówisz? A jeszcze gorzej, kiedy to jest twój dom, za który zapłaciłaś własnymi pieniędzmi.

— Ale w końcu będzie pan musiał tam wrócić.

— Tak myślisz? A ty?

— Ja nie mam do czego wracać.

— Naprawdę? Żadnej rodziny? Żadnego narzeczonego?

— Naprawdę jest pan dzieckiem lat pięćdziesiątych. Na Jamajce narzeczony to facet, z którym kobieta zdradza męża.

— Och, to urocze. A skoro mowa o uroczych rzeczach, muszę skorzystać z ubikacji.

— Trzeba wyjść do przedpokoju, drugie drzwi na prawo.

— Okej.

Fajnie by było, gdybym teraz włączyła telewizor, a tam Walter Cronkite nadawałby o tym, że tatulo Colthirstów został porwany dla okupu. Córka albo synowa mazgaiłaby się przed kamerami, aż w końcu dotarłoby do niej, że po policzkach spływa jej rozmazany tusz do rzęs, więc krzyknęłaby: koniec! Syn zachowuje stoicki spokój i nic nie mówi, bo albo nie chce, albo nie może, gdyż żona nadaje jak najęta. Wydawało nam się, że ta agencja to porządna firma, ale nigdy nie można mieć pewności. A przecież ona budziła duże zaufanie — na miłość boską, na imię miała Dorcas. Bóg raczy wiedzieć, jakiego okupu zażąda. Ciekawe, czy synowa by się wystroiła na przyjazd ekipy. I jak moje zdjęcie wyglądałoby w telewizji? Jestem pewna, że w agencji nie mają mojego zdjęcia. A przynajmniej nie pamiętam, żeby mieli. Ale załóżmy, że mają, takie, które po lekkich retuszach wyglądałoby jak zdjęcie policyjne. Z pierwszego dnia, kiedy wyszłam z mieszkania i zapomniałam się uczesać. Colthirstowie trzymaliby się za ręce, ona błagałaby porywaczkę, to znaczy mnie, żeby okazała ludzkie odruchy, bo stan ojca nie jest dobry, nie jest dobry i wszystko…

— Co to?

Nie usłyszałam, że wrócił z ubikacji. Nie zaszumiała woda, nie skrzypnęły drzwi, nic. Tak mnie pochłonęły własne myśli, że zauważyłam go dopiero, gdy stanął przede mną.

— Pytam, co to jest? I kim ty jesteś?

Macha mi przed nosem. Już próbuję się rozgrzeszyć w duchu, bo przecież nie wiedziałam, że dzień zakończy się wizytą gościa. Bo przecież to jest mieszkanie samotnej kobiety, która nigdy nie spodziewa się towarzystwa. Ale cholera jasna, najpierw trzeba było zajrzeć do kibla, choćby tylko po to, żeby sprawdzić, czy przy umywalce wisi świeży ręcznik. A teraz on stoi przede mną, jakby był policją, macha książką, która przeważnie leży skitrana bezpiecznie pod poduszką.

Jak zniknąć i nie dać się złapać.
Autor Doug Richmond.
Yo w pizde.

TRISTAN PHILLIPS

Gówno prawda, gówno prawda. Wstawiasz mi taką gównianą gadke, że chyba język ci sie od tego zrobił brązowy. Nie? Dobra, wiesz co, rozegrajmy to po twojemu. O co jeszcze chcesz mie spytać? O Balaclave? Już mie o to pytałeś. O Coppera? Zajrzyj do notatek, kretynie. Papa-Lo i Shotta Sherrif? Śladem tego ostatniego pojechałem z Ośmiu Ulic aż na Brooklyn, sprawdź swoje notatki.

O, poważnie?

A ja tak nie myśle. Chcesz wiedzieć, co myśle? Że nie masz żadnych notatek. Że tylko tam bazgrolisz bez sensu. Z tego co wiem, to przez cały czas mogłeś tam pisać po hiszpańsku, że Mary miała małego baranka. Nie? No to weź pokaż. No dawaj. Ta, no właśnie, jak wy mówicie. Tak sobie myślałem. Biały chłopcze, przestań mi wstawiać pierdoły. A jeszcze lepiej siedź cicho, a ja ci powiem, po coś tu przyszed. Tylko popatrz na siebie, człowieku. No bo jes tysiąc dziewięćset osiemdziesiąty piąty, a ty nie możesz nawet się porządnie ostrzyc, tylko odstawiasz hipisowskie gówno. Dżinsowa koszula jak u kowboja, disco dżinsy i, nie mów mi, czekaj, kowbojki, nie, buciory na motocykl. O w dupe. Każdy facet w więzieniu widział przynajmniej dwa odcinki *Miami Vice*. Z takim wyglądem udało ci się załapać jakąś punaani? O, wiesz, co znaczy punaani? Powaga? To twój styl czy ugrzęzłeś w jakimś starym roku i wszyscy cie tam zostawili?

No bo przychodzisz i mówisz mi, że piszesz historie o procesie pokojowym. Po pierwsze, to było siedem lat temu i nawet nie umiałbyś mi powiedzieć, dlaczego to nagle takie interesujące. Masz mie za idiote? Brada, jes coś takiego, co sie nazywa konteks, a ty mi nic takiego nie możesz dać. Nie obrażaj mie tylko dlatego, że czasem nieskładnie mówie. Na pewno wiesz, co znaczy konteks? Wiesz, co robiliśmy, czy ci sie wydaje, że zorganizowaliśmy koncert Śpiewaka i już? A przy okazji, wszystko, o co do teraz pytałeś, to był koniec procesu pokojowego, ani początek, ani nawet nie środek. Daj spokój, białek, jak na kogoś, kto tam był ostatni raz w siedemdziesiątym ósmym, to sie strasznie uparłeś, żeby gadać o tym, co sie działo w tysiąc dziewięćset siedemdziesiątym dziewiątym i osiemdziesiątym. Pytasz o Papa-Lo, ale tylko o jego śmierć. Pytasz o Coppera, ale tylko o jego śmierć. Ani razu sie nie spytałeś o Lucy, a nawet jak ja o niej wspomniałem, przeszłeś dalej, jakby nic nie znaczyła.

Ach tak, chcesz być dokładny. Aha. No w końcu to ty jesteś redaktor.

Ehe.

Tak, mój młodzieńcze.

Chcesz wiedzieć więcej, jak wstąpiłem do Ranking Dons w tysiąc dziewięćset osiemdziesiątym.

Panie Pierce.

Pierce.

Alex.

Nigdy nie mówiłem, że w tysiąc dziewięćset osiemdziesiątym wstąpiłem do Ranking Dons. Mówiłem, że wstąpiłem do Ranking Dons. A może chcesz usłyszeć o Joseyu Walesie? Przylatuje do Nowego Jorku, wiesz? Na Rikers poszła fama, że dzisiaj ląduje. Kto wie, po co przyjeżdża. Albo po kogo.

Och.

Coś tak ucich? Wystarczy na ciebie popatrzeć. Zawsze jak wspomne o Joseyu Walesie, to sie robisz malutki i cichutki. Nie, brada, pare minut temu, jak mówiłem o tym, że Josey Wales wywrócił układ pokojowy, od razu zmieniłeś temat na to, jak wylądowałem w pudle, chociaż wiesz to lepiej ode mie. Nie zadałeś ani jednego pytania o mie, co nie znalazłbyś na nie odpowiedzi w tym, co mówiłem radzie i nawet w tej radiostacji w Nowym Jorku. Ale to prawda, Josey Wales przyjeżdża dziś do Nowego Jorku. I na pewno nie po to, że by sie ze mną zobaczyć.

Wystarczy popatrzeć na ciebie. Siedzisz tam i udajesz, że sie nie boisz. Daje ci pięć minut, że byś jakoś ogarnął ten wywiad, a potem biegnij do domu na Bed-Stuy i schowaj sie pod zlewem. Tak, tak, panie Alex Pierce, jak ci sie wydaje, ile minut potrzebowałem, żeby dowiedzieć sie o tobie tego, co powinienem wiedzieć? Że ponieważ mieszkasz na rogu Bedford i Clifton, to ci sie wydaje, że jesteś twarda stal. Clifton Place numer dwieście trzydzieści osiem, zgadza sie? Pierwsze piętro, nie, drugie, zapominam, że dla was Amerykanów pierwsze piętro to często parter. Cha, cha. Wszyscy na twojej ulicy są czarni i ubrani, jakby chodzili na casting do *Thrillera*, a tylko ty jeden wyglądasz, jakbyś grał w The Eagles. Niezły z ciebie egzemplarz, panie Pierce, niech zgadne, wkurzyło cie to, że cie porównałem z The Eagles? Ale nie mam racji. Nie wyjdziesz w ciągu pięciu minut. Wyjdziesz dopiero wtedy, jak dostaniesz to, po co przyszłeś. Przyjazd Joseya Walesa do miasta komplikuje sprawy, ale ty po coś tutaj przyszłeś.

Ehe-he-he.

Ehe-he.

Ta.

E?

E?

Nawijaj.

Tak po prostu? Siedział tak po prostu?

Wiesz co? Ja milcze, ty mówisz.

Hm.

Hm.

O w dupe, panie Pierce.

O w dupe.

Cha, cha, cha, cha, cha.

Przepraszam, nie chciałem sie śmiać. Ale to troche śmieszne. Że sie obudziłeś i na twoim łóżku siedział facet. Jesteś pewien, że to nie było tak, że sie pieprzyliście i on sie pierwszy obudził? Uspokój sie, młodzieńcze, wszyscy widzą, że ty nie cwel.

Zabiłeś kiedy wcześniej człowieka? Tak, panie Pierce, właśnie to chce wiedzieć. Nie wyjeżdżaj mi tu ze skurwysynem w dupe jebanym, bo zawołam klawisza. Masz odpowiedzieć na moje pytanie.

Zabiłeś? Cha, cha, wiem, jaja sobie z ciebie robie. Co to za robota zabić człowieka, he? Niezłe cholerstwo. Wszystkiemu, co chciał robić od wschodu do zachodu słońca, ty położyłeś kres, tak po prostu. Nieważne, czy on był dobry, czy zły człowiek, patrzysz na trupa i sie zastanawiasz, czy on, ktokolwiek, zaczął ten dzień, myśląc, że to będzie ostatni w jego życiu. Dziwne, nie? Budzisz sie, jesz śniadanie, obiad, kolacje, pracujesz, bawisz sie, ruhasz, budzisz sie i robisz to samo od nowa. Ale tego jednego wieczora ten jeden człowiek nie zobaczy już jutra. On nie wstanie, nie umyje sie, nie wysra, nie przejdzie przez jezdnie, nie wsiądzie do autobusu, nie pobawi sie ze swoimi dziećmi ani nic. Zabrałeś mu wszystko. Słysze, co mówisz, ale to sie wszystko do tego sprowadza, on chciał tobie odebrać życie, a ty zrobiłeś, co było trzeba, bo inaczej byś tu nie siedział. Jak wyglądał nieżywy? Dotknołeś go? Zostawiłeś, jak był? To skont wiesz, że nie żył?

Bo wyszłeś z hotelu i nic sie potem nie zadziało? Interesujące. Ale nie wynajołeś pokoju na fałszywe nazwisko. A więc nie było żadnych niusów, żadnego śledztwa, policja nie dzwoniła do ciebie, prawie jakby ci sie to przyśniło. Uspokój sie, biały chłopcze, nie powiedziałem, że to ci sie przyśniło, ale widać, że ktoś po tobie posprzątał, i to ładnie posprzątał. I... czekaj. Powiedziałeś: niebieski mundur? Że jak ciemnoniebieski mundur?

I łysy łeb?

Że jakby czerwony? Znaczy jaśniejsza skóra, jakby mieszaniec?

O w pizde.

To ty mi teraz mówisz, że jesteś człowiekiem, który zabił Tony'ego Pavarottiego?

Ożeż w pizde, brada, w pizde.

Nie, ja go nigdy nie znałem, ale kto by w gecie nie słyszał o Tonym Pavarottim? Ten facet był najważniejszy egzekutor u Joseya Walesa. Podobno zimny jak lód, ludzie jeszcze gadali, że niemowa, bo nikt nie słyszał, żeby coś mówił. Słyszałeś o tym, co nazywają SOA, School of Americas? Trzeba żyć poza Ameryką, żeby o tym słyszeć. Wiem tylko na pewno, że Pavarotti był jedynym, który stamtont wyszed. I jedyny, co naprawde wiedział, jak sie posługiwać bronią. Lepszy był z niego snajper niż policja i wojsko. I ty mówisz, że jakiś chudy hipisek zabił najlepszą maszyne do zabijania na Jamajce? O nie, brada, ja totalnie sie śmieje. Nie, no może masz racje, może. Widać, że bardzo sie tym przyjmujesz, bez dwóch zdań. Znaczy jesteś pewien, że to był on? No bo czekaj, skont miałbyś wiedzieć? Tylko wiesz, jak wyglądał. Sorry, brada, ale ja potrzebuje chwili, żeby ochłonąć. To jakbym patrzył na człowieka, który zabił Harry'ego Callahana. Pamiętasz, kiedy to było?

Luty tysiąc dziewięćset siedemdziesiątego dziewiątego. A teraz dopiero to wyszło. Siedziałeś na Jamajce do lutego siedemdziesiątego dziewiątego. Mówisz, że dowiedziałeś sie czegoś o tym gównie w Green Bay, tak? Ale to nic nie znaczy, bo nawet jamajskie gazety odkryły prawde, chociaż po długim czasie. Ale jak Tony Pavarotti chciał cie dopaść, to rozkaz musiał przyjść z Kopenhagi. A ponieważ to nie styl Papa-Lo, to jedynym, który móg go wysłać, jes Josey Wales. Jasna cholera, młodzieńcze, co ty zrobiłeś, że tak wkurzyłeś Joseya Walesa, że nasłał zabójce na ciebie?

Nie wiesz.

Może tylko sobie nie uświadamiasz, że wiesz. Co z ciebie za dziennikarz, jak nie znasz faktów o sobie? Musiałeś sie dowiedzieć o Joseyu Walesie czegoś, o czym nikt nie wiedział. Ale to jeszcze nie to. Josey sie dowiedział, że masz coś na niego i nie wiesz, że to masz. Tak, to było sześć lat temu, ale nie daje ci to spokoju, więc na pewno pamiętasz. Musisz to mieć w notatkach albo gdzieś. Ale to dziwne, bo sie nie wydaje, żeby Josey sie czegoś bał. Może on jes tym, co wy, ludzie, nazywacie psychopata. No, człowieku, pomyśl. Co takiego wiesz tylko ty i on?

O przerzucie narkotyków wiesz? O kontaktach z mafią? Pisałeś ostatnio o Kolumbi? Nie, czekaj, to musi być coś z tamtych czasów. W tysiąc dziewięćset siedemdziesiątym dziewiątym nic sie właściwie nie zaczeło, nic, o czym byś wiedział. Green Bay? Nie. Przecież nie pisałeś o polityce, interesowałeś sie układem pokojowym, ale co cie do tego przyciągneło? Śledziłeś Śpiewaka? Aha. Śpiewaka? Dlaczego?

Och.

Brada.

Właśnie odpowiedziałeś, panie Pierce. Wyłożyłeś to przede mną na talerz i ciągle nie widzisz? Mamy więcej wspólnego, niż myślisz. Zastanów sie. Dzisiaj wszyscy wiedzą, że ten, który strzelał do Śpiewaka, celował w serce, ale trafił obok, i to tylko dlatego, że on wydychał powietrze, nie wdychał, tak? No przecież to nawet napisali w tej książce o nim. Ale w tysiąc dziewięćset siedemdziesiątym ósmym kto by to wiedział oprócz Śpiewaka, tylko napastnik i z tego, co słyszę, ty? Więc Josey sie dowiedział, że Śpiewak ci powiedział coś, czego miał nie mówić, w końcu nawet w szpitalu nie wiedzieli, gdzie zabójca celował, a tylko gdzie trafił. To znaczy ja wiem, że to Josey strzelał, ale dopiero od tysiąc dziewięćset siedemdziesiątego dziewiątego. I nawet jeszcze wtedy nikt nie znał prawdziwych zamiarów, tylko kto został postrzelony i kto strzelał. Nie patrzył na ciebie jakoś specjalnie? Po prostu zakończył po tym wywiad? Musiał. Jasna cholera, młodzieńcze, ty żyjesz w filmie. Chodzi o to, że nawet jak dziś wszyscy wiemy o Green Bay, to jeśli cie dobrze usłyszałem, ty sie prawdy dowiedziałeś dużo wcześniej niż reszta. Jak ty sie nazywasz, Sherlock? Więc albo cie chciał zabić, bo sie dowiedziałeś, że chciał zabić Śpiewaka, albo cie chciał zabić, bo sie dowiedziałeś prawdy o Green Bay. Chociaż to, że próbował pozabijać własnych ludzi, nie ma sensu. Teraz już sie pogubiłem.

Wiesz co, zapomnij o Green Bay. Chociaż o tym też wiesz za dużo, to liczy sie to, że to Tony Pavarotti próbował cie zabić. To znaczy, że zdecydowanie sprawe nagrał Josey. Na sto procent.

Josey Wales uświadomił sobie, że wiesz, że to on próbował zabić Śpiewaka. Albo że jesteś na drodze, żeby sie dowiedzieć, chociaż ja nie wiem, czy jesteś taki cwany, jak jemu sie wydawało, bo przez sześć lat nic z tego do ciebie nie dotarło.

To chyba ma sens. A więc to dlatego przyszłeś sie ze mną zobaczyć. Chyba jestem jedyny człowiek na świecie, który ma to coś wspólnego z tobą. Co? Brada, jesteśmy dwoma, których Josey próbował zabić, a ciągle żyjemy. A on lada godzina ląduje w Nowym Jorku.

JOSEY WALES

Samolot wylądował na JFK dwadzieścia pięć minut temu, teraz wychodzimy z odprawy celnej. Jeden ptaszek mi ćwirnoł, że tak jest zawsze, jak Jamajczycy przylatują. Nie wiem, skont wiem, po prostu wiem. Ostatnim razem jak byłem na Bahamach, pierdolony celnik powiedział, żeby wszyscy Jamajczycy staneli w kolejce po lewej stronie. Chuja stanołem i nikt mi słowa nie powiedział, poszłem prosto do okienka i dałem paszport. Nawet mi do walizki nie zajrzeli. Śpiewak tak kiedyś zrobił, nie? Stał w kolejce i celnik, jak to celnik, próbował coś tam pierdolić, a on wziął torbe i poszed. Widze, że zdążyli już zgarnąć dwie Jamajki z kolejki, jedną trzech strażników odprowadza. Jebana idiotka, mam nadzieje, że sobie te koke do dupy wsadziła, a nie w cipe ani nie połkneła, bo ten czas w areszcie ją będzie kosztował.

Szkoda, że zatrzymali akurat tą, co wyglądała na mrówe, a nie tą kretynke, co narobiła całemu narodowi wstydu w klasie biznes. Lecimy trzydzieści dwa tysiące stóp nad ziemią i stewardesa mówi, że podadzą obiad. Ta kretynka patrzy, co tam mają, i mówi: w dupe, to sie u was nazywa jedzenie? Dobrze, że wziełam swoje wiaderko. A potem patrze, że wieśniara otwiera torbe, wyciąga pudełko po lodach, a w środku ma smażoną rybe, ryż i fasole. Ryba jebie na całą klase biznes, aż miałem ochote poprosić, żeby mie przesadzili na tył. Nawet bym dopłacił. A najchętniej bym wyciągnął broń i wbił babie troche stylu do pustego łba, jakbym miał klamke przy sobie.

— Witamy w Stanach Zjednoczonych, panie…

Przechodze przez drzwi do hali bagażowej i widze dwóch celników, łapią młodą dziewczyne, wyciągają ją z kolejki i rzucają na ziemie. Niby już po odprawie, ale to nadal teren lotniska, znowu inaczej niż na Jamajce. O, jes Eubie. Stoi przed grupą ludzi, przeważnie czarni i tacy jakby Indianie, czekają na pasażerów. Ma na sobie ciemnoniebieski garnitur z białą chusteczką wetkniętą w kieszonkę, jak ten czarny z *Miami Vice*. Muszę sobie pooglądać ten serial. Coś mi mówi, że jakbym nazwał Eubiego Tubbs, to by mu sie spodobało, chłopak z aptaunu zgrywający bandyte, tylko że on nie zgrywa. O Beksie też sporo myśle, ale nie w ten sam sposób i z innych powodów. Co on ma w łapach, do cholery?

— Eubie.

— Siemasz człowiek! Siemasz piątka, człowiek!

Gadka amerykańskiego czarnuha. Ciągle trzyma kartke, z nazwiskiem Josey Wales, podobną ma dwóch szoferów stojących koło niego.

— Co to ma być?

— To? To żart o nazwie Josey Wales.

— Aha. Nieśmieszne.

— Jezu Chryste, Josey, ukradli ci poczucie humoru czy nigdy nie miałeś?

Nie nawidze, kiedy Jamajczycy zaczynają mówić jak Amerykanie, no i kiedy sie tak kiwają w przód i w tył. Dostaje wtedy szału. Ale dobra, śmieje sie.

— Teraz lepiej, mało szczerze.

Rzuca kartke do góry jakby nigdy nic, odbiera ode mie torbe i idzie do wyjścia. Ruszam za nim, cały czas obserwując kartke. Wiruje w powietrzu i upada koło stanowiska wynajmu samochodów.

— To chyba ciekawe uczucie, wylądować w Nowym Jorku po ciemku. To zupełnie inne miasto niż za dnia.

— Za ile będziemy w Bushwick?

— Wyluzuj, Josey man. Noc jeszcze młoda, dopiero przyleciałeś. Jesteś głodny?

— W samolocie dawali żarcie.

— Mam nadzieję, że nie tknołeś, w pizde. Na Boston Road jest Boston Jerk Chicken.

— Według ciebie przyleciałem z Jamajki po to, żeby jeść lipne jamajskie żarcie? Tak ci sie wydaje?

— Dobra, chcesz Big Maca? Whoppera z serem?

Na parkingu podjeżdża do nas czarny minivan. Chyba dobrze, że nie wziołem broni, bo już bym ją wyciągnoł. Przecież to nie dauntaun w Kingston. Drzwi sie otwierają, Eubie wskazuje ręką, ale ja wsiadam dopiero, jak on wsiądze. Kiwa głową.

— Dobry stary Josey nie ufa nikomu nawet po tylu latach.

Śmieje sie, ale ja nie mam pojęcia, o czym mówi. Bo go nie pamiętam z dawnych lat. Na zewnątrz same światła na skrzyżowaniach, chociaż spodziewałem sie budynków wysokich na kilometr. Na razie Nowy Jork przypomina Lejeune w Miami, myślałem, że ulice są tutej szersze. Potem samochody ciągle śmigały obok nas, mimo że Eubie mówił, że w Nowym Jorku nikt nie jeździ. Może to nie Nowy Jork. Nawet bym zapytał, ale on i bez tego ma sie za wielkiego cwaniaka. Furgonetka zwalnia i dopiero teraz zauważam faceta siedzącego z tyłu. Głupi, głupi Josey Wales, nie możesz robić takich skuch. Siedze bez broni otoczony bandą człowieka, z którym pracuje, ale któremu nie ufam, powinienem przynajmniej poprosić o pistolet, kiedy wysiadłem z samolotu. Odbijamy z autostrady i widze drogowskaz na Queens Boulevard. Dziwne, bo ten bulwar jest szerszy od autostrady. Jedziemy, po obu stronach dwu-, czasem trzypiętrowe domy z cegły, od frontu werandy, plastikowe krzesła i rowery.

— Tak przy okazji, jesteśmy na Queens.

— Wiem.

— Wiesz?

Nie odpowiadam. Wjeżdżamy w dziure, aż podskakuje.

— Betram, kurwa, rozjechałeś kozła czy co?

— Wybój, szefie.

— To mówisz, że don wyjechał z Jamdown, żeby wpieprzyć sie na wybój. Co za jazda.

— Chcieliśmy go ugościć po naszemu, Eubie.

— Cha, cha.

Mam nadzieje, że nikt po ciemku nie widział, że podskoczyłem, bo jeśli tak, to musiałbym zadziałać.

— Mój brada Josey podskakuje, jakby zobaczył duha.

Wszyscy się śmieją. Irytuje mie, że on się tak stawia na równi z innymi. Nie lubie, jak ludzie traktują mie bez szacunku, nawet w żartach. On naprawde myśli, że ja i on ważymy tyle samo. Naprawde tak myśli. Zastanawiam sie, czy byłoby tak samo, jakby Beksa zarządzał Manhattanem i Brooklynem w taki sposób, jak zdaje sie, że zarządza Queens i Bronxem. Trzeba pogadać, jak tylko wysiądziemy z tego minivana. Tymczasem zastanawiam sie, co robi ten facet z tyłu. Wjeżdżamy na inną autostrade i widze morze albo rzeke, a potem neon ze starym logo pepsi jeszcze z czasów, jak byłem nygus.

— Josey, tak sobie myślałem. Więc…

— Będziemy obgadywać interesy w samochodzie?

— O nich ci chodzi? Ufam moim ludziom bezgranicznie, to znaczy…

— Nie będziesz mi mówił, co znaczy bezgranicznie.

— Oj, Josey, ogarnij sie, co? Człowiek zły do szpiku kości. Dobra, nie ma sprawy. Poczekam do Boston Jerk Chicken. Śmiesznie, co? Jakie były szanse, że ci Boston Jerk Chicken z Portland przeniosą prosto na Boston Road w Nowym Jorku? Mój syn by powiedział, że to ironia losu, uczy sie w szkole literatury. Szybko dorastają, co? Twój najstarszy ile ma?

— Czternaście. Możesz z tym zaczekać, aż wysiądziemy?

— Luźna gadka, ale jak uważasz.

Furgonetka sie zatrzymuje. Nawet sie nie zorientowałem, kiedy wjechaliśmy do Bronxu. Wiem, że jest po dziewiątej, ale na ulicach ciągle ruch. Ludzie łażą środkiem jezdni, chodnikiem, wchodzą do sklepów, jakby ciągle był dzień. Samochody poparkowane po obu stronach, same buicki, oldsmobile i chevrolety. Salon fryzjerski Panny Beulah, Bracia Fontaine — spedycja, Western Union, drugie Western Union, konfekcja męska, Apple Bank i wreszcie Boston Jerk Chicken. Wygląda, jakby już mieli zamykać, ale ktoś chyba zobaczył Eubiego, bo sie światło zapaliło na zapleczu. Już nie wiem, kurwa, czy Eubie zapomniał, że nie chciałem żadnego jamajskiego jedzenia, czy to kolejna delikatna oznaka braku szacunku. Siadamy, tylko on i ja, na pomarańczowych kanapach blisko wejścia, na przeciwko siebie. Jeden z jego ludzi staje przy kasjerce, a dwóch przed drzwiami.

— Dużo tu potrzebujesz ochrony?

— Niedużo, Ranking Dons za mądrzy, żeby sie zapuszczać na Boston Road albo na Gun Hill Road. Ostatnim razem jak sie odważyli, zajebali mi tu dwóch dilerów. Czarnuhy nie zostawiają takich spraw niezałatwionych, nie jest tak? Dostaliśmy cynk o imprezie w Haffen Park z kilkoma ludźmi z Ranking Dons. Wbiliśmy w trzy samochody i spryskaliśmy cały park ołowiem. Nawet nie strzelaliśmy, żeby zabić, chociaż sie jeden lub dwóch nażarło kul. Chciałem, żeby przynajmniej jeden srał do wora do końca swoich dni. Wtedy po raz ostatni chuje zawitały na Bronxie. Na nic więcej jak rozprowadzanie hery po Filadelfi nie mogą liczyć. Ale na Brooklynie coraz bardziej sie sadzą. Za bardzo jak dla mie.

— Słucham.

— Co słuchasz?

— Jak bardzo sie sadzą?

— Twój Beksa najlepiej ci wyjaśni…

— Nie pytam Bekse, tylko ciebie.

— Dobra, dobra. Gadamy na poważnie. Twój chłoptaś wszystko pierdoli, i to w kilku znaczeniach tego pięknego słowa, a Ranking Dons jeżdżą po trójkącie Broadway, Gates i Myrtle i sie przypatrują. Czujki nie mogą znaleść naganiaczy, dilerzy grzeją, a tamci jeżdżą swoimi chevroletami wte i wewte, bo na Bronxie ani Queens nie mogą nosa wsadzić, wszystko to powiedział mi mój człowiek.

— Twój człowiek? A skont wie?

— Nie zrozum źle, ale jeden z naganiaczy Beksy biega dla mie.

— Co jest, Eubie, w pizdę, masz kabla u niego? To znaczy u mie?

— Ja pierdolę, Josey, przecież ty też masz kabla u mie. Chyba że Pustak lata co noc do budki telefonicznej, żeby dzwonić do swojej baby. W dupie mam. Mam w dupie głęboko. Dzięki temu trzymam pion i pamiętam, żeby niczego nie zjebać. Mój człowiek mi strzela z ucha dwa razy w tygodniu. W sensie i tak nie powie mi nic, czego ty byś nie wiedział.

— Na przykład? Sprawdźmy.

— Na przykład, że twój Beksa bierze.

— Beksa wciąga koks od siedemdziesiątego piątego, to żadna sensacja.

— Owszem, sensacja. Bo teraz Beksa jara crack, a dobrze wiem, że crack to nie koka. Na koce ludzie dają radę robić dobre interesy. Jasne. Wszyscy w muz-biznesie, których znam, lubią sobie wciągnąć. Kurwy i koka, tak to nazywają. Wtedy to ma trochę stylu. Ale z crackiem inna historia. Każdy diler, co się przerzuca z koki na crack, odlatuje. Na cracku nie dasz rady myśleć. Na cracku nie dasz rady dodać dwa do dwóch. Na cracku nie wiesz, co sprzedajesz, co kupujesz. Wszystko idzie się jebać, a ty masz to w dupie. Jak spotkasz Beksę, to go spytaj, kiedy ostatni raz był na Bushwick. A, przyjarał sobie cracka... a ma co innego do roboty. Ten człowiek to ćpun i piździelec jeden, a my tu mamy interes do robienia.

— Skąd wiesz, że jara?

— Mój człowiek widział.

— Pierdolisz, Eubie.

— Brada, a skont w ogóle pomys, że on się z tym ukrywa? Jak się człowiek zawiesi na cracku, to ma koncertowo wyjebane na wszystko. Fuszerkę odstawia, man. Napierdala crack jak jakaś kokakurwa i zjebie ci sytuacje na całym kwadracie, a jak nie napierdala, to wyjeżdża z całą tą chujozą, co musiał podłapać w Miami, bo przecież z Jamdown tego nie wyniós.

— Starczy.

— Ranking Dons są jak urubu, krążą nad zwłokami, zanim jeszcze sie smród rozniesie.

— Powiedziałem starczy, Eubie, w pizde.

— Dobra, brada, dobra.

— Starczy tego pierdolenia, idziemy.

— Brada, jedzenie jeszcze nie przyszło.

— Wyglądam ci na głodnego? Chce na Bushwick. Idziemy, Eubie.

JOHN-JOHN K.

 ednego razu byłem w Miami aż na Collins w South Beach. Jarałem szlugi w mustangu, w którym i bez tego śmierdziało niemytą dupą, wkurwiony, że dostałem bzdurne info o transporcie trawy, który miał nie dojść do skutku (tak, chciałem podebrać, a potem opchnąć), gdy nagle jacyś nowi zaczęli się zlatywać jak mole do pysznego futra. Obok śmignął taki jeden z długimi kręconymi blond włosami, wyglądający, jakby całe dnie dublował Farrah Fawcett, w seksownych dżinsach rozciętych po bokach tak wysoko, że wystawały białe kieszenie. Śpiewał, głos miał na tyle niski, żeby maskował pedalski wajb: „more, more, more, how do you like it, how do you like it". Miałem ochotę powiedzieć: ej, cioto, jest pierdolony tysiąc dziewięćset kurwa osiemdziesiąty trzeci.

W dupę jebany miał łyżworolki w kolorze między dziewczyńskim różowym a dziewczyńskim fioletowym. Liliowy, nie wiem, pedzie by umiały określić kolor. Łyżwociota nawet nie zauważył tego drugiego, czarne włosy tak przyprószone popiołem, że wydawały się siwe, czaił się za samochodem, jakby szedł za cieniem. Ja też go zobaczyłem dopiero wtedy, gdy łyżwociota nadział się na but tego chłopaka, kopniak w stylu kung-fu. Odbił się, zakołysał jak pijana dancing queen, próbował zachować równowagę, ale nie mógł zatrzymać kółek i zarył w asfalt. Krzyczał i klął, próbował wstać, ale najpierw jedna noga mu się rozjechała, potem druga i wyrżnął dupą w śmietniki przy ogrodzeniu. Zbieraj swoje zatrypione dupsko w pizdu, mówi chłopak. Oczywiście śniadek, ale ładny śniadek, świeży z Kuby, na tyle świeży, żeby nie wiedzieć, że *Dziki* to kurewsko stare kino, a skórzana kurtka to chujowe wdzianko na tropiki.

Śniadek nachyla się do okna samochodu, pachnie, jakby jarał ledwie pół godziny temu. Brakuje mu lewego kła, a oczy ma czarne i wygłodniałe, szczęka wydatna jak u Vinniego Barbarino w *Welcome Back, Kotter*. Dzieciak wkłada rękę do samochodu, a ja go łapię — instynkt łowcy. Zapalić bym chciał, mówi, więc go puściłem. Nie powiedział nic więcej, tylko obszedł samochód i wsiadł z drugiej strony. Dałbym mu obciągnąć, ale musiałem spieprzać, te zdewastowane hotele w stylu art déco robiły się niebezpieczne. Dzieciak mówi, co jest, kurwa, tatusiek, ja nie jeżdżę. No to wykurwiaj z mojej fury. Zmienia zdanie, dobra, zabierz mnie w jakieś miłe miejsce. Wyciągnął szluga z paczki i wsunął go sobie za ucho. Miałem tylko nadzieję, że nie zostawiłem broni na łóżku, boby speniał. Gapił mi się na moje kowbojki.

— Ty jakiś ranchero, tatusiek?

— Zostaw, kurwa, mój kapelusz.

Chujowo, bo cały czas i tak myślałem tylko o Rockym. Nawet gdy już wsunąłem palce we włosy tego dzieciaka, a głowa chodziła mu jak w dwutakcie, to rozmyślałem o zasadach Rocky'ego. Bo mieliśmy zasady. Albo tylko tak nam się wydawało. Jak już zdarzy ci się z kimś innym, to wypierdol go na kanapie, bo na łóżku to zdrada. I tylko wtedy, kiedy facet jest naprawdę, ale to naprawdę ładniutki, wtedy należy go zerżnąć, bo raz się żyje, a my jesteśmy pedzie, więc nie może taka szansa przejść koło nosa, do nas się nie stosują gówniane zasady. Zasady heteryków, znaczy się.

Kurwa mać, przypadki, które odłożyłem ad acta ileś lat temu, teraz odświeżają się w głowie od kilku dni. Chuj wie dlaczego, bo nigdy nie byłem w Nowym Jorku. Właśnie tak, ssij mój palec, czujesz, zasysaj, zasysaj, zasysaj jak odkurzacz, kojarzysz to uczucie, jakbyś miał plastikową torbę na głowie i oddychał, aż zabraknie powietrza? Ssij jak najmocniej, tak mocno, żebym nie mógł wyciągnąć palca — ja wiem, jak to się robi. Nikt mi nie mówił, że Nowy Jork to miasto nawiedzane przez duchy. Pojebaniec z ciebie, John-John. Wcale nie chciałem naciskać tego chłopca. Właśnie, że chciałem. Nie chciałem go skrzywdzić. Właśnie, że chciałem.

Ani przez sekundę nie chciałem go zabić. Co znaczy nie chciałem? Jak już wylądował mordą na torach, to uniosłem mu głowę, żeby znalazła się tuż nad szyną, żeby zarył w nią zębami, a potem kopnąłem go w potylicę, raz, drugi, trzeci, aż chrupnęło, a myślałem wtedy o obozie letnim. Wszedłeś? O tak! Wszedłeś do końca? E-he. Mam czternaście lat, wracam z obozu i dostaję w brzuch pięścią od ojca, mówiącego, że jestem mięczak i muszę być twardy. Ten cały obóz to było tylko kiepskie żarcie, mleczko na otarcia i wychowawcy wtykający linijki między tańczących w parach, żeby zrobić miejsce dla Jezusa. Trzymałem się z boku z Tommym Mateo, białym z rudym afro, szeptaliśmy, że to żenada. Ej, chcesz zajarać? Co, no jasne. Dwa tygodnie po obozie myślałem tylko o tym, żeby zobaczyć się z Tommym. Przez telefon gadał inaczej, był rozkojarzony, jakby rozmawiał z kimś innym. Tunel kolejowy przy Lincoln? Włażę tam, a on się trzyma daleko z tyłu, jakbym to nie jego w dupsko dymał co wieczór tam w lesie. Zbliżam się, a on dmucha mi dymem w twarz.

Tommy, chcesz? No wiesz co.

Co? Nie, ty cioto jebana.

To ty jesteś ciota, bo się dajesz ruchać w dupala.

Pierdol się, to tylko dlatego, że na obozie nie było dziewczyn.

Takich, które by cię zerżnęły w dupsko? Tam było pełno dziewczyn.

Ale nie takich, które bym chciał bzykać, kurna, nawet ty byłeś ładniejszy od nich wszystkich. Ale teraz wróciliśmy do domu, a tu dziewczyny są śliczne.

Nie chcę pieprzonych dziewczyn.

To lepiej zachciej, inaczej wyjdziesz na ciotę. Ciota z ciebie, powiem twojemu ojcu.

Kurwa, kurwa, kurwa, kurwa, kurwa mać. Dlaczego myślę o tym akurat teraz? W sypialni tego faceta zapaliło się światło, po chwili zgasło. Później w łazience, paliło się przez pół godziny. Teraz od pół godziny jest ciemno. Mniej więcej tyle trzeba dać człowiekowi, żeby zasnął. Może rucha jakąś lalę po ciemku, ale zasady i tak pozostają takie same, bo albo śpi, albo jest zaabsorbowany. Mógłbym wejść po schodach przeciwpożarowych, ale to czwarte piętro, więc kurewsko trudno byłoby wleźć tak wysoko po cichu. Griselda dała mi komplet kluczy, jednak wjazd na chama od frontu to też idiotyczny pomysł. W końcu jesteśmy w Nowym Jorku, facet na pewno ma zamki. A może rypie jakąś laskę i nie będzie chciał, żeby została na noc?

Przeciąłem ulicę i wszedłem do budynku. Co jakiś czas mam odruchy wskazujące, że jestem stereotypowym pedziem. Na przykład teraz zastanawiam się, kto, do chuja pana, pomalował cały korytarz na musztardowy kolor. Piętnaście kroków i dochodzę do schodów, na których leży wykładzina. Na górę, cztery piętra, dla mnie to żaden wysiłek. Staję przy drzwiach i zanim zdążę się zorientować, przesuwam po nich wilgotnymi dłońmi, jakbym sprawdzał, czy to prawdziwe drewno albo coś. Nie za bardzo ufam tej kolumbijskiej dziwce, więc chybabym się jakoś szczególnie nie zdziwił, gdyby się okazało, że klucz nie pasuje. Wsuwam go i przekręcam gwałtownie, pewnie się złamie albo coś, ale nie, otwiera się bez trudu. Ale zgrzytnęło! Z początku chcę dać w długą. Może głośniej było słychać tutaj niż w środku? Tak czy siak, lepiej odbezpieczyć broń.

Drzwi skrzypią, nie widzę dużego pokoju. Ludzie w Nowym Jorku chyba nie potrzebują salonów. Na wprost stoi stół i dwa krzesła, może reszta krzeseł gdzie indziej. Z zewnątrz wpada mało światła, widzę tylko kanapę przy jednej ścianie i łóżko pod drugą. Telewizor przy oknie. Nie wiem, czy facet ma czarną pościel, czy po prostu dokoła łóżka jest tak ciemno. Tak czy siak, podchodzę bliżej, wypatruję kształtu pod kołdrą, walę siedem razy. Słyszę trzy rzeczy: tłumik robiący zup-zup, pociski rozrywające poduszkę z cichym pam i stłumiony okrzyk kogoś za plecami. Odwracam się i widzę nagiego białego mężczyznę, chyba rudzielca. Ciężko powiedzieć, bo nie zapalił światła w łazience. Dziwka dała mi zły adres. Unoszę pistolet, żeby go puknąć w głowę, ale chlusta mi czymś w oko i czuję, jakbym wyszedł z siebie, bo własny krzyk słyszę gdzieś z boku. Coś spływa mi po twarzy, sprawdzam smak. Jebany płyn do płukania ust. Gdy wbiegłem do łazienki i przemyłem szybko oko, on już zdążył otworzyć okno i wyskoczyć na schody przeciwpożarowe. Gonię go i tak sobie zbiegamy na parter, goły białas wrzeszczy, a ja próbuję go zdjąć. Strzelam, metal dzwoni o metal, tryskają iskry. Trzema susami pokonuję podest i widzę kolejną kondygnację, strzelam do wrzeszczącego golasa, nie wiem, co krzyczy, ale chyba nie wzywa pomocy. Ciągle trafiam w te jebane schody. Zamiast zbiec z ostatnich schodów, tamten zeskakuje z półpiętra na ziemię.

Dalej biegniemy zaułkiem, golas drze mordę jak zarzynana świnia, ja tuż za nim, ale niewiele widzę, bo prawe oko ciągle kurewsko mnie szczypie. Co gorsza, z każdym krokiem coraz bardziej wzbijamy kurz śmierdzący gównem, odpadkami, potem i śmiercią. Chcę go zabić, ale tylko na filmach skurwiele umieją celnie strzelać w biegu, do tego nie są ślepi na jedno oko. Wszystkie kule znikają w ciemności, żadnych rykoszetów, nic. Facet jest bez butów, ale spierdala jak zając, kluczy po ciemnym zaułku pełnym dziur i pustych puszek. Wdepnąłem w coś miękkiego, to chyba szczur, ale nie mam czasu ani ochoty sprawdzać. Dobiegamy do ulicy i facet zatrzymuje się nagle w świetle reflektorów i latarń. Trafiłem go dokładnie w chwili, gdy wystartował dalej, a z obu stron mijały go dwa samochody. Jeden przyhamował, potem ruszył z piskiem opon, odbijając ostro w prawo, o mało nie przywalając w sygnalizator, wreszcie zniknął w oddali. Na ulicy żywego ducha, co jest dosyć osobliwe jak na Nowy Jork. W pierwszej chwili ten mur wydaje mi się dość dziwny, taki czarny, pofałdowany i błyszczący. Zaraz potem dociera do mnie, że to sterta worków ze śmieciami, leżą po jednej i po drugiej stronie, tworząc pierdolony korytarz biegnący w mrok. Podchodzę do tego faceta, łapię go za lewą nogę i ciągnę w zaułek.

DORCAS PALMER

oważnie, przyjrzałaś się tej szmirze? Okładce? Okulary i wielki różowy nos. Kto to napisał, Groucho Marx? Na Boga, a te inne książki tutaj? *Domowe arsenały amerykańskiego podziemia* i to, *Petardy własnej produkcji*. I, zapewne klasyka gatunku, *Jak na zawsze pozbyć się byłej żony*. Uznałbym cię za członkinię jakiejś straży obywatelskiej, ale nie jesteśmy w Teksasie, poza tym o ile wiem, ich stosunek do czarnych nie złagodniał.

Próbuję odgadnąć, dlaczego ten mężczyzna myśli, że wolno mu się tak zachowywać w moim domu. Owszem, sadził się przez cały dzień, ale teraz to kompletnie nowy poziom, gada, jakby był moim ojcem albo mężem. E tam, po prostu znudzony starszy facet, któremu nagle trafiła się jakaś zagadka do rozwiązania, więc się podjarał. Nie, uważał, że dobrze mnie zna, bo mam wobec niego pewne zobowiązania, i teraz poczuł się zawiedziony. Tak czy owak, trzeba przyznać, że tupetu mu nie brakuje.

— Uspokój się pan.

— Co znaczy uspokój? Co ty jesteś, jakaś uciekinierka? Po co ci taka książka?

— Nie muszę się panu tłumaczyć, ale powiem, że zobaczyłam ją w księgarni. Zaciekawiła mnie.

— W jakiej księgarni, dla najemników? Te szajbusy w ogóle umieją czytać?

— To zwykła książka.

— To podręcznik, Dorcas, jeśli w ogóle tak masz na imię. Nikt nie kupuje podręcznika, nie zamierzając z niego korzystać. A sądząc po tych oślich uszach, ty często korzystałaś.

— Nie muszę się panu z niczego spowiadać.

— To się nie spowiadaj. Ale ta książka to kupa gówna.

— Tak, kompletny chłam, jak wy mówicie. Dlatego do niczego mi się nie przydała…

— Powiedziałem, że ta książka to gówno. A nie, że ci się nie przyda.

Dlaczego nie wykopię go z domu za to, że się na mnie wyżywa? Kurwa, to moje mieszkanie. To ja płacę czynsz.

— Nikt tu nie będzie mówił głośniej ode mnie.

— Co?

— To mój dom i nikt tu nie będzie podnosił na mnie głosu.

— Przepraszam. Przykro mi.

— Niech pan nie przeprasza. To mnie jest przykro.

Siada.

— To twój dom.

Inna Dorcas Palmer powiedziałaby, że cieszy się, że to słyszy, może nawet by się wzruszyła, że ktoś się z nią liczy, chociaż dopiero się poznali. Ale ja milczę.

— Nie znalazłam tam niczego wartego uwagi — mówię po chwili.

— No to dzięki Bogu.

— Bo…

— Bo?

— Bo na większość z tego, co tam napisano, wpadłam wcześniej sama i to zrobiłam. Zresztą to nie jedyna taka książka.

— Jak mam to rozumieć?

Pan Colthirst przysuwa sobie jedno z krzeseł i siada przede mną. Zdejmuje marynarkę. Próbuję przynajmniej przez jeden wieczór nie dopatrywać się znaków we wszystkim. To nawyk, który przejęłam od Amerykanek, próba interpretowania każdej czynności wykonywanej przez mężczyzn jako zakodowanego przekazu. Teraz to on jest pierdolonym uciekinierem. Patrzy na mnie, przechylając głowę, jakby zadał pytanie i czekał na odpowiedź. Chciałabym, żeby do niego dotarło, że jestem inna niż ci wszyscy ludzie, których oglądał u Phila Donahue. Ci, którzy nie mogą się doczekać, żeby opowiedzieć o swoim prywatnym życiu trzynastu milionom widzów. Pozdrów kogoś takiego zwykłym „cześć", a od razu poczuje potrzebę, żeby ci się zwierzyć. Wszyscy chcą się wyspowiadać, ale tak naprawdę nic nie mówią. Niczego nie odsłaniają.

— Cmentarz na Flushing, Czterdziesta Szósta Aleja, Nowy Jork.

— E?

— Cmentarz na Flushing. Tam ją pan znajdzie, jeśli panu zależy.

— Kogo?

— Dorcas Palmer. Dorcas Nevrene Palmer, urodzona drugiego listopada tysiąc dziewięćset pięćdziesiątego ósmego roku w Spauldings, Clarendon na Jamajce. Zmarła piętnastego czerwca tysiąc dziewięćset siedemdziesiątego dziewiątego roku, Astoria na Queens. Przyczyna śmierci? W nekrologu napisano, że poniosła śmierć w wyniku wypadku, co znaczy, że przejechał ją samochód. Wyobraża pan sobie, że cmoknął pana samochód w Nowym Jorku?

— Co zrobił?

— Cmoknął. Potrącił.

— I tak po prostu wzięłaś sobie jej nazwisko?

— Gdybym wzięła nazwisko Claudette Colbert, to chybabym się wsypała.

— Nieśmieszne.

— Bo to nie był żart. Gdybym wzięła nazwisko Claudette Colbert, to chybabym się wsypała.

— Nie możesz tak po prostu używać nazwiska zmarłej osoby. Przecież to łatwo wykryć, nie?

— Może to pana zszokuje, ale wydział zgonów nie jest największym wydziałem w urzędzie miejskim.

— Bardziej szokuje mnie twój ironiczny ton. Inaczej sobie zapamiętałem Jamajczyków. Nie patrz tak na mnie. Co pięć minut serwujesz mi jakąś sensację, muszę więc pieprzyć jak zgred, żebyśmy zachowali równowagę.

— Aha. Wygląda na to, że faktycznie zależy panu, żeby się dowiedzieć.

— Wygląda na to, że faktycznie zależy ci, żeby mi powiedzieć.

— Nie, nie bardzo. Jestem odporna na tę modę zwierzania się całemu światu. Wy Amerykanie i to wasze, ej, chcesz o tym porozmawiać? Rany, Jezu.

— W każdym razie.

— W każdym razie to Nowy Jork, a w Nowym Jorku mało jest ludzi, którzy się tutaj urodzili i tutaj zakończyli życie. Poszczególne stany nie mają żadnych wielkich archiwów, w których przechowują dane zmarłych obywateli. Tak naprawdę wydziały spraw obywatelskich zajmujące się urodzeniami i zgonami nie mają ze sobą wiele wspólnego, nawet mieszczą się gdzie indziej. Dlatego jeśli gdzieś w ogóle jest świadectwo zgonu, to nie ma...

— Metryki urodzenia.

— A jeśli wykombinuje się metrykę urodzenia...

— Wtedy masz dowód, że ty to ty, a prawdziwa tożsamość odchodzi w zapomnienie. A jej rodzina?

— Wszyscy są na Jamajce. Nawet nie było ich stać, żeby przylecieć na pogrzeb.

— Zasiłek?

— Cały czas odbiera.

— Nie była...

— Wystarczy skombinować metrykę. Tak, zadzwoniłam do urzędu stanu cywilnego na Jamajce i poprosiłam o kopię swojej, to znaczy jej, metryki. Nawet nie pamiętam, ile za to zapłaciłam. Ludzie zawsze wolą wierzyć w najgorsze, a nie w średnio złe, to dlaczego nie dać im najgorszej ewentualności? Zdziwiłby się pan, w ilu miejscach można powiedzieć, przepraszam, ale zapodziałam gdzieś swój paszport, albo po prostu stwierdzić, że został skradziony. Mam metrykę.

— No tak, chyba faktycznie byłby problem, gdybyś się nazywała Claudette Colbert.

— Albo Kim Clarke.

— Kto? Kiedy nią byłaś?

— Dawno temu. Wyparowała. W następnej kolejności skontaktowałam się z urzędem spisowym i zażądałam wszystkich informacji o Dorcas Palmer.

— Aha, a oni ci je udostępnili bez problemu?

— Nie. Poprosili o siedem dolarów i pięćdziesiąt centów.

— Jezu Chryste. Ile masz lat?

— Po co to panu wiedzieć?

— No dobrze, zachowaj sobie tę jedną tajemnicę. Ci z ubezpieczeń społecznych nie zdziwili się, że tak późno zgłosiłaś się po numer?

— W przypadku imigrantów wcale się nie dziwią. Ani wtedy, gdy ma pan metrykę urodzenia, ale nie może pan znaleźć swojego paszportu. Ani wtedy, gdy pańskie wyjaśnienia są tak długie i zawiłe, że nie mogą się doczekać, żeby pana spławić. Jak ma pan metrykę i dobrą bajeczkę, to bez trudu dostanie pan dokument tożsamości. Potem wystarczy zapłacić trzydzieści pięć dolarów i dostanie pan paszport. Ale ja się nie starałam. To dopiero rozdział drugi.

— Ale nie masz amerykańskiego obywatelstwa?

— Nie.

— A prawo pobytu?

— Mam paszport jamajski.

— Na prawdziwe nazwisko?

— Nie.

— Chryste. Coś ty zrobiła?

— Ja? Nic.

— Ty tak twierdzisz. Na pewno jesteś poszukiwana. Ta historia to najbardziej ekscytująca rzecz, jaką słyszałem od niepamiętnych czasów. Kurwa, coś ty zrobiła, powiedz? Przed kim uciekasz? Muszę przyznać, że to bardzo emocjonujące.

— Kto by rano przypuszczał, że dzień zakończy się taką historią, co? Nie jestem poszukiwana. Nie jestem przestępcą.

— Miałaś tylko za męża skurwysyna, który cię bił.

— Tak.

— Poważnie?

— Nie.

— Dorcas. Czy jak masz na imię…

— Teraz Dorcas.

— Mam nadzieję, że jej podziękowałaś za to, że możesz się posługiwać jej nazwiskiem.

Wstaje i znowu podchodzi do okna.

— Wyemigrowałaś tutaj pod fałszywym nazwiskiem, więc chyba się nie pomylę, jeśli powiem, że ten, przed którym uciekasz, jest na Jamajce. Ale zapewne ma możliwości, żeby cię wyśledzić. Dlatego podszyłaś się pod obcą kobietę.

— Powinien pan być detektywem.

— Dlaczego ci się wydaje, że jesteś tu bezpieczna?

— Zasłania pan księżyc. Mieszkam tu od siedemdziesiątego dziewiątego i na razie mnie nie znalazł.

— Więc to jakiś facet cię ściga. Musiałaś porzucić dzieci?

— Co? Nie. Nie mam dzieci, Bogu dzięki.

— Dzieci nie są takie złe, no, przynajmniej do czasu, kiedy nie zaczną mówić. Kim jest ten człowiek?

— Po co to panu wiedzieć?

— Może mógłbym…

— Co, pomóc? Sama już sobie pomogłam. On mieszka daleko od Nowego Jorku. I prawdopodobnie nie ma powodu, żeby tu przyjeżdżać.

— Ale jednak ciągle się ukrywasz.

— W Nowym Jorku mieszka dużo Jamajczyków. Ktoś może go znać. Dlatego nie zadaję się z Jamajczykami.

— Ale dlaczego w ogóle wybrałaś Nowy Jork?

— Nie zamierzałam spędzić całego życia w Marylandzie, a Arkansas nie wypaliło. Poza tym duże miasto jest ogólnie lepsze. Komunikacja miejska, czyli nie trzeba mieć samochodu, nigdy nie rzucam się w oczy, no chyba że jadę metrem z białym mężczyzną, nie ma kłopotów z pracą, nikt nie zadaje zbędnych pytań. Między jedną a drugą robotą można udawać, że cały czas ma się zajęcie, więc codziennie wychodzi się z domu o tej samej porze i wraca o tej samej porze wieczorem. Jak nie pracuję, to chodzę do biblioteki albo do MOMA.

— Dlatego potrafisz odróżnić Pollocka od Kooninga.

— Kurwa, nie musiałam iść do MOMA, żeby umieć ich odróżnić.

— Ale to nie wygląda na fajne życie, skoro ciągle musisz się oglądać przez ramię. Nie męczy cię to?

— Co?

— No właśnie, co.

— W tej chwili mam dość ustatkowane życie, dach nad głową i kredyt. Wszystko ujęte w plan spłat, chociaż bez trudu mogłabym płacić na bieżąco. To rozdział czwarty tej książki. Jeśli to powinna być chwila, w której przeżyjemy wielkie katharsis, to przepraszam, że pana rozczarowałam.

— Och, rozczarowanie to ostatnie słowo, jakie przyszłoby mi do głowy w związku z tobą, skarbie.

Naprawdę powinnam odpowiedzieć, że nie jestem jego skarbem. Naprawdę powinnam. Ale mówię co innego:

— Późno się zrobiło. Musi pan wracać do domu.

— A jak proponujesz, żeby szacowny biały dżentelmen wydostał się z... Gdzie my jesteśmy?

— Na Bronxie.

— E? Dziwne, kompletnie zapomniałem. A jak się tutaj... Nieważne, muszę za potrzebą.

Zamyka drzwi. Marynarka zsunęła się z krzesła. Podnoszę ją. Ciężka, za ciężka jak na letnią marynarkę. Zastanawiam się. Ma nawet podszewkę. Spociłabym się jak mysz w takiej marynarce. Składam ją i nagle widzę jakiś napis przy lewym ramieniu, nie wygląda to na instrukcję prania. Odręczne pismo, jakby flamastrem.

JEŚLI TO CZYTASZ, A WŁAŚCICIEL TEJ MARYNARKI JEST W POBLIŻU, PROSIMY O PILNY KONTAKT POD NUMEREM 212 468 7767. TO POWAŻNA SPRAWA.

Podnoszę słuchawkę. Trzy sygnały.

— Tato! Tato, Jezu Chryste, gdzie…

— Mówi Dorcas.

— Kto? Jaka Dorcas?

— Dorcas Palmer.

— Kim ty… Kurwa, czekaj, jesteś tą kobietą z agencji? Kiciu, to ta z agencji.

— Tak, z agencji. Proszę pana…

— Słodki Jezu, błagam cię, tylko powiedz, że on jest z tobą.

— Tak, jest tutaj. Musi pan wiedzieć, że to on się uparł, żeby wyjść z domu. To znaczy, jest dorosły, może robić, co chce, ale nie mogłam go zostawić, więc…

— Gdzie jesteście? Wszystko w porządku?

— Na Bronxie. Tak, w porządku. Co…

— Podaj mi adres. Natychmiast, słyszysz?

— Oczywiście.

Zapisał adres i od razu się rozłączył. Nie ma sensu marnować śliny, jak mówią Amerykanie. Pukam w drzwi do łazienki.

— Ken?! Ken?! Zadzwoniłam do twojego syna. Przyjedzie po ciebie. Przepraszam, ale zrobiło się późno, a tu nie możesz zostać. Ken?! Ken?! Panie Colthirst?!

— Kim jesteś?

Przyciskam głowę do drzwi, bo chyba się przesłyszałam.

— Kim ty, kurwa, jesteś? Jazda stąd. Odsuń się od drzwi, mówię.

— Panie Colthirst?

Szarpię za klamkę, ale zamknął się od wewnątrz.

— Spierdalaj.

TRISTAN PHILLIPS

le teraz mów mi prawde. Poważnie myślisz, że Josey Wales leci taki szmat drogi do Nowego Jorku, żeby, sześć lat za późno, załatwić z tobą sprawy? Wygląda mi, że ty cierpisz na duże wyobrażenie o sobie, brada mój, wiesz, o co chodzi, mądrej głowie dość dwie słowie. Za razem jestem pewny, że Josey zostawił mie w spokoju, bo tak na prawde chciał, żeby zdech układ pokojowy. A jak układ zdech, to Josey nie musiał już nikogo zabijać. Plus ja sie mocno starałem nie wchodzić mu w droge, a on mie, bo jakby mie wziął na cel, toby znaczyło, że wziął na cel Ranking Dons. Jasne, że nie dorastamy tym ze Storm Posse, ale mimo wszystko musiałby dużo czasu poświęcić, żeby nas zneutralizować. Co sie tyczy Beksy, i on, i ja wiemy, dlaczego nigdy nie próbował mie dopaść.

Ale twój przypadek jest jakby inny, jakby wyjątkowy. Josey chciał cie nakryć czapką niewitką, a ty mu zdjołeś najlepszego człowieka. Może on ma do ciebie szacunek, czasem on dziwny jes. A może o tobie zapomniał... ale też nie, Josey nic nie zapomina. Pewnie uznał, że nie ma różnicy, czy żyjesz, czy nie żyjesz, to znaczy różnica jes taka, że trzeba by czasu i pieniędzy, żeby cie skasować. A może mu sie priorytety pozmieniały.

Nie wydaje mi sie, żeby on przyjeżdżał po ciebie. Ludzie tutej nie wiedzą wszystkiego, ale Josey to nie ten człowiek, co sześć lat temu, którego, jak mi mówisz, nie spotkałeś. On i ten drugi, Eubie, co tu jest od tysiąc dziewięćset siedemdziesiątego dziewiątego, sprzedają zioło i koke, zrobili z tego prawie legalny biznes. Prawie. Powiem ci jedną rzecz, dlaczego Storm Posse zawsze będą więksi niż Ranking Dons — oni mają ambicje. Mają plany. Jeden, co tu kibluje, mówi mi, że Storm Posse rządzą w Nowym Jorku,

Waszyngtonie, Filadelfi i Baltimore. Znaczy od kiedy siedze w pudle, zepchneli wszystkich Kubańczyków z powrotem do Miami. Przez nich kartelowi z Medellín nawet do łba nie przyjdzie, żeby gadać z Ranking Dons. Wiesz, źle jes jak w tym całym bumie kokainowym zostajesz z heroiną. Ale Josey Wales to myśliciel, a ten cały Eubie jeszcze cwańszy. A to znaczy, że obaj za cwani, żeby mogli sobie ufać.

Nie wygląda, żebyś dał sie przekonać, że on nie po ciebie przyjeżdża. Słuchaj, brada, Josey Wales przyjechałby tu po ciebie, jakbyś mu dał nowy powód. Żaden z tych chłopaków sie nie pali, żeby odstrzelić białego, bo wtedy fedzie by sie zjawili i zaczeli węszyć. Nie, brada, jes luz. Chyba że chcesz o tym napisać jakiś artykuł.

Książke?

Ech, niektórzy to sie sami proszą. Brada, nie możesz o tym napisać żadnej książki. Ja ci wyjaśnie. Piszesz książke o Śpiewaku, getach, układzie pokojowym. Ale książka o gangach? Wiesz, że każda taka ekipa to oddzielna książka. I co byś napisał? Nie masz dowodu na nic. Z kim jeszcze gadałeś obok mie?

Słuchaj, Pan Bóg do tej pory sie do ciebie uśmiechał. Jak coś o tym napiszesz, nikt cie nie ochroni. W tej chwili nie jesteś kimś, kim on by sie musiał przejmować. Masz rodzine? Nie? Czemu nie? Tak czy siak, dobrze, bo ci chłopcy nie wahają sie puknąć całą rodzine. A że nie masz, znaczy, że nie masz brata, siostry, mamusi? W dupe, Pierce, no to masz mnóstwo rodziny. W tym roku chłopaki złapali dwóch od Spanglersów, co robili na Bronxie. Tego razu Storm Posse nie zasypali ich ołowiem. Nie, ser, obcieli im głowy, a potem je zamienili. To może wyświacz sam sobie przysługe i zaczekaj z tą książką, aż wszyscy w twojej rodzinie wymrą. Brada, my mówimy o gangu, prawdopodobnie nie będziesz nawet musiał długo czekać. Popatrz na mie. To ja wiem lepiej. Słyszałeś, że nawet występowałem w telewizji? Dwa razy, opowiadałem o wojnie i pokoju. Wszyscy na mie patrzyli i myśleli, no, to jes ten, co sie wymancypował z geta. Ale... ta, potem życie sie spierdoliło… Ja wiem lepiej i mówie lepiej, a gdzie mie znalazłeś? Widzisz więc?

Że co Josey?

Nie, młodzieńcze, taki jak on nie trafia do więzienia. Mie sie widzi, że on nie widział pudła od tysiąc dziewięćset siedemdziesiątego piątego. Która policja, które wojsko takie złe bardzo, żeby próbować go zdjąć? Ja ostatni raz Kopenhage widziałem w siedemdziesiątym dziewiątym, ale sporo słyszałem. Brada, to jak te komunizmy, co oglądasz w telewizji. Wszędzie plakaty i murale, i malunki z Papa-Lo i Joseyem. Kobiety swoje nygusy nazywają Josey Pierwszy, Josey Drugi, chociaż on rżnie tylko swoją żone, nie, przecież nie są ożenieni naprawde. W pewien sposób to można by uznać, że to brada z klasą. I jak chcesz dorwać Joseya, to najpierw musisz skosić całą Kopenhage, a nawet wtedy jeszcze nie dorwiesz. Musiałbyś też obalić rząd. Nie rozumiesz, czemu rząd? Panie Pierce, ogarnij sie, jak myślisz, kto tej parti dał zwycięstwo w wyborach w tysiąc dziewięćset osiemdziesiątym?

Wiesz, co w tobie widze? Zdecydowanie jesteś dziennikarz. Nie ma wątpliwości. Idziesz gdzieś i zbierasz informacje, zwłaszcza takie, co ludzie wcale nie chcieli ci dać. No bo zobacz, ile dziś ze mie wycisnołeś. Zadajesz właściwe pytania albo przynajmniej takie niewłaściwe, że sie ludziom język rozwiązuje. Ale wiesz, jaką masz wade, a może to nie wada, może tylko pokazuje, że jesteś dziennikarz. Nie masz pojęcia, jak to wszystko poskładać do kupy. A może pojęcie masz, tylko nie wiesz jak. Śmieszne, he? Że Josey Wales chce cie dopaść za coś, czego nie dałeś rady zrobić? Teraz byś dał? To po co piszesz książke? Piszesz, bo to rozgryzłeś, czy piszesz, żeby dopiero móc to rozgryść?

Mam do ciebie pytanie.

Chciałbym sie dowiedzieć, kiedy dokładnie Jamajka cie złapała na haczyk. Nie, nie chce wiedzieć dlaczego, zaserwujesz mi ten gupi-gupi kit, co biali wygadują, jak mówią o Jamajce, jakby to była jakaś kurwa z cipą tak słodką, że nie można zrezygnować, czy inne takie kretyńskie pierdoły. Jeden taki białek z centymetrowym siurem tak mi kiedyś powiedział, ale ty miałeś jamajską kobiete, podejrzewam więc, że masz dłuższego. No więc wal prosto z mostu, nie owijaj w bawełne, jak to mówicie, o co chodzi w Jamajce? Pięknc plażc? No bo wiesz, Pierce, my jesteśmy coś więcej niż plaże. My jesteśmy kraj.

Och.

Dziękuje, że mie nie poczęstowałeś żadnym gównem. To jes srajdół. Gorąco tam jak w piekle, na ulicach korki, ludzie sie nie uśmiechają ani nic i nikt nie czeka, żeby ci powiedzieć: nie ma problemu, człowieku. Tak, Jamajka jes gówniana, seksowna i niebezpieczna, i naprawde bardzo, bardzo nudna. Szczerze mówiąc, też jej nie lubie. A jednak weź popatrz na my dwaj. Jakby sie sytuacja zmieniła, to od razu chcielibyśmy tam jechać. Ciężko, nie? Ciężko nie porównywać Jamajki do kobiety. Gratuluje, to bardzo niebiała odpowiedź jak na białka.

Ale to antykulminacyjne. Tak sie mówi? Antykulminacyjne? Musisz przyznać, że ciekawiej by było, jakby Josey Wales czekał na ciebie pod bramą więzienia. Ty przynajmniej wyjdziesz, ja musze czekać.

Do marca tysiąc dziewięćset osiemdziesiątego szóstego, młodzieńcze.

Co będe robił? Nie wiem. Pójde gdzieś na Brooklyn, gdzie dają aki i rybe soloną.

Cha, cha. Jakbym móg odejść z Ranking Dons. Moje życie zostaje bez zmian tak jak twoje, Pierce. Ludzie tacy jak ja to mają życie z góry napisane i nikt nas nie pyta o zgode. Nie dużo możemy zrobić z tym, co Bóg na nas zsyła. Och? To sie nazywa fatalizm? Nie wiem, brada, to słowo bardziej mi sie kojarzy z fatalnością, a nie z losem. Wiesz co, może jednak powinieneś napisać tą książke. Wiem, wiem, co powiedziałem, ale teraz jakby patrze głębiej. Może ktoś powinien to całe szaleństwo złożyć w jeden obraz, a żaden Jamajczyk tego nie zrobi. Żaden Jamajczyk by nie umiał, brada, albo jesteśmy za blisko tego, albo ktoś nas powstrzyma. Nie musi wcale do tego dojść, wystarczy sam strach, że ktoś będzie chciał nas dopaść, żeby powstrzymać. Ale żaden z nas tak daleko nie patrzy. Znaczy, niech mie szlag.

Niech mie szlag.

Cholera.

Ludzie powinni wiedzieć. Powinni wiedzieć, że był taki czas, że mogło sie udać, rozumiesz? Naprawde mogło nam sie udać. Ludzie mieli nadzieje i za razem byli umordowani, więc zaczeli marzyć, że może być inaczej. Wiesz, czasem zaglądam do tego jamajskiego „Gleanera" i wszystko jest czarno-białe, tylko z jeden, dwa nagłówki na czerwono. Jak myślisz, kiedy będą tam zdjęcia w kolorze, za trzy lata? Za pięć? Za dziesięć lat? A wcale nie, brada, my już mieliśmy kolory, tylko straciliśmy. Taka właśnie jest Jamajka. Nieprawda, że nigdy nie było dobrych dni, więc teraz tylko pozostało patrzeć w przód. Mieliśmy dobre dni, ale potem gówno z tego wyszło. I to gówno jes teraz od tak dawna, że ludzie sie w tym gównie wychowują i myślą, że nie ma nic innego. Więc powinni wiedzieć. Może to dla ciebie za duża sprawa. Może to za duże na jedną książkę, może powinieneś to trzymać zamknięte w wąskich ramach. Być skoncentrowany. W morde, wystarczy posłuchać, jak cie prosze, żebyś napisał o czterystaletnich powodach, dlaczego mój kraj zawsze sie stara przełamać. Powinieneś sie śmiać. Ja na twoim miejscu bym sie śmiał. Ale zauważyłeś, co? Dlatego ta cała historia o pokoju prześladuje cie tak długo jak mie. Nawet tacy, co zawsze czekają na najgorsze, to choć tylko na dwa albo trzy miesiące zaczeli myśleć, że pokój to coś, a potem, że to coś wielkiego, i już o niczym innym nie mogli myśleć. To jak deszcz jeszcze nie pada, a ty czujesz jego smak we wietrze. Popatrz na mie, nie mam jeszcze czterdziestki, a widze tylko to, co mam za sobą, jak starzec. Ale czekaj, to dziesięciolecie jes dopiero w połowie, tak? Sprawy mogą pójść w jedną albo drugą strone. Nostalgia, tak sie to nazywa? Pewnie dlatego, że za długo siedze zagranicą. Albo może w więzieniu sie nie ma nowych wspomnień. Jak myślisz? Musisz mi powiedzieć, jak już będziesz miał pierwsze zdanie. Chciałbym wiedzieć, jakie będzie. Co, już masz? Nie, brada, nie mów. Najpierw napisz.

Ta, możesz podać moje prawdziwe nazwisko. No to czyje nazwisko chciałeś wziąść? Ta, człowiek, napisz tą książke. Tylko wyświacz sobie i mie jedną przysługe. Zaczekaj, aż wszyscy umrą, dopiero wtedy opublikuj, tak?

JOSEY WALES

A jednak trzeba temu twojemu chłopakowi Beksie oddać sprawiedliwość. Bushwick. Ciągle zachodze w głowe, jak to jes, że Jamajczycy przyjeżdżają do trzy razy większego geta z trzy razy wyższymi kamienicami i myślą, że pójdzie im lepiej. Że co, że nikt nie widzi różnicy między tym, co dobre, a tym, co bardziej złe? To musi jakiś inny brada rozgryść. Do tej pory przy każdej ulicy, którą przeszliśmy, co najmniej dwa domy spalone. Przy ostatniej tylko dwa całe stały, wszędzie bezdomne kundle, bezdomni ludzie i gruz. I wszędzie, nawet na dobrych ulicach, czuć ten smród, aż zatyka.

— Bo wiesz, Josey, przynajmniej sie połapał...

— Dlaczego wszędzie cuchnie jak na zapleczu u rzeźnika?

— Bushwick, brada. Wszędzie na Bushwick są te masarnie. No, jedna czy dwie. Bo większość pozamykali, ludzie tutej nie mają pracy.

— A te domy? Co sie porobiło?

— Podpalenia, brada. Jak ci mówiłem, fabryki sie pozamykały. Ludzie potracili robote, ceny nieruchomości spadły tak nisko, że masz więcej pieniędzy z ubezpieczenia, jak ci sie sfajczy dom, niż jak go sprzedasz. Taki cmentarz, że nawet najbardziej parszywa kurwa nie będzie chciała tu mieszkać.

— To po co tu robić zbyt?

— Właśnie w tym ten twój Beksa cwany. Mówiłem ci, właśnie w takim miejscu najlepiej sie ulokować. Jak myślisz, dlaczego Ranking Dons tak bardzo by chcieli przejąć ten teren? Ludzie szukający cracku nie chcą być widziani, jak szukają cracku. To gdzie pójdą? Tam, gdzie cały Nowy Jork nie patrzy. Weś sie rozejrzyj, człowieku, jak chcesz, żeby ludzie o tobie zapomnieli, to przy-

626

chodzisz tutej. I zakładasz meline przy ulicy, żeby nie musieli za bardzo szukać. Nie wiem, jakim cudem ja nigdy na to nie wpadłem. Jak kupuje crack, to chce jak najszybciej wsadzić rurke do pyska. A już na pewno nie chce z tym iść tam, skont przyszłem, w pizde. Mówie ci, ten twój brada podsunął mi pomys, żeby coś spróbować tak na Queens.

Obracam sie powoli, rozglądam dokładnie po okolicy. Czego sie spodziewałem? Ulica wygląda, jakby interes sie kręcił, znaczy, jak inaczej Bushwick mogłoby wyglądać? A jednak. Dopiero jak człowiek przyjedzie, to do niego dociera, ile z tego, co wie o Ameryce, wziął z telewizji. Ulica szeroka, ale pusta. A co gorsza, ciągle myśle o tym, że tutej jestem tylko ja, Eubie i jego ludzie.

Furgonetka została dwie przecznice dalej. Idziemy. Zatrzymujemy sie przed domem zabitym dechami.

— Tutej?

— Ta.

— No to włazimy. Ja...

— Chwila, Josey. Przyszłeś sprawdzić handel, to poobserwujmy, jak sie handluje.

Wskazuje dalej na ulice, ale ja nic nie widze. Dopiero jak wychodzą z cienia pod latarnią. Dwóch ich. Ciężko powiedzieć, bo za daleko, ale jeden z nich to pewnie czujka. Drugi chowa twarz pod kapturem. Czujka sie odwraca i wskazuje ręką w naszą strone. Kaptur idzie dalej, ale ktoś drugi go zatrzymuje, a przynajmniej próbuje zatrzymać. Bo Kaptur idzie dalej. Tamten krzyczy, Kaptur sie zatrzymuje i wraca. Pierwszy gada już z kimś innym. Kaptur przybija piątke z tym drugim i staje pod latarnią. Eubie wciąga mie do cienia. Kaptur porusza biodrami, dziewczyna. Drugi odchodzi na cztery, może pięć metrów, i przybija piątke z trzecim, który wylaz z za latarni. Mam sie za bystre oko, ale w ogóle go wcześniej nie zauważyłem. Drugi i trzeci zabierają ręce, drugi idzie do Kapturka. Ona rusza, mija drugiego, w marszu dotykają sie rękami. Po chwili Kapturek przechodzi obok nas i wali dalej ulicą.

— To gdzie?

— Na meline — odpowiada Eubie. — Trzeba iść sprawdzić.

— Nie. Zawołaj chłopaka.

Wskazuje mu tego, którego nie było widać za latarnią.

Eubie go przyzywa, tamten rusza, tym krokiem, co chodzą gówniarze w Ameryce, jakby ręce i nogi musiały sie wyginać w dwie różne strony. Podchodzi do mie, ale nie stoi, tylko jakby sie buja.

— Soes?

— Co?

— On pyta, co jest, Josey. Co sie dzieje, co…

— Kapuje.

— Młodzi tak dzisiaj mówią. Ja własnego syna nie rozumie, nie jest tak?

— Jak handel? — pytam.

— Piątek wieczór, to jak ci sie wydaje, kurwa? Ludzie dostali wypłate, gonią po mieście za cipą i fiutem. Kokakurwy ssają po kątach za drobne, to potem sie zgłoszą, piątek, piąteczek, yo.

— Kiedy cie tu Beksa postawił?

— Kto?

Eubie śmieje sie cicho, ale na tyle głośno, że bym słyszał.

— Beksa, twój szef.

— A, ten Michael Jackson. Sie gdzieś kręci, przynajmniej kręcił kilka godzin temu. Może poszed do domu odpocząć, ciężki dzień miał skurwysyn.

— Szefa nazywasz skurwysynem?

— Ej, Josey, tutej to znaczy co innego. Ludzie swoich własnych brada z krwi nazywają skurwysynami.

— Co ty pierdolisz, Eubie? Nie podoba mi sie to.

— Dobra, stary, już nie będe skurwysynił — mówi chłopak. — Jezusie.

— Wygląda, że jesteś obcykany. Od dawna robisz dla Beksy?

— Masz zegarek?

— Ta.

— Która?

— Jedenasta.

— To od pięciu godzin. Zawsze miałem piątki z matmy.

— Co? Co powiedziałeś? Od pięciu godzin? On nowego stawia od razu do naganiania?

— Ja bym nigdy nie dał nowemu naganiać — mówi Eubie.

— Nie jestem nowy, tatek. Nowy to ja jestem naganiacz. Ze dwa tygodnie robiłem na czujce.

— Widze, że kontrolujesz sytuacje — mówie. — Ale jakim cudem żeś tak szybko awansował?

— Bo, kurwa, dobry jestem. Dziś wszystko hula. I dobrze, bo tydzień temu to gówno wielkie tu było.

— Opowiedz — mówi Eubie.

— Ej, mister, ja nie będe nic opowiadał temu twojemu alfonsowi — szczeka młodziak, patrząc na mie, ale wskazując Eubiego.

— Alfonsowi? Alfonsowi? Ty w pizde jebany, kogo ty...

— Eubie, odpuść gówniarzowi — rzucam.

Nie było mi wcale wesoło, ale postarałem się, że by zobaczył uśmiech na mojej twarzy. Chłopak mi sie spodobał. Podchodze i kłade mu rękę na ramieniu.

— Dobra. Widze, że masz pojęcie i nikomu nie dasz sobie wcisnąć gówna. To dobrze. Ale musisz coś zrozumieć. Beksa ci płaci, bo ja płace Beksie. Beksa trzyma cie przy życiu, bo ja trzymam przy życiu Bekse. Taki układ, dociera?

— Jasne, tatek. Jesteś Tata Don.

— Czekaj. Josey, gdzie on podebrał taką gadke?

— Jebani Jamaje wszędzie sie wcisnęli. Jak te kurwy, co takie alfonsy jak ten twój tutaj wysyłają na Flatbush.

— Ej, brada, nie jestem alfons, już ci mówiłem.

— Znaczy, że normalnie sie tak ubierasz? Ja pierdziele.

Widze, że chłopak mocno już sobie nagrabił u Eubiego.

— To jak to było tydzień temu? — pytam.

— Jakoś było. Facet, ja nie jestem kabel. Ale ci powiem, że jakbym pozwolił skurwysynowi utrzymać taki bajzel jeszcze jeden dzień, to dzisiaj byłby to teren Ranking Dons.

— Co?

— Co co? Wyglądam, jakbym był na haju? Brada, masz czujki, masz naganiaczy i masz dilerów, od których ludzie biorą całe to gówno, ale jak obaj twoji dilerzy nie mają czasu dilować, bo właśnie odlatują na własnym towarze, to jak myślisz, co sie będzie działo na ulicy?

— Kumasz, Josey? — wtrąca sie Eubie. — To samo ci mówiłem.

— I co Beksa z tym zrobił?

— Trzeba przyznać facetowi, że wyprostował sprawy jak chuj. Jeden z dilerów podskoczył mu na melinie, Beksa go odstrzelił, o tak, jakby splunął. O w duuuupe. Wy, Jamaje, nie znacie sie na żartach. Potem mie tu ściągnął, awansował, spytał, czy mam kumpli, co by chcieli zarobić pare dolców. To mu mówie, jasne, kurwa, że mam kumpli. I teraz, tatek, obstawiliśmy cały kwadrat. Ulica pod kontrolą.

— Kto zaopatruje dilerów?

— Chyba twój Beksa, nie?

— Gdzie poszed?

— Ja go pare godzin temu widziałem na melinie. Chyba musiał iść sprawdzić jeszcze inne miejsca. Słuchaj, im dłużej sobie tutaj pierdolimy pitu-pitu, tym mniej sałaty dla ciebie zarobie, tak?

— Dobra, dobra. Jak masz na imie?

— Piękne panny nazywają mie Romeo.

— W porządku, Romeo.

Patrze, jak odchodzi cały rozkołysany.

— Wszyscy na kwadracie to nowi? Człowiek, to on nie wie, że kontroluje kluczowy teren? Powaga, dwa nowe gówniarze pilnują nory z zapasami towaru? Musimy tam zajrzeć, Josey. To zaraz tutej…

— Nie. Zajrzymy na meline — mówie. — Gdzie twoji chłopcy?

— A tam są.

— Każ im wziąć na wstrzymanie. Chce bez ciężkiego buta zobaczyć, jak działa melina.

Idziemy dwie przecznice i skręcamy w prawo. Dom wygląda jak inne tutej, trzy piętra, okna zabite dechami, połowy desek nie ma. Jak taki jeden na dauntaunie w Kingston, gdzie jak sie dobrze przyjrzałeś, to było widać, że kiedyś Francja elegancja. Trzy piętra, ale schody tylko do drugiego. Różne gówno i śmiecie, na dole drapiący sie pies. Plus jebany płot, jakby tu jakaś rodzina mieszkała i mieli trawnik podlewać. Nie widać po ciemku, ale pewnie dom z cegły jak wszystkie na tej ulicy. Na schodach światło latarni jak z reflektora. Reszta ulicy to sam gruz. Na najniższym schodku siedzi jakiś facet, jakby patrzył, jak latarnia cień z niego robi. W środku dwa światła, jedno małe białe, przesuwające sie jak latarka, i drugie migające jak płomień, świeczka i rurka. Ledwie rok temu wylądowałem w Valle del Cauca. Teraz stoje przed tym domem.

— Wchodzimy? — pyta Eubie.

Nie odpowiadam. Nie chce, żeby myślał, że sie boje, ale nie chce wchodzić, jeszcze nie. Czuje, że stoi za mną i czeka, co zrobimy. Beksa może być w środku.

— Ide siku za róg, zaraz wracam.

Słysze, jak jego kroki cichsze i cichsze. Beksa tak długo by tam siedział, no nie wiem. Jakby Beksa tak długo tam siedział, to… Jak Beksa jest w środku, to może ma jakieś swoje beksowe wytłumaczenie. Jak Beksa siedzi tam w środku tak długo, to może nie powinien wychodzić. Jak…

— Dawaj, skurwielu! Pruj sie ze wszystkiego gówna!

Odwracam sie i najpierw czuje go nosem, pot, gówno i rzyg. Kawałki gazet we włosach. Czarny w palcie drapie sie w lewą noge. W drugiej pistolet wycelowany we mie. Krzywi sie, jakby go coś bolało, patrzy szybko w lewo, w prawo i znowu na mie. Ciągle sie drapie w noge. Nie widze wyraźnie, ale chyba jest boso. Staje na jednej, na drugiej nodze i sie ściska za udo, jakby sie bał, że sie zeszcza.

— Myślisz, że to żarty? Wyglądam na takiego, co żartuje, skurwysynu? Szybko, bo ci dupe przestrzele! Dawaj, no dawaj wszystko!

Znowu wymachuje bronią. Pruj sie, mówi. Wyciągam jakiś banknot z przedniej kieszeni. Chce też wyjąć portfel, ale wyrywa mi pieniądze. Patrze na niego, celuje mi w twarz. Patrze i widze, że pociąga za spust, i nawet nie zdąże spiąć mięśni, jak dostaje w czoło. Ścieka mi po twarzy.

Woda.

Nie.

Szczyny.

Śmieje sie i ucieka po schodach, obok tamtego, do środka. Ten na schodach nawet sie nie rusza. Ja też nie. Tylko ścieram szczochy z twarzy. Wraca Eubie, za nim ktoś biegnie. Wyprzedza go, dobiega do mie pierwszy.

Beksa.

— Josey! Josey, brada mój, co tu stoisz samiutki? Eubie cie zostawił? A... w pizde, co to tak śmierdzi?

— Szczyny, Beksa. W pizde, szczyny tak śmierdzą.

— Jak to?

Podchodzi Eubie. Nawet nie chce mi sie pytać, czy musiał wylać z siebie cały Nil, że tyle to trwało.

— Jaką masz klamke? — pytam, patrząc na niego.

— Dziewiątke.

— Dawaj. A ty, Beksa?

— To samo plus glock.

— Dawaj glocka.

Odbezpieczam oba, dziewiątka w lewym ręku, glock w prawym, i wale na meline.

BEKSA

W każdej ręce spluwa, prawdziwy western tu odpierdala. Żadnych głosów, dźwięków, żadnego nic, tylko kroki. Josey Wales wkracza powoli w ciemność meliny, słyszy, że my dwaj idziemy za nimi, przystaje i patrzy. My stajemy, czekamy, żeby znowu ruszył, ale Eubie tylko stoi, ja ide. Josey szybki, przygarbiony jak zwierze. Mam ochote spytać Eubiego, co sie dzieje, ale tylko ide. Z jego koszuli wiatr zwiewa mi smród szczyn prosto do nosa. Wymija tego na schodach i włazi. Wszędzie świeczki na stopniach, dom wygląda jak kościół. Światło takie powolne, a Josey szybki. Na podłodze mnóstwo puszek po piwie, jak przewrócone domino. Papier, dykta, linoleum, pomarszczone, płaty odchodzą jak łuszcząca sie skóra. W blasku świec grafiti skacze po ścianie, duże K i duże S po prawej stronie, odłażąca farba po lewej. Po środku drugie drzwi, przez które już wszed Josey. Podnosi prawą ręke z pistoletem, błysk z lufy. Kopie butelke na bok, ja za raz za nim, krok w krok, po prawej stronie leży męszczyzna, krew już płynie. Jeszcze bardziej na prawo łazienka. Biały albo Latynos na sedesie, spodnie spuszczone, chyba robi kupe, ale też klepie sie po ramieniu, żeby wyszła żyła. Josey celuje z glocka, wali dwa razy. Za drugim razem tamten podskakuje z kibla i leci na podłoge. Josey włazi w następne drzwi na prawo. Światło latarki sie przesuwa do szafki. Chyba kuchnia. W blasku męszczyzna na kolanach, jakby sie modlił. Dobieraniec na głowie, twarz do góry, ale jedno oko zamknięte, małe czerwone światełko, rurka sie żarzy i pam-pam-pam, pistoletu nigdy nie słychać bang-bang, jak na filmach, tylko pam-pam. Josey krąży, ale dom ciągle śpi, każdy krok to chrzęst po puszkach po piwie, butelkach po coli, opakowaniach po pizzy i chińszczyźnie, litrowych butelkach i wyschłym gównie, ciągle kroczy, wchodzi w następne drzwi, ktoś oparty o framuge, plecami do nas, za biodra i zaraz za tyłek trzymają go dwie czarne ręce. Dziecko uczepione jej pleców, ssa smoczka, a ona ssa kutasa. Josey strzela, tamten wali sie na drzwi, ale ciągle stoji, ona ciągle ssa, wyjmuje kutasa z ust i go trzepie, bo sflaczał, a jak sie nie spuści, nie zapłaci. Josey idzie, ja ide, zostawiamy ją, jak wkłada sobie znowu do buzi. Wchodzimy do dużego pokoju, kogo szukasz, mam ochote spytać, ale nic nie mówie, a po prawej czarna kobieta w białym staniku, prawe ramiączko zwisa, pali. Za nią męszczyzna bez koszuli, tylko w szortach, a może ma koszule, ale czarną, światło za słabe, nie widać, pali papierosa, pam-pam-pam i leci na sofe. Kobieta sie odwraca do nas i patrzy na mie. Potem znowu sie odwraca do przodu, patrzy i wrzeszczy. To wystarczy, jeden krzyk rodzi drugi krzyk, w blasku świec biała kobieta woła, upuszcza strzykawke, daje nura na podłoge, leci na twarz, igła przebija jej dolną warge, ale chyba nic nie czuje, bo ryje w śmieciach, szukając, dokoła ludzie wyłażą z mroku, kuleją, człapią, czołgają sie, teraz już biegną. A Josey podnosi obie ręce i rozpętuje sie piekło, uciekają, potykają sie, przewracają, jeden podbiega do niego, ale czoło mu sie rozbryzguje, facet pada jak ścięte drzewo, kobieta wyskakuje przez okno z tyłu, ale przecież jesteśmy na piętrze, wrzeszczy przez całą droge na parter, mam nadzieje, że nie upadła na głowe, z pokoju obok wychodzi męszczyzna w bejssbolówce i kraciastej koszuli, liter ma w szarej torbie, co jest kurwa, rzuca, dostaje dwa razy w pierś, butelka upada i sie roztrzaskuje, w pokoju niech będzie numer dwa jasnawy chłopak z kręconymi włosami i kobieta w rasta czapce właśnie sie szykują do pierwszego sztacha z rurki, kula roztrzaskuje jej czoło, rurka upada, a ten kędzierzawy: kurwa, upuściłaś sprzęt, kurwa, kurwo, upuściłaś sprzęt, kurwa, kurwo, upuściłaś sprzęt. Josey idzie dalej, ludzie wypierdalają z domu, bym go złapał, przytrzymał, krzyknął: co ty robisz, kurwa, ale on w mroku teraz, idzie na schody, trzyma sie po lewej, gdzie ciemno, pare stopni po prawej pęknięte, ide za nim. U góry schodów męszczyzna, Josey wali z obu luf zarazem, tamten leci przez poręcz, kobieta łapie swojego nygusa, ucieka, zatrzaskuje drzwi akurat, jak Josey oddaje trzy strzały. Kopniakiem wybija te drzwi i wchodzi, na materacu na podłodze wielki czarny gość ruhający ostro dziewczynę, pam-pam-pam, tamten wali się na nią bezładnie, ona najpierw musi łbem potrząsnąć, dopiero potem wrzeszczy. Jakiś inny ucieka, Josey biegnie za nim, piździelcu!, krzyczy. Wali do niego najpierw z prawej, potem z lewej, z lewej trafia go w kark przy uchu, z prawej w ramie, z lewej w potylice, z prawej w plecy, z lewej w kark, tamten na kolana i wtedy następna z lewej odstrzeliwuje mu kawał głowy, prawa leci w mrok, krew bluzga ustami, facet pada, kawałki gazety lecą z włosów. Josey podchodzi, ciągle wali, aż obie klamki dźwięczą na pusto. Ale on ciągle naciska spusty, klik, klik, klik, Josey, mówie, a on się odwraca, celuje we mie i naciska. Klik. Stoi, z klamką przystawioną mi do głowy, ja stoje i patrze, plecy mi cierpną, dysze, żołądek się kurczy. Dawaj drugą, mówi. Podchodzi do tamtego, przekręca go i zabiera mu pieniądze z kieszeni. Potem wraca do pokoju, gdzie dziewczyna skamle pod trupem, wielki martwy ciężar, bo to kawał chłopa, i strzela mu w głowę. Schodzi na parter, idzie do pokoju, strzela raz, wychodzi, ja tam zaglądam, ten jasnawy chłopak głaszcze ją po ciężarnym brzuchu i płacze. Josey mija tego z krwawiącym okiem, raz, dwa pam-pam-pam, prosto w głowe, mijamy tą w dużym pokoju, ze strzykawką wbitą w usta, ciągle na czworaka ryje w gównie i śmieciach, szuka strzykawki. Mijamy sypialnie, tam ta czarna już bez stanika, a facet ciągle pali papierosa, więc Josey wali mu raz w łeb, przechodzimy przez ostatnie drzwi, tamten ciągle jakby stoi przy framudze, ona ciągle mu ssa, dziecko ciągle uczepione jej swetra, ona go cmoka w chuja, niech ci stanie, miły, niech ci stanie, ssa i ssa, mijamy ją, mijamy tego z uplecionymi warkoczykami, ciągle rzęzi, pluje krwią i się dławi, w świetle latarki krew bluzga z szyji, Josey przystawia mu broń do czoła, strzela, wchodzi do kibla i wali jeszcze raz do śniadka, wreszcie jesteśmy przy wyjściu, zapomina o tym ostatnim, co grzał przy tym, którego zastrzeliłem przed paroma godzinami, wychodzi i noc go połyka, ja stoje przez chwile, potem biegne do drzwi i na dwór na schody. Ten, co tam siedział, przepad. Podchodzę do Joseya i Eubiego. Josey sie odwraca i znowu do mie celuje. Przez długą, długą chwile lufa przy mojej głowie, aż licze cyki przed kliknięciem.

Josey?

Josey?

O co biega?

O co biega, brada?

Nie oddaje mi jej, rzuca po prostu dziewiątke na ulice i idzie.

Eubie rusza za nim, ale sie zatrzymuje, odwraca i patrzy na mie. Nie widze jego twarzy.

DORCAS PALMER

S ama nie wiem, ale chyba jestem bliska stwierdzenia, że
w *T.J. Hookerze* Heather Locklear ma lepsze włosy niż
w *Dynastii*. A może nie podoba mi się to, że jedyna kobieta w *Dynastii* zmuszona walczyć z przeciwnościami losu to właśnie ta
dziwka, a nie jest nawet prawdziwą dziwką jak Alexis Carrington,
bo nie ma pieniędzy, więc właściwie nie jest dziwką, tylko dziweczką. Dlatego jej włosy wyglądają kiepsko w tym serialu. Poza
tym jak widzę ją grającą w *T.J. Hookerze*, to naprawdę mam ochotę
włożyć mundur. Poważnie, może faktycznie warto zostać policjantką, bo noszenie atrakcyjnych ciuchów przez cały dzień cholernie dużo kosztuje, nawet jak się nie przywiązuje zbytniej uwagi
do swojego wyglądu? Czasem wystarczy taka koszula, żeby faceci
nadal wiedzieli, że kobieta ma cycki.

Ciągle tam siedzi. Dziwne, wołam go już prawie godzinę. Bez
skutku. Kurczę, nie wiem, co się dzieje w mojej własnej łazience.
Ale im dłużej to wszystko trwa, tym mniej ma to sensu, więc
najlepiej w ogóle o tym nie myśleć. Jak ten facet w *Zbrodni i karze*,
u Dostojewskiego, ten, który właściwie o niczym nie myślał czy
coś w tym stylu. Przysięgam na Boga, że czasem żałuję, że nie
bywam już oderwaną od świata, zatopioną w lekturze kobietą jadącą dokądś autobusem. W pewnym momencie stało się to trudne
i trochę na siłę, ale właściwie nie miałam z tym problemu, dopóki
nie zaczęłam się zastanawiać, co tak naprawdę próbuję osiągnąć.
Chyba we wszystkim musi być jakiś cel. Nie wiem, o czym gadam. W każdym razie ten gość ciągle siedzi w mojej pierdolonej łazience, jakby to było *Lśnienie*, a ja tutaj zaraz odstawię Jacka
Nicholsona. I przez cały czas próbuję odgadnąć, jaki problem
ze zdrowiem ma taki energiczny facet, do głowy mi wcześniej nie

przyszło, że to może nie być fizyczna przypadłość. Ależ ja mam szczęście do kłopotów, to po prostu zadziwiające. Przysięgam na Boga. Skoro jednak zamknął się w łazience, to przynajmniej nie okaże się mordercą z tasakiem. Sprawy tak się poukładały, że w tej historii to ja bardziej wyglądam na zabójcę.

Znaczy, to nie ma najmniejszego sensu. Nie, zaraz, bo znowu zacznie się myślenie. To może w ten sposób: w mojej łazience jest mężczyzna. Powinien wyjść. Ja nie mogę go wyprowadzić, dlatego jedzie tutaj ktoś z jego rodziny. Może trochę się uspokoję, gdy skupię się na faktach. Podoba mi się, że to redukuje wszystko do kategorii, którymi nie muszę się przejmować. Lubię redukować. Sprowadzać do. Selekcjonować. Zostawiać za sobą. Dobra, wystarczy tych przenośni oznaczających oczyszczanie życia ze zbędnego gówna. A teraz całe to zbędne gówno zamknęło się w mojej łazience.

Znajomy odgłos. Przesuwająca się połowa okna. Ale przecież jest krata antywłamaniowa, poza tym to piąte piętro. Może on o tym zapomniał? Chyba próbuje uciec. A może za chwilę zbierze się na odwagę, wyważy kopniakiem drzwi i rozpęta się awantura? Czy przypomni sobie, że w mieszkaniu jest samotna kobieta, i wyjdzie? Czy będzie chciał mnie pobić? Nic nie wiem o tych byłych wojskowych. Wszyscy w tym mieście wyglądają na takich, co w każdej chwili mogą się rozpaść. Trudno, dalej będę siedziała na sofie, wygładzę tapicerkę na oparciu i obejrzę końcówkę *T.J. Hookera*. Będę tu siedziała, zaczekam, aż jego syn się zjawi, chociaż musieli dzwonić trzy razy, żeby ustalić właściwy adres, więc kto wie?

Może powinnam zawołać, czy czegoś nie potrzebuje? Tak się zawsze zachowują postacie w filmach w telewizji. Na pewno nie spytam, czy chce o tym pogadać. Może powinnam posprzątać, skoro ludzie mają przyjść. Jasne, bo na pewno będą oglądać mieszkanie. Nawet nie zauważą w łazience tego chodnika, na którym siedzi ich tatuś. A może siedzi na sedesie albo na skraju wanny, nie wiem. Co on w ogóle tam robi? Jezu Chryste, jeszcze nie tak dawno zachowywał się całkiem normalnie, normalnie i sympatycznie, i w ogóle przywodził na myśl określenia, na jakie mężczyźni już nie zasługują: szałowy, szarmancki i jeszcze coś na s. Był prawie... Z wszystkich sił starałam się nie myśleć o nim w ten sposób, bo takie myślenie o facecie zawsze źle się kończy, no i proszę bardzo, koniec jest dość opłakany. Lesbijki to chyba najszczęśliwsze istoty na świecie. Może powinnam znowu podejść do drzwi i powiedzieć mu, że jego syn już jedzie, ale „pierdol się", kimkolwiek jesteś, nie było miłe, gdy usłyszałam to za pierwszym razem, i za drugim byłoby podobnie. Zastanawiam się, które z nas właśnie obudziło się z koszmaru.

Czekać i patrzeć czy patrzeć i czekać? Nigdy wcześniej nie myślałam o zamianie kolejności. Jakbyśmy czekali, że coś się zadzieje, gdy tymczasem gdy coś się dzieje, to wtedy najczęściej musimy czekać. Patrzę na drzwi i czekam, żeby wyszedł, może uzbrojony w przetykacz albo suszarkę, albo lokówkę, i wówczas uświadomi sobie, że jestem kobietą, więc przynajmniej można mnie pobić. Zabawne, że Colthirstowie akurat zapomnieli wspomnieć, że będę się opiekowała szaleńcem.

Pukanie do drzwi. Pani Colthirst, z chustką na głowie, jakby ukrywała wałki, i w grubym palcie z wielbłądziej wełny, bo to przecież normalne w ciepłą letnią noc.

— Na miłość boską — szepcze i wymija mnie w drzwiach.

Jestem pewna, że straciłam tę pracę, więc nie muszę się podlizywać aroganckim białasom. Właśnie miałam tej zrobionej przez chirurga dziwce powiedzieć, żeby uważała na maniery w moim domu, gdy syn wbiegł po schodach i doskoczył do drzwi.

— Bardzo przepraszam — mówi.

On też nie czeka na zaproszenie do środka. Czuję się we własnym mieszkaniu jak intruz. Stawiam ostrożnie kroki, modląc się, żeby nie narobić hałasu, oni tymczasem mobilizują się przed drzwiami do łazienki.

— Tato, tato, to niedorzeczne. Wychodź.

— Pierdol cię, cipo.

— Tato, wiesz, że nie lubię, jak zwracasz się w ten sposób do mojej żony.

— Ja mam imię, Gaston — upomina męża pani Colthirst.

— Kochanie, powoli, nie wszystko naraz. Tato, możesz już wyjść? Może nie zauważyłeś, ale nie jesteś w domu.

— A kto mnie tu wsadził?

— Tato, to dlatego, że nie bierzesz leków.

— Dlaczego ta piskliwa dziwka nazywa mnie tatą?

— Byłeś na naszym ślubie i weselu. Nie udawaj, że nie pamiętasz.

Syn patrzy na mnie i porusza bezgłośnie ustami: przepraszam za wszystko.

— Nieważne, tato. Wychodź, pani Palmer chciałaby odzyskać swoją łazienkę. I tak za długo nadużywamy jej gościnności.

— A jak się tu znalazłem?

— No przecież nie zostałeś porwany, prawda?

— Wiem, że nie zostałem porwany, głupia dziwko. Myślisz, że mała czarna kobieta mogłaby mnie porwać?

Mała?

— Tato, przecież już… Tato, rozmawialiśmy o tych zanikach pamięci, przypominasz sobie?

— Gdzie ja jestem?

— Na Bronxie.

— Kurwa mać, kto by miał taki zanik pamięci, żeby wylądować na Bronxie?

— Wygląda na to, że ty.

— Może ktoś kazać się zamknąć tej dziwce?

— Dosyć tego, tato. Uspokój się i wychodź natychmiast.

— Jesteś żałosny.

— Dobra, tato, dobra, niech będzie. Jestem żałosny. A kto jest tym dorosłym mężczyzną, który właśnie sobie uświadomił, że siedzi w ubikacji u obcej kobiety w samym środku Bronxu, w dodatku nie wie, jak się tam znalazł? Ja jestem żałosny? Posłuchaj, nie wiem, jak się znalazłeś w łazience tej biedaczki, w ogóle mnie to nie obchodzi, ale wyłaź w tej chwili, do kurwy nędzy, chyba że chcesz, żebyśmy zadzwonili na policję, a wtedy aresztują cię za włamanie, a może za coś jeszcze gorszego.

— Ani mi się…

— Ken, wyłaź w tej chwili!

Synowa podchodzi do mnie.

— Ten fotel to danish modern? — pyta.

Mówię, że nie, ale najchętniej powiedziałabym, że tak, tak bardzo modern, że przed paroma dniami ktoś go wyrzucił na ulicę. Jest taka sama jak wszystkie bogate kobiety na świecie, nie wyłączając Jamajki. Gdyby nie naszyjnik z pereł, nie wiedziałaby, co zrobić z rękami.

Ken w końcu wychodzi. Nikt nie musi mi przypominać, że mnie nie wolno się tak do niego zwracać. Wygląda tak samo, tylko włosy nie pasują już do gwiazdora filmowego. Kosmyki wiszą nad lewym okiem. Wyprężony rusza do drzwi, z rękami z przodu, jakby ktoś skuł go kajdankami.

— Gail, skarbie, odprowadzisz tatę do samochodu?

— Kochanie, wydaje mi się, że muszę powiedzieć parę słów…

— Nigdzie nie pójdę z tą dziwką.

— Oboje wypierdalać z domu tej kobiety! Wypierdalać do samochodu! Już!

Synowa wychodzi, szarpiąc sznur pereł, co wygląda, jakby się sama ciągnęła na zewnątrz za naszyjnik. Pan Colthirst zatrzymuje się i patrzy na mnie, ale nie lustruje, tylko spogląda prosto w oczy. Pierwsza odwracam głowę. Nie widzę, jak wychodzi.

Syn siada.

— Chyba się dotąd nie poznaliśmy — mówi.

— Nie, był pan w pracy, gdy przyszłam.

— No tak. Dorcas, prawda?

— Tak.

— Jak on się tu znalazł?

Nie wiem, czy powinnam mu odpowiedzieć, ale coraz bardziej sobie uświadamiam, że on też wygląda jak Lyle Waggoner.

Ciekawe, czy ucieszyłby się, czy zezłościł, gdybym mu powiedziała, że są podobni jak bracia.

— Chciał wyjść. Nie bardzo mogłam go powstrzymać. Musiałam z nim iść, pilnować, żeby nie narobił sobie kłopotów.

— Ale Bronx? Pani mieszkanie?

— Wie pan, nie muszę się tłumaczyć. Zadzwoniliście do złej agencji, przynajmniej na to wygląda. Chciał coś zjeść na Bronxie. Właściwie nie musiałam z nim jechać.

— Ej, ja pani nie krytykuję.

— Nic się przecież nie stało.

— Panno Dorcas, ja nie mam pretensji. Wie pani, o co chodzi z moim ojcem?

— Nie, pani właściwie nie zdążyła mi wyjaśnić, no ale chyba dzwoniliście do agencji nie bez powodu.

— Dla taty każdy dzień to nowy dzień.

— Dla każdego każdy dzień to nowy dzień.

— Tak, ale dla taty jakby wszystko zaczyna się od początku. On jest chory.

— Nie jestem pewna, czy pana rozumiem.

— On nie pamięta. Nie będzie pamiętał wczorajszego ani nawet dzisiejszego dnia. Że panią poznał, co jadł na śniadanie, jutro w południe nie będzie nawet pamiętał, że siedział w pani łazience.

— To jak w filmie.

— W bardzo długim filmie. Pamięta inne rzeczy, na przykład jak zawiązać krawat i sznurowadła, gdzie jest jego bank, pamięta numer ubezpieczenia, ale prezydentem ciągle jest Carter.

— A John Lennon żyje.

— Słucham?

— Nie, nic.

— Nie liczy się, co pani mu powie, jak dużo pani mu powie, następnego dnia i tak zapomni. Nie pamięta nic mniej więcej od kwietnia tysiąc dziewięćset osiemdziesiątego. Pamięta swoje dzieci, pamięta, że nienawidzi mojej żony z powodu kłótni tego dnia, kiedy to się stało, ale każdego ranka wnuki to dla niego wielka nowina. Ponadto nie chce uwierzyć, kiedy mu to wszystko tłumaczymy, no bo właściwie dlaczego miałby wierzyć? Kto chciałby codziennie rano przeżywać załamanie? Dzięki Bogu tego też nie pamięta. Przecież widziała pani, jak przeszedł obok, jakbyście w ogóle nie spędzili razem tego dnia. Na pierdolonym Bronxie.

— Co mu się stało?

— To długa historia. Wypadek, choroba. Po czterech latach to już nie ma znaczenia.

— Nie pamięta, że zapomina?

— Nie.

— Stan się pogarsza?

— Trudno powiedzieć.

Przychodzi mi do głowy myśl, że w sumie nie jest tak źle.

— Powinna pani wiedzieć, że właśnie dlatego pani poprzedniczka rzuciła tę pracę.

— Naprawdę? Słyszałam co innego...

— Jak to?

— Nieważne. Odeszła?

— Tak, chyba miała dość po kilku tygodniach, że codziennie musi się od nowa przedstawiać staremu bzikowi, który nie wie, po co ona w ogóle przychodzi. I mimo to nie umiała traktować go jak chorego człowieka, a przecież po to ją zatrudniliśmy. Słowem, codziennie się czeka, aż gruchnie bomba.

— Nie jest stary.

— E? Nie... Pewnie nie jest. Nieważne, czas zabrać go do domu. Jutro zadzwonimy do agencji, żeby wiedzieli, że to nie pani wina, i musimy znaleźć nową...

— Nie.

— Co nie?

— Proszę nie dzwonić. Chcę mieć tę pracę.

— Poważnie?

— Tak, poważnie. Chcę.

JOHN-JOHN K.

Chryste, co za amator. Zdjąłem skurwiela, jak tylko przeszedł przez drzwi. To znaczy ogłuszyłem. Może trzeba było zapalić światło, człowieku? Teraz siedzi na taborecie jak szkolna łamaga, ręce ma związane na plecach. Pomyślałem, żeby go trochę poturbować. Ale nie wiem, może dlatego przyszło mi to do głowy, że wlazł znienacka, albo po prostu chciałem... Sam nie wiem.

— Ty jesteś Beksa? — pytam.

— A ty to kto, kurwa?

Dokręciłem z powrotem tłumik.

— Wyglądasz, jakbym cie znał. Znam?

— Nie.

— Powaga? Ja nie zapominam ludzi. Wystarczy wejść, pamiętam twarz na wypadek...

— Co cię śmieszy?

— Na wypadek, jakby miał broń. Co to za klama?

— Dziewiątka.

— Ech, dla pizdocipów. Na to mi przyszło? Umre od cwelowej klamy?

— Od czego?

— Jedno wielkie dziadostwo.

— Co? Zamknij się.

— Jak nie chcesz, żebym mówił, to trzeba mie zakneblować. Bo moge zacząć wrzeszczeć, że mordują.

— Śmiało, Kitty Genovese.

— Kto?

— Nieważne.

— Chcesz się czegoś ode mie dowiedzieć? — pyta.

Przysuwam sobie krzesło.

— Zapalisz?

— Wole zioło obszczane przez psa, niż żeby mi ktoś faje w gębe wsadzał.

— Uznaję to za odpowiedź twierdzącą.

Jednego papierosa wkładam sobie do ust, drugiego jemu. Przypalam oba.

— Ty chyba pierszy biały egzekutor w moim życiu. A tutej cie nigdy nie widziałem. Chociaż gdzieś cie widziałem. Byłeś turysta na Jamajce?

— Nie.

— Znam wszystkich, co pracują dla Griseldy, a ciebie nie.

— Skąd wiesz, że to Griselda mnie przysłała?

— Odejmij tych, co by chcieli, od tych, co mogą.

— Ha. Jakie wonty ma do ciebie?

— To podstępna śmierdząca świrnięta pizda. Ona wie w ogóle, z kim zadziera? Dawno temu Jamajka mie wysłała, żebym zrobił kanał przerzutowy z Kolumbi do Miami. Nie mogłem znieść jebanej dziwki. Ale powinienem przeczuć, że zapamięta, jak jej powiedziałem, żeby sobie w pizde wsadziła własną noge. Dziwka myśli, że może mie trzepać po ryju, bo raz dostawa była spóźniona. Jak pójdzie fama, że ona kąsa rękę, co ją karmi, człowieku, oni ją powieszą za łechtaczke, wspomnisz moje słowa. Ona... czekaj. Ona sie nie rżnie z żadnym białym. Nie ufa im. To jak sie z tobą spikła?

Kaszle, więc go odtykam. Cichnie i bierze dwa głębokie wdechy. Wsadzam mu szluga z powrotem, w kącik ust, jak w filmie o gangsterach.

— Moja mózgownica dziwusa nie ogarnia.

— Że co?

— Griseldy! Nie kapuje dziwy, jak ona kombinuje. Jakby nie ja, to teraz musiałaby handlować z Kubanami. Znaczy, ona wie, co na siebie sprowadzi, jak mie kazała skasować? Jak myśli, co sie stanie, jak Josey Wales sie dowie? Jebana rura. A ty kto?

— Nikt. Ktoś, kto oddaje przysługę.

— Nie da sie być nikt i ktoś zarazem. Może ty jakiś niktoś, cha, cha.

— Co to za ksywka: Beksa?

— Lepsza niż Cztery Oczy.

— Śmieszne. Chcesz drugiego szluga?

— Nie, fajki człowieka wykończą, wykończą. Co za suka, co za suka. Ile ci płacą?

— Dużo.

— Dam ci dwa razy tyle. Chcesz koke? Dam ci dwa domy po sufit koki. Przez następne dziesięć lat będziesz żył jak Elvis. Chcesz cipki? Ci załatwie każdą cipke w Nowym Jorku, nawet jeszcze zafoliowaną. A może wolisz oko?

— Oko?

— Odbyt. Odbytnice. Srake.

— Aha, rozumiem.

— Mie wszystko jedno, co ludzie chcą. Mnóstwo sieją zła, potem sie wystawiają, żeby walić w oko. Ludzie robią, co robią, mie wszystko jedno, ja chce tylko mieć pieniądze. Słuchaj, był jeden taki z LPN-u, co rządził dzielnicą, tak? Funnyboy go nazywali. Przez cały czas kazał facetom ciągnąć mu druta i wyjadywać z dupy, potem ich strzelał.

— Że co?

— No że to.

— Szkoda ust, jeśli się przykładali do roboty. Śmiejesz się, ale wdepnąłeś w gówno.

— Ile masz lat?

— Wystarczająco dużo.

— Nygus jesteś. Debiutan. Ta robota. Siedze związany, żebyś mógł mie zabić, to bez sensu. Wiesz, że nie dadzą ci stont wyjść żywy. Po zleceniu przychodzi czas na sprzątanie, a ty będziesz śmierdział jak śmieci sprzed tygodnia.

— Dam sobie radę.

— Jak tylko naciśniesz spust, to już nie żyjesz. Ile ona ci płaci? Dam ci dwa razy, trzy razy tyle.

— Widzisz, na tym polega problem. Podwoisz, potroisz, dasz cztery, pięć razy więcej, a kwota i tak będzie taka sama.

— Co? To ona nic ci nie płaci? Za darmo robisz? To z ciebie gorsza pizda niż z tej parszywej suki. Wy wszyscy porąbańcy Porąbańcy, porąbańcy. Ja tylu zabiłem, ale każdy to był zawsze biznes. A wy to już sie przyzwyczailiście, że kul wam nigdy nie zabraknic? Na Jamdown, wiesz, na Jamajce, liczysz kule, bo dostawy nie zawsze są na czas. Powiedz mi coś, eh? Kto będzie pośredniczył, jak ona zlikwiduje jamajskie łącze? Sie jej wydaje, że znowu będzie robić z jebanymi Kubanami? Dwa tygodnie temu sześciu chciała skasować w klubie.

— Wiesz o tym?

— Jasne, że wiem. Za darmo to robisz? Co na ciebie mają? Przyłapałeś ją, jak lizała pizde?

— Griselda to lesba?

— A Johnny Cash sie ubiera na czarno czy nie? Ciągle ściąga te lale z go-go, a potem, jak jej sie znudzi, ołów w łeb, dziękuje pani. Ona i Funnyboy powinni śpiewać w duecie.

— Co za gówno.

— Ona zdrowo jebnięta pizda. Ale rachunki dla niej zawsze priorytet.

— Bo to nie jej zlecenie.

— Co?

— Ona to tylko nagrała.

— Skont wiesz?

— Sam mówiłeś, że zlecenie od niej nie miałoby sensu. Najwyraźniej ktoś chce cię dopaść, ale pozostał w cieniu.

— Nie pierdol. Pieprzysz bez sensu. Nikt z Jamdown za tym nie stoji. Nawet jakby dał rade, nikt by nie zrobił.

— Można powiedzieć, że ktoś złożył jej propozycję nie do odrzucenia. Nie bierz tego do siebie, człowieku. Podobno wyraża się o tobie w samych superlatywach.

— Niech sie jebie butelką po pepsi.

— Ej, no. W sumie to nie moja sprawa. Mówię ci, ktoś złożył jej propozycję nie do odrzucenia. Ojciec chrzestny? Nie? Kurwa, zepsułeś mi gadkę, człowiek.

— To chodzi o pieniądz?

— Jebani Jamajczycy. Ironia to dla was za dużo, co?

— Pieniądz czy nie pieniądz?

— Nie pieniądz. Ani dla niej, ani dla mnie. Ja się znalazłem w kurewsko złym miejscu w kurewsko złym czasie. A ty masz wrogów, co ci nie odpuszczą.

— Większych od niej? To kto, szef w Kolumbi? Oni nie chcą mojej śmierci. Im bardziej chodzi o handel jak jej. To Josey sie pierszy z nimi skontaktował lata temu, nie ona.

— Więc chyba jest ktoś większy od całej Kolumbii.

— To zostaje tylko Bóg. Bóg, tak jest? Ha, to ty który anioł jesteś? Gabriel? Michał? Może mi trzeba było drzwi pomazać krwią z baranka?

— Cha, cha. Szkoda, że nikt mnie nie przestrzegł, co to za miasto.

— A co ci sie nie podoba w Nowym Jorku? My tu marzenia ludzkie spełniamy, brada.

— Ty spełniałeś. Czas przeszły.

— Spierdalaj, piździelcu.

Obaj się śmiejemy.

— Nie mogę się już doczekać, jak wyrwę z tego miasta.

— A do czego gonisz?

— Co? A dlaczego pytasz?

— Ta cytryna widać musi być ciasna jak kalesony.

— Cytryna?

— Cipka.

— Aha. No, można by tak powiedzieć.

— Kochasz suke?

— Co? Kurwa, co za pomysł.

— Bo na to mi wygląda.

— Grasz na czas?

— Powiedz mi o dziewczynie.

— Nie.

— Bo co? Rozpaplam w gazetach?

— Grasz na zwłokę.

— Mówiłem ci już. Nic tylko mój czas tutej na kredyt.

— Ej, zamknij się.

— Ładna?

— Nie.

— Lubisz takie zwykłe?

— Nie.

— A więc jednak musi być słodziutka. Jak ma na imie?

— Rocky. Thomas Allen Bernstein, ale ja wołam na niego Rocky. Teraz już się zamkniesz?

— Aha.

— No właśnie, oszczędź mi już pierdolenia.

— To ładny jest?

— Co, do ku...

— Jak walisz w oko, to przynajmniej spraw sobie najlepszego...

— W oko? A, racja, już mówiłeś. Hm, fajne ma oko, jak się nad tym zastanowić.

— Najpierw sprawdzasz oko? Może ty Jamajczyk?

— Śliczne ma oko. I twarz. Dołeczki ma, takie chłopięce dołeczki. Zawsze chce się golić, ale ja bym mu odradzał. Ręce ma takie, że wygląda na twardziela, ale w życiu nie przepracował fizycznie ani jednego dnia. A śmieje się jak jebana łasica. I chrapie. I...

— Dobra, wystarczy o chłopcach z okiem.

— Fakt, wystarczy. Ale przyznaję, to była dobra zagrywka, urwałeś trochę czasu. Szkoda. Jesteś pierwszym człowiekiem, z którym warto pogadać w tym pieprzonym mieście.

Wstaję i zachodzę go od tyłu. Wciskam lufę we włosy, aż dotyka czaszki.

— Ktoś tu był, jak wszedłeś? Był ktoś?

— Nie.

— To dobrze, dobrze.

Zaraz nacisnę spust.

— Czekaj! Czekaj. Chwila. Jak to, ot tak? A ostatnie życzenie dla mie? Daj działke. Ostatnią działke. Mam dużo towaru za telewizorem, już zmieszany. Ostatni raz. Przynajmniej nie będe sie przejmował, że mie stukniesz.

— Pierdol się, muszę spadać z tego miasta.

— Nie możesz rozciąć torby i dać człowiekowi jednej działki? Jednej działki? Człowieku, daj działke, daj działke.

— Wy, Jamajczycy, tak pracujecie? W Chicago ci, co dilują, nie biorą, przynajmniej nie biorą swojego towaru. Jak coś takiego się dzieje, to zawsze oznacza początek końca.

— Dlatego wy, nowe białki, zawsze macie takie smutne miny. Zabawa wam przechodzi koło nosa. Nie powiesz mi, kto zlecił hit na mie, jak nie ona?

— Nie wiem, kolego. Wciągniesz?

— Zrobisz kreske? Ręce mam zajęte, jakbyś nie zauważył.

Znajduję torbę, właściwie to wór z torebkami między szafką z telewizorem a ścianą. Rozcinam jedną paczkę victorinoxem. Wysypuje się kokaina.

— Weź zrób kreske, szefuniu.

Wygarniam trochę dwoma palcami i na biurku usypuję ścieżkę grubości cygara.

— Ty chcesz słonia zajebać czy jak?

— O co ci chodzi, będziesz na porządnym haju.

— Tylc wystarczy, żeby całe Flatbush było na haju.

Robię nową kreskę podobną do zapałki.

— Ciężko mi będzie z zawiązanymi rękami.

— Improwizuj.

Jamajczyk pochyla się nad biurkiem i przesuwa głowę w bok, żeby wciągnąć lewą dziurką. Rezygnuje i próbuje z prawej strony.

— Kurwa pierdolona — mówi.

Stara się, pociąga nosem raz, drugi, trzeci.

— W dupe, no musze zaliczyć.

— Nie pomogę ci w tym.

— W pizde. Ciągle nie moge uwierzyć. Co za suka. Jutro wieczorem dostawa. Jutro wieczorem, kurwa. East Village i Bushwick pod kontrolą. Gorzej, Josey jest w Nowym Jorku. Co będzie jutro, jak mie zabraknie?

— Nie wiem, tatek.

— Zabiją ją za to, wiesz? Będzie za to otwarta wojna Jamajczyków przeciwko tej suce.

— Już ci mówiłem. To raczej nie ona zleciła.

— Ale tobie kazała, tak? I to jej będziesz musiał potwierdzić. Dobra, wszystko okej. Kto, kurwa, jest większy od Griseldy? Musi być większy niż cały Medellín. Ja jestem pokorny biznesmen. To kogo tak wkurzyłem?

Nie wiem dlaczego, ale podchodzę do okna, żeby zobaczyć, czy ktoś stoi na chodniku. Potrzebuję drugiego pistoletu. I nagle sobie przypominam.

— A właśnie, coś kojarzę. Rozmawiała z kimś, powiedziała, że facet mieszka w Nowym Jorku. Jakieś tam gówno, że niby za to zneutralizują Ranking Dons w Miami.

— Co? Storm Posse nie mają problemu z Ranking Dons w Miami.

— Ktoś najwyraźniej ma. I mieszka w Nowym Jorku.

— I? Ktoś, kto mieszka w Nowym Jorku i ma wonty do Ranking Dons? Brada, to byłbym tylko ja. Ja i…

O cholera.

Patrzy na mnie, ale wzrok ma tępy.

— Eubie. Ja i Eubie.

— Właśnie miałem powiedzieć, że to imię brzmiało coś jak jubel.

Jamajczyk wybałusza na mnie gały, wystraszony jak Stepin Fetchit, tylko że to nie żarty. Wcale nie żarty. Dolna warga mu zwisa, jakby chciał coś powiedzieć, ale nie mógł. Drży. Kuli się. Patrzy na mnie i opuszcza głowę.

— Jebany pizdocip chce cały Nowy Jork mieć dla siebie. A Josey nie ma pojęcia. Nie dowie się, bo to będzie wyglądało jak zlecenie od Ranking Dons.

— Przykro mi, stary.

Wracam do okna.

— Yo, młodzieńcze, podejdź.

— Co jest?

— Jak masz mie skasować, to przynajmiej niech trafie do nieba.

— Kurwa, pojęcia nie mam, co ty pierdolisz.

Głową wskazuje torbę z koką.

— Jakoś nie podziałało przed chwilą — mówię. — Pamiętasz?

— Dlatego pomóż mi przygrzać.

— Co?

— Przygrzać. Wciąganie to kretyński sposób koksowania. Dla piździelców. Chyba że masz crack specjalnie do palenia, ale u mie nie ma rocka.

— Kolego, nie mam czasu na…

— A co, twój chłopak czeka na ulicy czy jak?

— Pierdol się.

— Sam sie pierdol i spełnij ostatnie życzenie skazańca, tak? Igła w apteczce w łazience. W łazience, to po twojej…

— Wiem, gdzie jest łazienka.

— Weź nową igłę.

Otwieram apteczkę i odpakowuję igłę z celofanu.

— Co mam z tym zrobić? — pytam, wchodząc z powrotem do pokoju.

— Rozcieńcz towar z torebki i wciągnij troche do strzykawki.

— Dobra, kolego, ale czym rozcieńczyć? Śliną?

— Woda wystarczy. Nigdy tego nie robiłeś?

— Może nie uwierzysz, ale nie każdy syn i nie każda mamusia walą kokę.

— Mówisz, eh? Dobrze, dobrze. Rozcieńcz wodą.

— Kurwa, nie wierzę, że to robię.

— Rób, nie gadaj.

— Przestań mi rozkazywać, w dupę jebany.

Biorę torebkę i podchodzę do zlewu.

— Kubek może być? — pytam.

Kiwa głową.

— Ile koki? Kolego, musisz mnie instruować.

Kran odkręcony, kubek gotowy. Patrzy w moją stronę.

— Nie, weź łyżke. Wciągnij troche wody do strzykawki. Potem tryśnij troche na łyżke. Dodaj tyle koki, coby była z tego kreska. Potem zamieszaj palcem, to chwila, koka rozpuszcza sie szybciej jak cukier. A potem weź wszystko wciągnij do strzykawki.

— Gdzie, kolego? Bo ręce masz jakby zajęte.

— W kakaowe oko.

— Pierdol się.

— Sam nie dam rady. Cha, cha. Nie trzeba ręki, brada. Możesz mi wbić między palce u nogi, ale to by bolało. Możesz tętno wyczuć w szyji i przywalić.

Dotykam go w kark.

— Ej, nic nie wyczujesz, jak będziesz macał jak pizda.

Mam ochotę przyjebać mu kolbą, ale tylko łapię go za szyję, jakbym chciał udusić. Pod palcem wskazującym czuję tętno.

— Wbić i dopchnąć, tak?

— Ta.

— Dobra, skoro chcesz.

Igła wchodzi, zaczynam naciskać tłok. Krew wali do strzykawki. Odskakuję.

— Ej, kolego… Kurwa… Krew…

— Nie, nie, krew dobra, nie przestawaj. Ta… ta… taaaaak.

— Będzie tego. Kurwa, człowieku. Z czym żeś to zmieszał? Z witaminą B?

— Cha, cha, z niczym nie zmieszane, brada, to…

Beksa ma już inne oczy. Coś się przez niego przetacza, jakby kula w elektrycznym bilardzie odbiła w złą stronę. Skurwiel zaczyna dygotać. Najpierw lekko, jakby go prąd poraził, potem coraz mocniej, gwałtowniej, to przypomina atak. Wywraca oczami, widać tylko białka, piana ścieka mu z ust na pierś. Z gardła dobiegają dźwięki, coś jak wydech, uch uch uch uch uch uch. Głową szarpie tak bardzo, że odskakuję. Z krocza tryska mocz. Chwytam go, chcę krzyknąć, skurwysynu, kazałeś sobie podać czystą kokę, ale wtedy wybałusza oczy i wrzeszczy. Zrywa się ze stołka i upadamy obaj na plecy. Beksa wierzga dziko nogami, jakby jakiś potwór go dopadł. Czuję jego oddech, piwo, gówno i coś jeszcze. Dygocze, dławi się i syczy, takie sssssss, tylko to słychać z ust. A ja, kurwa, nie wiem dlaczego, nie wiem, ale obejmuję go mocno i przyciskam do siebie, chociaż on na mnie leży. Nie wiem dlaczego, ale go tulę, trzymam, nie puszczam, a on, o rany, on tak strasznie dygocze, dygocze, aż wali mnie potylicą w czoło i pęcherzyki śliny płyną mu z ust. Chwytam go za szyję, ale nie ściskam. Beksa charczy trzy razy, potem cichnie.

SIR ARTHUR GEORGE JENNINGS

C zterech kapłanów, z obliczami zakrytymi błyskawicą, odprawia liturgię, której nie zna żaden wierny. Każdy z uczniów napisał testament, ale nie każdy testament znalazł się w Piśmie Świętym, mówi mężczyzna do kobiety, która nie rozumie, dziesięć metalowych siedzeń w dół i trzydzieści w bok na Stadionie Narodowym. Pogrzeb Śpiewaka. Ewangelia i herezja jak psy walczą o zwłoki. Rastaman deklamuje z Listu do Koryntian, chociaż starszyzna kazała mu czytać Psalmy, siedzą w dziesięciu, a on przyzywa króla, Boga. Herezja. Etiopski arcybiskup mówi, po co jechać do Afryki, skoro większy pożytek odniesiecie ze wspólnej pracy na Jamajce? Rastafarianie kipią z wściekłości i klną. Arcybiskup przybył uzbrojony w oręż — każdy rastafarianin chce się obudzić w krainie Szaszemenie, pięćset akrów ziemi podarowanych przez zdetronizowanego cesarza. Wojowniczy rasta krzyczą: Jah Rastafari!, ale niewielu pyta, dlaczego to pogrzeb w obrządku Etiopskiego Kościoła Prawosławnego, skoro Śpiewak był rastamanem. Setki siedzą, stoją i patrzą. Stary premier, wciąż uwielbiany przez sufferah, spoczywa nieruchomo, zgarbiony pod brzemieniem żałoby. Nowy premier też siedzi, ale w pewnej chwili zostaje wezwany. Wygłasza laudację na cześć człowieka, którego ledwo znał, a kończy błogosławieństwem, oby jego dusza znalazła ukojenie w ramionach Jah Rastafari. Ewangelia kontra herezja. Triumf herezji.

Jak się grzebie człowieka? Zakopuje się go w ziemi czy zadeptuje jego żar? Pośmiertnie przyznają Śpiewakowi odznaczenie, Order Zasługi. Czarny rewolucjonista dołącza do brytyjskiej szlachty, Babilon in excelsis Deo. Ogień, który rozpalił Zimbabwe, Angolę, Mozambik i Afrykę Południową, ugaszony za pomocą dwóch liter, O i Z. Teraz stał się jednym z nas. Ale Śpiewak jest przebiegły. Z czasem ludzie dostrzegą, że przepowiedział taki rozwój wypadków, te fałszywe zaszczyty. Zanim jeszcze pokonała go choroba. Słyszę, jak śpiewa we śnie o murzyńskich żołnierzach w Ameryce. O czarnych żołnierzach Dwudziestego Czwartego i Dwudziestego Piątego Regimentu Piechoty oraz Dziewiątego i Dziesiątego Regimentu Kawalerii, pod dowództwem bladej twarzy szlachtują Komanczów, Kiowów, Siuksów, Czejenów, Ute i Apaczów. Czternastu czarnych w brudnych butach odbiera Medal Honoru za zgładzenie ludzi i idei. Indianie nazwali ich Buffalo Soldiers. Medal Honoru, Order Zasługi, żonglerka słowami. Tymczasem widzę, jak Śpiewak pojawia się i znika w prawym górnym rogu paczek i listów. Mój czas już się skończył.

Przez wszystkie te lata człowiek, który kazał mnie zabić, wciąż opiera się śmierci. Gnije tylko. Patrzę, jak sekretarka dotyka jego białej czaszki, poznaczonej gęsto żyłami przypominającymi sine węże, i barwi mu włosy czernidłem. Jego nowa żona nie dotknie tej farby, pobrudziłaby sobie palce, zniszczyła polakierowane paznokcie. Na pewno nie chce pan zostawić troche siwizny, mista? Żeby wyglądało młodziej, ale i bardziej naturalnie? Chce na czarno, słyszysz? Chce na czarno. LPN odebrała władzę jego partii, a mimo to on ubiera się co rano tak, jakby wychodził do pracy. Co za dziwna dekada, w ogóle nie przypomina lat siedemdziesiątych, jest więc zagubiony, nie ostał się nikt, kto mówiłby jego językiem. Zbiry z jego partii już go nie potrzebują, myśliciele nigdy go nie potrzebowali, dlatego teraz gardłuje przeciw socjalizmowi i komunizmowi, a poliki ma obwisłe jak kogut. Patrzę, jak idzie do auta, zapominając już trzeci raz w tym tygodniu, że nie wolno mu prowadzić. Potyka się o szlauch ogrodowy i przewraca ciężko na beton. Siła upadku pozbawia go tchu, nie ma nadziei na krzyk, wrzask ani choćby szloch. Leży tam ponad godzinę, w końcu kucharka dostrzega go z okna. Nowe biodro, nowy holter, nowe niebieskie pigułki, żeby rżnąć żonę, która przywykła już do tego, że włazi na nią i flacieje jak ślimak. Znowu śmieje się ze śmierci. Ze mnie.

Pewnego razu obserwowałem wieczorem mężczyznę, który złożył mu wizytę. On też rozrósł się i przytył. Za duży się zrobił, żeby mogli we dwóch zajmować tę samą przestrzeń. Loty do Nowego Jorku i Miami. Pokątne interesy, tysiąc zabitych. Wyprane pieniądze napływają i wstrząsają gettem. W gettach za granicą ludzie wciągają, mieszają, gotują, wstrzykują. Kolumbia, Jamajka, Bahamy, Miami. To zadziwiający rozwój wypadków. Wszędzie zabójstwa. Waszyngton, Detroit, Nowy Jork, Los Angeles, Chicago. Kupować broń, sprzedawać proszek, skoro tworzysz potwory, nie dziw się potwornościom. Nowi jeźdźcy, nowe ekipy, dotąd takich nie widziano. W Nowym Jorku nagłówek grubości cala: „Jamajczycy uzależnili miasto od cracku". Ławniczka, jej pierwszy raz w sądzie, przesłuchuje jednego z Ranking Dons, zeznającego na procesie, to nie żaden przyjaciel Joseya Walesa.

— Strzeliłem mu w głowe.

— Gdzie dokładnie w głowę?

— Z tyłu.

— Ile ra…

— Raz jeden. Starczy raz.

— Co pan zrobił ze zwłokami?

— Wrzuciłem do wąwozu. A kierowcy kazałem spalić auto.

— Co pan zrobił, kiedy się pan dowiedział, że wszystkie dowody przestępstwa spłonęły?

— Ja nic nie zrobiłem. Poszłem spać.

Patrzy na nią, wypowiadając ostatnie słowa. Ławniczka, ubrana jak nauczycielka, nie może zasnąć przez trzy noce.

Trzej zabójcy przeżyli Śpiewaka. Jeden umiera w Nowym Jorku. Jeden patrzy i czeka w Kingston, w otoczeniu pieniędzy i kokainy, jeden znika za żelazną kurtyną, siedzi tam, wie, czeka na strzał w łeb. Niedługo.

Trzy młode twarze, jedna promieniejąca spod hidżabu, dziewczyny z Kaszmiru, bas, gitara i bębny, wspierane duchowo i trzymane razem przez oblicze Śpiewaka na tle trzech pasów, czerwonego, zielonego i złotego, grubych jak kolumny. Nazywają się Pierwszy Promień Światła, to dusze pokrewne Śpiewakowi, śmiejące się do wschodu słońca. Z zawoalowanej twarzy płynie melodia tak cicha, że prawie zamiera w powietrzu. Ale opada na bęben, który podchwytuje rytm, piosenka narasta kojąco. Śpiewak jest teraz balsamem dla poranionych krajów. Wkrótce mężczyźni, którzy zabijają kobiety, wydadzą święty zakaz, a chłopcy z całej doliny poprzysięgną, że wyczyszczą broń, stwardnieją w kroczach, powstrzymają i zdławią. Śpiewak jest podporą, ale nie może być tarczą, i zespół Pragaash się rozpada.

Ale w innym mieście, innej dolinie, innym getcie, innych slumsach, innej faweli, innym township, na innej intifadzie, innej wojnie, przy innych narodzinach ktoś intonuje pieśń odkupienia, jakby Śpiewak napisał ją właśnie po to, żeby ten sufferah mógł ją wyśpiewać, wypłakać, wyjęczeć, wykrzyczeć, wywrzeszczeć, tutaj i teraz.

SOUND BOY
KILLING
22 MARCA 1991

1

— Myślisz, że się zdrzemnął?

— Nie znam odpowiedzi, szefie.

— Hę? Okej, dobra, pokaż mi celę.

— Pokazałem dwie minuty temu. Przecież tu w lochu nie ma nikogo innego.

— W lochu? To chyba raczej niewłaściwe określenie.

— Jak skończysz, sam znajdziesz droge z powrotem.

— Nie eskortujesz mnie do końca?

— Nie lubie ciemności.

Moje kroki dudnią, gdy idę dalej, myśląc tylko o tym, że żałuję, że nie widziałem tego na własne oczy. Poważnie. Dopadli małego skurwysynka w stylu Griseldy Blanco. Taki diabelski pomysł doprowadzony do perfekcji na Jamajce. Trzeba przyznać tej cudownie zniknietej dziwce, że przynajmniej zostawiła nam po sobie jeden wspaniały wynalazek, jeśli nic więcej. Oto jak to się rozegrało. Josey Wales odliczał dni, kiedy mieli go wydać Stanom Zjednoczonym za zabójstwa, wymuszanie haraczu, utrudnianie działań wymiaru sprawiedliwości, handel narkotykami et cetera, et cetera i tak dalej, i tak dalej, więc to jego syn, Benjy Wales, dorosły już (ale grubszy, ciemniejszy i nudniejszy od ojca), przejął stery jako don Kopenhagi. Regent, zarządca w zastępstwie czy coś w tym rodzaju. No więc Benjy chciał zorganizować Doroczny Krykietowy Memoriał Papa-Lo. Z jakiegoś powodu oznaczało to spotkanie przy King Street, czyli na wschód od West Kingston. To zawsze śliska sprawa, gdy don z zachodu podróżuje na wschód, a tym bardziej, gdy jedzie sam na motorze. Dociera do skrzyżowania, prawdopodobnie patrząc grzecznie przed siebie, pilnując swoich spraw, gdy tuż obok podjeżdża drugi motocykl. Zanim zdążył spojrzeć w bok, dwaj mężczyźni ubrani na czarno otworzyli ogień i podziurawili mu klatkę piersiową.

Dziwne, hę? Z Benjym było tak, że za ojca miał jebanego Joseya Walesa, więc strzelaniny oglądał na co dzień, a przy okazji zjeździł świat, no, przynajmniej Stany, chodził do dobrej szkoły i przez całe życie ani razu nie poszedł spać głodny. I co z tego wynika? Że był pieprzonym bandytą, który za bardzo przywykł do wygodnego życia. Równie dobrze mógłby być pierwszym lepszym bachorem, co wychodzi z apartamentów tatusia przy Central Park West. Jego ojciec, który co najmniej trzy razy doprowadził ten kraj do zastoju, kibluje w więzieniu, czeka na to, żeby wreszcie oberwać po dupie, i co robi książątko? Jedzie sobie sam na jebanym motorze. Co myślał, że wszyscy bandyci siedzą w kościele? Takie zabójstwo w stylu Griseldy nie zdarza się przypadkiem. Tę akcję precyzyjnie zaplanowano i skoordynowano, aż po wyznaczenie konkretnego skrzyżowania jako miejsca egzekucji. Ci młodzi to naprawdę nie umieją myśleć. Ja jestem stary, kurwa. Wydawało mi się, że starość jest wtedy, gdy po schyleniu się prostujemy plecy i pierwszy raz stękamy z bólu. A starość jest wtedy, gdy nadziewamy się na nieprzyjaciół zbyt już leciwych, żeby mogli walczyć. Gdy z dawnej wojny pozostała tylko nostalgia. Każda nostalgia to okazja, żeby się napić, a nie strzelać.

Rany wlotowe w głowie i tułowiu, rany wylotowe w głowie, szyi, ramieniu i plecach. W zeszłym tygodniu rozmawiałem z tym doktorem Lopezem, który miał akurat wtedy dyżur na oddziale ratunkowym. Gdy przywieźli Benjy'ego Walesa do szpitala, był już obiema nogami w grobie, pozostało tylko stwierdzić zgon. Ale na tę imprezę wpadło na krzywy ryj około trzech tysięcy ludzi, którzy otoczyli całą izbę przyjęć. Lekarz powinien był określić czas zgonu, ale ponieważ na zewnątrz stało trzy tysiące ludzi oczekujących, że wcieli się w Jezusa, bo takie właśnie cuda robią lekarze dla donów, no to urządził najbardziej niedorzeczny teatr nienazywający się kabuki. Doktor Lopez opowiedział mi o wszystkim. Położyli księcia do łóżka, co było stratą czasu i przestrzeni, a tłum skandował: RATUJCIE BENJY'EGO! tak głośno, że było słychać kilometr dalej w dolinie. Najpierw usiłowali przywrócić czynności układu oddechowego, bo tak należy postępować, zatamować krwotok. Tylko że gdy go przywieźli, w płucach miał już wyłącznie krew. Tymczasem tłum krzyczał coraz głośniej, więc lekarze musieli odstawić jebaną szopkę ze zwłokami. Wyobraźcie sobie, że próbujecie przywrócić krążenie w ciele, w którym krew przestała już krążyć na dobre. Nie ma tętna, ciśnienia, żadnej świadomości. To nie to, że przestał oddychać, on zwyczajnie już wykorkował. Spytałem doktora, kiedy zamierzali powiedzieć tłumowi, że facet nie żyje. Serio, szefie, odparł, jak zaczęliśmy resuscytację, to ciągle miałem nadzieję na cud. Na dworze tłum napierał tak bardzo, że wybili szyby w dwóch oknach.

Najgorzej poszło z defibrylacją. Za każdym razem, gdy walili Benjy'ego elektrodami i jego ciało podskakiwało, tłum też podskakiwał, nawet ci stojący na dworze, chociaż nic nie widzieli. Jeb prądem, podryg ciała, podryg tłumu. Jeb prądem podryg ciała podryg tłumu. Jeb prądem podryg ciała podryg tłumu. Po godzinie doktor Lopez stwierdził to, co powinno być stwierdzone, gdy tylko wwieźli Benjy'ego na salę. I wtedy, o rany. Poszła plotka, że przecież mogli go uratować. Benjy Wales nie żył. Najpierw wyważyli drzwi na oddział ratunkowy. Trzy tysiące mężczyzn, kobiet i dzieci, większość z bronią palną, reszta z takim sercem, że nie potrzeba broni. O wy w pizde. Pozabijamy was wszystkich, wymordujemy w tym piździelskim szpitalu do ostatniego. Pięćdziesięciu lekarzy i pielęgniarek za naszego Benjy'ego. Kilku mężczyzn złapało pielęgniarkę i zaczęło ją bić po twarzy. Doktor Lopez mówił, że próbował interweniować, ale jacyś dwaj obezwładnili go i dali kolbą po głowie. Wywrócili biurko w recepcji, biedni ochroniarze mogli zrobić tylko jedno. Uciekli. Lekarz nie wiedział, co dokładnie się stało, ale w tej samej chwili tłum opanowała jakaś nowa emocja, ludzie zaczęli krzyczeć, że Benjy'ego zabili nie lekarze, tylko LPN.

W niedzielę wieczorem uderzyli na Szóstą z Ośmiu Ulic. Zastrzelili wszystkich mężczyzn w zasięgu wzroku i zgwałcili wszystkie kobiety w zasięgu chuja. Spalili prawie jedną trzecią domów i na koniec zabili kilkoro dzieci, żeby przypieczętować sprawę. Dwa dni później zdziesiątkowali Ulicę Trzecią. A potem przenieśli wendetę do Miami, strzelali z rozpędzonych aut, dziury po kulach w hondach accord i nocnych klubach. Dwaj moi kumple opowiadali, że ledwo udało im się wyrwać z klubu Rolex, bo Jamajczycy walili do Jamajczyków. Premier musiał wyciągnąć rękę do JPP, żeby doprowadzić do zawieszenia broni, ale i tak trzeba było poprosić Kościół o pomoc, żeby zorganizować marsze na rzecz pokoju. Przestali zabijać dopiero wtedy, gdy groziło, że nic nie wyjdzie z pogrzebu Benjy'ego. Nie poszedłem na pogrzeb. Mnie tu w ogóle nie ma, oficjalnie. No dobra, kłamię. Poszedłem na pogrzeb, ale chyba wzięli mnie za ochroniarza albo kogoś takiego. Ostatnim takim wielkim pogrzebem, jaki widziałem, był pogrzeb Śpiewaka.

Co najmniej dwadzieścia tysięcy ludzi. Oczywiście jest też były premier. Nie trzeba mówić, że w tysiąc dziewięćset siedemdziesiątym szóstym roku był w opozycji, został ministrem w osiemdziesiątym, a teraz, w dziewięćdziesiątym pierwszym, znowu w opozycji. Najpierw rusza orkiestra dęta, prawie jak w Nowym Orleanie, potem ludzie w białych uniformach, dziewczęta w czerwonych minispódniczkach, z pomponami. Wreszcie trumna, czarna ze srebrnymi uchwytami, z nieżywym chłopakiem w czarnym aksamitnym garniturze. Skoro się nie spocisz, to czemu się nie ubrać jak na zimę? Trumna w pierdolonym szklanym karawanie zaprzęgniętym w siwki, tuż za orkiestrą dętą. Dalej premier, kroczący obok księżniczki Benjy'ego w obcisłej czarnej sukni, na szyi gruby złoty łańcuch jak u tych raperów. Duże kolczyki. Gdy tylko człowiek ją widzi, od razu dostrzega też wszystkie inne obecne kobiety. Mini oblamowana złotą tasiemką, różowa mini, biała mini, kabaretki, srebrne pantofelki na wysokim obcasie, ptaki udające kapelusze, kapelusze udające ptaki, jeszcze więcej łańcuchów jak od kotwicy. Jedna z dziewczyn ma sukienkę bez pleców, widać aż do przedziałka na dupie. Wszystkie idą ulicą, jakby to był wybieg dla modelek.

Josey starał się o przepustkę (ale to dziwnie brzmi), żeby wziąć udział w pogrzebie syna, ale mu nie pozwolili. Dlaczego mieliby pozwolić? Wypuść z więzienia dona, żeby stanął na czele dwudziestu tysięcy ludzi, to jakim cudem wsadzisz go z powrotem? Rząd Stanów Zjednoczonych prawdopodobnie usłyszał o tym pomyśle i wrzasnął gromko: NIE! Zabawne, bo przez prawie całe lata osicmdzicsiątc, kiedy Josey budował swoje imperium — z dużą pomocą innych, oczywiście — mieli go głęboko w dupie. Jebany Nowy Jork, człowieku, mówiłem mu, że nie powinien tykać tego gówna. Czarni chłopcy naprawdę muszą nauczyć się poskramiać swój temperament. Tamtego dnia w tysiąc dziewięćset osiemdziesiątym piątym roku Josey Wales właściwie wdarł się znikąd na pierwsze miejsce na liście przestępców poszukiwanych przez DEA i FBI. A gdy tylko JPP straciła władzę, stał się gościem do odstrzału.

Jednak wcześniej im większy się stawał, tym bardziej był nietykalny. Josey pruje jakąś ulicą, nie pamiętam gdzie, ale to się nazywa Denham Town. Wjeżdża prosto w autobus. Wysiada, jest wściekły. Kierowca autobusu też dostaje szału, zbiera się tłum. Nie wiem dokładnie, co facet powiedział, ale nadaje i nadaje, wrzeszczy, grozi, Bóg wie co jeszcze. Zamyka się dopiero wtedy, gdy jakaś kobieta krzyczy: to Josey Wales!, więc wszyscy pryskają na cztery strony świata, biedak zostaje sam. Josey nawet nie patrzy, jak tamten wypierdala jak Struś Pędziwiatr prosto na posterunek policji. Biedak. Pół godziny później Josey w towarzystwie dziesięciu swoich chłopców zjawia się na komisariacie. Wchodzą, wywlekają kierowcę autobusu i wychodzą. Żaden z gliniarzy nawet tyłka nie podniósł. Tamten chyba się zesrał w gacie, mazgaił się jak baba, gdy zobaczył, że policjanci patrzą w drugą stronę na swoim jebanym posterunku. Na dworze, na oczach policjantów i gapiów, chłopcy Joseya strzelają do kierowcy, ci, którzy mają klamki, i dźgają go, ci, którzy klamek nie mają. Rzucili się na niego jak sępy na świeżą padlinę. Jasne, że Josey został aresztowany, ale prokurator nie mógł znaleźć ani jednego świadka zdarzenia. Ani jednego.

Tymczasem ci z Cali mówią, że skurwysyn jest taki hardkor jak nikt do tej pory, że żaden jebany hardkor nigdy nie był takim hardkorem. Dajcie mu i jego ekipie Wielką Brytanię. To ten, który wszedł ze swoimi na Remę i zabił dwunastu, jakby splunął. Dlaczego? Bo paru ludzi zaczęło się uskarżać, że ich mała społeczność została zaniedbana. Josey zawsze konkretnie stawiał sprawy. Policja wydaje nakaz, Josey pryska do Stanów, ale teraz jest pod lupą organów ścigania, więc pryska z powrotem na Jamajkę. Staje przed sądem, lecz kobieta, która jest jedynym świadkiem, dostaje nagle amnezji, nie, zaraz, w ogóle jej tam nie było, nie, zaraz, od dawna nie zmieniła przepisanych przez lekarza okularów, więc jest ślepa jak kret. Naprawdę nie pamięta, była kompletnie zdezorientowana, kule świstały ze wszystkich stron. Ale w zeszłym roku jego córka stała ze swoim chłopakiem przed jakimś klubem, gdy nagle jak spod ziemi wyrosły zbiry z Ośmiu Ulic. Otworzyli ogień, chłopaka tak podziurawili, że mu się skończyły miejsca na ciele. Dziewczyna trzymała go w ramionach, gdy podeszli do niej i strzelili jej w głowę. Mam taką refleksję, że przynajmniej jej przedtem nie zgwałcili. Ciągle się zastanawiam, czy wiedzieli, kim jest. Chodzi mi o to, że, podobnie jak w przypadku Griseldy w Miami, kiedy za bardzo napierasz i napierasz, twoi wrogowie w końcu dadzą ci odpór. I jeśli ciągle robisz sobie nowych wrogów, prędzej czy później osiągniesz masę krytyczną. To tylko kwestia czasu, kiedy wyhodujesz sobie wrogów tak samo bezwzględnych jak ty sam, bo przecież to ty zawiesiłeś poprzeczkę na tej wysokości. Ja nigdzie nie zagrzeję miejsca na tyle długo, żeby moi wrogowie stanęli do boju. To takie samo gówno jak wszystko inne w życiu, przyczyniasz się do czegoś albo się nie przyczyniasz. Dlatego nigdy nie pasowałem ani do Kolumbii, ani do Kingston. Świadczę usługi. A skoro mowa o masie krytycznej, federalni postawili Joseyowi wielokrotne zarzuty i strasznie im zależy, żeby go dorwać. Ktoś musiał wygrać tę wojnę narkotykową i to oczywista oczywistość, że zwycięzcą nie mógł być czarnuch z jakiegoś karaibskiego grajdołu, który powinien był poprzestać na zielsku. Tym razem go wsadzili. I tym razem zgnije w pierdlu.

Tak, widziałem się z nim, i to wcale nie w godzinach odwiedzin. Jak tylko powiedziałem: ej, Josey, usiadł na łóżku i długo podnosił głowę. W końcu zobaczyłem, że uśmiecha się niepewnie, jakby był speszony. A potem powiedział:

— Wiedziałem, że cię przyślą.

— Jak sprawy, *mijo*?

— U ciebie jak widać dobrze, Doktorze Love.

2

— Panna Segree? Pani Segree? Millicent Segree. Pani Millicent Segree?

— Żadna panna.

— Och, przepraszam.

— Nie wystarczy panu Millicent Segree?

— Oczywiście.

— No właśnie. Ile płacę?

— Za wszystko z tej recepty czternaście dolarów.

Wiadomo, że większość tej feministycznej hecy to białe Amerykanki mówiące niebiałym kobietom, co i jak mają robić, plus to całe protekcjonalne pierdolenie, że jak staniesz się podobna do mnie, to będziesz wolnym człowiekiem, ale jeśli jest chociaż jedna rzecz, z którą się zgadzam, to, rany, nienawidzę, jak faceci uważają, że powinnam określić swój stan cywilny, chociaż w ogóle się nie znamy. No i to pieprzenie, jakby tylko słowa „mężatka" i „panna" mogły zdefiniować mnie jako osobę. Albo że skoro jestem kobietą, to powinnam mieć jakiś stan cywilny. Ej, duży chłopaku, oto mój stan. Cześć, najpierw powiem ci, jaki jest mój stan cywilny, dopiero w drugiej kolejności, jak się nazywam. Może powinnam powiedzieć, że jestem lesbijką i niech sami się pierdolą z problemem.

Xanax na stany lękowe, valium na bezsenność, prozac na depresję. Phenergan na mdłości. Tylenol na bóle głowy. Mylanta na wzdęcia. Midol na skurcze. Chryste, menopauza już przyszła. Nie ma jakiegoś szybkiego ratunku na uderzenia gorąca? Przecież nie będę się rozmnażać, to po co trzymają aptekę otwartą? Jestem w Rite Aid przy Eastchester na Bronxie, jedną przecznicę od mojego mieszkania przy Corsa Avenue. W sierpniu miną dwa lata, odkąd się tam wprowadziłam. Oczywiście pracuję w szpitalu w Beth Israel, gdzie, nie trzeba dodawać, jest apteka, ale leki wykupuję przy Eastchester, bo kto chciałby zobaczyć pielęgniarkę żrącą tony prochów? Owszem, takie sprawy wymagają dyskrecji, ale jeszcze nigdy nie spotkałam osoby, która nie skorzystałaby z okazji, żeby wściubić nos w nie swoje sprawy. Dlatego wolę inaczej, poza tym w ostatnich latach dostałam uczulenia na komplikacje. Nawet na mężczyzn. Nie możesz wytrzymać z facetem, który jest cały czas taki sam, wczoraj, dzisiaj, już zawsze? Daj mu mój numer. Zawsze gdy zaczynają mówić o swoich uczuciach i — to uwielbiam najbardziej — zaraz, dokąd cię to doprowadzi?, wtedy robi mi się tak niedobrze, że sięgam po phenergan.

Idę więc przez ulicę na przystanek autobusowy i wrzucam jedną tabletkę do ust. Po pożarciu muffina na śniadanie będę musiała łyknąć zantac. Szkoda, że Dunkin' Donuts jest dopiero na Gun Hill Road, napiłabym się kawy. A Gun Hill Road nie znoszę. Zwłaszcza w te deszczowe dni, kiedy zima nie może się zdecydować, żeby odejść, a wiosna nie może się zdecydować, żeby przyjść. Nie zamierzam niszczyć kolejnej pary butów tylko dlatego, że obie panie nie mogą się ze sobą dogadać. Przed stacją zawsze stoją ci sami starzy mężczyźni niemający nic do roboty i nie potrafię powiedzieć, czy patrzą na mnie jak faceci, czy jak Jamajczycy. Z ulicy do drzwi, do kołowrotka, na peron, już samo to byłoby dla mnie za dużym wysiłkiem, do tego czekanie na piątkę oznacza stanie w gołębim gównie. I zawsze tak samo, nigdy inaczej, nikt w pociągu nie wygląda na człowieka, który miałby dokąd pójść. Żadnych zakupów, żadnych plecaków, teczek, niczego w rękach. A ja wyglądam jak Najświętsza Maryja Panna, bo jadę do szpitala. Nie jestem pielęgniarką, dopiero się przyuczam.

Dyrektor szkoły popatrzył na mnie i powiedział, że nieczęsto przychodzą do niego dziewczęta na takim etapie życia, przeważnie przychodzą dopiero wkraczające w dorosłość. A kto może mieć pewność, że ja nie zaczynam nowego życia?, odpowiedziałam, ale choć najwyraźniej mi nie uwierzył, z jakiegoś powodu nie chciał wywalić kobiecie, że jest za stara. Każdego dnia w drodze do pracy próbuję to rozgryźć. Ale Bóg mi świadkiem, że na ludziach znam się tylko na tyle, na ile wiąże się to z tym, że mnie potrzebują. Millicent, za wczesna godzina na taką zgorzkniałość. Przecież lubisz białe pończochy i te aseksowne buty, pamiętasz? A w Beth Israel pracujesz przy triażu i to też bardzo lubisz.

Tylko że dwa tygodnie temu zaczęli przychodzić Jamajczycy z ranami postrzałowymi. Sami mężczyźni, czterech, gdy już tu wylądowali, nie udało się ich uratować. Dziewczyny i matki ich dzieci krzyczące: oj, co ja teraz z nygusem zrobię!? Jakbym znała odpowiedź. Podkręcam dodatkowo amerykański akcent, mówię wo-h-da, nie woda, bo nie chcę, żeby ktoś się połapał, że jestem z Jamajki, ale to i tak jedno wielkie pierdolenie, bo do tej pory w szpitalu myśleli, że jestem ich własną wersją Madge Sinclair z *Trappera Johna, M.D.* Jeden z lekarzy nazwał mnie Ernie i choć odpowiedziałam, że na imię mam Millicent, nie mogłam powstrzymać się od uśmiechu. Ale to było dziwne, ci Jamajczycy z ranami postrzałowymi przyjeżdżający z Bronxu, w końcu szpital jest dość daleko. Nie spytałam, co się stało, ale lekarz spytał, a ten z trzema kulami w tyłku odpowiedział, że zabili młodego Benjy'ego. Armagidon teraz wszędzie normalnie, Kingston, Miami, Nowy Jork, Londyn. Zabili nam młodego Benjy'ego.

— Co to za Benjy i jak zginął? — spytał lekarz.

Ja stoję obok i tak mocno ściskam woreczek z płynem infuzyjnym, że prawie pęka.

— Siostro — upomina lekarz.

Podłączam tamtemu kroplówkę, odwracając wzrok. Boję się, że może mnie rozpoznać. Żadnego braterstwa duchowego między nami.

— Kim był ten Benjy? — pyta znowu lekarz.

A ja mam ochotę powiedzieć, zamknij się, kurwa, ale tylko wpuszczam płyn do rurki. Dzięki Bogu, bo kiedy spojrzałam wreszcie na tego Jamajczyka, akurat rzucał doktorowi wymowne spojrzenie, zmarszczone brwi, oburzenie na twarzy, jakby chciał krzyknąć, jak to, pytasz pan, kim był Benjy!? Ja nie chciałam wiedzieć.

— To Benjy Wales, syn dona nad donami — pada odpowiedź.

Na lekarzu nie zrobiła większego wrażenia, ale ja musiałam znowu uciec wzrokiem. Zmartwiałam. No nic wiem — pociemniało mi przed oczami, a potem odeszłam szybko. Słyszałam za plecami głos lekarza, siostro, siostro. Wrażenie, jakby w oddali grało radio tranzystorowe. Szłam i szłam, aż znalazłam się w windzie. Następną godzinę przesiedziałam w bufecie na parterze. Powiedziałam, że mam zawroty głowy, musiałam trzy razy przełknąć pytanie, czy aby na pewno nie jestem w ciąży. Prawie już chciałam powiedzieć, że sobie odkroję cipę i przybiję do czoła, żeby dowieść, że jednak nie jestem. Wyjaśniłam, że mam migrenę okoporaźną i nie mogę trafić pacjentowi w żyłę.

Stosuję taki swój system. To tylko dwa słowa: ZERO DRAMATU. Podebrałam to od czarnych Amerykanek, które powyżej uszu miały mężczyzn i ich pierdolenia. Nie chcę żadnych afer, kass-kass, konfliktów, niezgody i uwikłań. Nie chcę dramatów nawet w telewizji. Od kiedy Jamajczycy zaczęli się zjawiać w szpitalu, do listy swoich leków musiałam dodać tylenol i zwiększyć dawki xanaxu, żeby w ogóle móc iść do pracy. Wales to tylko nazwisko. Przeklęte nazwisko. Jak Millicent Segree.

Czekając na pośpieszny M10. Od tamtej pory czuję ból tuż nad prawą skronią. Ani nie słabnie, ani się nie nasila, po prostu nie chce minąć. Może mam guza? Może powinnam przestać szkolić się w hipochondrii? Poważnie, zaledwie dwa dni temu miałam taki stan lękowy, że nie mogłam oddychać, w dodatku przypomniałam sobie, że znane są wypadki, kiedy ludzie na to umierali. Oczywiście przestraszyłam się jeszcze bardziej. Gdy ostatnim razem mnie dopadło, musiałam zaśpiewać głośno *Just Got Paid*, żeby przeszło. Na przystanku autobusowym na Manhattanie. Jakaś mała dziewczynka chyba zaczęła śpiewać ze mną. Teraz inna mała czarna dziewczynka biega dokoła ławki na tym przystanku. Druga siedzi ojcu na kolanach. Ojciec czeka na autobus. Ta, która biega, śpiewa coś podobnego do *I Know What Boys Like*, ale na pewno nie słyszała tej piosenki. Ojciec próbuje zapanować nad córką, małym dzieckiem właściwie, i gazetą. Druga mała wali mu z rozpędu głową w żebra, on stęka i się śmieje. Wciska mu bajgla do ust, on chapie kawałek jak niedźwiedź. Ona piszczy. Próbuję odwrócić głowę, ale nie mogę, robię to dopiero wtedy, gdy zauważają, że się przyglądam.

Dziewczynki zawsze podchodzą z boku do ukochanych tatusiów. Obserwuję to przez cały czas w szpitalu. Tatkowie niosący córeczki z niewydolnością oddechową albo po ukąszeniach owadów. Kobiety podpierające ojców w drodze na kolejny rezonans magnetyczny albo dawkę chemioterapii. Może po prostu ojcowie są węźsi z boku. Wczoraj nastolatka na oddziale ratunkowym najpierw wrzeszczała na ojca przez dziesięć minut, a potem podeszła do niego, objęła go, położyła głowę na jego ramieniu, spletli dłonie, a on ją przytulił. To nie tak, że tęsknię za ojcem. Nawet nie wiem, czy żyje. Zaczynam natomiast tęsknić za dawką xanaxu.

Czekam na przystanku z ojcem i jego dwiema córkami. On się śmieje, coś mruczy, he, he, he, tak, słoneczko. Ciągle nie mogę się zorientować, czy to Jamajczyk. Człowiek po prostu robi z góry założenia między Gun Hill Road a Boston Road. Nawet nie zauważają, że posyła im ojcowskie spojrzenie. Tamten w szpitalu powiedział do mnie: człowiek nie zdawał sobie sprawy, że może kochać kogoś czy coś aż tak bardzo. Zawsze pojawia się ten lęk, gdy się słyszy, że dziecko wpadło pod autobus. Ojcowskie spojrzenie, ciekawe, kiedy się je zatraca.

Nie dowiaduję się nigdy niczego dobrego, przestałam więc oglądać wiadomości. Nie chcę nawet wiedzieć, co się dzieje na

Jamajce, ale jeśli to rozlało się aż na Bronx i Manhattan, to sytuacja nie wygląda różowo. Tutejsi Jamajczycy nigdy nie mówią mi niczego, co chciałabym usłyszeć, dlatego z nimi nie rozmawiam. Nigdy nie tęskniłam za krajem, ani przez chwilę. Nienawidzę nostalgii, nostalgia to niepamięć, a ja mam za dobrą pamięć na takie pierdoły. Hm, ale jeśli to wszystko prawda, to dlaczego w pizde siedze na jamajskim Bronxie, hę? Corsa, Fenton, Boston, Girvan, właściwie cała okolica mogłaby się nazywać Kingston 21. Przy Corsa jestem samotną kobietą z tego domu na rogu, osobą, która umrze, zgnije w ziemi i wypuści maki, zanim ktokolwiek się zastanowi, co się z nią stało. Ta wiedźma z winkla, Boo Radley w spódnicy. Kogo ja, w pizdę, oszukuje, pewnie myślą, że jestem dewotką z kościoła, co nigdy nie miała chłopaka. Nadęta, jędzowata pielęgniarka, która nosi białe pończochy i szpitalne obuwie, z nikim nie gada i zawsze wychodzi z domu i wraca w uniformie, żeby nikt nie poznał jej w innej roli.

Ciekawe, czy ktoś mnie przyuważył, jak wychodzę nocą. Lubię mówić, że mam w głębokiej dupie, co myślą sobie ludzie, a jednak zawsze wymykam się tylnymi drzwiami. Mam tylko nadzieję, że do szpitala nie trafi więcej Jamajczyków z ranami postrzałowymi. Mam nadzieję... Wiesz co, Millicent Segree, z takiego myślenia nigdy nie płynie nic dobrego. Nawet samo myślenie o tym myśleniu sprawia, że ból nad skronią napiernicza jeszcze mocniej. Koniec z pieprzonym myśleniem. W zeszłym tygodniu biały studencina usłyszał mój akcent i spytał, czy znałam Śpiewaka. Aż mnie trzepnęło, bo przecież należę do garstki ludzi, którzy mogą odpowiedzieć twierdząco, ale i tak się wkurzyłam. I wtedy zaczął śpiewać tę piosenkę o trzech ptaszkach, przez chwilę dawałam radę, ale potem pomyślałam o tych wszystkich odległych latach. W dupę, zawsze gdy myślę o tym, że przypominam sobie dawne lata, to przypominam sobie naprawdę, kurwa, kurwa, kurwa, jebać to wszystko, co odeszło. Jebać umarłych. Ja żyję.

Przyjechał autobus.

Ja żyję.

3

— No skąd, przecież to C. Nie wie pan, że A nie zatrzymuje się na Sto Dwudziestej Piątej?

— Aha.

Mężczyzna cofa się, jakby w wagonie zobaczył kogoś, z kim nie chce się spotkać. Patrzę na drzwi zamykające mu się przed nosem. Rozsiadam się wygodnie, pociąg rusza. Nowojorczycy, metro poza centrum to ściema. Właśnie tak, łapiecie C ze Sto Sześćdziesiątej Trzeciej na Sto Czterdziestą Piątą, żeby dalej wskoczyć do pośpiesznego, bo tak kurewsko czas was goni, ale to nie centrum, tu zawsze są opóźnienia i dramaty. No przecież zaledwie w zeszłym tygodniu, gdy zapylałem na JFK, żeby złapać samolot do Minnesoty, bo mama niedomagała, facet w wagonie ściągnął spodnie i zaczął srać. Przykucnął i zwalił kloca, wrzeszcząc przez cały czas, jakby rodził. Oczywiście zrobił to dopiero w chwili, gdy pociąg ruszył z Falton, i czekaliśmy całą wieczność, żeby dojechać do High Street aż na Brooklynie. Sześciu, siedmiu z nas skoczyło do drzwi tylko po to, żeby się przekonać, że się nie otwierają, więc nie mogliśmy się przesiąść do drugiego wagonu. Potem stoję i modlę się w duchu, błagam, tylko nie rzucaj tym swoim gównem. Proszę, błagam, nie. Gdy pociąg wtoczył się wreszcie na High Street, wszyscy pierzchnęliśmy. Ale nie o to mi chodzi. Chodzi o to, że jedziesz C na Sto Czterdziestą Piątą i przesiadasz się w A, bo to pośpieszny. Tyle że A jedzie, kurwa, wolniej niż C. Lądujesz, powiedzmy, na Czwartej Zachodniej. Zaczekaj minutę, dwie i nagle nadjedzie to samo cholerne C, z którego wysiadłeś na Sto Czterdziestej Piątej.

Więc jestem wierny linii C, próbuję czytać. Nieprawda, jeżdżę C, żeby podglądać ludzi czytających „New Yorkera". Zastanawiam się, czy naprawdę TO czytają. Pewien mój znajomy irlandzki pisarz opowiedział mi, jak któregoś razu zobaczył w pociągu kobietę czytającą jego książkę. Dobre to?, spytał ją, a ona na to, momentami, ale generalnie wypociny. Z jakiegoś powodu ten komentarz nastroił go pozytywnie na cały dzień. Oraz to, że go nie rozpoznała. No więc czasem jadę linią C i wypatruję takiej kobiety, i przeważnie to właśnie kobiety czytają „New Yorkera", mam wtedy nadzieję, że usiądę obok i doczekam chwili, kiedy zacznie TO czytać. Mógłbym powiedzieć, w mordę jeża, że to jak w filmach. No bo w prawdziwym życiu nigdy tak się nie dzieje, prawda? A ona spytałaby, co się stało? A ja bym odpowiedział, że tym pociągiem jedzie autor, bo chce sprawdzić, czy ktoś go czyta. W tej wersji kobieta będzie ładna, najlepiej czarnoskóra, najlepiej samotna, z całą pewnością wyzwolona z tak staroświeckich idei jak monogamia. Kogo ja próbuję oszukać? Serwując te wszystkie pierdoły o wolnej miłości, to właśnie ja uchodzę za zabytek. Dzięki republikanom i AIDS wszyscy się teraz pobierają, nawet geje biorą to pod uwagę.

Ale w pociągu jedzie jeden facet, jakiś gówniarz w podartych spodniach od dresu, spod których wyglądają kalesony. Skórzana kurtka, ale niewiele więcej widzę, bo czyta „Rolling Stone" chyba z Axlem Rose'em na okładce. Guns N' Roses podobno ocalili rock and rolla parę lat temu, a przynajmniej tak ci powiedzą wszyscy redaktorzy z „Rolling Stone". Ja na to, jeśli to prawda, to dlaczego ciągle słyszę w radiu gównianą dance tandetę w wykonaniu pedalskich wazeliniarzy? Jebany bandzio o nazwie Jesus Jones, Chryste Panie. I błagam, nie grajcie znowu płyty tych Black Crowes. Pierwszy raz to usłyszałem, jak się jeszcze nazywało *Sticky Fingers*. Jezu, może wagon świeci pustkami, bo wszyscy wyczuli, że zrobił się ze mnie taki wojujący skurwysyn. Po godzinie szczytu nastaje dziwna pora, można jechać w pustym wagonie, chociaż ciągle jest dzień. Wagony pomalowane świeżymi graffiti, okna, siedzenia, nawet podłoga, te nowe wyglądają ostro i jak science fiction, dużo liter, wydaje mi się, że to litery, chociaż przypominają stopiony metal. To i plakaty Tang! Nieinwazyjny sposób na haluksy, no i jeszcze jebana *Miss Saigon*.

Cholera, szkoda, że nie mam „New Yorkera". Albo czegokolwiek, jeśli już. Wybiegłem z redakcji, bo uświadomiłem sobie, że mam gardłowy termin, a jak jestem pod presją, wolę pracować w domu. Część czwartą oddałem wczoraj. Czwartą z siedmiu. Taa, gdzieś w głębi ducha mam nadzieję, że ludzie ciągle czytają „New Yorkera" albo przynajmniej zwracają uwagę, jak zwracali uwagę na Janet Malcolm w sprawie Jeffreya MacDonalda i Joe McGinnissa. Nie znaczy to oczywiście, że wziąłem się za aż tak ciężki temat, poza tym kogo obchodzi Śpiewak i Jamajka oprócz paru studentów? Ty, panie Alex Pierce, jesteś tym, co dzisiejsze dzieciaki nazywają przeżytkiem. A mamy dopiero marzec.

Wysiadam na Sto Sześćdziesiątej Trzeciej, idę po schodach, licząc, że na górze nie ma tego faceta, który ostatnim razem wysępił ode mnie szluga. Cholera, po co kupować całą paczkę, skoro codziennie może ode mnie wyżebrać jednego albo dwa? Im bardziej się oddalam od supermarketu C-Town, tym mocniej sobie uświadamiam, że mam pustą lodówkę. Wracam do domu bez jedzenia, a to mnie tylko wkurwi, włożę znowu kurtkę i pójdę z powrotem do C-Town, który teraz zostawiłem daleko za plecami. Pierdolę, jestem już na Sto Sześćdziesiątej.

Marzec, ciągle kurewsko zimno, ale te pierdolone domy stoją puste. Mieszkanie w kamienicy, które kupiłem, nie wymagało żadnych remontów, a jednak właściciel tak bardzo przebierał nogami, żeby się wynieść, że byłem pewien, że coś jest nie tak. Dlatego jeszcze bardziej obniżył cenę. Opowiadał jakieś pierdoły, że Louis Armstrong tu mieszkał. Trzy minuty później dodał, że Cab Calloway. Wszystko jedno, spodobała mi się okolica, z której ludzie uciekali, chociaż gdyby ktoś chciał znać moje zdanie, to ludzie się wynoszą, bo im się nie podoba, że ta część Washington Heights, przepraszam, ta część historycznego Harlemu, schodzi na psy już od końca lat siedemdziesiątych, a chwilowy lipny bum w osiemdziesiątych nie zahamował prawdziwej zapaści.

Próbuję powiedzieć, że ta ulica, zwłaszcza o tej porze, jest przeważnie wyludniona. To dlaczego ci czterej czarni, ubrani, jakby wyszli z rapowego teledysku, siedzą na schodach przed moją kamienicą? Nie mogłem zawrócić, bo już mnie dostrzegli. Gdybym się zachował jak przestraszony białek, zawołaliby mnie albo wyczuli mój strach i zaczęli gonić. Niech mnie chuj strzeli. Jeden z nich, dredy związane w koński ogon, wstaje i mierzy mnie wzrokiem. Od domu dzieli mnie z sześć kroków, ale drogę zagradza mi czterech czarnych. Dwaj właśnie rżą z czegoś jak konie. Cofam się o krok, czując się idiotycznie. Kurczę, normalni czarni siedzą na schodkach. Co z tego, skurwielu, a w ogóle może to twoi sąsiedzi, twoja wina, że ich dotąd nie poznałeś. Klepię się po tyłku, jakbym sięgał po portfel, i robię minę w stylu, o kurwa, zapomniałem kasy z domu, ale Pan Kitka ciągle się na mnie gapi, wlepia wzrok, cj, może tylko coś sobie roję? Nie mogę tak stać. Może ich wyminąć i iść do tej kafejki na rogu? Przeczekać kilka minut, chociaż goście nie wyglądają na takich, którym się śpieszy. Kurwa, nie mogę tak stać. Rany, w końcu to Nowy Jork, po sprawie Berniego Goetza czarni chyba już zmądrzeli na tyle, żeby nie napadać niewinnych białych, co?

Wbiegam na schody i widzę, że drzwi są szeroko otwarte. Kitka odsuwa się na bok i zaprasza mnie gestem do środka, jakby był gospodarzem. Przystaję w nadziei, że ten radiowóz, który krąży po okolicy, zawsze gdy ma ochotę, pojawi się właśnie w tej chwili. Kitka znowu mnie zachęca, tym razem zamaszystym ruchem ręki, jakby był Jeevesem, więc robię krok do przodu. Pozostali patrzą na mnie. Jeden chowa twarz pod szarym kapturem, drugi ma na głowie jakby pończochę, trzeci włosy uplecione w warkoczyki, jak to robią Jamajczycy przed zafundowaniem sobie afro. Spodnie tak zwisają, że krocza są na wysokości kolan, no i wszyscy w beżowych timberlandach. Jeśli mają klamki, to uznali, że szkoda zachodu, żeby mi je pokazywać. Nie chcę, żeby Kitka skierował mnie do domu po raz trzeci, więc wsuwam się do środka. Ledwo mogę się ruszać. Jezu Chryste. W zeszłym tygodniu mój kumpel, który zaopatrywał Fleetwood Mac w kokę, powiedział, że wycofał się z branży, bo jebani Jamajczycy przejmują wszystko i w dupie mają, kogo i ilu zabiją. Brada, nie jes tak, mówi ktoś na zewnątrz z mocnym jamajskim akcentem. To chwila, w której aż się

prosi, żeby opowiedzieć ten dowcip o jamajskich matkach uczą-
cych swoje dzieci czystości, ale czuję, że nie mógłbym w tej chwili
liczyć na czyjeś poczucie humoru.

Idę korytarzem, jakbym był w cudzym domu, podłoga skrzypi
pod stopami. Ruszam na schody, słyszę odgłosy dobiegające z piętra. Ktoś czy ktosie robią raban w mojej kuchni. Wysoki czarny
facet w podkoszulku i ogrodniczkach khaki z opuszczonym ra-
miączkiem miksuje żółty sok w mikserze, który do niedawna był
moim mikserem. Drugi wchodzi w moje pole widzenia, jakby
ktoś nagle krzyknął: akcja! Siada na stołku przy zlewie i zaczyna do
mnie gadać. Też czarny, włosy krótko obcięte, trochę grubawy, ale
wyższy od Podkoszulka, ma na sobie niebieski aksamitny garnitur
z białą chusteczką w kieszonce, przypominającą zwiędły kwiat
sterczący mu z serca. Nie znam człowieka. Nie znam żadnego
z nich. Pierwszy raz w życiu widzę aż tak wyglansowane buty.
Ciemnoczerwone, miejscami prawie czarne. Podnoszę wzrok,
oho, dostrzegł podziw w moich oczach.

— Giorgio Brutini.

Mam ochotę spytać, czy to tańsza wersja Giorgia Armaniego,
ale przypominam sobie, że przy Jamajczykach lepiej nie silić się
na ironię.

— Aha.

— No to słuchaj, ten, co go tu widziałeś, ten Ren-Dog,
nie? Ja go mam na służbie, bo pociąga za spust jak nikt inny.
Ale tak naprawde to trzymam go, bo soki robi jak nikt. Jah mi
świadkiem.

— Yo man, szefie. A wiesz, że teraz sie do gotowania przyuczam w szkole?

— Lepiej weź pójdź do wieczorówki, cha, cha.

Jedwabny Garnitur podnosi palec, żeby mnie uciszyć, ale ja
nie chciałem nic mówić. Bierze szklankę i wypija wszystko pięcioma głośnymi łykami.

— Mango.

— Jakie? — pyta Podkoszulek.

— Julie i... Czekaj, wiem... Indie Wschodnie.

— Jah mi świadkiem, szefie, ty jesteś medium psychiczne czy coś.

— Albo chłopak ze wsi, co sie zna na mango. Nalej troche białemu.

— Dziękuję, nie chce mi się pić.

— Pytałem, czy pić ci sie chce?

Uśmiech znika błyskawicznie, jak za pstryknięciem palcami. Przysięgam, że tylko Jamajczycy potrafią coś takiego, i to wszyscy. Nagła zmiana miny, aż mi ciarki chodzą po plecach. Zmarszczone brwi, martwe oczy. Dziesięciolatek sra po nogach.

— No dobra, mogę się napić.

— Ciesze sie, młodzieńcze. I nie wahaj się użyć całego mleka, jogurtu i świeżych owoców, co masz w lodówce. W pizde, Ren-Dog, otwórzże temu brada jego lodówke, bo zaraz pomyśli, że z ciebie seryjny zabójca i zwłoki tam magazynujesz.

— Święte słowa, szefie, cud, że szczury jeszcze sie nie wgryzły do środka — odpowiada Podkoszulek.

— A ty wiesz, że trzymasz mleko ze stycznia?

— Chciałem zrobić własny jogurt.

— Szefie, to satyryk jakiś.

— Cha, cha, tak wygląda. Albo sobie z nas żartuje. Nieważne, podejdź no, brada, żebym ci sie przyjrzał.

Siadam na stołku. Nie wiem, czy patrząc mu w oczy, zrobię na nim wrażenie, czy go rozwścieczę. Potem zaczyna krążyć wokół mnie, jakbym był jakimś okazem w gablocie. Mam ochotę powiedzieć, że muzeum już zamknięte. Gryzę się w język. Nie wiem, dlaczego mi się wydaje, że żartami poprawiłbym swoją sytuację, nie wiem, bo do tej pory nigdy tak nie było.

— Ren-Dog, mówiłem ci kiedy o takim, co sie nazywał Tony Pavarotti?

— Nie mówiłeś, szefie, ale ja wiem. Kto by nie słyszał, jak dorastał jako nygus?

— Yo, prawie piętnaście lat cie szukam, wiesz?

Dopiero po kilku sekundach orientuję się, że on mówi do mnie.

— Ale Eubie, czego ty o Pavarottim teraz, on gryzie piach od siedemdziesiątego siódmego? Ósmego?

— Siedemdziesiątego dziewiątego. Tysiąc dziewięćset siedemdziesiątego dziewiątego. Ren, przywitaj sie z człowiekiem, który go zabił.

4

— Co ci sie porobiło z włosami?

— Siwe się zrobiły. Przedwcześnie. Najpierw były szpakowate, potem siwe.

— Chuja przed wcześnie. Osiwiałeś w sam czas.

— Zabawny jesteś, Josey.

— Siedzisz w Ameryce tak długo, że zaczynasz gadać jak oni.

— Jak ci, co mieszkają w Ameryce?

— Nie, jak ci, co mieszkają wśród Kubańczyków.

— Cha, cha. A nikt mi nie wierzy, jak mówię, że Josey Wales to człowiek z poczuciem humoru.

— Ta? A z kim o mie gadasz?

— Josey, tylko popatrz na nas. Myślisz czasem o przeszłości, *muchacho?*

— Nie. Nigdy nie myślę o jebanej przeszłości. To gówno napierdala człowieka z dużą siłą i nawet nie można oddać.

— Strasznie ci się gęba rozwiązała w tym więzieniu, *mijo.*

— Język sie rozwiązuje, nie gęba. Kiedy wejdziesz między wrony...

— Cha, cha. Dobre, Josey, naprawdę...

— Skończ z tym protekcjonalnym tonem, Luis, w pizde. Jak ci sie podoba? Powiedziałem trudne słowo specjalnie dla ciebie. Siedem lat cie nie widziałem i gdzie sie spotykamy? W więzieniu. Już wiesz, co mam na myśli, że teraźniejszość jest pojebana? Zwłaszcza jak ci sie przez cały tydzień przeszłość pojawia. Najpierw matka mojego dziecka, o której w ogóle zapomniałem, potem krewniak, co sie martwi, nie o mie, o pieniądze, wreszcie Peter Nasser, aż zacząłem żałować, że w celi nie mam ukrytej kamery. Jak na niego patrzę, to sie bardzo zastanawiam, czy ludzie rzeczywiście z wiekiem mądrzeją.

— Peter Nasser?

— Nie udawaj, że nie znasz człowieka.

— Nie rozmawiałem z nim od tysiąc dziewięćset osiemdziesiątego. Zapominasz, że on miał mi tylko pomóc dotrzeć do ciebie.

— Teraz chce zostać serem, więc pewnie ma nadzieje, że mu przeszłość nie wytnie numeru.

— Czego?

— Nume... Że go przeszłość nie dopadnie.

— Aha. Co to znaczy, że chce zostać serem?

— Ważnym panem.

— Panem? Myślałem, że już ma kutasa, *hombre*.

— Chce dostać tytuł szlachecki. Ser, jak rycerze, jak ser Lancelot. Chce klęknąć na kolano i żeby królowa puknęła go mieczem w ramie. Czarni już tak mają, potrzebują, żeby biała kobieta im powiedziała, że dobiegli do mety, nie jest tak?

— Nie wiedziałem, że on jest czarny, Josef.

— Śmieszne, w ciągu pięciu minut nazwałeś mie pięć razy inaczej.

— Co poradzę, *mijo?* Za każdym razem jak cię widzę, jesteś innym człowiekiem.

— Jestem taki sam.

— Nie. Nieprawda. Mówisz, że nie myślisz o przeszłości, to nie możesz wiedzieć, jaki byłeś.

— Pojęcia nie mam, o co ci chodzi. Włazisz tu i z gęby ci sie leją jakieś pierdoły. Jeszcze chwila i zacznie grać orkiestra.

— Znowu. Poczucie humoru, którego chyba nikt nie rozumie.

— Brada, to sie robi męczące. A obaj dobrze wiemy, że będziesz musiał dziś gdzieś jeszcze podjechać.

— Niby gdzie?

— Do tego sukinsyna, co cie tu przysłał.

— A jak nikt mnie nie przysłał?

— Doktor Love nawet nie wstanie z łóżka, jak mu sie czekiem przed oczami nie pomacha.

— Wiesz, kim my jesteśmy, Josef?

— Dwoma skurwielami pierdolącymi głupoty.

— Jesteśmy reliktami przeszłości.

— Słyszałeś, co kurwa mówiłem?

— Jesteśmy tym, co przebrzmiało. Wspomnieniem.

— Jezu Chryste.

— To znaczy, mój przyjacielu, że większość ludzi o nas nie usłyszy. Może parę osób pozna się na nas, ale większość nas odtrąci.

— Brada, jak to ma być jakaś historia z przypowieścią, to na razie kurewsko źle ci idzie.

— Próbuję tylko rozluźnić atmosferę, *mijo*.

— Nieprawda. Grasz na czas, bo jeszcze nigdy nie musiałeś podejść do nikogo aż tak blisko. Zastanawia mie, jak ty w ogóle ruhasz.

— Przez sekstelefon.

— Naprawde?

Roześmiał się.

— Tak się teraz robi. Wszyscy producenci porno zwijają plany zdjęciowe i przerzucają się na telefony. Samotne oblechy dzwonią pod jeden-dziewięćset-MOKRA-KUREWKA, a tam dwustukilowa dziwka o seksownym głosie mówi: hej, marynarzu. Facet robi sobie dobrze, a potem dostaje rachunek telefoniczny.

— Poważnie?

— Tak poważnie, jak Holyfield naparza na ringu.

— Wiedziałem, że trzeba było zostać alfonsem.

— E tam, dilerka też ci dobrze wychodziła. Dopóki nie wylądowałeś tutaj.

— Potrzebowałem zmienić klimat.

— I kto tu używa gównianych metafor jak z przypowieści?

— Przez cały ten czas nie miałem żadnych wiadomości o tobie. Mur berliński runął, James Bond wypad z obiegu, a Doktor Love nie miał już nic do roboty. Jak to było, ustatkowałeś sie i wróciłeś do pracy jako prawdziwy doktor? Zaraz, zaraz, naprawdę? Jesteś teraz chirurg? Jak amputujesz, rozrywając granatem?

— Cha, cha.

— Ratujesz teraz życie, zamiast je odbierać. Powiedz mi, doktorze, te rodzinne kłótnie dotarły aż do ciebie w Miami?

— Kto twierdzi, że byłem w Miami?

— Widze tak samo dużo jak ty.

— Hm. Josef, mądry z ciebie człowiek. Najmądrzejszy, jakiego znam. Pewnie ci się wydawało, że jak będziesz mówił odpowiednio długo, to wszyscy ludzie na świecie zaczną cię słuchać.

— Ja gadam już od dwóch lat. Dlaczego dopiero teraz i dlaczego ty?

— Jestem tylko obserwatorem.

— Pierdolisz w pizde. Wiesz co? Przyśpieszmy troche, bo to mie zaczyna mocno wkurwiać. Wiesz, że jak mi sie coś stanie, to na biurkach prokuratorów w tym kraju zaczną sie pojawiać pewne dokumenty?

— Na ulicy słychać…

— Gówno wiesz o ulicy.

— Kiedy ten inspektor z DEA był u ciebie? W czwartek?

— Skoro wiesz, że był, to wiesz też, kiedy był. Jezu Chryste, Luis, wolałem tego ciebie z przeszłości, bo prawda jest taka, że twoja obecna wersja to dla mie kurewskie rozczarowanie. Ile żeś przytył, jak ostatni raz sie widzieliśmy?

— Życie stało się bardzo wygodne.

— Życie zrobiło z ciebie tłustą pizde. Palec ci sie jeszcze mieści na spuście?

— Za to ty dobrze wyglądasz.

— Kiedyś lepiej kit wciskałeś.

— Tak jak ty, dupku. Pieprzysz mi tutaj o jakichś dokumentach. Wszyscy wiedzą, że nigdy niczego nie zapisywałeś, Josey.

DEA zależy na tym, co masz w głowie, a nie na jakichś pierdolonych papierach. To, co w tobie żyje, umrze razem z tobą. Zamkniesz się raz na zawsze. Wszyscy mieli cię w dupie, dopóki nie postanowiłeś oczyścić tej meliny w osiemdziesiątym piątym. Od tamtej pory twoi nowi kumple z DEA zaczęli się tobą interesować. Spytałbym Beksę, czy to był jeden z tych przypadków, kiedy don na moment przestał nad sobą panować, tylko że Beksa też się wymeldował w osiemdziesiątym piątym.

— Żadna tajemnica, co sie stało z Beksą. Za bardzo go ręce swędziały do własnych dostaw. Prędzej czy później to sie musiało tak skończyć.

— Że co, strzelił sobie działkę czystej kokainy? Żaden diler by się tak nie pomylił. Nawet jeśli biorący.

— Może wcale sie nie pomylił.

— Twierdzisz, że chciał się zabić?

— Beksa? Nie miał powodu. Przecież właśnie wtedy zaczął żyć tak, jak zawsze chciał. Chujowo, bo przed Nowym Jorkiem czuł sie dobrze tylko w jednym miejscu. Jak był... w dupie. Znaczy tutaj. W tym więzieniu.

— Co chcesz przez to powiedzieć, Josey?

— Ja nic nie chce powiedzieć. To ty zacząłeś temat. Jebany Beksa. Wiedziałem, że tak skończy. Po to tu przyjechałeś, Luis? Na razie pierdolisz o rzeczach, które dawno mam za sobą.

— Zabawne, że przygadujesz mi, że za dużo gadam. Mimo niesprzyjających okoliczności cieszę się, że cię widzę, Josey.

— Gdyby nie te okoliczności, w ogóle byśmy sie nie spotkali.

— Chyba masz rację.

— Kiedy wylatujesz?

— Z Jamajki? Jeszcze nie wiem.

— Kiedy?

— Jutro o szóstej. Pierwszy lot.

— Masz dość czasu.

— Na co?

— Na zrobienie tego, co musisz zrobić. I złożenie meldunku.

— Idziesz z DEA na ugodę?

— Ugode? Wyprzedzasz wypadki. Żeby była ugoda, trzeba najpierw iść do sądu.

— O, naprawdę?

— O, naprawde. Sporó sie człowiek uczy, jak mu życie zlatuje w sądach i więzieniach.

— Skoro o sądach mowa, to chujowo, że apelacyjny nie odrzucił wniosku o ekstradycję.

— To żaden sąd apelacyjny, to Tajna Rada. Chujowo dla kogo? Dla mie? Ja to widzę tak, jakbym wybierał sic na zaległą od dawna wycieczke do Stanów.

— Mówisz jak o wizycie u babci.

— To nie ja sram po gaciach przez to, że wyląduje w amerykańskim więzieniu, tylko ten, co cie przysłał.

— Nikt mnie nie...

— Dobra, dobra, chłopcze. Udawaj dalej to, co uważasz, że musisz udawać. I cokolwiek zamierzasz zrobić, zrób to, jak będe spał.

— Pogrzeb był bardzo ładny.

— Co?

— Bardzo ładny. Najgłośniejsza ceremonia, na jakiej byłem, ale ładna. Po raz pierwszy widziałem orkiestrę idącą za karawanem. Seksowne mażoretki w krótkich spódniczkach wywijające pałeczkami. Najpierw pomyślałem, że to tandetne, ale dziewczyny miały niebieskie majteczki, a to dodawało im klasy. Podobałoby się twojemu synowi.

— Nie mów o moim synu.

— Jedna rzecz mnie tylko zdziwiła. Nigdy czegoś takiego nie widziałem.

— Luis.

— Jak już opuścili Benjy'ego do ziemi, kobiety i mężczyźni uformowali dwa szeregi po obu stronach grobu i wtedy jakaś dziewczyna, może jego narzeczona, podała pierwszemu mężczyźnie dziecko i wszyscy zaczęli je sobie po kolei przekazywać nad grobem, aż na sam koniec. Co to oznacza, Josey?

— Nie mów o moim chłopaku.

— Po prostu chciałem wiedzieć, dlacz…

— Powiedziałem, żebyś nie gadał o moim synu, w pizde jebany.

5

— To mi sie nie obudzi? Siostro. Siostro. Siostro, on mi sie nie obudzi?

— Proszę pani, właściwie to on nie śpi. Jest teraz pod wpływem silnych środków.

— Doktor tak kazał? Czemu nie chcecie, żeby sie obudził? A pani to co robi, eh?

— Z tymi pytaniami do pana doktora.

— Co do pana doktora? Pyskata ty. Skont jesteś, z Manor Park?

— Z Bronxu.

Podskakuje za każdym razem, gdy monitor pika. Stoję przy drzwiach, od pięciu minut próbuję wyjść. Owszem, jestem pielęgniarką, ale gdy się pracuje w szpitalu, wonie dają się we znaki. Nie te, które czują odwiedzający, ani nie te, które czują pacjenci. Inne. Jak woń człowieka z bardzo poważnym uszkodzeniem ciała i woń człowieka, który znalazł się już po drugiej stronie, i nawet przed oficjalnym orzeczeniem wiadomo, że nie da się go uratować. Pachną jak maszyny. Jak czysty plastik. Jak wyszorowany basen. Jak mydło dezynfekujące do rąk. Taka czystość, że aż zbiera się na wymioty. Ten mężczyzna w łóżku ma rurki w obu rękach i szyi, cztery złączone w ustach, jedna odprowadza mocz, druga odprowadza to, co należy uznać za kał. W zeszłym tygodniu potrzebował kranika, bo w mózgu miał za dużo płynów. Jamajczyk, czarny, w białej pościeli, w nocnej koszuli w kreseczki. Nie należę do tych pielęgniarek, które muszą poprawiać jego pozycję co kilka godzin, przechylić go lekko w lewo, a po paru godzinach lekko w prawo. Nie jestem tą, która sprawdza jego funkcje życiowe, ona wyszła pięć minut temu. Nie pilnuję kroplówki ani płynów fizjologicznych, nie kontroluję, czy podano mu dostateczną dawkę leków.

Właściwie powinnam być na innym piętrze, mam pełne ręce roboty na oddziale ratunkowym. Ale znowu tu jestem, na OIOM-ie, przychodzę tak często, że ta kobieta, może matka jego dziecka, no bo zawsze przyłazi z dzieckiem, tylko dzisiaj jest sama, uznała, że się nim opiekuję. Nie mogę powiedzieć, że się myli, bo wtedy zaczęłaby się zastanawiać nad tym, nad czym ja się zastanawiam codziennie. Po co tu przychodzę?

Nie wiem.

Większość Jamajczyków, którzy wylądowali na oddziale ratunkowym, opatrzono i wysłano do domu, nie wyłączając tego, który dobrze się najpierw zastanowi przez najbliższe dwa tygodnie, zanim usiądzie na kiblu, żeby zrobić kupę. Dwóch nie przeżyło, dwóch przywieziono martwych. No i potem ten mężczyzna, sześć ran postrzałowych, poważny uraz głowy i pęknięty kręgosłup. Nawet jeśli dociągnie do przyszłego tygodnia albo do następnego, to prawdopodobnie i tak wszystko, co robił dotąd w życiu, odeszło bezpowrotnie. Powinnam mieć nadzieję albo przynajmniej zachowywać uprzejmy dystans, bo takiego zachowania nas uczono w stosunku do rodzin pacjentów w stanie krytycznym. Ale stać mnie co najwyżej na dziwną obojętność, którą ta kobieta prędzej czy później wyczuje.

Zawsze wychodzę pierwsza, a gdy zjawiam się tutaj wcześnie rano, ona przeważnie już jest, siedzi przy łóżku i ociera mu czoło. Wczoraj przypomniałam jej, że oprócz wszystkiego pacjent ma infekcję, więc powinna używać środka dezynfekującego przy drzwiach, zanim weźmie z powrotem dziecko na ręce, ale spojrzała na mnie, jakbym ją obraziła. To tylko taka sugestia, proszę pani, dodałam, a nie żelazna zasada w naszym szpitalu. Chciałabym mu się przyjrzeć, gdy jej nie ma. Wmawianie sobie, że nie wiem, dlaczego to robię, odnosi skutek wyłącznie wtedy, gdy nie myślę o tym za dużo. Ten człowiek wylądował w szpitalu z powodu tego, co zawsze podąża za Jamajczykiem bez względu na to, jak daleko będzie próbował uciec. Nie chcę wiedzieć, dlaczego się tu znalazł. W dupie mam te ich wszystkie pieprzone wojny. Mieszkam ciągle na Bronxie tylko dlatego, że nie stać mnie na przeprowadzkę gdzie indziej, więc jeśli Jamajczycy muszą się strzelać o narkotyki czy coś, to ich problem. Nie chcę nawet znać jego nazwiska, nie chcę go słyszeć nawet wtedy, gdy pielęgniarki rozmawiają o jego synku. Kiedyś wrzeszczałabym, gdybym usłyszała. Gdy teraz słyszę, to nie wiem, co się dzieje, dopiero potem odnajduję się albo ktoś mnie odnajduje w bufecie, wpatrzoną tępo w okno, jakbym się zgubiła. Niech mnie cholera, jeśli w ogóle pamiętam, dlaczego tak reaguję na to nazwisko. Niech mnie cholera, bo przecież wiem, że nie potrafię oszukać samej siebie, ale zawsze, zawsze próbuję.

— To co wiesz?

— Słucham?

Mam nadzieję, że nie mówi do mnie. Ociera mu czoło, nie patrzy w moją stronę.

— Umiesz mówić tylko o tym, co nie wiesz? Nie jesteś pielęgniarka? Jemu się nie poprawia? Nie dasz mu nowych proszków? Czego nikt nie chce ze mną gadać, czy on będzie znowu chodzić, przecież słyszałam o kręgosłupie, nie? Mam dość tych sióstr, co to przychodzą tylko coś przeczytać, coś zapisać, poduszke poprawić, robią różne rzeczy, ale powiedzieć to potrafią tylko, żebym gadała z cholernym doktorem. A gdzie ten cholerny doktor, eh?

— Pan doktor na pewno niedługo przyjdzie.

— Pan doktor już jest, szanowne panie.

Mam nadzieję, że tylko pomyślałam o kurwa, że nie powiedziałam tego na głos. Doktor Stephenson wmaszerowujący do sali swoim doktorskim krokiem, tym razem blond włosy są przylizane. Może wybiera się gdzieś po pracy? Wysoki, blady i przystojny w pewien brytyjski sposób, a to znaczy, że nie zaczął używać trenażera, który przywiózł do swojego gabinetu dwa, trzy miesiące temu, mimo to wciąż wygląda, jakby wyszedł z *Rydwanów ognia*. W zeszłym tygodniu zadarł krótki rękaw koszuli, odsłaniając jeszcze bielsze ramię, i spytał, czy moim zdaniem mógłby się ładnie opalić na Jamajce, bo wszędzie indziej to się jara na raka.

Ta cholerna kobieta mnie zatrzymała. To przez nią. Ja w ogóle nie powinnam tutaj być, a już na pewno nie powinnam tutaj być tak długo, żeby któryś z lekarzy mnie zobaczył.

— Panią tu spotykam, siostro? Na ratunkowym nudne popołudnie czy przesunęli panią na OIOM?

— Eee... po prostu przechodziłam obok, panie doktorze, i...

— A co, coś nie tak? Wezwała pani siostrę dyżurną?

— Nie, wszystko w porządku. Wszystko... Po prostu przechodziłam.

— Hm. Z ratunkowego przysyłają teraz pielęgniarki na szkolenie na OIOM? Przysięgam, że tylko panią znam z nazwiska.

— No tak. Muszę już iść...

— Proszę chwilę zaczekać. Może będę potrzebował pomocy.

Chciałam coś odpowiedzieć, ale zamknął oczy i skinął głową, jakby sprawa została rozstrzygnięta.

— Dzień dobry pani.

— Co do mie wszyscy tak zasuwają, jakbym była stara baba?

— Ee? Siostro, co ona... Nieważne. Pani jest żoną?

— Panie doktorze... — wtrącam się.

Chcę mu zasugerować, żeby porozmawiał z tą kobietą jak człowiek z człowiekiem, zamiast ustalać jej piździelski stan cywilny, bo gdy ona zacznie mu tłumaczyć, na czym polega małżeństwo w prawie zwyczajowym na Jamajce, to minie bity miesiąc.

— Panie doktorze, pani jest zapisana jako najbliższa krewna — dopowiadam.

— Aha, no dobrze. Proszę pani, wciąż jest zbyt wcześnie, żeby cokolwiek rokować. Reaguje... Reaguje na leczenie, ale jest naprawdę za wcześnie. Stan wciąż mamy krytyczny, ale za kilka dni może już być stabilny, kto wie. Tymczasem musimy zrobić więcej badań i testów...

— Testów?... Jakich testów? Co to on jest, w szkole siedzi? Testy i testy, a wyników nie ma.

— Ee... ee... Millicent.

— Millicent? — pyta kobieta.

Nie muszę patrzeć, żeby wiedzieć, że gapi się teraz na mnie, marszcząc brwi. Doktor odciąga mnie na bok, ale nie dość daleko. Wiem, że ona usłyszy każde słowo.

— Millicent... Jak mam się wyrazić? Nie do końca rozumiem, o co jej chodzi. To znaczy, jakby podstawowy sens to tak, ale nie chciałbym palnąć czegoś, a potem żałować, że nie ugryzłem się w język, jeśli rozumiesz. Możesz z nią porozmawiać?

— Eee... dobrze.

— Może w waszym ojczystym języku.

— Co?

— No wiesz, po jamajsku. To brzmi tak melodyjnie, jakbym słuchał Burning Spear i popijał mleko kokosowe.

— Wodę kokosową.

— Wszystko jedno. Taki piękny język, dobry Boże, że nie mam bladego pojęcia, o czym mówicie.

— Ona chciałaby wiedzieć, dlaczego robimy mu tak dużo badań, panie doktorze.

— Ach tak? Hm, powiedz jej...

— Ona rozumie po angielsku.

— Ale mogłabyś powiedzieć w jej ojczystym języku...

— To nie jest język.

— Hm. Proszę pani, jak pani wiadomo, pani mąż był operowany w wyniku odniesienia ran postrzałowych, które spowodowały poważne obrażenia głowy i kręgosłupa. Czasem, zwłaszcza gdy pacjent jest przytomny, możemy od razu rokować na przyszłość. Ale pani mąż był nieprzytomny. Poza tym bardzo często wylotowe rany postrzałowe powodują większe uszkodzenia ciała niż rany wlotowe. Ponieważ jest nieprzytomny, a wybudzanie go byłoby obarczone dużym ryzykiem, to jak dotąd nie wiemy, czy funkcje ruchowe i mentalne zostały w jakikolwiek sposób osłabione. Musimy wykonać dalsze badania, gdyż stan pacjenta może się zmienić, nie wykluczamy, że na lepsze. Ale bez przeprowadzania regularnych badań nie będziemy tego wiedzieć. Może trzeba będzie zmniejszyć lub zwiększyć dawkowanie tego czy innego leku. Może będzie trzeba znowu go operować, ale na razie tego nie wiemy. Dlatego musimy go regularnie badać. Czy pani mnie rozumie?

— Świetnie, panie doktorze — mówię, chociaż wiem, że ten komentarz go wkurzy.

Stephenson kiwa głową, najpierw do kobiety, potem do mnie i wychodzi na korytarz. Już słyszę ten protekcjonalny opieprz, który od niego dostanę przy dystrybutorze wody. Ale przynajmniej mam już za dużo lat, żeby położył rękę na mojej dłoni — to podobno zagrywka, od której pielęgniarkom robi się mokro między udami. Gwarantuję, że gdyby lekarze się nie wtrącali, pielęgniarki mogłyby zająć się leczeniem ludzi.

— To skont na Jamajce żeś sie wzieła?

— Słucham?

— No to słuchaj lepiej. Skont na Jamajce żeś sie wzieła?

— Nie wydaje mi się, żeby to była...

— Ej, paniusiu. Słyszałam, jak mówiłaś doktorowi, że niby przechodziłaś obok, trzynaście pięter od tego ratunkowego, gdzie go przywiozłam. Co on by na to, jakbym mu powiedziała, że codzień bez powodu przychodzisz tu do mojego faceta, jakby był twój facet? Więc mi tu przestań pieprzyć, bo ty nie jesteś znikont jak nie z Jamajki, wiem dobrze, że z kraju. Możesz sie sadzić do tych białych, ale tu nikogo nie oszukasz.

Mówię sobie w duchu, że nie muszę łykać tego gówna, więc powinnam wyjść, bo szpital jest tak duży, że prawdopodobnie nigdy się już nie spotkamy. Wystarczy wyjść. Wystarczy wysunąć jedną nogę do przodu, potem drugą i wyjść, zanim ta kobieta się rozkręci.

— Jak wyjeżdżałaś z Jamajki, to na pewno nie z taką gadką.

— A może jestem z aptaunu?

— Może. Bo faktycznie gadasz drętwo i nudno jak te baby z aptauna. Przynajmniej nie wyglądasz jak z dupy wzięta. Nie ty...

Monitor pika, kobieta znowu podskakuje.

— Taki dźwięk dobry — mówię. — Dopiero jak usłyszysz jeden długi, to znaczy, że źle.

— Och. Tak? Nie wiedziałam. Nikt mi nie mówił. Po co tu przychodzisz do mojego męża?

— Ja z twoim mężem nic nie mam.

— Wierz mi, skarbie, że w ogóle sie o to nie martwie, że masz. Korci mnie, żeby jej powiedzieć spierdalaj, albo przyznać, że jest mistrzynią riposty.

— W tym szpitalu nie ma za dużo Jamajczyków. Była jedna stara w zeszłym roku, umarła na zawał. A potem nagle cały ich wysyp, wszyscy z ranami postrzałowymi. On ostatni tu został. No to wiadomo, że mnie ciekawi.

— Ciekawi, w pizde ciekawi. Jak ciekawi, to wchodzisz, czytasz papier jak inne i idziesz. Ale ty wchodzisz i patrzysz. A jak ja sie spóźnie, ty już tu siedzisz, a jak przyjde za wcześnie, szybko znikasz.

— Na Jamajce ludzie strzelają do siebie bez przerwy, a ja, widać, przyjechałam do Nowego Jorku, żeby obejrzeć to z bliska.

— Obejrzeć z bliska? Nic nie widziałaś. Zaczekaj, a zobaczysz, jak chłopak obrywa ołowiem w klubie.

— Ale czemu przywożą to do Ameryki? Człowiek by myślał, że jak tu przyjadą, to strząsną z siebie całe to gówno i zaczną od nowa.

— Ty po to przyjechałaś?

— Tego nie powiedziałam.

— Ale taka prawda. Ty i ta twoja pyskata gadka.

Wstaje, ale zaraz znów siada. Ja czekam przy drzwiach, zastanawiam się, czy powinnam wykonać szybki czy powolny odwrót.

— Dla nich, prawie wszystkich, to to samo gówno, jak ich tu wysyłają. Inaczej w ogóle nie mogliby przyjechać do Ameryki.

— Pewnie tak.

— Fakty takie. A ty tu przyłazisz nie dlatego, że Jamajczyka nie widziałaś. Coś innego ci chodzi po głowie. Paniusiu, ja też kobieta, wiesz? Ja wiem, jak druga czegoś chce.

— Muszę wracać na dyżur.

— To wracaj. A następnym razem powiem doktorowi, że tu przyłazisz sobie jak królowa.

— Co chcesz wiedzieć?

— Gadaj mi o mężu. Będzie kiedy mówił?

— Naprawdę powinnaś porozmawiać o tym z lekarzem...

— Gadaj.

— To nie ode mnie powinnaś to usłyszeć. Nie jestem lekarzem.

— Gadaj, mówie ci, no.

— Może będzie mówił jak czterolatek. Jeśli w ogóle sie wyliże. Będzie sie musiał wszystkiego uczyć od nowa i tak sie będzie zachowywał jak niedorozwinięty.

— Och. Chodzić będzie?

— Wygląda, że być może nie będzie potrafił utrzymać szklanki w ręku. Nie wiem, czy wiesz, ale mogą mnie zwolnić z pracy, że ci to mówie.

— Zwolnić? Bo mi piersza prawde mówisz?

— Moja praca nie polega na mówieniu prawdy. Tylko na mówieniu takich rzeczy, które dasz radę wytrzymać. I nikt tutaj nie może przewidzieć, co się stanie z pacjentem, więc nikt nie chce powiedzieć czegoś, co się potem nie uda. Może się wyliże, a może...

— Umrze.

— Tak też może być.

Patrzy na mnie, jakby czekała, żebym zadała to pytanie. A może tylko widzę w jej twarzy to, co chcę zobaczyć. Monitor pika, ale tym razem ona nie podskakuje.

— Josey Wales do niego strzelał?

No i już, spytałam, stało się. Przez te wszystkie lata ani razu nie wypowiedziałam tego nazwiska. Nie potrafiłam się zmusić. Wiem, że później zacznę robić sobie wyrzuty, bo pozwoliłam głowie nakręcać się przez długie lata, myśleć, że ten człowiek mnie tropi, a przecież gdybym minęła go na ulicy, nie wiedziałby, kim jestem, nie wiedziałby nawet wtedy, gdyby się zatrzymał i mnie zaczepił, żeby pogadać.

— Josey Wales?

— Nie chodzi mi, że osobiście. Tylko jego gang.

— Nie znasz Jamajczyków z Bronxu?

— A co to ma z tym wspólnego?

— Oni sie gangi nie nazywają, tylko posse. A Josey nic nie robi, bo już będzie dwa lata, jak siedzi w więzieniu.

— Co?

— Ty nie czytasz „Gleanera", wiadomości z Jamajki też nie oglądasz? Wezmą go przewiozą do Ameryki w tym miesiącu, do amerykańskiego sądu, słoneczko. Ale to jego ludzie ostrzelali klub. Wszyscy wiedzą, że Tatters to teren Ranking Dons. Nie ich własność ani nic, ale zawsze tam siedzą. Wiesz, co dziwne jest? Pamiętam, jaką piosenke wtedy grali, bo akurat kogoś pytam, jakim cudem *Night Nurse* po tylu latach brzmi tak miło. Tylko nie chcij wiedzieć, dlaczego sie nie zorientowałam. Zabili syna Joseya Walesa na Jamajce, a ci, co to zrobili, na pewno są związani z Ranking Dons tak czy siak. Szczęściara z ciebie, daleko od Jamdown uciekłaś, nam wszystkim Jamdown cały czas skrobie po piętach.

— To twój mąż był zwykłym klientem w tym klubie?

— Nie, paniusiu, on żołnierz Ranking Dons.

6

— To Tony'ego Pavarottiego zabił Jezus Chrystus?

— Jezus, a jak. Popatrz na jego włosy. Kobieta pozwoliła ci wyjść z takimi kudłami na miasto? Ja myślałem, że wszyscy biali sie golą oprócz tych, co w jakiejś sekcie z własnymi siostrami dzieci robią.

— A te spodnie to dzwony? Ożeż w morde.

— Brada, ja chce wiedzieć, na jaki adres mam ci wysłać telegram z informacją, że mamy tysiąc dziewięćset dziewięćdziesiąty pierwszy? Ty wyglądasz jak do śpiewania *Disco Duck*.

— Nie, ej, Eubie, on do *In the Navy*.

— Niech taki cały zostanie. Nie wiesz, że taki wygląd to teraz znowu szał, co ty, na MTV nie patrzysz? Człowiek, on sie trzymał swego i doczekał, jak jego styl znowu modny

— To długo czekał, nie? Czternaście lat? Żeby jeden z nas przyszed i znalaz.

Mam przeczucie, że to nie są ludzie, których można poprosić, żeby przeszli do sedna. Ciągle siedzę na stołku, a oni krążą dokoła, jakby chcieli mi włożyć oślą czapkę na głowę. Albo zaatakować, ogłuszyć mnie kijem baseballowym. Najpierw pomyślałem, że krążą jak rekiny, ale to kiepski czas na gówniane porównania. Pieprzony idiota ze mnie, redaguję swoje teksty nawet w chwili, gdy banda uzbrojonych czarnych napada mnie we własnym domu. Możemy od razu wykluczyć rabunek, chociaż właśnie w tym przypadku modliłbym się o taki scenariusz. Nazwisko Tony'ego Pavarottiego usłyszałem pierwszy raz od wielu lat, chyba aż siedmiu, a wtedy padło tylko raz, z ust Tristana Phillipsa. W ogóle nie myślę o tamtym dniu. I chyba inni też nie myślą, bo nikt nic nie zrobił. Nawet powęszyłem trochę, na tyle, na ile mogłem, za pośrednictwem jamajskich gazet, ale nic się nie działo. Żadnego raportu policyjnego w sprawie zabójstwa czy choćby znalezienia zwłok w hotelu. Pieprz się, Faulkner, przeszłość rzeczywiście nigdy nie umiera. Nie jest nawet przeszłością. Przecież nawet nazwisko tego faceta poznałem dopiero wtedy, gdy się spotkałem z Tristanem Phillipsem.

— W szyję — mówię.

Garnitur i Kitka patrzą na mnie, jakbym im przerwał rozmowę. Ren-Dog, przynajmniej tak chyba na niego wołają, chowa resztkę mango do lodówki i idzie z mikserem do zlewu. Prawie słyszę swoje słowa, słyszę, jak mówię mu, żeby nie włączał zmywarki z powodu jednego brudnego miksera. Ale Podkoszulek i Kitka ciągle na mnie patrzą.

— W szyję. Tak to zrobiłem.

— Co zrobiłeś? — pyta Garnitur.

Zdaje się, że tamten nazwał go Eubie, ale nie wiem, bo wszystko wylatuje mi z głowy. Ogółem jest ich siedmiu albo sześciu, nie pamiętam.

— Zabiłem. Zabiłem go, dźgnąłem. Chyba wbiłcm w tętnicę szyjną.

— On ma na myśli szyje, szefie — mówi Kitka.

Aż się krzywi, bo Eubie mrozi go wzrokiem.

— Ej, który z nas dwóch studiował na Columbi? E? Który, ty czy ja? Myślisz, że nie wiem, że tętnica szyjna jest w szyji? Jak szybko umar? Dwie minuty trwało?

— Prawie pięć.

— To ty chyba w złą tętnice trafiłeś, młody.

— Przyznaję, że nie mam doświadczenia w tych sprawach.

— Powaga? Zadajesz takie pytania i piszesz takie teksty, że może powinieneś pomyśleć o zmianie tego stanu rzeczy. Zwłaszcza po tym, co przeczytałem w „New Yorkerze".

— Widzę, że znasz się najlepiej na wszystkim — odpowiadam.

Nie zorientowałem się w porę. Cios pięścią w skroń. Mrugam, próbuję się otrząsnąć.

— Kurwa mać! — krzyczę.

— Co ty myślisz, że gramy w filmie? Sie ci wydaje, że mam czas marnować na jakiegoś przemądrzałego białka?

— Z was, Jamajczyków, pamiętliwi ludzie, nie?

— Chyba nie bardzo rozumiem, młody człowieku.

— No ten cały Tony Pavarotti. Wasz najważniejszy cyngiel. Mówicie o nim, jakby to był najbardziej zimnokrwisty skurwysyn, jakiego ziemia nosiła, a jednak dał się załatwić chudemu w uszach dziennikarzynie z nożem do otwierania listów. No i piętnaście lat później zja…

— Szesnaście.

— W dupie mam ile. Zjawiacie się, żeby co? Dokończyć zlecenie? *Ojciec chrzestny* dwa, normalnie.

— Szefie…

— Luz, Ren-Dog. Brada myśli, że tu nikt filmów nie ogląda.

Pocieram skroń, a oni wciąż krążą. Garnitur zachodzi mnie od tyłu i mówi:

— Jak myślisz, jak oni tu wszyscy przyjechali, Ren-Dog, jak przyjechał, żeby sok zrobić?

— Pojęcia nie mam.

— Ren-Dog.

Ren-Dog patrzy na mnie i mówi:

— M60.

— M60. Każdy żołnierz w tym posse musi wybrać autobus i przystanek. Strzelają do pierwszego, co wysiada, kobieta, mężczyzna, nieważne. Jak strzeli tak, żeby zabić, to premia.

— Mam się bać?

— Uważaj, szefie, tu komuś strasznie jaja rosną w portkach — mówi Kitka.

Patrzę na tego faceta z dredami związanymi w ogon, na faceta w podkoszulku, który miksował sok, i na faceta w jedwabnym garniturze wyglądającym jak jebana satyna, z białą chusteczką sterczącą z kieszeni na piersi, bo go mama nie nauczyła, jak się składa poszetkę, i nagle dociera do mnie, że ta sytuacja jest absurdalna. Nie, nawet nie absurdalna, tylko kurewsko idiotyczna.

— Sie sadzisz, mały — mówi Ren-Dog.

— Nie, sram po nogach ze strachu.

— Słuchaj no...

— Nie, wy słuchajcie. Rzygać mi się już chce od tej waszej nadętej gangsterki rodem z filmu klasy C. Wpierdalacie mi się na chatę, robicie sobie sok z moich owoców i zagajacie rozmowę, odstawiając jakichś inteligentnych przestępców z jakiegoś gównianego kryminału, a jesteście po prostu bandą jebanych pospolitych zbirów, którzy strzelają do kobiet i dzieci. W dupie mam, co czytacie. W dupie mam, jak bardzo jesteście cwani. Sram w ten wasz świeżo zmiksowany sok. I sram na to, że utrąciłem najgorszego gangstera, jakiego wydała wasza ziemia na tej pierdolonej wyspie za morzami. Ej, bierzcie się do roboty, co? Jazda. Im mniej waszego pierdolenia słyszę, tym lepiej na tym wyjdę, żeby nie wiem jak to się miało skończyć. Więc do roboty, kurwa, a potem wypierdalać z mojego domu, żeby sąsiedzi mogli wezwać policję. Aha, i zabierajcie te jebane owoce, ja w ogóle nie piję soków.

— Masz racje — mówi Eubie. — To wcale nie miało cie przestraszyć. Jak ja chce kogoś przestraszyć, to sie w ogóle nie odzywam. Ren-Dog, zajmij się piździelcem.

7

— No to w końcu czego chciał Peter Nasser?

Josey Wales chodzi po celi, pewnie nawet nie jest tego świadomy. Za każdym razem, gdy niknie w ciemnym kącie, wydaje mi się, że zaraz wyskoczy z jakąś niespodzianką. Może nie z giwerą, ale z kosą, którą rzuci jak sztyletem, i trafi mnie prosto w oko. Za każdym razem. Powoli przechodzi obok kraty, patrząc na mnie, aż dociera do kąta, odwraca się w przeciwną stronę, a tam wchłania go ukośny cień. I cichnie, więc nie można się zorientować nawet po odgłosach. Nie słychać kroków. Czasem się zatrzymuje i wtedy zaczynam się zastanawiać, co on tam robi? Co knuje? A potem wychodzi z cienia i serce mi zamiera na moment. Za każdym razem. Już nie pamiętam, jak brzmi to porzekadło, że to ranny lew jest bardziej niebezpieczny czy zamknięty w klatce?

— Przestań srać w gacie. Co tak nagle Peter Nasser cie interesuje? Mówiłeś, że nie widziałeś faceta już jedenaście lat? A on jeden z sześciu, którzy mi w tym tygodniu złożyli wizyte z wyrazami szacunku. Nagle wszystkich ciekawi, co ja zrobie, jak trafie do amerykańskiego więzienia. A trzeba sie było wcześniej postarać, żebym w ogóle nie trafił do więzienia. Zabawne, że wszyscy myślą, że amerykański sąd mie skaże. Ale uważaj, jak jankeska sprawiedliwość zapukała do drzwi, wszyscy zapomnieli o Joseyu, sam musiałem sobie radzić. A teraz, jak sprawy sie nie poukładały, nagle wszyscy zaczynają działać.

— To znaczy?

— To znaczy, że niektórzy ciągle szukają sposobu, żeby mie zabić. Próbowali już raz czy dwa. Może trzy, ale nie cztery. Tydzień temu moi ludzie poradzili sobie z czwartą próbą, nawet mi nie powiedzieli, dopiero sie okazało, jak klawisz znalaz głowe pizdocipa w klopie, bo poszed sie odeszczać. Ciągle nie wiedzą, co głowa osadzonego robiła w klopie strażników. A ci strażnicy to banda amatorów, to ci powiem. Pierszy? Musi teraz srać przez rurke, a ten drugi, jak wszed do mojej celi i podziurawił pusty materac, to już w tamtej chwili był wdowcem, co sie dopiero dwa dni później dowiedział, że miał zostać ojcem.

— A niech cię, *hombre*.

— Niektórzy zapominają, dzięki komu siedzą wysoko.

— Mówisz, jakby ktoś był ci coś winien.

— Bo są mi winni. Wszyscy, kurwa. To ja dałem tej jebanej parti ten kraj.

— Ta jebana partia już nie rządzi, więc nikt nie jest ci nic winien, Josef. Nikt ci ręki nie wykręcił, nikt cię nie zmusił, żebyś się zmienił w drugiego Tony'ego Montanę, wszyscy grzecznie patrzyli w drugą stronę, dopóki nie postanowiłeś powystrzelać gówno wartych ćpunów na melinie, a jedynym powodem mogło być to, że ktoś ci nadepnął na odcisk. Dawno, i to z nawiązką, dostałeś to, co według ciebie ludzie są ci winni. Spierdoliłeś wszystko, słyszysz? Spierdoliłeś.

Znowu znika w mroku. Czekam, żeby się pojawił, nasłuchuję szurających stóp. Nic z tego, Josey nie szura. Wychodzi wyprostowany, wysoki, prawie za wysoki, jakby wypiął pierś, spodziewając się czegoś.

— Chcesz mieć kokso, idź na Dumfries Road w New Kingston, możesz przebierać. Komu może być szkoda w pizde jebanych kokso?

— Nikomu. Ale dziewczyna w ciąży to już inna historia. Jest o niej cały artykuł w „New Yorkerze". To taki twój styl, Josef? Odstrzeliwanie lal z brzuchem?

— Spierdalaj.

— Naprawdę wielka klasa, panie don nad donami. Cała ta twoja jamajska ekipa z tym ich po-co-zabijać-jednego-*hombre*-jak--można-zlikwidować-całą-ulicę? Grad kul, e? Ołowiany sztorm. Storm Posse. Ekstra klasa.

— To ty z nich takich zrobiłeś, szefie, nie ja. Nie rób potworów i potem sie nie mazgaj na potworności.

— Kolego, kiedy ja biegałem z tobą po Jamajce, większość tych chłopaków ssała matczynego cyca. To nie ode mnie się tego nauczyli.

— Wiesz, ile czasu trwa, jak sprawdzam jedzenie?

— Co?

— Dwadzieścia minut trzy razy dziennie. Spytaj szczury. Każdego dnia rzucam im kawałek i patrze, czy jedzą. Każdego dnia czekam, żeby szczur wykorkował zdechły. Każdego dnia biore banana i go kroje, każdą kulke ryżu rozgniatam, sok z kartonu powoli sącze przez zęby, żeby nie przeszło pokruszone szkło, zardzewiały gwóźdź ani nic z AIDS. Wiesz, jak długo połykam łyżke jedzenia? A i tak wszystkich w kuchni mam kupionych.

— Nikt by się nie ośmielił, Josey.

— Może nie, ale to tylko kwestia czasu, brada, bo wszyscy za murem kurewsko przerażeni, co ja wygadam. Tylko kwestia czasu, jak znajdą więźnia albo klawisza, co będzie sie ich bał bardziej jak mie.

— Za długo już siedzisz za kratami.

— W sensie, że powinienem coś zmienić? Nowe firanki?

— Nie pasuje mi do ciebie wisielczy humor, *mijo*.

— Jeszcze żyje, Doktorze Love.

Siada na łóżku i patrzy w prawo, jakby skończył rozmowę. Ja też odwracam wzrok, pierwszy raz, odkąd tu wszedłem, i dopiero teraz zauważam, że cela i cały korytarz są z czerwonej cegły, kilka sztuk tu i tam nawet już powypadało. Chyba pasuje, że to właśnie na Jamajce można znaleźć taki kryminał, który idealnie odpowiada naszym wyobrażeniom, gdy słyszymy słowo „więzienie". No, przynajmniej podłoga jest z betonu. Poważnie, to takie miejsce, że człowiekowi się wydaje, że wystarczy łyżka i to, co Amerykanie nazywają fantazją, żeby w ciągu kilku lat wykopać sobie drogę do wolności.

— Ta żałosna cipa Peter Nasser przyszed tu i próbował mi grozić.

— Ta? I jak mu poszło?

— Mniej więcej tak jak impotentowi, który grozi, że kogoś zgwałci. Nagle sie przestraszył, że kanarek będzie śpiewał. To jego słowa. Ja nigdy tak głupio nie pieprze.

— Wiem. Ale on nie jest wyjątkiem, Josey.

— A to już po raz dwusetny prowadzi nas do powodów twojej wizyty u mie.

— A może to właśnie zwykła wizyta?

— Możesz mie odwiedzić w Ameryce. Będe tam za dwa dni.

— Szkoda, że nie pozwolili ci wyjść, żebyś pochował syna.

— Z ciebie jebany pizdocip, de las Casas. Jebany pizdocip.

— Wiesz, co mnie zawsze w tobie fascynowało, Josey? Większość tych, których znam, może to albo włączyć, albo wyłączyć, a ty potrafisz mieć włączone i wyłączone jednocześnie. Strasznie ci trudno rozmawiać o twoim zabitym synu, ale o skasowaniu dwóch kobiet w ciąży możesz gadać jak o pogodzie. Jesteś... Jak to się nazywa? Psychopata. Co? Takie to zabawne?

Roześmiał się. Śmiał się tak, że dostał czkawki, ale i tak nie przestał rżeć. Trwało to za długo, aż zacząłem go trochę nienawidzić. Naprawdę, a nigdy wcześniej nie wzbudzał we mnie takich uczuć.

— Całe to zdanie. Ćwiczyłeś przed przyjściem tutej?

— Pierdol się, Josef.

— Poważnie sie ciebie pytam. Jak oni nazywają takiego... wiesz o co mi chodzi, miał nawet program w telewizji. Wiesz, ten z lalką na kolanie, lalka porusza ustami, a mówi ktoś inny.

— Brzuchomówca. Nazywasz mnie brzuchomówcą? Że niby kto mówi przez moje usta? CIA?

— Nie, nazywam cie kukłą. To kto cie przysłał, brada? Pan Clark z opuszczonym e? Poważnie sie ciebie pytam. Facet ciągle w branży?

— Od lat o nim nie myślałem. Podobno jest w Kuwejcie.

— Pamięć u ciebie dziurawa. A taki jak ja pamięta wszystko. Nazwiska. Wiesz, jak większość ludzi zapomina nazwiska? Jak Luis Johnson. Pan Clark z opuszczonym e. Peter Nasser. Luis Hernán Rodrigo de las Casas. Sal Resnick? Nie zapominam nazwisk. I pewnych spraw, jak operacja Wilkołak. Nie zapominam spraw. Nawet dat, jak szesnasty październik tysiąc dziewięćset sześćdziesiąty ósmy. Piętnasty czerwiec tysiąc dziewięćset siedemdziesiąty szósty. Szósty grudzień tysiąc dziewięćset siedemdziesiąty szósty. Dwudziesty maj tysiąc dziewięćset osiemdziesiąty. Czternasty październik tysiąc dziewięćset osiemdziesiąty. Nie zapominam dat. Jak myślisz? Coś ci sie gadka skończyła, *muchacho*.

— Ludzie się niepokoją, co mógłbyś powiedzieć.

— Powiem, Luis, powiem. To ludzie wykopali te nore, do której wpadłem. Nie kazałem im kopać tak głęboko, że razem ze mną pożre ich wszystkich. Nie wiem, czym sie martwi twój szef. Wystarczy, że zadzwoni do DEA, do federalnych, tak? Niech zadzwoni i część tej histori od razu wyparuje.

— DEA to nie fedzie. I oni ich nie kontrolują.

— Oni? A więc jednak ktoś cie przysłał.

— Nasza rozmowa bardziej mi się podobała, kiedy staliśmy po tej samej stronie.

— Jest brama i jest rygiel w bramie. Podejdź.

— Strasznie się zrobiłeś sentencjonalny na starość.

— Ale i tak ciągle jestem młodszy od ciebie. Czego chcesz, Doktorze Love? Masz gdzieś schomikowane pieniądze, które mi dasz, jak wyjdę, jeśli będę siedział cicho?

— Tego nie powiedziałem.

— No to może ja odpowiem za ciebie. Skont pewność, że wyjdę?

— No bo prawdopodobnie pójdziesz na układ z DEA.

— Ciągle nie rozumiem, czym sie martwisz. Doktor Love to miraż, nie ty mi tak mówiłeś? Większość ludzi nie wie o jego istnieniu. Może zginąłeś w Zatoce Świń, może sam siebie wysadziłeś w samolocie na Barbadosie, może pracujesz teraz dla sandinistów.

— Dla contras.

— Bez różnicy. A może ty jesteś taki, co ludzie tworzą z powietrza, jak potrzeba im duha.

— Owszem, może z tobą zjawa rozmawia.

— Może tak. Świat już nie potrzebuje takich jak ty. Wiesz, od kiedy to zobaczyłem? Od siedemdziesiątego szóstego. Polityka gówno znaczy. Władza gówno znaczy. Pieniądze znaczą. Daj ludziom, czego chcą. Peter Nasser myśli, że może przysłać tu człowieka, co mi wytłumaczy moje błene postępowanie, ale którego człowieka w Kingston ja nie mam w kieszeni?

— Jesteś pewien, Josef? Masz wszystkich?

— Tak.

— Wszystkich co do jednego?

— Megafon musze mieć czy głuchy jesteś?

— Co do jednego?

— Tak, w kurwe.

— Nawet w Nowym Jorku?

— Szczególnie w Nowym Jorku. Dlatego tak sie mie nie mogą tam doczekać.

— Jak myślisz, kto utrącił twojego Beksę?

— Znaczy ktoś inny niż on sam? Ta dyskusja już sie nudzi, Doktorze Love. Nie trzeba strasznie sie spocić, żeby wiedzieć, jak było z Beksą.

— Hm. Odbyłem z nią miłą rozmowę, zanim zniknęła z radarów. Z panią Griseldą Blanco.

— To Medellín nie załatwiło sprawy tej jebniętej pizdy?

— Zanim, powiedziałem zanim, Josey, słuchaj, co mówię, dobrze? Cofamy się w czasy, kiedy przeczytała mane, tekel, fares na ścianie i szukała przyjaciół. Opowiedziała mi o tym małym gangu… o posse o nazwie Ranking Dons. Słyszałeś o nich? Większość to Jamajczycy.

— Tak, Luis, słyszałem o Ranking Dons.

— Aha. Nie wiedziałem, czy słyszałeś. No więc opowiedziała mi o tym, jak prawie przejęli w pewnej chwili gangsterkę w Miami. Ale potem zniknęli w miesiąc.

— No i?

— Griselda z całą pewnością chciała się ich pozbyć, ale była za mało łebska, żeby to zrobić. Albo luf miała za mało, żeby załatwić was, Jamajczyków. Żeby załatwić Jamajczyków, potrzebowała człowieka ze stali. Najlepiej takiego, który już siedział w Stanach, który potrafił się szybko zmobilizować i miał rozległe interesy. I to nie ty jesteś tym skurwysynem, Josef. To do ciebie niepodobne, żeby nie doceniać człowieka, *mijo*. Zwrócił jej południowe Miami. A ona mu dała Beksę. A on potem postanowił przeczekać czasy potężnego Joseya Walesa. Czekał, żebyś spierdolił sprawę. Zrobił wjazd na melinę. Czego żeś wtedy nie odpuścił, człowieku?

— Bo nienawidzę smrodu szczyn.

— Co?

— Nic.

— Nie no, powiedziałeś coś o szczynach.

— Nic nie mówiłem, w pizdę żeż.

— Jeden człowiek, Josey.

— Eubie?

— Eubie.

8

— Po prostu nigdy nie widziałam tak z bliska… no…

— Eee?

— Takiego mężczyzny. Jednego z nich.

— Ale z ciebie bezczelna krowa. Mówisz mi, że mój męszczyzna to jeden z nich?

— Sama mówiłaś, że jest z Ranking Dons.

— Nie każdy w kościele to chrześcijanin.

— Chyba nie rozumiem, co masz na myśli.

— Chyba nie rozumiesz, co mam na myśli? Całe życie tak pyskato gębą kłapałaś czy po białych papugujesz?

— Wydaje ci się, że każdy, kto mówi poprawnie, naśladuje białych?

— Po coś przecież papugujesz.

— Aha, czyli kulawe gadanie znaczy, że musisz być z Jamajki. Jeśli to ci poprawi humor, to wiedz, że biali bardziej wolą słuchać was ludzie niż mnie.

— „Was ludzie".

— Tak, was ludzie. Prawdziwych Jamajczyków. Wy wszyscy jesteście tacy cholernie prawdziwi. A ty... Wiesz co, przekraczam swoje kompetencje i mogą mnie za to wylać. Nie dość, że rozmawiam z tobą, to jeszcze teraz dałam się wciągnąć w kłótnię. Zanim się obejrzę, złożysz skargę, a ja dostanę naganę albo nawet mnie zwolnią. Mam szczerą nadzieję, że on się wyliże.

— Ale czekaj, ty, powaga, bandyty nigdy nie widziałaś? Po co oglądać bandyte?

Patrzy na mnie, jakby naprawdę czekała na odpowiedź. Brwi ściągnięte, usta rozchylone, jest zaintrygowana. Korci mnie, żeby przejść do kontrataku, ale ona czeka. Problem w tym, że ja nie mam żadnej sensownej odpowiedzi. Nie mam pojęcia. Wstaje i podchodzi do okna. Ten dzień nie wie, co ze sobą zrobić, a jest co, marzec?

— Ja właśnie z całego świata najbardziej nie chciałabym takiego oglądać — mówi.

— Rozumiem.

— Gdzie jesteś urodzona?

— W Havendale.

— No to nie rozumiesz. I żadnego nie widziałaś z bliska.

— Nie.

— Eh... Weź tylko posłuchaj nas obie. Gadamy, jakbyśmy były w zoo, a on to okaz goryla. Powinnam się śmiać, to śmieszne przecież. Od dawna już sie tak gotowało między Ranking Dons i Storm Posse.

— Ale dlaczego to przyszło aż tutaj?

— Jak to? A gdzie miało przyjść? To czemu wy ludzie chcccie narkotyków?

Patrzy na mnie jak matka, która straciła cierpliwość do upartego dziecka. Powinnam jej powiedzieć, że nie jestem idiotką, ale tylko podchodzę do okna i staję obok niej.

— Przynajmniej prawie koniec.

— Co?

Spytałam tak cicho, że nie jestem pewna, czy mnie usłyszała.

— Z zabijaniem.

— Skąd wiesz?

— Nie dużo ludzi już zostało do zabicia. A Josey Wales w jankeskim więzieniu posiedzi długo. Chociaż ja w to uwierze, jak zobacze.

— Nie wiedziałam, że siedzi w więzieniu.

— To co ty wiesz o Jamajce? Przecież te wiadomości o Joseyu Walesie były we wszystkich jamajskich gazetach. Ja czytałam. Co dzień był nowy artykuł o sądzie i procesie, i świadkach, i opóźnieniach, i tajnej radzie. O tych wszystkich, co on pozabijał, i jak Ameryka bardzo chce go mieć. Zapal telewizor, nawet Amerykanie o nim mówią, jakby był z niego jakiś gwiazdor kinowy. Tylko Josey Wales, Josey Wales, Josey Wales i... Ej, co ci? Jezu Chryste, paniusiu... upadniesz mi... mam cie... mam cie.

Kiwam głową. Uświadamiam sobie, że siedzę obok żołnierza Ranking Dons. Ledwo pamiętam, jak się znalazłam na krześle, nie jestem jednak aż tak nieprzytomna, żeby całkowicie zapomnieć.

— Dobrze ci już?

— Nie potrzebuje wody.

— Co?

— W telewizji zawsze pytają w takiej sytuacji, czy chcą wypić szklanke wody.

— W dupe, dziewczyno, musisz najpierw zemdlec, żeby gadać po jamajsku? Ale numer.

— Nie zemdlałam.

Ona się śmicjc, naprawdę głośno, na tyle głośno, że przychodzi mi do głowy, że obudzi gangstera. I na tyle długo, że w końcu rozdziawia szeroko usta, rechocze, wreszcie wzdycha ciężko. Coś mi mówi, że w pewnym momencie przestała się śmiać ze mnie i śmiała się z czegoś innego.

— Kiedy ostatni raz gadałaś po jamajsku?

— Jak to gadałam? Przez cały czas gadam po… wiesz kiedy? Wtedy, jak w zeszły tydzień na Bronxie ten tłusty piździelec mie w aptece spytał, jak wysoko sięgają mi te białe pończochy.

— W morde, i coś mu powiedziała?

— Wyżej niż ty dasz rade podskoczyć, ty rozpasły krowi wypierdzie.

Chyba przestało mi się kręcić w głowie. Nie wiem. W ogóle nie wiem, dlaczego dostałam zawrotów. I wtedy ona mówi:

— Ciekawe, czy pokażą proces w telewizji.

— Jaki proces?

— Nie słyszałaś, co mówiłam. Że Josey Wales?

Wiecie, jak kobiety potrafią udawać, że wcale się czymś nie przejęły? Prostują już wyprostowane plecy, zaczynają się bawić naszyjnikiem, odwracają wzrok, choć nikt nie patrzy, uśmiechają się, jakby duch opowiedział im dowcip. Uśmiechają się, aż ten uśmiech przestaje być uśmiechem, pozostają tylko rozciągnięte usta. Tak, podpatruję w tej chwili tę kobietę, którą widzę w lustrze po drugiej stronie łóżka zajętego przez żołnierza Ranking Dons.

— Ten człowiek powinien zadyndać na szubienicy. Ktoś powinien go skasować w pudle, słyszysz?

— Za to? — pytam.

Nie chcę wskazywać mężczyzny palcem, bo wydaje mi się to zbyt melodramatyczne. Więc tylko kiwam głową w jego stronę. Subtelne.

— Co, a Ranking Dons to nikogo nie zabijają? — pytam. — Zabawne, od dawna próbuję odciąć się od tego całego gówna, ale pamiętam, że nie tak dawno temu w nowojorskim „Post" był taki nagłówek... ta... że jakiś Jamajczyk uzależnił Nowy Jork od kokainy. I że to był przywódca Ranking Dons. Pamiętam, bo wtedy ostatni raz wzięłam „Post" do ręki.

— Ranking Dons nie mają przywódcy.

— Jasne, bo siedzi w pierdlu.

— Nie, mi chodzi, że nie mają takiego szefa jak Josey Wales. Ten inny. Jednego razu ktoś mu wjechał autem, nie, on wjechał autem tamtemu i go gonił. Uwierzysz mi? Tamten pobieg prosto na policje.

— I policja odwiozła go do domu?

— Nie. Stali sobie i patrzyli, a Josey wparował na posterunek z innymi, wyciągnął tamtego i go zabił na ulicy, przed posterunkiem.

— Boże.

— Żebyś wiedziała, że Boże. Ale co sie dziwić, jak sie robisz taki zły człowiek, to nie możesz sie dziwić, że zło wróci do ciebie. Jego córka i syn, ten, co go posłał do szkoły dla chłopców, bo chciał z niego zrobić pana eleganta, oboje ich tamci zastrzelili. Jako matce mi źle, jak nygus ginie. Ale jako mi, to uważam, że sie zasłużyło skurwielowi. I od tego sie właśnie zaczeło to całe kass-kass. Wyobrażasz sobie, dziewczyne zabili, nic sie nie działo, spokój, ale jak zabili chłopaka, w Kingston wybuchła wojna. Co za historia. I sie rozniosła aż na Miami i Nowy Jork. Mój mi mówił, że odprysło nawet do Kansas. Wiesz, gdzie Kansas jest na świecie?

— Mm.

— Ja też nie.

— No to siedzi. I nie wyjdzie.

— Nie może. Jakby miał wyjść, toby wyszed na Jamajce. Ale ja słyszałam, że zaczął gadać za dużo. I że za dużo ludzi sie przestraszyło na poważnie. Ja na jego miejscu bym sobie już wczoraj zrobiła rezerwacje do Ameryki.

— Czyli nie wyjdzie?

— Teraz nie. Co sie tak o niego dopytujesz? Ty nie z geta, to co ci?

— Ja...

Do Bożego Narodzenia jeszcze daleko, mamy pierwsze dni grudnia, a ktoś już strzela petardami. Znowu biegnę, biegnę, biegnę, potem kuśtykam, potem idę i jestem może trzy metry od bramy numer pięćdziesiąt sześć, idę coraz sztywniej, petardy coraz głośniejsze, zwłaszcza to nagłe ra-ta-ta-ta-ta, które mi się nie podoba, skręcam, brama numer pięćdziesiąt sześć otwarta, wita mnie choć ten jeden raz otwarta szeroko jak dwoje ramion zachęcających: chodź córko, tutaj rządzą miłość i jedność, aż nagle petarda przelatuje tuż obok. Mężczyzna biegnący tyłem prawie mnie przewraca mężczyzna w siatkowym podkoszulku potyka się mężczyzna z karabinem maszynowym w rękach drgający od odrzutu? Odrzut odrzut nazywają to odrzut w telewizji. Karabin maszynowy dygoczące biodro ra-ta-ta-ta-ta nie pam-pam-pam--pam mężczyzna przebiega obok odwracam się za nim w stronę białego auta jak cortina w pizde mówi mężczyzna patrzę znowu do przodu dwaj inni biegną jeden od frontu wrzeszczy drugi z tyłu z dwoma pistoletami strzelającymi w górę w dół i pam-pam i podskakuję przy każdym pam i jeden mężczyzna odpycha mnie przebiegając obok a drugi odpycha mnie w drugą stronę i się kręcę i kręcę a inny strzela dwa razy i opony piszczą białe auto znika i podjeżdża drugie którego nie widziałam podjeżdża a ja ciągle się czuję jak w tańcu chociaż wiem że stoję nieruchomo bo ziemię mam pod stopami i syreny mnie budzą a może to moskity bzyczą i obok stróżówki leży kobieta kałuża krwi przy głowie i ludzie krzyczą krzyczą za głośno krzyczą odwracam się i wchodzę prosto na niego wysoki wyższy ode mnie masywny jak mężczyzna ale i chudy skóra ciemna albo to może przez wieczór i oczy wąskie u niego jak u kitajca ale jest czarny nie czarny ciemny i tuż przy mojej twarzy przy szyi wącha wącha wącha jak pies Josey jazda do piździelskiego auta wołają z tamtej strony i podnosi broń do mojej twarzy i widzę dziurę to nie dziura to O nie to nie O tylko O z dziurą i czuć zapałkami jak wtedy gdy się potrze o draskę Josey wsiadaj żeż kurwa woła mężczyzna w aucie ale ten ciągle stoi przede mną coraz bardziej przysuwając broń bliżej i bliżej prosto w moje lewe oko syreny coraz głośniejsze i on rusza tyłem patrząc na mnie celując idzie jest coraz dalej dalej ale i bliżej i bliżej i wsiada do auta ale wciąż czuję jego oddech na szyi odjeżdża a ja ciągle go czuję i nie mogę się ruszyć tamta kobieta leży na ziemi podbiega do niej gromada rozwrzeszczanych dzieci nadchodzą ludzie zza domu pewnie oni też chcą mnie zabić w nogi uciekam uciekam uciekam klakson wyje i syrena i szuuuu gnam autobus zwalnia na światłach podbiegam wskakuję ląduję na schodkach ludzie się gapią. Do domu trzeba spakować walizkę nie tylko torbę nie tylko torebkę głupia kobieto nie potrzebujesz torebki bierz małą walizkę spod łóżka tę którą wzięłaś z Dannym na wycieczkę do Negril z białym mężczyzną z zagranicy łap walizkę łap walizkę w pizde żeż jaszczurka jaszczurka jaszczurka jaszczurka żeż w pizde ile kurzu pod łóżkiem nie ma czasu sprzątać czerwona sukienka niebieska spódnica niebieska dżinsowa koszula dżinsy od Fiorucciego dżinsy od Shelly-Ann dżinsowy top bez pleców tyle tego dżinsu ale gdzie chcesz uciec? Sukienka z płótna odpada fioletowa odpada z aksamitu odpada głupi zakup jesteś jak twoja matka majtki w górnej szufladzie skarpetki komu potrzebne skarpetki kosmetyki do makijażu komu potrzebne kosmetyki szminka odpada kredka do oczu Jezu Chryste młoda dziewczyna jesteś on z dużym O z kulą w środku ale gdzie uciekasz? Szczoteczka pasta płyn do ust kto ma czas na piździelski płyn do ust spadaj spadaj spadaj stąd notatnik żeby pisać co pisać Biblia żeby czytać o czym czytać wsuwane szpilki ta sukienka Adidasa w której można chodzić wszędzie przebrać się chyba powinnam się przebrać żeby mnie nie rozpoznał będzie mnie śledził czekał przy drzwiach odjedzie zanim nie nie nie nie za dużo tych sukienek w sukienkach wolno się biega więcej spodni i buty sportowe nie nie mogę... nie... Zostań tutaj. Zostań tutaj przecież on cię nie zna. Nie znajdzie cię. Bo gdzie będzie szukał? Ale Kingston jest małe Jamajka mała a Kingston jeszcze mniejsze będzie tropił jak pies dlatego przecież mnie obwąchał wytropi mnie i zastrzeli jak psa jeszcze dziś. Myśl na miłość boską Jezu Chryste myśl myśl. Policja wezwie cię na świadka a bezpieczeństwa ci nie zapewnią. Weź Biblię. Nie. Tak suko bierz Biblię. Nie włączaj radia nie włączaj telewizora bo cię znajdzie przez telewizję wywącha cię i zabije to duże O z kulą ja wiem. Kto by nie wiedział jak jest teraz w getcie dlatego mamy ten stan wyjątkowy bo ludzie z getta mogą wleźć wszędzie skoro ludzie z getta mogą się włamać do domu moich rodziców pobić mi ojca i zgwałcić matkę to potrafią znaleźć każdego wszędzie nie myśl o nich odetnij się odetnij odetnij.

Odetnij się od wszystkich.

Odetnij się od wszystkich.

Uciekaj.

Ciągle go czuję. Teraz też.

— Siostro? Siostro?

9

— *„Krótka historia siedmiu zabójstw.* Melina. Masakra i powstanie przestępczej dynastii. Część trzecia. Autor: Alexander Pierce. Tym razem Monifah Thibodeaux nie żartowała. Matka od razu się zorientowała, bo w jej głosie zabrzmiała ostateczność. Owszem, słyszała ten ton już wcześniej, właśnie na tym polegają zagrywki takiej osoby jak Monifah, ostateczność jest płynna, ostateczność co tydzień oznacza coś innego i gdy już się wydaje, że córka nie może upaść niżej, runie w nową otchłań, o której biedna matka nie miała pojęcia. Ale tym razem słowa «nie żartuję» wywarły inne, silniejsze wrażenie, chociaż stawka wydawała się taka sama. Jutro skończy z nałogiem. Tak powiedziała matce, Angelinie Jenkins. Tak powiedziała swojej najlepszej przyjaciółce Carli, która zerwała z nią znajomość trzy lata wcześniej, gdy przyłapała ją w łazience z igłą między palcami stopy. Tak powiedziała nawet swojemu byłemu chłopakowi Larry'emu, który kiedyś chciał się z nią żenić i nawet wybrał pierścionek zaręczynowy w Zales, żeby zrobić jej niespodziankę. Czuła się tak, jakby właśnie wróciła z programu Dwunastu Kroków i postanowiła naprawić wszelkie zło wyrządzone najbliższym. Monifah zamierzała skończyć z tym jutro. Ale skończyć oznaczało przełamać autodestrukcyjne uzależnienie i przestać być kokakurwą, jak nazywała ją własna matka. Dla Monifah jutro zawsze było dzień później. Zamierzała zerwać jutro z nałogiem zaledwie dwa miesiące temu. I pięć miesięcy wcześniej. I siedem miesięcy przed tymi pięcioma miesiącami. Półtora roku wcześniej też. Ale tym razem jutrem był piętnasty sierpnia tysiąc dziewięćset osiemdziesiątego piątego roku. Czternastego sierpnia tysiąc dziewięćset osiemdziesiątego piątego roku Monifah nie brała już prawie od tygodnia. Wyrzucona ze szkoły w Stuyvesant, w ciąży w wieku siedemnastu lat, byłaby typowym wyobrażeniem typowej dziewczyny z typowego getta, gdyby za bardzo nie skomplikowała sobie życia. Ze szkoły wyleciała, jak już zdążyła zaliczyć tysiąc dziewięćset punktów w testach kompetencyjnych i przez prawie cały okres ciąży pozostawała w abstynencji, dziewiczej wręcz czystości. Dorastając w drodze między mieszkaniem matki na portorykańskim Bushwick a rodziną na Bed-Stuy i Bronxie, była, jak określiła to jej siostra, zdeterminowana, żeby za wszelką cenę uniknąć życia, które los jej nakreślił jak obrazek z polami do pokolorowania ciemną kredką".

— Z polami do pokolorowania ciemną kredką? Musiałeś być mocno z siebie zadowolony, kiedy to pisałeś.

— Szefie, co on rozumie przez dziewiczą czystość? To jak ona zaszła w ciążę? A może ta lala to ukryta sodomita?

— Ren-Dog, ty myślisz, że każda, która nie chce się z tobą pieprzyć, to sodomita. Właściwe określenie to lesbijka, to raz. Dwa, dziewicza czystość w tym wypadku oznacza, że rzuciła kokę. Znaczy, że nasza dziewczynka już tydzień nie brała rurki do buzi.

— Dotarło.

— Ale mie ciekawi co inne, bo w pierwszej części napisałeś, że zginęło jedenastu ludzi. To jak to, że piszesz tylko o siedmiu? Nie wiem, czy powinienem odpowiedzieć na to pytanie. Pięć minut temu chciałem iść do łazienki, żeby się wysikać, a ten cały Eubie na to, że mnie nie zatrzymuje. Wstałem i wtedy Ren-Dog grzmotnął mnie pięścią w twarz, aż mi się obluzował lewy ząb trzonowy. Wcześniej Kitka zwalił mnie kopniakiem na podłogę. Jeszcze wcześniej Eubie powiedział Ren-Dogowi, żeby się mną zajął. Tamten złapał mnie za koszulę i ją zerwał. Wtedy ktoś stojący z tyłu kopnął mnie w głowę i wylądowałem na kolanach. Nie pamiętam, kiedy mi zdjęli spodnie i buty. Wciągnęli mnie za ręce piętro wyżej, przez co waliłem głową o każdy stopień, a oni śmiali się albo krzyczeli, albo wołali, nie wiem. Ren-Dog chwycił mnie za szyję i zaraz znaleźliśmy się w łazience, ktoś znowu się zaśmiał, on mnie popchnął, zatoczyłem się do tyłu i wylądowałem w wannie. Próbowałem wstać, ale się poślizgnąłem, a on jest piekielnie silny. Znowu chwycił mnie za szyję, próbowałem się bronić, uderzyć go i podrapać, a wtedy znowu ktoś się zaśmiał i wepchnęli mi głowę pod kran i odkręcili go do oporu. Woda walnęła mnie w czoło i w oczy, starałem się pamiętać, żeby nie oddychać, ale wlała mi się do nosa i ust, bo próbowałem krzyczeć. Poczułem, że noga w bucie przygważdża mi pierś, nie mogłem poruszyć ręką, woda chlastała, siekała mnie w usta, waliła w zęby, wbijała się do oczu i nosa, zacząłem się dusić, kasłać, płakać, a on ciągle trzymał mnie za szyję i nic już więcej nie pamiętam. Ocknąłem się na krześle, mokry, w samych gatkach, bez tchu. Eubie rzucił mi „New Yorkera" i kazał czytać.

— Muszę... naprawdę... naprawdę muszę siku.

Patrzą na mnie i się śmieją.

— Proszę. Proszę. Muszę skorzystać z łazienki.

— Dopiero wróciłeś z łazienki, mały.

Wszyscy się śmieją.

— Proszę, ja muszę...

— Szczyj, kretynie.

Siedzę na stołku. Chcę powiedzieć, że jestem człowiekiem, że jestem człowiekiem, do kurwy nędzy, nie wolno wam tak traktować ludzi i… tak bardzo chciałbym zasnąć i tak bardzo chciałbym się podnieść i zapanować nad pęcherzem, żeby im pokazać, że na coś mnie stać, ale to wszystko za dużo naraz. Nawet nie pamiętam, że powinienem robić głębokie wdechy, oczy mnie szczypią, majtki z przodu robią się mokre i żółte.

— Szefie, on sie nam naprawde spompował.

— To co on, sześć lat ma? Wstrętny piździelec.

— Nie wytrzymał. Będzie kara dla malucha.

Śmieją się. Wszyscy oprócz Eubiego. Co chwilę muszę przecierać oczy, bo świat się zamazuje. I czytam powoli, bo gdy skończę, to mnie zabiją. Czuję własne wonie, czuję, że stopy mam mokre od moczu.

— Nie mogłem znaleźć informacji na temat pozostałych czterech. Poza tym siedem to dobra okrągła liczba.

— Maluch potrzebuje pieluchy — mówi Ren-Dog.

— Czytaj dalej — rozkazuje Eubie.

Podchodzi do mnie, więc odchylam się do tyłu tak bardzo, że się przewracam. Podciąga mnie, a ja znowu płaczę.

— Weź sie w garść, chłopcze — mówi. — I czytaj dalej.

— Ale… ale… ale… „Ale potem pojawił się…"

— Od ostatniego zdania, brada. Myślisz, że pamiętamy?

— Prze… przepraszam.

— Nie ma sprawy. Opanuj sie. Nigdzie nie idziemy.

— „…była, jak określiła to jej siostra, zdeterminowana, żeby za wszelką cenę uniknąć życia, które los jej nakreślił jak obrazek z polami do pokolorowania ciemną kredką. Ale potem pojawił się chłopak. Zawsze znajdzie się jakiś pierdolony chłopak, powiedziała siostra. W knajpce na Flatbush zdążyła już dwa razy zaszlochać między łykami koktajlu lodowego. Niska, grubawa i…"

— Czemu musisz ją tak przedstawiać jak geto?

— Że co? Nie rozu…

— Niska, grubawa, pamiętam reszte, ciemna z włosami, co wyglądały, jakby ktoś je niefachowo przedłużał. Co jest, kurwa, białek, myślisz, że jej sie spodoba, jak to przeczyta?

— To tak...

— Co to tak?

Stoi tuż za mną. Staram się opanować dygot. Za każdym razem, gdy otwieram usta, boli mnie twarz.

— Jak by ci sie spodobało, jakbym napisał: „Alexander Pierce wyszed z łazienki, wytrząsnąwszy krople szczyn ze swojego centymetrowego kutasa"?

— Mówisz... mówisz mi, jak mam pisać?

— Widze, że wraca nasz przemądrzały Alex. Mówie ci, że chuja wiem o twoim pieprzonym kutasie. A ty wiesz gówno o włosach czarnej kobiety.

Kładzie mi rękę na szyi. Obejmuje palcami. Nie na tyle lekko, żebym poczuł jego nagniotki, ale też nie mocno. Nie wiem. Potem zaciska.

— Już mie rozumiesz? Musisz zrozumieć, że ja nie żartuje. Ja jestem taki, co ci odetnie łeb i go wyśle w paczce twojej matce. Nie mówie tego, żeby zrobić wrażenie. Rozumiesz mie?

— Tak.

— Powiedz.

— Co powiedz?

— Powiedz: rozumiem.

— Rozumiem.

— Dobrze. Czytaj dalej.

Kaszlę przez dobrą minutę.

— „Jakby... jakby ktoś je niefachowo przedłużał. Monifah chciała sie z tego wypisać, dociera? Popatrzyła na Bushwick i pomyślała: cześć pieśni. Można było wyczuć, wiesz, o co mi chodzi? Była wrednie cwana..."

— Cha, cha, biały to najbardziej jest biały, jak udaje gadke czarnego.

— Aha… „Wrednie cwana. A potem ten skurkowaniec pojawił się znikąd i skończyło się tragedią. Nawet trudno mieć pretensje do dilera, że ją zabił. To do niego mam pretensje. Bez względu na to, czy Monifah popadła w nałóg, bo skorzystała z igły swojego chłopaka, czy też nie, w tysiąc dziewięćset osiemdziesiątym czwartym roku była już całkowicie uzależniona od cracku, stała się ćpunką, jeszcze zanim ten narkotyk osiągnął szczyty popularności w drugiej połowie lat osiemdziesiątych. A ta popularność rosnąca z prędkością światła była dziełem kilku ludzi. Nie wyłączając gangu, który ją zabił. To dość powszechne, że przed rzuceniem nałogu narkoman chce zaliczyć ten jeden ostatni raz. Tak naprawdę Moni…"

— Dosyć o tej żałosnej dziwce. Przeskakuj dalej.

— Dobrze, ale gdzie dokładnie?

— Tam, jak zaczynasz o melinie. To chyba część druga. To drugie zabójstwo jest, nie? Ta część druga bardziej prawdziwa w rzeczywistości. Przynajmniej nie starałeś sie popisywać ładnymi słówkami. Przeskocz tam, gdzie ona jest zabójstwem numer trzy.

— Aha… zaraz… sekundę.

— Ej, ty nie znasz własnej historii?

Ściska mnie za szyję.

— Dobra, dobra. To od którego miejsca?

— Od meliny.

— Dziękuję. „Oto Bushwick widziane z poziomu ulicy, z poziomu cracku, wszystko znika, gdy tylko podniesie się wzrok. Mimo handlu narkotykami, przestępczych powiązań, amatorskiej prostytucji, kanciarzy, ćpunów, alfonsów i rapu Bushwick wciąż był jednym z tych niewielu zakątków w Nowym Jorku, gdzie na przechodnia spogląda Pozłacany Wiek. Wzniesione na modłę Bossa Tweeda, a teraz zdewastowane rezydencje magnatów mięsnych, z krzykliwymi kolumnami i ogromnymi fasadami wyrwanymi z europejskich dworzyszcz wraz z importowaną cegłą i zaprawą. Na zewnątrz resztki iluminatorów i schodów przeciwpożarowych, wewnątrz windy kuchenne i tajne przejścia. Jakby baronowie przemysłowi wznieśli Bushwick dla baronów narkotykowych. Melina na rogu Gates i Central zachowała w większości swoją królewską ceglaną barwę. Dwa rzędy schodów prowadziły do dwóch wejść pod łukami, z trzecim łukiem pośrodku, dalej szerokie okna, które dawniej ukazywały salon. Jedne i drugie drzwi wciąż pokryte zieloną farbą. Lecz poza tym dom wyglądał jak z horroru o nawiedzeniach, puste oczodoły tam, gdzie dawniej były okna balkonowe, dziury zabite kawałkami drewna albo zatkane gazetami, pozostałe okna zasłonięte spróchniałymi deskami, graffiti na parterze, bezpańskie psy kręcące się przy stertach śmieci wysokich jak zaspy śnieżne. W tysiąc dziewięćset osiemdziesiątym czwartym roku na najwyższym piętrze było tak niebezpiecznie, że pewien ćpun przeleciał przez podłogę i nadział się szyją na gwóźdź. Wykrwawił się na śmierć. Wisiał tam przez siedem dni, dopiero później ktoś zadzwonił po policję. Gdy…"

— Jezu Chryste, białek, dojdź do zabójstwa, człowieku. Nie widzisz, że Ren-Dog usypia nam z nudów?

Ren-Dog ziewa teatralnie.

— Prawda — wzdycha.

Czytam:

— „Często zdarza się, że gdy człowiek uzależniony od cracku lub też od innego narkotyku zamierza iść na odwyk, wtedy chce zaliczyć ostatni, pożegnalny strzał, więc nikt nie był zdziwiony, że Monifah poszła na melinę. Jej przyjaciele wiedzieli o tym, a jednak wierzyli, że nazajutrz wszystko się zmieni. Dla ludzi zażywających crack na Brooklynie melina na rogu Gates i Central była mekką…"

Zbiorowy jęk.

— Jezu Chryste, białek, naprawde tak napisałeś?

— Jak?

— No tak. Porównałeś jedno z najświętszych miejsc na świecie do meliny z crackiem? Chcesz, żebyśmy wyrwali te kartke, przybili ci ją do klaty i wyrzucili cie przed siedzibą Narodu Islamu?

— Nie myślałem, że…

— Fakt, nie myślałeś. Powinienem cie kazać za to zastrzelić. Co za kurewski kretyn. Co za kurewska nieodpowiedzialność.

— Nie wiedziałem, że jakiś diler będzie mi robił kazania... Kopie w stołek i ląduję na podłodze.

— Wstawaj.

Podnoszę się, ale ból ścina mi żołądek i znowu się przewracam. Nie mogę oddychać. Patrzy na mnie, czeka poirytowany. Ruszam się, dźwigam na kolana, łapię za stołek, siadam. Mam nadzieję, że to mokre na policzku to ślina, a nie łzy, ale właściwie powoli przestaje mnie to obchodzić.

— Czytaj. Czytaj reszte.

— „Dwie przecznice dalej, ale wciąż przy Central Avenue. Nikt nie potrafi potwierdzić jej związków z G-Moneyem, dawnym dilerem z tej okolicy, którego wykopano z branży, bo konsumował za dużo własnego towaru. Niemniej łączył ich nałóg. G-Money, pół-Meksykanin o gęstych kręconych włosach i szerokim uśmiechu, też wciąż miał ambicje z czasów przednarkotykowych. Tego wieczoru bracia widzieli, jak wyszedł około ósmej z kimś wyglądającym na mężczyznę, ale w rzeczywistości była to Monifah ubrana w kurtkę z kapturem i za duże dżinsy, wszystko raczej po to, żeby ukryć ciążę, niż udawać mężczyznę. Kobieta w ciąży zdeprymowałaby nawet zahartowanego ćpuna. W starej rezydencji przy Gates Street znajdowało się dużo pomieszczeń, zakamarków, przejść i korytarzy, dlatego właśnie pod jednym dachem bez trudu można było brać crack, sprzedawać crack, grzać crack, palić crack, a nawet prostytuować się dla cracku. G-Money zajął sypialnię na piętrze, tuż obok schodów, jedyną, w której ostało się łóżko, a Monifah, naciągnąwszy kaptur na głowę, kupiła crack na ulicy. Wolałaby wprawdzie przygrzać sama, ale cóż, zawsze paliła razem z G-Moneyem. Sami, tylko we dwoje w pokoju na piętrze, nie mieli pojęcia, że na dole rozpętało się piekło. Banda napastników, mężczyzn powiązanych z gangiem narkotykowym, który opanował większość ulic na Bushwick, wtargnęła na melinę i zaczęła zabijać wszystkich na swojej drodze. Kaznodzieja Bob, gotujący w kuchni albo raczej w tym, co z kuchni zostało, i pan Cee już nie żyli. Narkomani na parterze wpadli w panikę, rozdarci między dwiema ewentualnościami: uciekać, żeby ratować życie, czy zostać, żeby ratować rurki, igły i fiolki w ciemności. Na piętrze kobieta wyskoczyła przez okno na końcu korytarza, łamiąc przy upadku obie nogi. Tuż za drzwiami kolejny mężczyzna padł od dwóch strzałów w pierś, z glocka i innego pistoletu półautomatycznego. Gangsterzy wyważyli drzwi kopniakami, strzelili Monifah w głowę, a siła uderzenia powaliła ją na łóżko, jej ciężarny brzuch jak martwy kopiec na materacu. G-Money, zanim się w ogóle zorientował, co się dzieje, chwycił jej rurkę i przygrzał. Gangsterzy nie odpuszczali, zabijali dalej. Nazywali się Storm Posse, a z ustaleń policji wynika, że prowadzili tę melinę. Być może te egzekucje były ostrzeżeniem. Pewien świadek stwierdził, że to nie gang dokonał zabójstw, tylko pojedynczy człowiek, prawdopodobnie przywódca. Wszystko jedno, tę akcję charakteryzował modus operandi typowy dla tego gangu — Storm Posse, luźny sojusz jamajskich bandytów wykarmionych na przemocy Trzeciego Świata i pieniądzach z kolumbijskich narkotyków, stał się w ciągu kilku lat najbardziej przerażającym syndykatem przestępczym na Wschodnim Wybrzeżu".

Eubie odbiera mi „New Yorkera".

— Część czwarta. T-Ray Benitez i jamajski łącznik. Wysłałeś to już do redakcji?

— Tak.

— Szkoda. Bo teraz do nich zadzwonisz i wprowadzisz sporo zmian do tekstu.

10

— Josey, no zlituj się, *hombre*.

Nawet go nie widzę. Materac mi zasłania, odkąd chwycił go oburącz i rzucił nim w moją stronę. Odskoczyłem w samą porę, bo zaraz potem złapał metalową ramę łóżka, postawił ją na sztorc i walnął nią w kratę. Materac złagodził uderzenie, ale górna część łóżka uderzyła w pręty, aż trysnęły iskry. Odskoczyłem jeszcze bardziej i upadłem, chociaż przecież nie było szans, żeby przedostał się na drugą stronę. Potem sapał i powarkiwał w cieniu, i wydawał jeszcze inne zwierzęce odgłosy, próbował wyrwać zlew ze ściany.

— Josey.

Josey.

Josef.

— Czego w pizde?

— Nie jesteś pierwszym facetem w pierdlu, który próbuje roztrzaskać zlew albo kibel.

— SPIERDALAJ.

Stoję przy kracie. Próbuję odepchnąć materac i łóżko lewą ręką. Ani drgną. Próbuję więc prawą i wtedy chwyta mnie za nadgarstek.

— Kurwa, co jest, Josey?

— Nie nakurwiaj mi tu Joseyem, piździelcu. Jak mi wisi odstrzelenie jakiejś dziwki w ciąży, to jak myślisz, co tobie moge zrobić?

Pociąga mnie mocno, aż walę prawą skronią i łukiem brwiowym w kratę.

— Nagle sie wszystkim wydaje, że mogą mie wydymać.

— Josey.

Znowu szarpie, wciągając całe moje ramię, a ja uderzam klatką piersiową w pręty.

Jakby chciał mnie przewlec na drugą stronę.

— Josey.

Błysk światła, ale to chyba dlatego, że mrugam.

— Josey. Puść, proszę.

Ten błysk to maczeta. Lśni jak nowa.

— Chcesz wiedzieć, co sie stało z czwartym policjantem, co przyszed tutej mie zabić?

— Rany boskie, Josey.

— Ale ponieważ my dwaj to szczere serca, dam ci wybór. Wyżej czy niżej łokcia? Dobrze sie zastanów, bo podobno sztuczne ręce nietanie.

O mój Boże.

— Ehehe. Popatrzcie ludzie na Doktora Love, myśli, że jak wysadzi samolot w powietrze albo pozabija starych ludzi, co i tak chcą umrzeć, to jest taki zły z niego bandyta. Wchodzi mi tu, jakbym na czworakach czekał na kość, co mi zechce rzucić, he? Jeszcze ci sie nie znudziło mie nie doceniać, pizdocipie? Jeszcze ci sie nie znudziło, że ci pokazuje, że to ja mam rękojeść w garści, a ty masz tylko ostrze? Dawaj, piździelec, mówie, że byś wybrał.

Wykonuje zamach i uderza nad łokciem. Przecina skórę, płynie krew.

— Wyżej…?

Znowu zamach, ale tym razem tnie pod łokciem i głębiej.

— A może niżej? Zdecyduj w pięć sekund, bo ja wybiore, a wtedy moge odrąbać całe ramie.

— Josey, nie.

— Pięć, cztery…

— O mój Boże.

— Trzy, dwa.

— Masz jeszcze jednego, Josey.

— Co jeszcze jednego? Ty nie masz już nic. Czas sie skończył.

— Masz jeszcze jednego syna.

Błyszczące ostrze migocze i znika w ciemności.

— Masz jeszcze jednego syna.

Maczeta znowu się pojawia, tym razem przy moim gardle. On nadal ciągnie mnie za rękę przez kratę.

— Jezu Chryste, Josey.

— Coś powiedział?

— Słyszałeś, co powiedziałem. Masz jeszcze jednego syna. Myślisz, że nie wiemy? Twój pierworodny nie żyje, córka nie żyje, ale został ci najmłodszy, a jak myślisz, że go nie dorwiemy, to ci tutaj przysięgam na Boga, że ocalałą ręką osobiście go wypatroszę jak jebaną rybę.

— Ehehe, a jak to zrobisz, skoro sie wykrwawisz na śmierć, zanim dojdziesz do drzwi?

— A widzisz, miałeś rację, Josey. Nie jestem sam. Coś ty, kurwa, myślał, *hombre*? Że wparuję tutaj jak jakiś pieprzony kretyn? Jakbym nie wiedział, na co cię stać? Myślisz, że zbiry tatusia obronią małego przede mną? Jestem Doktor Love, ty w dupę jebany. Zdaje się, że zapomniałeś, jakie mam umiejętności. Więc puszczaj w tej chwili, kurwa twoja mać.

— W pizde, czy ja ci wyglądam na kretyna? Ja cie puszcze, a ty zetkniesz dwa druciki i mój dom wyleci w powietrze?

— Nie, *mijo*. Puścisz mnie, żebym mógł zapobiec zetknięciu się dwóch drucików.

Najpierw rzuca maczetę. Potem uwalnia mi rękę. Łapię się za przedramię, ale nic nie można zrobić, krew sama musi przestać płynąć.

— Pewnie nie dali ci rolki papieru toaletowego, co? Chyba nie.

— Trzeba mi cie było zabić.

— I co byś z tego miał, Josef? Przysłaliby drugiego. Przysłaliby drugiego.

Odsuwa się od kraty i pociąga za ramę łóżka, żeby upadła, od czego trzęsie się cela. Materac osuwa się na podłogę. Josey siada na sprężynach. Nie patrzy na mnie.

— Czego Eubie chce od mojego syna?

— On niczego nie chce od twojego cholernego syna. On nawet nie chce niczego od ciebie. Chyba tylko tego, żebyś się trzymał z daleka od pierdolonego Nowego Jorku.

— Czego chce CIA?

— Rasta nie robią dla CIA. Sorry, kiepski dowcip. Nie przyszedłem po to, żeby ci powiedzieć, kto mnie przysłał. Uspokój się, nikt się nie zasadza na twojego syna. Równie dobrze może wyrosnąć na drugiego Joseya, w dupie to mamy, możesz wierzyć lub nie, ale taka sama postawa obowiązywała wobec ciebie, dopóki nie spierdoliłeś układu. Nie miałeś nawet tyle sprytu, żeby dać się złapać, jak u władzy był twój własny rząd.

— Luis, nie chce, żeby ktokolwiek tknął mi syna.

— Już ci mówiłem, że na niego nie nastaję, Josey.

— Ale na poważnie podłożyłeś ładunki w moim domu?

— Oczywiście, że podłożyłem ładunki w twoim pierdolonym domu. Obaj wiemy, że zawsze wywąchasz blef.

Śmieje się. Ja też się śmieję. Szkoda, że nie ma na czym usiąść. Ciągle się śmieje, gdy kucam i opieram się plecami o ścianę, twarzą do niego.

— Tyle tego, a i tak nie chcesz powiedzieć, kto cie przysłał.

— Och, myślałem, że się domyślisz. Do raportu staję tylko przed dwoma, trzema ludźmi.

— Do raportu stajesz przed tym, który ci wypisze największy czek.

— O nie. Wiadomo, że raz czy dwa pracowałem pro bono.

— Nawet nie wiem, co to znaczy.

— Nie przejmuj się.

— Dziwne, że nikt nie przyszed sprawdzić, co tu sie dzieje, a przecież narobiliśmy takiego rabanu.

— Dziś wieczór nikt nie przyjdzie, *hombre*.

— Powinienem sie domyśleć, jak tylko weszłeś. Nie powiesz mi kto, he?

— Równie dobrze mógłbym ci powiedzieć, kto zabił Kennedy'ego. Cholera, dzisiaj żarty jakoś kiepsko mi wychodzą.

— Tak, dzisiej sie nie śmieje z twoich żartów, Doktorze Love.

Wzruszam ramionami. Wstaje i podchodzi do kraty na wprost mnie.

— A jakbym nie śpiewał o ważnych sprawach?

— Chodzi ci o te twoje groźby, że będziesz gadał?

— Tak.

— Ciągle wiesz, które sprawy są ważne?

— Myślisz, że jeden mały człowiek może spowodować czyjś upadek?

— Kurwa, wy Jamajczycy uwielbiacie odpowiadać pytaniem na pytanie. Nie wiem, Josey, to ty wskazałeś taką możliwość.

— Powiedz swoim ludziom, że możemy coś wykombinować. Jak oni zagrają dobrymi kartami, to nagle zapomne o wszystkim sprzed tysiąc dziewięćset osiemdziesiątego pierwszego. Mogę im powiedzieć, że wszystkie drogi prowadzą do mie. Siedemdziesiąty szósty to nie ich sprawa, siedemdziesiąty dziewiąty też nie. W końcu to DEA, oni chcą wyroku za narkotyki.

— A więc mogą już przestać puszczać w telewizji te specjalne odcinki z udziałem Nancy Reagan?

— Co?

— Jeszcze jeden mój dowcip, który nie wypalił.

— Powiedz swoim ludziom, że moge im sprzedać przypadek amnezji, i to za niską cene.

— Nie rób tego, Josey.

— Czego?

— Nie żebrz.

— Zło czyńca nie żebra w pizde żeż.

— No to w takim razie nie rób tego, co teraz robisz.

— Luis, ja tylko gadam z sensem. Kiedy ja gadałem bez sensu? Myślisz, że ci z DEA mają jakiegoś świadka? Mój prawnik mówi, że moge dostać najwyżej siedem lat, i to tylko za dragi i haracze. Reszta im sie nie kleji.

— Dogodnie dla siebie zapomniałeś o tym i owym.

— Niby o czym?

— Wcześniej mówiłeś inaczej. Powiedziałeś, że jeśli jankesi cię dorwą, pociągniesz wszystkich za sobą na dno. Słowa były trochę inne, barwniejsze, bo twoje. No więc, *muchacho*, sprawy tak się mają, że…

— Rozejrzyj sie. Babilon już upad? Jak ci sie wydaje, Luis, co to jest? Myślisz, że naprawde mają na mie jakiegoś piździelskiego haka? Jak już urządzą pokaz dla dużych gazet i konferencje prasowe, że wygrali wojne z narkotykami, to uważaj, jak szybko będą to mieli w dupie, bo do nich dotrze, że nic na mie nie mają. Całe to gówno jest po to, żeby wyglądało, że Ronald Reagan i George Bush ratują bezcenną białą cizie, żeby nie została kokakurwą. Tylko uważaj, jak szybko skończe z tym jankeskim pierdoleniem i wyląduje z powrotem w Kopenhadze, jakby nic sie nie stało. I wtedy będe pamiętał, kto był mi przyjacielem, Luis. A kto mie zostawił, żebym tu, kurwa, zgnił, jak nie uda im sie mie zabić. Będe pamiętał, Luis. Medellín też będzie pamiętał.

— A skąd pewność, że to nie Medellín mnie przysyła, Josef?

Jak zwykle niczego nie można się dowiedzieć, gdy się obserwuje twarz Joseya Walesa. Trzeba się przyglądać dłoniom, patrzeć, czy naciska kłykcie, tak jak w tej chwili, czy garbi się lekko, jak teraz, wciąga powietrze i wypuszcza z płuc, o właśnie tak, albo staje wyprężony, prostując nienaturalnie plecy.

— Medellín cie przysłał? — pyta tak cicho, że o mało nie poproszę, żeby powtórzył.

— Wiesz, że nie mogę ci powiedzieć. Ale tak na poważnie, Josef, to nie ma znaczenia. Nic z tego nie ma znaczenia. Mówisz mi, co możesz zrobić, próbujesz się targować. A przecież wiesz, jaki jest układ, bracie. Gdyby byli zainteresowani pertraktacjami, przysłaliby kogoś innego. Nie mnie.

— Oczywiście.

— Ja nie prowadzę z nimi rozmów, oni nie prowadzą rozmów ze mną. Nie jestem ich posłańcem. Nie jestem też twoim posłańcem. Taki jest układ. Jak Doktor Love przyjeżdża do twojego miasta, skarbie, to znaczy, że jest już za późno.

— Trzeba mi było odrąbać ci łape.

— Może i tak. Ale mimo to wiedz, że zostawię twoją małą dynastię w spokoju.

— Skont mam mieć pewność, że nie zabijesz mi synka?

— Nie masz pewności. Ale tym, kto go dopadnie, a spójrzmy prawdzie w oczy, Josey, w końcu ktoś go dopadnie, tym kimś nie będę ja.

Patrzy na mnie przez długą chwilę. Ma minę pokerzysty, ale podejrzewam, że trawi ostatnie słowa.

— Trzymaj Eubiego z daleka od mojego syna.

— Facet ma go w dupie, ale dobrze, wyślę wiadomość. Posłucha mnie.

— Dlaczego?

— Wiesz dlaczego.

— Hej.

— Co jest?

— Myślisz, że pan CIA kiedykolwiek sie dowiedział, że znam hiszpański?

— Chryste, mnie o to pytasz? Nie. Poza tym dostał bezterminowy urlop po tym, jak w Botswanie zmasakrował jedną dziewczynę. Louis Johnson był taką kanalią, że nawet jego własne biuro pozwoliło miejscowej policji przetrzymać go przez cztery dni, dopiero potem zażądali jego zwolnienia.

— W pizde ja pierdole.

— Chętnie bym to podejrzał przez dziurkę od klucza. Dużo bym dał.

— Pewnie nie chciało ci się zabrać tłumika?

— Zero broni palnej.

— Zero?

— Dla pana Joseya Walesa zaplanowali coś o wiele bardziej dramatycznego.

— Jezu Chryste, Doktorze Love, rozwalisz całe więzienie.

— Troska o innych. Jakie to słodkie. Nie, bomba też nie. Po pierwsze, zakładanie czegoś takiego tutaj to byłby ból w dupie. Po drugie, nie ma drugiego, ale mimo wszystko, to byłoby okropne.

— Jaki dziś dzień?

— Niech mnie chuj strzeli, jeśli… czekaj. Dwudziesty drugi marca. Tak, dwudziesty drugi marca.

— Tysiąc dziewięćset dziewięćdziesiąty pierwszy.

— Kiedy masz urodziny, Josef?

— Szesnastego kwietnia.

— Baran. Pasuje, kurwa.

— Oczekujesz jakiś wielkich słów, żeby sie ludzie rozpłakali, jak będą oglądać film?

— Nie śmiałbym oczekiwać, stary przyjacielu.

— No to jak?

— Nie interesuj się.

— Jak?

Podchodzę do kraty i wyciągam rękę.

— Weź to.

— Co to w pizde?

— Weź.

— Nie, spierdalaj.

— Josef, nalej sobie kubek wody i połknij te jebane proszki.

— Co to za piździelstwo?

— Posłuchaj, *mijo*. Postawili sprawę jasno, masz cierpieć. Ja najczęściej słucham poleceń, ale tym razem postąpię inaczej.

— Nie możesz szybko tego załatwić?

— Nie.

— A proszki co zrobią? Czary-mary, żebym nic nie czuł?

— Czary-mary, żeby przestało cię obchodzić.

— Jezu Chryste, Luis. Jezu Chryste, Jezu...

— Ej, kolego, tylko bez tego sentymentalnego pierdolenia między nami. Człowieku, daj spokój, nie teraz.

Bierze pigułki i odsuwa się w cień. Woda tryska z kranu. Słyszę, że nalewa do kubka, ale nie słyszę, żeby pił. Wraca, chwyta materac i kładzie go z powrotem na łóżku. Znowu na mnie patrzy, potem wchodzi na łóżko, wyciąga się na plecach. Patrzę, wsłuchuję się w jego oddech, wdech i wydech, wdech i wydech, patrzy w sufit. Leży z dłońmi złożonymi na klatce piersiowej, a ja mam ochotę powiedzieć, *mijo*, nie musisz się zachowywać, jakbyś już leżał w pierdolonej trumnie. Ale gadam z tym facetem od tysiąc dziewięćset siedemdziesiątego szóstego i nagle skończyły mi się tematy.

— Jak długo?

— Nie za długo. Mów.

— Luis.

— Tak, *mijo*?

— Czasem o nim myśle.

— O kim?

— O Śpiewaku. Ta piosenka, co ją wydali po jego śmierci, *Buffalo Soldier*. Ona mi go przypomina.

— Ja mam pięćdziesiąt dwa lata, za stary jestem, żeby coś sobie przypominać. I co, żałujesz, że próbowałeś go zabić?

— Co? Nie. Żałuje, że cierpiał. Strzał byłby łatwiejszy. Czasem mi sie zdaje, że jedyne, co tacy jak on i ja mamy wspólne, to może to, że musimy umrzeć. Że jak coś zaczniemy, to dokończymy dopiero, jak nas zabraknie. Pamiętaj, że ten chłopak z geta to był inteligentny brada.

— Josef, to o mnie zapomną. Pamiętasz, przecież ja nawet nie istnieję.

— Doktorze Love, chciałbym, żeby to był tysiąc dziewięćset siedemdziesiąty szósty. Nie, siedemdziesiąty ósmy.

— A co było takiego wspaniałego w tysiąc dziewięćset siedemdziesiątym ósmym?

— Wszystko, brada, wszystko. Ty…

Jedna pigułka wystarczyłaby, żeby stracił przytomność, ale nie zamierzałem ryzykować. Stoję tam przez dwadzieścia minut, a potem wyciągam klucz z kieszeni i otwieram kratę. Wiecie, co ludzie mówią o rannych lwach.

11

— „No więc rozkoszowałem sie swoim małym wizerunkiem koksa, bo przecież ktoś musi sobie uświadomić, że nawet najgorsze męty to też ludzie, prawda, to rozczulające, jak sie nam przywraca człowieczeństwo, żeby białe kobiety mogły mówić o tym, jak się wzruszyły, i takie tam pierdolenie. Ale potem wszystko i tak spieprzysz, bo zaczynasz zgrywać detektywa".

Nic nie mówię. Nie patrzę ani na niego, ani na Ren-Doga. Podłoga i „New Yorker" zaraz wyślizgną mi się z rąk.

— Jak na takiego, co nie wie, czy przeżyje następne dziesięć minut, to z ciebie kogutek, jak mówią biali.

— Widać, że bardzo się interesujesz białymi.

— Bardzo się interesuję wieloma rzeczami. Pytałem już, gdzie w tej części jest zabójstwo numer cztery?

— Mam odpowiedzieć?

— Nie, chce, żebyś mi tu zahip-hopił. A jak myślisz?

— No więc w pewnym momencie trzeba rozbudować tło. Nie wystarczy zogniskować, trzeba nadać rozmach. Gówno nie dzieje się w próżni, są echa, są reperkusje i już choćby tylko to składa się na cały pierdolony świat niezależnie od tego, czy robisz jakąś konkretną rzecz. Inaczej to tylko jak sprawozdanie z czegoś, co się gdzieś wydarzyło, a coś takiego masz w wiadomościach wieczornych. Znaczy, gdy Monifah obrywała kulkę na melinie, ktoś inny akurat kupił fiolkę cracku od kogoś, kto ją dostał od kogoś, kto dostał towar od kogoś.

W kuchni jest tylko on, Ren-Dog, no i ja, pozostałym chyba się znudziło. Ren-Dog wsadził z powrotem nos do lodówki, serwuje sobie sok z mango, który podobno zostawił dla mnie. Wmawiam sobie, że sytuacja nie jest bardziej niebezpieczna niż ta sprzed dziesięciu minut, chociaż wszystko wskazuje na to, że może być odwrotnie. Banda morderców rozgościła się w moim domu, a ja zaczynam myśleć, że występuję w rapowym teledysku. Do momentu, kiedy nie poczuję swoich mokrych gatek. Albo się nie uśmiechnę. Albo nie przełknę śliny.

— Najpierw sprawy najważniejsze. To całe gówno, co piszesz o Storm Posse, prawie wszystko nieprawda. Po pierwsze, Funnyboy jest z Ośmiu Ulic i ciągle tam siedzi, więc nie ma mowy, żeby był ze Storm Posse. I kto ci powiedział, że oni nas nazywają Storm Posse, bo co? Bo kosimy naszych wrogów i niewinnych przechodniów gradem kul? Czy ktoś tutaj wygląda na takiego, co używa słowa „grad"? Co z tobą, kurwa? Ja myślałem, że my wybraliśmy storm, bo hurricane było za długie.

— Mam swoje źródła informacji.

— Twoje źródła informacji.

— To nikt ważny.

— Jakże szlachetnie, próbuje osłaniać Tristana Phillipsa. Myślisz, że on to samo czuje do ciebie?

— Dał wam cynk?

— Żeby chciał zachować w tajemnicy, to nie powiem. I czemu ty myślisz, że on by strzeg twoje tajemnice? Cholera, jak wyszła twoja część pierwsza, dwaj moji, co kiedyś chodzili z Ranking Dons, przypomnieli sobie, że Tristan gadał o tobie, i to na całego, nie przejmował sie, kto słyszy. Brada, powaga, mógbyś sie rozejrzeć za nowym wyglądem dla siebie. Bo wystarczy jedno spojrzenie na twoje zdjęcie i trach. W każdym razie tak właśnie sie o tobie dowiedzieliśmy.

— Tristan mnie sprzedał.

— O nie, jedyny brada, którego sprzedaje Tristan, to sam Tristan. Ożenił sie teraz z rurką z crackiem. Pierdolony kretyn, co za strata. Ale takie właśnie życie mają Ranking Dons. Jak któryś ze Storm zaczyna kopcić własny towar, pstrykam palcami i brada znika. Ale jak poszłeś gadać z Phillipsem w pierdlu, to to musiało być pare lat temu. To po co pisać teraz?

— Bo usłyszałem, że Josey Wales jest w więzieniu.

— Aha, i uznałeś, że teraz cie już nie dosięgnie? A może, że z niego taki ignorant, że nie słyszał o „New Yorkerze"?

Nie wiem, co odpowiedzieć, więc tylko patrzę na szklankę soku, którą Ren-Dog trzyma w dłoni. Próbuję sobie przypomnieć, ile litrów wypił do tej pory.

— Nie martw sie, brada. Masz racje w obu sprawach. Ale ja, czyli pan Eubie, to inna historia. Popatrz na okładke, widzisz, jest moje nazwisko i numer skrytki pocztowej. Myślisz, że jak on siedzi w więzieniu, to ty bezpieczny? Odpowiedz.

— Tak.

— Od takiego głupiego myślenia skurwysyny żenią sie z ołowiem.

Eubie chwyta krzesło przy stole i podchodzi z nim do mnie. Siada naprzeciwko, na tyle blisko, że widzę wzór w motylki na białej poszetce.

— Czy teraz jest ta część, kiedy każesz mi przerwać pisanie, bo inaczej będzie ze mną krucho?

— Nie możesz sie powstrzymać, co? Wyszczekany skurwiel do samego końca. A może myślisz, że nie masz nic do stracenia? No to to nie, brada. Nawet ja chce wiedzieć, jak sie skończyło. To znaczy, ja wiem, ale lubie to twoje spojrzenie z boku. Tylko przestań za bardzo patrzeć na boki, weź poskromij swoje ambicje, a ja nic do ciebie nie będe miał.

— Nie rozumiem.

Wali mnie gazetą w twarz. Policzek szczypie, ale nie za bardzo.

— Nie rżnij przygłupa, kurwa. Mam dziś jeszcze inne sprawy do załatwienia, a one sie tak miło nie rozegrają jak z tobą. Na końcu trzeciej części zostawiasz pierdoloną meline, bo sie zająłeś jamajskim łącznikiem, więc…

— Mam to usunąć.

Znowu mnie bije.

— Przestań mie interpretować, kiedy do ciebie gadam, w pizde żeż.

— Ale tego chcesz, tak? Chcesz, żebym usunął wszystko o Jamajczykach?

— Nie, młodzieńcze. Wcale nie. O tej jebanej Jamajce pisz sobie, co chcesz. Zostaw sobie część z Joseyem Walesem, a w ogóle co byś chciał o nim wiedzieć? Powiem ci coś, o czym byś nie marzył. Ta cała Monifah to nie jest pierwsza kobieta w ciąży, którą on zabił. Zostaw go sobie, zostaw sobie Jamajke, możesz nawet spalić te wyspe na popiół, w dupie to mam. Ale wytnij Nowy Jork.

— Słucham?

— Wspominasz tu o Storm Posse z jakimiś odpryskowymi grupami w Nowym Jorku. To mi sie nie widzi.

— Ale przecież Storm Posse działa w Nowym Jorku.

— Znowu rżniesz głupa? Po pierwsze, nie wiesz jeszcze czegoś. Tej meliny nie powystrzelał żaden gang. To był Josey tylko. Jeden człowiek z dwiema klamkami. Josey Wales sam pozabijał wszystkich na melinie. Widziałem na własne oczy.

— To… To… niesłychane.

— Cały Josey. I masz racje. Facet chciał wysłać sygnał. Ale to nie było żadne takie głębokie gówno, co piszesz w swojej historii.

— To co to był za sygnał? Żeby nie brać dragów?

— Ten chłopak to niezły jajcarz. Szkoda, że nie będziemy przyjaciółmi.

— Och.

— Nagle białek przestaje sie znać na żartach, Ren. Czy ja wyglądam na kretyna, co zabije dziennikarza piszącego głośną historie i zostawi swoje odciski w całym jego jebanym domu? Wyglądam, że chce być drugi Gotti?

— Chyba nie.

— Nie chyba, tylko napewno.

— To jaki był ten sygnał?

— Nie oblewaj donowi Gorgonowi twarzy szczynami.

— Przepraszam, że co?

— Nie załapałeś, białek, trudno. Ale posłuchaj mie teraz. Nie chce czytać o żadnych związkach między tym człowiekiem a dzielnicą. Jak fedzie czy DEA chcą ścigać brada, niech go ścigają. Ale nie chce, żeby zaczeli gonić za mną, bo przez ciebie będą szukać powiązań w Nowym Jorku, słyszysz?

— Poważnie? Przecież to i tak tylko kwestia czasu, kolego. DEA być może działa powoli i rywalizuje z FBI, ale głupi to oni nie są.

— Może. Ale to przyszłość. A tym, który mie wtopi, nie będziesz ty.

— Posłuchaj, żaden agent w ogóle nie próbował ze mną rozmawiać. Nie masz się czym przejmować.

— Tylko dlatego, że na razie nie masz nic, co mogliby wykorzystać. Ale z tą częścią czwartą to co innego. Ty wiesz, że chłopaki na melinie przylecieli specjalnie z Jamajki, rozumiemy sie? Żadnego pierdolenia o gangach z Nowego Jorku czy Kansas City.

— Przecież wiedzą, że tu siedzicie. Znaczy, że działacie w tym mieście.

— Ale nie wiedzą, że jestem dobrze zorganizowany ani jak bardzo kontroluje całe to gówno.

— Ale w ten sposób będę miał wielką dziurę w fabule.

— I co, tą dziurą sie martwisz? Szefie, ja ci nie mówie, jak masz pisać, ale twoja historia jest o ludziach, którzy dostali ołowiem. Więc pisz o ludziach, którzy dostali ołowiem.

— Ale do tych zabójstw nie doszło w próżni, proszę pana.

— Podoba mi sie, że ciągle traktujesz to jak negocjacje. Nie mówie, że w próżni. Dlatego możesz przejechać sie po Joseyu Walesie, ile masz ochote. Ale reszte gówna masz wyciąć. Nie chce rywalizować z panem Walesem w światłach rampy, rozumiemy sie?

— Czyli praktycznie to szantaż?

— O nie, brada mój. Praktycznie to ja cie nie zabije. Piszesz krótką historie siedmiu zabójstw, tak? No to musisz napisać jeszcze o czterech.

— Rozumiem. A co jeśli...

— Nie twórzmy teraz sytuacji, kiedy mie pytasz, co będzie, jak sie nie zgodzisz. Ja już nie mam cierpliwości, a Ren-Dog skończył sie bawić na dziś.

Eubie wstaje i podchodzi do Ren-Doga. Nie wiem, o czym szepczą, ale po chwili ten drugi znika. Kilka sekund później otwierają się i zamykają drzwi wejściowe. Eubie wraca i siada przede mną. Bliżej. Woda kolońska Cool Water. Wiedziałem, że w końcu skojarzę. Tym razem nachyla się, mówi półszeptem, ale głos ma chrapliwy:

— Tak sobie myśle, że jak Tony Pavarotti chciał cie dopaść, to ktoś musiał go wysłać. To mógł być tylko Papa-Lo albo Josey Wales. A skoro Papa bawił sie wtedy w pokój aż do swojego smutnego końca, to zostaje mi tylko Josey Wales. Nawet sie nie trudź, żeby potwierdzać. Tylko od razu powiedz, dlaczego Josey chciał cie zabić?

— Naprawdę spodziewasz się, że powiem?

— Tak, naprawdę sie spodziewam.

— Co to jest, kurwa? Kolejna scena z filmu? I tak umrzesz, to sie spowiadaj, białek? Czy inne takie pierdolenie?

— „To sie spowiadaj, białek, czy inne takie pierdolenie?" Brada, uwielbiam, jak lecisz Jamajczykiem. Że umrzesz? Po co mam cie zabijać, przecież już jasno wyraziłem swoje stanowisko w tej sprawie. A przy okazji, Josey Wales nikogo nie tknie przez długi czas, a już na pewno nie ciebie.

— Mówił ci o mnie?

— W rozmowie pojawił sie ktoś jak ty, on nie pamiętał nazwiska, powiedział tylko, że jakiś biały z „Rolling Stone" za dużo wyniuchał o narkotykach, więc on wysłał Tony'ego, żeby go naprostować. Tyle że lata sie nie zgadzały, poza tym żaden białek, nawet najbardziej cwany, nic by nie wiedział o żadnych dilach narkotykowych. Jasne, że jak zabiłeś mu najlepszego cyngla, to drugiego nie wysłał. Poza tym zniknąłeś zaraz po tym. Nieważne, Josey Wales siedzi w więzieniu i żywy nie wyjdzie. Więc chce usłyszeć, co tak naprawde sie dowiedziałeś, że on próbował zabić jebanego białka z Ameryki. W dodatku w tysiąc dziewięćset siedemdziesiątym dziewiątym. No bo, rany, on wtedy złamał z piętnaście tabu.

— Przecież ty jesteś ze Storm Posse. Nie pracujesz dla niego?

— Chłopcze, ja dla żadnego piździelca nie pracuje. A już na pewno nie dla jakiegoś szczura z jamajskiego geta. W dupe jebany nawet gazety nie umie przeczytać, a sie uważa za mędrca. Trzeci raz nie spytam, białek.

— Ja... ja dopiero po latach zrozumiałem, że to on wysłał tego człowieka. Na Jamajce działo się wtedy tak dużo, tyle różnego gówna, że to mógł być każdy, nawet wasz jebany rząd. Jeden facet mi uświadomił... cholera, cholera, dlaczego mnie o to pytasz, przecież z nim pracujesz, więc wiesz. Pewnie sam z nim zaplanowałeś to skurwysyństwo.

— Jakie skurwysyństwo? Jakie skurwysyństwo?

— Napad. Na Śpiewaka. Próbowaliście go zabić. To on postrzelił Śpiewaka.

— Coś ty powiedział?

Nie zdążę zareagować, bo zrywa się na nogi i zaczyna chodzić dokoła.

— Coś powiedział, chuju?

— To on postrzelił Śpiewaka w tysiąc dziewięćset siedemdziesiątym szóstym.

— Znaczy, że był w tym gangu? Chłopak, nawet ja wiedziałem, że to musieli być ci z Kopenhagi, że to oni próbowali go zabić. Ale w życiu nie podejrzewałbym…

— Chodzi mi o to, że to on osobiście strzelał. Nacisnął spust.

— Skont o tym wiesz?

— Parę miesięcy później robiłem wywiad ze Śpiewakiem. Wszyscy wiedzą, że oberwał w klatkę piersiową i w ramię, tak? Tak?

— Tak.

— Ale w tamtym czasie tylko trzy osoby wiedziały, że gdyby w tej sekundzie wdychał powietrze, a nie wydychał, kula trafiłaby w serce. Te trzy osoby to lekarz, Śpiewak i ja.

— No i co?

— Pojechałem do Kopenhagi, żeby zrobić wywiady z donami na temat układu pokojowego. To już był siedemdziesiąty dziewiąty. Jak gadałem z Walesem, zjawił się Śpiewak. Wales wtedy powiedział, że spierdolili sprawę, bo próbowali trafić Śpiewaka w serce. Nie mógł tego wiedzieć. Chyba że był lekarzem, Śpiewakiem, mną albo…

— Tym, co strzelał.

— Ta.

— O w pizde. O w pizde, młodzieńcze, nie wiedziałem.

— Teraz ty mnie zaskakujesz. Myślałem, że wiedzą wszyscy powiązani z Walesem.

— Kto ci powiedział, że ja z nim powiązany? Jak ja rozkręcałem interesy na Bronxie, to gdzie był twój Wales? A wiesz, przez bardzo długo myślałem, że za tym stał kto inny.

— Kto?

— Zabawne, bo on jedyny, o którym ja wiem, że żyje.

— Wales?

— Nie, nie on.

— Co masz na myśli, mówiąc...

— A wiesz, panie Pierce, że Śpiewak przebaczył jednemu z tych chłopaków? Nie tylko przebaczył, ale zabrał ze sobą w trasę, wciągnął go jak brata do swojego wewnętrznego kręgu.

— O kurwa, poważnie? W takim razie mój wielki podziw dla tego człowieka urósł jeszcze o kilka pięter. Cholera. Co się stało z tym człowiekiem?

— Zniknął zaraz po śmierci Śpiewaka. Wiedział, że nie jest bezpiecznie.

— Wyparował? Zapadł się pod ziemię?

— Nikt nie potrafi sie zapaść pod ziemie, Pierce.

— Hm, skoro tak myślisz, to chętnie opowiedziałbym ci o kilku chilijskich rodzinach.

— Co?

— Nic.

— Niemiecki dobrze znasz?

— Nie. Tylko słucham trochę krautrocka.

— Chcesz mieć historie, masz historie. Wszyscy, co napadli na Śpiewaka, nie żyją, z wyjątkiem jednego.

— Ale przecież Josey Wales...

— Jedyny, który może jeszcze żyje, przepad w tysiąc dziewięćset osiemdziesiątym pierwszym i nikt nie wie, co sie z nim stało. Tylko ja wiem.

— No proszę.

— Nie wydajesz sie zainteresowany.

— Nie, nie, jestem zainteresowany. Naprawdę. Gdzie on jest?

— Już ci mówiłem, nie jesteś zainteresowany.

— A ja ci mówię, że jestem. Skąd wiesz, że nie jestem?

— Bo już ci powiedziałem, gdzie jest. Ale sie nie przejmuj. To pewnie za dużo dla ciebie. Pewnego dnia ktoś będzie musiał książkę o tym napisać.

— Och. Aha, no dobra.

— A ty wracaj do pisania *Krótkiej historii siedmiu zabójstw*.

Chcę mu podziękować, ale nagle uświadamiam sobie, że dziękowałbym za to, że mnie sponiewierał, a nie zabił. Jestem kurewsko zmęczony siedzeniem na tym stołku jak szkolna oferma, ale nie wstaję. Nieważne. Już mam go spytać, czy jeśli napiszę to gówno, to uniknę przyjemności ponownego spotkania z nim, ale przypominam sobie, że Jamajczycy słabo wychwytują ironię, a w tej sytuacji nie chciałbym, żeby moje słowa zinterpretowano jako wyraz wrogości. Lepiej w ogóle nie myśleć o tym wszystkim — taki surrealistyczny dzień i tak nie miał prawa się wydarzyć. Wraca Ren-Dog i mruczą coś we dwóch kilka kroków ode mnie. To jakaś pierdolona tajemnica?

— Jeszcze jedno, białek.

Odwraca się. Ręka. W ręku pistolet. Z tłumikiem. Ręka. Pistolet z tłumikiem.

— NIEEEEEEE! O kurwa mać! O kurwa mać! O mój Boże. Kurwa... Mój Boże.

— Tak, jeszcze jedno.

— Kurwa, strzeliłeś we mnie! Kurwa, strzeliłeś!

Krew mi tryska ze stopy, jakby mnie przybito do jebanego krzyża. Chwytam się za nogę, wiem, że wrzeszczę z bólu, ale nie wiem, że spadłem ze stołka i tarzam się po podłodze, aż w końcu Eubie łapie mnie i przystawia mi lufę do szyi.

— Zamknij sie, kurwa — mówi Ren-Dog i ciągnie mnie za włosy. — Zamknij sie, pizdocipie jeden.

— Postrzeliłeś mnie, kurwa! Postrzelił mnie!

— A niebo jest niebieskie, a woda mokra.

— O mój Boże, kurwa, o Boże.

— Wiesz, to wcale nieśmieszne. Nikt nigdy nie mówi nic oryginalnego, jak go postrzelą. Jakby wszyscy na wszelki wypadek czytali ten sam przewodnik.

— Pierdol się.

— Oj, nie becz, wielki maluchu. Dwunastolatki bez przerwy obrywają ołowiem na Jamajce i wcale sie tak nie mazgają.

— O mój Boże.

Stopa mnie napierdala, a on się pochyla i obejmuje mnie jak jakiegoś pierdolonego noworodka.

— Muszę zadzwonić po pogotowie. Muszę do szpitala.

— Musisz też sprowadzić swoją kobietę, żeby posprzątała ten syf.

— O Boże.

— Słuchaj, białek. To tak dla przypomnienia, bo nam sie miło gadało i w ogóle, więc pewnie zapomniałeś, że z tym skurwysynem, co sie nazywa Eubie, nie wolno zadzierać, rozumiesz? Josey Wales to największy pierdolony psychiczny, jakiego w życiu spotkałem, a ja właśnie go zabiłem. No więc to znaczy, że jaki ja jestem?

— Nie...

— W pizde jebany, to było pytanie retoryczne.

Wyciąga rękę i dotyka mojej stopy w skarpetce. Pociera miejsce dokoła rany, a potem nagle wkłada palec do środka. Wyję pod dłonią Ren-Doga, bo w porę zatkał mi usta.

— Choć bardzo lubie twoje towarzystwo i bardzo lubie prenumerować „New Yorkera", to jednak dołóż wszelkich pierdolonych starań, że bym nie musiał składać ci drugiej wizyty. Dociera?

Cofa dłoń, a ja płaczę. Nie szlocham, ryczę, kurwa.

— Dociera? — pyta, znowu zbliżając dłoń.

— Dociera, dociera, cholera jasna.

— To dobrze. Bajecznie bosko, jak mówi moja kobieta.

Ren-Dog chwyta mnie za ramiona i ciągnie na sofę.

— Będzie bolało jak skurwysyn — mówi, po czym ściąga mi skarpetkę.

Zatykam sobie ręką usta, żeby nie wrzeszczeć. Rzuca skarpetkę na bok, zwija ścierkę i przykłada mi ją do stopy. Nawet nie mam odwagi spojrzeć. Ren-Dog wychodzi, a Eubie łapie za mój telefon.

— Dzwoń po karetke, jak wyjdziemy.

— Kurwa, jak… jak… Mam pocisk w stopie, jak im wyjaśnię…
— Przecież pisarz jesteś, panie Pierce. Wymyśl coś.

Zasłaniam jaja rękami, gdy rzuca mi telefon, więc obrywam po kłykciach.

12

Za każdym razem, kiedy wybieram autobus zamiast metra, zapominam, że autobus jedzie o wiele wolniej. To cena, którą płacę za to, że unikam hiperwentylacji, bo dopada mnie, gdy schodzę pod ziemię. Przynajmniej nie śpię. W zeszłym tygodniu zasnęłam i przejechałam siedem przystanków za daleko, a jak się obudziłam, jakiś facet gapił się na mnie z siedzenia naprzeciwko, jakby się zastanawiał, w którą część ciała powinien mnie dotknąć, żebym się ocknęła. Dziś nie ma mężczyzn w autobusie.

Na Eastchester też jest pusto. Może jamajska reprezentacja w piłkę nożną znowu gdzieś przegrywa. To wymowne, że nawet w myślach wychodzi ze mnie taka wredna suka. Jestem pewna, że przeciętny człowiek w głębi ducha jest takim samym chamem, nerwusem i rasistą, więc nie wiem, dlaczego się kajam. Muszę po prostu dojechać do domu, zrobić ramen, klapnąć na kanapę i pooglądać *Śmiechu warte* albo jakiś inny mało wymagający program w telewizji.

Naprawdę powinnam przestać myśleć o Jamajczykach. Albo zwiększyć dawki xanaxu. To znaczy w tej chwili jakoś szczególnie źle ze mną nie jest, ale czuję, że nadchodzi nie tylko przeziębienie.

Na Corsa. W lodówce pusto. Ostatni ramen zjadłam dwa dni temu, dziś rano wyrzuciłam resztki chińszczyzny, a te paluszki McNuggets to kiepski pomysł nawet wtedy, gdy są świeże. Patrzę na drzwi i okno, które zostawiłam otwarte, chociaż mamy marzec. Wiem, że skończyło się jedzenie w domu. Nie mam ochoty iść na Boston Road, ale chyba nie da się tego uniknąć. Usiądę i pooglądam telewizję, aż dopadnie mnie głód, którego w tej chwili nie czuję, wtedy wyjdę.

No więc idę Corsa w kierunku Boston, mając nadzieję na własną chwilę triumfu w stylu Mary Tyler Moore. To najgłupszy pomysł — przeżyć coś takiego na ulicy pełnej ludzi, którzy tego nie przeżywają, ale i tak puszczam wodze fantazji. Tak to jest, kiedy całe życie człowieka sprowadza się do pracy, telewizji i żarcia na wynos. Właściwie to się zamerykanizowałam, jasna cholera, chrzanić te wszystkie wasze zasady. Sama nie wiem. Ale wiem, że gdybym łyknęła xanax, nie myślałabym aż tak dużo. Lubię wierzyć, że wszystko w moim domu, od ręczników w tym samym kolorze po ekspres do kawy uruchamiany jednym przyciskiem, istnieje po to, żeby uprościć mi życie, ale uświadamiam sobie, że tak naprawdę istnieje po to, żebym nie myślała. Proszę sobie wyobrazić, że moja matka uważała, że nigdy nie ułożę sobie życia.

Boston Jamaica Jerk Chicken. Jamajskie potrawy. Ciepłe i serwowane błyskawicznie. Dwa rzędy pomarańczowych kanap ze stołami, na każdym stole keczup, sól i pieprz. Zjeść na miejscu? Ta myśl ulatuje jeszcze szybciej, niż się pojawiła. Na ladzie obok kasy stoi patera z kokosankami, przypomina mi wieś. Nigdy nie lubiłam wsi — za dużo kokosanek i wychodków. Obok druga patera z czymś, co wygląda jak ciasto batatowe. Nie jadłam tego od tysiąc dziewięćset siedemdziesiątego dziewiątego roku, nie, nawet dawniej. Im dłużej patrzę, tym większą mam ochotę i tym bardziej czuję, że to oznaka jakiejś głębszej potrzeby, może powinnam posmakować Jamajki, a to już zakrawa na jakieś psychologiczne pierdolenie. Zabawniej pomyśleć, że chcę poczuć w ustach coś jamajskiego oprócz penisa. Sprośna ze mnie kobieta — nie, raczej sprośnah dziewucha.

Teraz mie bierze ochota, żeby mówić patois przez całą noc, i to wcale nie dlatego, że popołudnie spędziłam z tą kobietą i jej rannym gangsterem. Może dlatego, że patrze na te cholerne kokosanki i korci mie, żeby spytać, czy mają dukunnu, aszam albo jackass corn.

— Co podać?

Nawet go nie zauważyłam, siedzi za ladą, ale rozumiem, dlaczego on zauważył mnie dopiero po chwili. Krykiet na ekranie małego czarno-białego telewizora stojącego na plastikowym krześle.

— Indie Zachodnie kontra Indie. Oczywiście znowu totalne pierdolenie zamiast gry.

Kiwam głową. Nigdy nie lubiłam krykieta, nigdy. Ciemna skóra, brzuszysko między dwiema umięśnionymi rękami i siwa bródka. To chyba pierwszy Jamajczyk, z jakim rozmawiam od tygodni. Unosi brwi, już się mną znudził.

— Mogę pieczonego, nie, smażonego, tak, smażonego kurczaka i ryż z fasolą, jeśli macie, i pieczone banany, i surówkę, i…

— Oj, paniusiu, powoli. Żarcieh nigdzie nie ucieknie.

Śmieje się ze mnie. No, raczej się szczerzy, a ja nie mam nic przeciwko temu, zastanawiam się tylko, kiedy ostatnim razem rozbawiłam mężczyznę.

— Ale banany dojrzałe?

— Tak.

— Jak bardzo?

— Tak jak trzeba.

— Aha.

— Sie pani nie martwi, porządnie dojrzałe. Sie rozpłyną w ustach.

Powstrzymuję się od skomentowania, że to najpyszniejszy opis jedzenia, jaki w życiu słyszałam.

— Trzy porcje poprosze.

— Trzy?

— Trzy. Aha, i przy okazji, macie ogonową albo koźli łeb z curry?

— Ogonowa tylko w weekendy. Koźli właśnie wyszed.

— No to kurczak. Udko poprosze.

— Do picia?

— Szczaw jest?

— Tak.

— Myślałam, że szczaw tylko w Boże Narodzenie.

— Ej, to gdzie sie pani chowała przez ostatnie sto lat? Wszystko jamajskie tcraz pakowane i w sprzedaży.

— A smakuje dobrze?

— Smakuje nieźle.

— To biore.

Nie chce mi się targać tego całego jedzenia do domu. No nie wiem, ale spodobał mi się pomysł, żeby usiąść do kurczaka w tym małym barze, słysząc, jak komentator w telewizji ekscytuje się meczem krykieta. Przy stoliku po drugiej stronie leżą „Gleaner" i „Star". I „Jamaica Observer", o którym nigdy nie słyszałam. Mężczyzna włącza duży telewizor zawieszony pod sufitem i od razu pojawia się krykiet.

— To JBC? — pytam.

— Skont, jakaś wschodząca sieć karaibska, może z Trynidadu, bo wszyscy tak pośpiewują zamiast mówić. To przez nich teraz na Jamajce festiwal.

— Festiwal? Grają soka?

— Ihi.

— Od kiedy na Jamajce lubią soka?

— Od kiedy aptaun chce mieć powód, żeby w staniku i majtkach tańczyć na ulicy. Ej, pani nie słyszała o festiwalu?

— Nie.

— Chyba nie wracamy za często, eh? Albo nie ma pani rodziny na wyspie. Gazety czytamy?

— Nie.

— Zapomnić próbuje, zapomnić.

— Co?

— Nieważne, złotko. Mam nadzieję, że dzieci chowasz po jamajsku, a nie bez dyscypliny jak Amerykanie.

— Nie mam… znaczy sie tak. .

— To dobrze. Dobrze. Tak jak mówi Biblia. Uczyć dziecko, jak ma sie chować i…

Rozkojarzyłam się. Siedzę w małym jamajskim barze, głucha na faceta serwującego mi babcine mądrości. Ale cholera, ten kurczak jest dobry, jasnobrązowy i kruchy, miękki w środku, jakby najpierw go podsmażył, a potem upiekł. I ryż, i fasola razem, a nie gówno serwowane osobno jak w Popeyes, że potem sama muszę mieszać. Zjadłam już jedną trzecią porcji bananów i właśnie mam uznać szczaw za swój ulubiony, przetworzony, prawdopodobnie toksyczny, chemicznie podrasowany napój.

— Żeż w pizde no.

Nie pamiętam, kiedy ostatni raz słyszałam te słowa padające z obcych ust.

— Żeż w pizde no.

— Co jest?

— Patrz, złotko. W pizde.

Widzę kiepskie nagranie przedstawiające tłum Jamajczyków, prawdopodobnie ten sam materiał archiwalny, który wykorzystują od piętnastu lat, kiedy chcą pokazać coś o Jamajce. Ci sami czarni w T-shirtach i topach, podskakująca kobieta, transparenty zrobione z tektury przez ludzi, którzy nie znają ortografii. Ten sam wojskowy jeep przewija się przez kadr. Poważnie.

— W pizde żeż…

Już chcę go spytać, co jest takiego szczególnego w tej relacji, gdy nagle czytam informację na pasku u dołu ekranu.

ZWĘGLONE ZWŁOKI JOSEYA WALESA ZNALEZIONE W CELI.

Mężczyzna robi głośniej, ale ja i tak nic nie słyszę. Na ekranie widać kamienną płytę. Jakiś mężczyzna, półnagi, skóra połyskująca, jakby się topił od słońca, bok i klatka piersiowa miejscami sczerniałe, do tego duże białe plamy, jakby tylko skóra się spaliła z wierzchu. Skóra odłażąca jak z prosięcia. Nie wiem, czy obraz jest niewyraźny, czy ten człowiek naprawdę się stopił.

— Kopenhaga teraz w płomieniach. I tego samego dnia idą pochować mu syna? Boże, co za bajzel.

Znowu biegną u dołu ekranu: ZWĘGLONE ZWŁOKI JO-
SEYA WALESA ZNALEZIONE W CELI ⋆ ZWĘGLONE ZWŁO-
KI JOSEYA WALESA ZNALEZIONE W CELI ⋆ ZWĘGLONE
ZWŁOKI JOSEYA WALESA ZNALEZIONE W CELI ⋆ ZWĘGLO-
NE ZWŁOKI JOSEYA WALESA ZNALEZIONE W CELI.

— Żadnych śladów włamania, odwiedzin tego dnia, nikt nie
wie, jak on móg sie spalić. Może sam sie podpalił? W morde, mie...

— To na pewno on?

— A kto miałby być? Jakiś drugi w zakładzie karnym z nazwiskiem Josey Wales? W dupe. Przepraszam, paniusiu, ja musze
ludzi obdzwonić. Nie moge... Co pani?

Przeciskam się przez drzwi i w tej samej chwili bluzgam wy-
miocinami na chodnik. Ktoś po drugiej stronie ulicy na pewno
patrzy, jak rzygam po jamajsku, a skurcze żołądka wyciskają ze
mnie życie. Nikt jednak nie podchodzi. Zostawiam kolorowe
rozbryzgi przed drzwiami do baru. Próbuję się wyprostować, ale
żołądek znowu wierzga i zginam się wpół, ale już nie mam czym
rzygać. Facet przynajmniej wrócił za ladę. Wbiegam do środka,
biorę torebkę i wychodzę.

Leżę na kanapie, telewizor włączony już drugą godzinę, ale
wciąż nie wiem, co oglądam. Chyba nigdy wcześniej nie widziałam spalonego człowieka. Naprawdę powinnam mieć narzutę na
tę kanapę. No i może obraz albo coś do dużego pokoju. I ładną roślinę, nie, może być tylko sztuczna, u mnie zmarniałoby
wszystko, co żywe. Od kilku minut trzymam telefon na kolanach.
Dzwoni w chwili, gdy na ekranie pojawia się lista płac.

— Halo?

— Łączę międzynarodową, proszę pani.

— Dziękuję, bardzo dziękuję.

Ręce mi drżą, słuchawka stuka o kolczyk.

— Halo? Halo? Halo, kto mówi?

Ręce mi drżą i wiem, że jeśli się teraz nie przełamię, trzasnę
słuchawką, zanim ona zdąży się znowu odezwać.

— Kimmy?

PODZIĘKOWANIA

Colin Williams zaczął zbierać materiały do mojej powieści, zanim jeszcze zorientowałem się, że będzie powieść. Część owoców jego ciężkiej pracy pojawia się w tej książce, ale większość spożytkuję w następnej. Gdy researcherem został Benjamin Voigt, miałem już zarys fabuły, nawet kilka stron tekstu, ale do powieści było jeszcze daleko. Problem polegał na tym, że nie wiedziałem, czyją historię chcę opowiedzieć. Kolejne wersje, kolejne strony, kolejne postacie, a ja wciąż nie miałem struktury fabularnej ani motywu przewodniego, nic. Pewnej niedzieli podczas kolacji Rachel Perlmeter zasugerowała: A gdyby to nie była historia jednego człowieka? Spytała, jak dawno temu czytałem *Kiedy umieram* Faulknera. Rozmawialiśmy również o Marguerite Duras, dlatego przeczytałem potem *Kochanka z północnych Chin*. Miałem już swoją powieść, właściwie miałem ją przed nosem cały czas. W pełni ukształtowane i nie do końca ukształtowane postacie, luźne sceny, kilkaset stron, którym należało nadać porządek i sens. Miała to być powieść napędzana głosem. Wreszcie wiedziałem, o co prosić moich dwóch pozostałych researcherów, Kennetha Barretta i Jeesona Choi. Jednocześnie, dzięki stypendium z Macalester College, gdzie wykładam, sam także mogłem zbierać materiały. Cztery lata spędzone na pisaniu nie okazałyby się tak owocne, gdyby nie pomoc moich wspaniałych, twórczych, rzucających wyzwania studentów i silne wsparcie Wydziału Anglistyki. Urlop naukowy też nie poszedł na marne. Część tego czasu spędziłem we francuskiej kawiarence w South Beach w Miami, co było możliwe dzięki uprzejmości i gościnności Toma Borrupa i Harry'ego Watersa, którzy (odpukać w niemalowane) do dziś nie biorą ode mnie pieniędzy za kwaterę, chociaż wciąż wynajduję preteksty, żeby u nich pomieszkiwać. Tak naprawdę wersja, którą pokazałem mojej cudownej agentce Ellen Levine i wspaniałemu redaktorowi Jakeiowi Morrisseyowi, została napisana blisko plaży. Oczywiście pierwszą wersję przeczytał wcześniej Robert Mclean, jedyna osoba, której ufam na tyle, aby pokazać jej niedokończony tekst (on nie ma pojęcia, dlaczego tak

743

bardzo mu zawierzam). Jeffrey Bennett, nieoceniony czytelnik ostatniej wersji, zredagował całość, zanim tekst trafił do wydawcy, między innymi poprawił moją chybioną wizję trasy z lotniska JFK na Bronx. Podziękowania kieruję także do Marthy Dicton, która przetłumaczyła fragment na kubański hiszpański, gdy sądziłem błędnie, że meksykański hiszpański załatwi sprawę. Pisarz często przeżywa chwile zwątpienia i dekoncentracji, dlatego dziękuję Ingrid Riley i Casey Jarrin za niezachwianą przyjaźń i zasłużone kopniaki w tyłek. Dziękuję rodzinie i przyjaciołom i myślę, że moja mama nie powinna czytać czwartej części tej książki.

MARLON JAMES

SPIS ALBUMÓW I UTWORÓW PRZEWIJAJĄCYCH SIĘ W POWIEŚCI

ORIGINAL ROCKERS

Augustus Pablo, *Original Rockers*
Bob Marley, *Midnight Ravers*
Marty Robbins, *Gunfighter Ballads and Trail Songs*
Delroy Wilson, *Better Must Come*
Bob Marley, *And I Love Her* (cover)
The Beatles, *Ob-La-Di, Ob-La-Da*
Bob Marley, *Revolution*
Bob Marley, *Small Axe*
Velvet Underground, *I Found A Reason*
Boney M., *Ma Baker*
Andrea True Connection, *More More More*
Silver Convention, *Fly, Robin, Fly*
Abba, *Dancing Queen*
Serge Gainsbourg, Jane Birkin, *Je t'aime… moi non plus*
Rolling Stones, *Black and Blue*
Willie Williams, *Armagideon Time*
Rick Dees, *Disco Duck*
Bob Marley, *Johnny Was a Good Man*
Bob Marley, *Get Up, Stand Up*
Bob Marley, *Them Belly Full (But We Hungry)*
Rolling Stones, *Let It Bleed*
Rolling Stones, *Goats Head Soup*
Marty Robbins, *El Paso*
Marty Robbins, *Big Iron*
John Lennon, *Give Peace a Chance*
Bob Marley, *African Herbsman*
Marijohn Wilkin, Kris Kristofferson, *One Day at a Time, Sweet Jesus*

AMBUSH IN THE NIGHT

Bob Marley, *Ambush in the Night*
Bob Marley, *Crazy Baldhead*
Bob Marley, *Natty Dread*
Bob Marley, *I Shot the Sheriff*
Bob Marley, *Stir It Up*
Martha and the Vandellas, *Dancing in the Street*
Emerson, Lake and Palmer, *Brain Salad Surgery*
Millie Small, *My Boy Lollipop*
Eric Clapton, *Layla*
Alton Ellis, *Girl, I've Got a Date*
Dillinger, *Chalice in the Palace*
Big Youth, *S90 Skank*
Colon Man a-Come (ballada ludowa)
Tina Charles, *I Love to Love*
Louis Jordan, *Choo Choo Ch'boogie*

SHADOW DANCIN'

Andy Gibb, *Shadow Dancin'*
Andy Gibb, *I Just Want to Be Your Everything*
Silver Convention, *Fly, Robin, Fly*
Bee Gees, *We Should Be Dancing*
Jacob Miller, *Peace Treaty Special*
Jimmy Cliff, *Vietnam*
Bob Dylan, *Slow Train Coming*
Bob Marley, *And I Love Her* (cover)
Prince Buster, *You Won't See Me* (cover)
Andrea True Connection, *More More More*
Rolling Stones, *Some Girls*
Culture, *Two Sevens Clash*
Stevie Wonder, *Master Blaster*

WHITE LINES/KIDS IN AMERICA

Melle Mel, *White Lines*
Kim Wilde, *Kids in America*

John Lennon, *Give Peace a Chance*
Gregory Isaacs, *Night Nurse*
Deniece Williams, *Let's Hear It for the Boy*
Boy George, *Black Money*
Whodini, *Freaks Come Out at Night*
The O'Jays, *Love Train*
Chic, *Good Times*
Billy Vaughn, *La Paloma*
Millie Jackson, *If You're Not Back in Love by Monday*
Prince, *Let's Go Crazy*
Prince, *Take Me with U*
Michael Jackson, *Thriller*
Andrea True Connection, *More More More*
Bob Marley, *Buffalo Soldier*
Bob Marley, *Redemption Song*

SOUND BOY KILLING

Mega Banton, *Sound Boy Killing*
Johnny Kemp, *Just Got Paid*
The Waitresses, *I Know What Boys Like*
Bob Marley, *Three Little Birds*
Rolling Stones, *Sticky Fingers*
Gregory Issacs, *Night Nurse*
Village People, *In the Navy*

SPORZĄDZIŁ ROBERT SUDÓŁ

SPIS TREŚCI

Opieka redakcyjna
Paweł Ciemniewski

Redakcja
Anna Rudnicka

Korekta
Aneta Tkaczyk, Kamil Bogusiewicz

Projekt okładki
Oneworld Publications

Zdjęcie autora na okładce
© Jeffrey Skemp

Zdjęcia wykorzystane na okładce
Shutterstock and Alamy

Opracowanie okładki na podstawie oryginału
Marek Pawłowski

Redakcja techniczna
Robert Gębuś

Printed in Poland
Wydawnictwo Literackie Sp. z o.o., 2016
ul. Długa 1, 31-147 Kraków
bezpłatna linia telefoniczna: 800 42 10 40
księgarnia internetowa: www.wydawnictwoliterackie.pl
e-mail: ksiegarnia@wydawnictwoliterackie.pl
fax: (+48-12) 430 00 96
tel.: (+48-12) 619 27 70
Skład i łamanie: Infomarket
Druk i oprawa: CPI Moravia Books